개념과 정리가 한번에 끝나는 기본서

개념풀

생명과학 I

쉽게 풀어 이해가 잘되는

개념책

구성과 특징

쉽게 풀어 이해가 잘 되는 **개념책**

이해하기 쉬운 개념 학습

▪단원 도입 학습

'배울 내용 살펴보기'로 이 단원의 흐름을 한눈에 파악할 수 있습니다.

❶ 소단원별 흐름을 한눈에 파악

❷ 스토리로 단원의 흐름을 전개

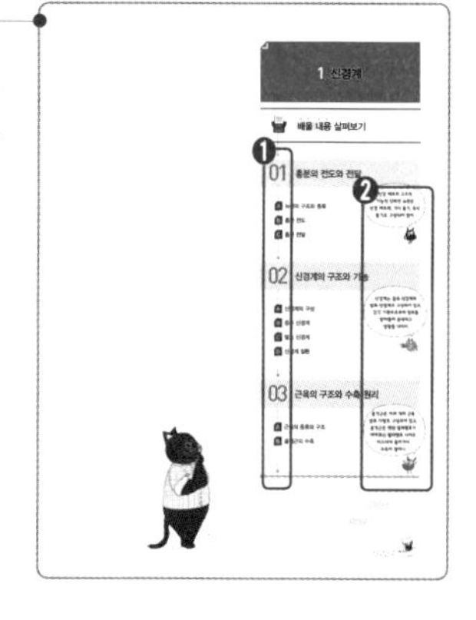

▪본문 학습

8종 교과서를 완벽 분석하여 중요 개념을 쉽게 풀어 정리하였습니다.

❶ '핵심 키워드로 흐름잡기'와 '출제 단서'를 통해 시험에 잘 나오는 중요 개념을 한눈에 파악

❷ '빈출 자료', '빈출 탐구', '빈출 계산연습'으로 관련 내용을 생생하게 설명

❸ '용어 알기'를 통해 내용을 이해하는 데 도움이 되는 단어 정리

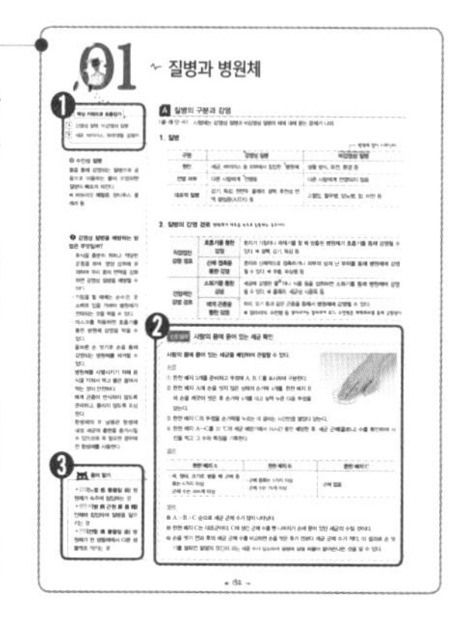

▪특강 학습

개념과 탐구의 완벽한 이해를 위해 생생한 자료로 자세하게 설명하였습니다.

❶ '개념 POOL'을 통해 개념을 한 번에 쉽게 이해

❷ '탐구 POOL'을 통해 교과서 중요 탐구를 과정별 사진으로 생생하게 제시

❸ '확인 문제'로 이해도 점검

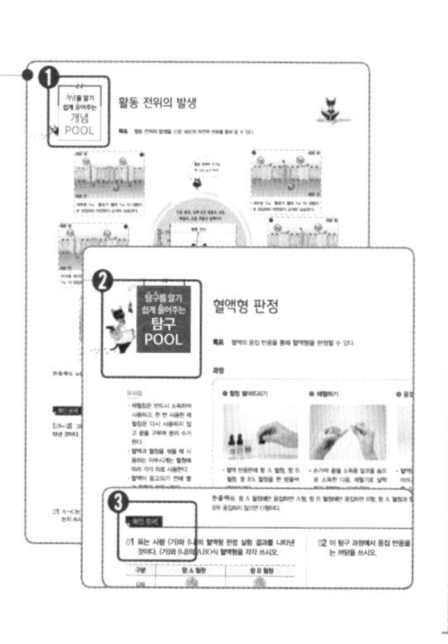

다양한 유형의 단계별 문제

▪콕콕! 개념 확인하기

개념 확인에 적합한 유형을 엄선하여 구성하였습니다.

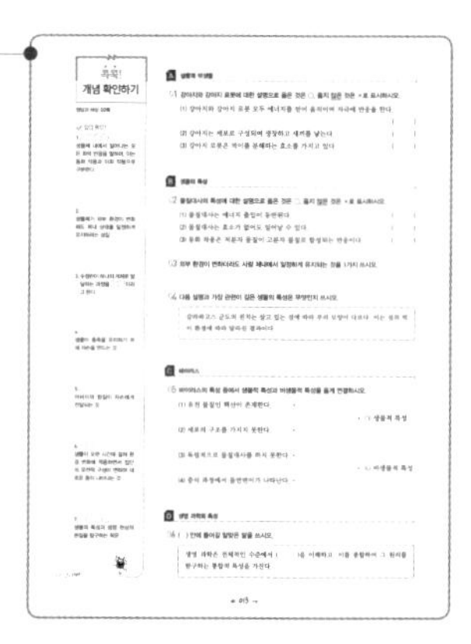

▪탄탄! 내신 다지기

학교 시험 빈출 유형 중에서 난이도 중 이하의 문제로 구성하였습니다.

▪도전! 실력 올리기

학교 시험에 꼭 나오는 난이도 중상의 문제와 서답형 문제로 구성하였습니다.

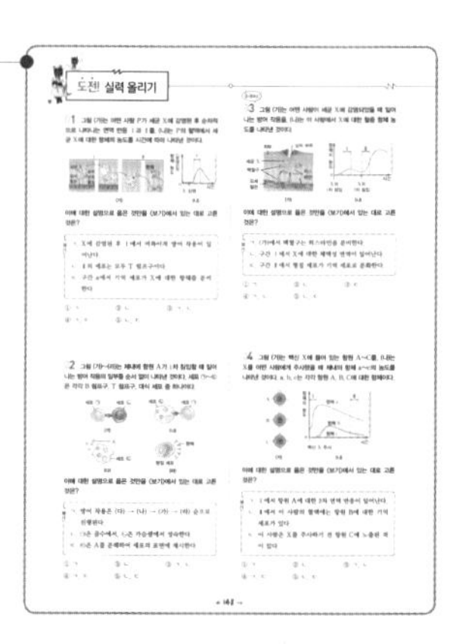

개념 학습과 정리가 한번에 끝나는 기본서 개념풀

개념책+정리노트 제대로 활용하기

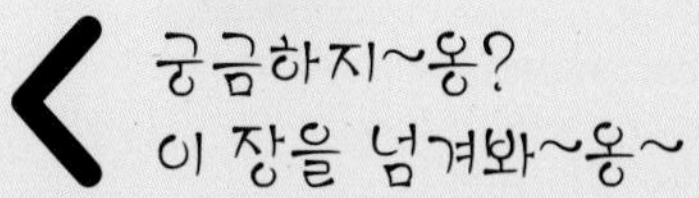

생명과학Ⅰ을 집필하신 선생님

윤세진 구현고등학교 교사

이재경 자양고등학교 교사

권주희 환일고등학교 교사

이승후 숭의여자고등학교 교사

실전에 대비하는 마무리 학습

▪수능을 알기 쉽게 풀어주는 수능 POOL

출제 의도와 문제 분석을 통해 수능 대표 유형을 미리 연습할 수 있도록 구성하였습니다.

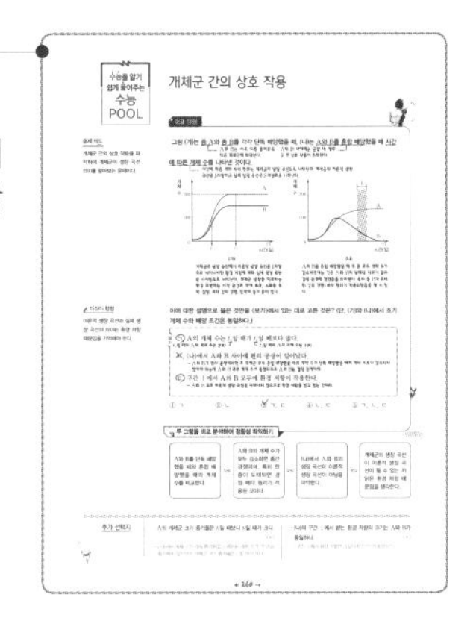

▪실전! 수능 도전하기

수능 기출 분석을 통한 실전 수능형 문제로 구성하여 수능에 대비할 수 있도록 구성하였습니다.

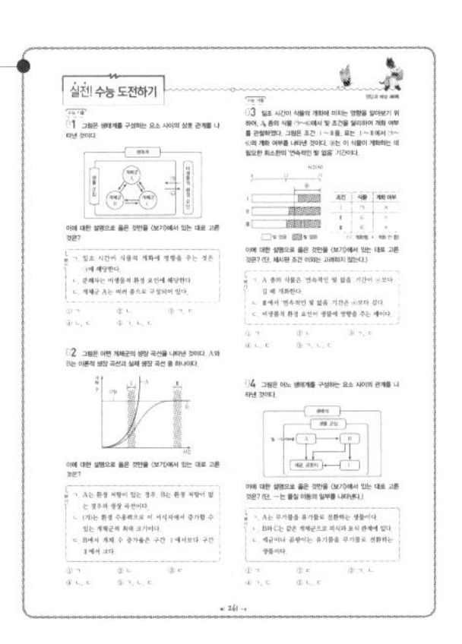

▪대단원 마무리

'한눈에 보는 대단원 정리'를 통해 대단원 핵심 내용을 다시 한 번 정리하고, '한번에 끝내는 대단원 문제'로 학교 시험에 대비할 수 있도록 구성하였습니다.

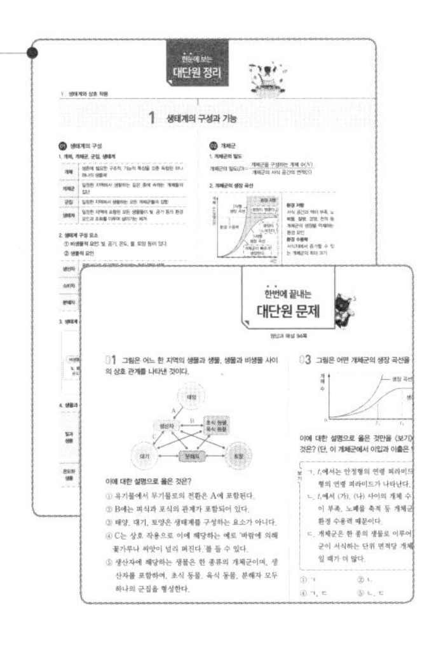

학습한 개념을 정리해 보는 나만의 정리노트

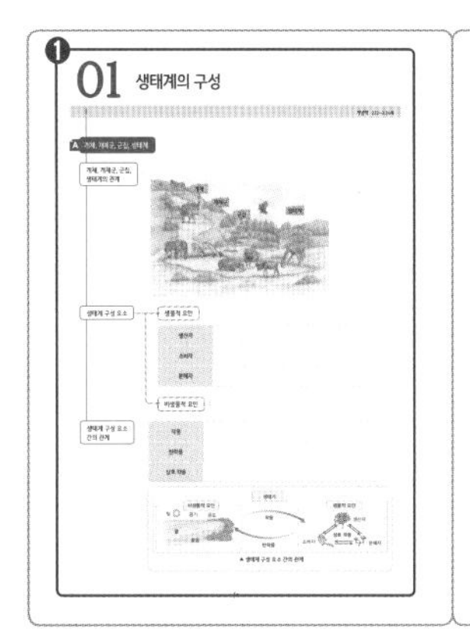

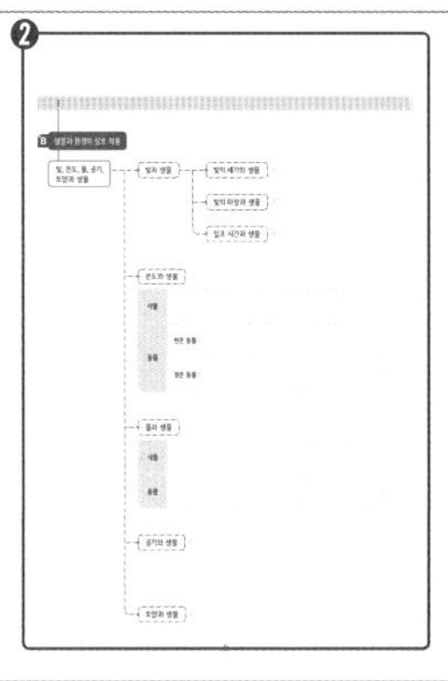

▪소단원별 노트 정리

❶ 개념책의 흐름을 한눈에 살펴보고 스스로 정리해 볼 수 있도록 충분한 여백을 두고 구성하였습니다.

❷ 개념책과 교과서를 보면서 소단원 전체의 중요한 내용을 정리하여 단권화할 수 있도록 최적의 노트 형태로 구성하였습니다.

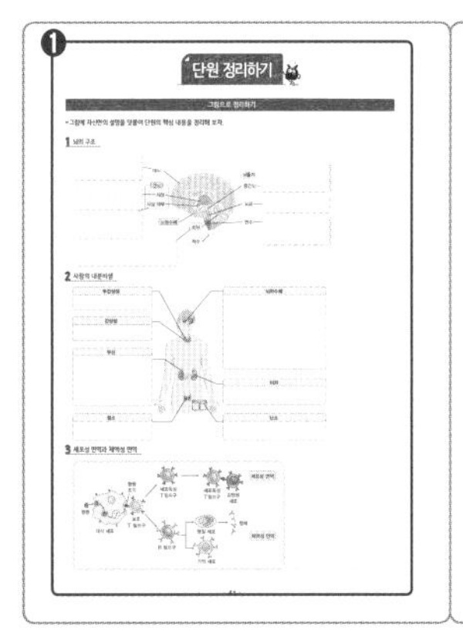

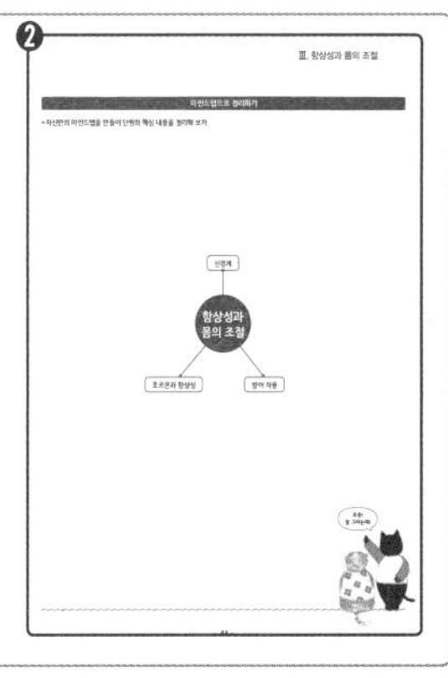

▪단원 정리하기

❶ '그림으로 정리하기'는 단원별로 중요한 그림에 자신만의 설명을 적어 정리할 수 있도록 구성하였습니다.

❷ '마인드맵으로 정리하기'는 자신만의 마인드맵을 만들어 단원의 핵심 내용을 구조화하여 정리할 수 있도록 구성하였습니다.

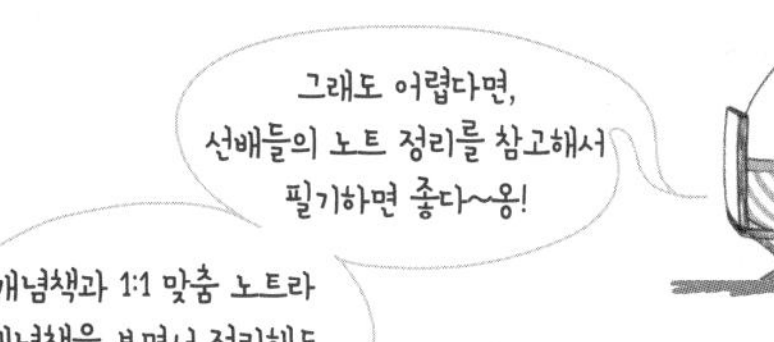

차례

I 생명 과학의 이해

II 사람의 물질대사

III 항상성과 몸의 조절

Ⅳ 유전

Ⅴ 생태계와 상호 작용

개념풀과 우리 학교

교과서 비교

대단원	중단원	소단원	개념풀
I 생명 과학의 이해	1 생명 과학의 이해	01. 생물의 특성과 생명 과학의 특성	10~17
		02. 생명 과학의 탐구 방법	18~25
II 사람의 물질대사	1 사람의 물질대사	01. 생명 활동과 에너지	38~47
		02. 노폐물의 배설과 기관계의 통합적 작용	48~55
		03. 물질대사와 질병	56~61
III 항상성과 몸의 조절	1 신경계	01. 흥분의 전도와 전달	74~85
		02. 신경계의 구조와 기능	86~97
		03. 근육의 구조와 수축 원리	98~105
	2 호르몬과 항상성	01. 호르몬	112~117
		02. 항상성 유지	118~127
	3 방어 작용	01. 질병과 병원체	132~137
		02. 우리 몸의 방어 작용	138~149
IV 유전	1 유전의 원리	01. 염색체와 유전 물질	162~171
		02. 생식세포 분열	172~181
	2 사람의 유전과 유전병	01. 사람의 유전	186~197
		02. 유전자 이상과 염색체 이상	198~209
V 생태계와 상호 작용	1 생태계의 구성과 기능	01. 생태계의 구성	222~229
		02. 개체군	230~239
		03. 군집	240~249
		04. 에너지 흐름과 물질 순환	250~259
	2 생물 다양성과 보전	01. 생물 다양성	266~273
		02. 생물 다양성 보전	274~279

교학사	금성	동아	미래엔	비상	지학사	천재	YBM
13～21	16～23	13～21	14～25	11～14, 20～24	12～16, 18～21	11～18	12～20
22～25	28～33	22～25	26～29	15～18	22～25	19～22	21～25
33～36, 38～39	46～51	35～41	38～40, 42～45	35～40	34～40	33～40	31～38
40～43	52～55	41～42, 44～45	46～53	41～43	42～45	41～43	39～44
46～53	58～63	46～49	54～59	44～48	46～49	44～47	47～51
61～69	76～82	59～64	70～77	59～65	60～67	59～65	63～69
76～83	86～92	69～76	82～92	70～78	68～77	67～74	77～85
72～75	83～85	65～67	78～81	66～68	78～81	75～78	70～73
86～88	98～100	78～82	94～95	82～84	82～83, 88～89	83～86	87～91
88～94	101～105	83～87	96～99	85～90	84～87	87～90	92～96
96～98	110～113	93～97	100～105	92～95	92～93	95～99	99～105
100～103, 105～109	114～121	98～105	106～115	96～103	94～100	100～107	105～112
121～126	134～136	117～122	126～131	115～120	112～115	119～122	125～130
128～132	137～143	124～128	131～139	122～128	116～125	123～129	132～138
134～139	148～152	135～143	140～144	130～139	126～133	135～140	141～149
142～149	153～157	144～151	146～152, 154～155	142～149	134～140	141～146	150～158
157～162	168～171	163～166	166～169	159～160	152～154	157～159	171～173
163～167	172～179	167～172	170～175	161～168	155～161	160～164	174～177
168～177	180～188	173～178, 180～182	176～179, 182～187	170～178	162～173	165～171	178～187
178～182	189～194	183～189	188～193	180～186	176～181	172～175	191～194
184～187	200～203	195～197	194～197	188～192	182～187	181～185	197～199
188～191	204～205, 207	198～202	198～201	193～199	188～191	186～192	200～204

I

생명 과학의 이해

나의 학습 계획표

중단원	소단원	계획일	실천일	성취도
1 생명 과학의 이해	01. 생물의 특성과 생명 과학의 특성	/	/	○△×
	02. 생명 과학의 탐구 방법	/	/	○△×
	수능 POOL + 실전! 수능 도전하기	/	/	○△×
	대단원 정리 + 문제	/	/	○△×

1 생명 과학의 이해

배울 내용 살펴보기

01 생물의 특성과 생명 과학의 특성

- A 생물과 비생물
- B 생물의 특성
- C 바이러스
- D 생명 과학의 특성

생물은 세포로 구성되어 있고, 물질대사를 하며, 자극에 대해 반응을 하고 항상성의 특성을 가지고 있어. 또, 발생과 생장을 하고 생식과 유전을 하며, 적응과 진화를 하며 살아가지.

02 생명 과학의 탐구 방법

- A 귀납적 탐구 방법
- B 연역적 탐구 방법

가설 설정 과정이 있는 생명 과학의 탐구 방법은 연역적 탐구 방법이야.

01 생물의 특성과 생명 과학의 특성

핵심 키워드로 흐름잡기

- A 생물, 비생물
- B 세포, 물질대사, 동화 작용, 이화 작용, 자극, 반응, 항상성, 발생, 생장, 생식, 유전, 적응, 진화
- C 바이러스, 박테리오파지
- D 생명 과학

A 생물과 비생물

|출·제·단·서| 시험에는 강아지와 강아지 로봇의 차이점을 알고, 생물과 비생물의 특징을 비교하는 문제가 나와.

1. 생물과 비생물 비교 생물과 비생물을 비교하여 차이를 구분하려면 생물의 구조적, 기능적 특성을 분석해야 한다.

• 강아지와 강아지 로봇의 비교

구분	강아지	강아지 로봇
차이점	• 구조적 특성: 세포로 구성되어 있다. • 기능적 특성: 먹이에서 에너지를 얻고, 호흡과 배설을 한다. 체온을 유지하고, 유전 물질을 가지고 있으며, 생장하고 새끼를 낳는다.	• 구조적 특성: 부품으로 구성되어 있다. • 기능적 특성: 전지에서 에너지를 얻고 호흡과 배설을 하지 않는다. 생장하지 못하며, 새끼를 낳지 못한다.
공통점	• 구조적 특성: 4개의 다리와 머리, 몸통, 꼬리를 가진다. • 기능적 특성: 에너지를 얻어 움직이고, 자극에 반응하며, 소리를 낸다.	
결론	강아지는 생물, 강아지 로봇은 비생물이다.	

B 생물의 특성

- 개체 유지 현상: 세포로 구성, 물질대사, 자극에 대한 반응과 항상성, 발생과 생장
- 종족 유지 현상: 생식과 유전, 적응과 진화

|출·제·단·서| 시험에는 특정 생물의 특성에 해당하는 생명 현상을 찾거나, 이에 대한 예를 찾는 문제가 나와.

1. 세포로 구성 모든 생물은 세포로 구성되어 있으며, 모든 생물의 구조적, 기능적 단위는 세포이다.

(1) 단세포 생물 하나의 세포로 이루어진 생물이다. 예 아메바, 대장균, 짚신벌레 등

(2) 다세포 생물 여러 개의 세포가 체계적이고 유기적으로 조직되어 이루어진 생물이다. 예 사람, 코끼리, 양파, 민들레 등

2. 물질대사❶ 생물체 내에서 일어나는 모든 화학 반응을 말하며, 생물체는 물질대사를 통해 필요한 물질을 합성하고 에너지를 얻는다.

(1) 물질대사의 특징 물질대사가 일어날 때에는 에너지 출입이 일어나며, 생체 •촉매인 효소❷가 반드시 관여하여 반응이 단계적으로 일어난다.

(2) 물질대사의 구분 물질대사의 종류에는 동화 작용과 이화 작용이 있다.

동화 작용인 광합성은 빛에너지를 흡수하여 이산화 탄소와 물로부터 포도당을 합성한다.

구분	물질의 변화	에너지 변화	예
동화 작용	저분자 물질이 고분자 물질로 합성된다.	에너지를 흡수한다.(흡열 반응)	광합성, 단백질 합성
이화 작용	고분자 물질이 저분자 물질로 분해된다.	에너지를 방출한다.(발열 반응)	세포 호흡, 소화

이화 작용인 세포 호흡을 통해 포도당을 이산화 탄소와 물로 분해하면서 생활에 필요한 에너지를 얻는다.

❶ 물질대사

▲ 동화 작용과 이화 작용

❷ 효소

생물체 내에서 촉매 역할을 하는 물질이며 주로 단백질로 구성되어 있다.

? 단세포 생물의 세포 분열과 다세포 생물의 세포 분열은 어떻게 다를까?

- 단세포 생물에서 세포 분열이 일어나면 생물의 수가 늘어나며, 이는 생식을 의미한다.
- 다세포 생물에서 세포 분열이 일어나면 세포가 늘어나 생물의 크기가 커진다. 다세포 생물에서 생식을 담당하는 세포는 따로 존재한다.

용어 알기

•촉매(닿을 觸, 중매할 媒) 화학 반응에서 활성화 에너지를 변화시켜 반응 속도를 변화시키는 물질이며, 반응 전후에 변하지 않음

3. 자극에 대한 반응과 항상성

(1) 자극에 대한 반응 생물은 빛, 온도, 소리, 접촉 등과 같은 자극을 감지하고 이에 대해 적절하게 반응하여 생명을 유지한다.

예
- 미모사는 잎에 물체가 닿으면 잎을 접는다.
- 식물은 빛이 비치는 쪽으로 굽어 자란다.
- 사람은 밝은 곳에서 동공이 작아지고 어두운 곳에서 동공이 커진다.❸

▲ 접촉에 대한 미모사의 반응

(2) 항상성 생물은 외부 환경이 변화하더라도 체온, 삼투압, 체내 수분량, 혈당량 등과 같은 체내 상태를 일정하게 유지하려고 한다.

예
- 사람은 더우면 땀을 흘려 체온을 일정하게 유지한다.
- 물을 많이 마시면 오줌의 양이 늘어나 체내 수분량을 일정하게 유지한다.

❸ 빛에 대한 동공 변화

홍채 이완 → 동공 축소

홍채 수축 → 동공 확대

4. 발생과 생장

(1) 발생 수정란이 하나의 개체로 발달하는 과정을 발생이라고 하며, 다세포 생물은 수정의 결과로 생긴 하나의 수정란이 세포 분열로 세포 수가 증가하고, 조직과 기관이 °분화하여 완전한 개체가 된다. 예 개구리의 수정란이 올챙이를 거쳐 개구리가 된다.

(2) 생장 다세포 생물에서 어린 개체가 세포 분열을 통해 세포 수를 늘려감으로써 몸의 크기와 무게가 증가하는 것이다. 예 어린 개구리가 성체 개구리로 자란다.

❹ 생식 방법
- 무성 생식: 암수의 생식세포가 결합하지 않고 자손을 만드는 생식 방법
  예 이분법, 출아법, 영양 생식 등
- 유성 생식: 암수 생식세포가 결합하여 자손을 만드는 생식 방법
  예 사람은 정자와 난자가 수정하여 새로운 개체를 만든다.

5. 생식과 유전

(1) 생식❹ 생물이 종족을 유지하기 위해 자신과 닮은 자손을 만드는 것이다.

예
- 짚신벌레는 이분법으로, 히드라는 출아법❺으로 생식한다.
- 사람은 생식세포의 수정으로 생식을 한다.

(2) 유전 생식의 결과 생긴 자손은 어버이 형질❻을 물려받아 어버이를 닮는데, 이와 같이 어버이의 형질이 자손에게 전달되는 것을 유전이라고 한다.

예 적록 °색맹인 어머니에게서 적록 색맹인 아들이 태어난다.

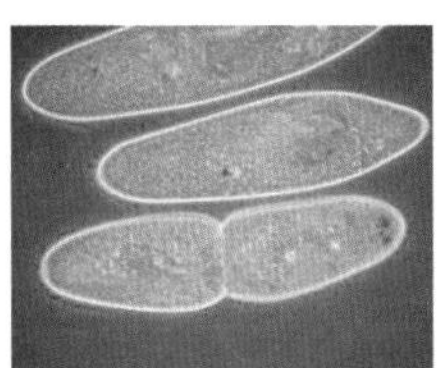
▲ 짚신벌레의 이분법

▲ 히드라의 출아법

▲ 코알라의 유전

▲ 왜가리의 유전

❺ 출아법
모체의 일부에서 싹이 나와(출아) 이것이 분리되어 새로운 개체가 되는 생식 방법이다.

❻ 형질
생물이 나타내는 특성을 말한다. 예를 들어 완두콩의 색깔, 모양, 사람 눈의 색깔 등이 형질에 해당한다.

6. 적응과 진화

(1) 적응 생물이 자신이 서식하는 환경에 적합하도록 구조와 기능, 행동 양식 등이 변화되는 현상이다. 예 계절에 따른 북극토끼의 털색 변화, 나뭇잎과 비슷한 형태의 가랑잎벌레

(2) 진화 생물이 오랜 시간에 걸쳐 환경 변화에 적응하면서 집단의 유전적 구성이 변하여 새로운 종이 나타나는 것을 진화라고 한다. 예 갈라파고스 군도의 핀치 부리 모양

▲ **북극토끼** 겨울에는 흰색, 여름에는 회갈색으로 털색을 바꾸어 천적의 눈을 피한다.

씨를 먹는 핀치

선인장 즙을 먹는 핀치

열매를 먹는 핀치

▲ **갈라파고스 군도의 핀치** 부리 모양이 섬에 따라 조금씩 다른데, 이는 섬의 먹이 환경에 적응하여 진화한 결과이다.

용어 알기 

- °분화(나눌 分, 될 化)(differentiation) 생물의 발생 과정에서 분열하고 증식된 세포가 각 세포에 맞는 형태와 구조, 기능이 변화하여 역할에 맞는 특이성을 확립해 가는 현상
- °색맹(빛 色, 소경 盲) 색깔을 구분하지 못하거나 다른 색깔로 착각하는 상태 혹은 그 증상이 있는 사람

C 바이러스

(암기TiP) 바이러스는 단백질 껍질과 핵산으로만 구성된다.

|출·제·단·서| 시험에는 바이러스가 가지는 생물적 특성과 비생물적 특성을 잘 알아야 풀 수 있는 문제가 나와.

1. 바이러스⑦ 살아 있는 세포 안에서만 살아 활동을 하는 •감염성 •병원체이다.

(1) 발견 1892년 담배모자이크병의 병원체를 밝히는 과정에서 발견되었다.

(2) 크기와 모양 0.05~0.1 μm로 세균보다 크기가 작고 다양한 모양을 가지고 있다.

(3) 구성 단백질 껍질과 유전 물질인 •핵산(RNA 또는 DNA)으로 구성된다.

(4) 특성 바이러스는 생물적 특성과 비생물적 특성을 함께 가진다.

생물적 특성	비생물적 특성
• 유전 물질인 핵산이 존재한다. • 숙주 세포 내에서는 물질대사를 하고 증식할 수 있다. • 증식 과정에서 유전 현상이 나타난다. • 증식 과정에서 돌연변이가 나타나 다양한 종류로 진화한다.	• 세포의 구조를 가지지 못한다. → 세포막과 리보솜이 없다. • 숙주 세포 밖에서는 단백질 결정체로 존재한다. • 독립적으로 물질대사를 하지 못한다. → 단백질 합성에 필요한 리보솜이 없으므로 물질대사에 필요한 효소를 합성하지 못한다.

⑦ 바이러스의 예

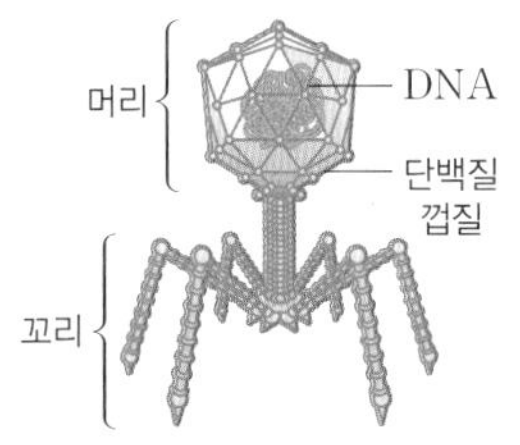

▲ T_2 박테리오파지

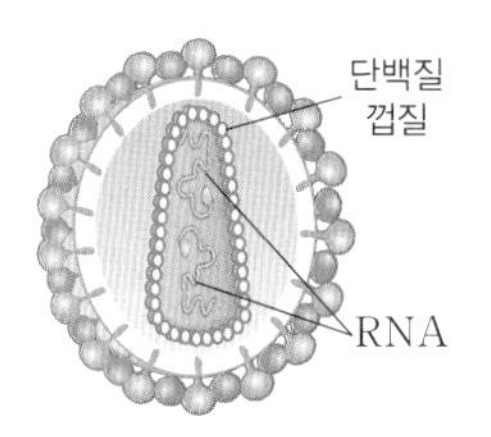

▲ 사람 면역 결핍 바이러스(HIV)

빈출 탐구 박테리오파지 모형 만들기

박테리오파지의 구조를 알아보고 이를 모형으로 제작한다.

과정

① 박테리오파지의 구조를 조사한다.

② 박테리오파지를 만들 재료를 선정한다.

③ 선정한 재료를 이용하여 박테리오파지 모형을 만들어 보자.

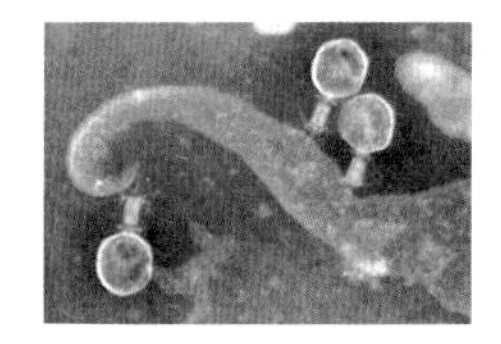

▲ 박테리오파지

결과

정리

❶ 박테리오파지 모형과 박테리오파지의 구조 비교

• 머리 — 단백질 껍질로 구성된 머리 부분이다.
— 머리 안쪽에 유전 물질을 포함하고 있다.

• 기둥과 다리 — 꼬리 부분에 해당된다.

❓ 바이러스는 최초의 생물체일까?

바이러스는 생물과 비생물의 특성을 함께 가지고 있어 최초의 생물체로 생각할 수 있다. 그러나 바이러스는 살아 있는 세포에 기생해야 물질대사를 하고 증식할 수 있으므로 최초의 생물체는 아니다.

D 생명 과학의 특성

|출·제·단·서| 생명 과학과 다른 학문 분야와의 연계성에 해당하는 사례를 알아두어야 해.

1. 생명 과학 생물의 특성과 생명 현상의 본질을 탐구하는 학문이다.

(1) 생명 과학은 전체적인 수준에서 생명 현상을 이해하고, 이를 종합하여 그 원리를 탐구하는 통합적 특성을 가진다.

(2) 생명 과학의 탐구 결과는 인류의 생존과 복지 향상에 기여한다.

(3) 생물의 구성 물질에서부터 생태계까지 모든 단계가 생명 과학의 연구 대상이다.

2. 생명 과학의 통합적 특성

(1) 다른 과학 분야와의 통합 물리학, 화학의 원리와 이론을 받아들여 생명 현상 연구에 필요한 과학적 분석 도구와 방법을 얻었다.

예 • 물리학을 바탕으로 전자 현미경을 발명하여 세포의 구조를 밝히는 데 도움을 받았다.
• 생화학과 측정 기술의 발달로 효소, 호르몬 등을 발견하고 그 기능을 밝혔다.

(2) 다양한 학문 분야와의 통합

① **연계 학문:** 컴퓨터 과학, 정보 기술, 수학, 지리학, 법학 등

② **통합 분야:** 생명 공학, 생물 정보학, 생물 통계학, 생물 지리학, 법의학 등

용어 알기

• 감염(느낄 感, 물들일 染) 병이나 병원체가 서서히 퍼지는 것

• 병원체(병 病, 근원 原, 몸 體) 바이러스, 세균 등 병을 일으키는 미생물 등을 말함

• 핵산(씨 核, 초 酸)(nucleic acid) 생물체의 유전 물질로 작용하며, 구성 기본 단위는 뉴클레오타이드이고, 핵산의 종류에는 RNA와 DNA가 있음

콕콕! 개념 확인하기

정답과 해설 02쪽

✔ 잠깐 확인!

1. □□□□
생물체 내에서 일어나는 모든 화학 반응을 말하며, 이는 동화 작용과 이화 작용으로 구분한다.

2. □□□
생물체가 외부 환경이 변화해도 체내 상태를 일정하게 유지하려는 성질

3. 수정란이 하나의 개체로 발달하는 과정을 □□이라고 한다.

4. □□
생물이 종족을 유지하기 위해 자손을 만드는 것

5. □□
어버이의 형질이 자손에게 전달되는 것

6. □□
생물이 오랜 시간에 걸쳐 환경 변화에 적응하면서 집단의 유전적 구성이 변하여 새로운 종이 나타나는 것

7. □□ □□
생물의 특성과 생명 현상의 본질을 탐구하는 학문

A 생물과 비생물

01 강아지와 강아지 로봇에 대한 설명으로 옳은 것은 ○, 옳지 않은 것은 ×로 표시하시오.

(1) 강아지와 강아지 로봇 모두 에너지를 얻어 움직이며 자극에 반응을 한다. ( )

(2) 강아지는 세포로 구성되며 생장하고 새끼를 낳는다. ( )

(3) 강아지 로봇은 먹이를 분해하는 효소를 가지고 있다. ( )

B 생물의 특성

02 물질대사의 특성에 대한 설명으로 옳은 것은 ○, 옳지 않은 것은 ×로 표시하시오.

(1) 물질대사는 에너지 출입이 동반된다. ( )

(2) 물질대사는 효소가 없어도 일어날 수 있다. ( )

(3) 동화 작용은 저분자 물질이 고분자 물질로 합성되는 반응이다. ( )

03 외부 환경이 변하더라도 사람 체내에서 일정하게 유지되는 것을 3가지 쓰시오.

04 다음 설명과 가장 관련이 깊은 생물의 특성은 무엇인지 쓰시오.

> 갈라파고스 군도의 핀치는 살고 있는 섬에 따라 부리 모양이 다르다. 이는 섬의 먹이 환경에 따라 달라진 결과이다.

C 바이러스

05 바이러스의 특성 중에서 생물적 특성과 비생물적 특성을 옳게 연결하시오.

(1) 유전 물질인 핵산이 존재한다. •

(2) 세포의 구조를 가지지 못한다. •

(3) 독립적으로 물질대사를 하지 못한다. •

(4) 증식 과정에서 돌연변이가 나타난다. •

• ㉠ 생물적 특성

• ㉡ 비생물적 특성

D 생명 과학의 특성

06 ( ) 안에 들어갈 알맞은 말을 쓰시오.

> 생명 과학은 전체적인 수준에서 ( )을 이해하고, 이를 종합하여 그 원리를 탐구하는 통합적 특성을 가진다.

탄탄! 내신 다지기

A 생물과 비생물

01 다음은 강아지 로봇에 대한 진술이다.

> (가) 전원을 켜면 돌아다니고, 사람 발밑에 앉거나 사람에게 몸을 비빈다.
> (나) 안아 주면 꼬리를 흔든다.
> (다) 전원을 끄면 더 이상 움직이지 않는다.

(가)~(다)에 해당하는 강아지 로봇에게서 나타나는 생물의 특성은?

① 물질대사 ② 발생과 생장 ③ 생식과 유전
④ 적응과 진화 ⑤ 자극에 대한 반응

B 생물의 특성

02 다음 중 생물의 특성에 해당하지 않는 것은?

① 기본 구성단위는 조직이다.
② 자신과 닮은 자손을 만든다.
③ 효소에 의한 물질대사가 일어난다.
④ 환경에 적합하게 몸의 구조와 기능을 변화시킨다.
⑤ 외부 환경과 무관하게 체내 환경을 일정하게 유지한다.

03 다음은 파리지옥에 대한 자료이다.

> 파리지옥은 잎 안쪽에서 분비한 소화액으로 곤충을 소화시켜 에너지를 얻는다.

이 자료와 가장 관련 있는 생물의 특성에 관한 예로 옳은 것은?

① 아메바는 분열법으로 증식한다.
② 참나무는 빛을 흡수하여 양분을 합성한다.
③ 미모사는 잎에 물체가 닿으면 잎을 접는다.
④ 사막에 사는 선인장은 가시 형태의 잎을 가진다.
⑤ 적록 색맹인 어머니로부터 태어난 아들은 적록 색맹이다.

04 그림은 화성에 생물체가 있는지 확인하기 위한 실험 중 일부를 나타낸 것이다.

> 화성 토양에 방사성 기체를 넣고 빛을 비춘 후, 기체를 모두 제거하고 가열하면서 방사능 기체가 발생하는지를 확인한다.

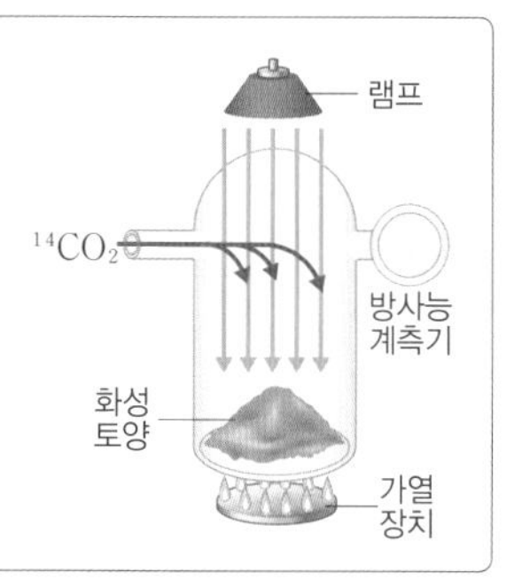

이 실험에서 생물의 존재를 확인하기 위한 생물의 특성으로 옳은 것은?

① 적응 ② 생식 ③ 물질대사
④ 세포로 구성 ⑤ 자극에 대한 반응

05 그림은 어떤 사람의 체온 변화를 하루 동안 측정한 결과이다.

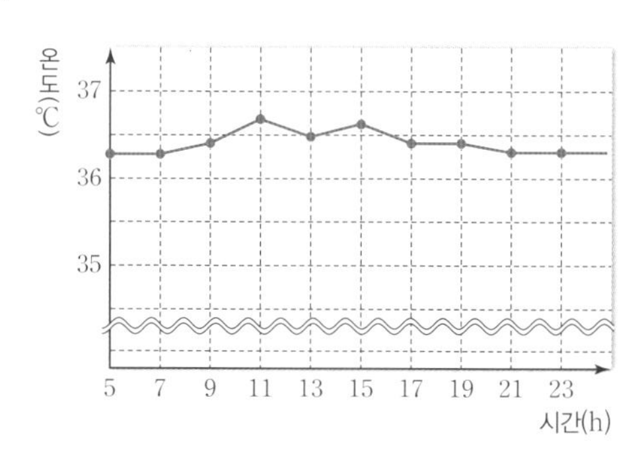

이 자료를 통해 알 수 있는 생물의 특성으로 옳은 것은?

① 유전 ② 진화 ③ 발생
④ 항상성 ⑤ 생장

단답형

06 ㉠, ㉡에 들어갈 알맞은 말을 쓰시오.

> 저분자 물질이 고분자 물질로 합성되면서 에너지를 흡수하는 물질대사를 (㉠)이라고 하며, 예로는 (㉡), 단백질 합성이 있다.

C 바이러스

07 다음 중 바이러스의 특성으로 옳지 않은 것은?

① 세포막이 없다.
② 핵산을 가지고 있다.
③ 독립적으로 물질대사를 하지 못한다.
④ 증식 과정에서 돌연변이가 일어난다.
⑤ 숙주 안에서 단백질 결정체로 존재한다.

08 다음은 바이러스의 특성을 나타낸 것이다. 바이러스의 생물적 특성으로 옳은 것만을 〈보기〉에서 있는 대로 고른 것은?

보기
ㄱ. 세포 구조를 가지지 않는다.
ㄴ. 유전 물질인 핵산이 존재한다.
ㄷ. 숙주 세포 밖에서는 독립적으로 물질대사를 하지 못한다.

① ㄱ ② ㄴ ③ ㄷ
④ ㄱ, ㄷ ⑤ ㄴ, ㄷ

09 그림 (가)와 (나)는 각각 박테리오파지와 짚신벌레를 나타낸 것이다.

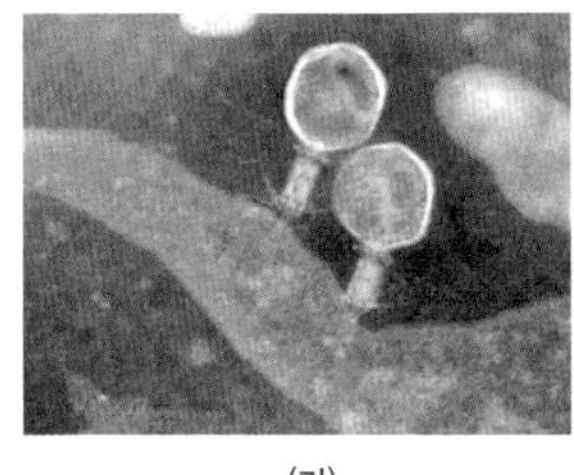
(가)

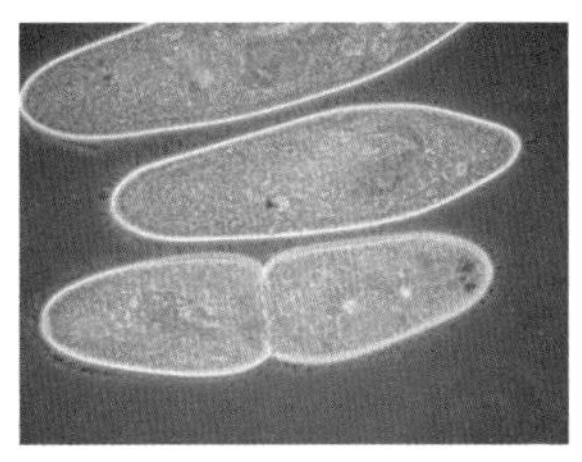
(나)

이에 대한 설명으로 옳은 것만을 〈보기〉에서 있는 대로 고른 것은?

보기
ㄱ. (가)는 세포막이 있다.
ㄴ. (나)는 이분법으로 생식을 한다.
ㄷ. (가)와 (나)는 모두 유전 물질이 있다.

① ㄱ ② ㄴ ③ ㄱ, ㄷ
④ ㄴ, ㄷ ⑤ ㄱ, ㄴ, ㄷ

단답형

10 그림은 박테리오파지의 구조를 나타낸 것이다.

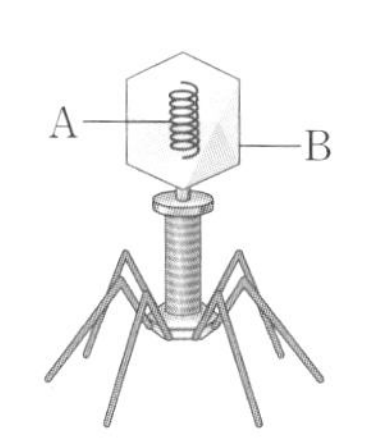

A, B의 명칭을 각각 쓰시오.

11 다음은 바이러스와 관련된 2가지 사례를 나타낸 것이다.

(가) 닭과 오리 같은 조류를 감염시키는 조류 독감 바이러스가 1997년에 처음으로 사람에게 감염된 사례가 확인되었다.
(나) 바이러스 치료제는 처음에는 효과를 나타내지만 곧 그 약물에 대한 저항성을 가진 바이러스가 나타나는 한계가 있다.

2가지 사례에 공통적으로 나타나는 바이러스의 생물적 특성으로 옳은 것은?

① 유전 물질인 핵산이 존재한다.
② 독립적으로 물질대사를 하지 못한다.
③ 증식 과정에서 돌연변이가 나타난다.
④ 증식 과정에서 유전 현상이 나타난다.
⑤ 숙주 세포 밖에서는 단백질 결정체로 존재한다.

D 생명 과학의 특성

12 다음 중 생명 과학의 연구 대상에 해당하는 것으로 옳지 않은 것은?

① 생물의 구성 물질
② 형태와 기능이 비슷한 세포들의 모임
③ 기관계로 이루어진 독립적인 생물체
④ 같은 종에 속하는 다수의 개체 모임
⑤ 생물체 이외에 환경은 연구하지 않는다.

단답형

13 세포의 미세 구조를 관찰하고 연구하는 데 도움을 주는 전자 현미경은 어떤 과학 분야와 통합이 이루어진 것인지 쓰시오.

도전! 실력 올리기

01 그림은 강아지와 강아지 로봇의 특징을 나타낸 것이다.

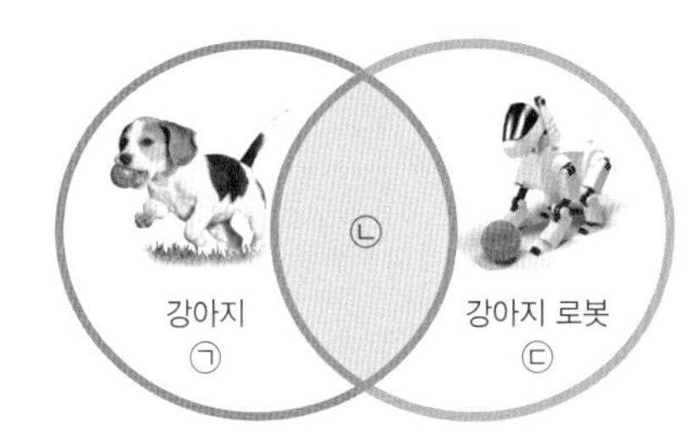

이에 대한 설명으로 옳은 것만을 〈보기〉에서 있는 대로 고른 것은?

보기
ㄱ. '생식을 한다.'는 ㉠에 포함된다.
ㄴ. '에너지로 움직인다.'는 ㉡에 포함된다.
ㄷ. '생장하지 못한다.'는 ㉢에 포함된다.

① ㄱ ② ㄴ ③ ㄱ, ㄷ
④ ㄴ, ㄷ ⑤ ㄱ, ㄴ, ㄷ

02 생물의 특성과 예를 옳게 짝 지은 것은?

① 발생 ― 식물은 빛이 비치는 쪽으로 자란다.
② 생장 ― 짚신벌레는 이분법으로 수를 늘린다.
③ 유전 ― 북극토끼는 겨울에 털색이 흰색이다.
④ 항상성 ― 더우면 땀을 흘려 체온을 유지한다.
⑤ 생식 ― 적록 색맹인 어머니에게서 적록 색맹인 아들이 태어난다.

03 다음은 생물의 특성에 관한 것이다.

(가) 가랑잎벌레의 몸 형태가 나뭇잎과 비슷하여 천적으로부터 몸을 보호한다.
(나) 선인장은 잎이 가시로 변하여 수분의 손실을 막는다.

(가)와 (나)에 공통적으로 나타난 생물의 특성은 무엇인가?

① 항상성 ② 발생 ③ 생장
④ 유전 ⑤ 적응

04 그림은 미모사 잎을 건드릴 때 나타나는 변화를 나타낸 것이다.

위 현상에 나타난 생물의 특성과 가장 관련이 깊은 것은?

① 양파는 세포로 구성되어 있다.
② 히드라는 출아법으로 생식을 한다.
③ 개구리는 수정란에서 올챙이를 거쳐 개구리가 된다.
④ 갈라파고스 군도 핀치의 부리 모양이 섬마다 다르다.
⑤ 밝은 곳에서 어두운 곳으로 들어가면 동공의 크기가 커진다.

출제예감

05 그림은 생물의 특성을 구분하여 나타낸 것이다.

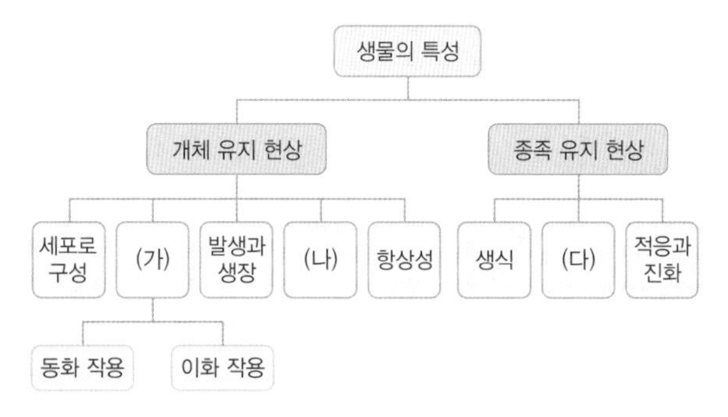

이에 대한 설명으로 옳은 것만을 〈보기〉에서 있는 대로 고른 것은?

보기
ㄱ. (가)에는 효소가 필요하다.
ㄴ. (나)의 예로 체온 유지가 있다.
ㄷ. (다)는 어버이 형질이 자손에게 전달되는 것이다.

① ㄱ ② ㄴ ③ ㄱ, ㄷ
④ ㄴ, ㄷ ⑤ ㄱ, ㄴ, ㄷ

06 그림은 광합성과 세포 호흡에서의 에너지와 물질의 이동을 나타낸 것이다. (가)와 (나)는 각각 광합성과 세포 호흡 중 하나이다.

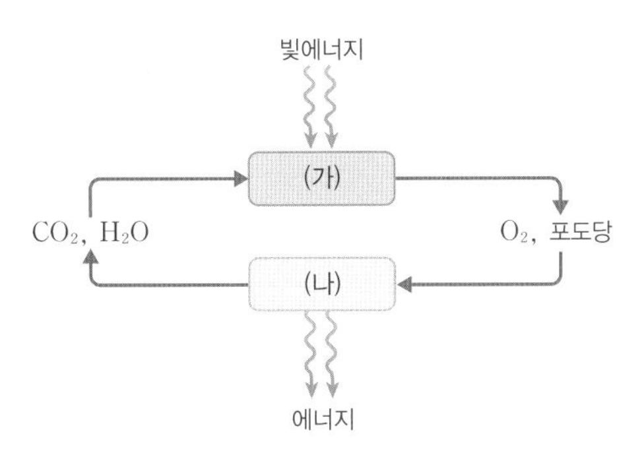

이에 대한 설명으로 옳은 것만을 〈보기〉에서 있는 대로 고른 것은?

〈보기〉
ㄱ. (가)에서 이화 작용이 일어난다.
ㄴ. (나)에서 ATP가 합성된다.
ㄷ. (나)는 동물에서만 일어난다.

① ㄱ ② ㄴ ③ ㄱ, ㄷ
④ ㄴ, ㄷ ⑤ ㄱ, ㄴ, ㄷ

07 그림은 대장균이 박테리오파지에 감염되었을 때 일어나는 현상을 나타낸 것이다.

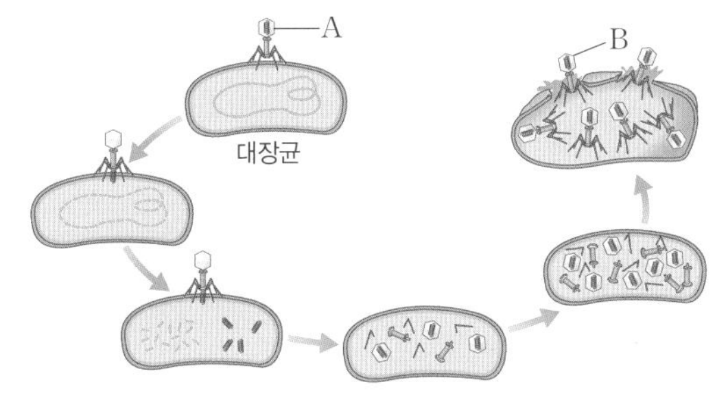

이에 대한 설명으로 옳은 것만을 〈보기〉에서 있는 대로 고른 것은? (단, 돌연변이는 고려하지 않는다.)

〈보기〉
ㄱ. A는 대장균 없이도 독립적으로 생활할 수 있다.
ㄴ. A는 대장균의 효소를 사용하여 B를 만들었다.
ㄷ. 대장균은 A, B가 없으면 생존할 수 없다.

① ㄱ ② ㄴ ③ ㄷ
④ ㄱ, ㄷ ⑤ ㄴ, ㄷ

08 다음은 뿌리혹박테리아와 콩과식물에 대한 자료이다.

> 뿌리혹박테리아는 콩과식물의 뿌리혹 안에서 서식한다. ㉠ 뿌리혹박테리아는 질소 고정 세균을 이용하여 공기 중의 질소를 질소 화합물로 합성한다. 콩과식물은 합성된 질소 화합물을 공급받아 빠르게 자라고, 열매의 단백질 함량도 높아진다.

㉠이 나타내는 생물의 특성은 무엇인지 쓰시오.

서술형

09 그림은 죽순과 석순을 나타낸 것이다.

죽순

석순

죽순과 석순이 크기가 커지는 것에 어떤 차이가 있는지 생물의 특성 관점에서 서술하시오.

서술형

10 46억 년 전에 지구가 탄생했을 때는 생물체가 존재하지 않았다. 바이러스는 생물과 비생물의 특성을 모두 가지고 있어 최초의 생물체일 가능성이 있다. 바이러스가 최초의 생물체인지의 여부를 그 까닭과 함께 서술하시오.

02 생명 과학의 탐구 방법

핵심 키워드로 흐름잡기

- A 귀납적 탐구 방법, 다윈의 진화론
- B 연역적 탐구 방법, 플레밍의 항생제 발견

A 귀납적 탐구 방법

|출·제·단·서| 귀납적 탐구가 무엇이며 그 사례에는 어떤 것이 있는지 잘 알아 둬.

암기TiP 귀납적 탐구는 관찰한 자료를 토대로 일반적인 원리나 법칙을 이끌어 내는 탐구 방법이다.

1. 귀납적 탐구 방법 생명 현상과 연구 대상에 대한 구체적인 관찰을 통해 자료를 수집하고, 수집한 자료를 분석하고 종합하여 이로부터 일반적인 원리나 법칙을 이끌어 내는 탐구 방법이다.

2. 귀납적 탐구 과정 귀납적 탐구는 실험을 통해 검증하기 어려운 주제를 탐구하는 방법으로 가설 설정 단계가 없다.

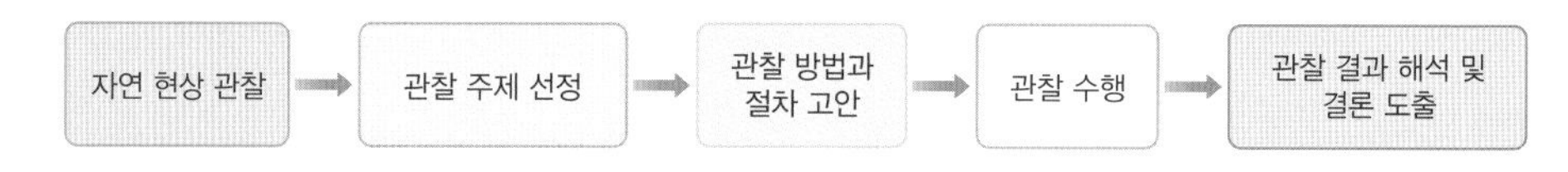

3. 생명 과학의 귀납적 탐구의 사례

(1) 다윈❶의 진화론 연구

자연 현상 관찰	비글호를 타고 세계 각지를 돌며 다양한 생물을 관찰하고 채집한다.
관찰 주제 선정	갈라파고스 군도의 생물 모습과 생태를 관찰 주제로 선정한다.
관찰 방법과 절차 고안	갈라파고스 군도를 탐사하며 코끼리거북, 핀치 등 다양한 생물을 관찰, 채집하고 다른 지역 생물과 비교한다.
관찰 수행	고안한 방법과 절차에 따라 관찰을 수행한다.
관찰 결과 해석 및 결론 도출	생물은 자연 선택 과정을 거쳐 진화한다.

(2) **세포설** 슐라이덴과 슈반은 자신들과 여러 과학자들이 다양한 생물을 현미경으로 관찰한 결과를 종합하여 '모든 생물은 세포로 구성되어 있다.'라는 세포설을 주장하였다.

(3) **구달의 침팬지 연구** 구달은 침팬지 보호 구역에서 오랜 시간 동안 침팬지의 성장 과정, 침팬지들 사이의 관계 등을 관찰하고 이를 바탕으로 침팬지의 다양한 행동 특성을 알아냈다.

(4) **DNA 구조 발견** 왓슨과 크릭❷은 DNA의 화학적 성분, 염기의 비율, X선 •회절 사진 등 여러 과학자의 연구 성과를 분석하고 연구하여 DNA의 이중 나선 구조를 발견하였다.

★ 가젤 영양의 행동은 천재 교과서에만 나오는 내용이다.

귀납적 탐구 과정의 예_ 가젤 영양의 행동

카로 박사는 케냐의 밀림에 서식하는 가젤 영양을 관찰하여 가젤 영양이 치타, 사자 등의 포식자가 나타나면 다른 동료들에게 위험을 알리기 위해 엉덩이를 치켜드는 뜀뛰기 행동을 한다는 연구 결과를 발표했다.

❶ **다윈(Darwin, C.R., 1809~1882)**
영국의 생명 과학자이며, 1859년 「종의 기원」을 발표하여 자연 선택설을 기초로 한 진화론을 수립하였다.

❷ **왓슨(Watson, J.D., 1928~)과 크릭(Crick, F.H.C., 1916~2004)**
1953년 DNA의 이중 나선 구조를 밝혀냈다.

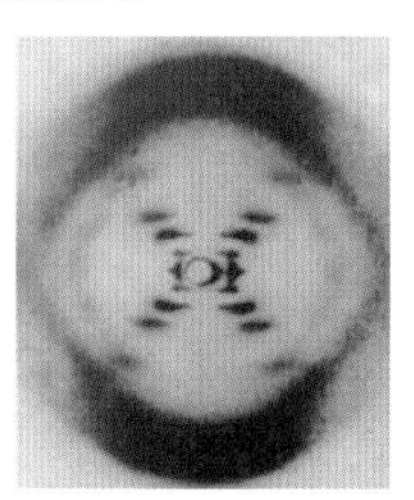
▲ DNA의 X선 회절 사진

용어 알기

•회절(돌 回, 꺾을 折) 음파나 전파, 빛 등의 파동이 장애물 뒤쪽으로까지 돌아 그늘진 부분에까지 전달되는 현상

B 연역적 탐구 방법

|출·제·단·서| 연역적 탐구와 귀납적 탐구의 차이점을 확실히 알아야 해. 특히 변인 통제에 대한 개념을 기억해.

암기TiP 연역적 탐구는 가설을 검증하기 위해 대조군과 실험군을 만들어 실험을 수행한다.

1. 연역적 탐구 방법 생명 현상을 관찰하면서 생긴 의문을 해결하기 위해 가설을 세우고 이를 실험을 통해 검증하는 탐구 방법이다.

2. 연역적 탐구 과정 개념 POOL 연역적 탐구 과정은 가설 설정 단계가 있다.

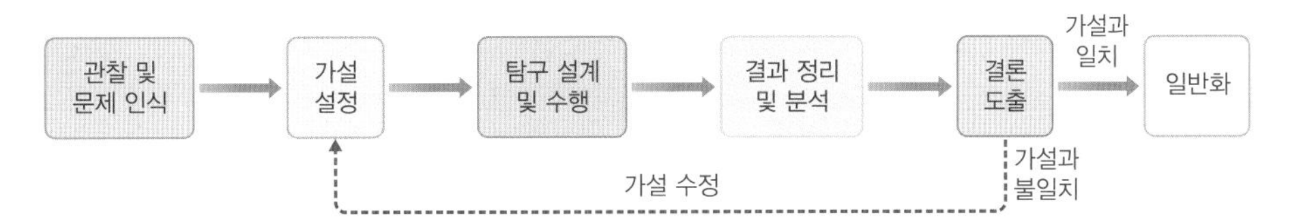

(1) 관찰 및 문제 인식 생명 현상을 관찰하고, 관찰한 현상에 대해 "왜 그럴까?"라는 의문을 제기한다. 관찰은 사람의 감각 기관을 사용하거나, 현미경과 같은 실험 기구를 사용한다.

(2) 가설 설정 관찰에서 인식한 의문에 대한 잠정적인 답인 가설을 세운다.

① 가설은 예측 가능하고, 관찰이나 실험을 통해 검증할 수 있어야 한다.

② 가설은 이미 알고 있는 지식이나 과거의 경험을 토대로 세운다.

(3) 탐구 설계 및 수행 가설을 검증하기 위해 탐구를 설계하고, 그에 따라 실험을 수행한다.

① 탐구 설계의 타당성을 높이기 위해 실험군[3]을 설정해 대조군[4]과 비교하는 실험을 한다.

② **변인:** 실험에 관계되는 모든 요인을 말하며 독립변인[5]과 종속변인[6]이 있다.

(4) 결과 정리 및 분석 실험에서 얻은 결과를 분석하고 해석하여, 경향성과 규칙성을 알아낸다.

(5) 결론 도출 실험을 통해 얻은 자료와 가설의 일치 여부를 확인하여 결론을 내린다.

- 결론이 가설이 예측한 대로 나오지 않으면, 실험 과정의 오류를 찾아내거나 가설을 수정하여 새로운 탐구를 설계한다.

(6) 일반화 결론으로부터 보편적이고 객관적인 이론을 이끌어 내는 과정이다.

3. 생명 과학의 연역적 탐구의 사례

(1) 플레밍의 항생제 발견 연구

관찰 및 문제 인식	세균을 배양하던 접시에 푸른곰팡이[7]가 오염되었는데, 푸른곰팡이 주변에는 세균이 증식하지 못하는 것을 관찰하고 '왜 그럴까?'라는 의문을 가졌다.
가설 설정	'푸른곰팡이가 세균의 증식을 억제하는 물질을 만들 것이다.'라고 생각하였다.
탐구 설계 및 수행	세균을 배양하는 접시의 모든 조건을 동일하게 한 후, 접시를 두 집단으로 나누어 한 집단에는 푸른곰팡이를 접종하고(실험군), 다른 집단에는 푸른곰팡이를 접종하지 않은 상태로(대조군) 배양하였다.
결과 정리 및 분석	푸른곰팡이를 접종한 접시에서는 세균이 증식하지 않았고, 푸른곰팡이를 접종하지 않은 접시에서는 세균이 증식하였다.
결론 도출 및 일반화	푸른곰팡이는 세균의 증식을 억제하는 물질을 분비한다.

(2) 파스퇴르의 °탄저병 연구 독성이 약한 닭 콜레라균을 접종한 닭이 닭 콜레라를 가볍게 앓고 회복하는 것을 관찰한 후, 탄저병 백신이 양의 탄저병을 예방할 수 있을 것이라는 가설을 설정하였다. 이를 바탕으로 탄저병 백신을 주사한 실험군과 주사하지 않은 대조군 실험을 통해 탄저병 백신이 양의 탄저병을 예방하는 효과가 있음을 밝혔다.

(3) 에이크만의 닭 °각기병 연구 에이크만은 사람의 각기병과 비슷한 증상을 앓던 닭이 어느 날 갑자기 회복된 것을 관찰하고, 그 까닭이 먹이의 변화에 있음을 알게 되었다. 이를 바탕으로 건강한 닭에게 각각 현미와 백미를 먹이로 주었더니, 백미를 먹인 닭은 각기병 증세가 나타났고, 현미를 먹인 닭은 건강하였다. 그 결과 현미 속에 닭 각기병 증세를 완화시키는 물질이 있음을 확인하였다.

❸ 실험군
실험에서 검증하려는 요인을 변화시킨 집단

❹ 대조군
실험군과 비교하기 위해 검증하려는 요인을 변화시키지 않은 집단

❺ 독립변인
독립변인은 실험 결과에 영향을 주는 요인으로, 다시 조작 변인과 통제 변인으로 나눈다.
- 조작 변인: 가설의 검증을 위해 실험에서 인위적으로 변화시키는 변인
- 통제 변인: 실험에서 제외시키거나 일정하게 유지시키는 변인

❻ 종속변인
독립변인에 따라 변화되는 요인으로, 실험 결과에 해당한다.

❼ 푸른곰팡이

▲ 푸른곰팡이가 생긴 오렌지

용어 알기

- 탄저병(숯 炭, 가려운병 疽, 병 病) 탄저균의 감염으로 가축에 발생하는 전염병
- 각기병(다리 脚, 기운 氣, 병 病) 비타민 B_1이 부족하여 생기는 질병으로 다리 힘이 약해지고 저리거나 지각 이상이 생겨서 제대로 걷지 못하는 병

바이킹호의 화성 생물 탐사 실험

목표 생물의 물질대사 특성을 이용하여 화성의 생물 존재 여부를 연역적 탐구 방법을 통해 확인할 수 있다.

1976년에 화성에 착륙한 무인 탐사선 바이킹호는 화성의 생물 존재 여부를 확인하기 위해 여러가지 실험을 수행했어.

관찰 및 의문제기 화성에는 생물체가 살고 있을까?

가설 설정 화성에는 광합성이나 호흡을 하는 생물체가 존재할 것이다.

탐구 설계 및 수행

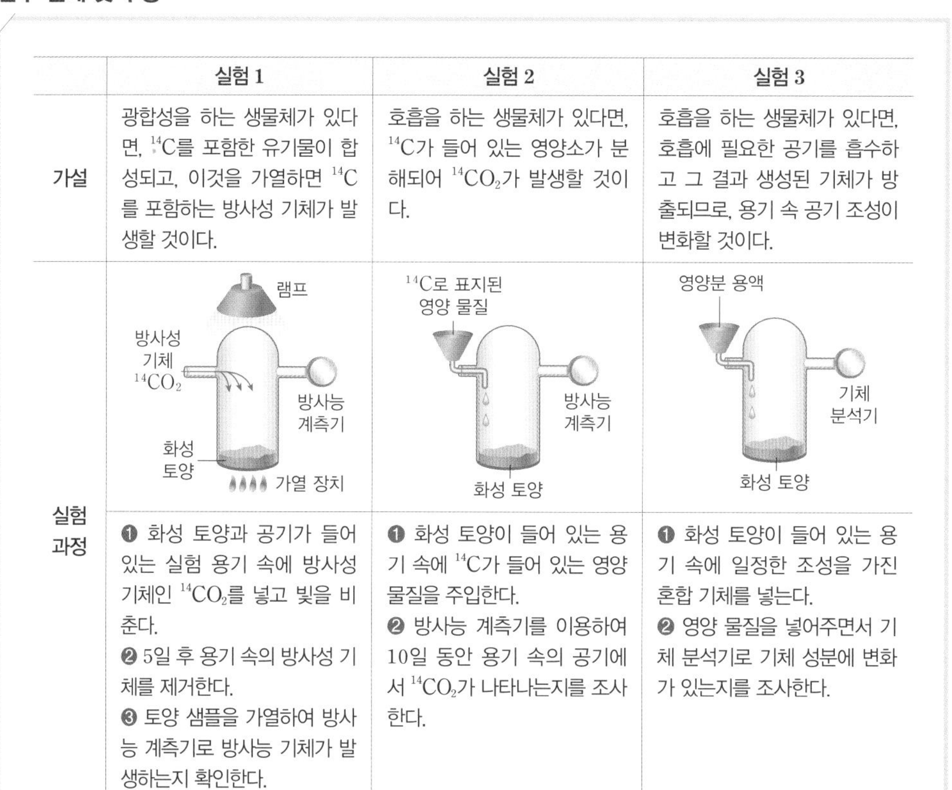

	실험 1	실험 2	실험 3
가설	광합성을 하는 생물체가 있다면, ^{14}C를 포함한 유기물이 합성되고, 이것을 가열하면 ^{14}C를 포함하는 방사성 기체가 발생할 것이다.	호흡을 하는 생물체가 있다면, ^{14}C가 들어 있는 영양소가 분해되어 $^{14}CO_2$가 발생할 것이다.	호흡을 하는 생물체가 있다면, 호흡에 필요한 공기를 흡수하고 그 결과 생성된 기체가 방출되므로, 용기 속 공기 조성이 변화할 것이다.
실험 과정	❶ 화성 토양과 공기가 들어 있는 실험 용기 속에 방사성 기체인 $^{14}CO_2$를 넣고 빛을 비춘다. ❷ 5일 후 용기 속의 방사성 기체를 제거한다. ❸ 토양 샘플을 가열하여 방사능 계측기로 방사능 기체가 발생하는지 확인한다.	❶ 화성 토양이 들어 있는 용기 속에 ^{14}C가 들어 있는 영양 물질을 주입한다. ❷ 방사능 계측기를 이용하여 10일 동안 용기 속의 공기에서 $^{14}CO_2$가 나타나는지를 조사한다.	❶ 화성 토양이 들어 있는 용기 속에 일정한 조성을 가진 혼합 기체를 넣는다. ❷ 영양 물질을 넣어주면서 기체 분석기로 기체 성분에 변화가 있는지를 조사한다.

바이킹 1호(Viking 1)

화성의 생물체 존재 여부를 알아보기 위해 미 항공우주국(NASA)에서 발사한 화성 탐사선이다.
1975년 8월 20일 발사되어 1976년 6월 19일 화성 궤도에 진입하였다. 궤도선은 1980년 8월 17일까지, 착륙선은 1982년 11월 13일까지 임무를 수행하였다.

▲ 궤도선

▲ 착륙선

결과 정리 및 해석

실험 1	실험 2	실험 3
방사능 기체가 발생하지 않았다.	$^{14}CO_2$가 검출되지 않았다.	용기 속 기체 조성이 변화하지 않았다.

결론 도출

실험 1, 2, 3에서 아무런 변화가 없는 것으로 보아 화성 토양에는 물질대사를 하는 생물체가 존재하지 않는다.

한·줄·핵심 바이킹호의 화성 생물 탐사 실험은 화성에 생물체가 존재하는지 알아보기 위해 연역적 탐구 방법을 사용하였다.

확인 문제

정답과 해설 04쪽

01 실험 1과 2는 물질대사 중에서 무엇을 확인하기 위한 실험인지 쓰시오.

02 이 실험은 생명 과학의 탐구 방법 중 어떤 탐구 방법을 사용한 것인지 쓰시오.

콕콕!
개념 확인하기

정답과 해설 04쪽

✔ 잠깐 확인!

1. □□□ 탐구
관찰로 수집한 자료를 분석하고 종합하여 일반적인 원리나 법칙을 이끌어 내는 탐구

2. □□□ 탐구
자연 현상을 관찰하면서 생긴 의문을 해결하기 위해 가설을 세우고 이를 실험을 통해 검증하는 탐구

3. □□
관찰에서 인식한 문제에 대한 잠정적인 답

4. □□□□
실험 결과에 영향을 주는 요인. 이는 다시 가설 검증을 위해 실험에서 인위적으로 변화시키는 □□ □□과 실험에서 제외시키거나 일정하게 유지시키는 □□ □□으로 나눈다.

5. 탐구 설계에서 검증하는 요인을 변화시킨 집단을 □□□, 이 집단과 비교하기 위한 기준 집단을 □□□이라고 한다.

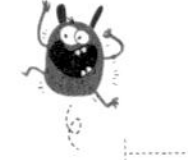

A 귀납적 탐구 방법

01 다음은 귀납적 탐구 과정을 나타낸 것이다. (가)~(다)에 들어갈 알맞은 말을 쓰시오.

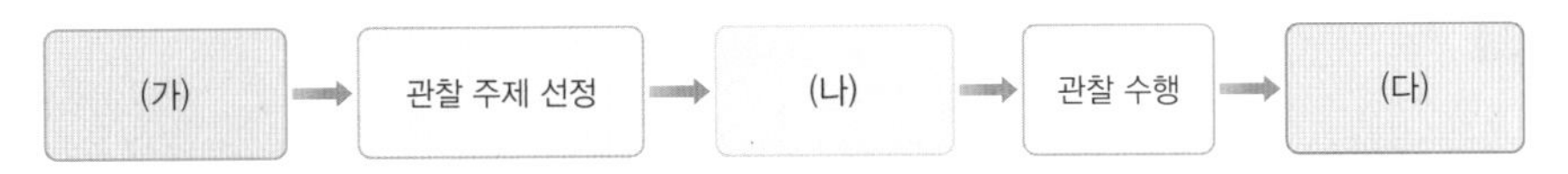

02 다음은 다윈이 수행한 귀납적 탐구를 순서 없이 나타낸 것이다. ( ) 안에 각 활동에 해당하는 귀납적 탐구 단계를 쓰시오.

(1) 비글호를 타고 세계 각지를 돌며 다양한 생물을 관찰하고 채집한다. ( )

(2) 고안한 방법과 절차에 따라 관찰하고 수행한다. ( )

(3) 생물은 자연 선택 과정을 거쳐 진화한다. ( )

(4) 갈라파고스 군도의 생물 모습과 생태를 관찰 주제로 선정한다. ( )

(5) 갈라파고스 군도에서 다양한 생물을 관찰, 채집, 다른 지역 생물과 비교한다. ( )

B 연역적 탐구 방법

03 다음은 연역적 탐구 과정을 나타낸 것이다. (가)~(다)에 들어갈 알맞은 말을 쓰시오.

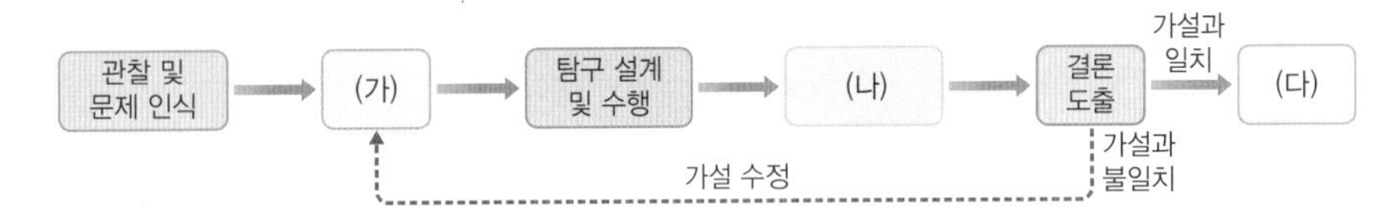

04 생명 과학 탐구와 이에 해당하는 탐구 방법을 옳게 연결하시오.

(1) 슐라이덴과 슈반의 세포설 •
(2) 파스퇴르의 탄저병 백신 발견 •
(3) 에이크만의 각기병 연구 •
(4) 구달의 침팬지 연구 •
(5) 왓슨과 크릭의 DNA 구조 발견 •

• ㉠ 귀납적 탐구
• ㉡ 연역적 탐구

05 생명 과학의 탐구 방법에 대한 설명으로 옳은 것은 ○, 옳지 않은 것은 ×로 표시하시오.

(1) 관찰에서 인식한 문제에 관한 잠정적 해답을 가설이라고 한다. ( )

(2) 연역적 탐구 과정에서 관찰과 문제 인식 다음에 해야 할 일은 결론 도출이다. ( )

(3) 구체적인 관찰 사실을 종합하여 일반적인 법칙이나 원리를 도출하는 탐구 방법은 귀납적 탐구 방법이다. ( )

(4) 연역적 탐구 방법에서는 가설이 타당하지 않은 것으로 밝혀지면 가설을 수정하고, 이후의 탐구 과정을 수행한다. ( )

탄탄! 내신 다지기

A 귀납적 탐구 방법

01 그림은 2가지 탐구 방법 (가)와 (나)를 나타낸 것이다.

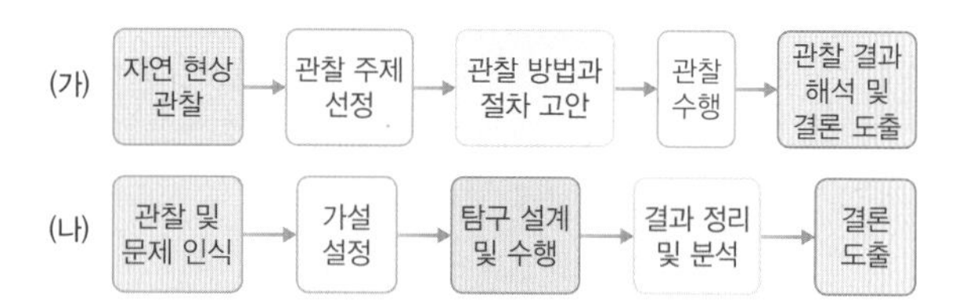

이에 대한 설명으로 옳지 않은 것은?

① (가)는 귀납적 탐구 방법이다.
② (가)의 예로 다윈의 진화론 연구가 있다.
③ (나)는 실험군과 대조군으로 비교 실험을 한다.
④ (나)의 예로 플레밍의 항생제 발견 연구가 있다.
⑤ (나)는 가설과 탐구 결과가 일치하지 않으면 일반화한다.

02 다음은 케냐의 밀림에서 피식과 포식 관계를 연구하던 카로 박사의 탐구 과정을 나타낸 것이다.

> 카로 박사는 가젤이 ㉠ 공중으로 뛰어오르며 하얀 엉덩이를 치켜드는 이상한 뜀뛰기 행동을 하는 것을 관찰하였다. 이러한 뜀뛰기 행동이 어떤 상황에서 나타나는지 지속적으로 관찰한 결과 가젤은 주변에 치타와 같은 포식자가 나타나는 상황에서 특이한 뜀뛰기 행동을 한다는 것을 알게 되었다.
> ㉡ 이와 같은 뜀뛰기 행동은 포식자가 나타나는 상황에서 규칙적으로 나타남을 관찰하였다. 카로 박사는 반복적으로 관찰한 내용을 바탕으로 하여 '포식자가 주변에 나타나면 가젤은 엉덩이를 치켜드는 뜀뛰기 행동을 한다.'라고 결론을 내렸다.

이에 대한 설명으로 옳은 것만을 〈보기〉에서 있는 대로 고른 것은?

〈보기〉
ㄱ. ㉠은 관찰 주제를 선정하는 과정이다.
ㄴ. ㉡은 이 탐구의 결론이다.
ㄷ. 카로 박사의 탐구는 귀납적 탐구 방법이다.

① ㄱ ② ㄴ ③ ㄷ
④ ㄴ, ㄷ ⑤ ㄱ, ㄴ, ㄷ

단답형

03 다음은 세포설이 나오기까지 몇몇 과학자들이 수행한 연구 결과이다.

> • 1665년에 훅은 현미경으로 코르크 조각을 관찰하다가 작은 방처럼 생긴 모습을 발견하고, 이를 세포라고 이름지었다.
> • 슐라이덴은 수많은 식물을 관찰하고 식물은 세포로 구성되어 있음을 알았다.
> • 슈반은 수많은 동물을 관찰한 결과 동물은 세포로 구성되어 있음을 알았다.
> • 슐라이덴과 슈반은 자신들의 관찰 결과를 종합하여, 식물과 동물은 모두 세포가 기본 단위임을 주장하였다.

세포설이 확립되는 과정에서 사용된 탐구 방법은 무엇인지 쓰시오.

B 연역적 탐구 방법

04 다음은 연역적 탐구 과정을 나타낸 것이다.

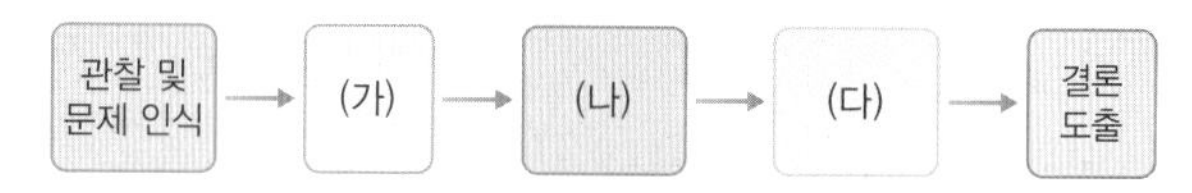

이에 대한 설명으로 옳은 것만을 〈보기〉에서 있는 대로 고른 것은?

〈보기〉
ㄱ. (가)는 인식한 문제에 대한 잠정적인 답이다.
ㄴ. (나)에서 대조군과 실험군을 비교하는 실험을 설계한다.
ㄷ. (다)는 결과 정리 및 분석 단계이다.

① ㄱ ② ㄷ ③ ㄱ, ㄴ
④ ㄴ, ㄷ ⑤ ㄱ, ㄴ, ㄷ

05 연역적 탐구에서 실험군과 대조군을 비교하는 실험을 하는 까닭으로 옳은 것은?

① 부족한 관찰을 보충하기 위해서
② 가설의 의미를 명확하게 하기 위해서
③ 실험 결과가 빠르게 나오도록 하기 위해서
④ 실험 결과의 객관성과 타당성을 높이기 위해서
⑤ 보편적이고 객관적인 일반 이론을 이끌어 내기 위해서

06 다음은 연역적 탐구에 대한 진술이다.

> (가) 의문에 대해 이미 알고 있는 과학 지식이나 경험을 토대로 찾은 잠정적인 답을 (㉠)이라고 한다.
> (나) 탐구를 설계할 때 실험 결과의 타당성을 높이기 위해 실험군 외에 (㉡)을 설정하여 실험 결과를 비교한다.
> (다) 가설 검증을 위해 의도적으로 변화시킨 변인을 (㉢)이라고 한다.

㉠~㉢에 들어갈 말을 옳게 짝 지은 것은?

	㉠	㉡	㉢
①	문제	가설	통제 변인
②	가설	대조군	조작 변인
③	결론	대조군	통제 변인
④	이론	가설	조작 변인
⑤	가설	문제	통제 변인

07 다음은 아밀레이스가 녹말을 분해한다는 것을 확인하기 위한 탐구 과정의 일부를 나타낸 것이다.

> [탐구 설계 및 수행]
> 같은 양의 녹말 용액이 들어 있는 시험관 (가)와 (나)에 표와 같이 물질을 첨가하고 온도를 37 °C로 유지하였다.

시험관	(가)	(나)
첨가 물질	아밀레이스, 증류수	증류수

> [탐구 결과]
> 시험관 (가)에서만 녹말이 분해되었다.

이 탐구에서 조작 변인과 통제 변인으로 옳은 것은?

	조작 변인	통제 변인
①	아밀레이스 첨가 여부	녹말 분해 여부
②	온도	아밀레이스 첨가 여부
③	증류수 첨가 여부	아밀레이스 첨가 여부
④	아밀레이스 첨가 여부	온도
⑤	증류수 첨가 여부	온도

08 다음은 에이크만이 닭의 각기병을 탐구한 과정을 순서 없이 나타낸 것이다.

> (가) 닭을 두 집단으로 나누어 한 집단에는 현미를, 다른 집단에는 백미를 먹이로 주었다.
> (나) '현미에는 각기병을 예방하는 물질이 들어 있을 것이다.'라는 가설을 세웠다.
> (다) 백미를 먹인 닭은 각기병에 걸렸지만, 현미를 먹인 닭은 건강했다. 또한, 각기병에 걸린 닭에게 현미를 먹였더니 건강해졌다.
> (라) 각기병에 걸렸던 닭이 현미를 먹고 나은 것을 보고 '닭이 어떻게 나았을까?' 하는 의문을 가졌다.
> (마) 실험 결과를 토대로 현미에는 각기병을 예방하고 치료하는 물질이 들어 있다는 결론을 내렸다.

탐구 과정을 순서대로 옳게 나열한 것은?

① (가) → (나) → (다) → (라) → (마)
② (나) → (다) → (가) → (마) → (라)
③ (다) → (가) → (마) → (라) → (나)
④ (라) → (나) → (가) → (다) → (마)
⑤ (마) → (가) → (나) → (라) → (다)

단답형

09 다음은 플레밍이 페니실린을 발견한 실험 내용의 일부를 나타낸 것이다.

> 플레밍은 푸른곰팡이를 접종한 세균 배양 접시와 푸른곰팡이를 접종하지 않은 세균 배양 접시를 비교하여 푸른곰팡이가 세균에 미치는 영향을 알아보고자 하였다.

위 내용은 연역적 탐구의 어느 과정인지 쓰시오.

단답형

10 탐구 설계 과정에서 실험 결과의 객관성과 타당성을 높이기 위해 실시하는 것은 무엇인지 쓰시오.

01 다음은 두 과학자가 탐구한 내용이다.

(가) 다윈은 비글호를 타고 세계 곳곳을 다니며 관찰한 다양한 생물의 특성을 토대로 자연 선택설을 발표하였다.
(나) 플레밍은 세균을 배양하는 접시를 두 집단으로 나누어 한 집단에는 푸른곰팡이를 접종하고, 다른 집단에는 접종하지 않았다. 그 결과 접종한 집단에서만 세균이 증식하지 않았다. 이 실험을 통해 푸른곰팡이에서 세균의 증식을 억제하는 물질이 생성된다는 것을 확인하였다.

이에 대한 설명으로 옳은 것만을 〈보기〉에서 있는 대로 고른 것은?

보기
ㄱ. (가)는 연역적 탐구이다.
ㄴ. (나)에서 독립변인은 푸른곰팡이 접종 여부이다.
ㄷ. (나)의 가설은 '세균이 푸른곰팡이 증식을 억제한다.'이다.

① ㄱ ② ㄴ ③ ㄱ, ㄷ
④ ㄴ, ㄷ ⑤ ㄱ, ㄴ, ㄷ

02 다음은 연역적 탐구 과정을 나타낸 것이다.

관찰 및 문제 인식 → (㉠) → 탐구 설계 및 수행 → 결과 정리 및 분석 → (㉡) → 일반화

이에 대한 설명으로 옳은 것만을 〈보기〉에서 있는 대로 고른 것은?

보기
ㄱ. ㉠은 귀납적 탐구에서도 나오는 단계이다.
ㄴ. ㉠은 문제에 대한 잠정적인 답을 제시하는 단계이다.
ㄷ. ㉠과 ㉡이 일치하지 않으면 ㉠ 단계로 되돌아간다.

① ㄱ ② ㄴ ③ ㄷ
④ ㄱ, ㄷ ⑤ ㄴ, ㄷ

출제예감

03 다음은 어떤 과학자가 탄저병 백신을 개발하는 과정의 일부를 나타낸 것이다.

'탄저병 백신은 양의 탄저병을 예방하는 데 효과가 있을 것이다.'라는 가설을 세웠다. 이를 검증하기 위해 같은 조건에서 사육한 양 50마리를 25마리씩 A와 B 두 집단으로 나누어 표와 같이 실험을 설계하고, 탄저병 발병 여부를 알아보았다.

집단	실험 첫 날		2주 후	탄저병 발병 여부
	양의 건강 상태	탄저병 백신 주사	탄저균 주사	
A	건강	주사함	주사함	발병 안 함
B	㉠	㉡	㉢	발병함

이에 대한 설명으로 옳은 것만을 〈보기〉에서 있는 대로 고른 것은?

보기
ㄱ. ㉠은 건강, ㉢은 주사함이다.
ㄴ. ㉡은 주사하지 않음이다.
ㄷ. 이 실험 설계에서 실험군은 A 집단이다.

① ㄱ ② ㄷ ③ ㄱ, ㄴ
④ ㄴ, ㄷ ⑤ ㄱ, ㄴ, ㄷ

04 다음은 우유가 상하는 까닭을 알아보기 위해 실시한 탐구 과정을 순서 없이 나타낸 것이다.

(가) 세균 A는 우유를 상하게 한다.
(나) 세균 A를 넣은 우유는 상하였고, 세균 A를 넣지 않은 우유는 아무런 변화가 없었다.
(다) 세균 A가 우유를 상하게 했을 것이라고 가정하였다.
(라) 상한 우유에서 세균 A가 많이 발견되는 것을 보고 '왜 그럴까?'라는 의문을 가졌다.
(마) 멸균한 우유 두 병을 준비하고, 한 병에만 세균 A를 넣은 후 두 병 모두 적당한 온도를 유지하였다.

탐구 과정을 순서대로 옳게 나열한 것은?

① (가) → (나) → (다) → (라) → (마)
② (나) → (다) → (가) → (마) → (라)
③ (다) → (가) → (마) → (라) → (나)
④ (라) → (다) → (마) → (나) → (가)
⑤ (마) → (가) → (나) → (라) → (다)

05 다음은 철수가 수행한 탐구를 나타낸 것이다.

페트리 접시 3개에 각각 물에 적신 솜을 깔고 콩을 10개씩 올려 놓은 후 표와 같이 처리하여 콩의 발아 정도를 관찰하였다. (단, 물을 줄 때 물의 양은 동일하다.)

페트리 접시	빛의 유무	온도(°C)	물 주는 횟수
(가)	무	5	3회
(나)	무	15	3회
(다)	무	25	3회

이에 대한 설명으로 옳은 것만을 〈보기〉에서 있는 대로 고른 것은?

〈보기〉
ㄱ. 빛의 유무와 물 주는 횟수는 통제 변인이다.
ㄴ. 이 실험은 온도에 따른 콩의 발아 여부를 알아보려는 탐구이다.
ㄷ. 온도의 변화는 종속변인이다.

① ㄱ ② ㄷ ③ ㄱ, ㄴ ④ ㄱ, ㄷ ⑤ ㄴ, ㄷ

06 다음은 아메바를 이용한 실험을 나타낸 것이다.

[실험 과정]
- 아메바를 두 집단 A, B로 나눈다.
- 그림과 같이 A는 미세한 고리로 핵을 제거하고, B는 미세한 고리로 핵에 자극만 준다.
- 집단 A, B의 아메바의 생존 여부를 관찰한다.

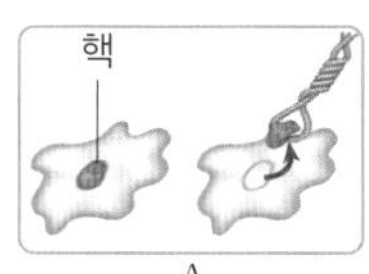

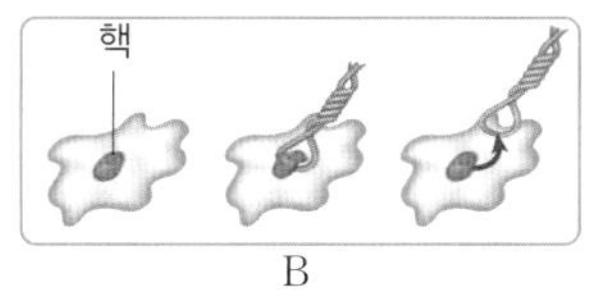

[실험 결과]
A의 아메바는 모두 죽고, B의 아메바는 모두 생존한다.

이에 대한 설명으로 옳은 것만을 〈보기〉에서 있는 대로 고른 것은?

〈보기〉
ㄱ. A는 대조군이다.
ㄴ. 아메바의 배양 조건을 달리해야 한다.
ㄷ. 핵의 유무가 아메바의 생존에 주는 영향을 조사하는 탐구이다.

① ㄱ ② ㄴ ③ ㄷ ④ ㄱ, ㄴ ⑤ ㄴ, ㄷ

07 다음은 2가지 탐구에 대한 진술이다.

(가) 세포설은 여러 생명 과학자가 다양한 생물을 관찰하여 얻은 사실들이 축적되어 완성되었다.
(나) 에이크만은 각기병 증세를 보이던 닭이 건강해진 것을 관찰하고, 이는 먹이와 관련이 있다고 생각하였다. 건강한 닭을 두 집단으로 나누어 각각 현미와 백미를 먹이로 주었다. 두 집단 중에서 현미를 먹은 닭은 건강했으나 백미를 먹은 닭은 각기병에 걸렸다. 따라서 현미에는 각기병을 예방하는 물질이 들어 있음을 확인하였다.

(가)와 (나)의 탐구 방법은 무엇인지 각각 쓰시오.

08 다음은 구더기가 파리로부터 발생하는 것을 증명하기 위해 레디가 실시한 탐구의 일부이다.

레디는 2개의 병에 작은 생선 조각을 넣은 후 ㉠ 하나는 입구를 막지 않고, ㉡ 다른 하나는 천으로 입구를 막았다.

이 탐구에서 ㉠과 ㉡은 각각 어떤 집단인지 쓰시오.

서술형

09 어떤 과학자가 폐렴에 걸린 생쥐에서 세균 A를 발견하였다. 그는 세균 A가 폐렴을 일으킨다는 사실을 증명하기 위하여 실험을 설계하였다.

(가) 폐렴에 걸린 생쥐에서 A를 분리, 배양한다.
(나) 배양한 A를 생쥐에게 접종한다.
(다) A를 접종한 생쥐에서 폐렴 증상을 확인한다.
(라) 폐렴 증상이 나타난 생쥐 체내에 A가 있는지 확인한다.

위 실험 설계의 (나)에서 보완해야 할 것과 그 까닭은 무엇인지 서술하시오.

연역적 탐구 과정 분석

대표 유형

출제 의도

연역적 탐구에서 가설을 검증하기 위해 탐구를 설계한 것으로, 이 과정에서 변인 통제를 위해 실험군과 대조군을 설정할 수 있는지 알아보는 문제이다.

다음은 철수가 수행한 탐구 과정이다.

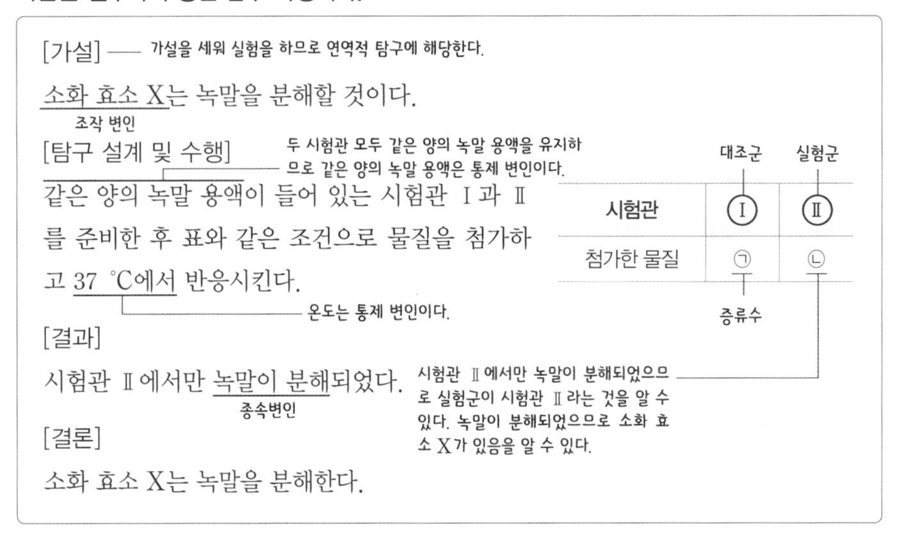

[가설] — 가설을 세워 실험을 하므로 연역적 탐구에 해당한다.

소화 효소 X는 녹말을 분해할 것이다. (조작 변인: 소화 효소 X)

[탐구 설계 및 수행] — 두 시험관 모두 같은 양의 녹말 용액을 유지하므로 같은 양의 녹말 용액은 통제 변인이다.

같은 양의 녹말 용액이 들어 있는 시험관 Ⅰ과 Ⅱ를 준비한 후 표와 같은 조건으로 물질을 첨가하고 37 ℃에서 반응시킨다. — 온도는 통제 변인이다.

	대조군	실험군
시험관	Ⅰ	Ⅱ
첨가한 물질	㉠ (증류수)	㉡

[결과]

시험관 Ⅱ에서만 녹말이 분해되었다. (종속변인: 녹말이 분해) — 시험관 Ⅱ에서만 녹말이 분해되었으므로 실험군이 시험관 Ⅱ라는 것을 알 수 있다. 녹말이 분해되었으므로 소화 효소 X가 있음을 알 수 있다.

[결론]

소화 효소 X는 녹말을 분해한다.

다음 중 이 탐구 과정의 결과와 결론을 얻기 위해 첨가한 ㉠과 ㉡으로 가장 적절한 것은? (단, 제시된 조건 이외의 모든 실험 조건은 동일하게 한다.)

	㉠	㉡
①	증류수	소화 효소 X + 증류수
②	증류수	녹말 + 증류수
③	염산 + 증류수	녹말 + 증류수
④	녹말 + 증류수	증류수
⑤	소화 효소 X + 증류수	증류수

(① 선택 표시) 증류수는 통제 변인이며, 소화 효소 X의 유무는 조작 변인이다.

이것이 함정

결과를 통해 두 시험관 중에서 어느 시험관이 실험군 시험관인지 확인하고 문제를 해결해야 한다.

가설에서 조작 변인을 찾아 대조군 설정하기

가설에서 조작 변인이 무엇인지 찾는다. → 조작 변인은 소화 효소 X의 유무이다.

》》 결과에서 시험관 Ⅱ에서만 녹말이 분해되었으므로 시험관 Ⅱ는 실험군이다. → 소화 효소 X가 있어야 한다.

》》 대조군은 소화 효소 X 조건 이외에 다른 것은 동일해야 한다. → 시험관 Ⅰ에서 소화 효소 X 외에 나머지는 통제해야 한다.

》》 시험관 Ⅰ은 대조군으로, 시험관 Ⅱ는 실험군으로 할 수 있는 물질 조합을 찾는다.

추가 선택지

• 시험관 Ⅰ은 실험군, 시험관 Ⅱ는 대조군이다. (×)

→ 시험관 Ⅱ에서만 녹말이 분해되었으므로 시험관 Ⅱ가 실험군, 시험관 Ⅰ이 대조군이다.

• 녹말의 분해 여부는 종속변인이다. (○)

→ 종속변인은 독립변인의 영향을 받아 변하는 요인으로 실험 결과에 해당한다. 따라서 이 실험의 종속변인은 녹말의 분해 여부이다.

실전! 수능 도전하기

정답과 해설 06쪽

01 다음은 포유류의 다리와 다리가 변형된 기관에 대한 자료이다.

- 고래: 앞다리가 지느러미로 변하여 헤엄치는 데 적합하다.
- 박쥐: 앞다리가 날개로 변하여 하늘을 나는 데 적합하다.
- 말: 네 개의 다리가 걷고 달리는 데 적합하다.

이 자료에 나타난 생물의 특성과 가장 관련이 깊은 것은?

① 대장균은 분열하여 대장균 수가 늘어난다.
② 옥수수는 광합성으로 유기 양분을 합성한다.
③ 파리지옥은 잎에 작은 곤충이 닿으면 잎을 닫는다.
④ 개구리 수정란은 세포 분열과 분화를 통해 올챙이가 된다.
⑤ 갈라파고스 군도의 각 섬에는 부리 모양이 다른 핀치들이 산다.

02 다음은 초파리에서 나타나는 현상이다.

(가) 알이 부화하여 애벌레가 되고, 애벌레는 번데기를 거쳐 성체가 된다.
(나) 붉은 눈 수컷과 흰 눈 암컷 사이에서 흰 눈 수컷이 태어난다.

(가)와 (나)에 해당하는 생물의 특성을 옳게 짝 지은 것은?

	(가)	(나)
①	항상성	물질대사
②	물질대사	적응과 진화
③	물질대사	발생과 생장
④	발생과 생장	적응과 진화
⑤	발생과 생장	생식과 유전

03 다음은 운동에 따른 몸의 변화를 나타낸 것이다.

등산을 하면 땀이 나고, 땀으로 배출된 수분을 보충하기 위해 많은 물을 마신다.

이에 해당하는 생물의 특성과 가장 관련이 깊은 것은?

① 짚신벌레는 이분법으로 번식한다.
② 식사 후에는 혈액의 인슐린 농도가 증가한다.
③ 아밀레이스에 의해 녹말이 엿당으로 분해된다.
④ 수정란이 세포 분열을 거쳐 완전한 개체가 된다.
⑤ 북극여우는 사막여우보다 몸집이 크고, 몸집에 비해 말단부는 작다.

04 그림은 짚신벌레와 독감 바이러스의 공통점과 차이점을 나타낸 것이다.

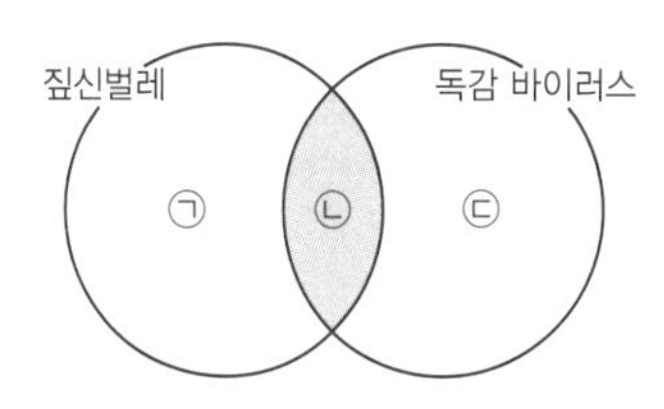

이에 대한 설명으로 옳은 것만을 〈보기〉에서 있는 대로 고른 것은?

〈보기〉
ㄱ. '세포로 되어 있다.'는 ㉠에 해당한다.
ㄴ. '핵산을 가지고 있다.'는 ㉡에 해당한다.
ㄷ. '독립적으로 물질대사를 한다.'는 ㉢에 해당한다.

① ㄴ ② ㄷ ③ ㄱ, ㄴ
④ ㄱ, ㄷ ⑤ ㄱ, ㄴ, ㄷ

실전! 수능 도전하기

05 그림은 화성 토양에 생물체가 존재하는지 여부를 알아보기 위한 실험 장치이다.

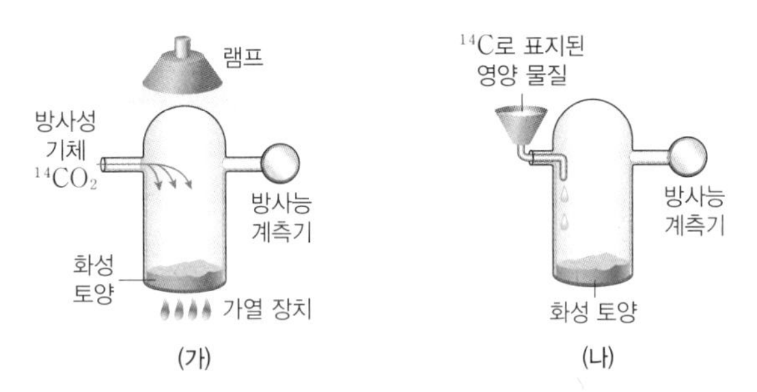

이에 대한 설명으로 옳은 것만을 〈보기〉에서 있는 대로 고른 것은?

보기
ㄱ. (가)에서 가열 장치는 용기 속의 O_2를 제거하기 위한 것이다.
ㄴ. (나)는 화성 생물체의 이화 작용을 알아보기 위한 실험이다.
ㄷ. 이 실험은 생물의 특성 중 '생물체는 자극에 대해 반응한다.'를 가정하고 실시하는 것이다.

① ㄱ ② ㄴ ③ ㄱ, ㄴ
④ ㄱ, ㄷ ⑤ ㄴ, ㄷ

06 표는 생물체 내에서 일어나는 2가지 물질대사를 나타낸 것이다.

구분	물질의 변화	에너지 변화
(가)	저분자 물질 → 고분자 물질	에너지 흡수
(나)	고분자 물질 → 저분자 물질	에너지 방출

이에 대한 설명으로 옳은 것만을 〈보기〉에서 있는 대로 고른 것은?

보기
ㄱ. 두 반응 모두 효소가 필요하다.
ㄴ. (가)는 발열 반응, (나)는 흡열 반응이다.
ㄷ. (가)는 식물에서만, (나)는 동물에서만 일어나는 작용이다.

① ㄱ ② ㄷ ③ ㄱ, ㄴ
④ ㄴ, ㄷ ⑤ ㄱ, ㄴ, ㄷ

07 그림은 석순, 짚신벌레, 바이러스를 구분하는 과정을 나타낸 것이다.

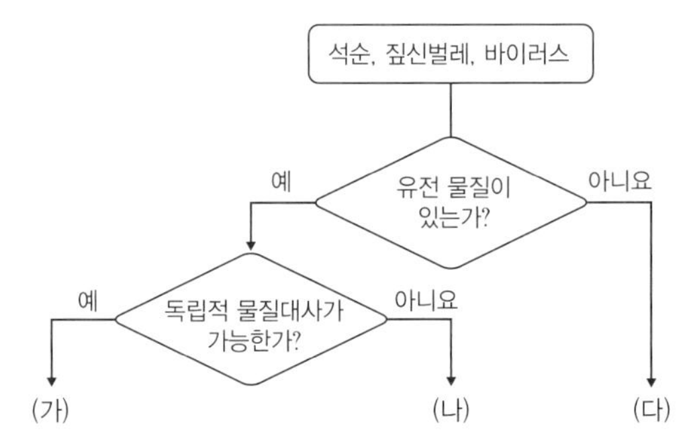

이에 대한 설명으로 옳은 것만을 〈보기〉에서 있는 대로 고른 것은?

보기
ㄱ. (가)는 세포 구조를 가지고 있다.
ㄴ. (나)는 증식 과정에서 돌연변이가 나타난다.
ㄷ. (다)는 발생과 생장이 가능하다.

① ㄱ ② ㄷ ③ ㄱ, ㄴ
④ ㄴ, ㄷ ⑤ ㄱ, ㄴ, ㄷ

수능 기출

08 그림 (가)와 (나)는 각각 결핵과 후천성 면역 결핍 증후군(AIDS)의 병원체를 나타낸 것이다.

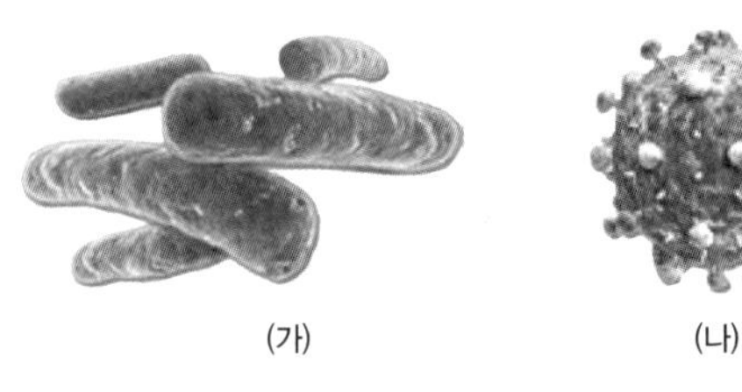
(가) (나)

이에 대한 설명으로 옳은 것만을 〈보기〉에서 있는 대로 고른 것은?

보기
ㄱ. (가)는 세포로 되어 있다.
ㄴ. (나)는 독립적으로 물질대사를 한다.
ㄷ. (가)와 (나)는 모두 단백질을 가지고 있다.

① ㄱ ② ㄴ ③ ㄱ, ㄷ
④ ㄴ, ㄷ ⑤ ㄱ, ㄴ, ㄷ

09 그림은 귀납적 탐구 방법과 연역적 탐구 방법을 각각 나타낸 것이다.

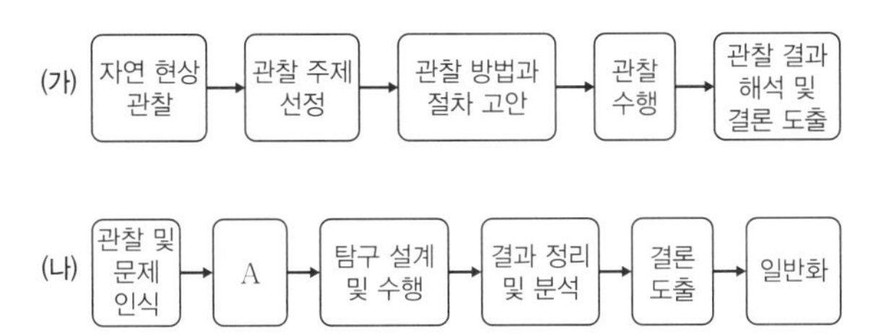

이에 대한 설명으로 옳은 것만을 〈보기〉에서 있는 대로 고른 것은?

보기
ㄱ. A는 일반적인 원리나 법칙을 이끌어 내는 단계이다.
ㄴ. (가)는 귀납적, (나)는 연역적 탐구 방법이다.
ㄷ. (가)의 관찰 수행은 감각 기관으로만 해야 한다.

① ㄴ ② ㄷ ③ ㄱ, ㄴ
④ ㄱ, ㄷ ⑤ ㄴ, ㄷ

10 다음은 어떤 식물 종에서 합성되는 물질 A의 기능에 대한 탐구 과정의 일부이다.

(가) 물질 A는 이 식물 종의 해충 피해를 막아줄 것이다.
(나) 이 식물 종에서 물질 A의 합성이 억제된 품종을 개발하여 실험실에서 키운 뒤 야외의 밭에 옮겨 심고, 잎에서 발생한 해충 피해 정도를 조사한다.
(다) 잎에서 해충 피해가 발생하였으며, 시간 경과에 따른 잎의 해충 피해 정도는 표와 같았다.

옮겨 심은 후 경과 시간	4일	8일	12일
잎의 해충 피해 정도(상댓값)	2	5	11

(라) 물질 A는 이 식물의 해충 피해를 막아준다.

이에 대한 설명으로 옳은 것만을 〈보기〉에서 있는 대로 고른 것은?

보기
ㄱ. (가)는 가설 설정 단계이다.
ㄴ. (나)에서는 대조 실험이 이루어지지 않은 상태이다.
ㄷ. (다)에서 '잎의 해충 피해 정도'는 독립변인이다.

① ㄱ ② ㄷ ③ ㄱ, ㄴ
④ ㄴ, ㄷ ⑤ ㄱ, ㄴ, ㄷ

11 다음은 연역적 탐구 방법에 대한 학생들의 의견이다.

제시한 의견이 옳은 학생만을 있는 대로 고른 것은?

① A ② B ③ C
④ A, B ⑤ B, C

12 다음은 생물이 비생물로부터 발생할 수 있는지를 알아보는 탐구 과정이다.

(가) 생물은 비생물로부터 발생하지 않을 것이다.
(나) 2개의 병 A와 B에 고기 조각을 넣은 후, A는 병 입구를 그대로 열어두고 B는 병 입구를 천으로 막아 같은 장소에 보관하면서 병 내부의 변화를 관찰한다.
(다) 일정 시간 후 A에서는 구더기가 생겼고, B에서는 구더기가 생기지 않았다.
(다) 구더기는 고기에서 저절로 생기지 않는다.
(라) 생물은 비생물로부터 발생하지 않는다.

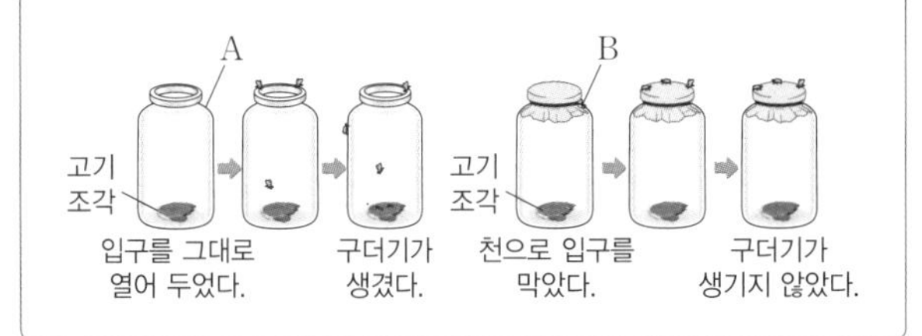

이에 대한 설명으로 옳은 것만을 〈보기〉에서 있는 대로 고른 것은?

보기
ㄱ. 이 실험은 연역적 탐구에 해당한다.
ㄴ. (가)는 가설을 설정하는 단계이다.
ㄷ. (나)에서 구더기의 생성 여부는 조작 변인이다.

① ㄴ ② ㄷ ③ ㄱ, ㄴ
④ ㄱ, ㄷ ⑤ ㄱ, ㄴ, ㄷ

한눈에 보는 대단원 정리

1 생명 과학의 이해

01 생물의 특성과 생명 과학의 특성

1. 생물의 특성

① **세포로 구성:** 모든 생물은 세포로 구성되며, 세포는 생물의 구조적, 기능적 단위이다.

구분	내용
단세포 생물	하나의 세포로 이루어진 생물이다. 예 아메바, 짚신벌레 등
다세포 생물	여러 개의 세포가 체계적이고 유기적으로 조직되어 이루어진 생물이다. 예 사람, 양파, 민들레, 코끼리 등

② **물질대사:** 생물체 내에서 일어나는 화학 반응을 말하며, 생물은 이를 통해 생활에 필요한 물질을 합성하고 에너지를 얻는다.

구분	동화 작용	이화 작용
물질의 변화	저분자 물질이 고분자 물질로 합성	고분자 물질이 저분자 물질로 분해
에너지 변화	에너지를 흡수 (흡열 반응)	에너지를 방출 (발열 반응)
예	광합성, 단백질 합성	세포 호흡, 소화

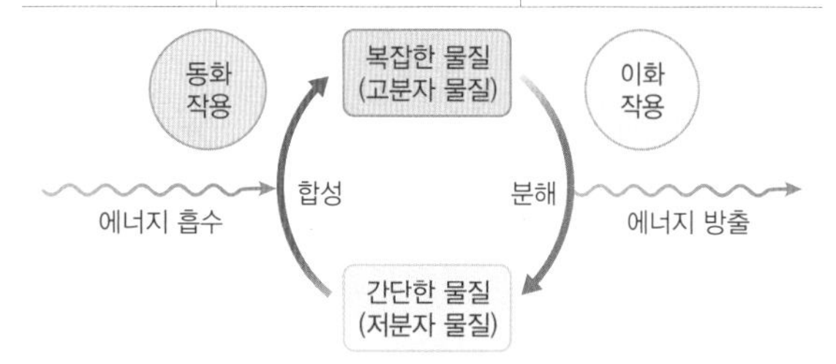

③ **자극에 대한 반응과 항상성**

구분	내용
자극에 대한 반응	생물은 다양한 자극을 감지하고 이에 대해 적절하게 반응한다. 예 식물은 빛이 비치는 쪽으로 굽어 자란다.
항상성	생물은 외부 환경이 변하더라도 체온, 혈당량, 삼투압 등의 체내 상태를 일정하게 유지한다. 예 더우면 땀을 흘려 체온을 일정하게 유지한다.

④ **발생과 생장**

구분	내용
발생	수정란이 세포 분열을 통해 세포 수가 증가하고 조직과 기관이 분화하여 완전한 개체가 된다. 예 개구리의 수정란이 올챙이를 거쳐 개구리가 된다.
생장	어린 개체가 세포 분열을 통해 세포 수를 늘려감으로써 몸의 크기와 무게가 증가한다. 예 어린 개구리가 성체 개구리로 자란다.

⑤ **생식과 유전**

구분	내용
생식	생물이 종족을 유지하기 위해 자신과 닮은 자손을 만드는 것을 말한다. 예 • 사람은 생식세포의 수정으로 생식을 한다. • 히드라는 출아법으로 개체 수를 늘린다. • 짚신벌레는 이분법으로 개체 수를 늘린다.
유전	어버이 형질이 자손에게 전달되는 현상이다. 예 어머니가 적록 색맹이면 아들도 적록 색맹이다.

⑥ **적응과 진화**

구분	내용
적응	생물이 환경에 적합하도록 구조와 기능, 행동 양식 등이 변하는 현상이다. 예 • 계절에 따른 북극토끼의 털색 변화 • 나뭇잎과 비슷한 형태의 가랑잎벌레 • 수분 손실을 막기 위해 잎이 가시로 변한 선인장
진화	생물이 오랜 시간에 걸쳐 환경 변화에 적응하면서 집단의 유전적 구성이 변하여 새로운 종이 나타나는 것을 말한다. 예 갈라파고스 군도의 각 섬에 사는 부리 모양이 다른 핀치

2. 바이러스

① **바이러스:** 살아 있는 세포 안에서만 살아 활동하는 감염성 병원체이다.

② **바이러스의 특성**

생물적 특성	비생물적 특성
• 유전 물질인 핵산이 존재한다. • 숙주 세포 내에서만 물질대사와 증식을 한다. • 증식 과정에서 유전 현상이 나타난다. • 증식 과정에서 돌연변이가 나타나 다양한 종류로 진화한다.	• 세포의 구조를 가지지 못한다. • 숙주 세포 밖에서 단백질 결정체로 존재한다. • 효소를 합성하지 못해 독립적으로 물질대사를 하지 못한다.

대장균

▲ 박테리오파지의 증식 과정

3. 생명 과학의 특성

① **생명 과학:** 생물의 특성과 생명 현상의 본질을 탐구하는 학문으로, 생물의 구성 물질에서부터 생태계까지 모든 단계가 생명 과학의 연구 대상이다.

② **다른 과학 분야와의 통합:** 물리학, 화학의 원리와 이론을 받아들여 생명 현상 연구에 필요한 과학적 분석 도구와 방법을 얻었다.

- 물리학을 바탕으로 전자 현미경을 발명하여 세포의 구조를 밝히는 데 도움을 받았다.
- 생화학과 측정 기술의 발달로 효소, 호르몬 등을 발견하고 그 기능을 밝혔다.

③ **다양한 학문 분야와의 통합**

- 연계 학문: 컴퓨터 과학, 정보 기술, 수학, 지리학, 법학 등
- 통합 분야: 생명 공학, 생물 정보학, 생물 통계학, 생물 지리학, 법의학 등

02 생명 과학의 탐구 방법

1. 귀납적 탐구 방법

① **귀납적 탐구 과정:** 자연 현상을 관찰하여 얻은 자료를 분석하고 종합하여 일반적인 원리나 법칙을 이끌어 내는 탐구 방법이다.

② **생명 과학의 귀납적 탐구의 사례**

다윈의 진화론	세계 각지와 갈라파고스 군도의 다양한 생물을 관찰하고 그 결과를 종합하여 자연 선택에 의한 진화론을 발표했다.
세포설	슐라이덴과 슈반은 자신들과 여러 과학자들이 다양한 생물을 현미경으로 관찰한 결과를 종합하여 세포설을 주장했다.
구달의 침팬지 연구	침팬지 보호 구역에서 오랜 시간 동안 침팬지를 관찰하고 이를 바탕으로 침팬지의 다양한 행동 특성을 알아냈다.
DNA 구조 발견	왓슨과 크릭은 DNA의 화학적 성분, 염기의 비율, X선 회절 사진 등 여러 과학자의 연구 성과를 분석하고 연구하여 DNA의 이중 나선 구조를 발견하였다.

2. 연역적 탐구 방법

① **연역적 탐구 과정:** 자연 현상을 관찰하면서 생긴 의문을 해결하기 위해 가설을 세우고 실험을 통해 가설을 검증하는 탐구 방법이다.

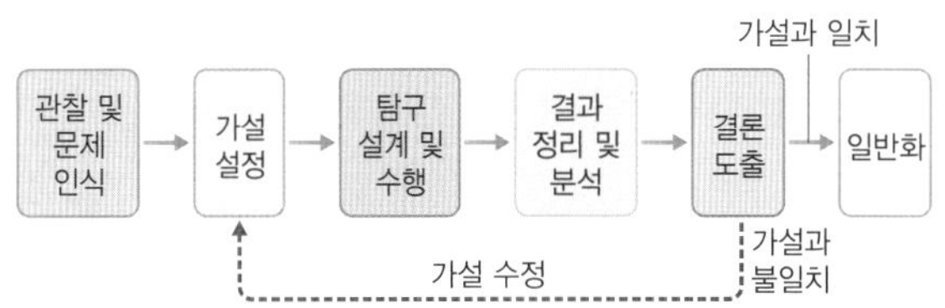

탐구 과정	내용
관찰 및 문제 인식	• 자연 현상을 관찰하고, 관찰한 현상에 대해 '왜 그럴까?'라는 의문을 제기한다. • 관찰은 감각 기관과 실험 기구를 사용한다.
가설 설정	• 관찰에서 인식한 의문에 대한 잠정적인 답을 세운다. • 가설은 예측 가능하고 검증 가능해야 한다. • 기존 지식이나 과거 경험을 토대로 세운다.
탐구 설계 및 수행	가설을 검증하기 위해 탐구를 설계하고, 그에 따라 실험을 수행한다.
결과 정리 및 분석	• 실험에서 얻은 결과를 분석하고 해석하여, 경향성과 규칙성을 알아낸다. • 실험 결과를 표나 그래프로 정리한다. • 실험 결과가 가설과 일치하지 않으면 실험 과정의 오류를 찾거나 가설을 수정하여 새로운 탐구를 설계한다.
결론 도출 및 일반화	• 실험을 통해 얻은 자료와 가설의 일치 여부를 확인하여 결론을 내린다. • 결론으로부터 보편적이고 객관적인 이론을 이끌어 낸다.

② **대조 실험:** 탐구 시 실험 결과의 타당성을 높이기 위해 실험군과 비교할 수 있는 대조군을 설정하여 실험한다.

실험군	실험에서 검증하려는 요인을 변화시킨 집단
대조군	실험군과 비교하기 위해 검증하려는 요인을 변화시키지 않은 집단

③ **변인:** 실험에 영향을 주거나 영향을 받는 모든 요인이다.

독립변인	실험 결과에 영향을 주는 요인 • 조작 변인: 가설 검증을 위해 실험에서 인위적으로 변화시키는 변인 • 통제 변인: 실험에서 제외시키거나 일정하게 유지시키는 변인
종속변인	조작 변인에 의해 변화되는 요인으로, 실험 결과에 해당

한번에 끝내는

대단원 문제

정답과 해설 07쪽

01 생물의 특성을 설명한 것으로 옳지 않은 것은?

① 세포로 구성되어 있다.
② 생식세포를 형성한다.
③ 자극에 대한 반응을 보인다.
④ 외부 변화에 따라 내부도 변화한다.
⑤ 부모의 형질이 자손에게 전달되어 나타난다.

02 다음은 식충 식물의 일종인 파리지옥에 대한 설명이다.

> 파리지옥의 잎에는 3쌍의 감각모가 있어서 ㉠ 잎에 곤충이 앉으면 잎이 갑자기 접히며, 안쪽의 분비샘에서 ㉡ 소화액을 분비하여 곤충을 소화시킨다.

이에 대한 설명으로 옳은 것을 〈보기〉에서 있는 대로 고른 것은?

〈보기〉
ㄱ. ㉠은 자극에 대한 반응을 나타낸다.
ㄴ. ㉡은 식물이 광합성을 하는 것과 동일한 생물의 특성의 예에 해당한다.
ㄷ. 파리지옥은 세포로 구성되어 있다.

① ㄱ　② ㄴ　③ ㄱ, ㄴ
④ ㄴ, ㄷ　⑤ ㄱ, ㄴ, ㄷ

03 그림 (가)와 (나)는 각각 사막에 사는 사막여우와 북극에 사는 북극여우를 나타낸 것이다.

(가)

(나)

이와 같은 생물의 특성에 해당하는 예로 옳은 것은?

① 히드라는 출아법으로 증식한다.
② 입에서 녹말이 소화되어 엿당이 된다.
③ 어두운 곳에서 고양이 동공이 확장된다.
④ 북극토끼의 털색은 겨울에 흰색으로 변한다.
⑤ 올챙이는 꼬리가 없어지고 다리가 생겨 어린 개구리가 된다.

04 그림은 바이러스 A와 짚신벌레 B의 공통점과 차이점을 나타낸 것이다.

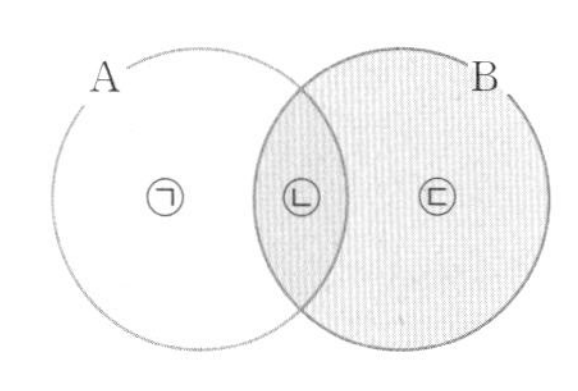

이에 대한 설명으로 옳은 것만을 〈보기〉에서 있는 대로 고른 것은?

〈보기〉
ㄱ. '세포로 구성되어 있다.'는 ㉠에 해당한다.
ㄴ. '유전 물질을 갖는다.'는 ㉡에 해당한다.
ㄷ. '세균 여과기를 빠져나온다.'는 ㉢에 해당한다.

① ㄱ　② ㄴ　③ ㄱ, ㄷ
④ ㄴ, ㄷ　⑤ ㄱ, ㄴ, ㄷ

고난도

05 다음은 화성 토양에 생물체가 존재하는지를 알아보기 위해 실시한 실험이다.

> (가) 그림과 같이 화성 토양을 채취하여 장치하였다.
> (나) ^{14}C로 표지된 영양소를 용기에 주입하였다.
> (다) 3일 후 방사능 계측기로 방사성 기체가 있는지 확인하였다.

이에 대한 설명으로 옳은 것만을 〈보기〉에서 있는 대로 고른 것은?

〈보기〉
ㄱ. 생물체는 물질대사를 한다는 것을 전제로 실시한 실험이다.
ㄴ. 방사능 계측기는 O_2 발생을 알아보기 위한 것이다.
ㄷ. 호흡을 통해 ^{14}C로 표지된 영양소를 분해하여 에너지를 얻는 생물체가 있는지를 알아보는 실험이다.

① ㄱ　② ㄴ　③ ㄱ, ㄴ
④ ㄱ, ㄷ　⑤ ㄱ, ㄴ, ㄷ

06 그림은 생물의 특성을 구분하여 나타낸 것이다.

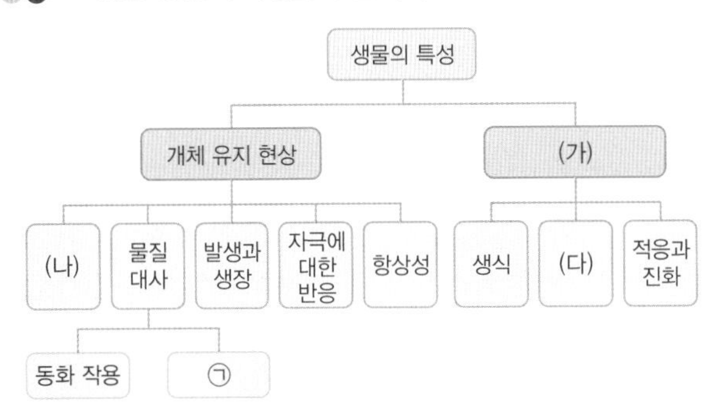

이에 대한 설명으로 옳은 것만을 〈보기〉에서 있는 대로 고른 것은?

보기
ㄱ. (가)는 종족 유지 현상이다.
ㄴ. (다)는 '세포로 구성'에 해당된다.
ㄷ. ㉠의 예로는 소화가 있다.

① ㄱ ② ㄴ ③ ㄱ, ㄷ
④ ㄴ, ㄷ ⑤ ㄱ, ㄴ, ㄷ

07 다음은 거미가 거미줄을 이용하여 먹이를 잡는 과정의 일부를 설명한 것이다.

거미줄에 먹이가 걸리면 거미줄에 진동이 발생한다. ㉠ 거미는 이 진동을 감지하여 먹이를 향해 다가간다.

㉠에 나타난 생물의 특성과 관련이 깊은 예로 옳은 것만을 〈보기〉에서 있는 대로 고른 것은?

보기
ㄱ. 장구벌레가 자라서 모기가 된다.
ㄴ. 뜨거운 물체에 손이 닿으면 재빨리 손을 뗀다.
ㄷ. 식물은 빛이 비치는 쪽을 향해 굽어 자란다.

① ㄱ ② ㄴ ③ ㄱ, ㄷ
④ ㄴ, ㄷ ⑤ ㄱ, ㄴ, ㄷ

고난도

08 다음은 해캄과 호기성 세균을 가지고 실험한 과정과 결과를 나타낸 것이다.

[실험 과정]
밝은 곳에 해캄과 호기성 세균을 두었더니 호기성 세균이 해캄의 엽록체 부위에 모여들었다.
[실험 결과]

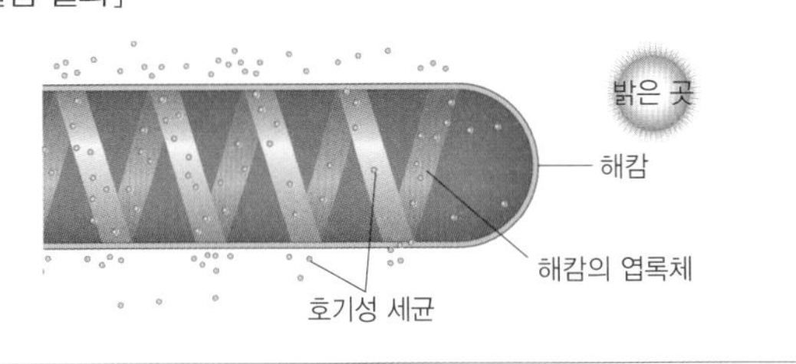

이에 대한 설명으로 옳은 것만을 〈보기〉에서 있는 대로 고른 것은?

보기
ㄱ. 호기성 세균은 이산화 탄소가 많은 곳에 모여든다.
ㄴ. 엽록체에서 광합성이 일어난 것은 물질대사에 해당한다.
ㄷ. 호기성 세균이 엽록체 부위로 모여든 것은 자극에 대한 반응에 해당한다.

① ㄱ ② ㄴ ③ ㄱ, ㄷ
④ ㄴ, ㄷ ⑤ ㄱ, ㄴ, ㄷ

09 그림 (가)와 (나)는 각각 대장균과 바이러스를 나타낸 것이다.

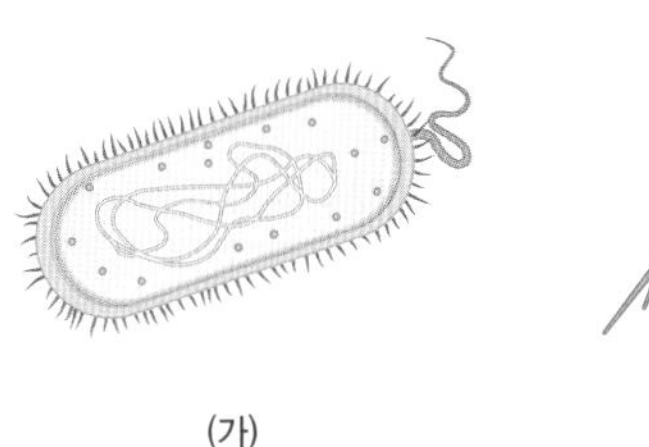
(가)

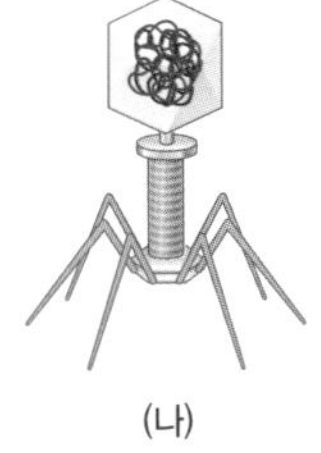
(나)

이에 대한 설명으로 옳은 것만을 〈보기〉에서 있는 대로 고른 것은?

보기
ㄱ. (가)는 세포로 구성되어 있다.
ㄴ. (나)는 독립적으로 물질대사를 한다.
ㄷ. (가)와 (나)는 모두 유전 물질을 가지고 있다.

① ㄱ ② ㄴ ③ ㄱ, ㄷ
④ ㄴ, ㄷ ⑤ ㄱ, ㄴ, ㄷ

10 그림은 탐구 방법 중 1가지를 나타낸 것이다.

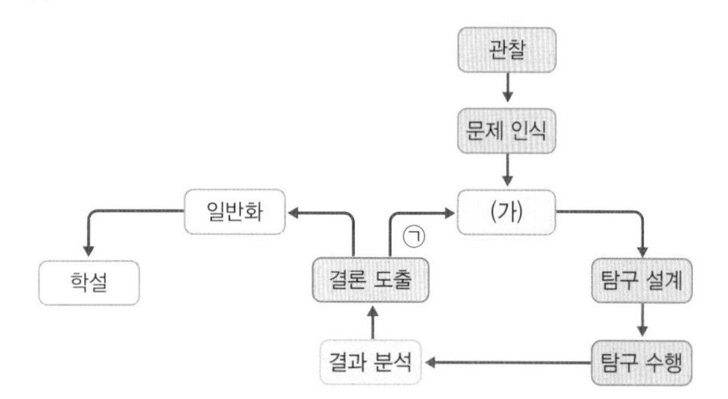

이에 대한 설명으로 옳은 것만을 〈보기〉에서 있는 대로 고른 것은?

보기
ㄱ. (가)는 잠정적인 답을 설정하는 단계이다.
ㄴ. ㉠은 가설과 결론이 일치하는 경우에 수행한다.
ㄷ. 이 탐구 방법은 귀납적 탐구 방법이다.

① ㄱ ② ㄷ ③ ㄱ, ㄴ
④ ㄴ, ㄷ ⑤ ㄱ, ㄴ, ㄷ

11 다음은 페니실린을 발견한 플레밍의 탐구 과정이다.

(가) '푸른곰팡이 주변에서 세균이 증식하지 못하는 까닭은 무엇일까?'라는 의문을 가졌다.
(나) [　　　　]
(다) 모든 조건을 동일하게 하여 세균을 배양한 접시 2개 중 하나(A)에는 푸른곰팡이를 접종하였고, 다른 하나(B)에는 푸른곰팡이를 접종하지 않았다.
(라) 배양 접시 A에서는 세균이 증식하지 않았고, 배양 접시 B에서는 세균이 증식하였다.
(마) 푸른곰팡이는 세균의 증식을 억제하는 물질을 만든다.

이에 대한 설명으로 옳은 것만을 〈보기〉에서 있는 대로 고른 것은?

보기
ㄱ. 이 실험의 조작 변인은 푸른곰팡이의 유무이다.
ㄴ. (나) 단계는 문제 인식 단계이다.
ㄷ. (다)에서는 대조군과 실험군이 모두 설정되었다.

① ㄱ ② ㄴ ③ ㄱ, ㄷ
④ ㄴ, ㄷ ⑤ ㄱ, ㄴ, ㄷ

12 다음은 세 명의 과학자가 수행한 탐구 내용이다.

(가) 다윈은 측량선 비글호를 타고 동·식물을 채집하여 관찰한 것을 정리하여 '생물은 진화한다.'라는 결론을 도출하였다.
(나) 파스퇴르는 '탄저병 백신을 양에게 주사하면 탄저병 예방의 효과가 있다.'라는 가설을 대조 실험을 통하여 검증하고, 백신 주사가 질병의 예방에 효과가 있다는 결론을 도출하였다.
(다) 슐라이덴과 슈반은 여러 과학자들이 오랜 시간 동안 현미경으로 생물 표본을 관찰하여 얻은 결과를 종합하여 '모든 생물은 세포로 이루어져 있다.'라고 결론을 내렸다.

이에 대한 설명으로 옳지 않은 것은?

① (가)는 귀납적 탐구 방법이다.
② (나)는 연역적 탐구 방법이다.
③ (나)에서는 실험군과 대조군을 설정하여 가설을 검증하였다.
④ (다)에서는 '모든 생물은 세포로 이루어졌을 것이다.'라는 가설을 검증하였다.
⑤ (다)는 (가)와 같은 탐구 방법을 사용하였다.

고난도

13 그림은 연역적 탐구와 귀납적 탐구의 공통점과 차이점을 나타낸 것이다.

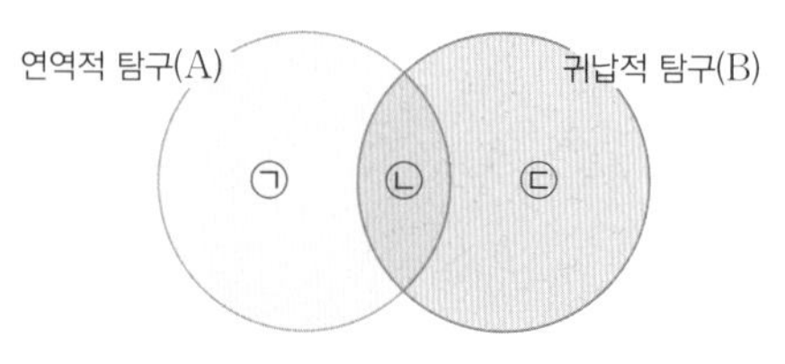

이에 대한 설명으로 옳은 것만을 〈보기〉에서 있는 대로 고른 것은?

보기
ㄱ. '대조 실험'은 ㉠에 해당한다.
ㄴ. '결론 도출'은 ㉡에 해당한다.
ㄷ. B 특징을 갖는 사례로 세포설이 있다.

① ㄱ ② ㄷ ③ ㄱ, ㄴ
④ ㄴ, ㄷ ⑤ ㄱ, ㄴ, ㄷ

서술형

14 항생제 남용에 따라 항생제 내성 세균이 증가하는 것은 생물의 특성 중 어떤 것과 가장 관련이 있는지를 항생제 내성 세균이 살아남은 원인과 함께 서술하시오.

서술형

15 생명 과학을 탐구하는 대표적인 2가지 탐구 방법은 무엇이며, 2가지 방법을 구분하는 중요한 차이는 무엇인지 서술하시오.

16 다음은 물질 A가 세균을 죽이는지를 알아보기 위해 수행한 탐구 과정을 순서 없이 나열한 것이다.

(가) 물질 A는 세균을 죽게 한다.
(나) 물질 A가 있는 용액을 떨어뜨린 배지에서는 세균이 죽었으나, 물질 A가 없는 용액을 떨어뜨린 배지에서는 세균이 죽지 않았다.
(다) 물질 A가 세균을 죽게 할 것이라고 가정하였다.
(라) 완전히 멸균된 2개의 배지에 세균을 배양하고 한 배지에는 물질 A가 있는 용액을, 다른 배지에는 물질 A가 없는 용액을 떨어뜨린 다음 적당한 온도를 유지하였다.

(1) 탐구 과정을 순서대로 옳게 쓰시오.

(2) 이 실험에서 실험군과 대조군이 무엇인지 쓰고, 실험군과 대조군에서 서로 달리해야 하는 변인은 무엇이며, 동일하게 유지해야 할 변인은 무엇인지 쓰시오.

서술형

17 오늘날 생명 과학은 다른 과학 분야의 도움을 받아 연구가 이루어지고 있다. 물리학과 화학에서 생명 과학에 도움을 준 사례를 1가지씩 서술하시오.

서술형

18 다음은 아까시나무와 개미의 상호 작용을 알아보기 위한 어떤 과학자의 탐구 과정을 나타낸 것이다.

(가) 아까시나무에 개미가 서식하는 것을 보고, 개미가 살지 않으면 어떤 변화가 있을지 궁금해졌다.
(나) 개미를 제거한 아까시나무는 개미가 서식하는 아까시나무보다 잘 생장하지 못할 것이라고 생각하였다.
(다) 같은 지역의 아까시나무들을 집단 A와 B로 나눈 다음, 집단 A에서는 서식하고 있는 개미를 살충제로 모두 제거하고, 집단 B는 그대로 두었다.
(라) 집단 A와 B에서 개미의 제거 여부를 제외한 다른 조건은 같게 하고, 집단 A는 개미가 다시 서식하는 것을 막기 위해 지속적으로 개미를 제거하면서 10개월 동안 집단 A와 B에서 아까시나무의 생존 여부와 생장 정도를 관찰하였다.
(마) 집단 B에서보다 A에서 아까시나무의 생존율이 낮고 생장량이 적었다.

이 탐구의 결론은 무엇인지 탐구 결과를 분석하여 서술하시오.

Ⅱ

사람의 물질대사

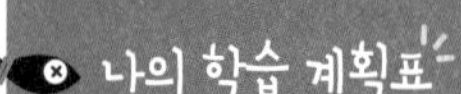

중단원	소단원	계획일	실천일	성취도
1 사람의 물질대사	01. 생명 활동과 에너지	/	/	○△×
	02. 노폐물의 배설과 기관계의 통합적 작용	/	/	○△×
	03. 물질대사와 질병	/	/	○△×
	수능 POOL + 실전! 수능 도전하기	/	/	○△×
	대단원 정리 + 문제	/	/	○△×

1 사람의 물질대사

배울 내용 살펴보기

01 생명 활동과 에너지

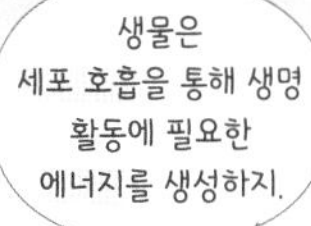

- A 물질대사
- B 에너지 생성과 이용
- C 에너지 생성에서 소화계, 호흡계, 순환계의 역할

02 노폐물의 배설과 기관계의 통합적 작용

세포 호흡의 결과로 발생한 노폐물이 배설되고, 생물의 기관계는 서로 긴밀하게 통합되어 있어.

- A 노폐물의 생성과 배설
- B 기관계의 통합적 작용

03 물질대사와 질병

물질대사와 관련이 있는 대사성 질환을 예방하기 위해 올바른 생활 습관을 기르는 게 중요해.

- A 에너지 대사의 균형
- B 대사성 질환

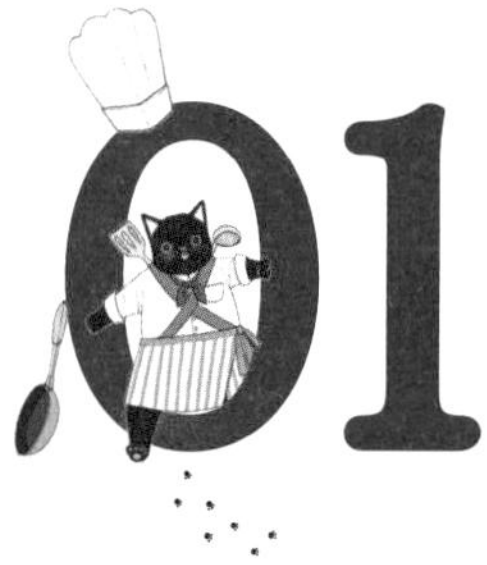

01 생명 활동과 에너지

핵심 키워드로 흐름잡기
- A 물질대사, 동화 작용, 이화 작용
- B 세포 호흡, ATP, 에너지 전환과 이용
- C 영양소의 소화, 기체 교환, 영양소와 산소의 이동

A 물질대사

|출·제·단·서| 시험에는 동화 작용과 이화 작용을 구분하여 그 특징을 비교하는 문제가 나와.

암기TIP 동화 작용: 저분자 → 고분자, 이화 작용: 고분자 → 저분자

1. 물질대사 생물체 내에서 일어나는 화학 반응이다.

(1) 물질대사의 의의 생물체는 물질대사를 통해 생명 활동에 필요한 에너지를 얻고, 구성 물질을 합성하며, •생리 작용을 조절하는 물질을 만든다.

(2) 물질대사의 특징
① 물질의 변화와 함께 에너지 출입이 일어난다.
② 반응이 단계적으로 일어난다. — 물질대사 과정에서는 에너지의 출입이 따르므로 에너지 대사라고도 한다.
③ 생체 촉매인 효소가 관여하여 체온 정도의 낮은 온도에서 반응이 쉽게 일어난다.

(3) 물질대사의 구분 물질대사는 동화 작용과 이화 작용으로 구분된다.

구분	동화 작용	이화 작용
정의	저분자 물질을 고분자 물질로 합성하는 과정	고분자 물질을 저분자 물질로 분해하는 과정
에너지 출입	에너지가 흡수된다. (흡열 반응) 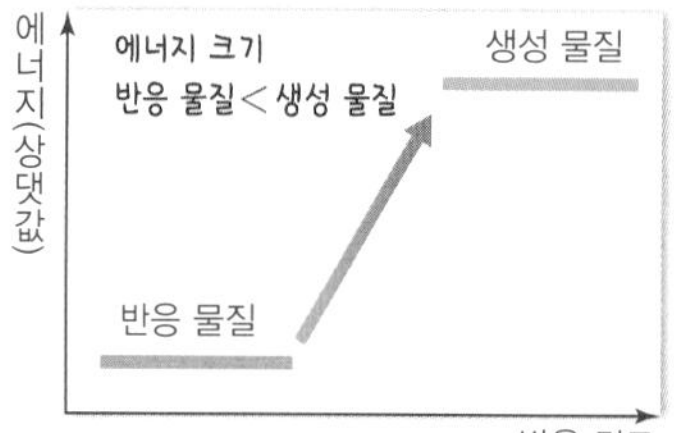에너지(상댓값) 에너지 크기 반응 물질 < 생성 물질 생성 물질 반응 물질 반응 경로	에너지가 방출된다. (발열 반응) 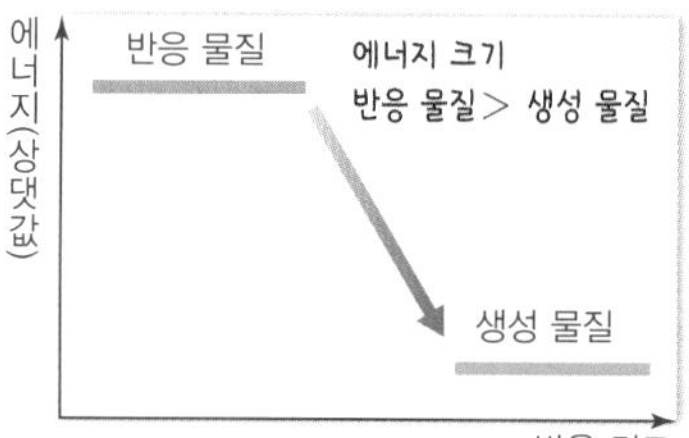에너지(상댓값) 반응 물질 에너지 크기 반응 물질 > 생성 물질 생성 물질 반응 경로
이용	생물체의 구성 물질을 합성하거나 생명 활동에 필요한 물질을 합성한다.	생명 활동에 필요한 에너지를 얻기 위해 물질을 분해한다.
예	• 광합성: 빛에너지를 흡수하여 이산화 탄소와 물로부터 포도당을 합성한다. • 단백질 합성: 아미노산 분자 여러 개가 결합하여 단백질을 합성한다.	• 세포 호흡: 포도당을 이산화 탄소와 물로 분해하여 생활에 필요한 에너지를 얻는다. • 녹말 소화: 녹말이 소화 효소에 의해 엿당을 거쳐 포도당으로 분해된다.
과정	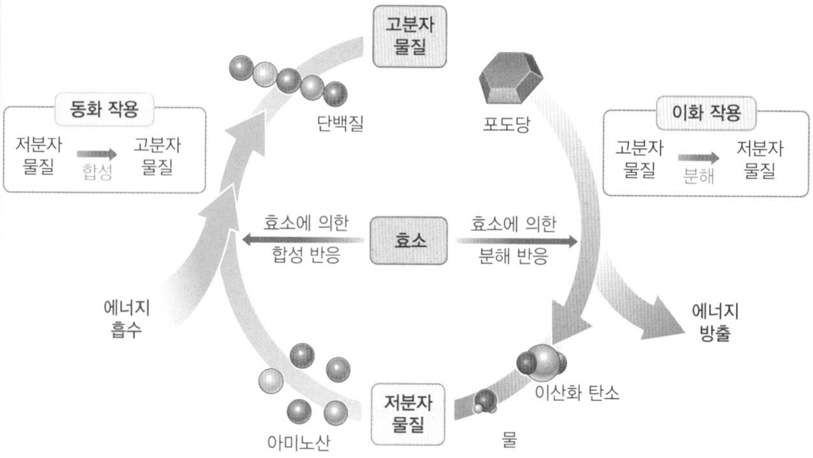고분자 물질 단백질 포도당 동화 작용 저분자 물질 합성 고분자 물질 이화 작용 고분자 물질 분해 저분자 물질 효소에 의한 합성 반응 효소 효소에 의한 분해 반응 에너지 흡수 에너지 방출 이산화 탄소 저분자 물질 아미노산 물 ▲ 동화 작용과 이화 작용

? 화학 반응인 물질대사가 사람의 체온에서도 잘 일어나는 까닭은 무엇일까?
화학 반응은 높은 온도와 압력에서 일어나지만, 생물체 내에서 일어나는 화학 반응은 효소가 작용하여 체온에서도 반응이 잘 일어나도록 해 주기 때문이다.

용어 알기
•생리 작용(날 生, 다스릴 理, 지을 作, 쓸 用) 혈액 순환, 호흡, 소화, 배설, 생식 따위와 같이 생물이 생활하는 모든 작용

B 에너지의 생성과 이용

|출·제·단·서| 시험에는 ATP의 생성 과정과 에너지가 생명 활동에 어떻게 사용되는지를 묻는 문제가 나와.

암기TiP 세포 호흡에서 방출된 에너지의 일부는 ATP에 저장되어 생명 활동에 필요한 에너지를 공급한다.

1. 세포 호흡❶ 탐구 POOL 세포에서 영양소❷를 분해하여 생명 활동에 필요한 에너지를 얻는 과정이다.

(1) **세포 호흡 장소** 미토콘드리아를 중심으로 일어난다.

(2) **세포 호흡과 에너지** 세포 호흡으로 포도당은 산소와 반응하여 물과 이산화 탄소로 분해되며, 그 과정에서 포도당에 저장되었던 에너지가 방출된다. 세포 호흡에서 방출된 에너지의 일부는 ATP에 저장되고 나머지는 열로 방출된다.
(일부는: 약 34 %, 나머지는: 약 66 %)

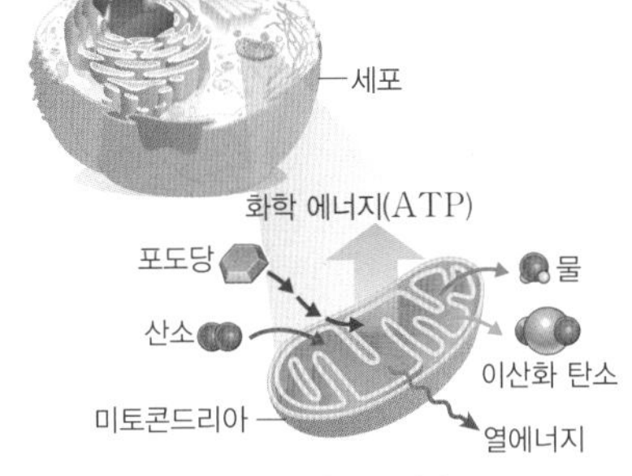

▲ 세포 호흡과 에너지

2. •ATP 생물체 내에서 에너지를 저장, 운반하고, 생명 활동에 직접 이용되는 에너지 저장 물질이다.

(1) **ATP의 구조** 아데노신(아데닌+리보스)에 인산기 3개가 결합된 구조이며, 인산기와 인산기 사이에 많은 양의 에너지가 저장되어 있다. 인산기와 인산기 사이의 결합을 고에너지 인산 결합이라고 한다.

(2) **ATP의 분해와 에너지 방출** ATP가 •ADP와 무기 인산으로 분해될 때 ATP에 저장된 에너지가 방출되어 다양한 생명 활동에 이용된다.

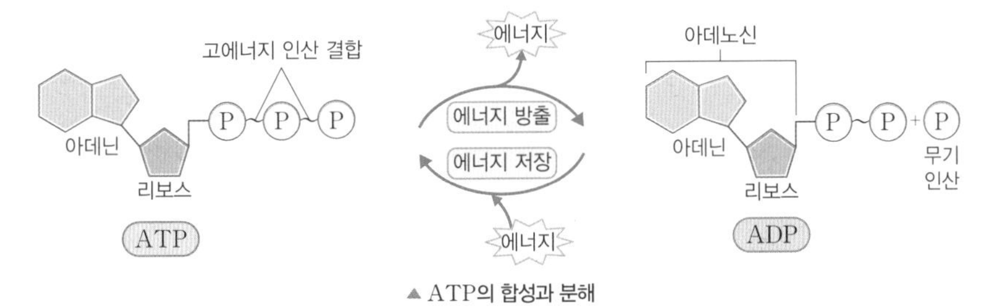

▲ ATP의 합성과 분해

3. 에너지 전환과 이용 포도당에 저장된 화학 에너지는 세포 호흡에 의해 ATP의 화학 에너지로 전환되고, ATP에 저장된 화학 에너지는 여러 가지 형태로 전환되어 다양한 생명 활동에 이용된다.

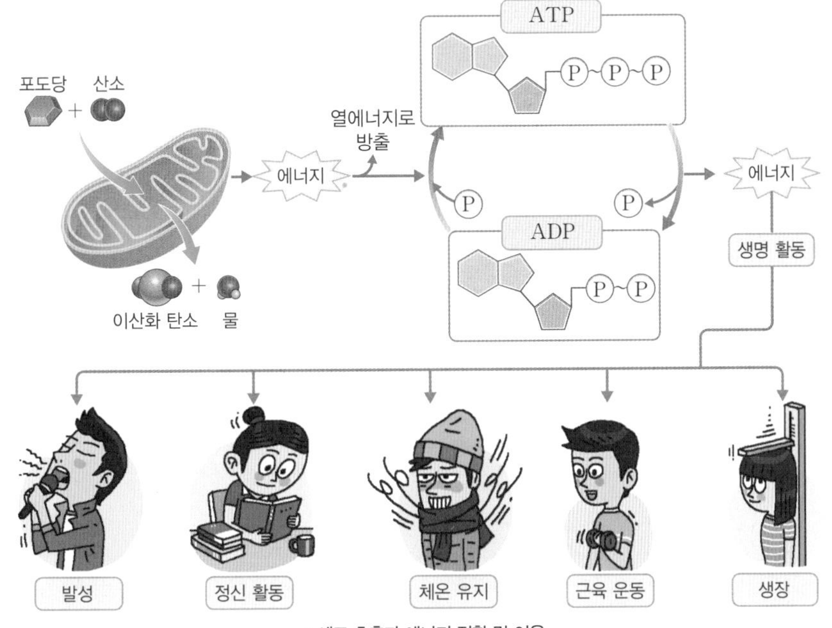

▲ 세포 호흡과 에너지 전환 및 이용

---

❶ 세포 호흡

세포 호흡 과정에서 에너지는 조금씩 단계적으로 방출되며, 그중 일부가 ATP에 저장된다.

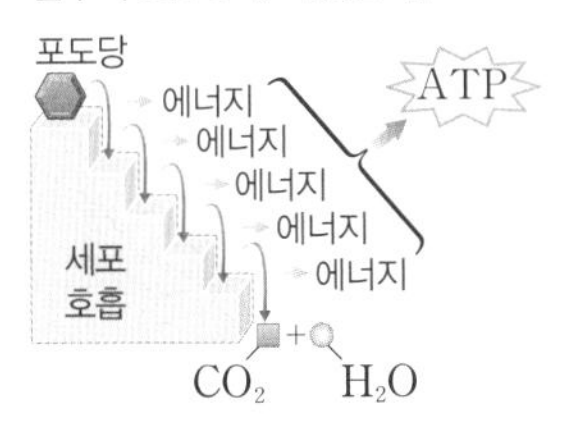

▲ 세포 호흡 단계

❷ 영양소

식물은 광합성을 통해 세포 호흡에 필요한 영양소를 스스로 합성하고 이를 분해하여 에너지를 생성한다. 반면, 동물은 먹이로 영양소를 섭취하여 몸을 구성하고 있는 세포에 전달하여 세포 호흡을 한다.

? 세포 호흡 결과 나오는 에너지 중에서 열에너지는 어디에 쓰일까?

세포 호흡 결과 나오는 열에너지는 사람의 경우 체온을 유지하는 데 사용된다.

용어 알기

- •ATP(Adenosine triphosphate) 아데노신에 인산기가 3개 붙은 것
- •ADP(Adenosine diphosphate) 아데노신에 인산기가 2개 붙은 것

C 에너지 생성에서 소화계, 호흡계, 순환계의 역할

|출·제·단·서| 시험에는 에너지 생성에서 각 기관계가 어떤 역할을 하는지 그림과 함께 묻는 문제가 나와.

암기TiP 소화계는 영양소를 흡수하고, 호흡계는 산소를 흡수하며, 순환계는 영양소와 산소를 온몸으로 운반한다.

1. 소화계 음식물에 들어 있는 녹말, 단백질, 지방 등의 영양소는 분자 크기가 커서 세포막을 통과하지 못한다. 영양소가 세포막을 통과하기 위해 소화계는 분자 크기가 큰 영양소를 흡수 가능한 작은 영양소로 분해하여 몸속으로 흡수하는 작용을 한다.

(1) 영양소의 소화 섭취한 음식물이 소화 기관을 지나는 동안 소화 효소에 의해 녹말은 포도당으로, 단백질은 아미노산으로, 지방은 지방산과 모노글리세리드❸로 분해된다.

(2) 영양소의 흡수 소화된 영양소는 소장 내벽에 있는 융털❹로 흡수된 후 심장으로 이동한다.

① **수용성 영양소(포도당, 아미노산, 무기염류, 수용성 비타민)**: 융털의 모세 혈관으로 흡수된다.
└ 비타민 B_1, B_2, B_6, B_{12}, C 등

② **지용성 영양소(지방산, 모노글리세리드, 지용성 비타민)**: 융털의 암죽관❺으로 흡수된다.
└ 암죽관에서 흡수된 지용성 영양소는 림프관을 따라 심장을 거쳐 온몸으로 이동한다.
└ 비타민 A, D, E, F, K 등

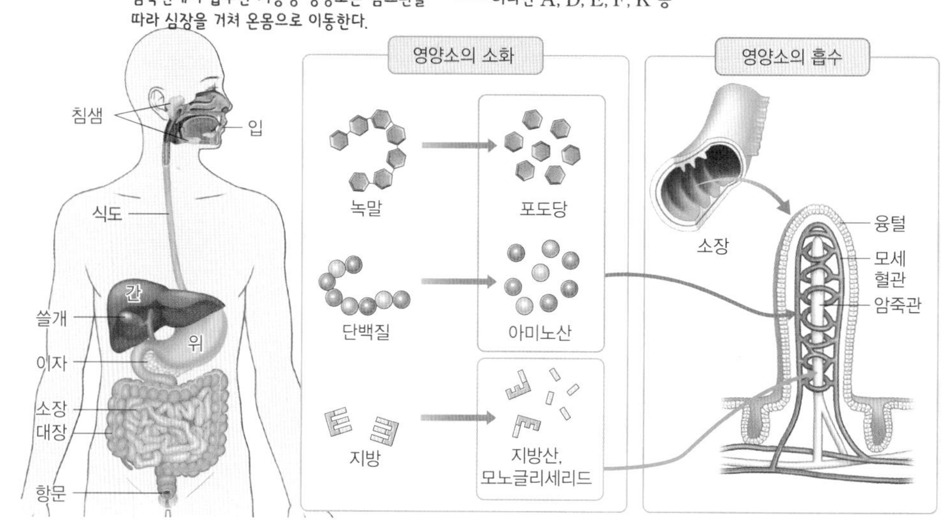

▲ 영양소의 소화와 흡수

2. 호흡계 세포 호흡으로 에너지를 생성하기 위해서는 음식물 속 영양소와 함께 산소가 필요하다. 호흡계는 세포 호흡에 필요한 산소를 몸속으로 흡수하고, 세포 호흡 결과 발생한 이산화 탄소를 몸 밖으로 내보내는 작용을 한다.

(1) 호흡 운동 숨을 들이마시면(들숨) 외부 공기가 폐포 속으로 들어오고, 숨을 내쉬면(날숨) 폐포 속의 공기가 바깥으로 나간다.

(2) 폐에서의 기체 교환❻ 숨을 들이마실 때 폐로 들어온 공기 중의 산소는 폐포에서 모세 혈관으로 확산되어 들어오고, 혈액 속 이산화 탄소는 폐포로 확산되어 몸 밖으로 나간다.

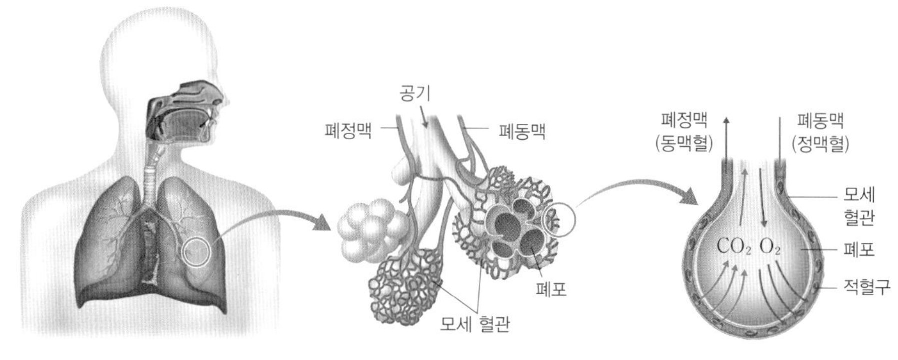

▲ 폐에서의 기체 교환

---

❸ 모노글리세리드
글리세롤에 지방산 1분자가 결합한 물질이다. 지방과 모노글리세리드를 비교하면 다음과 같다.

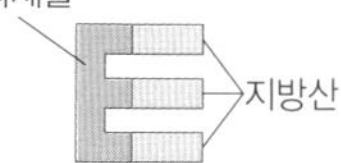

글리세롤 1분자＋지방산 3분자
▲ 지방

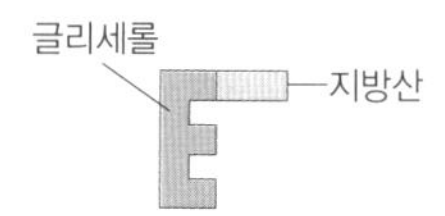

글리세롤 1분자＋지방산 1분자
▲ 모노글리세리드

❹ 융털
소장 내벽에 있는 융털은 영양소와 접촉하는 표면적을 넓혀 흡수가 효율적으로 일어나게 한다.

❺ 암죽관
융털 속에는 모세 혈관과 림프관이 복잡하게 얽혀 있는데, 융털 속에 들어 있는 림프관을 암죽관이라고 한다.

❻ 기체 교환
폐와 조직 세포에서 기체가 이동하는 원리는 분압 차에 의한 확산으로, 기체는 분압이 높은 곳에서 낮은 곳으로 이동한다.

용어 알기
- 수용성(물 水, 흐를 溶, 성질 性) 어떤 물질이 물에 녹는 성질
- 지용성(기름 脂, 흐를 溶, 성질 性) 어떤 물질이 기름에 녹는 성질
- 확산(넓힐 擴, 흩을 散) 액체나 기체가 농도가 높은 곳에서 낮은 곳으로 퍼져 나가는 현상

3. 순환계 순환계는 소장에서 흡수한 영양소와 폐에서 흡수한 산소를 혈액[7]을 통해 온몸의 조직 세포로 운반하고 조직 세포에서 나오는 노폐물을 폐와 배설 기관으로 운반하는 작용을 한다.

(1) 영양소와 산소의 이동 소화계에서 흡수된 영양소와 호흡계에서 흡수된 산소는 순환계에 의해 온몸의 조직 세포로 운반된다.

① **영양소의 이동:** 소장에서 흡수된 영양소는 혈액의 •혈장을 통해 조직 세포로 운반된다.

② **산소의 이동:** 폐에서 흡수된 산소는 혈액 속 적혈구의 헤모글로빈과 결합하여 운반된다.

(2) 노폐물의 이동 세포 호흡 결과 나온 이산화 탄소와 노폐물은 혈액을 따라 호흡계와 배설계로 이동한다.

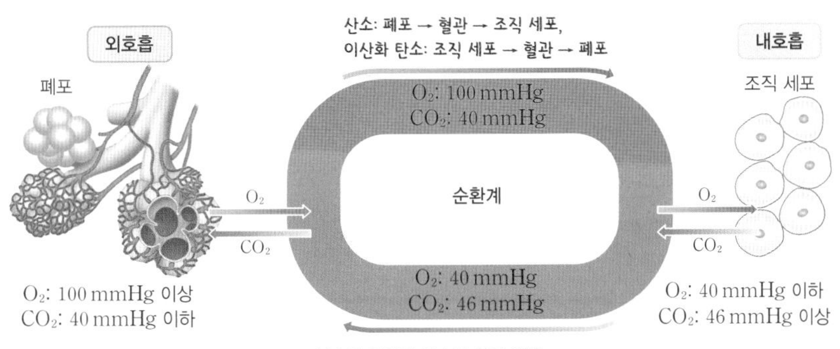

▲ 산소와 이산화 탄소의 이동 방향

빈출 자료 우리 몸에서의 물질의 이동

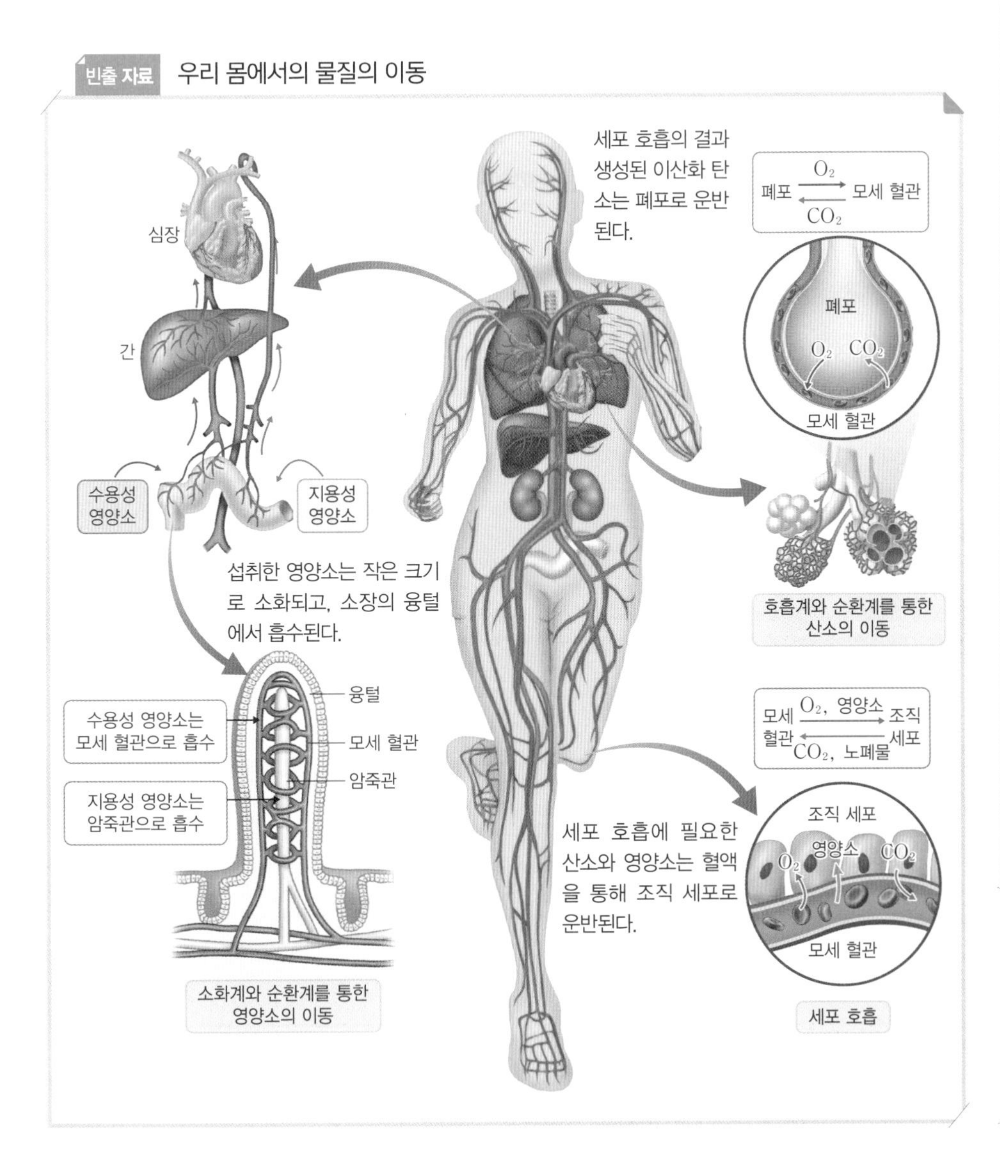

[7] 혈액의 구성

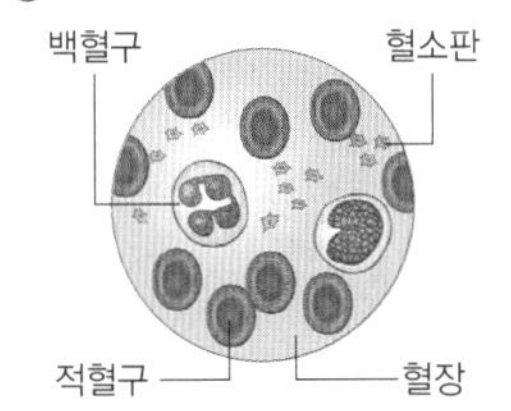

- 세포 성분: 적혈구, 백혈구, 혈소판
- 액체 성분: 혈장

혈액 순환 경로

- 체순환: 좌심실 → 대동맥 → 온몸의 모세 혈관 → 대정맥 → 우심방
- 폐순환: 우심실 → 폐동맥 → 폐포의 모세 혈관 → 폐정맥 → 좌심방

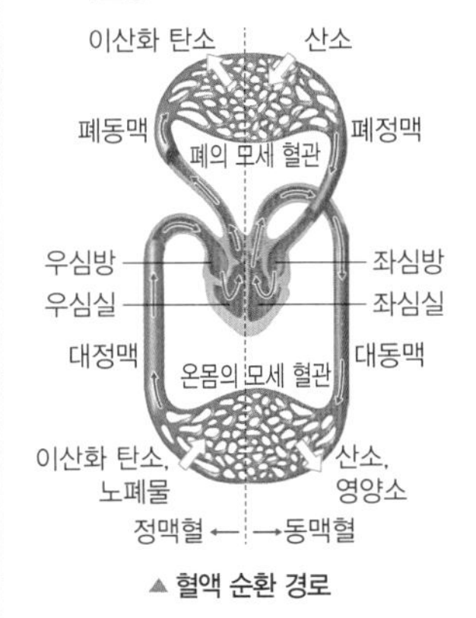

▲ 혈액 순환 경로

용어 알기 

•혈장(피 血, 미음 漿) 혈액에서 혈구를 제외한 액체 성분으로 수분 외에 단백질, 지질, 무기염류 등을 함유하며, 세포의 삼투압과 수소 이온을 일정하게 유지시킴

효모의 이산화 탄소 방출량 비교

목표 용액 종류별로 효모에 의한 이산화 탄소 방출량을 비교할 수 있다.

과정

❶ 효모액 만들기	❷ 다양한 음료수 준비하기	❸ 발효관에 용액 넣기	❹ 이산화 탄소 방출량 측정하기
효모	증류수, 음료수 B, 음료수 D, 음료수 A, 음료수 C		맹관부
효모 10 g을 따뜻한 증류수에 녹여 100 mL 효모액을 만든다.	비커에 증류수와 음료수 A, 음료수 B, 음료수 C, 음료수 D를 차례로 준비한다.	발효관 1~5에 각각 아래 표와 같이 증류수나 음료수를 넣고 발효관 입구를 솜마개로 막는다.	발효관을 35 ℃로 유지하며 더 이상 이산화 탄소가 발생하지 않을 때까지 일정 시간 간격으로 맹관부의 눈금을 읽어 이산화 탄소의 부피를 측정한다.

발효관에 들어갈 용액의 양

발효관	1	2	3	4	5
내용물	증류수 15 mL +효모액 15 mL	음료수 A 15 mL +효모액 15 mL	음료수 B 15 mL +효모액 15 mL	음료수 C 15 mL +효모액 15 mL	음료수 D 15 mL +효모액 15 mL

유의점

- 효모액을 넣을 때 맹관부에 공기가 들어가지 않도록 주의한다.
- 탄산 음료에는 이산화 탄소가 들어 있어 정확한 결과를 얻기 어려우므로 사용하지 않는다.

이런 실험도 있어요!

이산화 탄소 감지기를 이용한 효모의 이산화 탄소 농도 측정

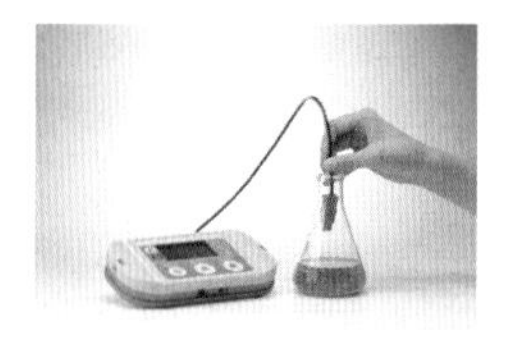

효모에서 발생하는 이산화 탄소의 농도를 측정할 때 이산화 탄소 감지기를 이용할 수도 있다.

결과

(−: 발생 안함, +가 많을수록 기체 발생량이 많음.)

발효관	1	2	3	4	5
발생한 기체의 부피	−	++	+++	++++	+

이산화 탄소 발생량 비교

발효관 4 > 발효관 3 > 발효관 2 > 발효관 5 > 발효관 1

정리 및 해석

- **발효관 용액에서 이산화 탄소가 발생하는 까닭:** 효모가 포도당을 이용하여 세포 호흡을 하기 때문이다.
- **발효관을 35 ℃로 유지하는 까닭:** 효모의 호흡에 관여하는 효소의 작용이 잘 일어나도록 하려는 것이다.
- **발효관 1의 역할:** 음료수를 넣은 발효관에서 발생하는 이산화 탄소가 효모에 의해 당이 분해되어 발생한 것인지 알아보기 위한 대조군이다.
- 음료수에 당이 많은 순서는 이산화 탄소가 많이 발생한 순서로, 음료수 C > 음료수 B > 음료수 A > 음료수 D이다. → 기체 발생량이 많을수록 음료수에 효모가 세포 호흡에 사용할 수 있는 당이 많다는 것을 알 수 있다.

한·줄·핵심 효모는 음료수에 포함된 당을 분해하여 필요한 에너지를 얻고, 이산화 탄소를 방출한다.

이산화 탄소 확인 방법

발효를 마친 발효관에서 15 mL 정도를 덜어 내고, 5 % 수산화칼륨(KOH) 수용액 15 mL을 넣으면, 맹관부에 모인 기체 부피가 감소한다. → 이산화 탄소가 수산화 칼륨 수용액에 녹기 때문에 나타나는 현상

확인 문제

정답과 해설 10쪽

01 이 실험에서 증류수를 넣은 발효관은 어떤 역할을 하는지 쓰시오.

02 이 실험에 사용한 음료수 A, B, C, D를 당이 많은 것부터 순서대로 나열하시오.

콕콕!
개념 확인하기

정답과 해설 10쪽

✔ 잠깐 확인!

1. ☐☐☐☐
생물체 내에서 일어나는 화학 반응

2. ☐☐ ☐☐
물질대사에서 고분자 물질을 저분자 물질로 분해하는 과정

3. ☐☐ ☐☐
세포에서 영양소를 분해하여 생명 활동에 필요한 에너지를 얻는 과정

4. ☐☐☐
세포 호흡에서 만든 에너지를 저장하고 운반하며 생명 활동에 직접 사용되는 에너지 저장 물질

5. 소화계에서 분해된 영양소는 소장의 ☐☐을 통해 흡수된다.

6. 숨을 들이마실 때 폐로 들어온 산소는 ☐☐에서 모세 혈관으로 확산되어 이동한다.

7. ☐☐☐
소장에서 흡수한 영양소와 폐에서 흡수한 산소를 온몸의 조직 세포로 운반하는 기관계

A 물질대사

01 그림은 물질대사가 일어나는 과정이다. ㉠~㉢에 들어갈 알맞은 말을 쓰시오.

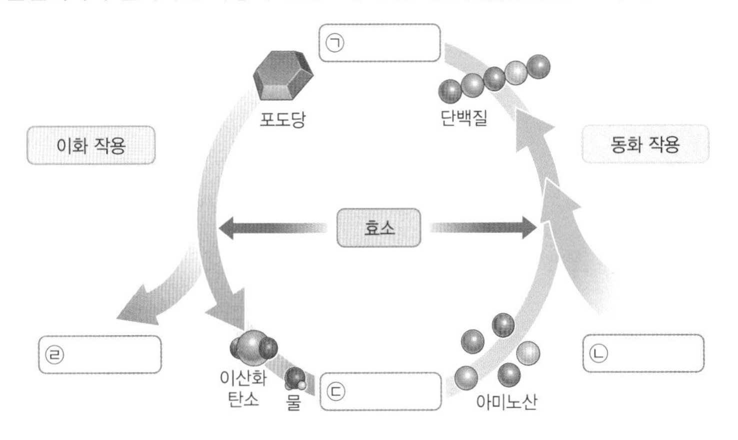

B 에너지의 생성과 이용

02 에너지 생성과 이용에 대한 설명이다. 옳은 것은 ○, 옳지 않은 것은 ×로 표시하시오.

(1) 세포 호흡은 미토콘드리아에서 일어난다. ( )

(2) 세포 호흡으로 만들어진 에너지는 ATP에 저장된다. ( )

(3) ATP가 ADP와 무기 인산으로 분해될 때 ATP에 저장되어 있던 에너지가 방출되어 다양한 생명 활동에 이용된다. ( )

03 ATP에 저장된 에너지가 이용되는 사례를 4가지만 쓰시오.

C 에너지 생성에서 소화계, 호흡계, 순환계의 역할

04 영양소의 흡수와 이동에 대한 설명으로 옳은 것은 ○, 옳지 않은 것은 ×로 표시하시오.

(1) 포도당, 아미노산 등의 수용성 영양소는 소장 융털의 모세 혈관으로 흡수된다. ( )

(2) 지방산, 모노글리세리드 등의 지용성 영양소는 소장 융털의 암죽관으로 흡수된다. ( )

(3) 폐포와 모세 혈관 사이에서 산소와 이산화 탄소는 확산으로 이동한다. ( )

(4) 조직 세포의 모세 혈관은 세포에 이산화 탄소를 공급한다. ( )

(5) 순환계에서 영양소는 적혈구에 의해, 산소는 혈장에 의해 운반된다. ( )

탄탄! 내신 다지기

A 물질대사

01 물질대사에 대한 설명으로 옳은 것만을 〈보기〉에서 있는 대로 고른 것은?

보기
ㄱ. 효소가 관여한다.
ㄴ. 에너지 출입이 함께 일어난다.
ㄷ. 반응이 한 번에 빠르게 일어난다.

① ㄱ ② ㄴ ③ ㄷ
④ ㄱ, ㄴ ⑤ ㄴ, ㄷ

02 그림은 물질대사를 나타낸 것이다.

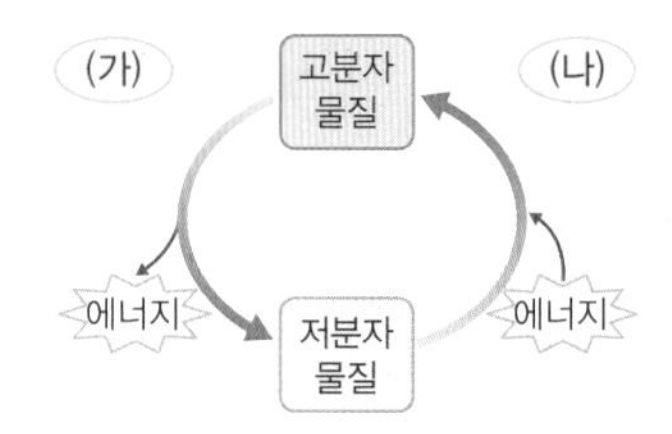

이에 대한 설명으로 옳은 것만을 〈보기〉에서 있는 대로 고른 것은?

보기
ㄱ. (가)는 이화 작용이다.
ㄴ. (가)는 발열 반응, (나)는 흡열 반응이다.
ㄷ. (나)의 예로 세포 호흡이 있다.

① ㄱ ② ㄱ, ㄴ ③ ㄱ, ㄷ
④ ㄴ, ㄷ ⑤ ㄱ, ㄴ, ㄷ

03 그림은 어떤 물질대사에서 일어나는 에너지 출입을 나타낸 것이다.

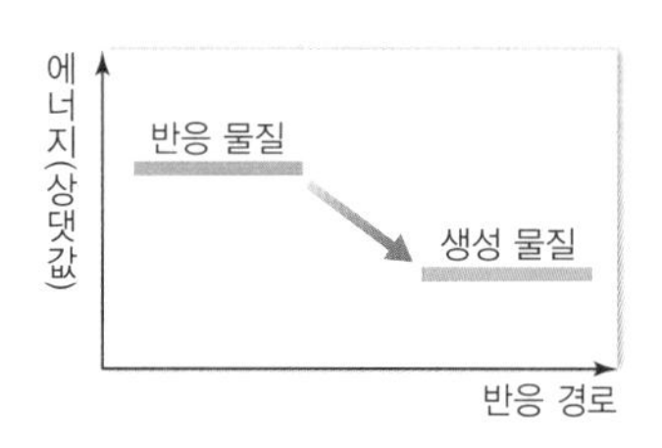

이에 대한 설명으로 옳은 것은?

① 이 반응은 동화 작용이다.
② 효소가 없어도 일어나는 반응이다.
③ 생물체의 구성 물질을 합성할 때 나타난다.
④ 분자량은 생성 물질이 반응 물질보다 크다.
⑤ 녹말이 소화되는 과정에서 이와 같은 반응이 나타난다.

04 그림 (가)와 (나)는 세포에서 일어나는 반응이다.

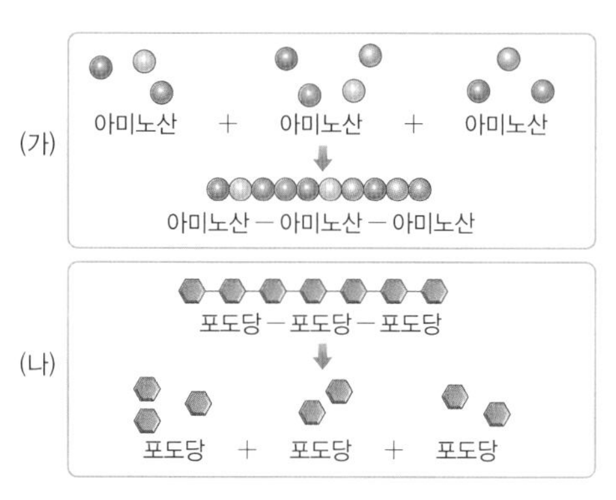

이에 대한 설명으로 옳은 것만을 〈보기〉에서 있는 대로 고른 것은?

보기
ㄱ. (가)는 동화 작용이다.
ㄴ. (나)는 효소 없이 일어난다.
ㄷ. 두 반응 모두에서 에너지가 흡수된다.

① ㄱ ② ㄴ ③ ㄷ
④ ㄱ, ㄴ ⑤ ㄴ, ㄷ

B 에너지의 생성과 이용

05 그림은 세포 내에서 에너지를 얻는 과정을 나타낸 것이다.

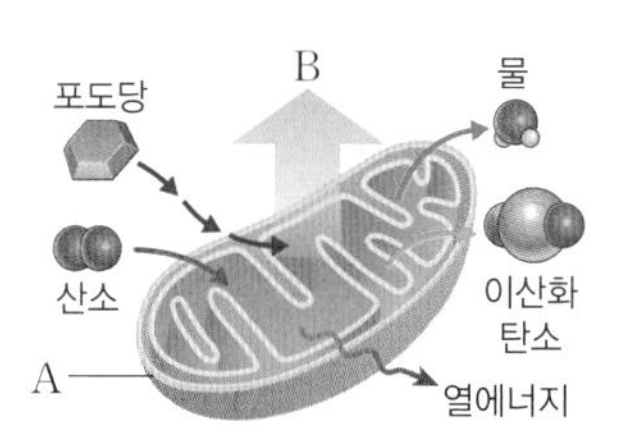

이에 대한 설명으로 옳지 않은 것은?

① A는 미토콘드리아이다.
② B는 ATP이다.
③ B는 생명 활동에 이용된다.
④ 세포 호흡에서 방출된 에너지는 모두 B로 간다.
⑤ 포도당이 산소와 결합하여 이산화 탄소와 물로 분해된다.

06 그림은 ATP의 구조를 나타낸 것이다.

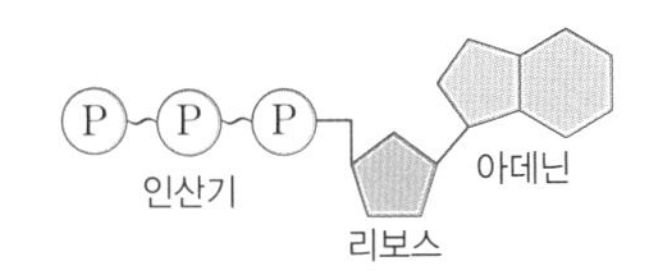

이에 대한 설명으로 옳지 않은 것은?

① 아데노신에 인산이 3개 결합된 것이다.
② 생명 활동에 필요한 에너지를 직접 공급한다.
③ ADP에 인산이 하나 결합되면 ATP가 된다.
④ 인산기 사이의 결합은 저에너지 인산 결합이다.
⑤ 세포 호흡에서 나오는 에너지를 저장하는 물질이다.

07 그림은 세포에서 일어나는 어떤 반응을 나타낸 것이다.

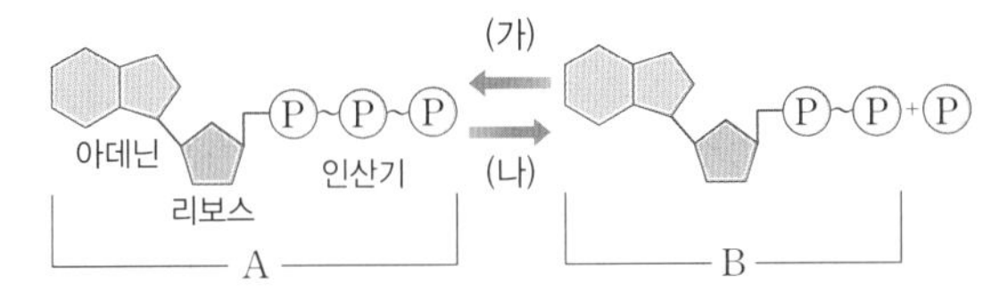

이에 대한 설명으로 옳은 것만을 〈보기〉에서 있는 대로 고른 것은?

보기
ㄱ. (가)는 발열 반응이다.
ㄴ. A가 B보다 저장된 에너지양이 더 많다.
ㄷ. 생명 활동에 에너지를 공급할 때는 (나)가 일어난다.

① ㄱ ② ㄴ ③ ㄷ
④ ㄱ, ㄷ ⑤ ㄴ, ㄷ

단답형

08 그림은 발효관에 포도당 수용액과 효모를 넣고 발효시킨 과정을 나타낸 것이다.

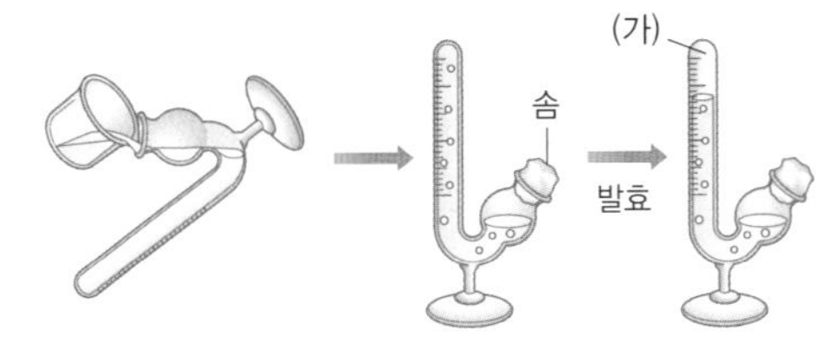

(가)에 모인 기체는 무엇인지 쓰시오.

C 에너지 생성에서 소화계, 호흡계, 순환계의 역할

09 그림은 폐포, 폐동맥, 폐정맥의 산소와 이산화 탄소의 양을 분압으로 나타낸 것이다. (분압의 단위: mmHg)
이에 대한 설명으로 옳은 것만을 〈보기〉에서 있는 대로 고른 것은?

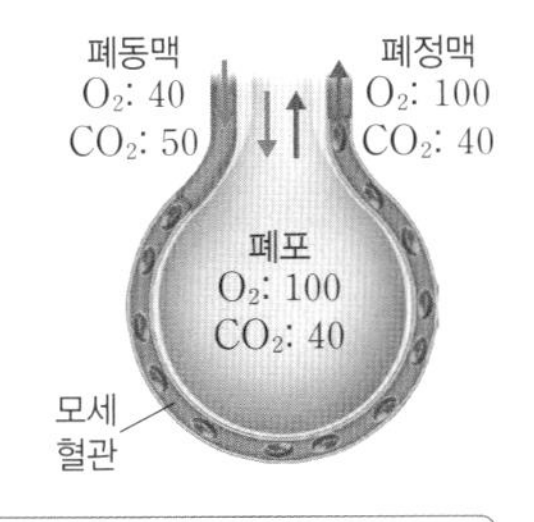

보기
ㄱ. 산소는 폐포에서 모세 혈관으로 이동한다.
ㄴ. 이산화 탄소는 모세 혈관에서 폐포로 이동한다.
ㄷ. 산소와 이산화 탄소는 확산에 의해 이동한다.

① ㄱ ② ㄴ ③ ㄱ, ㄴ
④ ㄴ, ㄷ ⑤ ㄱ, ㄴ, ㄷ

10 그림은 세포 호흡에 필요한 물질이 조직 세포까지 공급되는 과정을 나타낸 것이다.

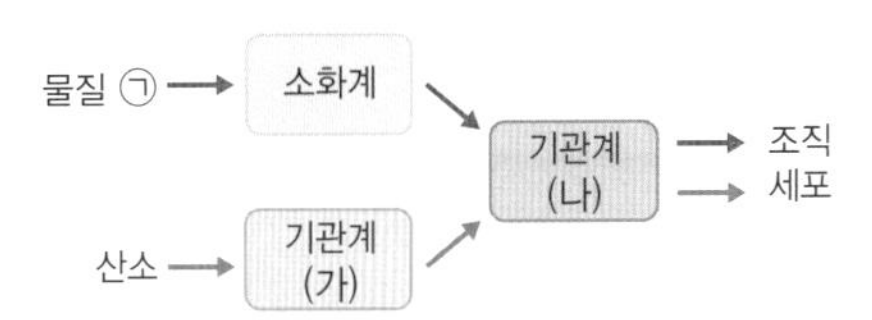

이에 대한 설명으로 옳지 않은 것은?

① 폐와 기관지는 (가)에 포함된다.
② (가)에서 산소를 흡수할 때 에너지를 사용한다.
③ (나)는 산소와 노폐물을 운반한다.
④ 세포 호흡은 조직 세포에서 일어난다.
⑤ ㉠이 분해되면 소장 융털에서 흡수된다.

단답형

11 그림 (가)는 영양소의 소화 과정을, (나)는 소장의 융털 구조를 나타낸 것이다.

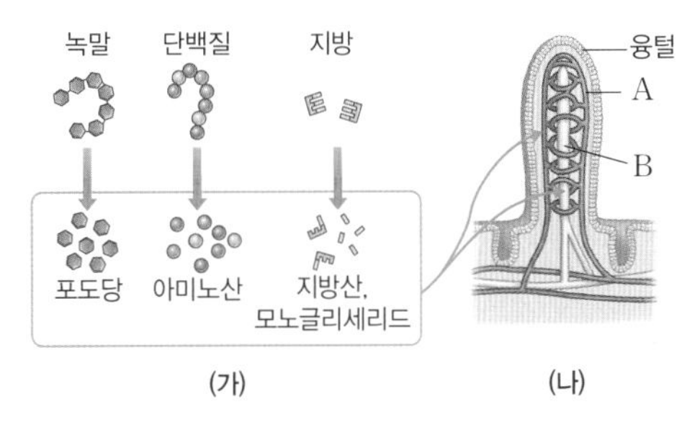

(가)에서 소화된 영양소들은 (나)의 A와 B 중 어느 곳으로 흡수되는지 각각 구분하여 쓰시오.

도전! 실력 올리기

01 그림 (가)는 사람의 몸에서 일어나는 물질대사를, (나)는 화학 반응의 에너지 변화를 나타낸 것이다.

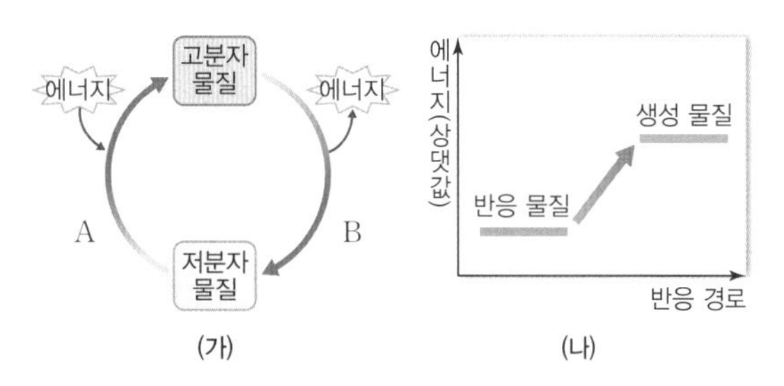

(가) (나)

이에 대한 설명으로 옳은 것만을 〈보기〉에서 있는 대로 고른 것은?

보기
ㄱ. B는 동화 작용이다.
ㄴ. B의 예로 세포 호흡이 있다.
ㄷ. (나)는 (가)의 A에 해당한다.

① ㄱ ② ㄴ ③ ㄱ, ㄷ
④ ㄴ, ㄷ ⑤ ㄱ, ㄴ, ㄷ

02 그림은 세포 호흡과 그 결과 나온 에너지의 전환 과정을 나타낸 것이다.

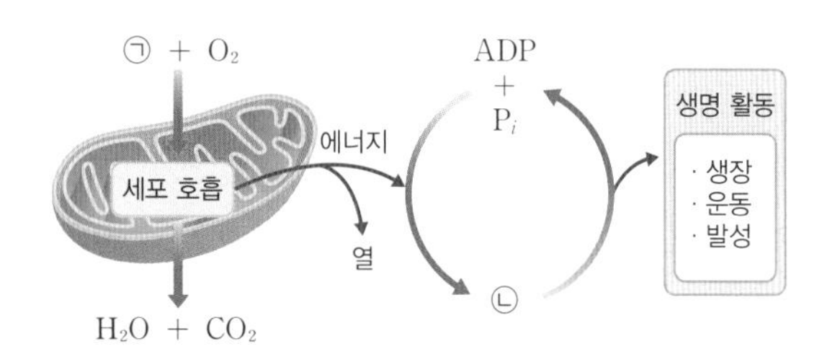

이에 대한 설명으로 옳은 것만을 〈보기〉에서 있는 대로 고른 것은?

보기
ㄱ. ㉠은 소화계에서 소화, 흡수된 영양소이다.
ㄴ. ㉠이 분해될 때 나온 에너지 중 일부는 체온 유지에 이용된다.
ㄷ. ㉡은 생물체 내에서 에너지를 전달한다.

① ㄱ ② ㄴ ③ ㄱ, ㄷ
④ ㄴ, ㄷ ⑤ ㄱ, ㄴ, ㄷ

03 그림 (가)는 영양소의 소화 과정을, (나)는 소화계의 일부를 나타낸 것이다. (단, ㉠, ㉡, ㉢은 각 영양소의 최종 분해 산물이다.)

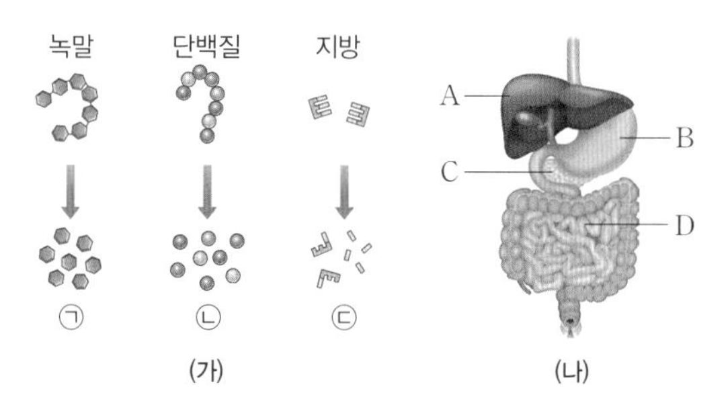

(가) (나)

이에 대한 설명으로 옳은 것만을 〈보기〉에서 있는 대로 고른 것은?

보기
ㄱ. 녹말은 A에서 ㉠으로 분해된다.
ㄴ. 단백질은 B에서 분해되기 시작한다.
ㄷ. ㉢은 D에서 융털로 흡수된다.

① ㄱ ② ㄴ ③ ㄷ
④ ㄱ, ㄴ ⑤ ㄴ, ㄷ

출제예감

04 그림은 사람의 몸에서 일어나는 기체의 교환을 나타낸다. (가)와 (나)는 각각 폐와 조직에서 일어나는 기체 교환을 나타내며, A와 B는 각각 산소와 이산화 탄소 중 하나이다.

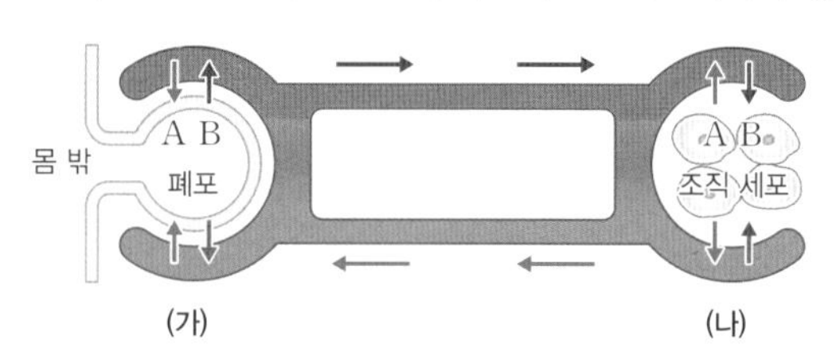

(가) (나)

이에 대한 설명으로 옳은 것만을 〈보기〉에서 있는 대로 고른 것은?

보기
ㄱ. (가)는 외호흡, (나)는 내호흡을 나타낸다.
ㄴ. A는 이산화 탄소, B는 산소를 나타낸다.
ㄷ. B는 주로 혈액의 백혈구에 의해 운반된다.

① ㄱ ② ㄴ ③ ㄷ
④ ㄱ, ㄴ ⑤ ㄴ, ㄷ

출제예감

05 그림 (가)는 사람의 몸에서 일어나는 물질의 이동을, (나)는 조직 세포 안에서 일어나는 물질대사의 일부를 나타낸 것이다. ㉠과 ㉡은 각각 소화계와 호흡계 중 하나이고, ⓐ와 ⓑ는 각각 O_2와 CO_2 중 하나이다.

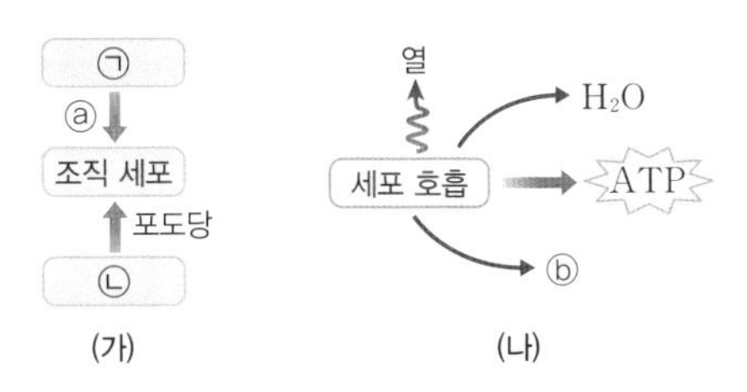

이에 대한 설명으로 옳은 것만을 〈보기〉에서 있는 대로 고른 것은?

보기
ㄱ. ㉡은 소화계이다.
ㄴ. 포도당을 분해한 결과 ⓑ가 나온다.
ㄷ. ⓑ는 ㉠을 통해 몸 밖으로 나간다.

① ㄱ ② ㄴ ③ ㄱ, ㄷ
④ ㄴ, ㄷ ⑤ ㄱ, ㄴ, ㄷ

06 그림은 사람의 순환계 모형을, A~D는 혈관을 나타낸 것이다.

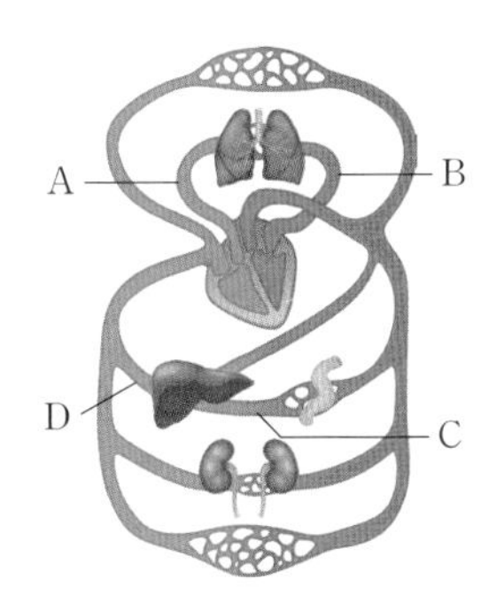

이에 대한 설명으로 옳은 것만을 〈보기〉에서 있는 대로 고른 것은?

보기
ㄱ. 혈관에 있는 산소의 양은 A가 B보다 많다.
ㄴ. 혈관에 있는 포도당의 양은 C가 D보다 많다.
ㄷ. 지용성 영양소는 C를 거쳐 심장으로 간다.

① ㄱ ② ㄴ ③ ㄷ
④ ㄱ, ㄷ ⑤ ㄴ, ㄷ

서술형

07 그림은 사람의 몸에서 일어나는 물질대사 과정을 나타낸 것이다.

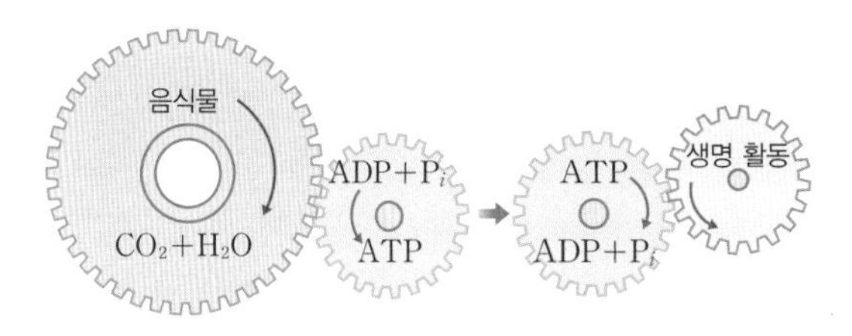

생명 활동을 위해 음식물을 섭취해야 하는 까닭을 세포 호흡과 ATP를 관련지어 서술하시오.

서술형

08 다음은 효모를 이용하여 영양소의 종류에 따른 호흡 속도를 알아본 실험이다.

[실험 과정]
(가) 3개의 발효관 A~C에 표와 같이 첨가물을 넣은 후 발효관을 세우고 입구를 솜마개로 막는다.
(나) 맹관부에 모인 기체의 부피를 일정한 시간 간격으로 측정한다.

첨가물 \ 발효관	A	B	C
포도당 수용액	20	20	–
녹말 수용액	–	–	20
효모액	15	–	15
증류수	–	15	

어느 발효관에서 기체가 가장 많이 모일지 쓰고, 그 까닭을 서술하시오.

02 노폐물의 배설과 기관계의 통합적 작용

핵심 키워드로 흐름잡기
A 노폐물, 이산화 탄소, 물, 요소, 배설
B 기관계의 통합적 작용, 기관계의 역할

A 노폐물의 생성과 배설

|출·제·단·서| 시험에는 영양소에 따라 생성되는 노폐물의 종류를 구분하는 문제가 나와.

암기TiP 암모니아는 간에서 요소로 전환된 후 콩팥으로 이동하여 배설된다.

1. 노폐물의 생성 세포 호흡으로 영양소가 분해되면 이산화 탄소, 물, 암모니아 등의 노폐물[1]이 생성된다.

공통으로 생성되는 노폐물은 이산화 탄소와 물이다.

영양소	구성 원소	생성되는 노폐물
탄수화물	탄소(C), 수소(H), 산소(O)	이산화 탄소(CO_2), 물(H_2O)
지방	탄소(C), 수소(H), 산소(O)	이산화 탄소(CO_2), 물(H_2O)
단백질	탄소(C), 수소(H), 산소(O), 질소(N)	이산화 탄소(CO_2), 물(H_2O), 암모니아(NH_3)

❶ 노폐물
세포의 물질대사로 만들어지는 물질 중에서 생명 활동에 필요하지 않은 물질을 말한다.

2. 노폐물의 배설 사람 몸의 기능이 정상적으로 유지되기 위해서는 노폐물을 적절히 몸 밖으로 내보내야 한다.

(1) 이산화 탄소 폐에서 날숨으로 내보낸다.

(2) 물 주로 콩팥에서 오줌으로 배설되며, 날숨이나 땀으로도 나간다. (물은 오줌의 주성분이다.)

(3) 암모니아[2] 간에서 독성이 약한 요소로 전환된 후 콩팥에서 오줌으로 배설된다.

❷ 암모니아(NH_3)
질소(N)를 포함한 영양소가 분해될 때 생성되는 물질로, 물에 잘 녹고 독성이 있어 세포에 축적되면 세포가 손상된다.

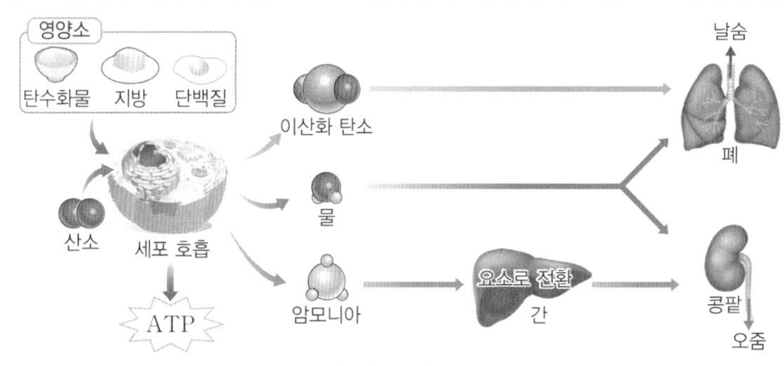

▲ 노폐물의 생성과 배설 과정

❓ 대변을 보는 것도 배설일까?
혈액 속에 포함된 노폐물을 걸러 몸 밖으로 내보내는 것만을 배설이라고 한다. 반면 대변은 소화·흡수되지 않은 찌꺼기를 내보내는 것으로 배설에 해당하지 않는다.

용어 알기
● 배설(밀칠 排, 샐 泄) 동물체가 음식물의 영양소를 섭취하고 그 찌꺼기를 몸밖으로 내보내는 일

빈출 탐구 콩즙을 이용한 오줌 성분 확인

생콩즙을 이용하여 오줌 속 요소를 확인할 수 있다.

과정

① 소량의 오줌을 준비한다.
② 메주콩 3개와 증류수 50 mL를 갈아 혼합액을 만들고, 거름종이로 여과하여 생콩즙을 만든다.
③ 비커 3개에 오줌, 요소 용액, 증류수를 30 mL씩 넣는다.
④ pH 측정기로 3가지 용액의 pH를 측정하여 표에 기록한다.
⑤ 3가지 용액에 생콩즙을 10 mL씩 넣어 잘 섞는다.
⑥ 10분이 지난 후 3가지 용액의 pH를 다시 측정하여 기록한다.

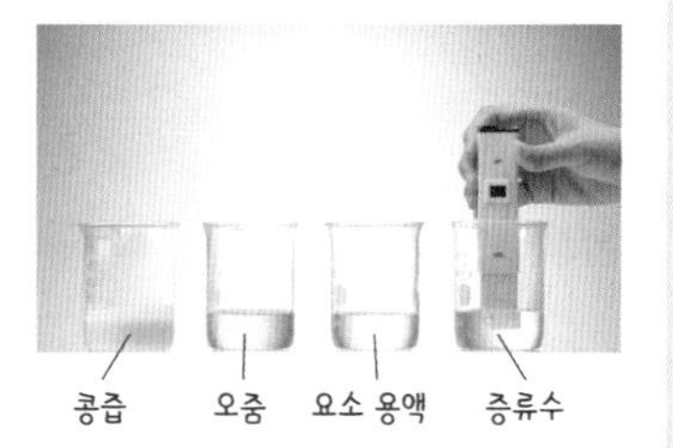

결과

구분		요소 용액	오줌	증류수
pH	생콩즙을 넣기 전	8	8	7
	생콩즙을 넣고 10분 후	9	9	6

생콩즙은 약산성을 띠기 때문에 증류수의 pH가 변한다.

정리

❶ 생콩즙에는 요소를 암모니아와 이산화 탄소로 분해하는 효소인 유레이스❸가 들어 있어 요소 용액과 오줌 속에 있는 요소를 분해한다.

❷ 요소 용액에 생콩즙을 넣고 10분 후에 pH가 증가한 것은 유레이스가 요소를 분해하여 암모니아가 생성되었기 때문이다. 암모니아가 물에 녹으면 수산화 이온(OH^-)이 발생하여 pH가 증가한다.

❸ 오줌도 요소 용액과 동일하게 pH가 증가한 것은 오줌 속에 포함된 요소가 분해되었기 때문이다.

❹ 증류수에 생콩즙을 넣은 비커는 대조군이다.

❸ 유레이스(Urease)
요소를 암모니아와 이산화 탄소로 분해하는 효소이다. 요소를 분해해서 나온 암모니아는 염기성을 띤다.

B 기관계의 통합적 작용

|출·제·단·서| 각 기관계가 통합적인 작용에서 어떤 역할을 하는지 알아두어야 해.

1. 기관계의 •통합적 작용 개념 POOL
세포의 생명 활동이 원활하게 이루어지기 위해서는 소화계, 호흡계, 순환계, 배설계가 서로 협력하여 작용해야 한다.

(1) 생명 활동에 필요한 에너지를 얻는 과정에서 각 기관계의 역할

기관계	역할
소화계	음식물 속에 들어 있는 영양소를 소화시켜 몸속으로 흡수한다.
호흡계	세포 호흡에 필요한 산소를 흡수하고, 세포 호흡 결과 나온 이산화 탄소와 물을 몸 밖으로 내보낸다.
순환계	• 소화계와 호흡계에서 흡수한 영양소와 산소를 온몸의 조직 세포로 운반한다. • 세포 호흡에서 발생한 노폐물을 호흡계와 배설계로 운반한다.
배설계	세포 호흡에서 발생한 질소 노폐물은 간에서 요소로 전환되어 콩팥에서 여분의 물과 함께 몸 밖으로 나간다.

소화계와 호흡계는 체외 물질을 체내로 흡수하는 반면, 배설계는 체외 물질을 체내로 흡수하지 않는다.

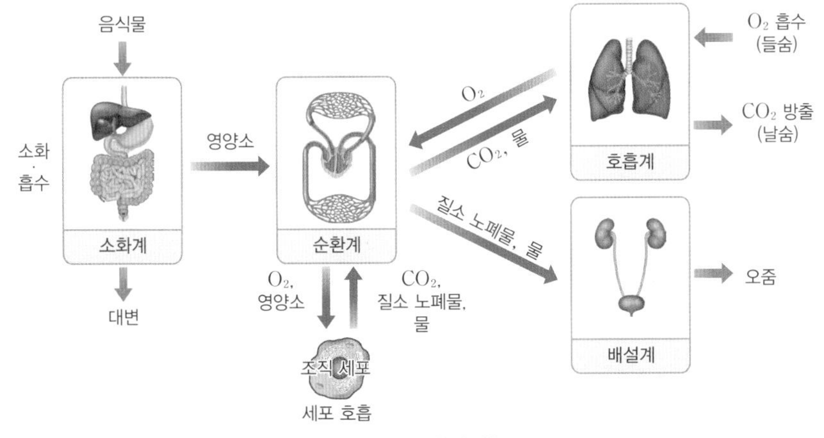

▲ 기관계의 통합적 작용

❹ 기관계에 이상이 생겼을 때 나타나는 문제점
- 소화계 이상: 영양소를 제대로 흡수하지 못해 에너지 생성에 문제가 발생한다.
- 호흡계 이상: 기체 교환에 문제가 생겨 세포 호흡에 문제가 발생한다.
- 순환계 이상: 소화계에서 흡수한 영양소와 호흡계에서 흡수한 산소가 세포에 잘 전달되지 않아 에너지 생성에 문제가 발생한다.
- 배설계 이상: 노폐물이 제대로 배설되지 않아 체내에 노폐물이 축적된다.

(2) 기관계의 통합적 작용의 예 소화계, 호흡계, 순환계, 배설계는 서로 긴밀하게 연결되어 작용하기 때문에 그중 어느 하나라도 이상이 생기면 다른 기관계에 영향을 미쳐 몸 전체 기능이 저하❹된다.

① **약 복용 시 기관계의 통합적 작용:** 몸에 이상이 생겨 약을 복용하면 소화계에서 흡수하고, 순환계를 통해 특정 부위로 이동하여 약의 효과가 나타난다.

② **소변 검사 시 기관계의 통합적 작용:** 약물이나 세포 활동의 결과 만들어진 물질이 순환계를 따라 배설계로 이동하여 소변으로 나온다.

➡ 소변 검사를 하면 약물 복용 여부를 판별할 수 있어 운동 선수들의 불법 약물 복용 여부 검사에 소변 검사를 사용한다.

용어 알기

•통합(큰 줄기 統, 합할 合) 둘 이상의 조직이나 기구 따위가 하나로 합쳐진 것

소화계, 호흡계, 순환계, 배설계의 통합 작용

목표 소화계, 호흡계, 순환계, 배설계가 서로 통합적으로 작용함을 알 수 있다.

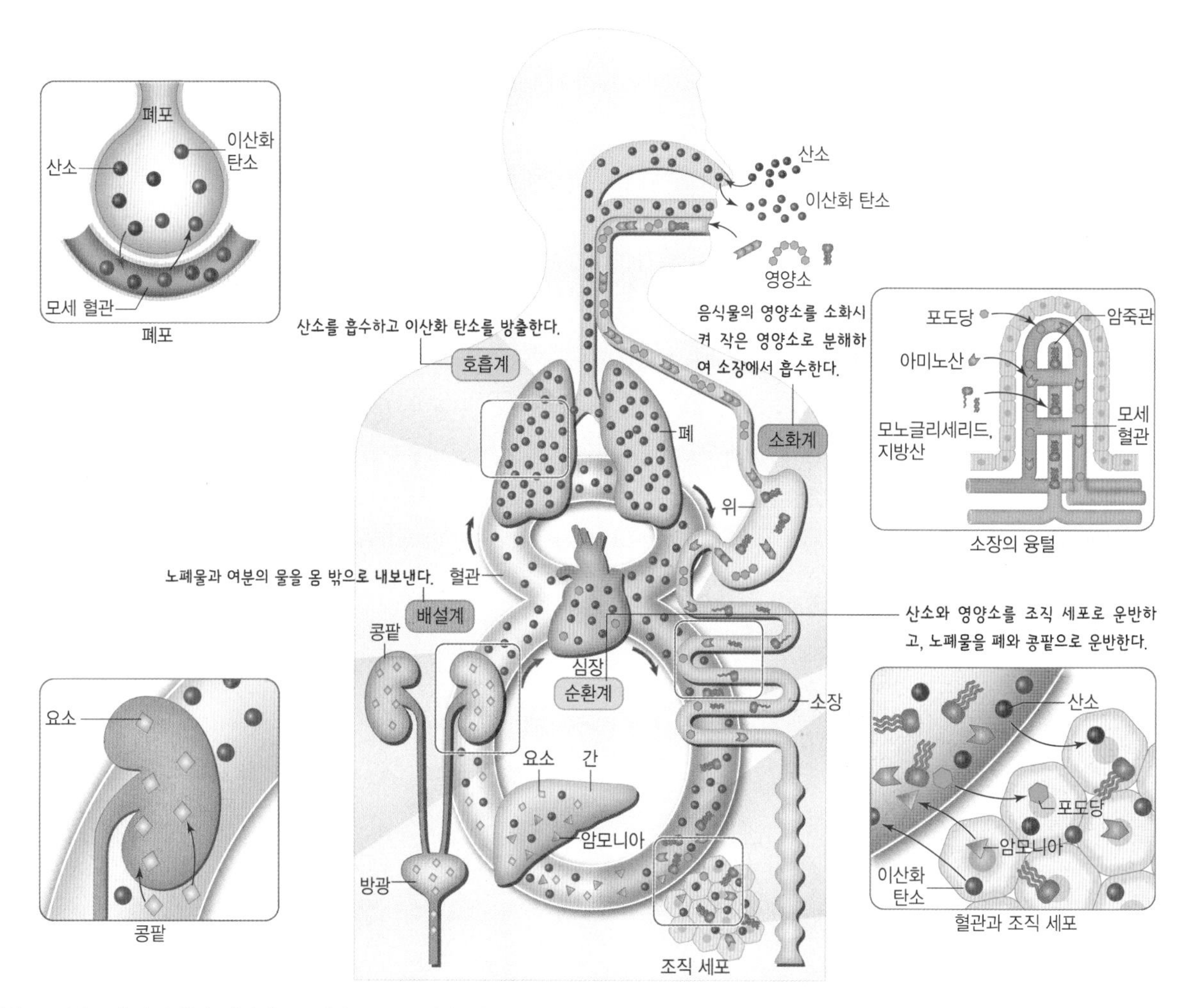

한·줄·핵심 소화계, 호흡계, 순환계, 배설계는 유기적으로 연결되어 통합적으로 작용한다.

확인 문제

정답과 해설 12쪽

01 (가)~(라)에 해당하는 기관계의 명칭을 각각 쓰시오.

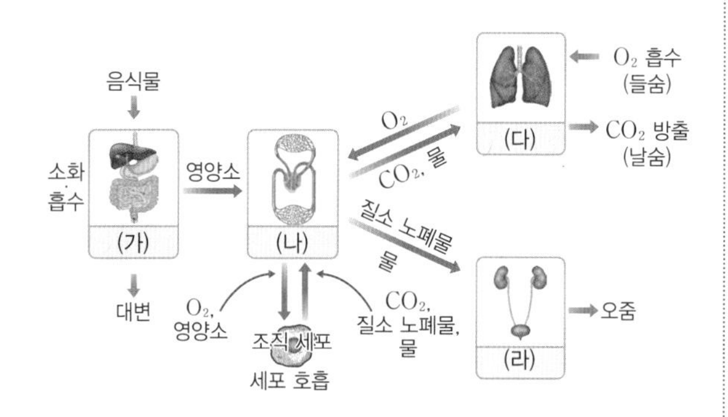

02 다음 설명 중 옳은 것은 ○, 옳지 않은 것은 ×로 표시하시오.

(1) 소화계는 세포 호흡에 필요한 영양소를 소화, 흡수한다. ( )

(2) 호흡계는 산소를 내보내고 이산화 탄소를 흡수한다. ( )

(3) 순환계는 영양소와 산소를 조직 세포에 운반하고 노폐물을 호흡계와 배설계로 운반한다. ( )

(4) 배설계는 노폐물을 걸러 오줌 형태로 몸 밖으로 내보낸다. ( )

콕콕! 개념 확인하기

정답과 해설 12쪽

✔ 잠깐 확인!

1. □□□ 세포의 물질대사로 만들어지는 물질 중에서 생명 활동에 필요하지 않은 물질

2. □□□□는 간에서 독성이 약한 □□로 전환된 후 콩팥에서 오줌으로 배설된다.

3. 생콩즙에는 요소를 암모니아와 이산화 탄소로 분해하는 □□□□가 들어 있다.

4. □□□ 음식물 속에 있는 영양소를 소화시켜 몸속으로 흡수하는 기관계

5. □□□ 영양소와 산소, 노폐물을 운반하는 역할을 하는 기관계

6. □□□ 산소를 몸속으로 흡수하고 이산화 탄소와 물을 몸 밖으로 내보내는 기관계

7. □□□ 이산화 탄소와 물, 요소 등의 노폐물을 몸 밖으로 내보내는 기관계

A 노폐물의 생성과 배설

01 노폐물과 배설에 대한 설명으로 옳은 것은 ○, 옳지 않은 것은 ×로 표시하시오.

(1) 암모니아는 단백질이 분해되는 과정에서 생성된다. ( )

(2) 세포 호흡 결과 생성된 노폐물은 소화계나 배설계로 이동되어 몸 밖으로 나간다. ( )

(3) 탄수화물, 단백질, 지방이 세포 호흡으로 분해될 때 공통적으로 생성되는 노폐물은 물과 이산화 탄소이다. ( )

02 다음은 노폐물과 배설 기관을 나타낸 것이다. 노폐물과 배설되는 기관을 옳게 연결하시오.

(1) 이산화 탄소 •　　　　• ㉠ 폐

(2) 물 •　　　　• ㉡ 콩팥

(3) 암모니아 •

B 기관계의 통합적 작용

03 그림은 기관계의 통합적인 작용을 나타낸 것이다.

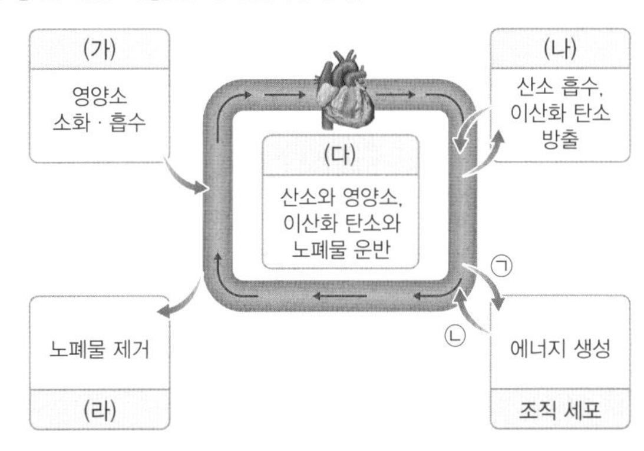

(1) (가)~(라)에 해당하는 기관계는 각각 무엇인지 쓰시오.

(2) ㉠, ㉡에 해당하는 물질은 각각 무엇인지 쓰시오.

04 다음 각 기관계와 해당 기관계가 이상이 생겼을 때 나타나는 문제점을 옳게 연결하시오.

(1) 소화계 •　　　　• ㉠ 에너지 생성 중단

(2) 순환계 •　　　　• ㉡ 이산화 탄소 배출 중단

(3) 호흡계 •　　　　• ㉢ 영양소, 노폐물 운반 중단

(4) 배설계 •　　　　• ㉣ 노폐물 배설 중단, 수분 조절 중단

탄탄! 내신 다지기

A 노폐물의 생성과 배설

01 노폐물 생성에 대한 설명으로 옳지 않은 것은?

① 요소는 콩팥에서 생성된다.
② 오줌이 만들어지는 곳은 콩팥이다.
③ 암모니아는 단백질 분해 과정에서 생성된다.
④ 세포 호흡으로 영양소가 분해되면 노폐물이 생성된다.
⑤ 물과 이산화 탄소는 모든 영양소의 분해 과정에서 생성된다.

02 노폐물의 배설에 대한 설명으로 옳은 것은?

① 오줌의 주성분은 암모니아이다.
② 물은 주로 콩팥에서 오줌으로 배설된다.
③ 요소는 간에서 합성되어 폐에서 배설된다.
④ 이산화 탄소는 콩팥을 통해 몸 밖으로 나간다.
⑤ 세포 호흡 결과 만들어진 노폐물의 배설은 배설계에서만 이루어진다.

03 그림은 사람의 체내에서 영양소가 분해되어 생성된 노폐물이 배설되는 과정을 나타낸 것이다.

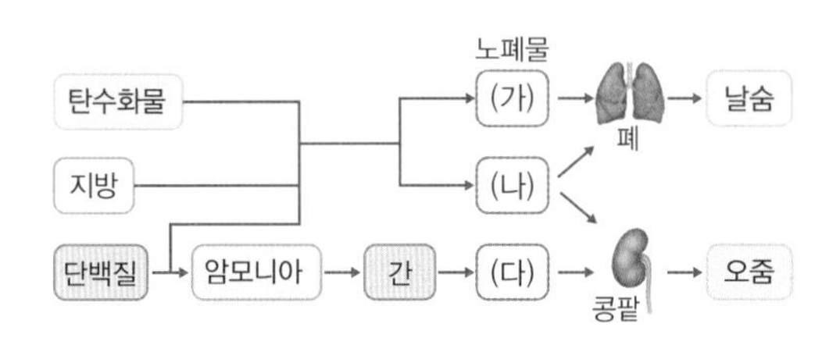

(가)~(다)에 해당하는 물질끼리 옳게 짝 지은 것은?

	(가)	(나)	(다)
①	물	산소	이산화 탄소
②	이산화 탄소	물	요소
③	요소	이산화 탄소	물
④	요소	물	산소
⑤	산소	이산화 탄소	암모니아

04 그림은 영양소가 흡수되어 세포 호흡으로 분해된 결과 생성된 노폐물이 배설되는 과정을 나타낸 것이다. (가)와 (나)는 각각 암죽관과 모세 혈관 중 하나이며, ㉠과 ㉡은 각각 지방과 아미노산 중 하나이다.

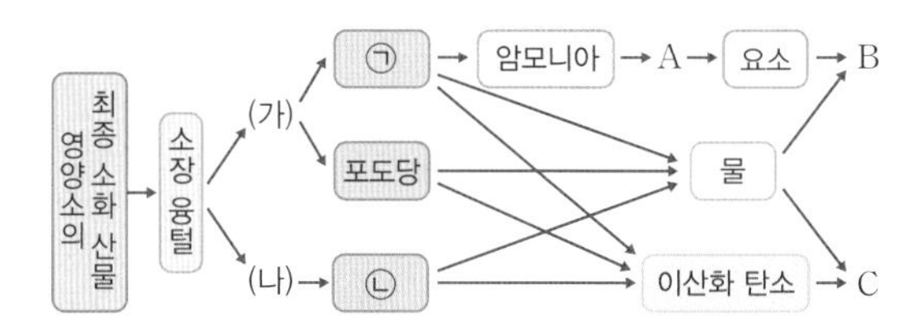

이에 대한 설명으로 옳지 않은 것은?

① (가)는 모세 혈관이다.
② (나)로 지용성 영양소가 흡수된다.
③ ㉠은 지방, ㉡은 아미노산이다.
④ A는 간, B는 콩팥이다.
⑤ C는 호흡계에 해당한다.

단답형

05 생콩즙을 오줌이나 요소 용액에 넣으면, 용액 속 암모니아 양이 증가한다. 그 까닭은 생콩즙에는 요소를 암모니아와 이산화 탄소로 분해하는 효소가 들어 있기 때문이다. 생콩즙 속에 들어 있는 이 효소의 명칭이 무엇인지 쓰시오.

단답형

06 표는 서로 다른 용액 A~C에 생콩즙을 넣은 직후의 pH(가)와 생콩즙을 넣고 10분이 지난 후의 pH(나)를 각각 측정하여 나타낸 것이다. A~C 중 한 용액에만 요소가 들어 있다.

구분	용액 A	용액 B	용액 C
(가)	4.5	6.7	6.3
(나)	4.4	8.0	6.3

요소는 어느 용액에 들어 있을지 쓰시오.

B 기관계의 통합적 작용

07 그림은 사람의 기관계에 속하는 일부 기관을 나타낸 것이다. (가)~(라)는 각각 소화계, 순환계, 호흡계, 배설계 중 하나이다.

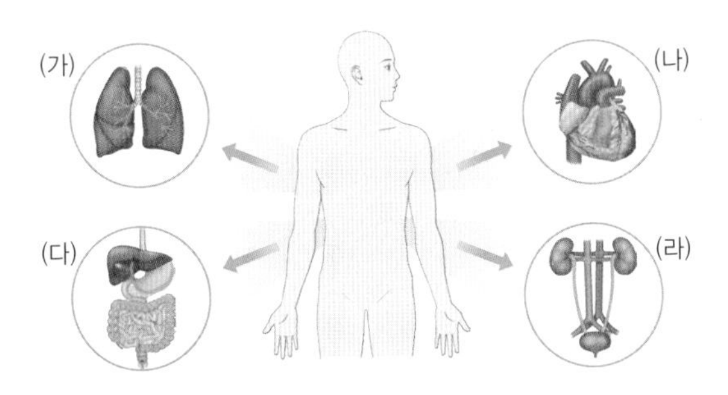

이에 대한 설명으로 옳지 않은 것은?

① (가)는 산소를 흡수한다.
② (나)는 영양소와 노폐물을 운반한다.
③ (다)는 영양소를 소화, 흡수한다.
④ (라)는 요소와 물을 몸 밖으로 내보낸다.
⑤ (가)~(라)는 독립적이고 상호 의존하지 않는다.

08 그림은 사람의 몸을 구성하는 기관계의 통합적 작용을 나타낸 것이다. ㉠과 ㉡은 각각 산소와 이산화 탄소 중 하나이다.

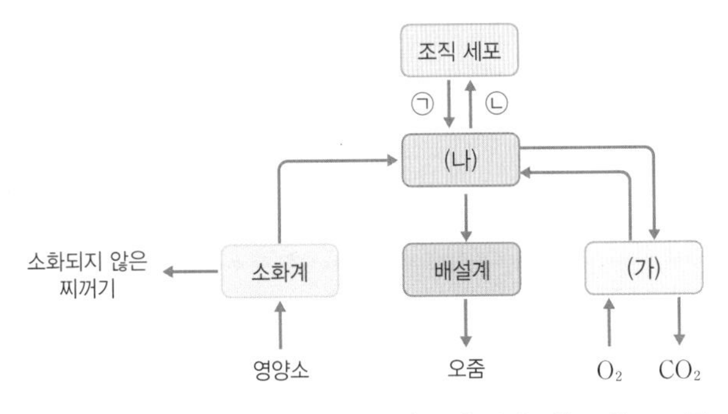

이에 대한 설명으로 옳은 것만을 <보기>에서 있는 대로 고른 것은?

보기
ㄱ. ㉠은 이산화 탄소를 나타낸다.
ㄴ. (가)는 호흡계이다.
ㄷ. (나)는 영양소와 노폐물을 운반한다.

① ㄱ ② ㄱ, ㄴ ③ ㄱ, ㄷ
④ ㄴ, ㄷ ⑤ ㄱ, ㄴ, ㄷ

09 그림 (가)와 (나)는 각각 사람의 소화계와 배설계의 일부를 나타낸 것이다.

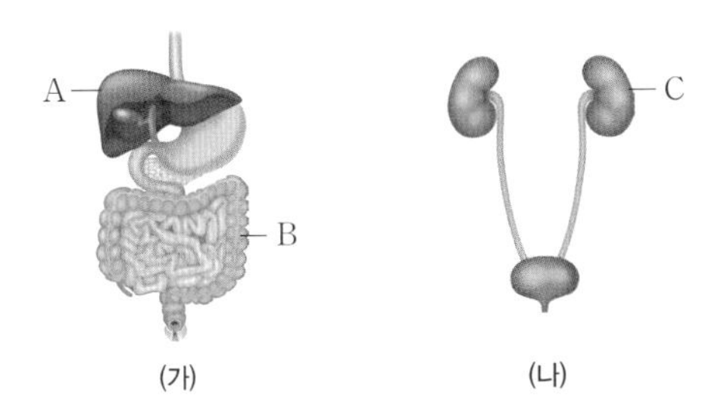

이에 대한 설명으로 옳지 않은 것은?

① A에서 암모니아가 요소로 전환된다.
② A와 B는 소화계에 해당된다.
③ B에서 포도당, 아미노산, 지방산이 흡수된다.
④ C에서 오줌이 생성된다.
⑤ C는 배설계에 해당한다.

10 그림은 생명 활동에 필요한 물질의 흡수와 운반, 배설에 관련된 일부 기관을 나타낸 것이다. A~C는 각각 소화계, 순환계, 호흡계 중 하나이다.

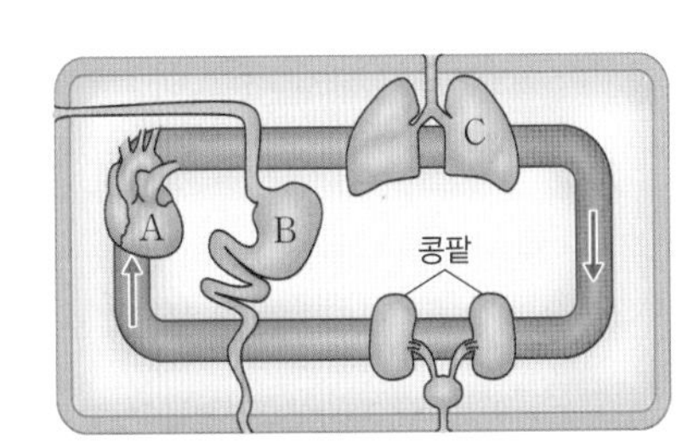

이에 대한 설명으로 옳지 않은 것은?

① A는 흡수한 영양소를 운반한다.
② A는 조직 세포에서 생성된 노폐물을 운반한다.
③ B는 영양소를 소화하여 흡수한다.
④ C는 오줌을 만들어 몸 밖으로 내보낸다.
⑤ C는 산소를 흡수하고 이산화 탄소를 방출한다.

단답형

11 운동 선수들의 불법 약물 복용 여부를 검사하는 데 주로 사용되는 방법은 무엇인지 쓰시오.

도전! 실력 올리기

01 그림은 여러 가지 영양소가 세포 호흡에 사용된 후 생성된 노폐물이 배설되는 과정을 나타낸 것이다.

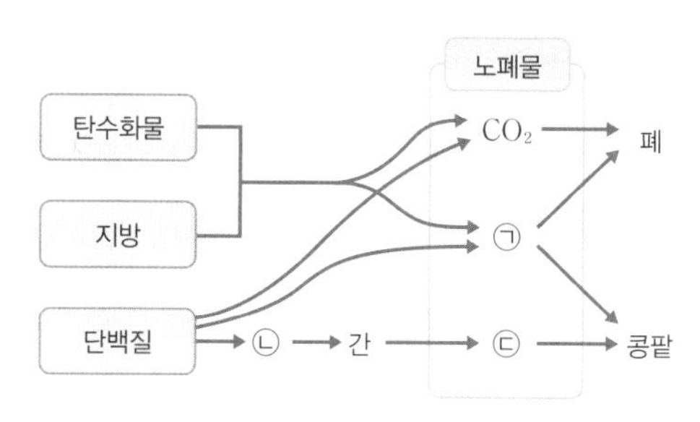

이에 대한 설명으로 옳은 것만을 〈보기〉에서 있는 대로 고른 것은?

〈보기〉
ㄱ. ㉠은 암모니아이다.
ㄴ. ㉡은 혈액에 의해 운반된다.
ㄷ. ㉢은 콩팥에서 오줌으로 배설된다.

① ㄱ ② ㄴ ③ ㄱ, ㄷ
④ ㄴ, ㄷ ⑤ ㄱ, ㄴ, ㄷ

출제예감

02 표는 3종류의 용액이 들어 있는 시험관 A~C에 BTB 용액을 떨어뜨리고, 생콩즙을 넣기 전과 생콩즙을 넣고 10분 후에 용액의 색깔을 관찰한 결과이다.

구분	시험관 A	시험관 B	시험관 C
생콩즙을 넣기 전	초록색	노란색	초록색
생콩즙을 넣고 10분 후	파란색	노란색	노란색

이에 대한 설명으로 옳은 것만을 〈보기〉에서 있는 대로 고른 것은? (단, BTB 용액은 산성에서 노란색, 중성에서 초록색, 염기성에서 파란색을 띤다.)

〈보기〉
ㄱ. 시험관 A에 요소가 들어 있다.
ㄴ. 시험관 B는 산성에서 중성으로 변하였다.
ㄷ. 시험관 C가 노란색으로 변한 까닭은 생콩즙 때문이다.

① ㄱ ② ㄴ ③ ㄱ, ㄷ
④ ㄴ, ㄷ ⑤ ㄱ, ㄴ, ㄷ

03 그림은 사람의 몸에서 일어나는 영양소의 대사 과정 일부를 나타낸 것이다.

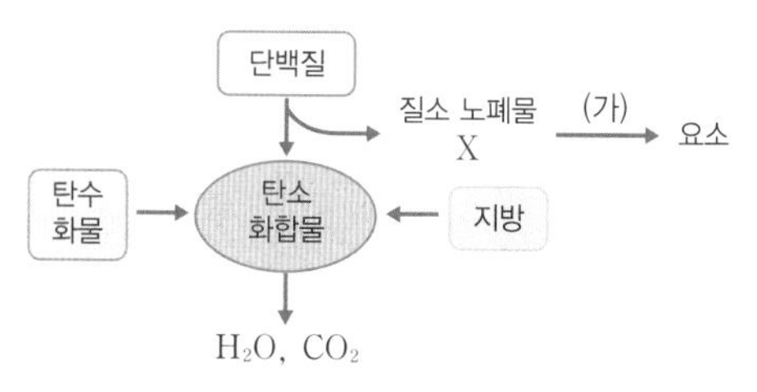

이에 대한 설명으로 옳은 것만을 〈보기〉에서 있는 대로 고른 것은?

〈보기〉
ㄱ. (가) 과정은 콩팥에서 일어난다.
ㄴ. 물과 이산화 탄소는 탄수화물과 지방에서만 생성된다.
ㄷ. 요소는 순환계에 의해 콩팥으로 운반되어 콩팥에서 오줌으로 배설된다.

① ㄱ ② ㄷ ③ ㄱ, ㄴ
④ ㄴ, ㄷ ⑤ ㄱ, ㄴ, ㄷ

04 그림은 사람의 몸을 구성하는 여러 기관계의 통합적 작용을 나타낸 것이다.

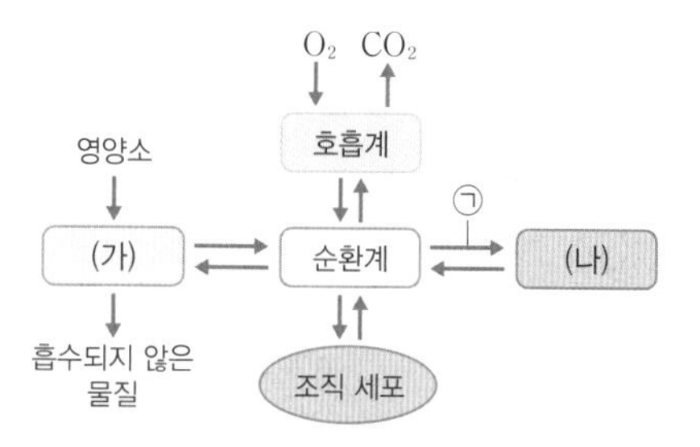

이에 대한 설명으로 옳은 것만을 〈보기〉에서 있는 대로 고른 것은?

〈보기〉
ㄱ. (가)에서 영양소의 소화와 흡수가 일어난다.
ㄴ. (나)에서는 오줌이 생성된다.
ㄷ. ㉠은 암모니아이다.

① ㄱ ② ㄷ ③ ㄱ, ㄴ
④ ㄴ, ㄷ ⑤ ㄱ, ㄴ, ㄷ

출제예감

05 그림은 사람의 몸을 구성하는 기관계의 통합적 작용을 모식적으로 나타낸 것이다. A~D는 각각 소화계, 호흡계, 순환계, 배설계 중 하나이다.

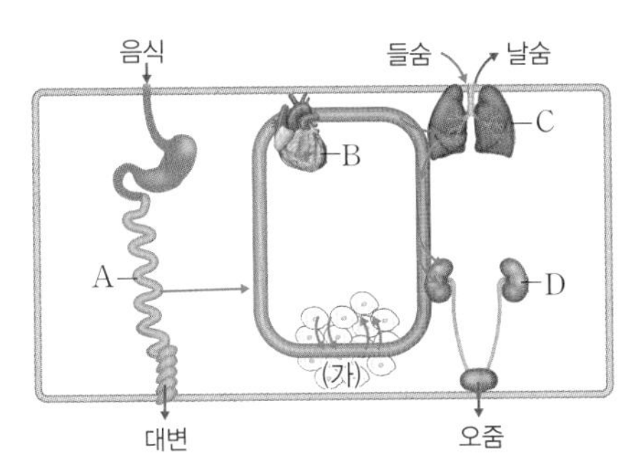

이에 대한 설명으로 옳은 것만을 〈보기〉에서 있는 대로 고른 것은?

보기
ㄱ. 세포 호흡에 필요한 물질은 A, C에서 흡수한다.
ㄴ. 노폐물을 몸 밖으로 내보내는 기관계는 C, D이다.
ㄷ. (가)에서 세포 호흡이 일어나고 노폐물이 생성된다.

① ㄱ ② ㄴ ③ ㄱ, ㄷ
④ ㄴ, ㄷ ⑤ ㄱ, ㄴ, ㄷ

06 그림은 사람의 몸에서 일어나는 일부 물질의 이동을 나타낸 것이다.

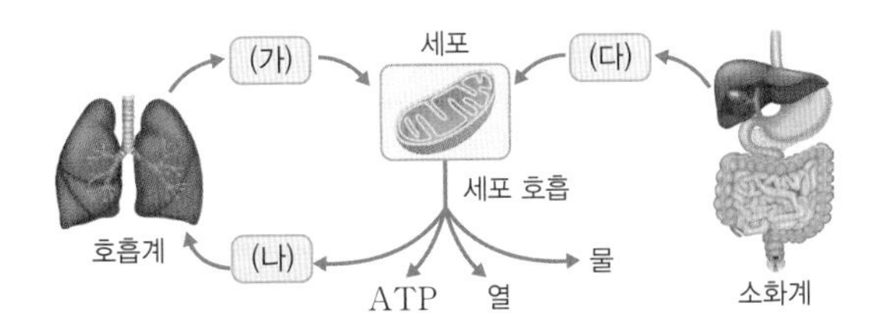

이에 대한 설명으로 옳은 것만을 〈보기〉에서 있는 대로 고른 것은?

보기
ㄱ. (가)는 산소, (나)는 이산화 탄소이다.
ㄴ. (다)는 세포 호흡에 필요한 영양소이다.
ㄷ. 세포 호흡에서 발생한 물은 호흡계와 배설계를 통해 몸 밖으로 나간다.

① ㄱ ② ㄷ ③ ㄱ, ㄷ
④ ㄴ, ㄷ ⑤ ㄱ, ㄴ, ㄷ

정답과 해설 14쪽

서술형

07 그림은 영양소 A를 섭취하였을 때 체내에서 일어나는 기관계의 통합적 작용을 나타낸 것이다.

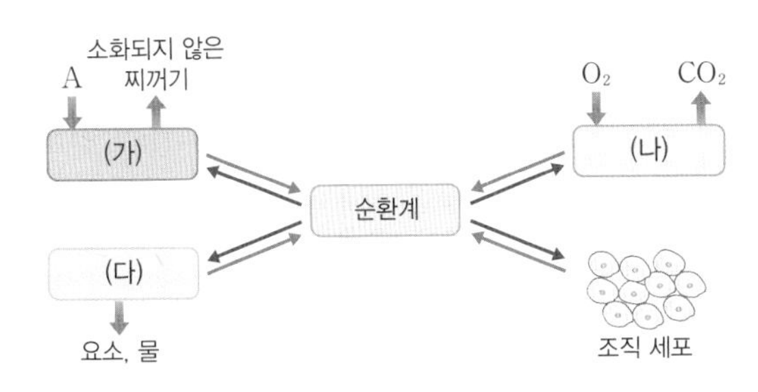

(1) 기관계 (가)~(다)의 명칭을 쓰시오.

(2) 영양소 A가 어떤 물질인지 제시하고 그 까닭이 무엇인지 노폐물과 관련지어 서술하시오.

서술형

08 그림은 사람의 여러 기관계 사이에서 일어나는 물질의 이동을 나타낸 것이다.

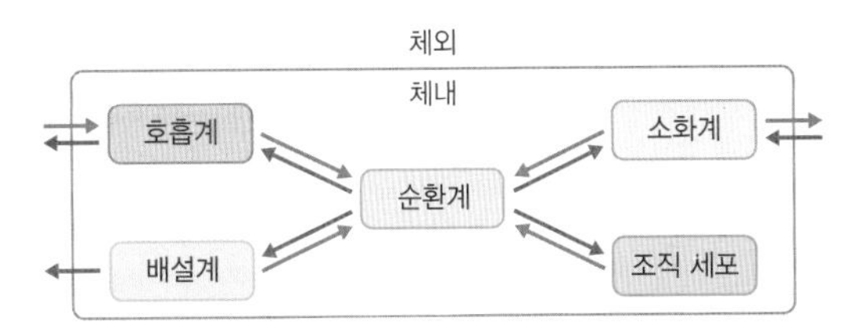

우리가 먹은 밥 속의 녹말이 사람의 몸에 흡수되어 사용된 후 배설될 때까지의 과정을 기관계를 중심으로 서술하시오.

03 물질대사와 질병

핵심 키워드로 흐름잡기

- A 기초 대사량, 활동 대사량, 1일 대사량, 에너지 섭취량과 소비량의 균형
- B 대사성 질환, 대사성 질환의 예방, 대사 증후군

A 에너지 대사의 균형

|출·제·단·서| 시험에는 에너지 섭취량과 소비량을 계산하는 문제가 나와.

1. 기초 대사량과 1일 대사량

(1) 기초 대사량❶ 생명을 유지하는 데 필요한 최소한의 에너지양

(2) 활동 대사량 기초 대사량 외에 활동하는 데 필요한 에너지양

(3) 1일 대사량 하루에 필요한 총 에너지양

1일 대사량=기초 대사량+활동 대사량+음식물 섭취 시 에너지 소비량❷

└ 여자보다 남자가, 노인보다 젊은 사람이 단위 체중당 기초 대사량이 크다.

❶ 기초 대사량
기초 대사량은 숨을 쉬거나 심장이 뛰고, 체온을 유지하는 등 생명 유지에 필요한 에너지이다. 기초 대사량은 체중, 키, 성별, 나이 등에 따라 달라진다.

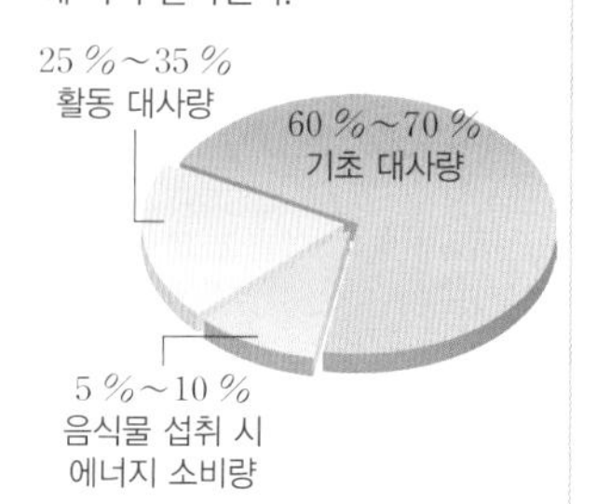

▲ 1일 대사량 구성비

2. 에너지 섭취량과 소비량의 균형

에너지 섭취량이 에너지 소비량보다 적으면 영양 부족이 되고, 에너지 섭취량이 에너지 소비량보다 많으면 영양 과다가 된다.

┌ 영양 부족일 경우 체내에 저장한 지방이나 단백질을 분해하여 에너지를 얻는다.

영양 부족	영양 균형	영양 과다
에너지 섭취량 < 에너지 소비량	에너지 섭취량 = 에너지 소비량	에너지 섭취량 > 에너지 소비량
에너지 섭취량보다 소비량이 많은 상태로 체중 감소, •영양실조, 면역력 저하 등이 일어난다.	에너지 섭취량과 소비량의 균형이 이루어지는 상태로 건강을 유지하기 위해 영양 균형이 이루어져야 한다.	에너지 섭취량보다 소비량이 적은 상태로, 남는 에너지를 주로 •체지방 형태로 저장하여 체중이 증가하고 비만❸이 된다.

❷ 음식물 섭취 시 에너지 소비량
섭취한 음식물을 사람의 몸속에서 소화, 흡수하고 이동시키며 저장하는 데 소비되는 에너지양을 말한다.

❸ 비만
키에 비해 체중이 많이 나가고 체지방의 비율이 높은 상태로, 과다한 에너지 섭취, 운동 부족, 스트레스 등이 원인이 된다.

빈출 탐구 1일 에너지 섭취량과 에너지 소비량 비교

하루 동안 섭취하고 사용한 에너지양을 비교하여 영양 균형에 대한 필요성을 이해할 수 있다.

과정

다음은 체중 60 kg인 학생이 하루 동안 섭취한 음식과 활동한 내용을 나타낸 것이다.

음식	쌀밥	불고기	된장찌개	배추김치	햄버거	탄산음료	양념치킨
에너지양(kcal/kg·h)	330	250	150	55	618	95	180
섭취량	2공기	1인분	1인분	1접시	2개	2잔	3조각

활동	잠자기	식사	등, 하교	이야기	공부하기	휴식	운동
에너지양(kcal/kg·h)	1.0	1.8	3.0	1.7	2.0	1.0	5.0
활동량(시간)	7	3	1	1	8	2	2

결과

- 학생의 1일 에너지 섭취량
  $(330\times2)+(250\times1)+(150\times1)+(55\times1)+(618\times2)+(95\times2)+(180\times3)=3081$ kcal
- 학생의 1일 에너지 소비량
  $\{(1.0\times7)+(1.8\times3)+(3.0\times1)+(1.7\times1)+(2.0\times8)+(1.0\times2)+(5.0\times2)\}\times60$ kg $=2706$ kcal

정리

- 학생의 에너지 섭취량(3081 kcal)이 에너지 소비량(2706 kcal)보다 많으므로, 이 상태가 지속되면 체지방이 축적되어 체중 증가와 비만으로 이어질 수 있다.

용어 알기

- •영양실조(만들 營, 기를 養, 잃을 失, 고를 調) 영양소의 섭취가 부족하거나 섭취는 충분하나 소화, 흡수가 나쁠 때 나타나는 이상 상태
- •체지방(몸 體, 기름 脂, 기름 肪) 몸을 구성하는 지방 조직

B 대사성 질환

|출·제·단·서| 시험에는 대사성 질환의 종류와 그 특징에 대해 묻는 문제가 나와.

1. 대사성 질환 물질대사에 이상이 생겨 발생하는 질환으로, 증상이 심하면 합병증을 일으키기도 한다.

(1) 대사성 질환의 원인

① 오랜 기간 동안 에너지 섭취와 사용에 불균형이 지속되어 발생한다.

② 유전과 스트레스 등에 의해서도 발생한다.

(2) 대사성 질환의 종류

구분	원인	특징
고혈압❹	스트레스, 식사 습관 등 환경적 요소와 유전적 요소가 작용할 때	• 혈압이 정상 범위보다 높은 ●만성 질환 • 증상: 두통이나 어지럼증 혹은 코피가 나기도 한다. • 뇌졸중, 심혈관계 질환, 콩팥 질환의 원인이 된다.
당뇨병❺	인슐린의 분비가 부족하거나 인슐린이 제대로 작용하지 못할 때	• 혈액 속 포도당 농도가 정상 범위보다 높은 질환 • 증상: 배가 자주 고프고 체중이 줄어들며, 물을 많이 마시고 화장실을 자주 간다. • 오줌 속에 당이 섞여 나오고, 여러 가지 합병증을 일으킨다. 심혈관계 질환이나 콩팥 기능 장애 등을 일으킬 수 있다.
고지혈증	운동 부족, 비만, 음주 등 잘못된 생활 습관	• 혈액 속에 콜레스테롤이나 중성 지방이 많은 질환 • 혈관 안쪽에 지방 성분 등이 쌓여 혈관이 좁아지거나 막히는 동맥 경화의 원인이 된다. • 동맥 경화가 지속되면 심장마비나 고혈압, 뇌졸중으로 진행될 수 있다.
지방간	음주, 비만과 약물 복용	• 간에 지방이 비정상적으로 많이 축적된 상태 • 비만, 당뇨병과 연관성이 높고 간염, 간경변으로 진행될 수 있다.
구루병	비타민 D의 결핍	• 뼈의 질량과 강도가 감소하여 뼈가 약한 상태 • 뼈의 통증이나 변형이 일어날 수 있고 골다공증으로 진행될 수 있다.

(3) 대사성 질환의 예방 대사성 질환은 여러 가지 합병증을 일으키며, 치료에 많은 시간과 노력이 필요하므로 올바른 생활 습관을 통한 사전 예방이 중요하다.

① 규칙적이고 꾸준히 운동을 한다. 건강을 유지하기 위해서는 음식물을 통해 섭취한 에너지양과 활동을 통한 에너지 소비량 사이에 균형이 이루어져야 한다.

② 일상생활에서의 활동량을 늘린다.

③ 하루 세 끼 균형 잡힌 식사를 한다.

④ 열량이 높은 음식과 당이 많이 포함된 음료수 섭취를 줄인다.

▲ 대사성 질환의 예방 방법

2. 대사 증후군

(1) 복부 비만과 함께 높은 혈압과 혈당량, 정상 범위를 넘는 혈액 속 중성 지방 등 위험 증상이 동시에 나타나는 경우를 말한다.

(2) 유전적 요인과 환경적 요인이 복합적으로 작용한다고 알려져 있다.

(3) 고혈압, 당뇨병, 동맥 경화 등의 대사성 질환으로 발전될 가능성이 있어 주의해야 한다.

❹ **고혈압**
성인의 경우 수축기 혈압(최고 혈압)이 140 mmHg, 이완기 혈압(최저 혈압)이 90 mmHg 이상이면 고혈압으로 진단한다.

❺ **당뇨병**
8시간 금식 후 검사했을 때, 혈액 100 mL당 혈당량이 126 mg/dL 이상이면 당뇨병으로 진단한다.

★ 구루병은 천재 교과서에만 나오는 대사성 질환이다.

용어 알기

●만성(게으를 慢, 성질 性) 병이 급하거나 심하지도 않으면서 쉽게 낫지도 않는 성질

콕콕! 개념 확인하기

정답과 해설 15쪽

✔ 잠깐 확인!

1. 생명을 유지하는 데 필요한 최소한의 에너지양

2. 활동하는 데 필요한 모든 에너지양

3. 하루에 필요한 총 에너지양

4. 체내 물질대사에 이상이 생겨 발생하는 질환

5. 복부 비만과 함께 높은 혈압과 혈당, 정상 범위를 넘는 혈액 속 중성 지방 등 위험 증상이 동시에 나타나는 증후군

6. 혈당 조절에 필요한 인슐린의 분비가 부족하거나 인슐린이 제대로 작용하지 못해 오줌에 당이 섞여 나오는 질환

A 에너지 대사의 균형

01 그림 (가)~(다)는 음식물로 섭취한 에너지양과 활동으로 소비한 에너지양을 비교하여 나타낸 것이다. (가)~(다)에 해당하는 에너지 균형 상태를 쓰시오.

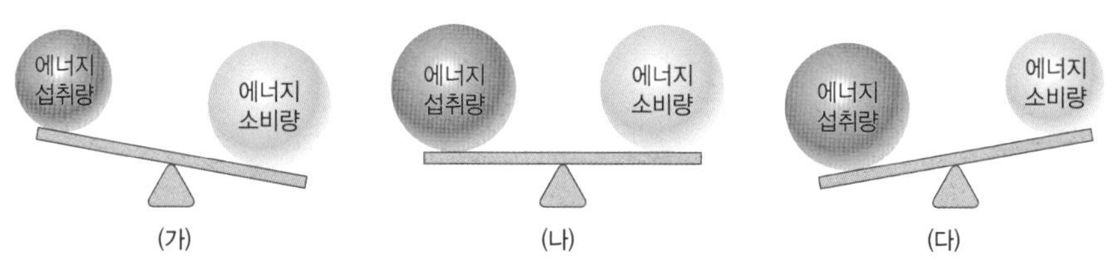

02 에너지 대사에 대한 설명으로 옳은 것은 ○, 옳지 않은 것은 ×로 표시하시오.

(1) 기초 대사량은 체중, 키, 성별, 나이와 무관하게 일정하다. (　　)

(2) 하루에 필요한 총 에너지양을 1일 대사량이라고 한다. (　　)

(3) 섭취한 에너지양이 소비한 에너지양보다 적으면 지방이나 단백질을 분해하여 에너지를 얻는다. (　　)

(4) 섭취한 에너지양이 소비한 에너지양보다 많으면 남은 에너지는 주로 단백질 형태로 저장된다. (　　)

(5) 1일 대사량 중에서 가장 큰 비율을 차지하는 것은 음식물 섭취 시 에너지 소비량이다. (　　)

B 대사성 질환

03 대사성 질환에 대한 설명으로 옳은 ○, 옳지 않은 것은 ×로 표시하시오.

(1) 생활 습관과 무관하게 발생한다. (　　)

(2) 유전과 스트레스에 의해서도 발생한다. (　　)

(3) 대사성 질환에는 고혈압, 당뇨병, 암, 백혈병 등이 있다. (　　)

(4) 여러 가지 합병증을 일으키며, 치료에 많은 시간과 노력이 필요하므로 사전 예방이 중요하다. (　　)

04 다음은 대사성 질환에 대한 설명이다. 이 질환이 무엇인지 쓰시오.

- 혈액 속에 콜레스테롤이나 중성 지방이 많은 상태
- 혈관 안쪽에 지방 성분 등이 쌓여 혈관이 좁아지거나 막히는 동맥 경화의 원인이 된다.

탄탄! 내신 다지기

정답과 해설 15쪽

A 에너지 대사의 균형

01 다음은 사람의 에너지 대사를 설명한 것이다.

> 사람에게 하루에 필요한 총 에너지양을 (㉠)이라 하며, 심장 박동, 호흡 운동, 체온 조절 등 생명을 유지하는 데 필요한 최소한의 에너지양을 (㉡)이라고 한다. 그리고 사람이 활동하는 데 필요한 에너지양을 (㉢)이라고 한다.

㉠~㉢에 들어갈 알맞은 말로 옳게 짝 지은 것은?

	㉠	㉡	㉢
①	활동 대사량	기초 대사량	1일 대사량
②	기초 대사량	활동 대사량	1일 대사량
③	활동 대사량	1일 대사량	기초 대사량
④	1일 대사량	기초 대사량	활동 대사량
⑤	1일 대사량	활동 대사량	기초 대사량

02 그림은 어떤 사람의 에너지 섭취량과 소비량을 비교하여 나타낸 것이다.
이에 대한 설명으로 옳지 않은 것은?

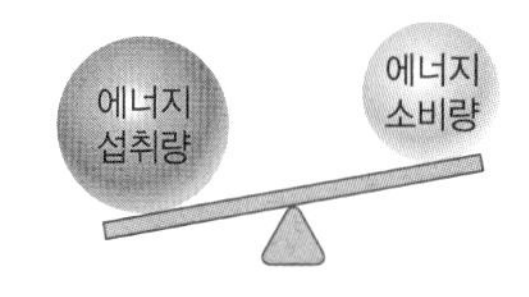

① 비만이 될 수 있다.
② 영양 과다 상태이다.
③ 지방을 분해하여 에너지를 얻는다.
④ 대사성 질환이 걸릴 가능성이 높다.
⑤ 여분의 에너지를 주로 체지방 형태로 저장한다.

03 그림은 사람이 하루 동안 사용하는 총 에너지양의 구성비를 나타낸 것이다.
이에 대한 설명으로 옳은 것은?

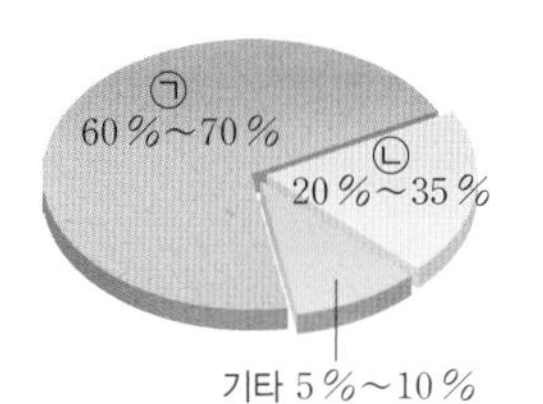

① ㉠은 활동 대사량이다.
② ㉠은 나이나 체중과 무관하게 일정하다.
③ ㉡은 신체 활동에 필요한 에너지양이다.
④ 음식물 소화에 필요한 에너지는 ㉡이다.
⑤ 1일 대사량은 ㉠+㉡으로 계산된다.

04 그림은 두 지역 A, B에 사는 사람의 연령에 따른 1일 대사량을 나타낸 것이다. (단, 두 지역에 사는 사람의 에너지 섭취량은 동일하다.)

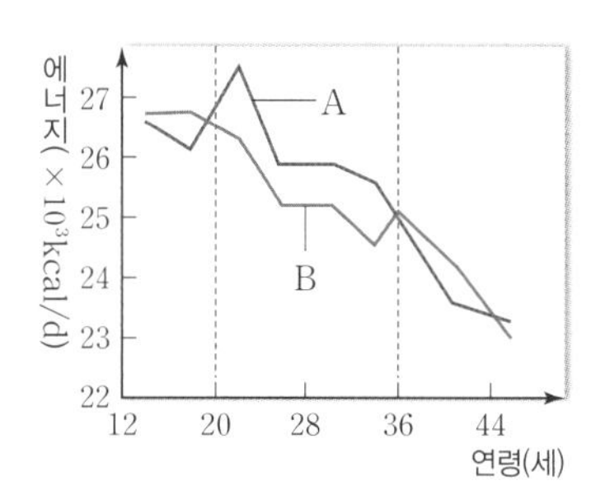

이에 대한 설명으로 옳은 것은?

① 모든 연령의 기초 대사량은 동일하다.
② 20세 이하 사람의 비만율은 B 지역이 높을 것이다.
③ 20세~36세 사람의 비만율은 B 지역이 높을 것이다.
④ 36세 이후에는 연령이 증가할수록 에너지 소비량도 증가한다.
⑤ 연령이 증가하더라도 사람의 활동 대사량은 일정하게 유지된다.

단답형

05 그림은 어떤 사람의 에너지 섭취량과 소비량을 비교하여 나타낸 것이다.

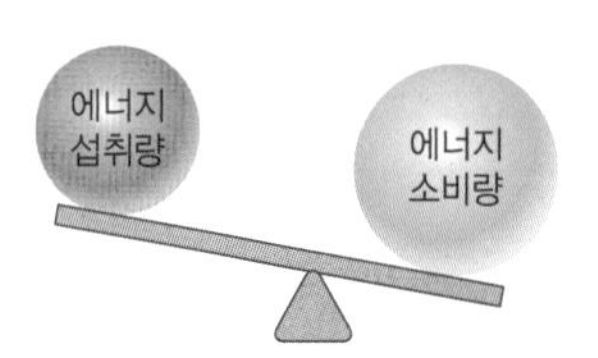

이 사람은 부족한 에너지를 주로 어떤 물질에서 얻을지 쓰시오.

B 대사성 질환

06 다음은 사람에게 나타날 수 있는 질환을 나타낸 것이다.

• 고혈압 • 당뇨병 • 지방간

이 질환들에 대한 설명으로 옳지 않은 것은?

① 물질대사에 이상이 생겨 나타난다.
② 여러 가지 합병증을 일으킬 수 있다.
③ 생활 습관, 스트레스, 유전 등에 의해 발생한다.
④ 치료에 시간이 많이 걸리므로 사전 예방이 중요하다.
⑤ 성인에게만 발생하고 청소년에게는 발생하지 않는다.

07 그림 (가)는 정상 혈관 단면을, (나)는 혈관 벽에 콜레스테롤과 중성 지방 등이 쌓여 좁아진 혈관 단면을 나타낸 것이다.

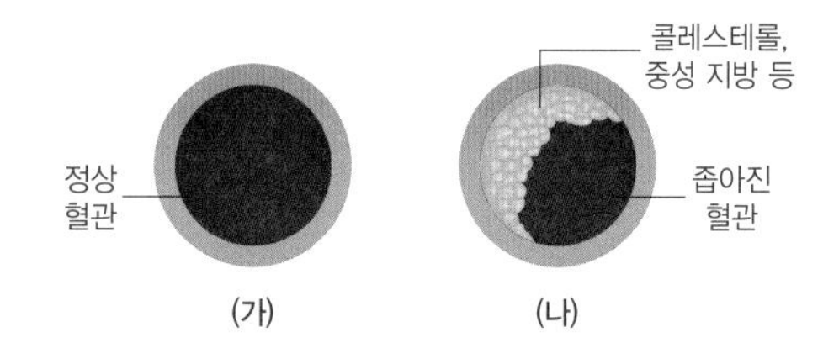

(나) 증상이 지속되면 발생하는 질환으로 옳은 것은?

① 당뇨병 ② 지방간 ③ 고혈압
④ 저혈압 ⑤ 구루병

08 다음은 물질대사와 대사성 질환에 대한 세 학생의 의견을 나타낸 것이다.

제시한 의견이 옳은 학생만을 있는 대로 고른 것은?

① A ② B ③ A, C
④ B, C ⑤ A, B, C

09 표는 대사성 질환 A~C의 특징을 나타낸 것이다.

질환	특징
A	혈압이 정상 범위보다 높다.
B	혈당 수치가 높고 오줌에 당이 섞여 나온다.
C	간에 지방이 축적된다.

이에 대한 설명으로 옳지 않은 것은?

① A는 고혈압이다.
② B는 인슐린의 작용과 관련이 있다.
③ A, B의 공통 합병증으로 심혈관 질환이 있다.
④ C는 비만이 영향을 주기도 한다.
⑤ C는 두통, 어지럼증, 코피 등의 증상이 나타난다.

10 대사성 질환은 여러 합병증을 일으키고, 치료에 많은 시간과 노력이 필요하므로 사전 예방이 중요하다. 대사성 질환의 예방을 위한 올바른 생활 습관에 대한 설명으로 옳지 않은 것은?

① 규칙적이고 꾸준한 운동을 한다.
② 고에너지 음식을 꾸준히 섭취한다.
③ 하루 세 끼 균형 잡힌 식사를 한다.
④ 일상생활에서 신체 활동량을 늘린다.
⑤ 열량이 높은 음식과 당이 많이 포함된 음료수 섭취를 줄인다.

단답형

11 물질대사에 이상이 생겨 발생하는 대사성 질환 중 인슐린의 분비가 부족하거나 인슐린이 세포에 제대로 작용하지 못해 발생하는 질환의 명칭을 쓰시오.

도전! 실력 올리기

정답과 해설 16쪽

01 표는 성인 남자의 몇 가지 활동 유형에 따른 에너지 소비량을 나타낸 것이다.

(단위: kcal/kg·h)

활동	에너지 소비량	활동	에너지 소비량
수면	0.9	빨래	3.4
휴식	1.4	빨리 걷기	5.9
청소	3.0	달리기	8.0

이에 대한 설명으로 옳은 것만을 〈보기〉에서 있는 대로 고른 것은?

〈보기〉

ㄱ. 휴식에 소비되는 에너지양은 기초 대사량이다.

ㄴ. 1시간 활동 했을 때 청소보다 빨래에 더 많은 에너지가 소비된다.

ㄷ. 체중이 50 kg인 남자가 청소를 1시간, 달리기를 1시간 하면, 11 kcal의 에너지가 소비된다.

① ㄱ ② ㄴ ③ ㄷ
④ ㄴ, ㄷ ⑤ ㄱ, ㄴ, ㄷ

02 그림은 사람의 몸을 이루는 기관계의 통합적 작용을 나타낸 것이다. (가)~(라)는 각각 소화계, 호흡계, 순환계, 배설계 중 하나이다.

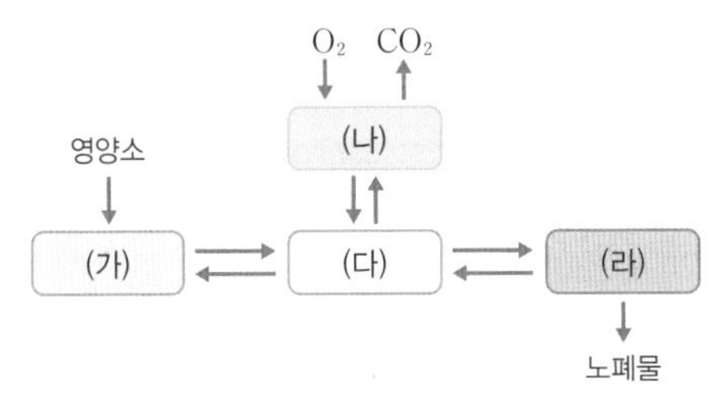

대사성 질환인 고혈압이 있을 때 합병증으로 이상이 나타날 수 있는 기관계를 있는 대로 고른 것은?

① (가), (나) ② (가), (다) ③ (다), (라)
④ (가), (나), (라) ⑤ (나), (다), (라)

03 하루에 필요한 총 에너지양을 1일 대사량이라고 한다. 1일 대사량을 구성하는 에너지에는 어떤 것이 포함되는지 3가지만 쓰시오.

서술형

04 그림은 어떤 사람의 1일 평균 영양소 섭취량을, 표는 이 사람의 1일 에너지 소비량을 나타낸 것이다.

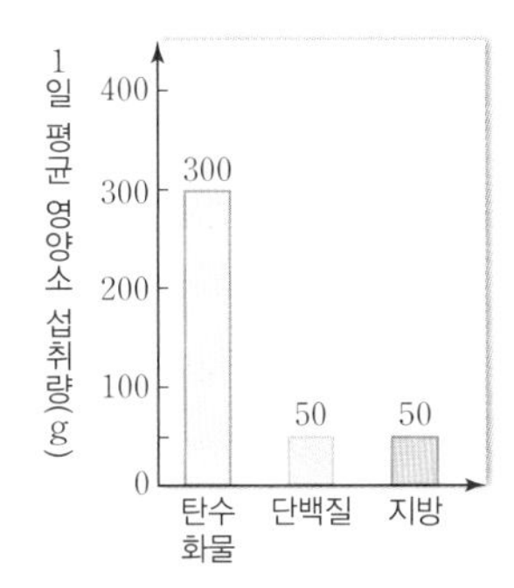

구분	에너지 소비량 (kcal)
기초 대사량	1260
음식물 섭취 시 에너지 소비량	210
활동 대사량	630

이 사람의 에너지 섭취량과 소비량을 비교하고 이 상태가 지속되면 어떤 증상이 나타날지 서술하시오. (단, 탄수화물은 1 g당 4 kcal, 단백질은 1 g당 4 kcal, 지방은 1 g당 9 kcal의 열량을 가진다.)

서술형

05 대사성 질환의 한 종류인 당뇨병의 원인과 증상을 서술하시오.

기관계의 통합적 작용

대표 유형

출제 의도

주어진 자료를 해석하여 기관계의 통합적 작용을 알고, 각 기관계의 역할을 구분하는 문제이다.

그림은 사람 몸에 있는 순환계와 기관계 A~C의 통합적 작용을, 표는 A~C 각각에 속하는 기관의 예를 나타낸 것이다. A~C는 각각 배설계, 소화계, 호흡계 중 하나이고, ㉠~㉢은 각각 폐, 소장, 콩팥 중 하나이다.

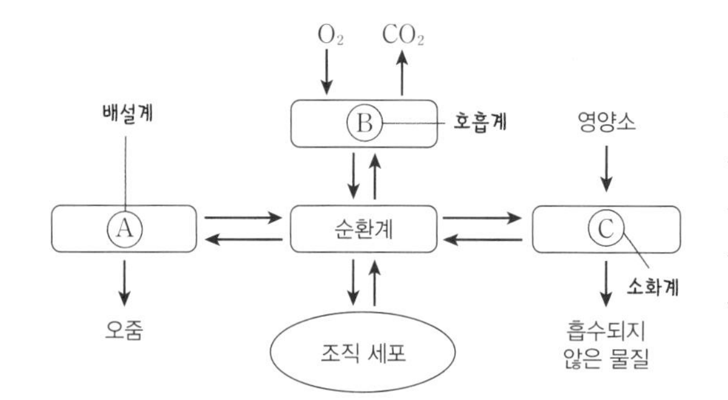

기관계	기관의 예
A	㉠ 콩팥
B	㉡ 폐
C	㉢ 소장

이에 대한 설명으로 옳은 것만을 〈보기〉에서 있는 대로 고른 것은?

〈보기〉

ㄱ. A를 통해 요소가 배설된다.
→ 요소는 배설계의 콩팥을 통해 배설된다.

ㄴ. ㉠~㉢에는 모두 상피 조직이 있다.
└ 동물의 구성 단계: 세포 → 조직 → 기관 → 기관계 → 개체
→ 모든 기관에는 상피 조직이 있다.

ㄷ. ㉢에서 아미노산이 흡수된다.
└ 단백질이 소화되어 생성된 아미노산은 수용성 영양소로, 소장 융털의 모세 혈관에서 흡수된다.

① ㄱ ② ㄴ ③ ㄱ, ㄷ ④ ㄴ, ㄷ ⑤ ㄱ, ㄴ, ㄷ

이것이 함정

상피 조직은 특정한 기관에만 있는 것이 아니라 모든 기관에 있음을 알아야 한다.

자료 해석으로 각 기관계에 속하는 기관 구분하기

그림에서 A, B, C가 각각 어떤 기관계인지 찾는다. ››› 폐, 소장, 콩팥이 속하는 기관계를 확인하고 ㉠~㉢이 무엇인지 찾는다. ››› 요소의 배설과 아미노산의 흡수가 일어나는 기관은 A~C 중 어느 것이며, 어떤 기관계에 속하는지 찾는다. ››› 상피 조직은 모든 기관에 존재함을 기억한다.

추가 선택지

• A와 B를 통해 물이 배설된다. (○)
⋯ 물은 콩팥과 폐를 통해 몸 밖으로 나가므로 A, B를 통해 배설된다.

• ㉢에서 포도당이 흡수된다. (○)
⋯ 포도당은 탄수화물의 최종 분해 산물로 소장 융털에서 흡수된다.

실전! 수능 도전하기

정답과 해설 17쪽

01 그림은 사람이 세포 호흡을 통해 포도당으로부터 ATP를 생성하고, 이 ATP를 생명 활동에 이용하는 과정을 나타낸 것이다. ㉠과 ㉡은 각각 CO_2와 O_2 중 하나이다.

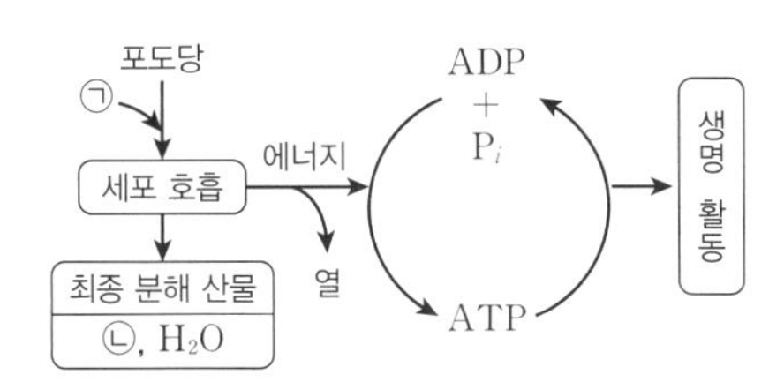

이에 대한 설명으로 옳은 것만을 <보기>에서 있는 대로 고른 것은?

보기
ㄱ. ㉡은 CO_2이다.
ㄴ. 포도당의 에너지는 모두 ATP에 저장된다.
ㄷ. 근육 수축 과정에는 ATP에 저장된 에너지가 이용된다.

① ㄱ ② ㄷ ③ ㄱ, ㄴ
④ ㄱ, ㄷ ⑤ ㄴ, ㄷ

02 그림은 광합성과 세포 호흡에서 에너지와 물질의 이동을 나타낸 것이다. (가)와 (나)는 각각 광합성과 세포 호흡 중 하나이다.

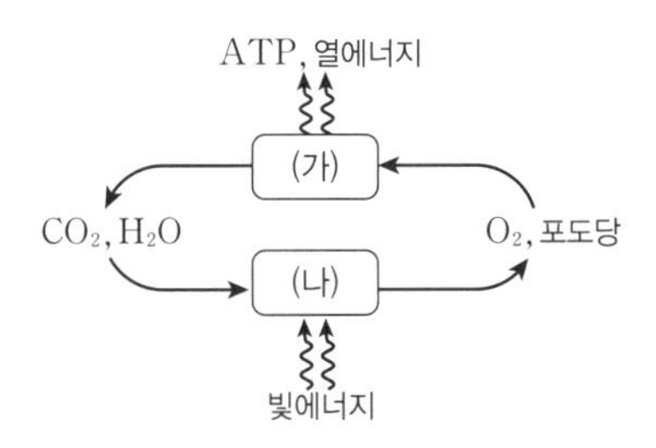

이에 대한 설명으로 옳은 것만을 <보기>에서 있는 대로 고른 것은?

보기
ㄱ. (가)에서 이화 작용이 일어난다.
ㄴ. (나)에서 빛에너지는 O_2에 저장된다.
ㄷ. 동물과 식물에서 모두 (나)가 일어난다.

① ㄱ ② ㄴ ③ ㄱ, ㄷ
④ ㄴ, ㄷ ⑤ ㄱ, ㄴ, ㄷ

03 그림 (가)는 사람의 체내에서 포도당이 세포 호흡으로 분해되는 과정을, (나)는 생물체에서 일어나는 반응을 나타낸 것이다.

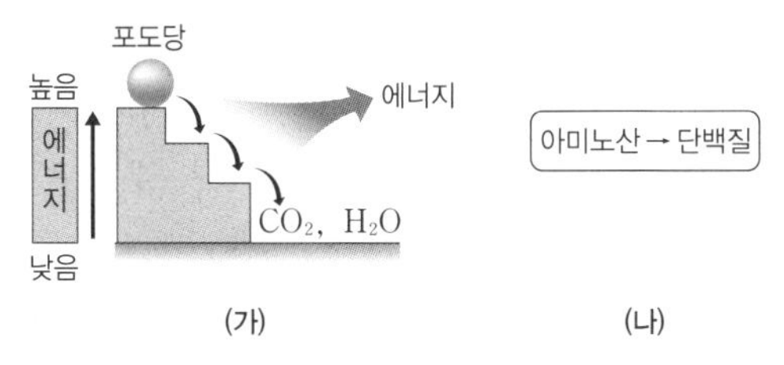

이에 대한 설명으로 옳은 것만을 <보기>에서 있는 대로 고른 것은?

보기
ㄱ. (가)와 연소 반응에 모두 CO_2를 필요로 한다.
ㄴ. (가)에서 발생한 에너지의 일부는 (나) 과정에 이용된다.
ㄷ. 동물과 식물 모두에서 (나)가 일어난다.

① ㄱ ② ㄷ ③ ㄱ, ㄴ
④ ㄴ, ㄷ ⑤ ㄱ, ㄴ, ㄷ

수능 기출

04 그림은 사람에서 세포 호흡을 통해 포도당으로부터 최종 분해 산물과 에너지가 생성되는 과정을 나타낸 것이다.

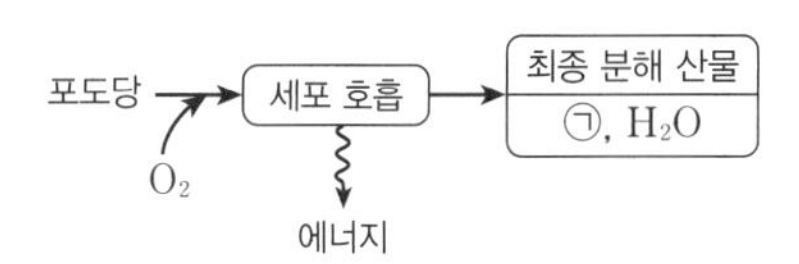

이에 대한 설명으로 옳은 것만을 <보기>에서 있는 대로 고른 것은?

보기
ㄱ. ㉠은 암모니아(NH_3)이다.
ㄴ. 세포 호흡에는 효소가 필요하다.
ㄷ. 포도당이 분해되어 생성된 에너지의 일부는 ATP에 저장된다.

① ㄱ ② ㄷ ③ ㄱ, ㄴ
④ ㄴ, ㄷ ⑤ ㄱ, ㄴ, ㄷ

05 그림 (가)는 생물체 내에서 일어나는 물질의 변화를, (나)는 반응 경로에 따른 에너지 변화를 나타낸 것이다. A와 B는 각각 동화 작용과 이화 작용 중 하나이다.

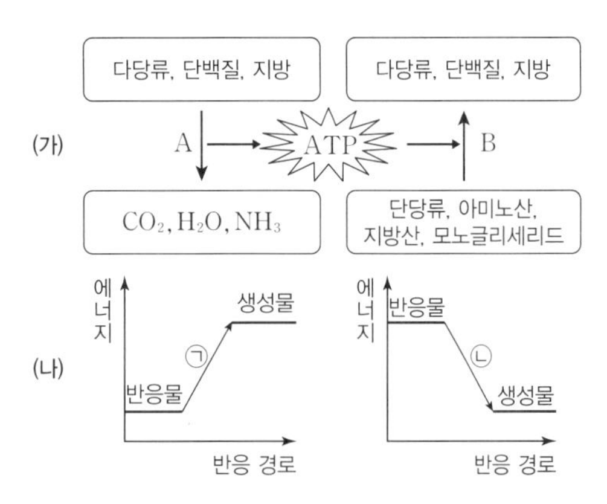

이에 대한 설명으로 옳은 것만을 〈보기〉에서 있는 대로 고른 것은?

〈보기〉
ㄱ. A는 이화 작용이다.
ㄴ. B에서 ㉠ 과정이 일어난다.
ㄷ. B를 통해 세포를 구성하는 물질이 합성된다.

① ㄱ ② ㄷ ③ ㄱ, ㄴ
④ ㄴ, ㄷ ⑤ ㄱ, ㄴ, ㄷ

수능 기출

06 그림 (가)는 사람에서 세포 호흡을 통해 포도당으로부터 최종 분해 산물과 에너지가 생성되는 과정을, (나)는 ATP와 ADP 사이의 전환을 나타낸 것이다. ㉠과 ㉡은 각각 O_2와 CO_2 중 하나이다.

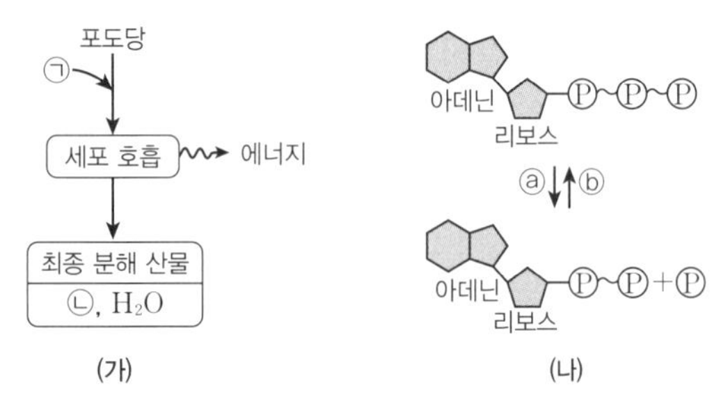

이에 대한 설명으로 옳은 것만을 〈보기〉에서 있는 대로 고른 것은?

〈보기〉
ㄱ. ㉠은 CO_2이다.
ㄴ. 미토콘드리아에서 (나)의 ⓑ 과정이 일어난다.
ㄷ. (가)에서 생성된 에너지의 일부는 체온 유지에 이용된다.

① ㄱ ② ㄷ ③ ㄱ, ㄴ
④ ㄴ, ㄷ ⑤ ㄱ, ㄴ, ㄷ

07 그림 (가)는 인체 내에서 영양소의 소화 과정을, (나)는 소장 융털의 구조를 나타낸 것이다. A와 B는 영양소의 최종 분해 산물이고, ㉠과 ㉡은 각각 암죽관과 모세 혈관 중 하나이다.

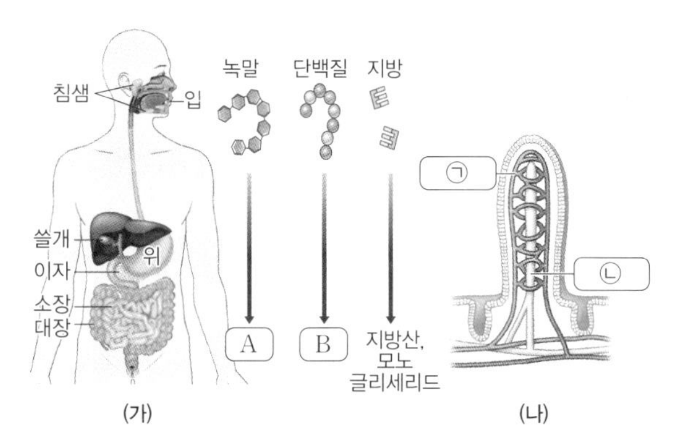

이에 대한 설명으로 옳은 것만을 〈보기〉에서 있는 대로 고른 것은?

〈보기〉
ㄱ. A는 ㉠을 통해 흡수된다.
ㄴ. ㉡을 통해 흡수된 양분은 심장을 거쳐 온몸으로 이동한다.
ㄷ. A와 B가 세포 호흡으로 분해되면 공통적으로 물과 이산화 탄소가 만들어진다.

① ㄱ ② ㄴ ③ ㄱ, ㄷ
④ ㄴ, ㄷ ⑤ ㄱ, ㄴ, ㄷ

08 그림은 물질대사 결과 발생한 노폐물 A~C의 배출을 나타낸 것이다. A~C는 각각 물, 요소, 이산화 탄소 중 하나이다.

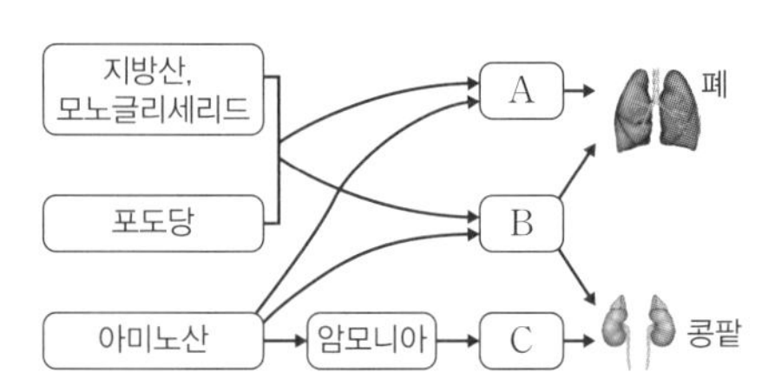

이에 대한 설명으로 옳은 것만을 〈보기〉에서 있는 대로 고른 것은?

〈보기〉
ㄱ. A는 이산화 탄소이다.
ㄴ. B는 호흡계와 배설계로 배출된다.
ㄷ. 쓸개즙이 생성되는 기관에서 C가 생성된다.

① ㄱ ② ㄴ ③ ㄱ, ㄷ
④ ㄴ, ㄷ ⑤ ㄱ, ㄴ, ㄷ

수능 기출

09 그림은 사람의 혈액 순환 경로를 나타낸 것이다. ㉠과 ㉡은 각각 대정맥과 폐정맥 중 하나이고, A와 B는 각각 간과 콩팥 중 하나이다.

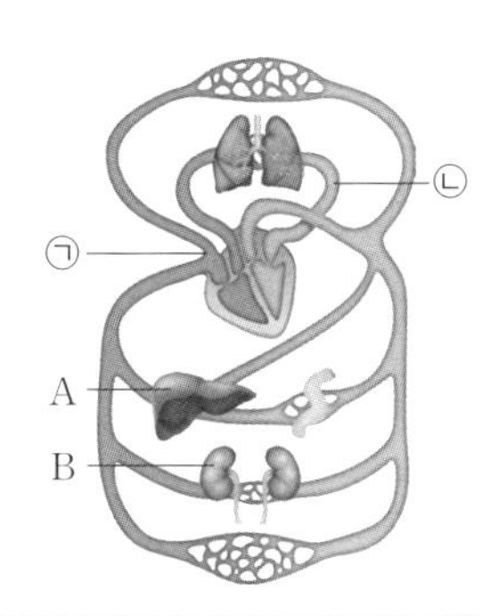

이에 대한 설명으로 옳은 것만을 〈보기〉에서 있는 대로 고른 것은?

보기
ㄱ. A는 인슐린의 표적 기관이다.
ㄴ. B에서 수분의 재흡수가 일어난다.
ㄷ. 혈액의 단위 부피당 CO_2의 양은 ㉠보다 ㉡에서 많다.

① ㄱ ② ㄷ ③ ㄱ, ㄴ
④ ㄴ, ㄷ ⑤ ㄱ, ㄴ, ㄷ

10 그림은 세 가지 식품 ⓐ~ⓒ의 물질 구성비를 나타낸 것이다. A~C는 각각 탄수화물, 지방, 단백질 중 하나이며, 식품 100 g당 열량은 ⓐ가 ⓑ보다 더 높다. A~C 중 체구성 비율은 C가 가장 낮다. 탄수화물과 단백질은 1 g당 4 kcal, 지방은 1 g당 9 kcal의 열량을 가진다.

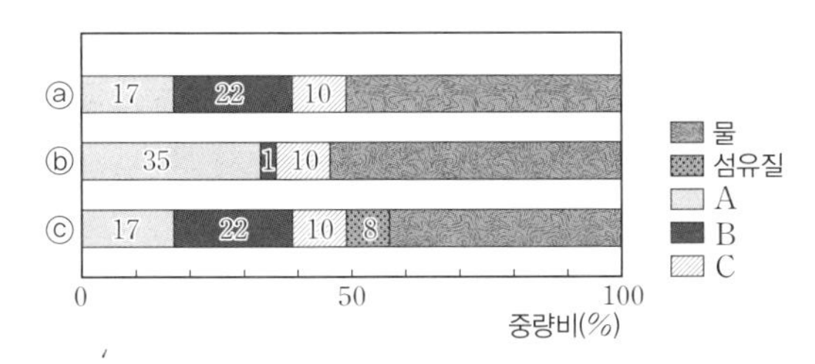

이에 대한 설명으로 옳은 것만을 〈보기〉에서 있는 대로 고른 것은? (단, 단식을 하면 3대 영양소 중 탄수화물이 가장 먼저 소모된다.)

보기
ㄱ. ⓐ~ⓒ 중 식품 100 g당 열량은 ⓒ가 가장 낮다.
ㄴ. B는 인체에서 에너지 저장 물질로 이용된다.
ㄷ. 단식 기간 중에 체내에 저장된 A는 C보다 더 빨리 소모된다.

① ㄱ ② ㄴ ③ ㄷ
④ ㄱ, ㄴ ⑤ ㄴ, ㄷ

11 그림은 기관계 (가)~(라)의 통합적 작용을 나타낸 것이다. (가)~(라)는 각각 소화계, 순환계, 호흡계, 배설계 중 하나이다.

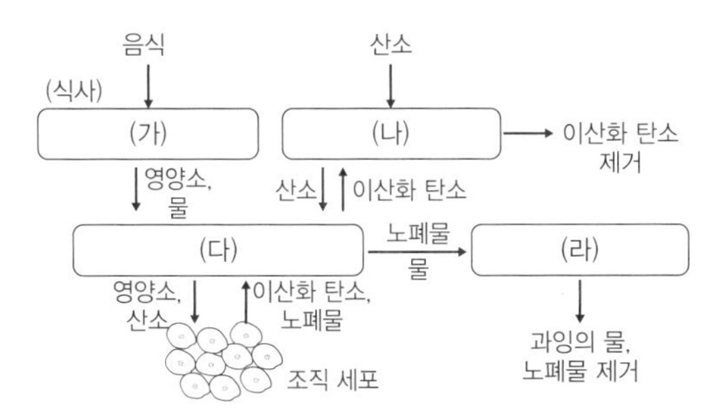

이에 대한 설명으로 옳은 것만을 〈보기〉에서 있는 대로 고른 것은?

보기
ㄱ. (가)와 (나)에서 모두 물질대사가 일어난다.
ㄴ. (다)를 구성하는 기관에는 심장이 있다.
ㄷ. 요소는 (라)를 구성하는 기관인 콩팥에서 주로 생성된다.

① ㄱ ② ㄴ ③ ㄱ, ㄴ
④ ㄱ, ㄷ ⑤ ㄴ, ㄷ

12 표는 세포 호흡 과정을, 그림은 혈액 순환 과정의 일부를 나타낸 것이다. A와 B는 각각 폐정맥과 대정맥 중 하나이다.

포도당＋㉠ → ㉡＋H_2O＋에너지

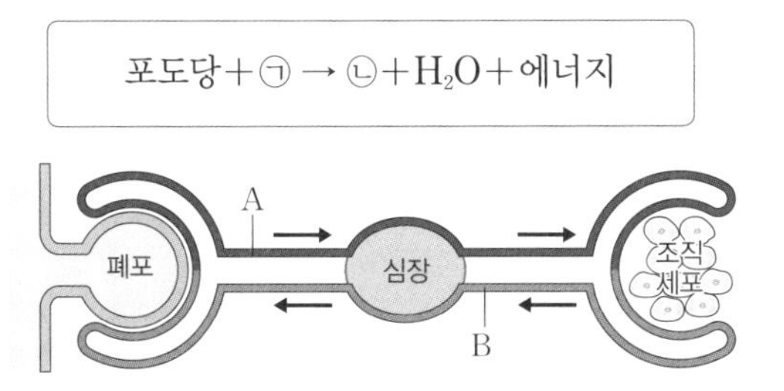

이에 대한 설명으로 옳은 것만을 〈보기〉에서 있는 대로 고른 것은?

보기
ㄱ. ㉠은 호흡계를 통해 몸 속으로 흡수된다.
ㄴ. 혈액의 단위 부피당 ㉡의 양은 A에서가 B에서보다 많다.
ㄷ. 방출되는 에너지는 모두 열에너지 형태로 전환되어 체온 유지에 이용된다.

① ㄱ ② ㄷ ③ ㄱ, ㄴ
④ ㄴ, ㄷ ⑤ ㄱ, ㄴ, ㄷ

한눈에 보는 대단원 정리

1 사람의 물질대사

01 생명 활동과 에너지

1. 물질대사의 특징

① 에너지 출입이 함께 일어난다.

② 반응이 단계적으로 일어난다.

③ 생체 촉매인 효소가 반드시 관여한다.

2. 물질대사의 구분

동화 작용	이화 작용
저분자 물질 → 고분자 물질 예 광합성, 단백질 합성	고분자 물질 → 저분자 물질 예 소화, 세포 호흡

고분자 물질
단백질
포도당
동화 작용
이화 작용
효소
에너지 흡수
에너지 방출
아미노산
저분자 물질
이산화 탄소
물

3. 세포 호흡: 영양소를 분해하여 생명 활동에 필요한 에너지를 얻는 과정이다.

① 미토콘드리아를 중심으로 일어난다.

② 포도당을 분해하여 포도당에 저장되었던 에너지의 일부는 ATP에 저장되고, 나머지는 열에너지로 방출된다.

4. ATP: 생물체 내의 에너지 저장 물질로, ATP가 분해되어 방출된 에너지는 생명 활동에 이용된다.

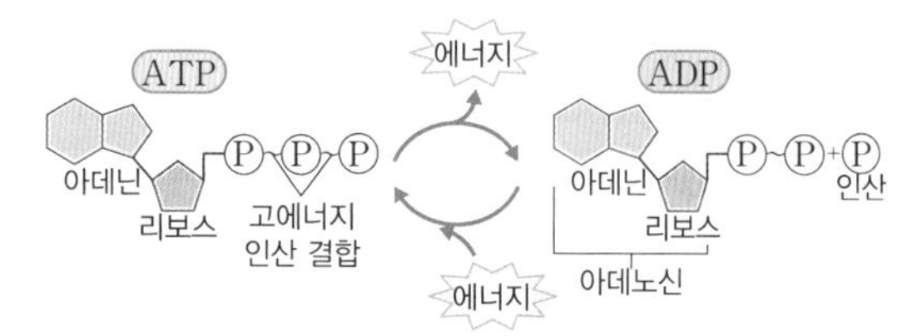

▲ ATP의 합성과 분해

5. 에너지의 전환과 이용

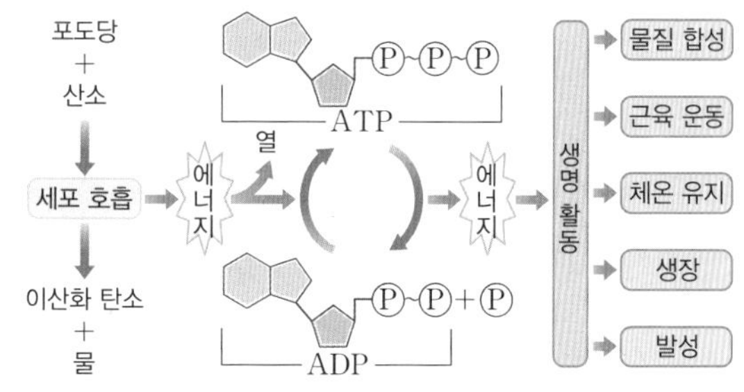

▲ 세포 호흡과 에너지 전환 및 이용

6. 소화계

① **영양소의 소화:** 영양소를 체내로 흡수하기 위해 분해한다.

② **영양소의 흡수:** 대부분 소장의 융털에서 흡수한다.

- 수용성 영양소: 소장 융털의 모세 혈관에서 흡수
- 지용성 영양소: 소장 융털의 암죽관에서 흡수

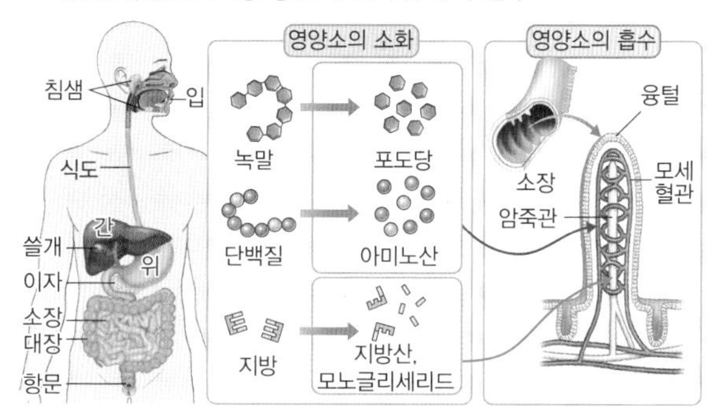

▲ 영양소의 소화와 흡수

7. 호흡계: 세포 호흡에 필요한 산소를 흡수하고, 이산화 탄소를 방출한다.

① **호흡 운동:** 호흡 운동으로 공기의 출입이 일어나고 폐에서 산소와 이산화 탄소를 교환한다.

② **폐에서의 기체 교환:** 기체의 분압 차에 의한 확산

- 외호흡: 폐포와 모세 혈관 사이의 기체 교환
- 내호흡: 조직 세포와 모세 혈관 사이의 기체 교환

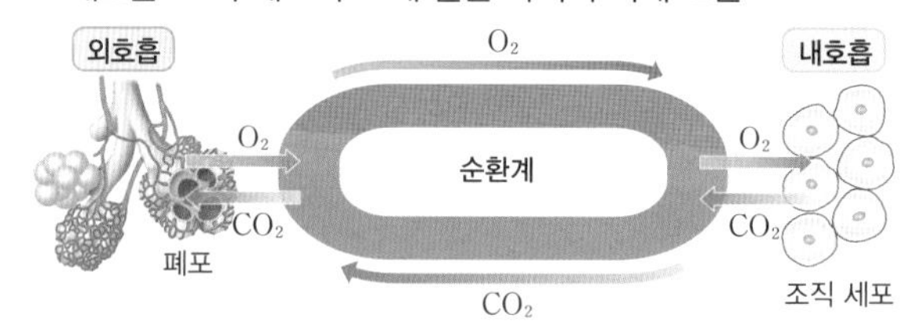

8. 순환계: 영양소와 기체, 노폐물을 운반

① 물질 운반

영양소	혈장을 따라 조직 세포로 운반
기체	• 산소: 적혈구의 헤모글로빈과 결합하여 조직 세포로 운반 • 이산화 탄소: 혈장과 적혈구에 의해 폐로 운반
노폐물	혈장을 따라 폐와 콩팥으로 운반

② 혈액 순환

- 폐순환: 우심실 → 폐동맥 → 폐포의 모세 혈관 → 폐정맥 → 좌심방
- 체순환: 좌심실 → 대동맥 → 온몸의 모세 혈관 → 대정맥 → 우심방

02 노폐물의 배설과 기관계의 통합적 작용

1. 노폐물의 생성: 영양소가 세포 호흡으로 분해되는 과정에서 노폐물이 생성된다.

영양소	생성되는 노폐물
탄수화물, 지방	이산화 탄소, 물
단백질	이산화 탄소, 물, 암모니아

2. 노폐물의 배설: 폐나 콩팥에서 몸 밖으로 내보낸다.

이산화 탄소	폐에서 날숨으로 내보낸다.
물	• 주로 콩팥에서 오줌으로 내보낸다. • 폐에서 날숨으로 내보낸다.
암모니아	독성이 강하여 간에서 요소로 전환되어 콩팥에서 오줌으로 배설된다.

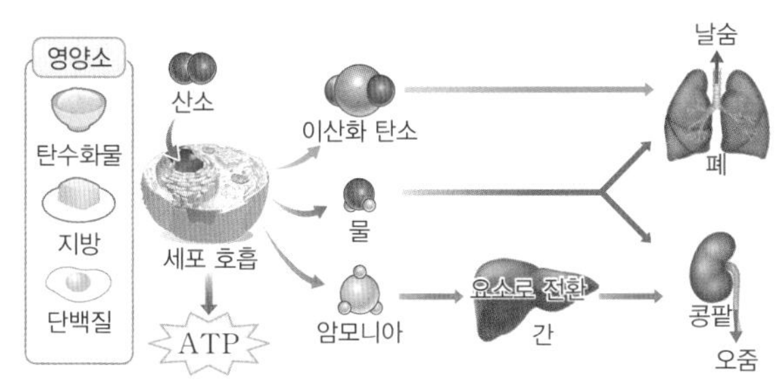

▲ 노폐물의 생성과 배설

3. 기관계의 통합적 작용: 소화계, 호흡계, 순환계, 배설계가 서로 긴밀하게 연결되어 작용한다.

소화계	음식물 속에 들어 있는 영양소를 소화
호흡계	세포 호흡에 필요한 산소를 흡수, 세포 호흡으로 생성된 이산화 탄소와 물을 방출
순환계	소화계와 호흡계에서 흡수한 영양소와 산소를 조직 세포로 운반, 노폐물을 호흡계와 배설계로 운반
배설계	질소 노폐물은 요소로 전환되어 순환계에 의해 배설계로 이동하여 오줌으로 배설

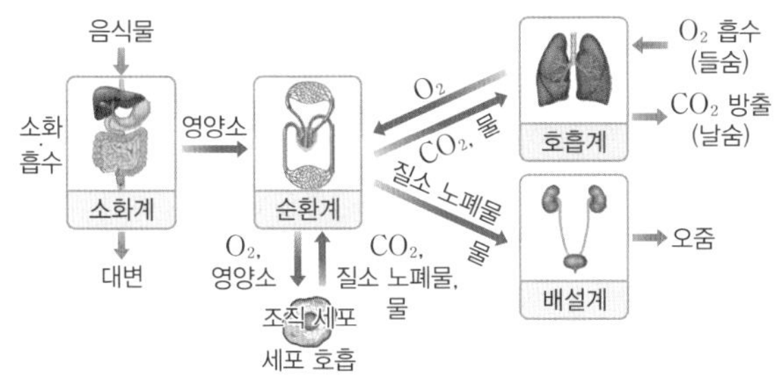

▲ 기관계의 통합적 작용

03 물질대사와 질병

1. 기초 대사량과 1일 대사량

기초 대사량	생명 유지에 필요한 최소한의 에너지양
활동 대사량	기초 대사량 외에 신체 활동에 필요한 에너지양
1일 대사량	기초 대사량+활동 대사량+음식물 섭취 시 에너지 소비량

2. 에너지 대사의 균형

영양 부족	영양 균형	영양 과다
에너지 섭취량 < 에너지 소비량	에너지 섭취량 = 에너지 소비량	에너지 섭취량 > 에너지 소비량

3. 대사성 질환

① 물질대사에 이상이 생겨 발생하는 질환

② 대사성 질환의 종류

종류	원인	특징
고혈압	스트레스, 식사 습관 등 환경적 요소와 유전적 요소의 상호 작용	• 혈압이 정상 범위보다 높은 질환 • 뇌졸중, 심혈관계 질환, 콩팥 질환 등의 원인
당뇨병	인슐린 분비 부족, 인슐린이 정상 기능을 못할 때	• 혈액 속 당 농도가 정상 범위보다 높은 질환 • 허기짐, 체중 감소, 갈증, 화장실을 자주 감
고지혈증	운동 부족, 비만, 음주 등 잘못된 생활 습관	• 혈액 속에 콜레스테롤이나 중성 지방이 많은 상태 • 동맥 경화, 고혈압 등의 원인
지방간	음주, 비만과 약물 복용	• 간에 지방이 비정상적으로 많이 축적된 상태 • 간염, 간경변 등의 원인
구루병	비타민 D 결핍	• 뼈의 질량과 강도가 감소하여 뼈가 약한 상태 • 골다공증의 원인

③ 대사성 질환의 예방

- 규칙적이고 꾸준히 운동한다.
- 일상 생활에서 활동량을 늘린다.
- 하루 세 끼 균형 잡힌 식사를 한다.
- 열량 높은 식사, 당이 많이 포함된 음료 섭취를 줄인다.

한번에 끝내는

대단원 문제

정답과 해설 18쪽

01 그림은 동물에서 일어나는 물질 전환 과정을 나타낸 것이다. (가)와 (나)는 각각 이화 작용과 동화 작용 중 하나이다.

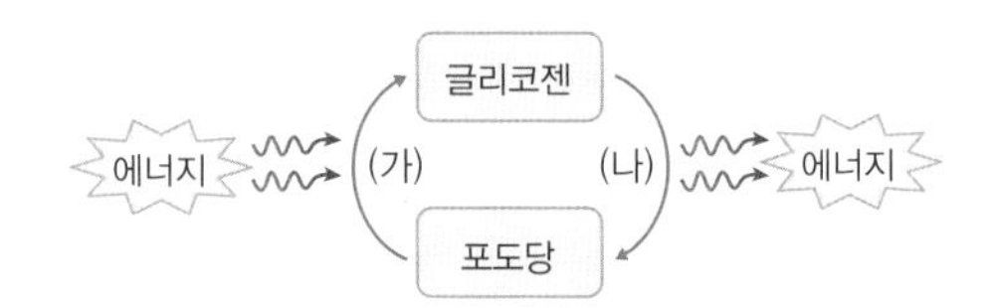

이에 대한 설명으로 옳은 것은?

① (가)는 이화 작용이다.
② (가)에 해당하는 반응으로 세포 호흡이 있다.
③ (나)는 에너지가 흡수되는 반응이다.
④ (가)와 (나)에는 모두 효소가 관여한다.
⑤ 사람의 간세포에서는 (나)만 일어난다.

02 그림은 사람이 세포 호흡을 통해 ATP를 합성하고 사용하는 과정을 나타낸 것이다.

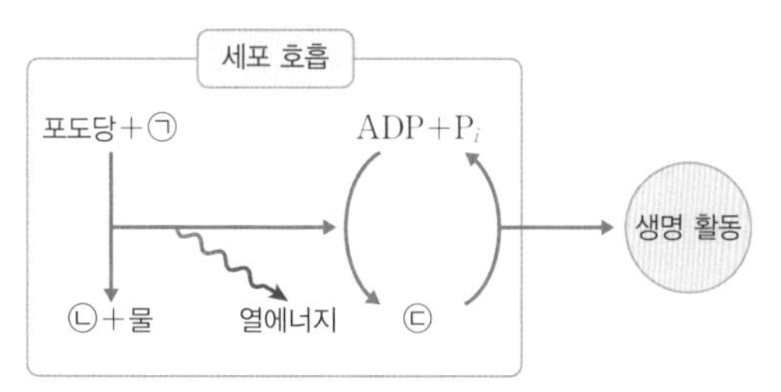

이에 대한 설명으로 옳은 것만을 <보기>에서 있는 대로 고른 것은?

보기
ㄱ. ㉠은 산소, ㉡은 이산화 탄소이다.
ㄴ. 저장된 에너지는 ㉢보다 ADP가 많다.
ㄷ. ㉢에 저장된 에너지는 소리를 들을 때 사용된다.

① ㄱ ② ㄴ ③ ㄱ, ㄷ
④ ㄴ, ㄷ ⑤ ㄱ, ㄴ, ㄷ

03 그림은 세포에서 일어나는 ATP의 합성과 분해 과정을 나타낸 것이다.

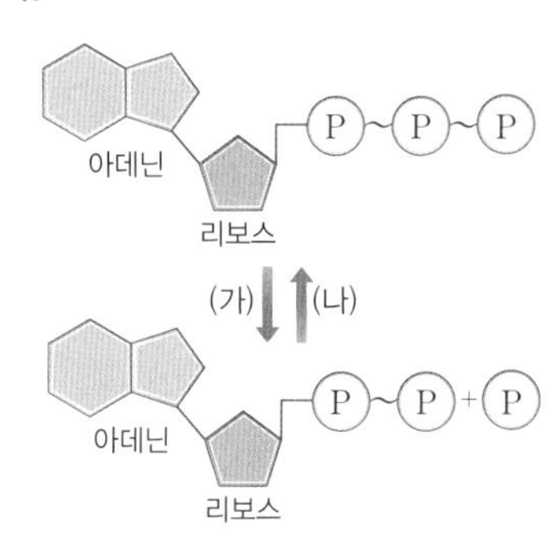

이에 대한 설명으로 옳은 것만을 <보기>에서 있는 대로 고른 것은?

보기
ㄱ. ATP와 ADP가 가진 고에너지 인산 결합의 수는 같다.
ㄴ. (가)에서 방출된 에너지는 생명 활동에 필요한 에너지로 사용된다.
ㄷ. 식물과 동물의 미토콘드리아에서 모두 (나)가 일어난다.

① ㄱ ② ㄴ ③ ㄱ, ㄷ
④ ㄴ, ㄷ ⑤ ㄱ, ㄴ, ㄷ

04 그림은 음식물 속 단백질이 세포 호흡에 이용되어 에너지와 노폐물이 생성되는 과정을 나타낸 것이다. (가)와 (나)는 과정을, ㉠은 물질을 나타낸다.

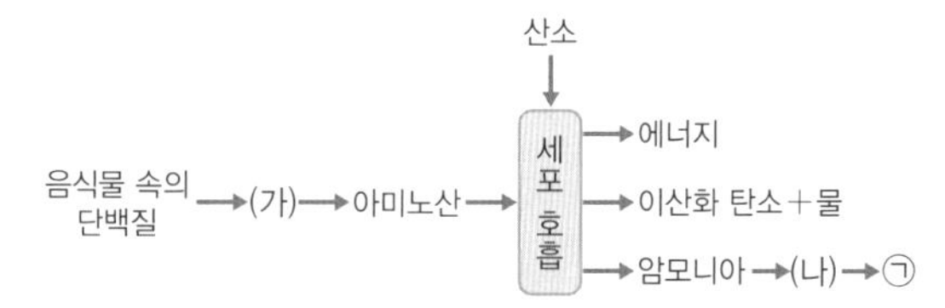

이에 대한 설명으로 옳은 것만을 <보기>에서 있는 대로 고른 것은?

보기
ㄱ. (가) 과정이 일어나는 곳은 순환계이다.
ㄴ. (나) 과정은 배설계에서 일어난다.
ㄷ. ㉠은 콩팥을 통해 배출된다.

① ㄱ ② ㄴ ③ ㄷ
④ ㄱ, ㄴ ⑤ ㄴ, ㄷ

05 그림은 영양소가 세포 호흡으로 분해된 결과 생성되는 노폐물 A~C의 배설 과정을 나타낸 것이다.

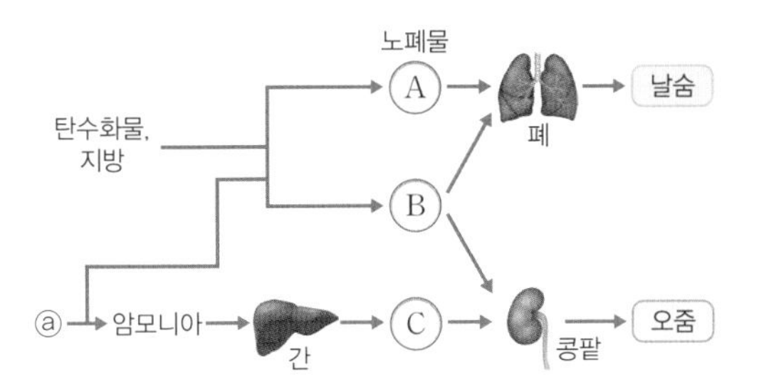

이에 대한 설명으로 옳은 것만을 〈보기〉에서 있는 대로 고른 것은?

보기
ㄱ. ⓐ는 단백질이다.
ㄴ. B는 호흡계와 배설계에서 나간다.
ㄷ. C는 암모니아보다 독성이 강하다.

① ㄱ ② ㄷ ③ ㄱ, ㄴ
④ ㄴ, ㄷ ⑤ ㄱ, ㄴ, ㄷ

06 다음은 효모의 이산화 탄소 방출량을 비교하는 실험이다.

(가) 3개의 발효관을 그림과 같이 장치하고 35 ℃로 유지한 후, 맹관부에 기체가 다 모이면 기체의 부피를 측정한다.

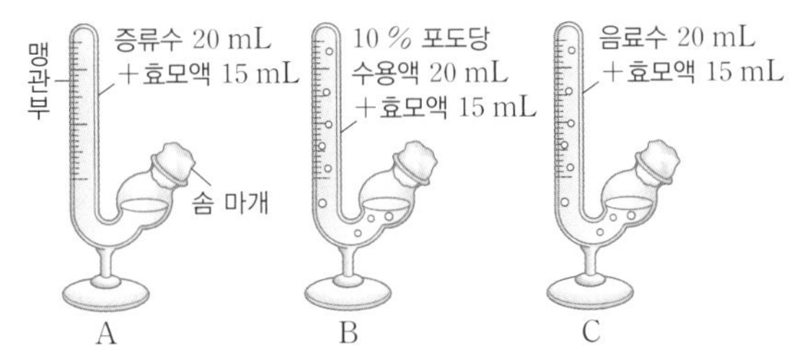

(나) 발효관에서 용액의 일부를 덜어 내고, 5 % 수산화 칼륨(KOH) 수용액을 넣는다.

이에 대한 설명으로 옳은 것만을 〈보기〉에서 있는 대로 고른 것은?

보기
ㄱ. A는 대조군으로 사용되었다.
ㄴ. B에서 발생한 기체는 이산화 탄소이다.
ㄷ. (나)의 수산화 칼륨(KOH) 수용액은 맹관부의 이산화 탄소를 제거하기 위해 넣은 것이다.

① ㄱ ② ㄴ ③ ㄱ, ㄷ
④ ㄴ, ㄷ ⑤ ㄱ, ㄴ, ㄷ

07 그림은 광합성과 세포 호흡에서의 에너지와 물질의 이동을 나타낸 것이다.

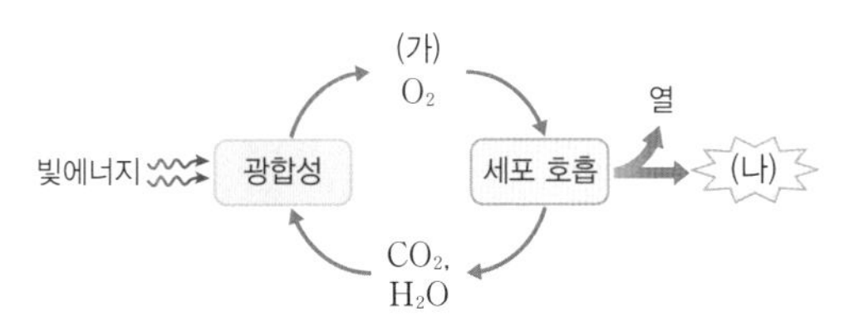

이에 대한 설명으로 옳은 것만을 〈보기〉에서 있는 대로 고른 것은?

보기
ㄱ. (가)는 포도당이다.
ㄴ. (나)는 생명 활동에 필요한 에너지를 전달하는 에너지 전달 물질이다.
ㄷ. 광합성은 이화 작용이다.

① ㄱ ② ㄷ ③ ㄱ, ㄴ
④ ㄴ, ㄷ ⑤ ㄱ, ㄴ, ㄷ

08 그림 (가)는 생물체에서 일어나는 화학 반응을, (나)는 그에 따른 에너지의 변화를 나타낸 것이다.

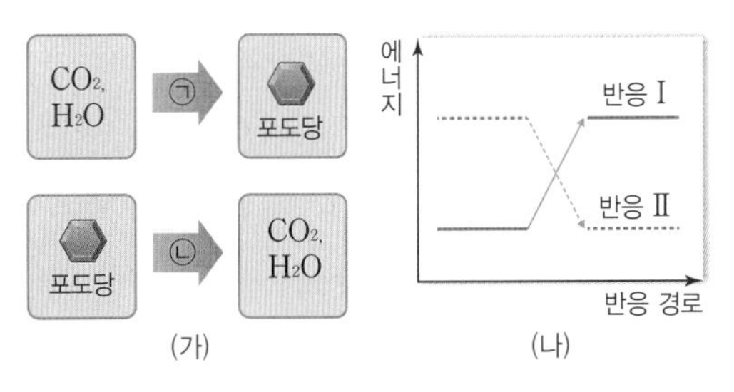

이에 대한 설명으로 옳은 것만을 〈보기〉에서 있는 대로 고른 것은?

보기
ㄱ. ㉠은 동화 작용, ㉡은 이화 작용이다.
ㄴ. ㉡에 해당하는 에너지 변화는 반응 Ⅱ이다.
ㄷ. 단백질이 아미노산으로 분해되는 것에 해당하는 것은 반응 Ⅰ이다.

① ㄱ ② ㄷ ③ ㄱ, ㄴ
④ ㄴ, ㄷ ⑤ ㄱ, ㄴ, ㄷ

09 그림은 기관계 (가)~(라)의 통합적 작용을 나타낸 것이다. ㉠과 ㉡은 각각 산소와 이산화 탄소 중 하나이다.

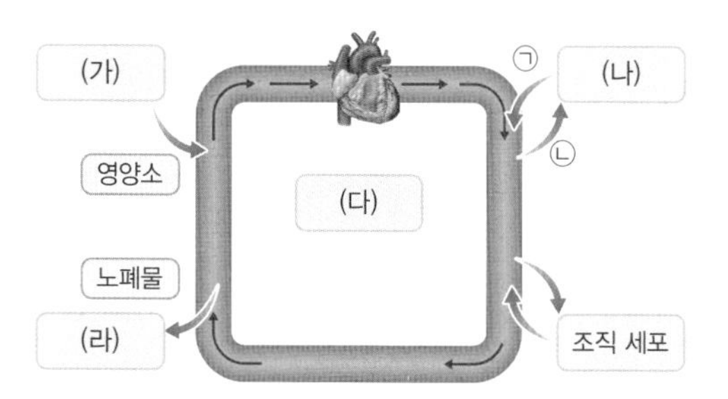

이에 대한 설명으로 옳은 것만을 ⟨보기⟩에서 있는 대로 고른 것은?

보기
ㄱ. (가)는 소화계이다.
ㄴ. (라)에서 오줌이 만들어진다.
ㄷ. ㉡은 조직 세포에서 세포 호흡 결과 생성된 것이다.

① ㄱ　② ㄷ　③ ㄱ, ㄴ　④ ㄴ, ㄷ　⑤ ㄱ, ㄴ, ㄷ

10 그림은 사람의 혈액 순환 경로를 나타낸 것이다.

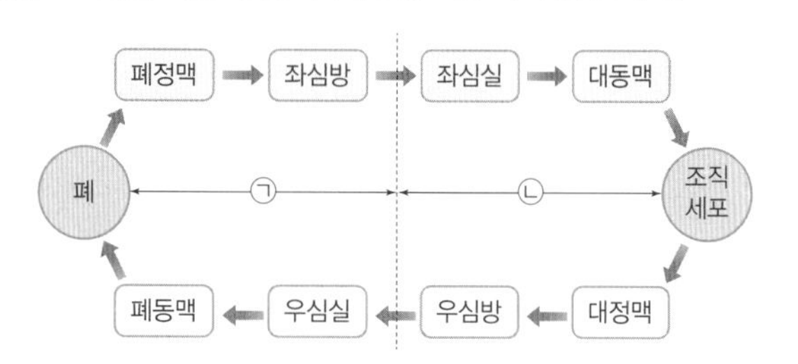

이에 대한 설명으로 옳은 것만을 ⟨보기⟩에서 있는 대로 고른 것은?

보기
ㄱ. ㉠에서 정맥혈이 동맥혈로 바뀐다.
ㄴ. ㉡에서 동맥혈이 정맥혈로 바뀐다.
ㄷ. 요소를 콩팥으로 운반하는 과정은 ㉡에 포함된다.

① ㄱ　② ㄷ　③ ㄱ, ㄴ　④ ㄴ, ㄷ　⑤ ㄱ, ㄴ, ㄷ

11 그림은 하루 동안의 에너지 섭취량과 에너지 소비량을 비교한 세 가지 경우를 나타낸 것이다.

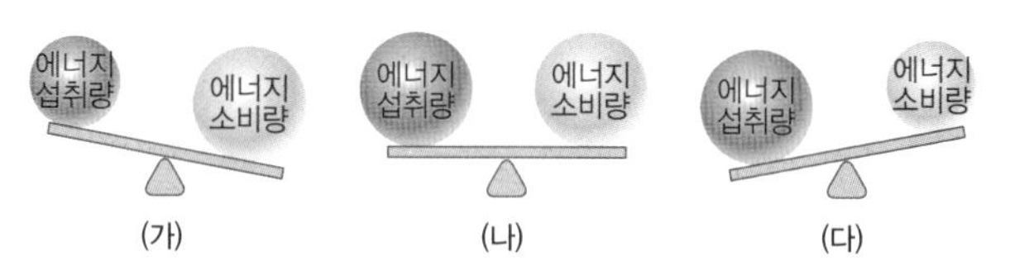

이에 대한 설명으로 옳은 것만을 ⟨보기⟩에서 있는 대로 고른 것은?

보기
ㄱ. (가)가 지속되면 면역력이 저하된다.
ㄴ. (나)는 에너지 대사가 균형인 상태이다.
ㄷ. (다)가 지속되면 체중이 감소한다.

① ㄱ　② ㄷ　③ ㄱ, ㄴ　④ ㄴ, ㄷ　⑤ ㄱ, ㄴ, ㄷ

12 다음은 생콩즙을 이용해 오줌의 성분을 알아보는 실험이다. 생콩즙에는 요소를 분해하는 효소 ⓐ가 들어 있으며, BTB 용액은 산성에서 노란색, 중성에서 초록색, 염기성에서 파란색을 띤다.

[실험 과정]
(가) 오줌이 든 비커에 BTB 용액을 넣고 색깔 변화를 관찰한다.
(나) (가)의 비커에 생콩즙을 넣고 용액의 색깔 변화를 관찰한다.

BTB 용액
오줌
생콩즙
오줌+BTB 용액

[실험 결과]
(가)의 용액은 초록색을, (나)의 용액은 파란색을 나타낸다.

이에 대한 설명으로 옳은 것만을 ⟨보기⟩에서 있는 대로 고른 것은?

보기
ㄱ. (가)의 오줌은 중성을 띤다.
ㄴ. (나)에서는 효소 ⓐ에 의해 용액이 염기성으로 변하였다.
ㄷ. 효소 ⓐ는 암모니아를 요소로 전환한다.

① ㄱ　② ㄷ　③ ㄱ, ㄴ　④ ㄴ, ㄷ　⑤ ㄱ, ㄴ, ㄷ

서술형

13 그림 (가)는 세포 호흡을, 그림 (나)는 포도당의 연소 반응을 나타낸 것이다.

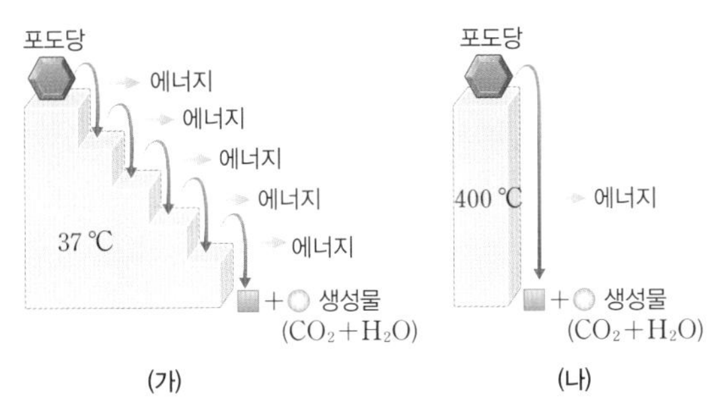

연소 반응과 달리 체온과 같은 낮은 온도에서도 세포 호흡이 일어날 수 있는 까닭을 서술하시오.

서술형

14 그림은 서로 다른 생활 습관을 가진 두 사람 (가)와 (나)의 1일 대사량과 그 구성비를 비교한 것이다.

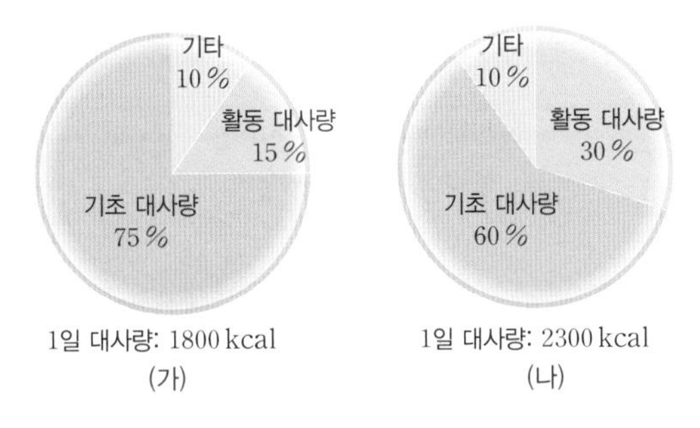

(1) 1일 대사량의 구성 요소를 쓰시오.

(2) 두 사람의 기초 대사량을 계산하여 서술하시오.

서술형

15 그림은 어떤 대사성 질환의 증상을 나타낸 것이다.

(1) 이 대사성 질환의 명칭을 쓰시오.

(2) 이 질환이 일어나는 까닭을 서술하시오.

서술형

16 그림은 여러 기관계 사이에서 일어나는 물질의 이동을 나타낸 것이다.

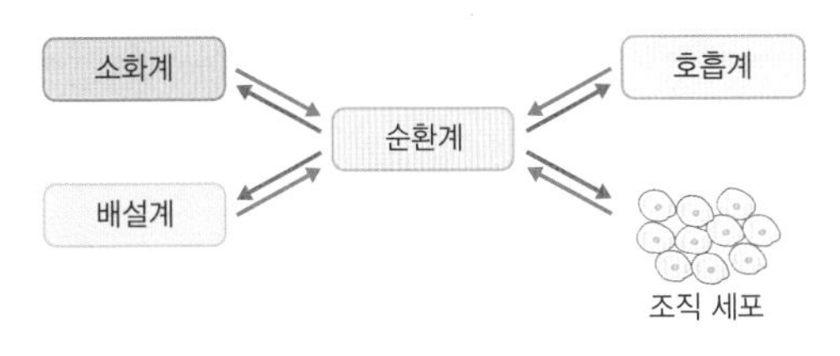

조직 세포에서 포도당이 세포 호흡의 에너지원으로 사용된 결과 생성되는 노폐물의 종류와 배설 과정을 기관계 중심으로 서술하시오.

Ⅲ

항상성과 몸의 조절

나의 학습 계획표

중단원	소단원	계획일	실천일	성취도
1 신경계	01. 흥분의 전도와 전달	/	/	○△×
	02. 신경계의 구조와 기능	/	/	○△×
	03. 근육의 구조와 수축 원리	/	/	○△×
	수능 POOL + 실전! 수능 도전하기	/	/	○△×
2 호르몬과 항상성	01. 호르몬	/	/	○△×
	02. 항상성 유지	/	/	○△×
	수능 POOL + 실전! 수능 도전하기	/	/	○△×
3 방어 작용	01. 질병과 병원체	/	/	○△×
	02. 우리 몸의 방어 작용	/	/	○△×
	수능 POOL + 실전! 수능 도전하기	/	/	○△×
	대단원 정리 + 문제	/	/	○△×

1 신경계

배울 내용 살펴보기

01 흥분의 전도와 전달

- **A** 뉴런의 구조와 종류
- **B** 흥분 전도
- **C** 흥분 전달

신경 세포의 구조적 기능적 단위인 뉴런은 신경 세포체, 가지 돌기, 축삭 돌기로 구성되어 있어.

02 신경계의 구조와 기능

- **A** 신경계의 구성
- **B** 중추 신경계
- **C** 말초 신경계
- **D** 신경계 질환

신경계는 중추 신경계와 말초 신경계로 구성되어 있고, 감각 기관으로부터 정보를 받아들여 분석하고 명령을 내리지.

03 근육의 구조와 수축 원리

- **A** 근육의 종류와 구조
- **B** 골격근의 수축

골격근은 여러 개의 근육 섬유 다발로 구성되어 있고, 골격근은 액틴 필라멘트가 마이오신 필라멘트 사이로 미끄러져 들어가서 수축이 일어나.

01 흥분의 전도와 전달

핵심 키워드로 흐름잡기

- A 뉴런, 신경 세포체, 가지 돌기, 축삭 돌기, 말이집 신경, 민말이집 신경, 구심성 뉴런, 연합 뉴런, 원심성 뉴런
- B 분극, 탈분극, 재분극, 휴지 전위, 활동 전위
- C 흥분 전달, 신경 전달 물질, 시냅스, 진정제, 각성제, 환각제

A 뉴런의 구조와 종류

|출·제·단·서| 시험에는 뉴런 각 부분의 명칭과 자극의 전달 경로가 나와.

1. 뉴런 신경계[1]를 구성하는 구조적 · 기능적 단위가 되는 신경 세포로, 자극을 신호로 바꾸어 전달한다.

2. 뉴런의 구조

구분	내용
신경 세포체	• 핵과 세포질로 이루어져 있다. • 세포질에는 미토콘드리아를 비롯한 여러 가지 세포 소기관이 있어 뉴런의 생명 활동을 조절한다.
가지 돌기	• 신경 세포체에서 나뭇가지 모양으로 뻗어 나오는 여러 개의 짧은 돌기이다. • 다른 뉴런이나 세포로부터 자극을 받아들인다.
축삭 돌기	• 신경 세포체에서 뻗어 나오는 한 개의 긴 돌기이다. • 신호를 다른 뉴런이나 조직으로 전달한다. • 축삭 돌기 말단은 여러 개의 작은 가지로 갈라지고, 끝 부분이 부풀어 오른 구조를 하고 있다. • 축삭 돌기 말단에는 신경 전달 물질이 들어 있는 시냅스 소포가 많다. • 말이집: •슈반 세포의 세포막이 길게 늘어져 축삭 돌기를 여러 겹 둘러싸서 형성된 것으로, •절연체 역할을 한다. • 랑비에 결절: 축삭 돌기가 말이집으로 싸여 있는 뉴런에서 말이집과 말이집 사이의 축삭 돌기가 노출된 부분이다.

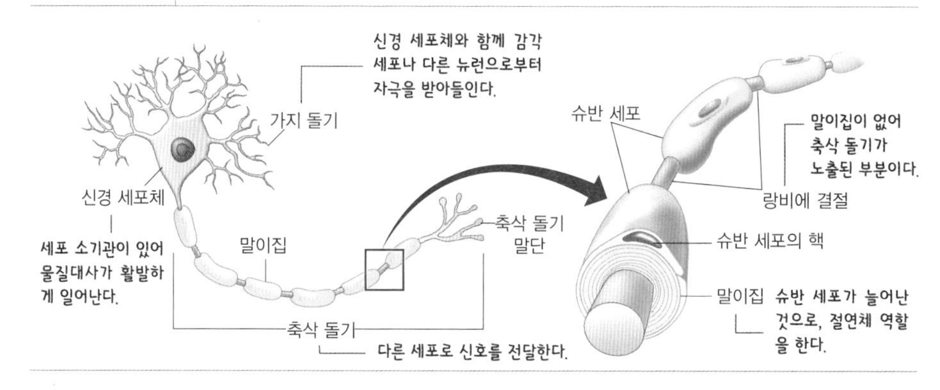

3. 뉴런의 종류 말이집의 유무에 따라, 기능에 따라 구분한다.

(1) 말이집의 유무에 따른 구분

구분	내용
말이집 신경	• 뉴런의 축삭 돌기가 말이집으로 싸여 있는 신경이다. • 도약전도[2]가 일어나 민말이집 신경보다 흥분 전도 속도가 빠르다.
민말이집 신경	• 뉴런의 축삭 돌기가 말이집으로 싸여 있지 않은 신경이다. • 도약전도가 일어나지 않아 말이집 신경보다 흥분 전도 속도가 느리다.

도약전도가 일어나는 부분
랑비에 결절
말이집
흥분 전도 속도가 빠름
▲ 말이집 신경

흥분 전도 속도가 느림
▲ 민말이집 신경

❶ 신경계
정보를 전달하고, 자극을 판단하여 명령을 내리는 기관계이다. 뇌와 척수로 이루어진 중추 신경계와 중추 신경계를 감각 기관이나 반응 기관과 연결하는 말초 신경계로 구분한다.

❷ 도약전도
흥분이 랑비에 결절에서만 발생하여 랑비에 결절에서 다음 랑비에 결절로 건너뛰듯이 전도되는 방식이다.

용어 알기

•슈반 세포(Schwann cell) 축삭 돌기를 둘러싸서 말이집을 형성하는 세포
•절연체(끊을 絕, 인연 緣, 몸 體) 전기가 통하지 않는 물체

(2) 기능에 따른 구분 (암기TIP) 구 → 연 → 원

구심성 뉴런[3] **(감각 뉴런)**	• 감각 기관에서 받아들인 자극을 중추 신경의 연합 뉴런으로 전달한다. • 말초 신경계의 감각 신경을 이룬다.
연합 뉴런	• 구심성 뉴런으로부터 정보를 받아들여 원심성 뉴런으로 반응 명령을 내린다. • 중추 신경계의 뇌와 척수를 이룬다.
원심성 뉴런[4] **(운동 뉴런)**	• 중추 신경의 연합 뉴런에서 내린 반응 명령을 반응 기관으로 전달한다. • 말초 신경계의 운동 신경을 이룬다.

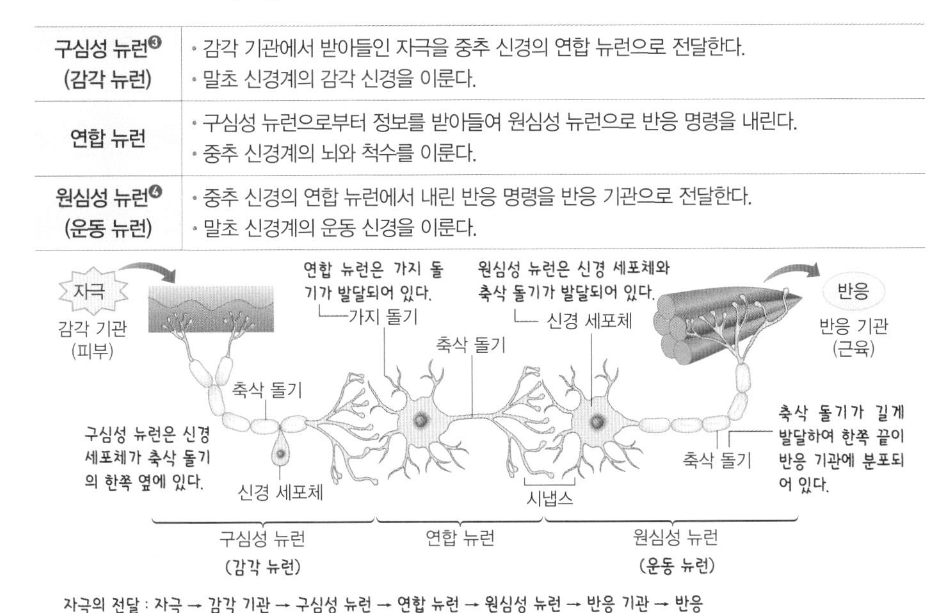

B 흥분 전도 흥분이 뉴런의 축삭 돌기를 따라 이동하는 과정

|출·제·단·서| 시험에는 흥분 전도 과정을 막전위 그래프와 연관지어 묻는 문제가 나와.

뉴런이 자극을 받아 세포막의 전기적 특성이 변하는 현상

1. 흥분의 발생 개념 POOL (암기TIP) 분극 → 탈분극 → 재분극

(1) ●**분극** 흥분이 발생하지 않았을 때의 뉴런의 상태로 막전위[5]를 측정했을 때 세포막을 경계로 상대적으로 안쪽은 음(−)전하를, 바깥쪽은 양(+)전하를 띤다.

분극의 원인	• Na^+-K^+ 펌프[6] : Na^+-K^+ 펌프는 ATP를 소모하여 3분자의 Na^+을 세포 바깥쪽으로 내보내고, 2분자의 K^+을 세포 안쪽으로 들여보내 세포 안팎의 이온 분포가 불균등해진다.[7] (Na^+의 농도는 세포 안보다 밖이 높고, K^+의 농도는 세포 밖보다 안이 높다.) • 분극 상태에서 Na^+은 Na^+ 통로가 대부분 닫혀 있어 세포 안쪽으로 거의 확산되지 못한다. • K^+은 일부 열려 있는 K^+ 통로를 통해 세포 바깥쪽으로 확산될 수 있다. → 세포막 안쪽보다 바깥쪽이 상대적으로 양이온이 많아 안쪽은 음(−)전하를, 바깥쪽은 양(+) 전하를 띤다.	
막전위	휴지 전위: 뉴런이 자극을 받지 않았을 때 (분극 상태)의 막전위로 약 −70 mV이다.	막전위(mV) +35, 0, −70 / 휴지 전위 / 자극 / 시간

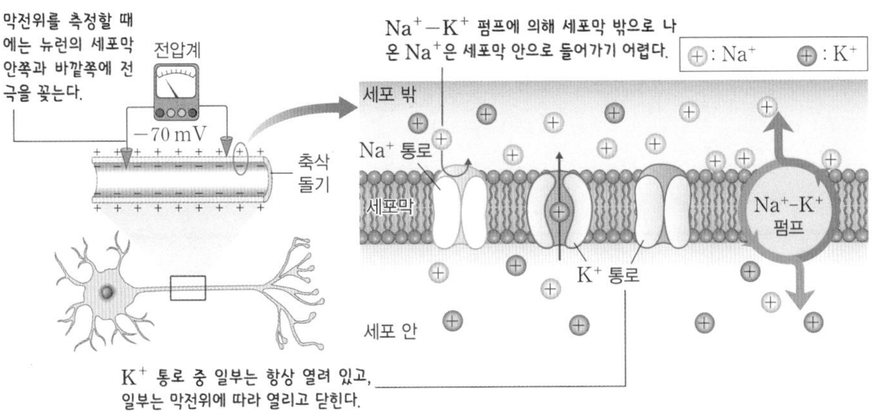

❸ 구심성 뉴런
구심성은 중심으로 가까워지려는 성질로, 감각 기관에서 받아들인 자극을 중추 신경으로 전달하기 때문에 붙여진 이름이다.

❹ 원심성 뉴런
원심성은 중심에서 멀어지려는 성질로, 중추 신경의 명령을 반응 기관에 전달하기 때문에 붙여진 이름이다.

❺ 막전위
자극을 받지 않은 뉴런의 세포막 안쪽과 바깥쪽에 미세 전극을 꽂고 측정한 세포막을 경계로 한 전위차를 말한다.

❻ Na^+-K^+ 펌프
동물 세포의 세포막을 관통하는 단백질이다. ATP를 소모하여 농도 기울기를 거슬러 세포 안의 Na^+ 3 분자를 세포막 밖으로 내보내고, 세포막 밖의 K^+ 2분자를 세포막 안으로 들여온다.

❼ 분극 상태에서 세포 안팎의 Na^+과 K^+의 농도

(단위 : mM)

이온	세포 안	세포 밖
Na^+	15	135~145
K^+	150	3.5~5

용어 알기

●분극(나눌 分, 전극 極) 세포막을 경계로 안팎이 서로 다른 전하를 띠고 있는 상태

❽ 역치
뉴런이 활동 전위를 일으킬 수 있는 최소한의 자극의 세기이다. 뉴런은 역치 미만의 자극을 받으면 활동 전위가 발생하지 않는다.

(2) 탈분극 뉴런에 흥분이 발생하여 세포막을 경계로 상대적으로 안쪽은 양(+)전하로, 바깥쪽은 음(−)전하로 전위가 역전되는 현상이다.

탈분극 과정	① 뉴런이 자극을 받으면 자극을 받은 부위에 있는 일부 Na^+ 통로가 열려 Na^+이 세포 안쪽으로 확산되어 막전위가 상승한다. ② 막전위가 역치❽ 전위에 도달하면 더 많은 Na^+ 통로❾가 일제히 열려 Na^+이 세포 안쪽으로 급격히 확산되면서 막전위가 급격하게 상승한다. 막전위가 역치 전위에 도달하지 못하면 탈분극은 더 이상 진행되지 않고 소멸하여 휴지 전위 상태로 돌아간다.
●막전위	활동 전위 발생: Na^+의 유입에 의해 막전위가 급격하게 상승하여 막전위가 약 +35 mV까지 상승한다. 뉴런에 자극을 주면 급격하게 나타나는 막전위 변화 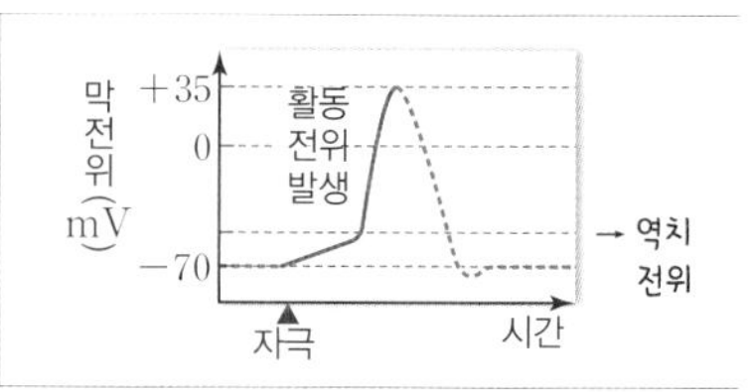

❾ 펌프와 통로

구분	이동 원리	에너지 소비
Na^+-K^+ 펌프	능동 수송	있음
Na^+ 통로	확산	없음
K^+ 통로	확산	없음

자극에 의해 Na^+ 통로가 열리면 Na^+이 세포막 안쪽으로 대량 유입된다.

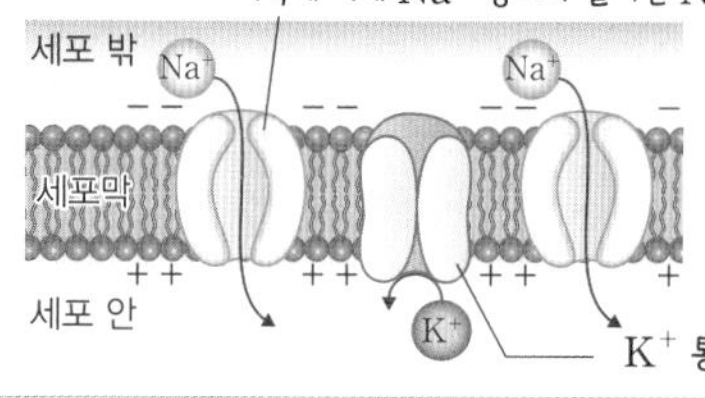

K⁺ 통로가 닫힌다.

- Na^+ 통로 열림 → Na^+ 유입
- 세포 안: 양(+)전하
  세포 밖: 음(−)전하

❿ 과분극
탈분극이 일어났던 부위에서는 K^+이 유출되어 막전위가 내려가면서 재분극이 일어난다. 이때 K^+ 통로가 천천히 닫히면서 막전위가 원래의 휴지 전위보다 조금 더 아래로 내려가게 되는데, 이러한 상태를 과분극이라고 한다.

(3) 재분극 탈분극이 일어나는 부위에서 상승했던 막전위가 하강하여 세포막을 경계로 상대적으로 안쪽은 음(−)전하로, 바깥쪽은 양(+)전하로 전위가 회복되는 현상이다.

재분극 과정	① 활동 전위가 진행됨에 따라 Na^+ 통로가 닫혀 Na^+이 세포막 안쪽으로 유입되지 못하고, K^+ 통로가 열려 K^+이 세포막 밖으로 확산되어 막전위가 하강한다. ② K^+이 계속 유출되어 막전위가 휴지 전위 아래로 내려가는 과분극❿ 상태가 나타난다. ③ 이후 Na^+-K^+ 펌프에 의해 이온이 재배치되어 분극 상태로 돌아간다.
막전위	휴지 전위로 회복: 활동 전위의 진행에 따라 막전위가 −80 mV까지 내려간 후 휴지 전위인 −70 mV로 돌아간다. 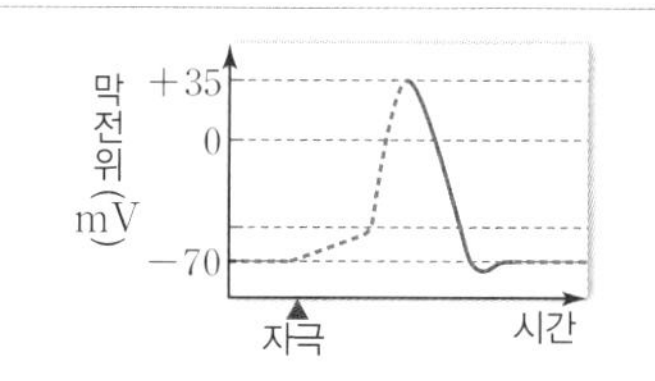

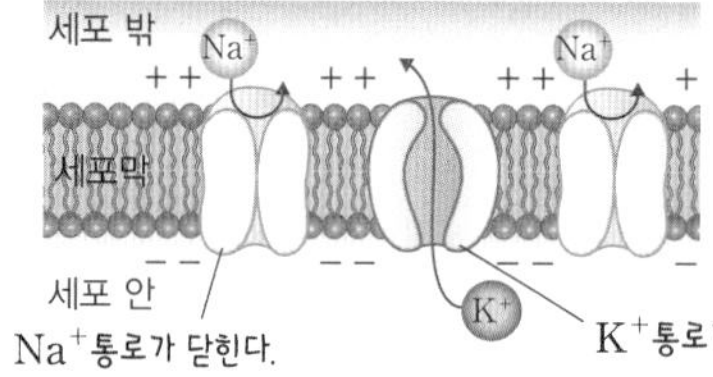

K⁺통로가 열리면 K⁺이 세포막 바깥쪽으로 다량 유출된다.

- K^+ 통로 열림 → K^+ 유출
- 세포 안: 음(−) 전하
  세포 밖: 양(+) 전하

? 탈분극이 일어나면 Na^+의 농도는 뉴런 안쪽이 바깥쪽보다 더 높아질까?
탈분극이 일어나면 Na^+이 세포막 안으로 유입되므로 세포막 안쪽이 바깥쪽보다 높아진다고 생각할 수 있다. 하지만 Na^+ 통로를 통한 Na^+의 이동은 농도가 높은 쪽에서 낮은 쪽으로 이동하는 확산에 의해 일어나므로 세포 안의 Na^+의 농도는 바깥쪽보다 높아질 수 없다. 따라서 분극, 탈분극, 재분극에 상관없이 Na^+의 농도는 항상 세포 바깥쪽이 안쪽보다 높고, 반대로 K^+의 농도는 세포 안쪽이 바깥쪽보다 항상 높다.

2. 흥분 전도 탐구 POOL

(1) 흥분 전도 과정 뉴런의 특정 부위에 탈분극이 일어나면 세포 안으로 유입된 Na^+이 옆으로 확산되어 인접 부위의 세포막도 막전위가 역치 전위까지 상승되어 탈분극이 일어나 흥분은 축삭 돌기를 따라 말단 부위까지 전도된다. 인위적으로 축삭 돌기의 중간 지점을 자극하면 흥분은 양방향으로 전도될 수 있다.

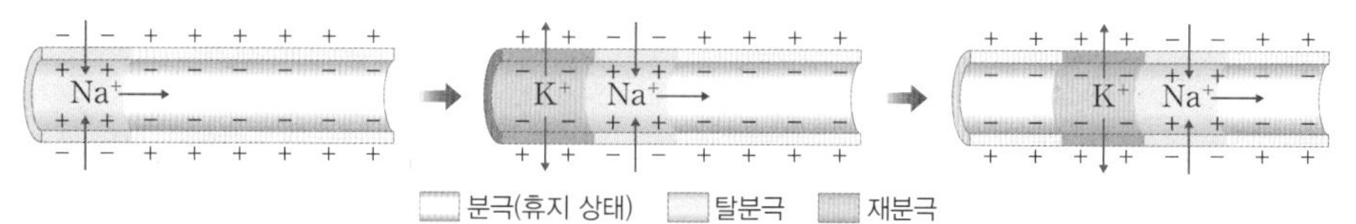

자극을 받으면 뉴런의 한 부위에서 Na^+이 유입되어 탈분극이 일어난다.

Na^+이 옆으로 확산하여 옆 부위에 탈분극이 일어나게 하고 탈분극이 일어났던 부위는 K^+이 유출되어 재분극이 일어난다.

탈분극, 재분극 과정이 다음 부위에도 반복되어 흥분이 전도된다.

용어 알기
●막전위(막 膜, 전기 電, 자리 位) 뉴런의 세포막을 경계로 나타나는 안과 밖의 전위 차이

(2) **흥분의 전도 속도⑪에 영향을 미치는 요인**

① 말이집 신경은 랑비에 결절에서만 흥분이 발생하는 도약전도가 일어나므로 민말이집 신경보다 흥분 전도 속도가 빠르다.

② 축삭 돌기의 지름이 클수록 흥분 전도 속도가 빠르다. 지름이 클수록 확산에 대한 저항이 작기 때문이다.

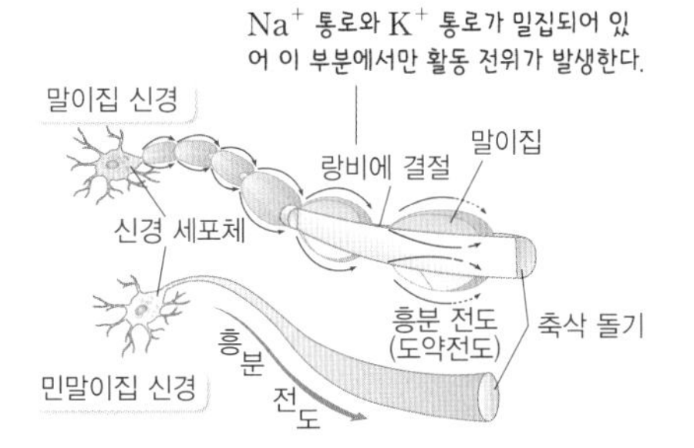

▲ 말이집 신경에서의 도약전도 발생

⑪ **도미노를 활용한 흥분의 전도 속도 비교**

▲ 말이집 신경

▲ 민말이집 신경

C 흥분 전달

|출·제·단·서| 시험에는 흥분이 어느 방향으로 이동할 수 있는지 묻는 문제가 나와.

1. 흥분 전달 뉴런에서 흥분이 축삭 돌기를 거쳐 다음 뉴런의 가지 돌기나 신경 세포체로 전달되는 현상이다. 흥분 전달은 흥분 전도보다 속도가 느리다.

(1) **흥분 전달 과정** 시냅스 이전 뉴런의 흥분이 축삭 돌기 말단까지 전도되면 •시냅스 소포에 있는 신경 전달 물질⑫이 시냅스⑬ 틈으로 분비된다. 신경 전달 물질이 확산에 의해 이동하여 시냅스 이후 뉴런의 세포막에 있는 수용체와 결합하면 시냅스 이후 뉴런의 Na^+ 통로가 열리면서 Na^+이 세포 안으로 유입되어 시냅스 이후 뉴런이 탈분극되고 활동 전위가 발생한다.

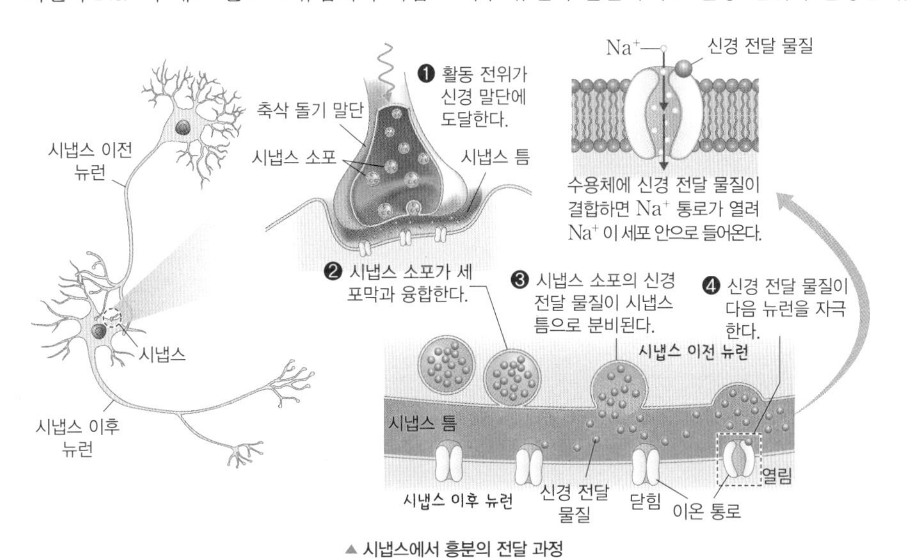

▲ 시냅스에서 흥분의 전달 과정

⑫ **신경 전달 물질**
뉴런의 축삭 돌기 말단에서 분비되어 다른 뉴런이나 반응 기관으로 흥분을 전달하는 화학 물질이다. 아세틸콜린, 노르에피네프린, 도파민, 세로토닌 등이 있다.

⑬ **시냅스**
한 뉴런의 축삭 돌기 말단은 다음 뉴런이나 근육과 약 20 nm의 좁은 틈을 이루는데 이 부위를 시냅스라고 한다.

(2) **흥분 이동의 방향성** 흥분 전도는 한 뉴런 내에서 자극을 받은 곳을 중심으로 흥분은 양방향으로 전도되고, 흥분 전달은 시냅스 이전 뉴런에서 시냅스 이후 뉴런으로만 이동한다.
시냅스 소포는 축삭 돌기 말단에는 있지만, 가지 돌기나 신경 세포체에는 없다. 또한 신경 전달 물질의 수용체는 가지 돌기에는 있지만 축삭 돌기에는 없다.

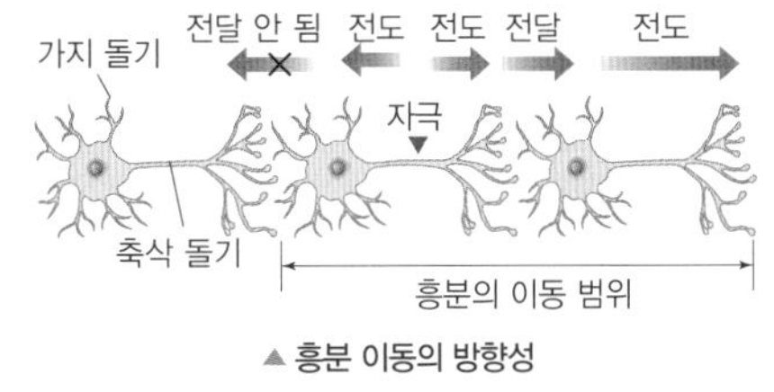

▲ 흥분 이동의 방향성

? 시냅스 틈으로 분비된 신경 전달 물질은 어떻게 될까?
시냅스 틈으로 분비된 신경 전달 물질은 시냅스 이전 뉴런으로 재흡수되거나 효소의 작용으로 제거된다.

2. 시냅스의 흥분 전달에 영향을 미치는 약물

구분	종류	인체에 미치는 영향
진정제	알코올, 수면제, 진통제, 아편	중추 신경을 억제하여 호흡 운동과 심장 박동을 느리게 하고, 긴장을 완화시키는 진정 효과와 통증을 완화시키는 진통 효과가 있다.
각성제	카페인, 니코틴, 코카인, 암페타민(필로폰)	중추 신경과 말초 신경을 흥분시켜 호흡 운동과 심장 박동을 빠르게 하고 긴장 상태를 유지시키는 각성 효과가 있다.
환각제	대마초, LSD, 마리화나	인지 작용과 의식을 변화시켜 감각 왜곡, 공포, 불안을 증가시킨다.

용어 알기

•시냅스 (synapse) 소포(작을 小, 세포 胞) 축삭 돌기 말단에 있는 막으로 된 주머니

활동 전위의 발생

목표 활동 전위의 발생을 신경 세포의 막전위 변화를 통해 알 수 있다.

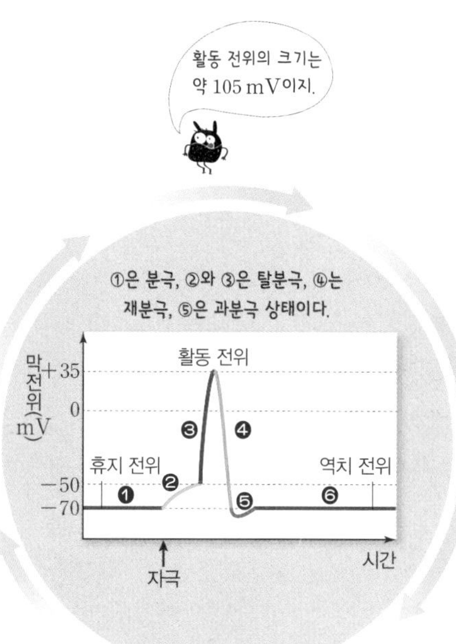

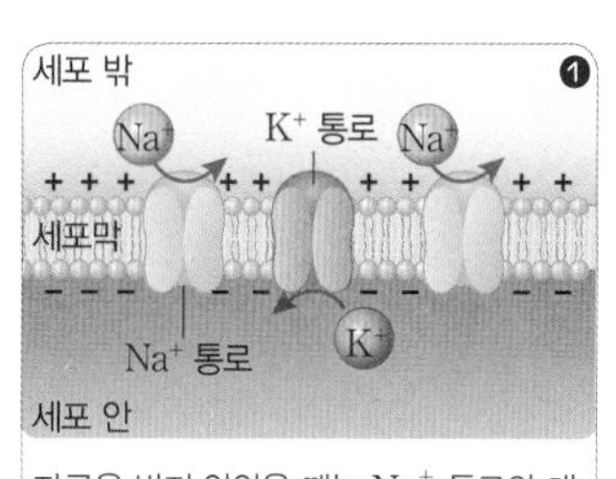

자극을 받지 않았을 때는 Na^+ 통로와 대부분 K^+ 통로가 닫혀 있고 휴지 전위가 유지된다.

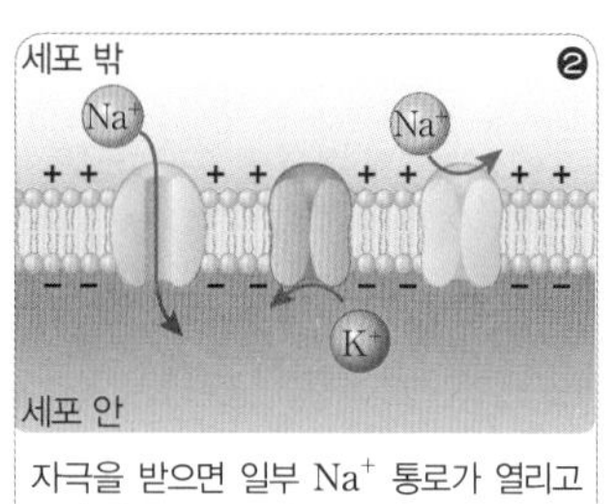

자극을 받으면 일부 Na^+ 통로가 열리고 Na^+이 유입되어 막전위가 상승한다.

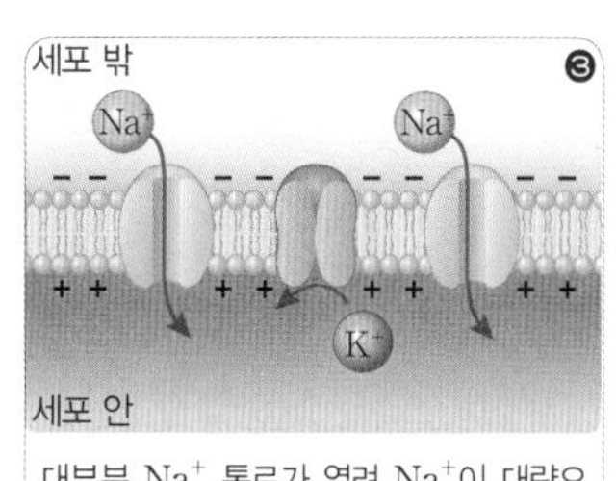

대부분 Na^+ 통로가 열려 Na^+이 대량으로 유입되어 막전위가 급격히 상승한다.

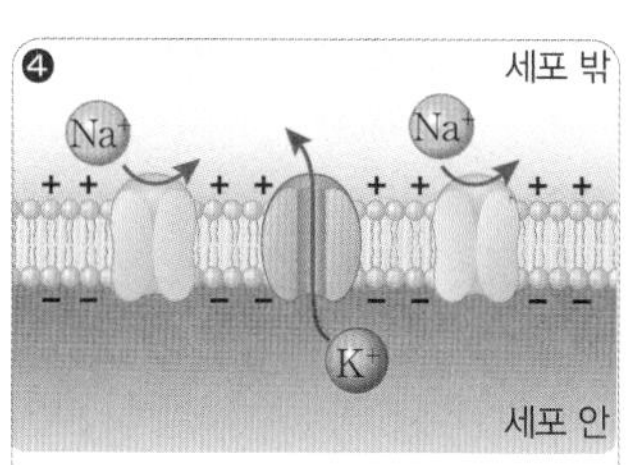

Na^+ 통로가 닫히고 K^+ 통로가 열려 K^+이 유출되어 막전위가 하강한다.

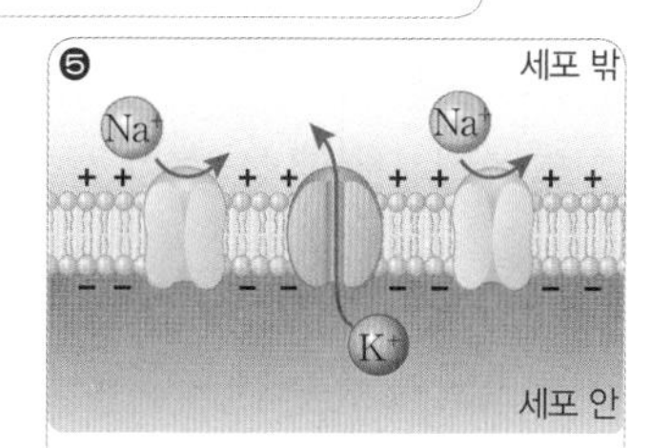

K^+ 통로가 서서히 닫히면서 일부 열려 있는 K^+ 통로를 통해 K^+이 유출되어 막전위가 휴지 전위보다 낮아진다.

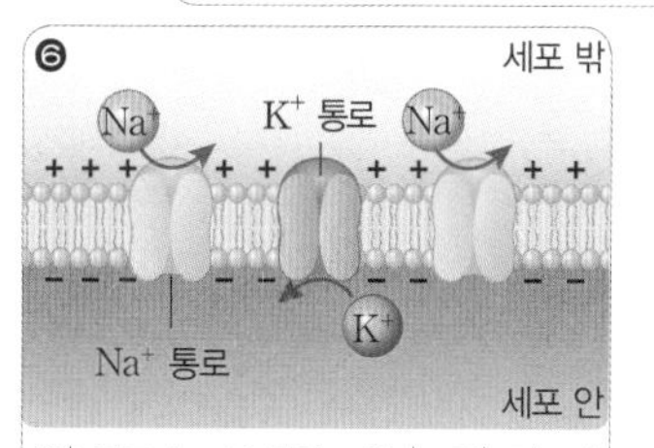

K^+ 통로가 모두 닫히고 Na^+-K^+ 펌프의 작용으로 Na^+이 막 바깥쪽으로, K^+이 막 안쪽으로 이동하여 Na^+와 K^+의 분포가 자극을 받기 전 휴지 전위 상태로 돌아간다.

한·줄·핵심 뉴런에 자극을 주면 Na^+의 유입에 의해 막전위가 상승하고, 활동 전위 진행에 따라 K^+의 유출에 의해 막전위가 하강한다.

확인 문제

정답과 해설 21쪽

[01~02] 그림은 어떤 뉴런에 자극을 주었을 때의 막전위를 나타낸 것이다.

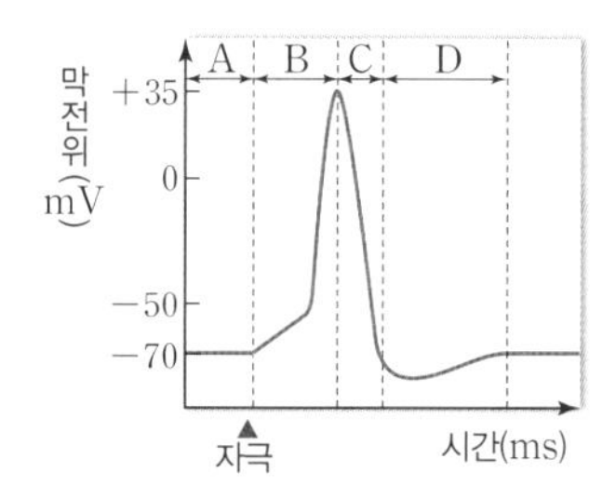

01 A~C는 분극, 탈분극, 재분극 중 각각 어떤 상태에 해당하는지 쓰시오.

02 A~D에 대한 설명으로 옳은 것은 ○, 옳지 않은 것은 ×로 표시하시오.

(1) A에서 Na^+의 농도는 세포 안이 세포 밖보다 높다. ( )

(2) A에서 Na^+과 K^+은 모두 능동 수송에 의해 이동된다. ( )

(3) B에서 Na^+은 세포 안쪽에서 바깥쪽으로 확산된다. ( )

(4) C에서 K^+ 통로가 열린다. ( )

(5) D에서 Na^+-K^+ 펌프에 의해 이온이 재배치된다. ( )

도미노를 이용한 도약전도의 이해

목표 모형으로 도약전도의 원리를 설명할 수 있다.

과정

❶ 모둠별로 약 40개의 도미노를 그림과 같이 A와 B 두 열로 나누어 준비한다. 이때 A 열과 B 열의 첫 도미노에서 마지막 도미노까지의 거리는 같다.
❷ B 열에는 중간에 도미노를 옆으로 눕히고 그 위에 나무젓가락을 쓰러지지 않게 설치한다.
❸ A 열과 B 열의 첫 도미노를 동시에 쓰러뜨린다.

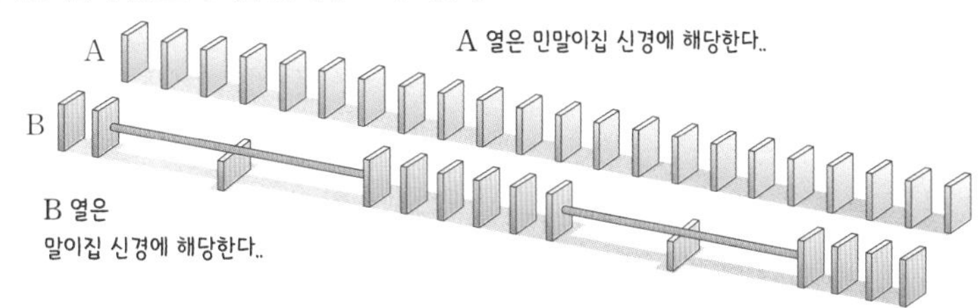

유의점

- 정확한 실험을 수행하기 위해 B 열의 나무젓가락을 안정되게 올려놓고, 인접한 도미노와의 간격을 최소로 줄여 도미노가 끝까지 연결되게 해야 한다.
- 도미노의 길이가 길고 나무젓가락으로 연결된 구역이 많을수록 시간적인 차이가 확연히 드러난다.

결과

A 열의 마지막 도미노보다 B열의 마지막 도미노가 먼저 넘어진다.

정리 및 해석

1. 마지막 도미노가 A 열보다 B 열이 먼저 넘어지는 것은 나무젓가락이 직접 멀리 떨어진 도미노를 건드려 쓰러뜨리기 때문에 도미노가 넘어지면서 다른 도미노를 건드리는 데 걸리는 시간이 단축되기 때문이다.
2. A 열은 민말이집 신경의 모형이고, B 열은 말이집 신경의 모형이다. 나무젓가락은 랑비에 결절과 랑비에 결절 사이의 말이집이 둘러싼 부분을 의미한다.
3. 민말이집 신경은 축삭 돌기 전체에서 활동 전위가 발생하지만, 말이집 신경은 랑비에 결절에만 Na^+ 통로와 K^+ 통로가 밀집해 있어 이 지점에서만 활동 전위가 발생한다. 그래서 말이집 신경이 민말이집 신경보다 흥분의 전도 속도가 빠르다.

민말이집 신경

모든 부분에서 차례대로 Na^+이 유입되어 활동 전위가 발생한다.

말이집 신경

랑비에 결절에서만 Na^+이 유입되어 활동 전위가 발생한다.
→ 도약전도가 일어난다.

한·줄·핵심 말이집 신경은 도약전도가 일어나 민말이집 신경보다 흥분의 전도 속도가 빠르다.

이런 실험도 있어요!

(가)

(나)

그림과 같이 일반적인 형태의 도미노 (가)와 중간에 도미노를 밀 수 있는 막대를 매달아 놓은 변형 도미노 (나)를 설치하여 동시에 도미노를 쓰러뜨린다.

확인 문제

정답과 해설 21쪽

01 이 탐구 활동에서 도약전도를 알 수 있는 것은 A 열과 B 열 중 무엇인지 쓰시오.

02 이 탐구 활동에 대한 설명으로 옳은 것은 ○, 옳지 않은 것은 ×로 표시하시오.

(1) A 열은 민말이집 신경, B 열은 말이집 신경을 의미한다. ( )
(2) 나무젓가락은 랑비에 결절을 의미한다. ( )
(3) A 열과 B 열의 마지막 도미노는 동시에 넘어진다. ( )

콕콕! 개념 확인하기

정답과 해설 21쪽

✔ 잠깐 확인!

1. ☐☐
신경계를 구성하는 구조적·기능적 단위인 신경 세포

2. ☐☐☐ 신경
뉴런의 축삭 돌기가 말이집으로 싸여 있는 신경

3. ☐☐☐ ☐☐
말이집과 말이집 사이의 축삭 돌기가 노출된 부분

4. 흥분의 발생은 ☐☐ → ☐☐☐ → ☐☐☐ 순으로 일어난다.

5. ☐☐ 전위
분극 상태에서 나타나는 세포막 안쪽과 바깥쪽의 막 전위차

6. ☐☐ 전위
탈분극에서 재분극까지의 급격한 막전위 변화

7. ☐☐ 전도
말이집 신경에서 흥분이 랑비에 결절에서 다음 랑비에 결절로 건너뛰듯이 이동하는 현상

8. 흥분 ☐☐
흥분이 하나의 뉴런에서 다음 뉴런의 가지 돌기나 신경 세포체로 전달되는 현상

9. ☐☐☐
뉴런과 뉴런의 연접 부위

10. ☐☐☐
중추 신경을 억제하여 호흡 운동과 심장 박동을 느리게 하는 약물

A 뉴런의 구조와 종류

[01~02] 그림은 뉴런의 구조를 나타낸 것이다.

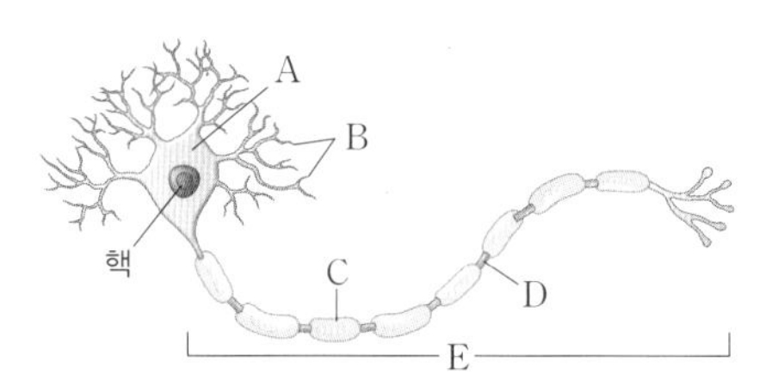

01 A~E의 명칭을 각각 쓰시오.

02 A~E에 대한 설명으로 옳은 것은 ○, 옳지 않은 것은 ×로 표시하시오.

(1) A는 핵과 세포 소기관이 있어 생명 활동을 조절한다. ( )
(2) B는 다른 뉴런이나 세포로부터 신호를 받아들인다. ( )
(3) C는 절연체 역할을 한다. ( )
(4) D에서는 활동 전위가 발생하지 않는다. ( )
(5) E의 말단에는 시냅스 소포가 존재하지 않는다. ( )

B 흥분 전도

03 다음은 분극 상태의 뉴런에 대한 설명이다. ㉠~㉤에 들어갈 알맞은 말을 쓰시오.

> 분극 상태의 뉴런에서 (㉠) 펌프는 ATP를 소모하여 (㉡)을 세포 밖으로, (㉢)을 세포 안으로 능동 수송시킨다. 또한 일부 열려 있는 (㉣) 통로를 통해 (㉤)이 세포 밖으로 확산된다.

04 흥분 전도 속도에 영향을 미치는 요인을 2가지만 쓰시오.

C 흥분 전달

05 그림은 시냅스로 연결된 두 뉴런을 나타낸 것이다.

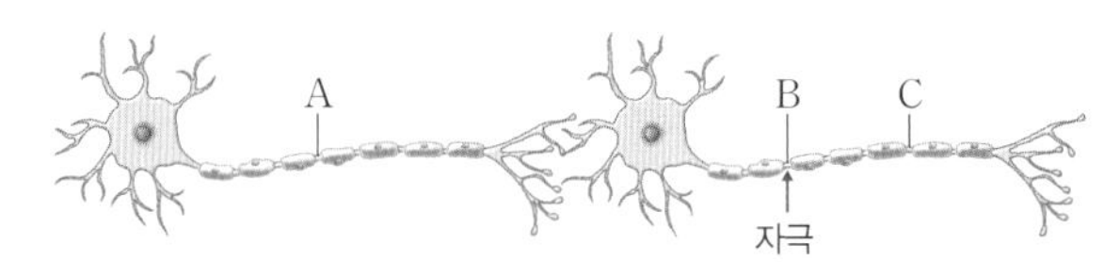

B 지점에 역치 이상의 자극을 주었을 때 A~C 중 활동 전위가 일어나는 부위를 있는 대로 쓰시오.

탄탄! 내신 다지기

정답과 해설 21쪽

A 뉴런의 구조와 종류

01 그림은 어떤 뉴런의 구조를 나타낸 것이다.

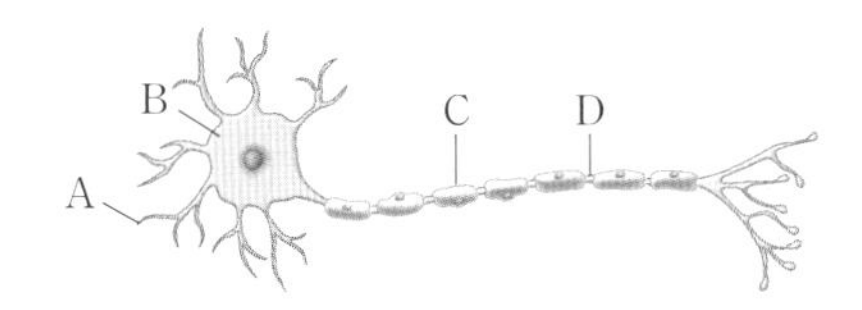

이에 대한 설명으로 옳지 않은 것은?

① A는 가지 돌기이다.
② B에는 핵이 있다.
③ C에서 활동 전위가 나타난다.
④ D에는 $Na^{+}-K^{+}$ 펌프가 있다.
⑤ 이 뉴런은 말이집 신경이다.

02 그림 (가)와 (나)는 말이집 신경과 민말이집 신경을 순서 없이 나타낸 것이다. ㉠과 ㉡은 각각 랑비에 결절과 말이집 중 하나이다.

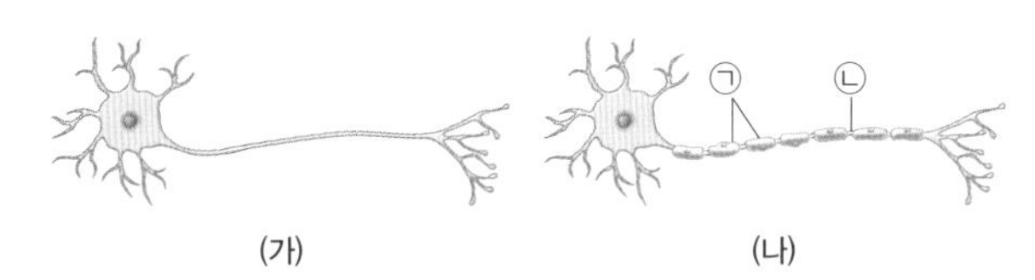

이에 대한 설명으로 옳지 않은 것은?

① (가)는 민말이집 신경이다.
② (나)에서 도약전도가 일어난다.
③ ㉠은 슈반 세포에 의해 형성된다.
④ (나)에 역치 이상의 자극을 주면 ㉡에서 탈분극이 일어난다.
⑤ 흥분 전도 속도는 (가)에서가 (나)에서보다 빠르다.

단답형

03 그림은 시냅스로 연결된 뉴런 (가)~(다)를 나타낸 것이다.

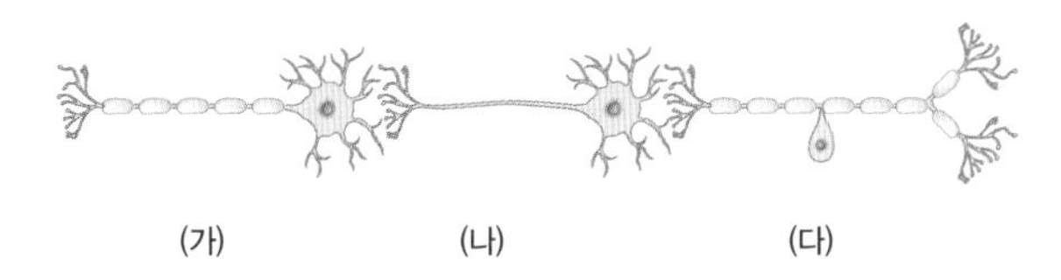

흥분이 이동하는 순서대로 기호를 쓰시오.

단답형

04 다음은 어떤 뉴런에 대한 설명이다.

- 뇌와 척수를 이룬다.
- 구심성 뉴런으로부터 온 정보를 통합한다.
- 원심성 뉴런으로 반응 명령을 내린다.

감각 뉴런, 연합 뉴런, 운동 뉴런 중 이 뉴런에 해당하는 것을 쓰시오.

B 흥분 전도

05 분극 상태에 대한 설명으로 옳은 것은?

① 활동 전위가 나타난다.
② K^{+} 통로를 통해 K^{+}이 유입된다.
③ Na^{+}은 세포 안과 밖에 균등하게 분포한다.
④ 세포막을 경계로 안쪽은 음(−)전하, 바깥쪽은 양(+)전하를 띤다.
⑤ $Na^{+}-K^{+}$ 펌프는 Na^{+}을 세포 안으로, K^{+}을 세포 밖으로 능동 수송시킨다.

06 그림은 어떤 뉴런에서 분극 상태일 때 세포막에 존재하는 막 단백질을 나타낸 것이다. ㉠~㉢은 각각 $Na^{+}-K^{+}$ 펌프, Na^{+} 통로, K^{+} 통로 중 하나이며, ㉠을 통해 Na^{+}이 이동된다.

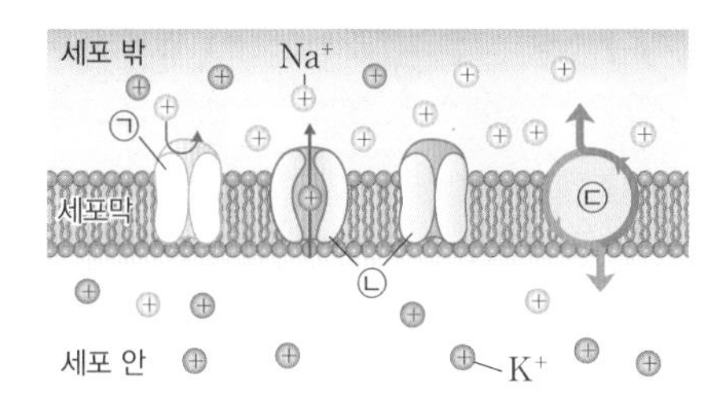

이에 대한 설명으로 옳지 않은 것은?

① 분극 상태일 때 모든 K^{+} 통로는 닫혀 있다.
② 세포 밖의 Na^{+}의 농도는 K^{+}의 농도보다 높다.
③ Na^{+}은 ㉠을 통해 세포 밖에서 안으로 이동된다.
④ K^{+}은 ㉡을 통해 세포 안에서 밖으로 이동된다.
⑤ Na^{+}이 ㉢을 통해 이동될 때 에너지가 소비된다.

07 그림은 어떤 뉴런의 축삭 돌기에 역치 이상의 자극을 주었을 때의 막전위 변화를 나타낸 것이다.

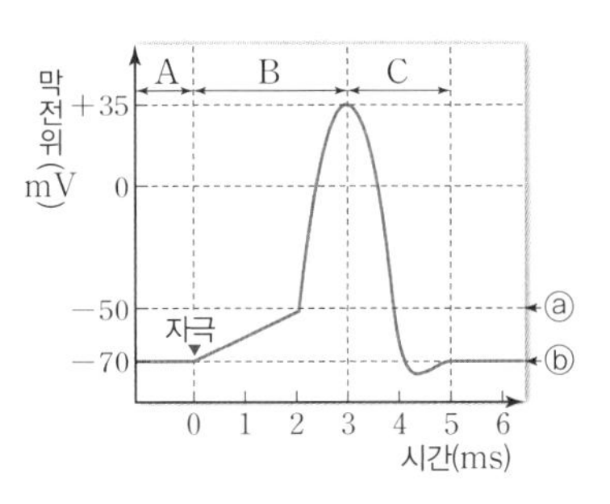

이에 대한 설명으로 옳지 않은 것은?

① A는 분극 상태이다.
② ⓐ는 역치 전위, ⓑ는 휴지 전위이다.
③ B에서 Na^+이 세포 밖에서 안으로 유입된다.
④ C에서 K^+이 세포 안에서 밖으로 유출된다.
⑤ A에서 세포막을 통한 Na^+과 K^+의 이동은 일어나지 않는다.

08 그림은 어떤 신경 세포의 한 지점에서 활동 전위가 발생하는 동안 이온의 막 투과도 변화를 나타낸 것이다. A와 B는 각각 K^+과 Na^+ 중 하나이다.

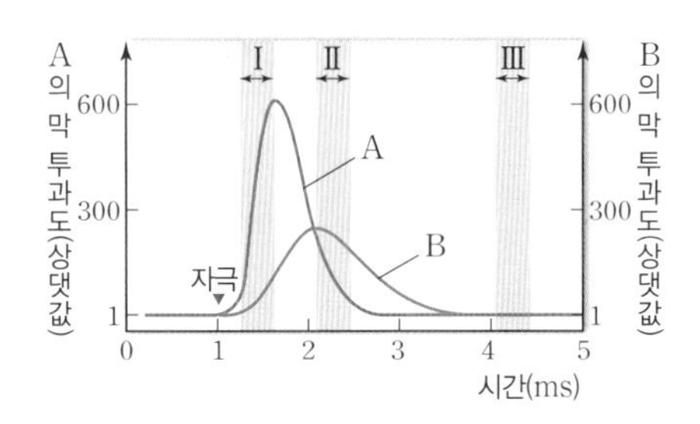

이에 대한 설명으로 옳은 것은?

① A는 K^+, B는 Na^+이다.
② Ⅰ은 탈분극, Ⅱ는 재분극 시기이다.
③ Ⅰ에서 Na^+이 Na^+ 통로를 통해 세포 안에서 세포 밖으로 유출된다.
④ Ⅱ에서 자극을 받은 지점 주변의 K^+ 통로는 닫혀 있다.
⑤ Ⅲ에서 세포막을 통한 Na^+과 K^+의 이동은 일어나지 않는다.

09 그림은 어떤 뉴런의 Ⅰ 지점에 자극을 한 번 주었을 때 Ⅱ 지점에서의 막전위를 나타낸 것이다.

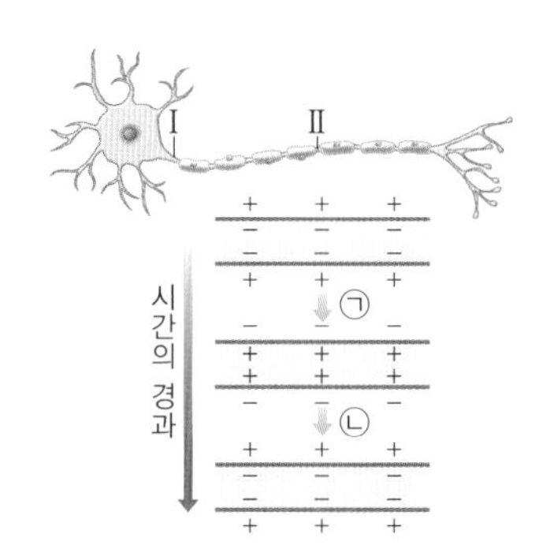

이에 대한 설명으로 옳지 않은 것은?

① Ⅰ 지점에 주어진 자극은 역치 이상이다.
② Ⅱ 지점에서 활동 전위가 발생했다.
③ ㉠ 과정에서 탈분극이 일어났다.
④ ㉡ 과정에서 재분극이 일어났다.
⑤ ㉠에서 Na^+ 통로를 통한 Na^+의 이동에 ATP가 소모된다.

단답형

10 다음은 탈분극과 재분극 중 무엇에 대한 설명인지 쓰시오.

- 막전위가 하강한다.
- K^+이 K^+ 통로를 통해 세포 안에서 밖으로 확산된다.

11 그림 (가)와 (나)는 어떤 뉴런의 축삭 돌기에 역치 이상의 자극을 1회 준 후 이 축삭 돌기 지점 A에서의 이온 분포를 순서 없이 나타낸 것이다.

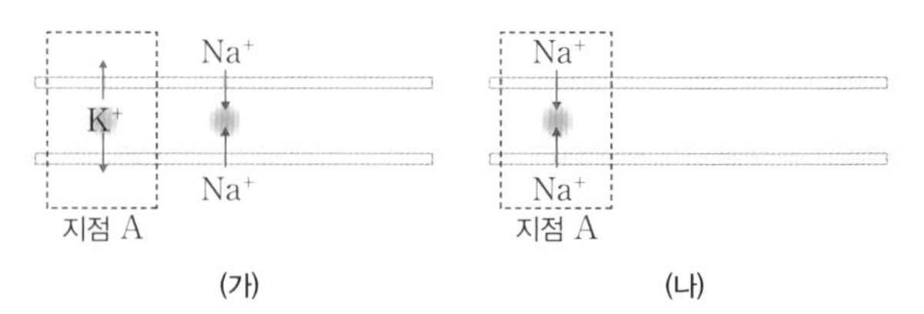

이에 대한 설명으로 옳은 것은?

① (가)일 때 지점 A는 탈분극 상태이다.
② (가)일 때 K^+은 능동 수송에 의해 세포 안에서 밖으로 유출된다.
③ (나)일 때 지점 A는 분극 상태이다.
④ (나)일 때 지점 A의 세포 안 막전위는 하강한다.
⑤ 시간 순서에 따라 배열하면 (나) → (가)이다.

12 표는 뉴런 A~C의 말이집 유무와 축삭 돌기 지름을 나타낸 것이다.

뉴런	말이집 유무	축삭 돌기 지름(μm)
A	있음	6~12
B	있음	1~5
C	없음	1~5

흥분 전도 속도를 옳게 비교한 것은?

① A>B>C　② A>C>B　③ B>A>C
④ B>C>A　⑤ C>B>A

C 흥분 전달

13 그림은 뉴런 A와 뉴런 B 사이에서 시냅스를 통한 흥분의 전달 과정 중 일부를 나타낸 것이다.
이에 대한 설명으로 옳지 않은 것은?

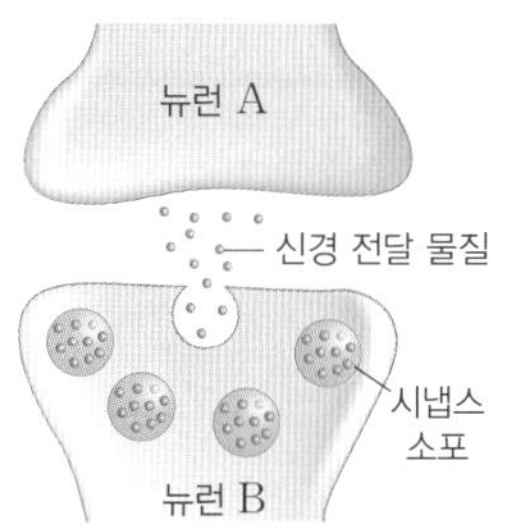

① 흥분은 B에서 A로 이동한다.
② 신경 전달 물질은 A의 세포 안으로 유입된다.
③ 신경 전달 물질은 A에서 Na^+의 유입을 촉진한다.
④ 신경 전달 물질은 시냅스 틈에서 확산에 의해 이동한다.
⑤ 신경 전달 물질의 분비량이 증가하면 A의 활동 전위 발생 빈도가 증가한다.

단답형
14 다음은 흥분 전달 과정을 순서 없이 나타낸 것이다.

(가) 신경 전달 물질이 시냅스 이후 뉴런의 세포막에 있는 수용체와 결합한다.
(나) 시냅스 이전 뉴런의 흥분이 축삭 돌기 말단까지 전도되면 시냅스 소포에 있는 신경 전달 물질이 시냅스 틈으로 분비된다.
(다) 시냅스 이후 뉴런의 Na^+ 통로가 열리면서 세포 안으로 Na^+이 유입되어 시냅스 이후 뉴런이 탈분극된다.
(라) 신경 전달 물질이 확산에 의해 시냅스 이전 뉴런에서 시냅스 이후 뉴런으로 이동한다.

흥분 전달 과정을 순서대로 쓰시오.

15 그림은 시냅스를 이루고 있는 뉴런 (가)와 (나)를 나타낸 것이다.

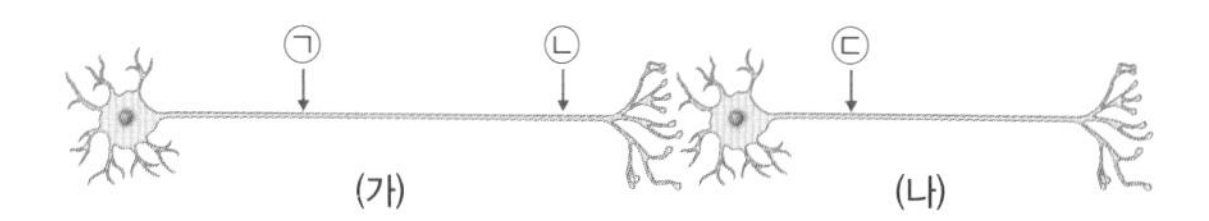

이에 대한 설명으로 옳지 않은 것은?

① 지점 ㉠에 역치 이상의 자극을 주면 지점 ㉡과 ㉢에서 활동 전위가 나타난다.
② 지점 ㉡에 역치 이상의 자극을 주면 지점 ㉠과 ㉢에서 활동 전위가 나타난다.
③ 지점 ㉢에 역치 이상의 자극을 주면 지점 ㉠과 ㉡에서 활동 전위가 나타난다.
④ 지점 ㉠에 역치 이상의 자극을 주면 (가)와 (나)의 축삭 돌기 말단에서 신경 전달 물질이 분비된다.
⑤ 지점 ㉢에 역치 이상의 자극을 주어도 (가)의 축삭 돌기 말단에서 신경 전달 물질이 분비되지 않는다.

단답형
16 그림은 축삭 돌기의 지름이 모두 같은 신경 (가)~(다)를 나타낸 것이다.

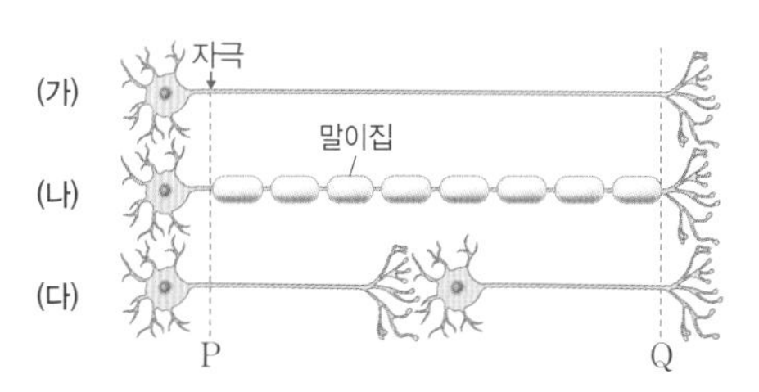

(가)~(다)의 지점 P에 역치 이상의 자극을 동시에 1회 주었을 때, 지점 Q까지 흥분이 도달하는 데 걸리는 시간이 빠른 것부터 순서대로 쓰시오.

17 각성제에 해당하는 것만을 〈보기〉에서 있는 대로 골라 기호를 쓰시오.

〈보기〉
ㄱ. 알코올　ㄴ. 카페인　ㄷ. 니코틴
ㄹ. 대마초　ㅁ. 진통제　ㅂ. 마리화나

01 그림 (가)와 (나)는 민말이집 신경과 말이집 신경을 순서 없이 나타낸 것이다. ㉠과 ㉡은 각각 랑비에 결절과 말이집 중 하나이다.

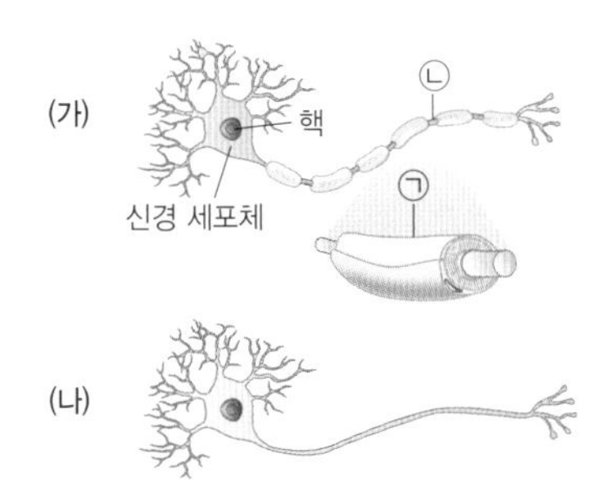

이에 대한 설명으로 옳은 것만을 〈보기〉에서 있는 대로 고른 것은? (단, (가)와 (나)는 말이집의 유무 이외에는 동일하다.)

보기
ㄱ. 흥분 전도 속도는 (가)에서가 (나)에서보다 빠르다.
ㄴ. ㉠과 ㉡에서 모두 활동 전위가 나타난다.
ㄷ. ㉠은 축삭 돌기의 막이 변형되어 생성된다.

① ㄱ ② ㄴ ③ ㄱ, ㄴ ④ ㄱ, ㄷ ⑤ ㄴ, ㄷ

02 그림은 뉴런 (가)~(다)가 시냅스를 이루고 있는 모습을 나타낸 것이다. ㉠과 ㉡은 각각 반응 기관과 감각 기관 중 하나이다.

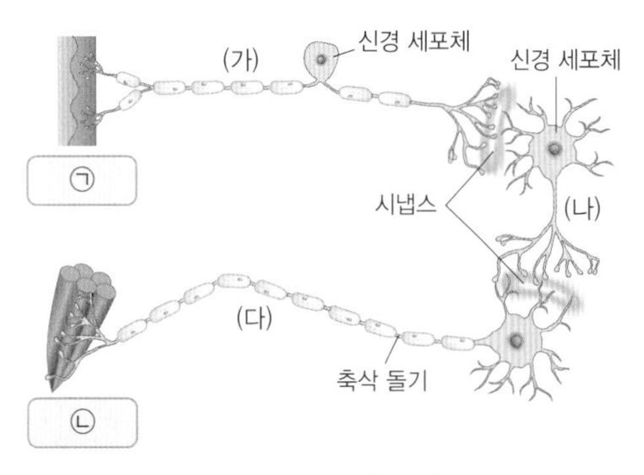

이에 대한 설명으로 옳은 것만을 〈보기〉에서 있는 대로 고른 것은?

보기
ㄱ. ㉠은 감각 기관, ㉡은 반응 기관이다.
ㄴ. (가)는 구심성 뉴런, (다)는 원심성 뉴런이다.
ㄷ. (나)에 역치 이상의 자극을 주면 (다)에서 활동 전위가 발생한다.

① ㄱ ② ㄷ ③ ㄱ, ㄴ ④ ㄴ, ㄷ ⑤ ㄱ, ㄴ, ㄷ

출제예감

03 그림 (가)는 활동 전위가 발생한 신경 세포의 축삭 돌기 한 지점 X에서 측정한 막전위를, (나)는 X에서 ㉠과 ㉡의 막 투과도를 나타낸 것이다. ㉠과 ㉡은 각각 Na^+과 K^+ 중 하나이다.

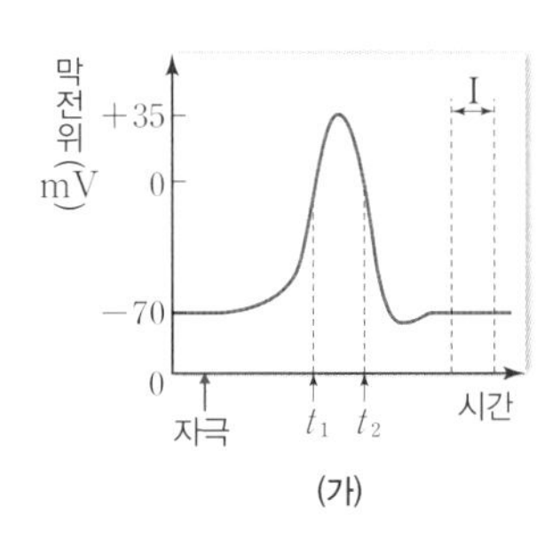

(가)

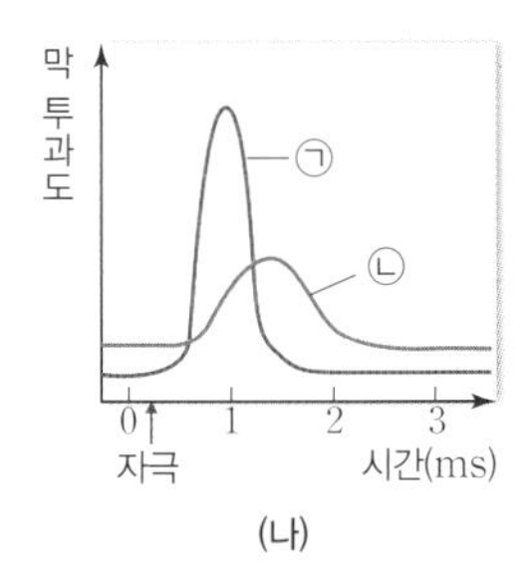

(나)

이에 대한 설명으로 옳은 것만을 〈보기〉에서 있는 대로 고른 것은?

보기
ㄱ. t_1일 때 X에서 ㉠은 세포 안으로 유입된다.
ㄴ. t_2일 때 X에서 ㉡의 농도는 세포 안이 세포 밖보다 높다.
ㄷ. Ⅰ에서 세포막을 통한 ㉠과 ㉡의 이동은 없다.

① ㄱ ② ㄷ ③ ㄱ, ㄴ ④ ㄱ, ㄷ ⑤ ㄴ, ㄷ

04 그림 (가)는 신경 A~C를, (나)의 Ⅰ~Ⅲ은 (가)의 P 지점에 역치 이상의 자극을 동시에 1회씩 준 후 Q 지점에서의 막전위를 나타낸 것이다. Ⅰ~Ⅲ은 각각 A~C의 막전위 중 하나이다.

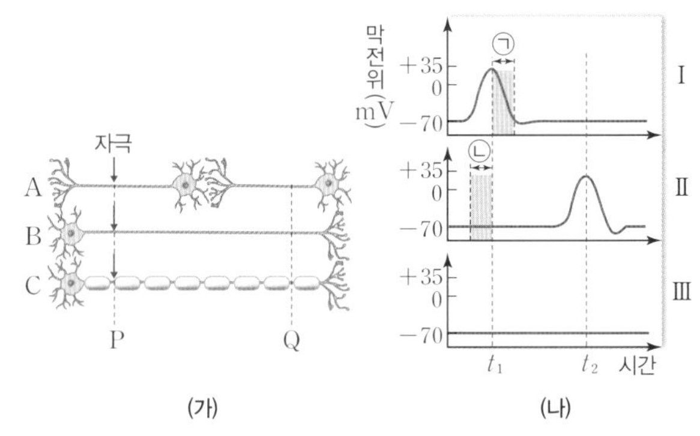

(가) (나)

이에 대한 설명으로 옳은 것만을 〈보기〉에서 있는 대로 고른 것은?

보기
ㄱ. ㉠에서 K^+이 K^+ 통로를 통해 유입된다.
ㄴ. Ⅰ은 C에서의, Ⅱ는 B에서의 막전위이다.
ㄷ. ㉡에서 Na^+은 Na^+-K^+ 펌프를 통해 세포 안에서 밖으로 확산된다.

① ㄱ ② ㄴ ③ ㄷ ④ ㄱ, ㄴ ⑤ ㄴ, ㄷ

05 그림은 어떤 뉴런의 ㉠~㉢ 중 한 곳에 역치 이상의 자극을 1회 준 후 경과한 시간이 3 ms일 때까지 일어난 ㉠~㉢의 막전위를 나타낸 것이다.

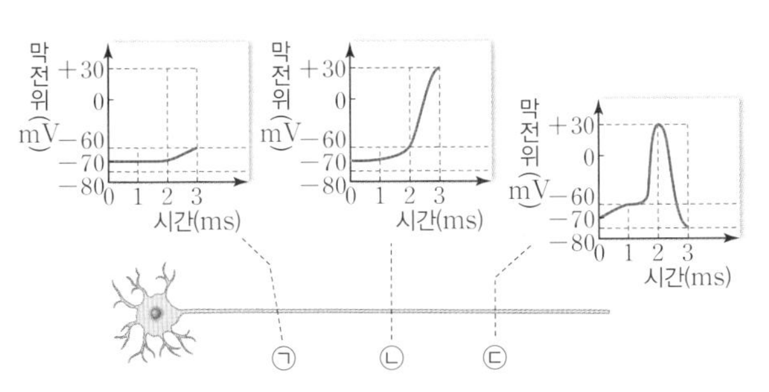

이에 대한 설명으로 옳은 것만을 〈보기〉에서 있는 대로 고른 것은?

〈보기〉
ㄱ. 흥분은 ㉢에서 ㉠ 방향으로 이동한다.
ㄴ. 3 ms일 때 ㉡에서 재분극이 일어났다.
ㄷ. 흥분이 ㉠과 ㉡ 사이를 이동하는 데 1 ms가 걸린다.

① ㄱ ② ㄴ ③ ㄱ, ㄴ
④ ㄱ, ㄷ ⑤ ㄴ, ㄷ

출제예감

06 그림은 뉴런 A와 B 사이의 흥분 전달 과정을 나타낸 것이다. 물질 ㉠은 신경 전달 물질의 재흡수를 억제하고, 물질 ㉡은 신경 전달 물질과 수용체의 결합을 억제한다.

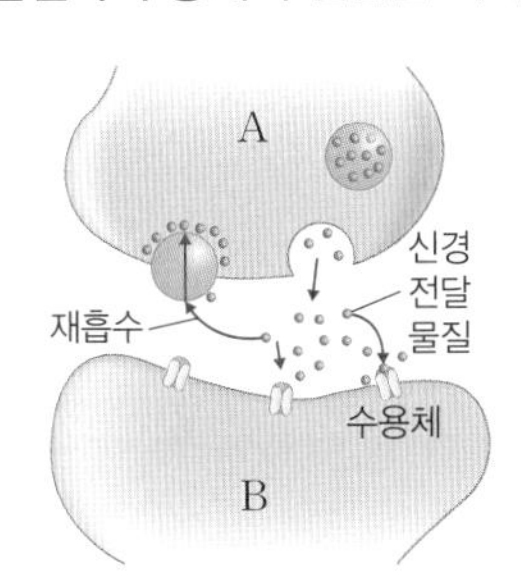

이에 대한 설명으로 옳은 것만을 〈보기〉에서 있는 대로 고른 것은?

〈보기〉
ㄱ. 흥분은 A에서 B로 이동한다.
ㄴ. 시냅스에 ㉠을 처리하면 B에서 흥분의 지속 시간이 증가한다.
ㄷ. 시냅스에 ㉡을 처리하면 B에서 탈분극이 촉진된다.

① ㄱ ② ㄴ ③ ㄱ, ㄴ
④ ㄱ, ㄷ ⑤ ㄴ, ㄷ

서술형

07 그림 (가)와 (나)는 민말이집 신경과 말이집 신경을 순서 없이 나타낸 것이다.
(가)와 (나) 중 흥분 전도 속도가 더 빠른 신경을 쓰고, 그 까닭을 서술하시오.

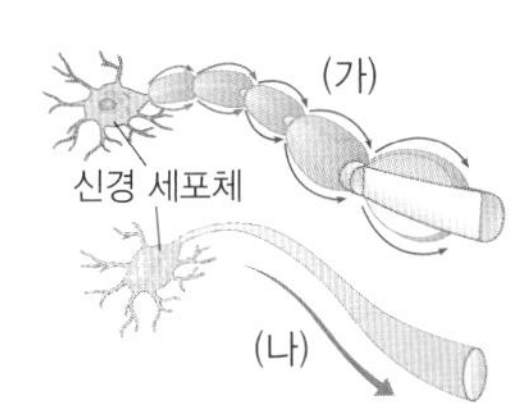

서술형

08 그림 (가)와 (나)는 어떤 뉴런에 자극을 준 후, 축삭 돌기의 한 지점 X에서 일어나는 막전위를 나타낸 것이다. (나)는 이 뉴런에 물질 ㉠을 처리하였고, ㉠은 특정 이온 통로가 열리는 것을 억제한다.

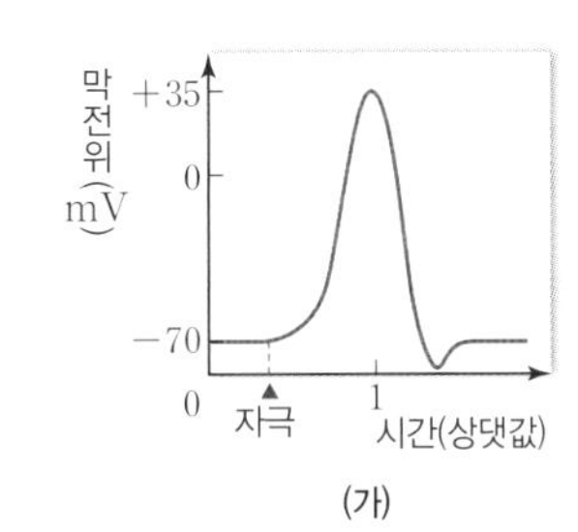

(가)

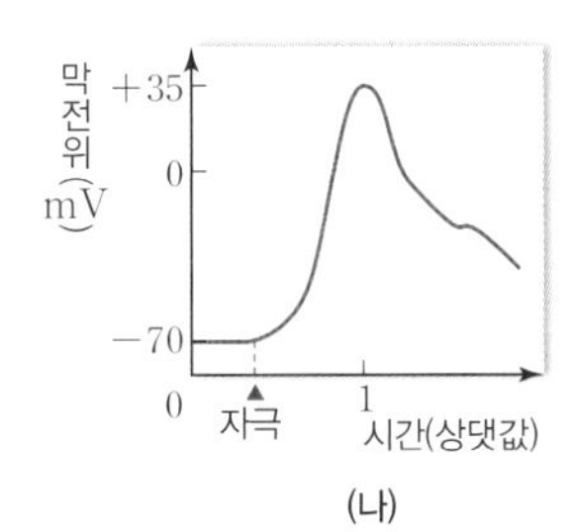

(나)

㉠이 억제하는 이온 통로를 쓰고, 그 까닭을 서술하시오.

서술형

09 그림은 뉴런의 시냅스에서 일어나는 흥분 전달을 나타낸 것이다. 흥분은 (가)에서 (나)로만 전달된다.
흥분이 (나)에서 (가)로 전달되지 못하는 까닭을 서술하시오.

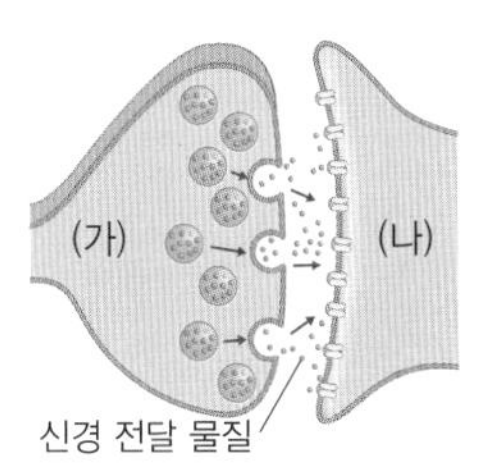

02 신경계의 구조와 기능

핵심 키워드로 흐름잡기

- A 중추 신경계, 말초 신경계
- B 대뇌, 소뇌, 간뇌, 중간뇌, 연수, 척수
- C 감각 신경계, 체성 운동 신경계, 자율 신경계, 교감 신경, 부교감 신경
- D 파킨슨병, 알츠하이머병, 근위축성 측삭 경화증

A 신경계의 구성

|출·제·단·서| 시험에는 중추 신경계와 말초 신경계를 구성하는 것이 무엇인지 묻는 문제가 나와.

1. 신경계 몸의 내·외부 감각 기관으로부터 정보를 받아들이고, 이 정보를 분석하여 명령을 내리며, 이 명령을 반응 기관에 전달함으로써 몸의 상태를 조절하는 기관계이다.

2. 신경계의 구성❶

구분	특징
중추❷ 신경계	• 뇌와 척수로 구성된다. • 감각 기관을 통해 들어온 정보를 받아들여 분석하고 적절한 반응이 일어나도록 반응 기관에 명령을 내린다.
말초 신경계	• 중추 신경계에서 나와 온몸에 퍼져 있다. • 감각 기관에서 받아들인 자극을 중추 신경계로 전달하고, 중추 신경계의 명령을 반응 기관으로 전달한다. • 해부학적 위치에 따라 뇌에서 뻗어 나온 뇌신경과 척수에서 뻗어 나온 척수 신경으로 구분한다. • 체성 신경계와 자율 신경계로 구분한다.

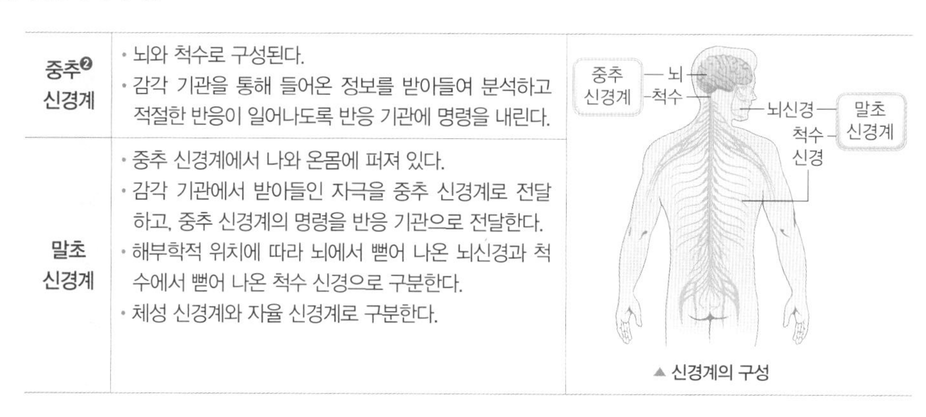

▲ 신경계의 구성

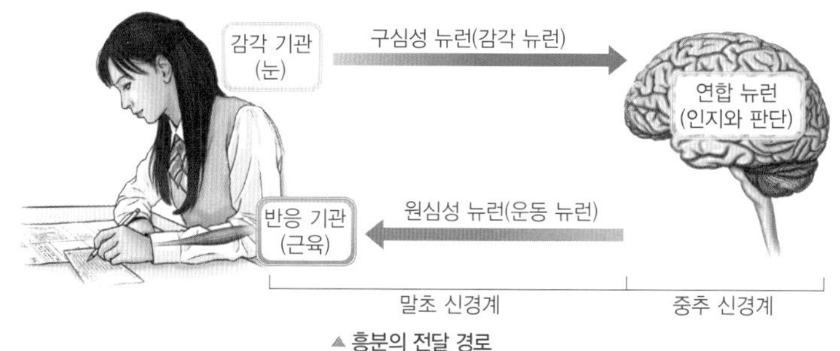

▲ 흥분의 전달 경로

❶ 신경계의 구성

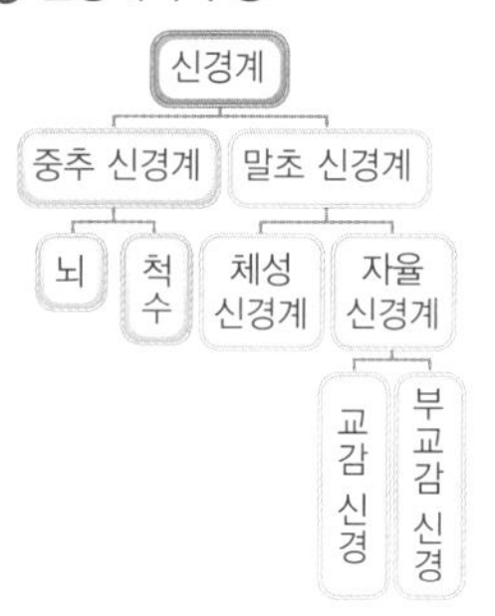

❷ 중추 신경계

중추 신경계는 뉴런이 모여 중심부를 이루는 곳으로, 뇌가 현저하게 발달되어 있다. 뇌는 성인의 경우 체중의 약 3 %이지만 전체 산소 소모량의 약 20 %를 소비한다.

B 중추 신경계

|출·제·단·서| 시험에는 대뇌 각 부분의 명칭과 기능을 묻는 문제가 나와.

1. 뇌 개념 POOL 대뇌, 소뇌, 간뇌, 중간뇌, 뇌교, 연수로 구성되며, 중간뇌, •뇌교, 연수는 뇌줄기❸에 포함된다.

뇌교: 뇌의 여러 부분과 연결된다. 연수와 함께 호흡 운동을 조절한다.

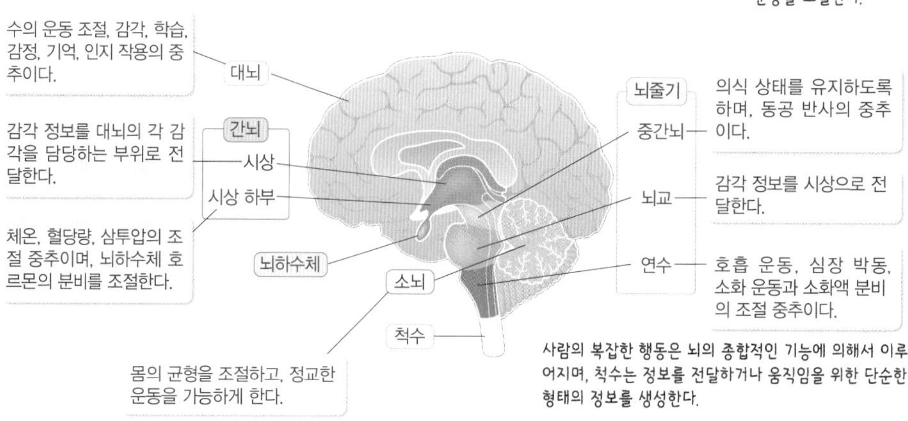

▲ 뇌의 각 부분과 기능

❸ 뇌줄기

뇌에서 생명 유지와 관련된 역할을 하는 부위로 중간뇌, 뇌교, 연수를 포함한다.

용어 알기

• 뇌교(골 腦, 다리 橋) 대뇌와 소뇌 사이의 정보 전달을 중계하며 중간뇌와 연수 사이에서 앞쪽으로 돌출되어 있는 부분

구분	위치 및 구조	기능
대뇌❹	• 좌반구와 우반구로 나누어져 있고, 축삭 돌기 다발로 구성된 뇌량으로 연결되어 있다. • 대뇌와 연결된 신경은 척수나 연수에서 교차되므로 좌우 반구는 몸의 반대편을 담당한다. • 겉질과 속질로 구분한다. — 대뇌 겉질: 뉴런의 신경 세포체가 모여 있는 회색질이다. 대뇌의 기능은 대부분 겉질에서 담당한다. — 대뇌 속질: 뉴런의 축삭 돌기가 모여 있는 백색질이다. • 위치에 따라 전두엽, 두정엽, 측두엽, 후두엽으로 구분한다.	• 언어, 기억, 추리, 판단 등의 고등 정신 활동의 중추이다. • 감각과 •수의 운동의 중추이다. • 대뇌 겉질은 기능에 따라 감각령, 연합령, 운동령으로 구분한다. — 감각령: 감각 정보를 받아 처리한다. — 연합령: 정보를 통합한다. — 운동령: 신체의 여러 부위에 명령을 내려 수의 운동을 조절한다.
소뇌	• 대뇌 뒤쪽 아래에 있다. • 좌반구와 우반구로 나누어져 있다.	• 내이의 전정 기관, 반고리관과 같은 평형 감각 기관으로부터 오는 정보에 따라 몸의 평형을 유지한다. • 대뇌를 도와 수의 운동을 조절한다.
간뇌	• 대뇌와 중간뇌 사이에 있다. • 시상과 시상 하부로 구성되고, 시상 하부 밑에는 뇌하수체❺가 있다.	• 시상: 척수나 연수로부터 오는 감각 신호를 대뇌 겉질에 전달한다. • 시상 하부: 자율 신경과 내분비계의 조절 중추로 혈당량, 체온, 삼투압 등을 조절하여 항상성 유지에 관여한다.
중간뇌	• 간뇌의 아래쪽에 있다.	• 감각 정보의 전달 통로이다. • 소뇌와 함께 몸의 평형을 조절한다. • 안구 운동과 홍채를 이용해 동공의 크기를 조절하는 동공 반사❻의 중추이다.
연수	• 뇌교와 척수 사이에 있다. • 뇌와 척수를 연결하는 신경이 지나는 곳으로 신경의 좌우 교차가 일어난다.	• 소화 운동, 심장 박동, 호흡 운동, 소화액 분비 등의 조절 중추이다. • 하품, 기침, 재채기, 침 분비, 눈물 분비 등의 반사 중추이다.

2. 척수 개념 POOL

(1) 위치 및 구조

① 연수 아래쪽으로 이어져 있고, 척추에 의해 보호된다.

② 대뇌와 반대로 겉질은 축삭 돌기가 모여 있는 백색질이고, 속질은 신경 세포체가 모여 있는 회색질이다.

③ 척추의 마디마다 신경 다발이 뻗어 나와 전근과 후근을 이룬다. (원심성 신경)

- 전근: 척수의 배 쪽으로 좌우로 1개씩 나와 배열된 운동 신경과 자율 신경 다발
- 후근: 척수의 등 쪽으로 좌우로 1개씩 나와 배열된 감각 신경 다발 (구심성 신경)

(2) 기능

① 뇌와 말초 신경 사이에 정보를 전달하는 통로 역할을 한다.

② 무릎 반사❼, 회피 반사, 땀 분비, 배변·배뇨 반사 등의 중추이다.

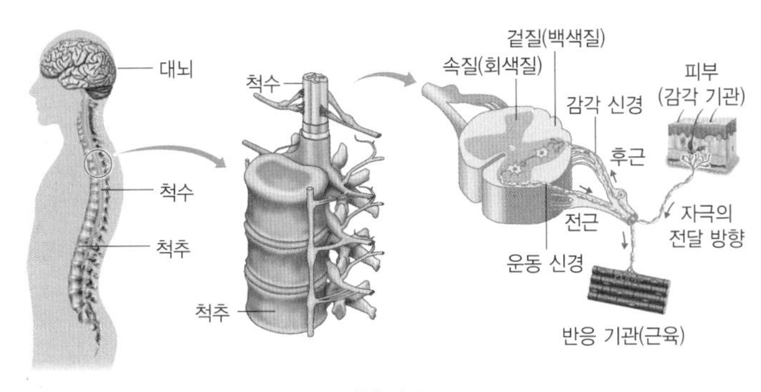

▲ 척수의 구조

❹ 대뇌의 가로 단면

대뇌의 겉질에는 신경 세포체가, 대뇌의 속질에는 축삭 돌기가 모여 있다.

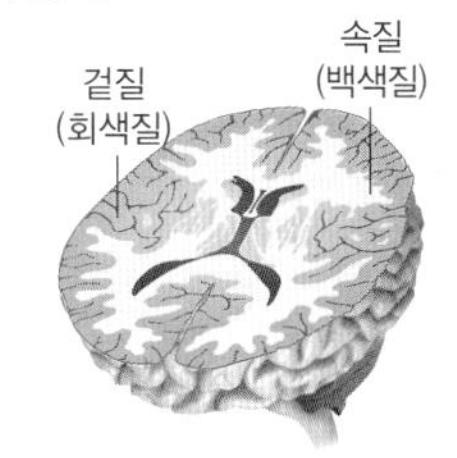

❺ 뇌하수체

시상 하부 끝에 있는 기관으로 여러 가지 호르몬을 분비하여 다른 내분비샘의 기능을 조절하고, 뇌하수체의 기능은 시상 하부가 조절한다.

❻ 동공 반사

눈으로 들어가는 빛의 양을 조절하기 위해 동공이 커지거나 작아지는 것을 의미한다. 밝은 곳에서는 동공이 축소되고, 어두운 곳에서는 동공이 확대된다.

밝은 곳

어두운 곳

❼ 무릎 반사

다리에 힘을 뺀 상태에서 무릎뼈 바로 아래를 고무망치로 가볍게 쳤을 때 다리가 살짝 올라가는 반응이다.

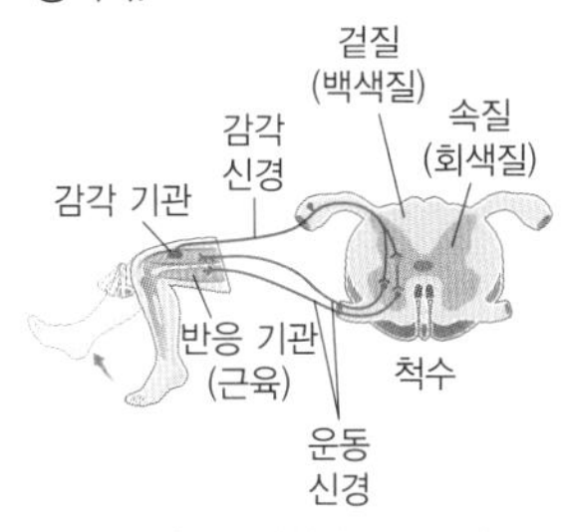

자극 → 감각 기관 → 감각 신경 → 척수 → 운동 신경 → 반응 기관 → 반응

? 뇌사와 식물인간의 차이는 무엇일까?

뇌사는 뇌줄기를 비롯한 뇌 전체의 기능을 상실한 경우이고, 식물인간은 뇌줄기의 기능은 정상이지만 대뇌의 기능을 상실한 경우이다.

용어 알기

• 수의(따를 隨, 생각할 意) 운동 자신의 의지대로 할 수 있는 운동

C 말초 신경계

|출·제·단·서| 시험에는 교감 신경과 부교감 신경의 특징을 묻는 문제가 나와.

중추 신경계와 몸의 각 부분을 연결하는 신경계를 말초 신경계라고 한다. 말초 신경계는 구심성 경로인 감각 신경계와 원심성 경로인 체성 운동 신경계, 자율 신경계로 구성된다.

1. 말초 신경계❽의 구분

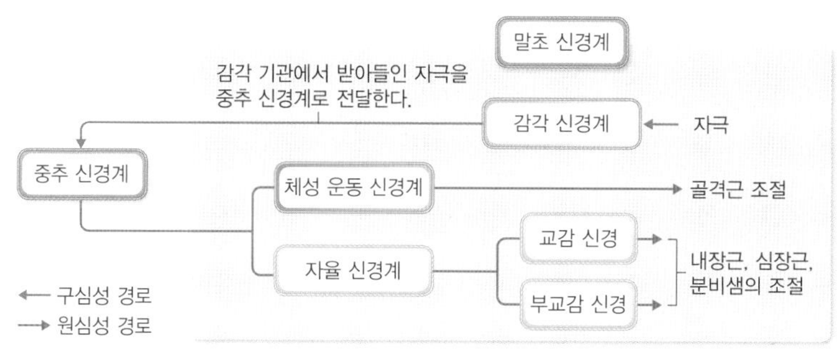

▲ 중추 신경계와 말초 신경계

2. 감각 신경계 감각 기관에서 받아들인 자극을 중추 신경계로 전달한다.

(1) 특정 감각 기관과 연결된 감각 신경의 흥분이 대뇌의 특정 부위에 전달되면 특수한 감각으로 인식된다.

(2) 감각 기관과 중추 사이가 1개의 뉴런으로 연결되어 있다.

3. 체성 운동 신경계❾ 골격근을 수축시켜 사람의 몸을 움직이는 신경계이다.

(1) 주로 대뇌의 지배를 받아 의식적인 골격근의 반응을 조절하며, 무릎 반사와 같이 척수에 의해 무의식적으로 조절되기도 한다.

(2) 중추 신경계와 반응 기관 사이가 1개의 뉴런으로 연결되어 있다.

(3) 체성 운동 신경의 말단에서는 신경 전달 물질로 아세틸콜린❿이 분비된다.

4. 자율 신경계 교감 신경과 부교감 신경으로 구성된다.

(1) 몸의 기능을 자율적으로 조절하는 작용을 하는 신경계이다.

(2) 대뇌의 직접적인 지배를 받지 않고, 간뇌, 중간뇌, 척수, 연수에서 뻗어 나와 주로 내장 기관과 분비샘에 연결되어 있다.

(3) 중추 신경계와 반응 기관 사이에 시냅스가 있어 2개의 뉴런으로 연결되어 있다.

구분	특징
•교감 신경	• 척수의 가운데 부분에서 뻗어 나온다. • 신경절 이전 뉴런은 짧고, 신경절 이후 뉴런은 길다. • 신경절 이전 뉴런 말단에서 분비되는 신경 전달 물질: 아세틸콜린 • 신경절 이후 뉴런 말단에서 분비되는 신경 전달 물질: 노르에피네프린⓫
•부교감 신경	• 중뇌와 연수, 척수 아래 부분에서 뻗어 나온다. • 신경절 이전 뉴런은 길고, 신경절 이후 뉴런은 짧다. • 신경절 이전 뉴런 말단에서 분비되는 신경 전달 물질: 아세틸콜린 • 신경절 이후 뉴런 말단에서 분비되는 신경 전달 물질: 아세틸콜린

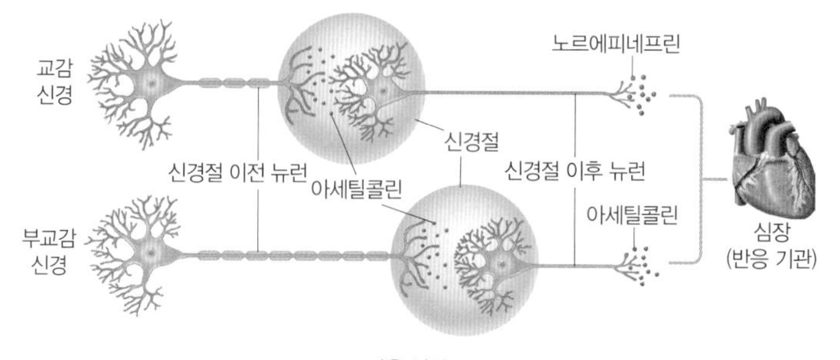

▲ 자율 신경

❽ 말초 신경계
구심성 경로에는 감각 신경계가 포함되며, 원심성 경로에는 체성 운동 신경계와 자율 신경계가 포함된다.

❾ 체성 신경계
중추와 골격근을 연결하는 신경으로, 체성 감각 신경계와 체성 운동 신경계로 구분한다.

❿ 아세틸콜린
아세트산과 콜린이 결합된 신경 전달 물질이다. 운동 신경 말단과 교감 신경의 신경절 이전 뉴런 말단, 부교감 신경의 신경절 이전 뉴런 말단과 신경절 이후 뉴런 말단에서 분비된다.

⓫ 노르에피네프린
노르에피네프린은 에피네프린에서 메틸기가 떨어진 신경 전달 물질이다. 반응 기관에 미치는 효과가 미세하게 다르기는 하지만 많은 조직에서 유사한 효과를 나타낸다. 교감 신경의 신경절 이후 뉴런 말단에서 분비된다.

용어 알기

•교감(사귈 交, 느낄 感) 신경 몸을 긴장 상태로 만들어 갑작스런 환경 변화에 대응하도록 조절하는 자율 신경

•부교감(버금 副, 사귈 交, 느낄 感) 신경 긴장 상태에 있던 몸을 원래의 휴식 상태로 회복하도록 조절하는 자율 신경

(4) 교감 신경과 부교감 신경의 작용⑫ 같은 기관에 분포하여 •길항 작용을 통해 각 기관의 기능을 조절한다.

① **교감 신경:** 몸의 상태를 대개 흥분 상태로 만들며, 투쟁, 도피 등에 적합하도록 조절한다.

② **부교감 신경:** 몸의 상태를 안정 상태로 만들며, 휴식, 소화 등에 적합하도록 조절한다.

구분	동공	심장 박동	기관지	혈압	방광	소화액 분비
교감 신경	확대	촉진	확장	상승	확장	억제
부교감 신경	축소	억제	수축	하강	수축	촉진

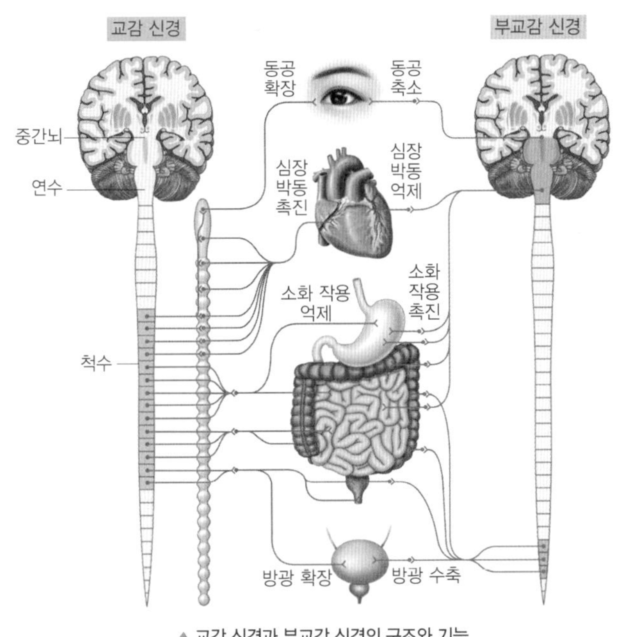

▲ 교감 신경과 부교감 신경의 구조와 기능

D 신경계 질환

|출·제·단·서| 시험에는 신경계 질환의 원인과 증상을 묻는 문제가 나와.

1. 중추 신경계 질환

구분	원인	증상	치료 방법
파킨슨병	신경 전달 물질인 도파민을 분비하는 중간뇌의 신경 세포 소실로 발생한다.	손과 팔의 떨림, 온몸의 경직 증상, 자세 불안정, 운동 장애 등이 나타난다.	도파민의 전구 물질 투여, 항우울제 복용, 뇌에 전기 자극을 주는 방법 등이 있지만 근본적인 치료법이 없다.
알츠하이머병	아밀로이드와 같은 신경 독성 물질의 축적으로 인해 대뇌의 양측에 위치한 측두엽의 기능 저하로 발생한다.	인지 장애, 기억 상실, 우울증, 사고 능력 저하, 운동 능력 상실 등이 나타난다.	심리 요법, 항우울제, 진정 수면제 등의 약물을 투여할 수 있지만 근본적인 치료법이 없다.

2. 말초 신경계 질환

구분	원인	증상	치료 방법
근위축성 측삭 경화증 (루게릭병)	운동 신경이 선택적으로 파괴되면서 발생한다.	초기에는 손의 사용이 서툴고 다리가 약해지며, 음식을 삼키는 데 어려움을 겪고 말이 느려진다. 질환이 진행되면서 기침, 호흡 곤란, 점진적인 근육 위축과 약화, 근육 강직이 나타난다.	약물을 통해 운동 신경의 파괴를 억제하거나, 물리 치료, 언어 치료 등이 있지만 근본적인 치료법이 없다.

⑫ **교감 신경과 부교감 신경이 흥분한 경우의 예**
- 교감 신경: 도둑을 만났을 때 심장 박동이 빨라지고 호흡이 가빠지며, 입이 마른다.
- 부교감 신경: 점심을 먹은 후에 몸이 나른해진다. 맛있는 음식을 보면 침이 고인다.

약물 중독

평상시 정상인의 뇌와 약물 중독자의 뇌를 비교하면, 약물 중독자의 뇌는 보상 센터의 활성이 낮은 것을 볼 수 있다. 즉, 약물의 효과 없이는 정상인보다 더 우울하고 불행한 상태가 된다. 약물 중독자는 이를 해결하기 위해 다시 약물에 손을 대기가 쉽다.

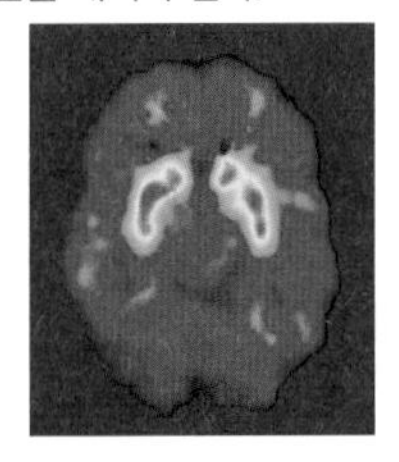
▲ 정상인의 뇌

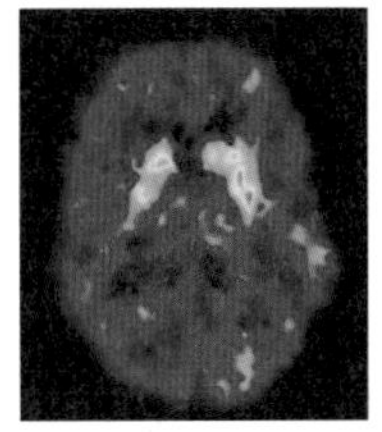
▲ 약물 중독자의 뇌

용어 알기

• 길항(일할 拮, 막을 抗) 작용
어떤 현상에 대하여 두 요인이 서로 반대로 작용하여 서로 그 효과를 줄이는 조절 작용

대뇌의 기능

목표 대뇌 겉질의 기능은 부위별로 분업화되어 있다는 것을 알 수 있다.

대뇌의 구조

대뇌는 위치에 따라 전두엽, 두정엽, 측두엽, 후두엽으로 구분한다.

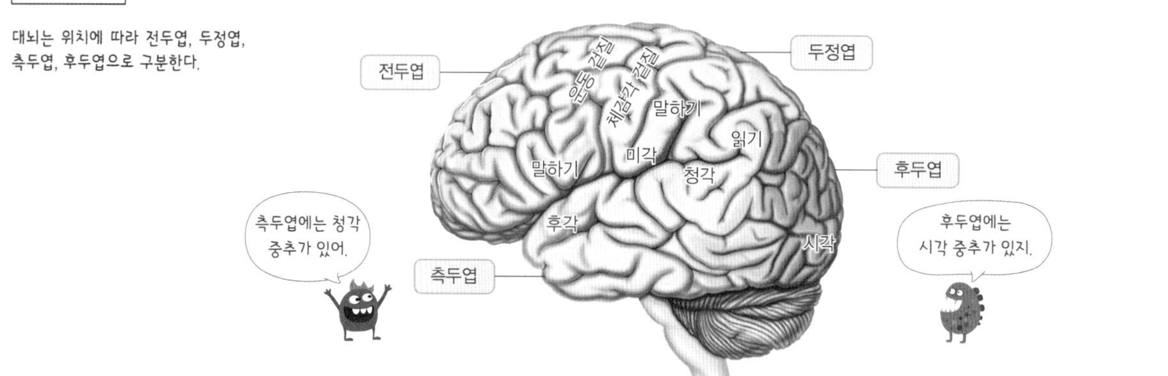

활동에 따른 대뇌의 활성화 부위

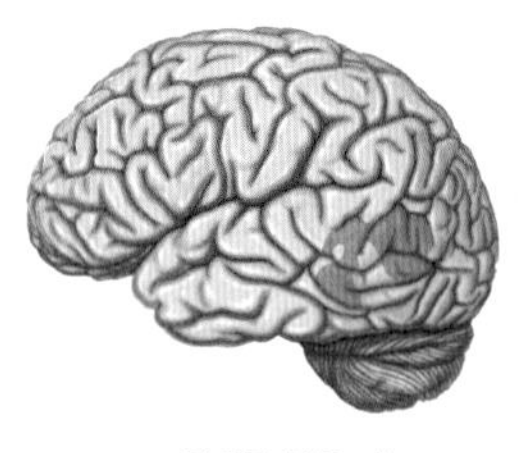

▲ 단어를 들을 때
청각 중추가 활발하게 반응한다.

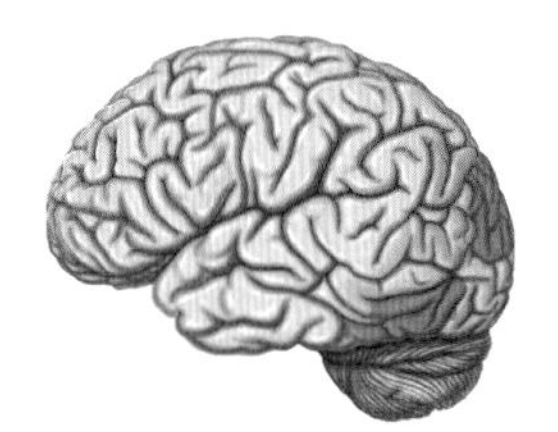

▲ 단어를 볼 때
시각 중추가 활발하게 반응한다.

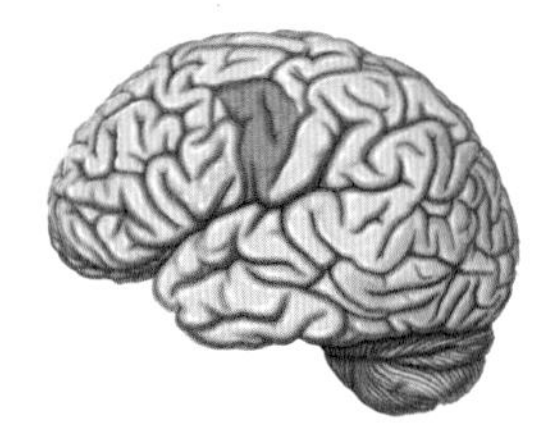

▲ 단어를 말할 때
언어 중추가 활발하게 반응한다.

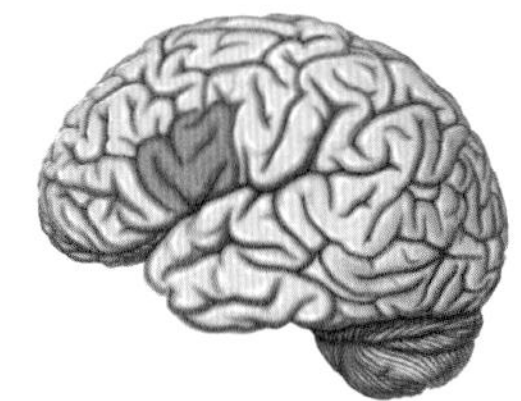

▲ 단어를 생각할 때
사고 중추가 활발하게 반응한다.

그림은 사람이 여러 가지 활동을 할 때 대뇌 겉질이 활성화되는 부위를 나타낸 것이다. 붉은 색깔로 나타난 부분이 가장 활발하게 반응하는 부분이다.

① 단어를 들을 때는 측두엽, 단어를 볼 때는 후두엽, 단어를 말하고 생각할 때에는 두정엽과 전두엽, 측두엽의 활성이 높아진다. 따라서 시각의 중추는 후두엽, 청각의 중추는 측두엽, 언어의 중추는 전두엽, 두정엽, 측두엽이다.

② 대뇌의 기능은 분업화되어 있기 때문에 부위에 따라 다른 기능을 나타낸다.

③ 대뇌가 손상되면, 감각, 운동뿐만 아니라 언어, 기억, 감정 등 고등 정신 활동에도 이상이 생길 수 있다.

한·줄·핵심 대뇌의 기능은 분업화되어 있기 때문에 부위에 따라 다른 기능을 나타낸다.

확인 문제

정답과 해설 25쪽

01 그림은 대뇌 겉질의 각 부위를 나타낸 것이다. (가)~(라)는 각각 측두엽, 전두엽, 두정엽, 후두엽 중 하나이다.

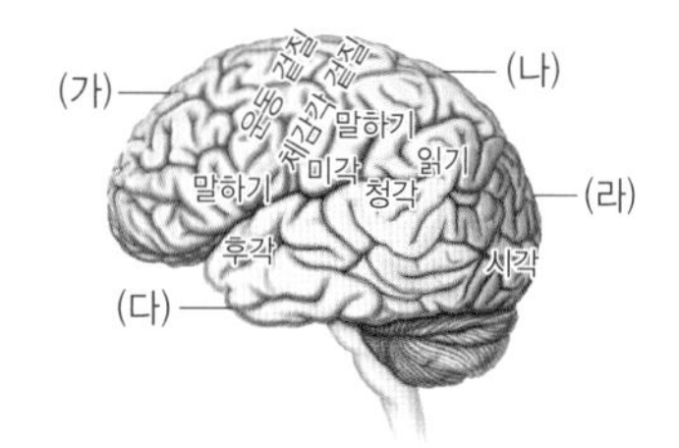

(가)~(라)의 명칭을 각각 쓰시오.

02 대뇌에 대한 설명으로 옳은 것은 ○, 옳지 않은 것은 ×로 표시하시오.

(1) 대뇌 겉질 측두엽에는 청각 중추가 있다. ( )
(2) 대뇌 겉질 전두엽에는 시각 중추가 있다. ( )
(3) 대뇌는 모든 부위에서 동일한 기능을 한다. ( )
(4) 책을 볼 때 후두엽의 활성이 높아진다. ( )
(5) 대뇌가 손상될 때 언어에는 이상이 생기지 않는다. ( )

척수의 구조와 흥분 전달 경로

목표 중추 신경계의 구조와 말초 신경계의 흥분 전달 경로를 알 수 있다.

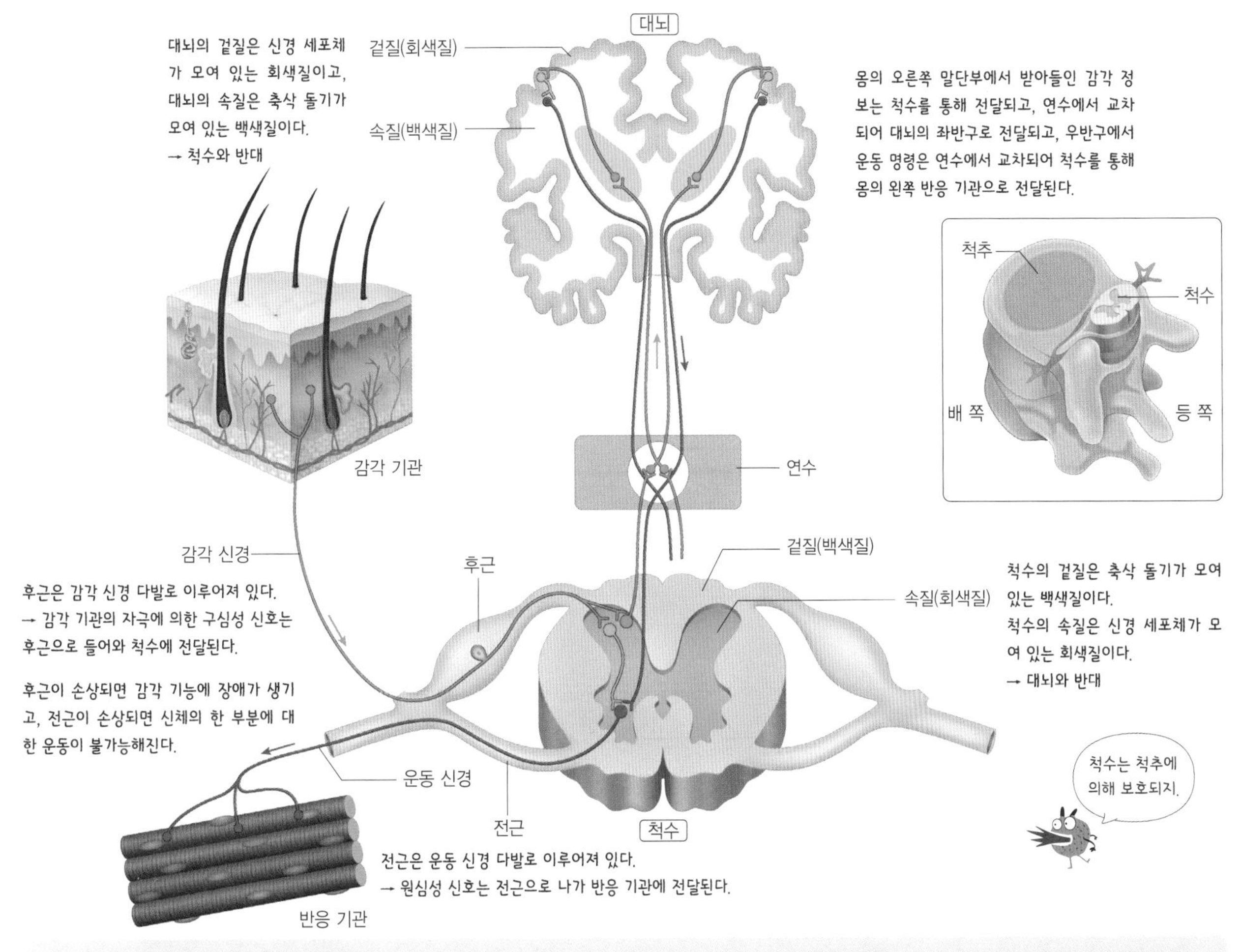

① **의식적인 반응**: 대뇌가 중추가 되어 일어나는 반응이다.
- 자극 → 감각 기관 → 감각 신경 → 대뇌 → 운동 신경 → 반응 기관 → 반응

② **무의식적인 반사**: 대뇌의 영향을 받지 않고, 척수, 연수, 중뇌가 중추로 작용하여 일어나는 반응이다.
- 자극 → 감각 기관 → 감각 신경 → 척수, 연수, 중뇌 → 운동 신경 → 반응 기관 → 반응

한·줄·핵심 의식적인 반응은 대뇌가 관여하고, 무의식적인 반사는 대뇌가 관여하지 않는다.

확인 문제

정답과 해설 25쪽

[01~02] 그림은 척수의 구조와 신경의 연결을 나타낸 것이다. A~D는 각각 후근, 전근, 겉질, 속질 중 하나이다.

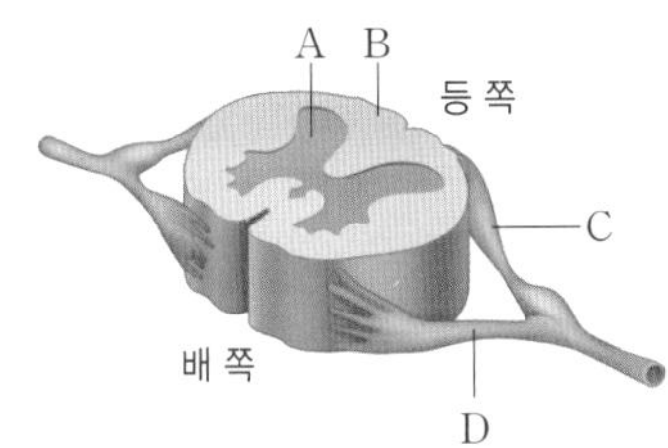

01 A~D의 명칭을 각각 쓰시오.

02 A~D 중 각 설명에 해당하는 것의 기호를 쓰시오.

(1) 축삭 돌기가 모여 있는 백색질이다. ( )

(2) 신경 세포체가 모여 있는 회색질이다. ( )

(3) 운동 신경 다발로 이루어져 있다. ( )

(4) 감각 신경 다발로 이루어져 있다. ( )

콕콕! 개념 확인하기

정답과 해설 25쪽

✓ 잠깐 확인!

1. 사람의 신경계는 □ 와 □□로 구성된 중추 신경계와 온몸에 퍼져 있는 □□ 신경계로 구성된다.

2. 대뇌 □□은 회색질이고, 대뇌 □□은 백색질이다.

3. □□
대뇌 뒤쪽 아래에 있으며, 몸의 평형을 유지한다.

4. □□는 시상과 시상 하부로 구성되어 있다.

5. □□□
안구 운동과 홍채 운동의 중추

6. □□
하품, 기침, 재채기 등의 반사 중추

7. □□
뇌와 말초 신경을 연결하는 역할을 하며, 무릎 반사의 중추

8. □□ □□ 신경계
골격근을 수축시켜 사람의 몸을 움직이는 신경계

9. 자율 신경계는 □□ 신경과 □□□ 신경으로 구성된다.

10. □□□병
도파민을 분비하는 중간뇌의 신경 세포 소실로 발생하는 질환

A 신경계의 구성

01 신경계에 대한 설명으로 옳은 것은 ○, 옳지 않은 것은 ×로 표시하시오.

(1) 중추 신경계는 뇌와 척수로 구성된다. (　　)

(2) 뇌신경과 척수 신경은 중추 신경계에 속한다. (　　)

(3) 체성 신경계와 자율 신경계는 말초 신경계에 속한다. (　　)

B 중추 신경계

[02~03] 그림은 뇌의 구조를 나타낸 것이다.

02 A~E의 명칭을 쓰시오.

03 A~E 중 각 설명에 해당하는 부분의 기호를 쓰시오.

(1) 언어, 기억, 추리, 판단 등의 고등 정신 활동 중추이다. (　　)

(2) 몸의 평형을 유지하고, 수의 운동을 조절한다. (　　)

(3) 혈당량, 체온, 삼투압을 조절하여 항상성 유지에 관여한다. (　　)

(4) 동공 반사의 중추이다. (　　)

(5) 소화 운동, 심장 박동, 호흡 운동의 조절 중추이다. (　　)

04 무릎을 고무망치로 때리면 자신도 모르게 발이 들어 올려지는 현상을 조절하는 중추를 쓰시오.

C 말초 신경계

05 교감 신경과 부교감 신경의 기능을 옳은 것끼리 연결하시오.

(1) 교감 신경 •

(2) 부교감 신경 •

• ㉠ 심장 박동 촉진
• ㉡ 동공 확대
• ㉢ 기관지 수축
• ㉣ 혈압 상승
• ㉤ 방광 수축
• ㉥ 소화액 분비 촉진

D 신경계 질환

06 중추 신경계 질환만을 〈보기〉에서 있는 대로 골라 기호를 쓰시오.

보기
ㄱ. 파킨슨병　　ㄴ. 근위축성 측삭 경화증　　ㄷ. 알츠하이머병

탄탄! 내신 다지기

정답과 해설 25쪽

A 신경계의 구성

01 신경계에 대한 설명으로 옳지 않은 것은?

① 몸의 내·외부로부터 정보를 받아들인다.
② 중추 신경계와 말초 신경계로 구성된다.
③ 중추 신경계는 뇌와 척수로 구성된다.
④ 말초 신경계는 온몸에 퍼져 있다.
⑤ 말초 신경계는 반응 기관에 명령을 내린다.

단답형

02 그림은 사람의 신경계를 구분하여 나타낸 것이다. ㉠~㉣은 체성 신경계, 자율 신경계, 중추 신경계, 말초 신경계를 순서 없이 나타낸 것이다.

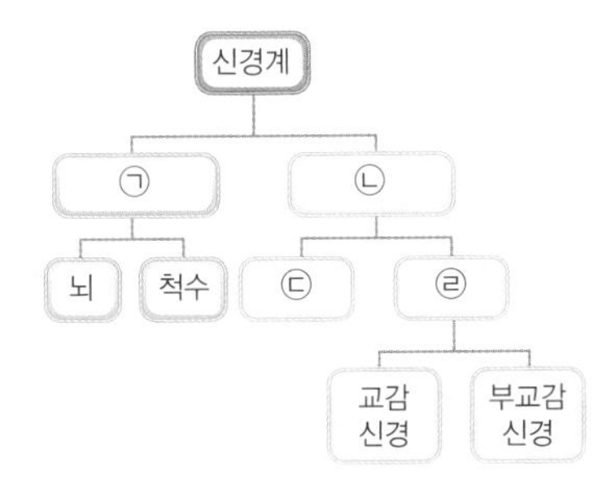

㉠~㉣이 무엇인지 각각 쓰시오.

03 그림은 사람의 신경계를 나타낸 것이다. (가)와 (나)는 각각 말초 신경계와 중추 신경계 중 하나이고, ㉠과 ㉡은 각각 척수 신경과 뇌신경 중 하나이다.

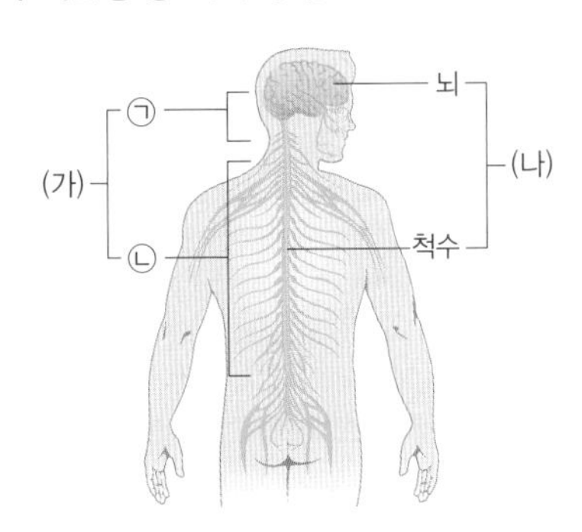

이에 대한 설명으로 옳지 않은 것은?

① (가)는 말초 신경계, (나)는 중추 신경계이다.
② ㉠은 뇌신경, ㉡은 척수 신경이다.
③ ㉠은 뇌에서 뻗어 나온다.
④ ㉡은 척수에서 뻗어 나온다.
⑤ 구심성 뉴런은 ㉠을 구성하지 않는다.

B 중추 신경계

[04~05] 그림은 뇌의 구조를 나타낸 것이다. A~E는 각각 대뇌, 소뇌, 중간뇌, 간뇌, 연수 중 하나이다.

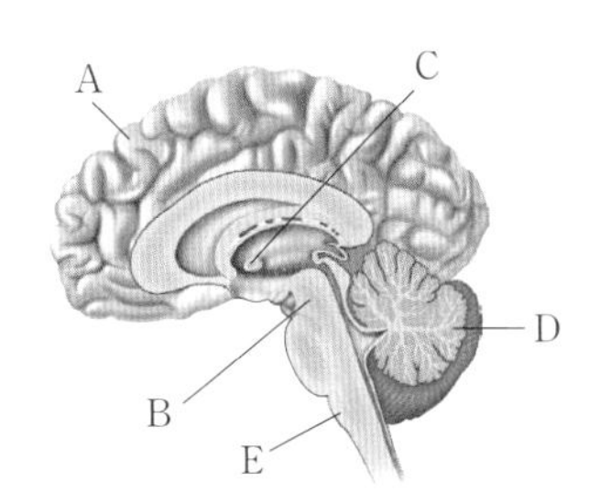

04 이에 대한 설명으로 옳은 것은?

① A의 속질은 회색질이다.
② B는 연수이다.
③ C는 시상과 시상 하부로 구성된다.
④ D는 3개의 반구로 나누어져 있다.
⑤ E는 뇌줄기에 포함되지 않는다.

05 A~E 중 한 부위의 손상으로 인해 나타날 수 있는 증상으로 옳지 않은 것은?

① A: 주의력 결핍과 언어 능력에 이상이 나타난다.
② B: 빛을 비추어도 동공이 작아지지 않는다.
③ C: 삼투압 조절에 이상이 생긴다.
④ D: 몸의 균형을 제대로 잡을 수 없다.
⑤ E: 무릎 반사가 일어나지 않는다.

단답형

06 그림 (가)는 대뇌 겉질의 각 부위를, (나)는 다양한 활동을 할 때 대뇌 겉질이 활성화되는 부위를 나타낸 것이다. (나)에서 붉은색으로 나타나는 부분이 가장 활발하게 반응하는 부분이다.

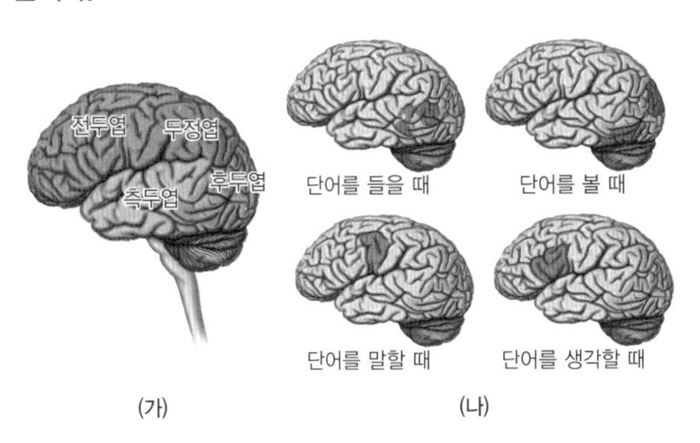

(나)를 바탕으로 (가)에서 시각 중추가 있는 부위와 청각 중추가 있는 부위를 각각 쓰시오.

07 척수에 대한 설명으로 옳은 것만을 〈보기〉에서 있는 대로 고른 것은?

> 보기
> ㄱ. 속질은 회색질, 겉질은 백색질이다.
> ㄴ. 배 쪽에는 후근이, 등 쪽에는 전근이 뻗어 나온다.
> ㄷ. 무릎 반사의 중추이다.

① ㄱ ② ㄴ ③ ㄱ, ㄴ ④ ㄱ, ㄷ ⑤ ㄴ, ㄷ

08 그림은 척수의 단면과 신경의 연결을 나타낸 것이다.

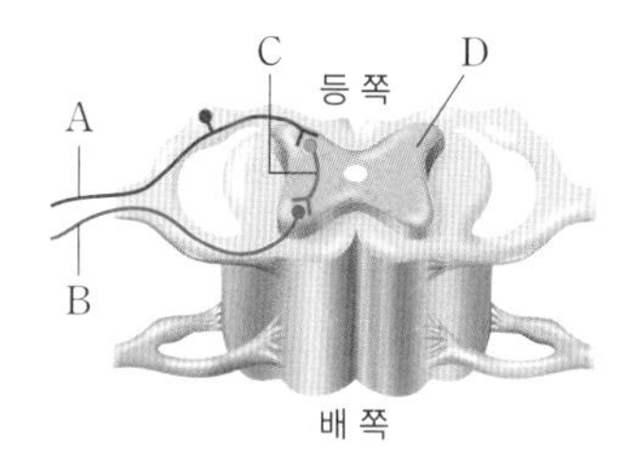

이에 대한 설명으로 옳지 않은 것은?

① A는 구심성 뉴런이다.
② A는 척수의 전근을 이룬다.
③ B는 운동 뉴런이다.
④ D에는 신경 세포체가 모여 있다.
⑤ 회피 반사가 일어나는 경로는 A → C → B이다.

09 그림은 무릎 반사가 일어나는 과정에서 감각 기관과 반응 기관 사이의 흥분 전달 경로를 나타낸 것이다.

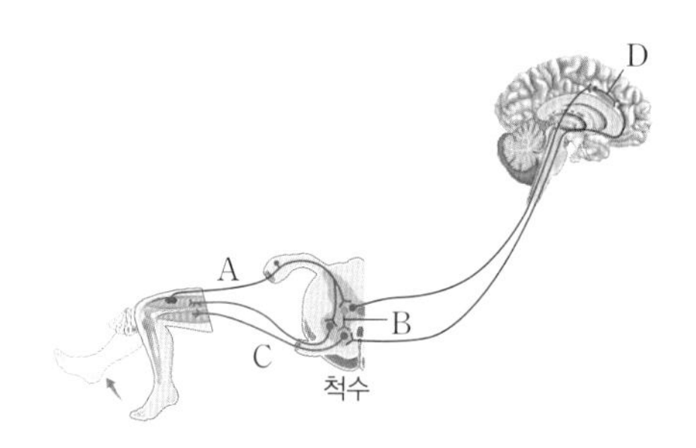

이에 대한 설명으로 옳지 않은 것은?

① B는 연합 뉴런이다.
② C는 척수의 전근을 이룬다.
③ 무릎 반사의 중추는 척수이다.
④ 무릎 반사가 일어나는 경로는 A → B → C이다.
⑤ 무릎에 가해진 자극에 의한 흥분은 D로 전달되지 않는다.

C 말초 신경계

10 말초 신경계에 대한 설명으로 옳지 않은 것은?

① 감각 신경계는 구심성 경로에 포함된다.
② 자율 신경계는 골격근과 연결되어 있다.
③ 체성 운동 신경계는 주로 대뇌의 지배를 받는다.
④ 감각 신경계는 감각 기관과 중추 신경계 사이가 1개의 뉴런으로 연결되어 있다.
⑤ 자율 신경계는 중추 신경계와 반응 기관 사이가 2개의 뉴런으로 연결되어 있다.

11 자율 신경계에 대한 설명으로 옳은 것만을 〈보기〉에서 있는 대로 고른 것은?

> 보기
> ㄱ. 원심성 경로에 포함된다.
> ㄴ. 대뇌의 직접적인 지배를 받는다.
> ㄷ. 교감 신경과 부교감 신경이 포함된다.

① ㄱ ② ㄷ ③ ㄱ, ㄴ ④ ㄱ, ㄷ ⑤ ㄴ, ㄷ

12 그림은 중추 신경계와 기관을 연결하는 말초 신경계를 나타낸 것이다. A~D는 각각 감각 신경, 체성 운동 신경, 교감 신경, 부교감 신경 중 하나이다.

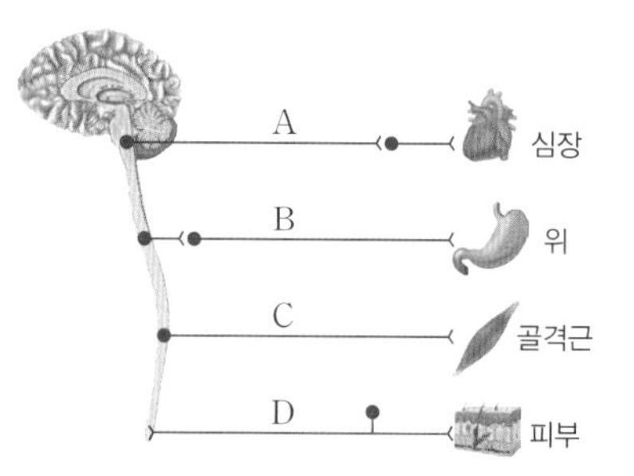

A~D를 옳게 짝 지은 것은?

	A	B	C	D
①	교감 신경	부교감 신경	감각 신경	체성 운동 신경
②	교감 신경	부교감 신경	체성 운동 신경	감각 신경
③	부교감 신경	체성 운동 신경	교감 신경	감각 신경
④	부교감 신경	교감 신경	체성 운동 신경	감각 신경
⑤	체성 운동 신경	감각 신경	부교감 신경	교감 신경

단답형

13 그림은 위에 연결된 신경 (가)와 (나)를 나타낸 것이다. A~D는 신경 전달 물질이다.

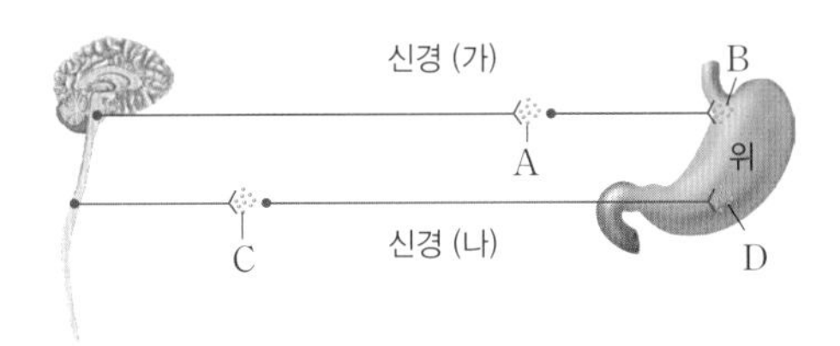

A~D가 무엇인지 각각 쓰시오.

14 그림은 사람의 중추 신경계에 연결된 신경 A~C를 통한 흥분의 전달 경로를 나타낸 것이다.

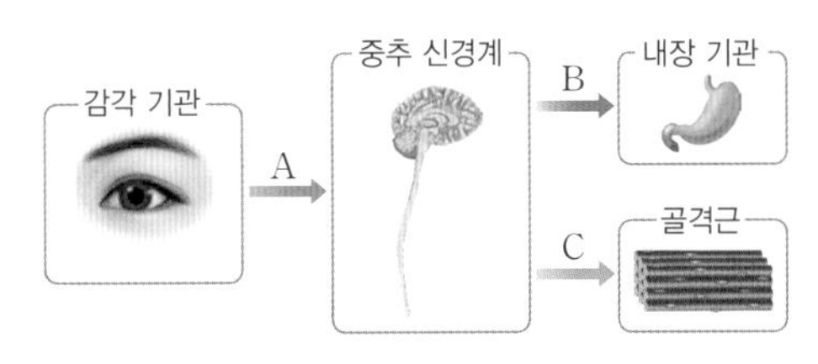

이에 대한 설명으로 옳지 않은 것은?

① A는 감각 신경이다.
② B는 말초 신경계에 속한다.
③ C는 체성 신경계에 속한다.
④ C는 대뇌의 직접적인 지배를 받는다.
⑤ A와 B는 모두 2개의 뉴런으로 이루어져 있다.

15 표는 교감 신경과 부교감 신경에 의한 조절 작용을 나타낸 것이다. (가)와 (나)는 각각 교감 신경과 부교감 신경 중 하나이다.

구분	심장 박동	기관지	혈압	소화액 분비
(가)	㉠	?	상승	억제
(나)	?	㉡	하강	촉진

이에 대한 설명으로 옳은 것은?

① (가)는 부교감 신경이다.
② (나)는 신경절 이전 뉴런이 신경절 이후 뉴런보다 짧다.
③ ㉠은 억제이다.
④ ㉡은 확장이다.
⑤ 교감 신경이 흥분할 때보다 부교감 신경이 흥분할 때 소화가 더 잘 된다.

D 신경계 질환

16 파킨슨병에 대한 설명으로 옳지 않은 것은?

① 말초 신경계 질환이다.
② 도파민이 부족하면 나타날 수 있다.
③ 중간뇌의 신경 세포 소실로 발생한다.
④ 도파민의 전구 물질을 투여하는 치료법이 있다.
⑤ 손과 팔의 떨림과 온몸의 경직 증상이 나타난다.

17 알츠하이머병에 대한 설명으로 옳은 것만을 <보기>에서 있는 대로 고른 것은?

보기
ㄱ. 대뇌 측두엽의 기능이 저하되어 발생한다.
ㄴ. 인지 장애, 기억 상실 등의 증상이 나타난다.
ㄷ. 심리 요법, 항우울제 등의 약물을 투여하는 치료법이 있다.

① ㄱ ② ㄷ ③ ㄱ, ㄴ
④ ㄴ, ㄷ ⑤ ㄱ, ㄴ, ㄷ

단답형

18 다음은 어떤 신경계 질환에 대한 내용이다.

- 운동 신경이 선택적으로 파괴되면서 발생한다.
- 질환이 계속 진행되면서 기침, 호흡 곤란, 점진적인 근육 위축과 약화, 근육 강직이 나타난다.
- 약물을 통해 운동 신경의 파괴를 억제하는 치료 방법이 있지만 근본적으로 치료하기는 어렵다.

이 질환은 무엇인지 쓰시오.

도전! 실력 올리기

01 그림은 사람 (가)와 (나)에서 뇌의 기능이 상실된 부위를 나타낸 것이다.

이에 대한 설명으로 옳은 것만을 〈보기〉에서 있는 대로 고른 것은?

보기
ㄱ. (가)는 뇌사 상태이다.
ㄴ. (가)의 눈에 빛을 비추면 동공 반사가 일어난다.
ㄷ. (나)는 자율적으로 호흡 운동을 조절할 수 있다.

① ㄱ ② ㄴ ③ ㄷ
④ ㄱ, ㄴ ⑤ ㄴ, ㄷ

02 그림은 우리 몸에서 정보가 전달되는 경로를 나타낸 것이다.

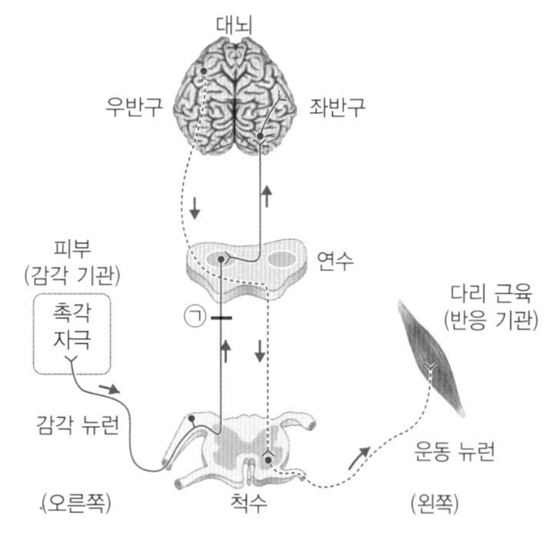

이에 대한 설명으로 옳은 것만을 〈보기〉에서 있는 대로 고른 것은?

보기
ㄱ. ㉠이 손상되면 촉각을 느끼지 못한다.
ㄴ. 연수에서 신경이 좌우 교차된다.
ㄷ. 대뇌 우반구에 이상이 생기면 왼쪽 다리를 의지대로 움직이지 못한다.

① ㄱ ② ㄷ ③ ㄱ, ㄴ
④ ㄴ, ㄷ ⑤ ㄱ, ㄴ, ㄷ

03 그림은 뜨거운 물체를 만졌을 때 자신도 모르게 손을 떼는 과정과 신경계의 일부를 나타낸 것이다.

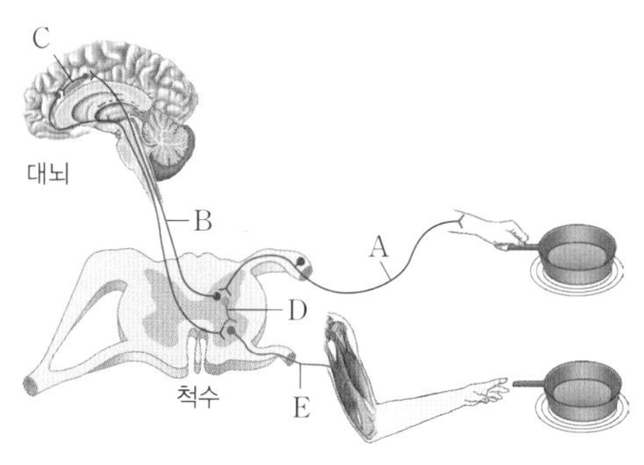

이에 대한 설명으로 옳은 것만을 〈보기〉에서 있는 대로 고른 것은?

보기
ㄱ. A와 E는 모두 말초 신경계에 속한다.
ㄴ. A를 통해 들어온 감각 정보는 B를 통해 C로 전달되지 않는다.
ㄷ. 자신도 모르게 뜨거운 물체에서 손을 떼는 과정에 A, D, E가 모두 관여한다.

① ㄱ ② ㄴ ③ ㄱ, ㄴ
④ ㄱ, ㄷ ⑤ ㄴ, ㄷ

출제예감

04 그림은 중추 신경계와 반응 기관 사이의 연결된 신경 A~C를 나타낸 것이다. (가)와 (나)는 각각 소장과 골격근 중 하나이다.

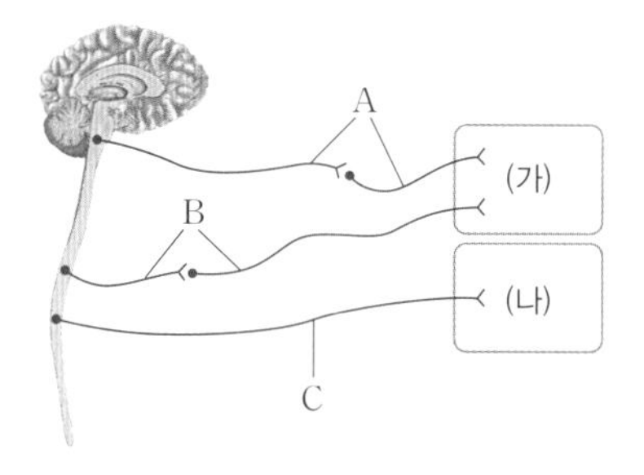

이에 대한 설명으로 옳은 것만을 〈보기〉에서 있는 대로 고른 것은?

보기
ㄱ. (가)는 골격근이다.
ㄴ. A~C는 모두 자율 신경계에 속한다.
ㄷ. A와 C에서 각각 반응 기관으로 분비되는 신경 전달 물질의 종류는 같다.

① ㄱ ② ㄴ ③ ㄷ
④ ㄱ, ㄷ ⑤ ㄴ, ㄷ

출제예감

05 그림 (가)는 심장 박동을 조절하는 자율 신경 A와 B를, (나)는 A와 B 중 하나를 자극했을 때 심장 세포에서 활동 전위가 발생하는 빈도를 나타낸 것이다.

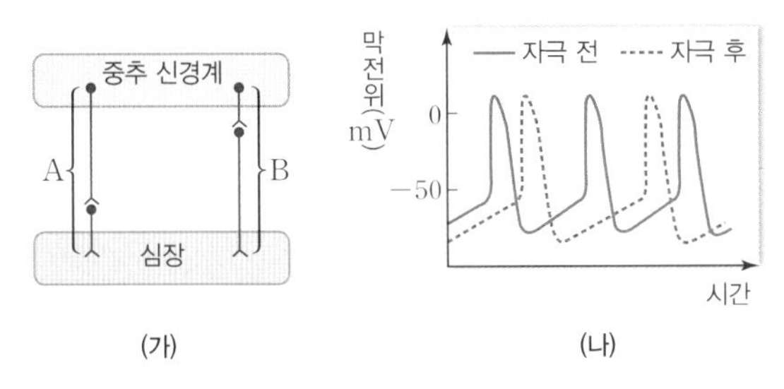

이에 대한 설명으로 옳은 것만을 〈보기〉에서 있는 대로 고른 것은?

> 보기
> ㄱ. A와 B의 신경절 이후 뉴런의 축삭 돌기 말단에서 분비되는 신경 전달 물질은 같다.
> ㄴ. B의 신경 세포체는 연수에 있다.
> ㄷ. (나)는 A를 자극했을 때의 변화를 나타낸 것이다.

① ㄱ ② ㄴ ③ ㄷ
④ ㄱ, ㄷ ⑤ ㄴ, ㄷ

06 표는 2가지 뇌 질환에 대한 원인과 이상 부위, 주요 증상을 나타낸 것이다. (가)와 (나)는 각각 파킨슨병과 알츠하이머병 중 하나이다.

구분	원인	이상 부위	주요 증상
(가)	신경 세포의 사멸	㉠	기억 상실
(나)	도파민의 분비 부족	중간뇌	손발 떨림과 자세 불안정

이에 대한 설명으로 옳은 것만을 〈보기〉에서 있는 대로 고른 것은?

> 보기
> ㄱ. (가) 환자에게서 치매 증상이 나타날 수 있다.
> ㄴ. 대뇌는 ㉠에 해당한다.
> ㄷ. (나)의 치료에 도파민 수용체를 차단하는 약물을 사용하면 효과적이다.

① ㄱ ② ㄴ ③ ㄱ, ㄴ
④ ㄱ, ㄷ ⑤ ㄴ, ㄷ

07 그림은 감각 기관에 수용된 자극이 중추 신경계를 거쳐 반응 기관까지 전달되는 경로를 나타낸 것이다.

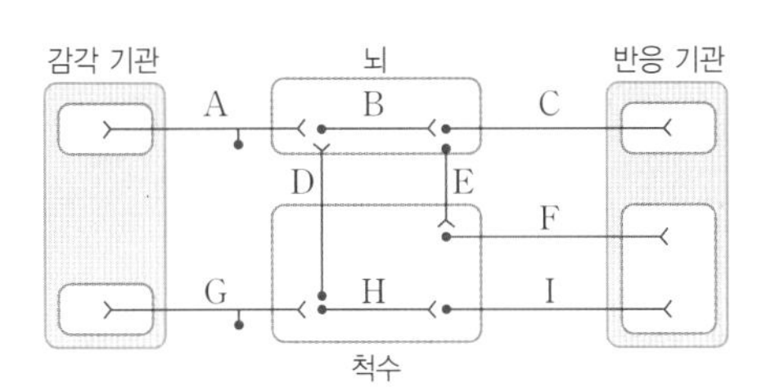

A~I 중 일부를 이용하여 깜깜한 현관에서 손으로 더듬어 현관문 손잡이를 찾을 때의 흥분 전달 경로를 쓰시오.

[08~09] 그림은 서로 길항 작용을 하는 자율 신경 A와 B가 홍채에 연결된 것을 나타낸 것이다. ⓐ와 ⓑ에는 각각 시냅스가 있으며, ㉠에서는 노르에피네프린이, ㉡에서는 아세틸콜린이 분비된다.

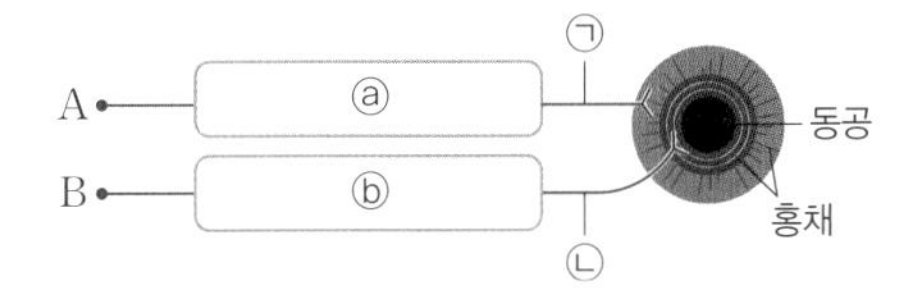

서술형

08 A와 B를 각각 부교감 신경과 교감 신경으로 구분하고, 그렇게 생각한 까닭을 서술하시오.

서술형

09 A와 B가 각각 흥분할 때 동공의 크기가 어떻게 변하는지 서술하시오.

03 근육의 구조와 수축 원리

핵심 키워드로 흐름잡기

A 골격근, 근육 섬유, 근육 원섬유, 액틴 필라멘트, 마이오신 필라멘트

B 골격근의 수축, 활주설

A 근육의 종류와 구조

|출·제·단·서| 시험에는 골격근의 구조를 이루는 각 부위의 명칭을 묻는 문제가 나와.

1. 근육의 종류 골격근, 심장근, 내장근으로 구분한다.

골격근[1]	심장근	내장근
• 수의근 • 가로무늬가 있는 가로무늬근	• 불수의근 • 가로무늬가 있는 가로무늬근	• 불수의근 • 가로무늬가 없는 민무늬근

2. 골격근의 구조 개념 POOL

골격근은 여러 개의 근육 섬유 다발로 구성되며, 하나의 근육 섬유 다발은 여러 개의 근육 섬유로 이루어져 있다. 하나의 근육 섬유는 여러 가닥의 근육 원섬유로 이루어지며, 근육 원섬유에는 가는 액틴 필라멘트와 굵은 마이오신 필라멘트가 있다.

(1) 근육 섬유 근육을 이루는 근육 세포로, 여러 가닥의 근육 원섬유로 구성되어 있는 다핵[2] 세포이다.

(2) 근육 원섬유 밝게 보이는 I대와 어둡게 보이는 A대가 반복되어 가로무늬가 나타난다.

(3) 근육 원섬유 마디[3] 근육 수축의 기본 단위이며, Z선에서 그 다음 Z선까지의 부분이다.

암기TiP 에이(A) 어두워~ 아이(I) 밝아~

Z선	I대 중앙의 가느다란 선으로 근육 원섬유 마디를 구분하는 경계선이다.
A대(암대)	마이오신 필라멘트가 있어 전자 현미경으로 관찰 시 어둡게 보이는 부분이다. A대의 길이는 마이오신 필라멘트의 길이와 같다.
I대(명대)	액틴 필라멘트만 있어서 전자 현미경으로 관찰 시 밝게 보이는 부분이다.
H대	A대 중 마이오신 필라멘트만 있는 부분이다.
M선	H대 중앙에 있는 가느다란 선이다.

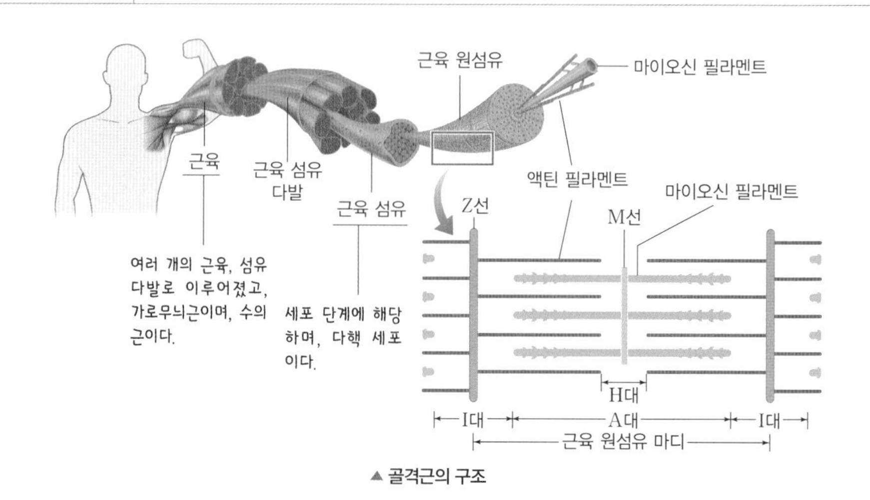

▲ 골격근의 구조

❶ 골격근의 수축과 이완

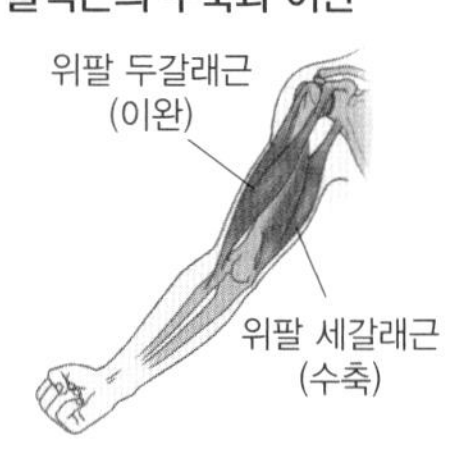

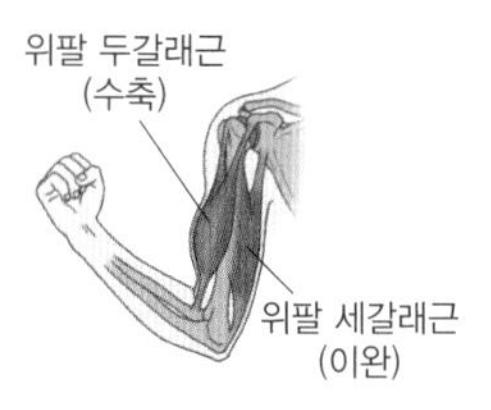

위팔 세갈래근이 수축하면 팔이 펴지고, 위팔 두갈래근이 수축하면 팔이 굽어진다.

❷ 근육 세포의 핵

근육 세포는 발생 과정에서 여러 개의 세포가 융합되어 만들어진다. 따라서 여러 개의 핵을 가진 다핵 세포이다.

❸ 근육 원섬유 마디

- Z선: '사이'를 뜻하는 독일어 Zwishen에서 유래하였다.
- I대: 빛이 골고루 반사된다는 뜻의 영어 Isotropic에서 유래하였다.
- A대: 빛이 불규칙하게 반사된다는 뜻의 영어 Anisotropic에서 유래하였다.
- H대: '맑은'을 뜻하는 독일어 Helles에서 유래하였다.

용어 알기

- 수의근(따를 隨, 뜻 意, 힘줄 筋) 자신의 의지로 수축시킬 수 있는 근육
- 불수의근(아닐 不, 따를 隨, 뜻 意, 힘줄 筋) 자신의 의지와 관계없이 스스로 움직이는 근육

B 골격근의 수축

|출·제·단·서| 시험에는 골격근이 수축할 때 근육 원섬유 마디에서 각 부분의 길이 변화를 묻는 문제가 나와.

1. 골격근의 수축

(1) 근육 섬유의 세포막과 접해 있는 체성 운동 신경의 축삭 돌기 말단에 활동 전위가 도달하면 축삭 돌기 말단에서 신경 전달 물질인 아세틸콜린이 분비된다.

(2) 아세틸콜린에 의해 근육 섬유의 세포막이 탈분극되어 활동 전위가 발생하여 근육 원섬유가 수축한다.

▲ 체성 운동 신경에서 근육 섬유로의 흥분 전달

2. 골격근의 수축 원리(활주설)❹

(1) 골격근이 수축할 때 액틴 필라멘트와 마이오신 필라멘트❺의 길이는 변하지 않으며, 액틴 필라멘트가 마이오신 필라멘트 사이로 미끄러져 들어간다.

(2) 마이오신 필라멘트가 ATP를 소모하여 액틴 필라멘트를 끌어당김으로써 일어난다.

3. 골격근의 수축 과정에서 근육 원섬유 마디의 변화

(1) 골격근의 수축은 ATP를 소모하여❻ 액틴 필라멘트가 마이오신 필라멘트 사이로 미끄러져 들어가 근육 원섬유 마디가 짧아지는 것이므로 액틴 필라멘트와 마이오신 필라멘트의 길이는 변하지 않는다.

(2) 마이오신 필라멘트의 길이가 변하지 않으므로 마이오신 필라멘트에 의해 어둡게 보이는 A대의 길이는 변하지 않는다.

(3) 골격근의 수축 결과 액틴 필라멘트와 마이오신 필라멘트의 겹치는 부분이 증가하므로 액틴 필라멘트로만 이루어진 I대와 마이오신 필라멘트로만 이루어진 H대의 길이가 짧아진다.

빈출 자료 활주설에 따른 골격근의 수축

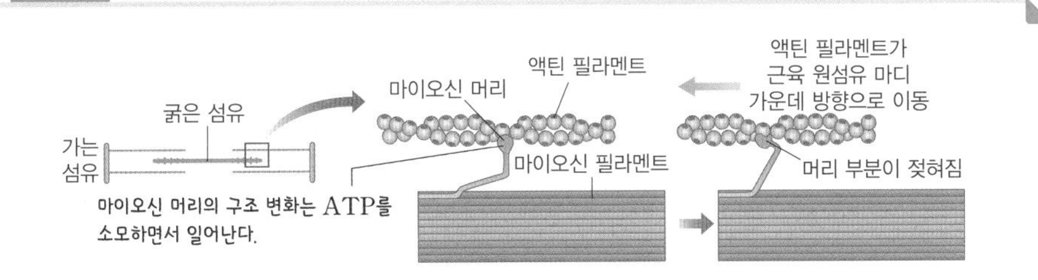

- 근육 섬유가 탈분극되어 활동 전위가 발생하면 액틴 필라멘트와 마이오신 필라멘트가 밀착한다.
- 액틴 필라멘트에 붙어 있는 ●마이오신 머리가 뒤로 젖혀지는 구조 변화가 일어난다. 그 결과 액틴 필라멘트가 근육 원섬유 마디 가운데 방향으로 미끄러져 들어간다.

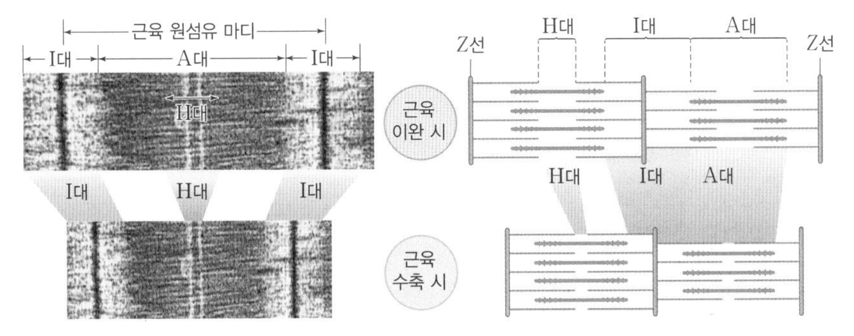

- 골격근의 수축 시 길이의 변화가 없는 것: 액틴 필라멘트, 마이오신 필라멘트, A대
- 골격근의 수축 시 길이가 짧아지는 것: 근육 원섬유 마디, H대, I대

❹ 활주설
근육의 수축은 액틴 필라멘트나 마이오신 필라멘트가 수축하는 것이 아니라 액틴 필라멘트가 마이오신 필라멘트 사이로 미끄러져 들어가 겹치는 부분이 증가하여 근육 원섬유 마디가 짧아진다는 가설이다.

❺ 액틴 필라멘트와 마이오신 필라멘트
근육 원섬유를 구성하는 단백질로, 마이오신 필라멘트는 액틴 필라멘트보다 굵기 때문에 마이오신 필라멘트가 있는 부위가 더 어둡게 보인다.

❻ 근수축의 에너지원
- 근수축의 직접적인 에너지원은 ATP이다.
- ATP의 공급 : 근육 세포에는 3초간 수축을 지속할 수 있을 정도의 ATP만 저장되어 있어 근육 세포가 오랫동안 수축하려면 소모된 ATP를 다시 재생해야 한다.
- 크레아틴 인산을 이용하면 단시간에 ATP를 재생할 수 있지만 오랫동안 ATP를 재생할 만큼 크레아틴 인산이 충분하지 않으므로, 장시간 근육을 수축하려면 세포 호흡으로 ATP를 재생해야 한다. 산소가 충분히 공급될 때는 산소 호흡으로 ATP를 합성하며, 산소 공급이 불충분할 때는 젖산 발효로 ATP를 합성한다.

용어 알기
●마이오신(**myosin**) 머리 액틴 필라멘트의 이동에 관여하는 마이오신 필라멘트를 이루고 있는 부분

골격근의 구조

목표 골격근의 구조와 근육 원섬유 마디의 구조를 설명할 수 있다.

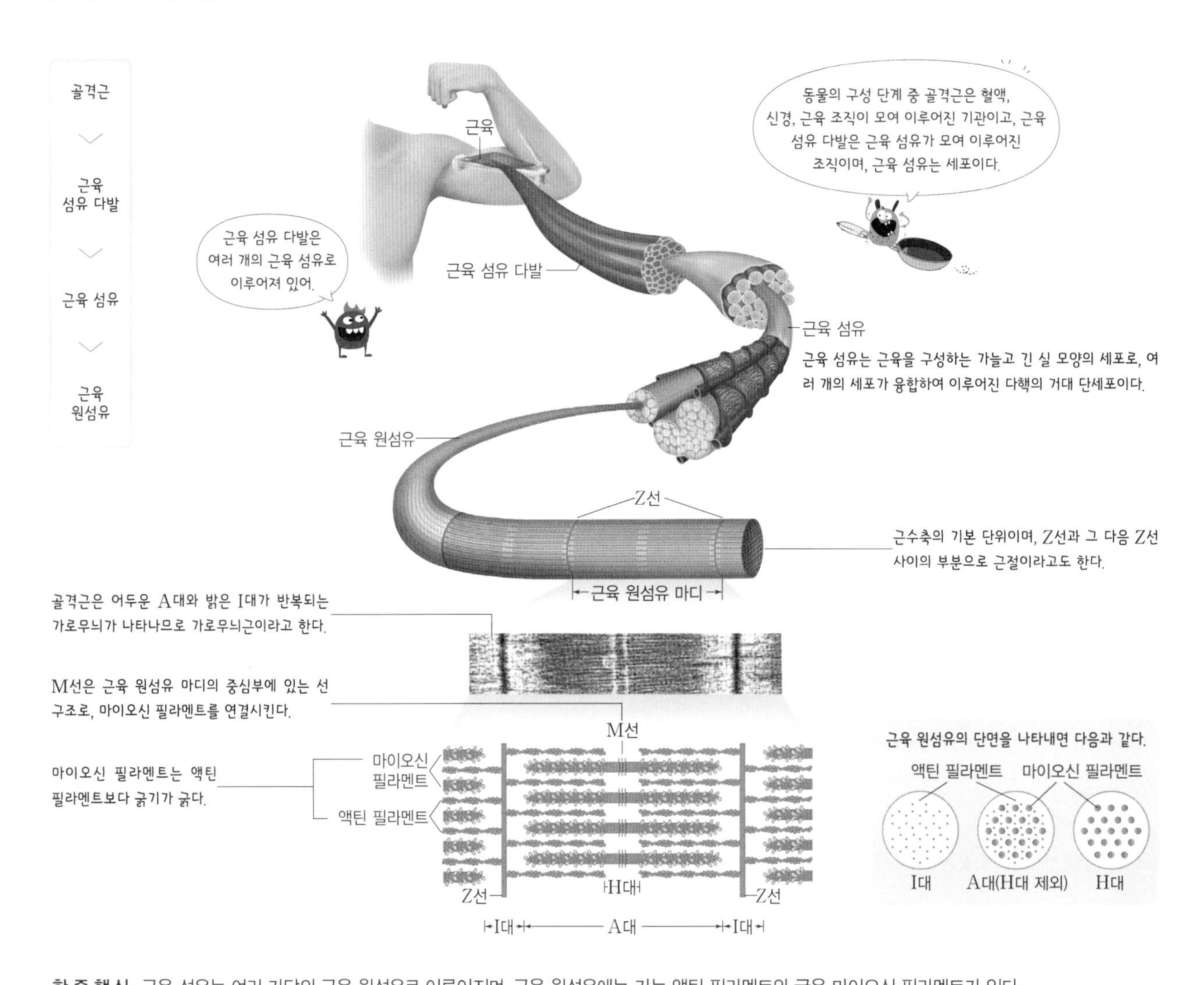

한·줄·핵심 근육 섬유는 여러 가닥의 근육 원섬유로 이루어지며, 근육 원섬유에는 가는 액틴 필라멘트와 굵은 마이오신 필라멘트가 있다.

확인 문제

정답과 해설 29쪽

[01~02] 그림은 근육 원섬유 마디의 구조를 나타낸 것이다. ㉠~㉤은 각각 A대, H대, I대, 마이오신 필라멘트, 액틴 필라멘트 중 하나이다.

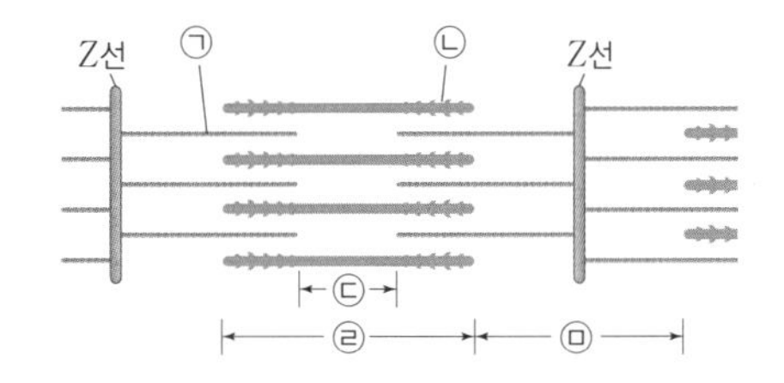

01 ㉠~㉤의 명칭을 각각 쓰시오.

02 근육 원섬유 마디에 대한 설명 중 옳은 것은 ○, 옳지 않은 것은 ×로 표시하시오.

(1) 굵기는 ㉠이 ㉡보다 굵다. ( )
(2) ㉢은 마이오신 필라멘트만 있는 부분이다. ( )
(3) ㉤은 액틴 필라멘트만 있는 부분이다. ( )
(4) 근육이 수축할 때 ㉣은 짧아진다. ( )
(5) 근육이 수축할 때 ㉢과 ㉤은 모두 짧아진다. ( )

콕콕! 개념 확인하기

정답과 해설 29쪽

✓ 잠깐 확인!

1. □□□
체성 신경의 지배를 받으며, 뼈에 붙어 몸을 움직이게 하는 근육

2. □□□
자율 신경의 지배를 받으며, 심장 박동을 일으키는 근육

3. □□□
자율 신경의 지배를 받으며, 내장 기관을 구성하는 근육

4. □□ □□
근육을 이루는 다핵 세포

5. □□ □□□ □□
근육 수축의 기본 단위이며, Z선에서 그 다음 Z선까지의 부분

6. □□ □□□□
근육 원섬유를 구성하는 가는 필라멘트

7. □□□□ □□□ □
근육 원섬유를 구성하는 굵은 필라멘트

8. □□
마이오신 필라멘트가 있어 전자 현미경으로 관찰 시 어둡게 보이는 부분

9. □□
액틴 필라멘트만 있어서 전자 현미경으로 관찰 시 밝게 보이는 부분

10. □□□
액틴 필라멘트가 마이오신 필라멘트 사이로 미끄러져 들어가 근육의 수축이 일어난다는 학설

A 근육의 종류와 구조

01 다음은 근육의 종류에 대한 설명이다. ㉠~㉢에 들어갈 알맞은 근육의 종류를 쓰시오.

- (㉠)은 수의근이고, 가로무늬근이다.
- (㉡)은 불수의근이고, 가로무늬근이다.
- (㉢)은 불수의근이고, 민무늬근이다.

02 그림은 근육 원섬유 마디를 나타낸 것이다.

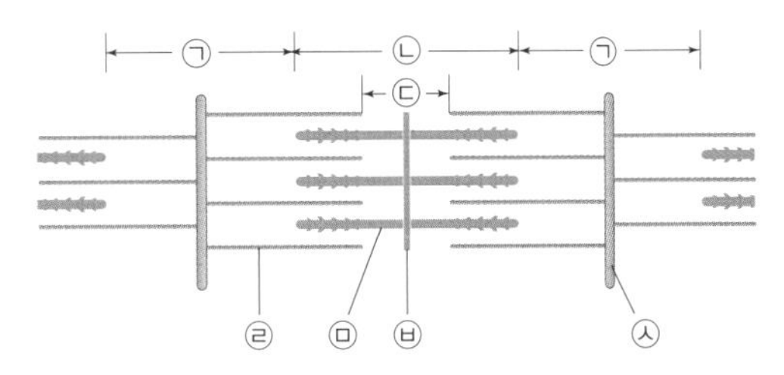

㉠~㉦의 명칭을 쓰시오.

03 골격근에 대한 설명 중 옳은 것은 ○, 옳지 않은 것은 ×로 표시하시오.

(1) 근육 섬유는 여러 개의 핵을 가지는 세포이다. (　　)

(2) 근육 원섬유는 밝게 보이는 부분과 어둡게 보이는 부분이 반복되어 나타난다. (　　)

(3) 근육 원섬유 마디는 M선에서 그 다음 M선까지의 부분이다. (　　)

B 골격근의 수축

04 골격근의 수축 과정에 대한 설명 중 ( ) 안에 들어갈 알맞은 말을 고르시오.

(1) 근육 섬유의 세포막과 접해 있는 체성 운동 신경의 축삭 돌기 말단에 활동 전위가 도달하면 축삭 돌기 말단에서 신경 전달 물질인 (아세틸콜린, 노르에피네프린)이 분비된다.

(2) 근육 섬유의 세포막이 탈분극되어 (휴지 전위, 활동 전위)가 발생한다.

(3) (마이오신 머리, 액틴 머리)가 뒤로 젖혀지는 구조 변화가 일어나 액틴 필라멘트가 근육 원섬유 마디 가운데 방향으로 미끄러져 들어간다.

05 다음에서 골격근이 수축할 때 길이가 짧아지는 것과 변하지 않는 것을 구분하여 쓰시오.

액틴 필라멘트, 마이오신 필라멘트, 근육 원섬유 마디, H대, I대, A대

(1) 길이가 짧아지는 것

(2) 길이가 변하지 않는 것

탄탄! 내신 다지기

A 근육의 종류와 구조

01 그림은 3가지 근육을 나타낸 것이다. (가)~(다)는 각각 골격근, 심장근, 내장근 중 하나이다.

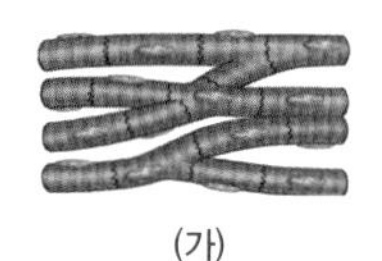
(가)

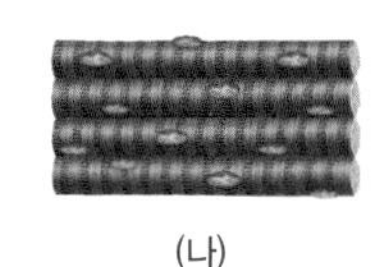
(나)

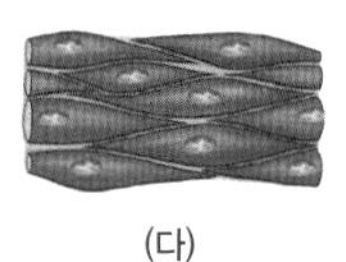
(다)

이에 대한 설명으로 옳은 것은?

① (가)는 골격근이다.
② (가)에는 가로무늬가 없다.
③ (나)는 불수의근이다.
④ (나)는 체성 신경의 지배를 받는다.
⑤ (다)는 심장 박동을 일으킨다.

02 골격근에 대한 설명으로 옳은 것은?

① 수의근이다.
② 가로무늬가 없다.
③ 내장 기관을 구성한다.
④ 심장 박동을 일으킨다.
⑤ 자율 신경의 지배를 받는다.

03 그림은 골격근의 구조이다. ㉠~㉢은 각각 근육 섬유, 근육 섬유 다발, 근육 원섬유 중 하나이다.

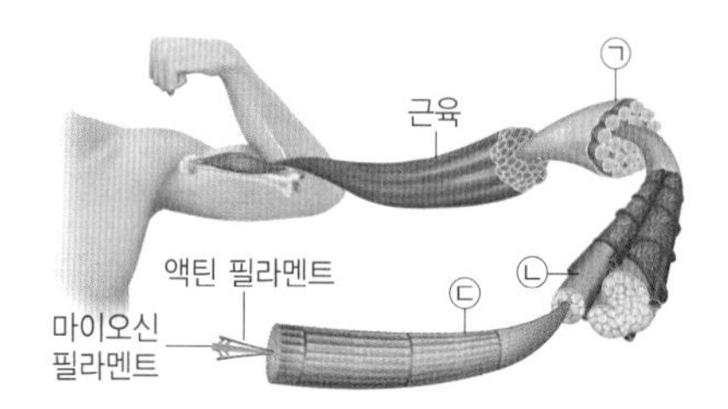

이에 대한 설명으로 옳지 않은 것은?

① ㉠은 근육 섬유 다발이다.
② ㉠은 여러 개의 근육 섬유로 이루어져 있다.
③ ㉡은 여러 개의 핵이 있는 세포이다.
④ ㉢은 한 종류의 단백질로 이루어져 있다.
⑤ ㉢은 I대와 A대가 반복되어 가로무늬가 나타난다.

04 그림은 근육 원섬유 마디 X를 나타낸 것이다.

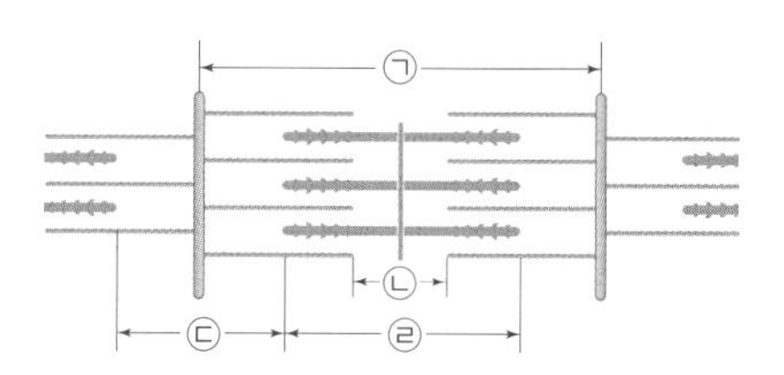

이에 대한 설명으로 옳지 않은 것은? (단, X는 좌우 대칭이다.)

① ㉠은 Z선과 Z선 사이의 부분이다.
② ㉡은 H대이다.
③ ㉢은 액틴 필라멘트만 있는 부분이다.
④ ㉣의 중앙에는 M선이 있다.
⑤ 전자 현미경으로 관찰했을 때, ㉢은 ㉣보다 어둡게 보인다.

단답형

05 그림 (가)~(다)는 근육 원섬유 마디의 단면 구조를 나타낸 것이다. ㉠과 ㉡은 각각 액틴 필라멘트와 마이오신 필라멘트 중 하나이다.

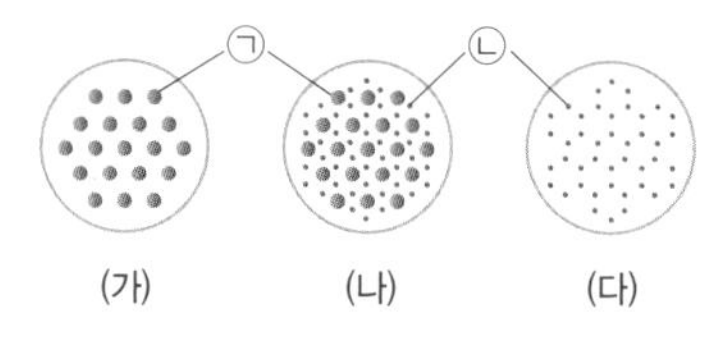

(가)~(다) 중 A대에서 관찰할 수 있는 단면의 기호를 모두 쓰시오.

06 표는 근육 원섬유 마디 각 부분의 특징을 나타낸 것이다. (가)~(라)는 각각 I대, A대, H대, Z선 중 하나이다. ㉠과 ㉡은 액틴 필라멘트와 마이오신 필라멘트를 순서 없이 나타낸 것이다.

구분	특징
(가)	I대 중앙의 가느다란 선이다.
(나)	㉠이 있어 전자 현미경으로 관찰 시 어둡게 보이는 부분이다.
(다)	㉡만 있어서 전자 현미경으로 관찰 시 밝게 보이는 부분이다.
(라)	A대 중 마이오신 필라멘트만 있는 부분이다.

이에 대한 설명으로 옳지 않은 것은?

① (가)는 근육 원섬유 마디를 구분하는 경계선이다.
② (나)는 A대이다.
③ (다)에는 Z선이 포함되어 있다.
④ (라)는 H대이다.
⑤ ㉠은 ㉡보다 굵기가 가늘다.

B 골격근의 수축

07 그림은 뉴런이 근육 섬유에 접해 있는 모습을 나타낸 것이다. ㉠은 뉴런, ㉡은 신경 전달 물질이다.

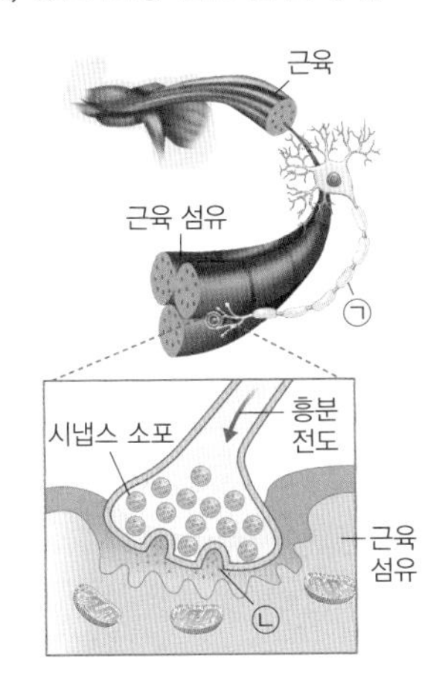

이에 대한 설명으로 옳은 것은?

① ㉠은 감각 뉴런이다.
② ㉠은 자율 신경계에 속한다.
③ ㉡은 아세틸콜린이다.
④ ㉡의 분비량이 증가하면 근육이 이완한다.
⑤ ㉡에 의해 근육 섬유의 재분극이 일어난다.

08 다음은 골격근의 수축 과정을 순서 없이 나타낸 것이다.

> (가) 아세틸콜린에 의해 근육 섬유의 세포막이 탈분극되어 활동 전위가 발생한다.
> (나) 근육 섬유의 세포막과 접해 있는 체성 운동 신경 축삭 돌기 말단에 활동 전위가 도달한다.
> (다) 액틴 필라멘트가 근육 원섬유 마디 가운데 방향으로 미끄러져 들어간다.
> (라) 축삭 돌기 말단에서 아세틸콜린이 분비된다.
> (마) 아세틸콜린이 축삭 돌기 말단에서 근육 섬유로 확산된다.

골격근의 수축 과정을 순서대로 옳게 나열한 것은?

① (가) → (나) → (라) → (마) → (다)
② (나) → (라) → (마) → (가) → (다)
③ (다) → (나) → (마) → (라) → (가)
④ (라) → (마) → (가) → (다) → (나)
⑤ (마) → (나) → (라) → (가) → (다)

09 골격근이 수축할 때 일어나는 변화에 대한 설명으로 옳지 않은 것은?

① ATP가 소모된다.
② H대의 길이가 짧아진다.
③ A대의 길이가 짧아진다.
④ 근육 원섬유 마디의 길이가 짧아진다.
⑤ 액틴 필라멘트가 마이오신 필라멘트 사이로 미끄러져 들어간다.

10 그림은 근육의 수축, 이완 과정에서 일어나는 근육 원섬유 마디의 변화를 나타낸 것이다. (가)와 (나)는 각각 마이오신 필라멘트와 액틴 필라멘트 중 하나이다.

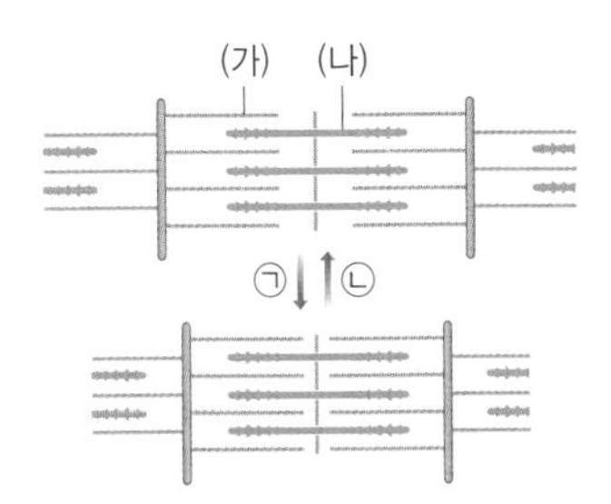

이에 대한 설명으로 옳은 것은?

① ㉠은 근육이 이완하는 과정이다.
② ㉠일 때 (가)와 (나)의 길이가 모두 짧아진다.
③ ㉠일 때 A대의 길이가 길어진다.
④ ㉡일 때 H대의 길이가 짧아진다.
⑤ ㉡일 때 (가)와 (나)가 겹치는 부분의 길이가 짧아진다.

11 그림은 팔을 구부리는 과정을 나타낸 것이다.

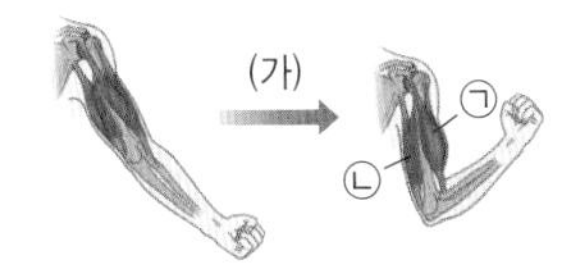

과정 (가)에서 나타나는 현상으로 옳지 않은 것은?

① ㉠에서 ATP가 소모된다.
② ㉠에서 근육 원섬유 마디의 길이가 짧아진다.
③ ㉠에서 I대의 길이가 짧아진다.
④ ㉡에서 H대의 길이가 짧아진다.
⑤ ㉡에서 A대의 길이가 변하지 않는다.

도전! 실력 올리기

01 표는 근육 (가)~(다)의 구조와 특징을 나타낸 것이다. (가)~(다)는 심장근, 내장근, 골격근을 순서 없이 나타낸 것이다.

구분	(가)	(나)	(다)
구조			
가로무늬	㉠	㉡	없음
연결된 신경	체성 신경	?	㉢

이에 대한 설명으로 옳은 것만을 〈보기〉에서 있는 대로 고른 것은?

보기
ㄱ. (가)는 내장근이다.
ㄴ. ㉠과 ㉡은 모두 '있음'이다.
ㄷ. ㉢은 자율 신경이다.

① ㄱ ② ㄷ ③ ㄱ, ㄴ
④ ㄴ, ㄷ ⑤ ㄱ, ㄴ, ㄷ

02 그림은 골격근의 구조를 나타낸 것이다.

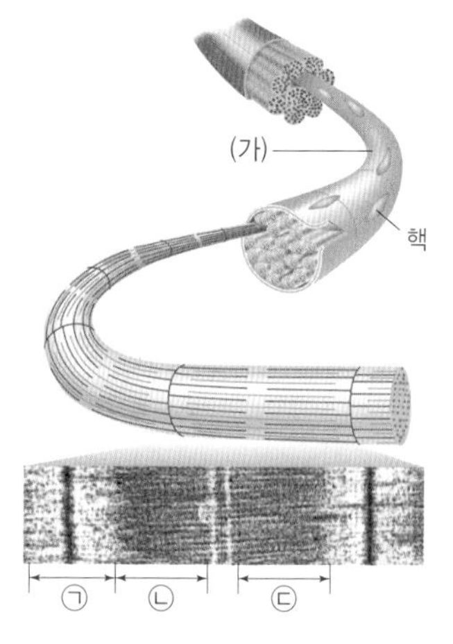

이에 대한 설명으로 옳은 것만을 〈보기〉에서 있는 대로 고른 것은?

보기
ㄱ. (가)에는 여러 개의 핵이 있다.
ㄴ. ㉠에는 마이오신 필라멘트가 있다.
ㄷ. A대는 ㉡+㉢이다.

① ㄱ ② ㄴ ③ ㄱ, ㄴ
④ ㄱ, ㄷ ⑤ ㄴ, ㄷ

출제예감

03 그림 (가)는 근육 원섬유 마디 X를, (나)는 X의 서로 다른 세 지점 ㉠~㉢을 ⓐ 방향으로 자른 단면 A~C를 순서 없이 나타낸 것이다. a와 b는 각각 마이오신 필라멘트와 액틴 필라멘트 중 하나이다.

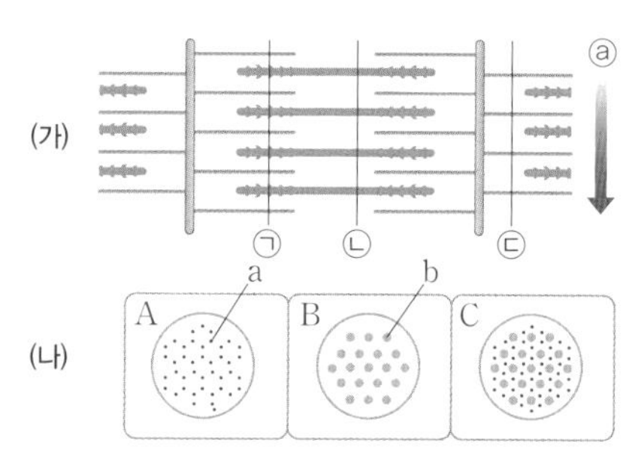

이에 대한 설명으로 옳은 것만을 〈보기〉에서 있는 대로 고른 것은?

보기
ㄱ. A는 ㉡을 자른 단면이다.
ㄴ. a는 액틴 필라멘트, b는 마이오신 필라멘트이다.
ㄷ. X의 길이가 짧아질 때 B와 같은 단면을 갖는 부분의 길이는 짧아진다.

① ㄱ ② ㄴ ③ ㄱ, ㄴ
④ ㄱ, ㄷ ⑤ ㄴ, ㄷ

04 그림은 뉴런 A와 골격근의 근육 섬유가 접해 있는 모습을 나타낸 것이다. B는 근육 수축의 기본 단위이다.

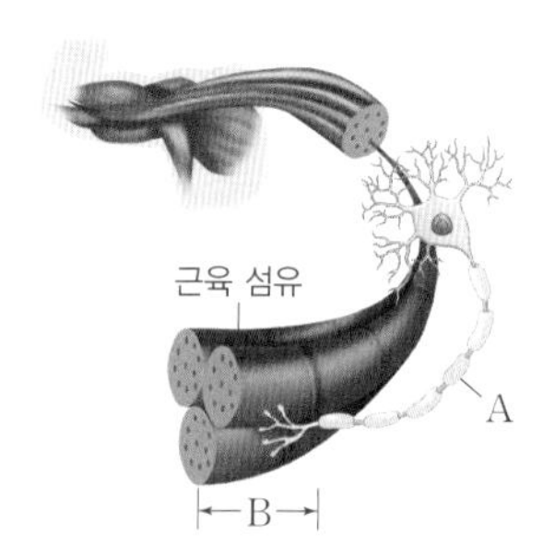

이에 대한 설명으로 옳은 것만을 〈보기〉에서 있는 대로 고른 것은?

보기
ㄱ. A는 체성 운동 신경이다.
ㄴ. A가 흥분하면 근육 섬유의 세포막이 탈분극된다.
ㄷ. A의 말단에서 분비되는 신경 전달 물질에 의해 B의 길이가 짧아진다.

① ㄱ ② ㄷ ③ ㄱ, ㄴ
④ ㄴ, ㄷ ⑤ ㄱ, ㄴ, ㄷ

정답과 해설 31쪽

05 그림은 팔을 구부렸을 때 골격근을 구성하는 근육 원섬유의 구조를 나타낸 것이다.

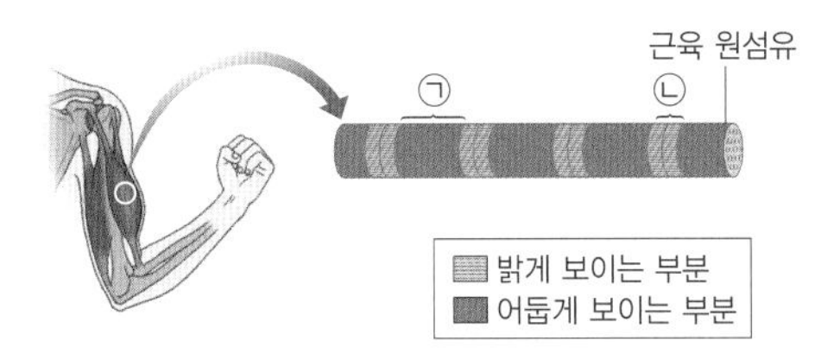

이에 대한 설명으로 옳은 것만을 ⟨보기⟩에서 있는 대로 고른 것은?

보기
ㄱ. ㉠에는 Z선이 있다.
ㄴ. 팔을 구부릴 때 ㉠+㉡의 길이는 줄어든다.
ㄷ. 팔을 펼 때 ㉠의 길이는 증가한다.

① ㄱ ② ㄴ ③ ㄱ, ㄴ
④ ㄱ, ㄷ ⑤ ㄴ, ㄷ

출제예감

06 그림은 근육 원섬유 마디 X의 구조를, 표는 골격근의 수축 과정의 두 시점 t_1과 t_2에서 ㉠과 ㉡의 길이를 나타낸 것이다. ㉠과 ㉡은 각각 H대와 A대 중 하나이다.

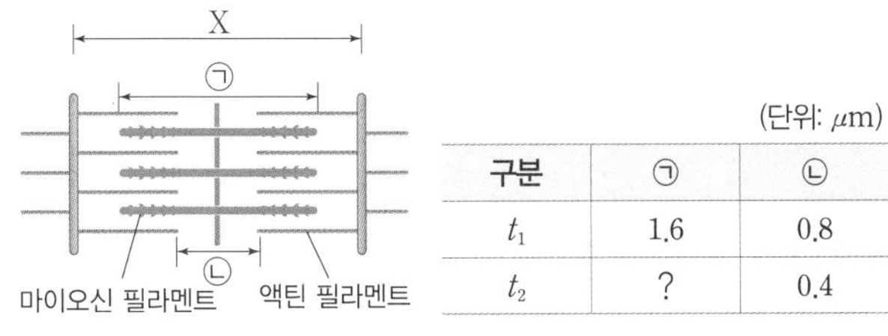

(단위: μm)

구분	㉠	㉡
t_1	1.6	0.8
t_2	?	0.4

이에 대한 설명으로 옳은 것만을 ⟨보기⟩에서 있는 대로 고른 것은?

보기
ㄱ. t_1에서 t_2가 될 때 ATP가 소모된다.
ㄴ. t_2일 때 ㉠의 길이는 1.6 μm이다.
ㄷ. X의 길이는 t_1일 때가 t_2일 때보다 짧다.

① ㄱ ② ㄴ ③ ㄱ, ㄴ
④ ㄱ, ㄷ ⑤ ㄴ, ㄷ

서술형

07 그림은 활주설에 의한 골격근 수축 과정의 일부를 나타낸 것이다.

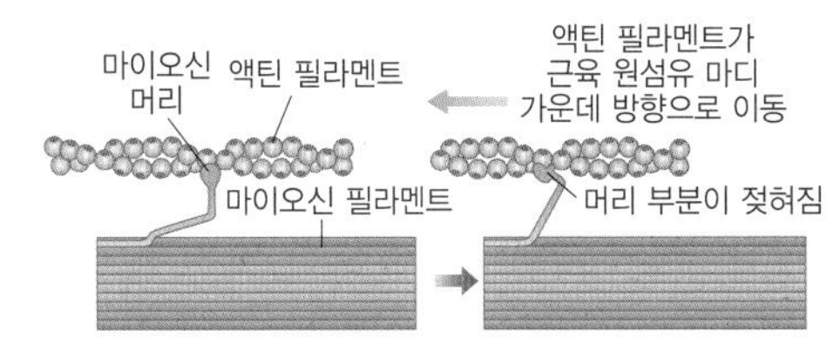

이를 바탕으로 골격근이 수축하는 원리를 서술하시오.

[08~09] 그림은 전자 현미경으로 관찰한 어떤 골격근을 구성하는 근육 원섬유 마디 X의 구조를 나타낸 것이다.

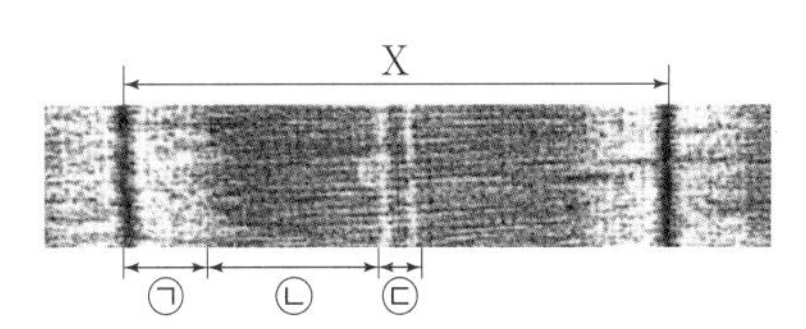

서술형

08 X가 수축할 때 ㉠, ㉡, ㉢의 길이 변화를 각각 서술하시오.

서술형

09 ㉠보다 ㉡이 어둡게 보이는 까닭을 서술하시오.

흥분 전도

대표 유형

출제 의도

뉴런에 역치 이상의 자극을 주었을 때 발생하는 막전위 변화 그래프를 해석하는 문제이다.

역치 미만의 자극을 주면 활동 전위가 발생하지 않는다.

그림 (가)는 어떤 뉴런에 역치 이상의 자극을 주었을 때 이 뉴런의 축삭 돌기 한 지점에서 측정한 막전위 변화를, (나)는 t_1일 때 이 지점에서 Na^+ 통로를 통한 Na^+의 확산을 나타낸 것이다. ㉠과 ㉡은 각각 세포 안과 세포 밖 중 하나이다.

탈분극일 때

Na^+은 Na^+ 통로를 통해 세포 밖에서 안으로 유입된다.

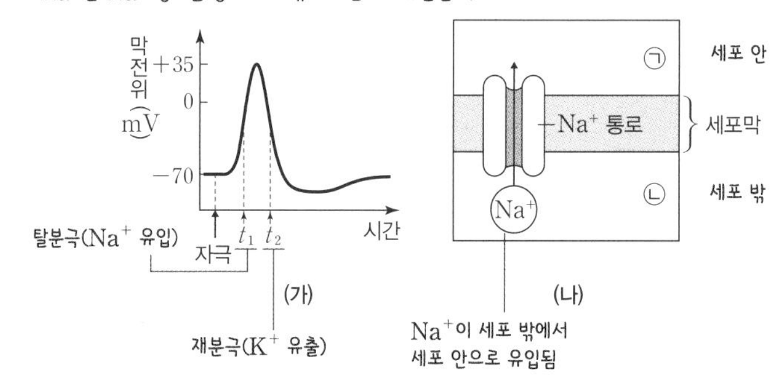

이것이 함정

Na^+ 통로를 통해 Na^+은 세포막의 바깥쪽에서 안쪽으로 유입된다. (나)에서 Na^+의 이동 방향을 통해 세포막의 바깥쪽과 안쪽을 알 수 있어야 한다.

이에 대한 설명으로 옳은 것만을 〈보기〉에서 있는 대로 고른 것은?

보기

ㄱ. Na^+의 막 투과도는 t_1일 때가 t_2일 때보다 크다. (탈분극 / 재분극) — Na^+의 막 투과도는 탈분극일 때가 재분극일 때보다 크다.

ㄴ. t_2일 때 K^+은 K^+ 통로를 통해 ㉠에서 ㉡으로 확산된다. (재분극) — K^+은 K^+ 통로를 통해 세포 안에서 세포 밖으로 확산된다.

ㄷ. t_2일 때 이온의 $\frac{㉡에서의\ 농도}{㉠에서의\ 농도}$는 K^+이 Na^+보다 크다. (재분극) — Na^+의 농도는 항상 세포 밖이 세포 안보다 높다. K^+의 농도는 항상 세포 안이 세포 밖보다 높다.

① ㄱ ② ㄷ ③ ㄱ, ㄴ ④ ㄴ, ㄷ ⑤ ㄱ, ㄴ, ㄷ

그림에서 경향성 찾기

그림 (가)에서 t_1일 때와 t_2일 때가 각각 탈분극과 재분극 중 어떤 상태인지 파악한다.

>>> t_1일 때는 탈분극, t_2일 때는 재분극 상태이므로 이때 이온이 각각 어느 방향으로 이동하는지 파악한다.

>>> 그림 (나)에서 Na^+은 Na^+ 통로를 통해 세포 밖에서 안으로 이동하는 것을 보고 ㉠은 세포 안, ㉡은 세포 밖임을 파악한다.

>>> 세포 밖은 Na^+의 농도가 K^+의 농도보다 높고, 세포 안은 K^+의 농도가 Na^+의 농도보다 높다는 것으로 보기를 해결한다.

추가 선택지

• K^+의 막 투과도는 t_2일 때가 t_1일 때보다 크다. (○)
⋯→ t_1일 때는 탈분극 상태, t_2일 때는 재분극 상태이므로 K^+의 막 투과도는 t_2일 때가 t_1일 때보다 크다.

• Na^+-K^+ 펌프를 통해 Na^+은 ㉠에서 ㉡으로 능동 수송된다. (○)
⋯→ Na^+-K^+ 펌프를 통해 Na^+은 세포 안에서 세포 밖으로 능동 수송된다.

실전! 수능 도전하기

정답과 해설 32쪽

수능 기출

01 다음은 신경 A와 B의 흥분 전도에 대한 자료이다.

- 그림은 민말이집 신경 A와 B의 d_1 지점으로부터 $d_2 \sim d_4$까지의 거리를, 표는 A와 B의 d_1 지점에 역치 이상의 자극을 동시에 1회 주고 일정 시간이 지난 후 t_1일 때 네 지점 $d_1 \sim d_4$에서 측정한 막전위를 나타낸 것이다. Ⅰ~Ⅲ은 각각 $d_1 \sim d_3$에서 측정한 막전위 중 하나이고, Ⅳ는 d_4에서 측정한 막전위이다.

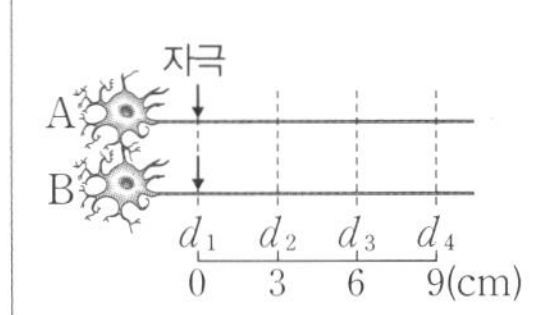

신경	t_1일 때 측정한 막전위(mV)			
	Ⅰ	Ⅱ	Ⅲ	Ⅳ
A	−55	−80	+30	−65
B	−20	−80	−10	㉠

- A와 B에서 흥분의 전도 속도는 각각 2 cm/ms, 3 cm/ms이다.
- A와 B의 $d_1 \sim d_4$에서 활동 전위가 발생하였을 때, 각 지점에서의 막전위 변화는 그림과 같다.

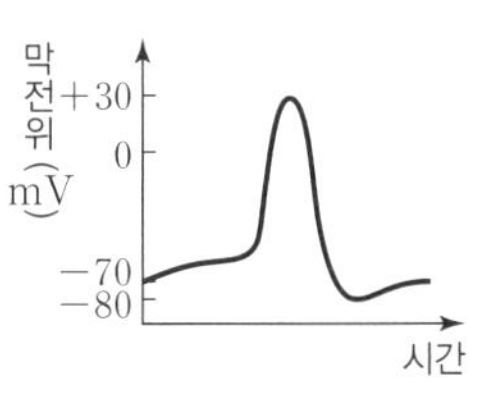

이에 대한 설명으로 옳은 것만을 〈보기〉에서 있는 대로 고른 것은? (단, A와 B에서 흥분의 전도는 각각 1회 일어났고, 휴지 전위는 −70 mV이다.)

보기
ㄱ. Ⅲ은 d_2에서 측정한 막전위이다.
ㄴ. t_1일 때, A의 d_3에서의 막전위와 ㉠은 같다.
ㄷ. t_1일 때, B의 d_3에서 Na^+이 세포 안으로 유입된다.

① ㄱ ② ㄷ ③ ㄱ, ㄴ ④ ㄴ, ㄷ ⑤ ㄱ, ㄴ, ㄷ

02 그림 (가)는 운동 신경 X에 역치 이상의 자극을 주었을 때 X의 축삭 돌기 한 지점 P에서 측정한 막전위 변화를, (나)는 P에서 발생한 흥분이 X의 축삭 돌기 말단 방향 각 지점에 도달하는 데 경과된 시간을 P로부터의 거리에 따라 나타낸 것이다. Ⅰ과 Ⅱ는 X의 축삭 돌기에서 말이집으로 싸여 있는 부분과 말이집으로 싸여 있지 않은 부분을 순서 없이 나타낸 것이다.

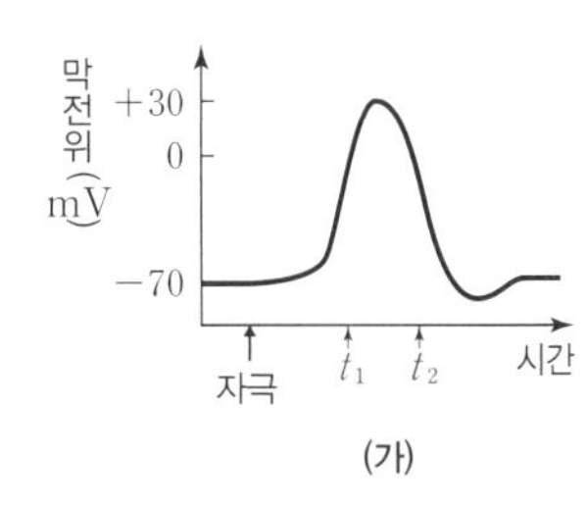

(가)

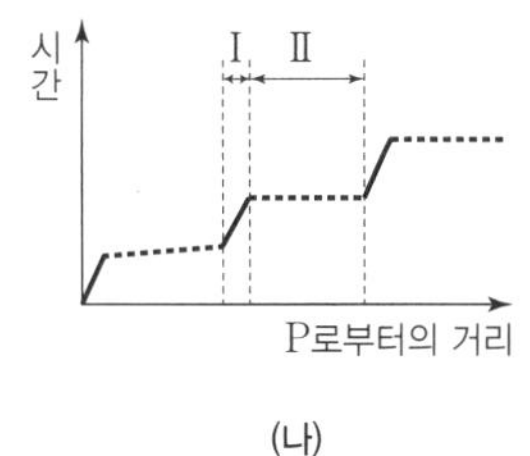

(나)

이에 대한 설명으로 옳은 것만을 〈보기〉에서 있는 대로 고른 것은? (단, 흥분의 전도는 1회 일어났다.)

보기
ㄱ. X는 도약전도를 한다.
ㄴ. K^+의 막 투과도는 t_1일 때보다 t_2일 때가 크다.
ㄷ. Ⅰ은 말이집으로 싸여 있는 부분이다.

① ㄴ ② ㄷ ③ ㄱ, ㄴ ④ ㄱ, ㄷ ⑤ ㄱ, ㄴ, ㄷ

03 그림 (가)는 어떤 뉴런에 역치 이상의 자극을 주었을 때 시간에 따른 막전위를, (나)는 이 뉴런에 물질 X를 처리하고 역치 이상의 자극을 주었을 때 시간에 따른 막전위를 나타낸 것이다. X는 세포막에 있는 이온 통로를 통한 Na^+과 K^+의 이동 중 하나를 억제한다.

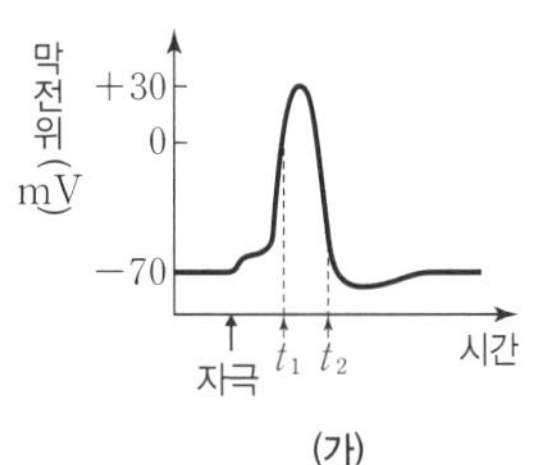

(가)

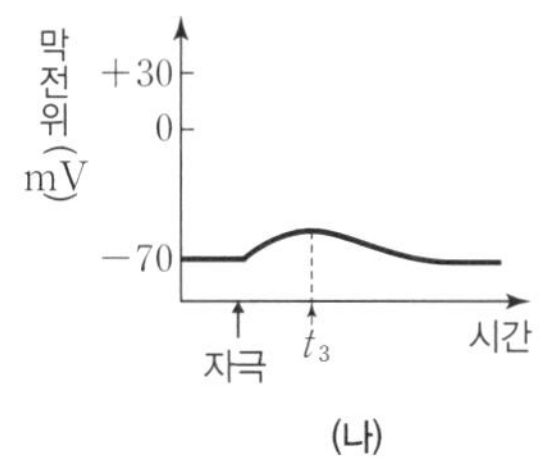

(나)

이에 대한 설명으로 옳은 것만을 〈보기〉에서 있는 대로 고른 것은?

보기
ㄱ. X는 Na^+의 이동을 억제한다.
ㄴ. Na^+의 막 투과도는 t_1일 때가 t_2일 때보다 크다.
ㄷ. t_3일 때 K^+의 농도는 세포 안이 세포 밖보다 높다.

① ㄱ ② ㄴ ③ ㄱ, ㄴ ④ ㄱ, ㄷ ⑤ ㄱ, ㄴ, ㄷ

04 그림 (가)는 어떤 뉴런에 역치 이상의 자극을 주었을 때, 이 뉴런 세포막의 한 지점에서 이온 ㉠과 ㉡의 막 투과도 변화를, (나)는 t_2일 때 X에서 K^+ 통로를 통한 K^+의 이동을 나타낸 것이다. ㉠과 ㉡은 각각 Na^+과 K^+ 중 하나이다.

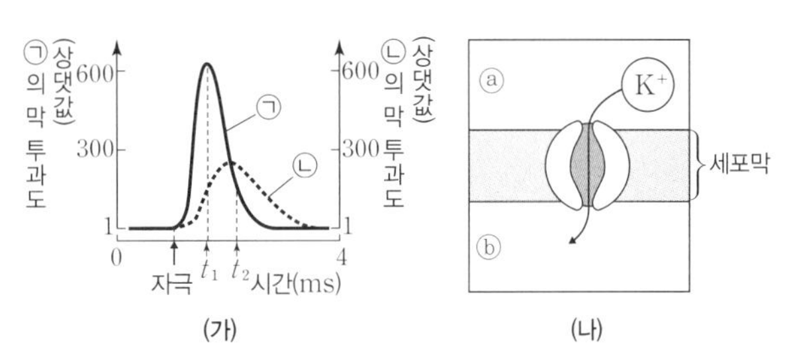

(가) (나)

이에 대한 설명으로 옳은 것만을 <보기>에서 있는 대로 고른 것은?

보기
ㄱ. t_1일 때 Na^+은 Na^+ 통로를 통해 ⓑ에서 ⓐ로 이동한다.
ㄴ. t_2일 때 K^+의 농도는 ⓐ에서가 ⓑ에서보다 높다.
ㄷ. $\frac{Na^+\text{의 막 투과도}}{K^+\text{의 막 투과도}}$는 t_1일 때보다 t_2일 때가 크다.

① ㄱ ② ㄴ ③ ㄱ, ㄴ ④ ㄱ, ㄷ ⑤ ㄴ, ㄷ

05 그림은 민말이집 신경 A와 B를, 표는 A와 B의 P 지점에 역치 이상의 자극을 동시에 1회 주고 일정 시간이 지난 후 t_1일 때 세 지점 Q_1~Q_3에서 측정한 막전위를 나타낸 것이다. Ⅰ~Ⅲ은 각각 Q_1~Q_3에서 측정한 막전위 중 하나이다. 흥분의 전도 속도는 A보다 B에서 빠르다.

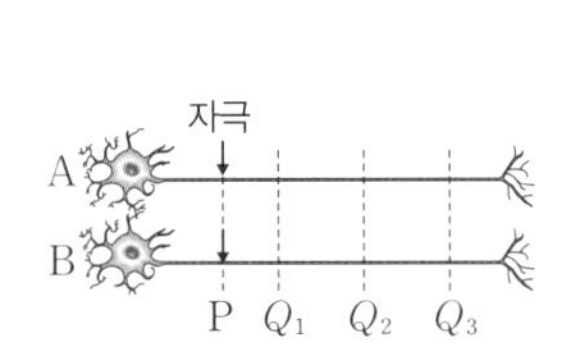

신경	t_1일 때 측정한 막전위 (mV)		
	Ⅰ	Ⅱ	Ⅲ
A	+30	−54	−60
B	−44	−80	+2

이에 대한 설명으로 옳은 것만을 <보기>에서 있는 대로 고른 것은? (단, A와 B에서 흥분의 전도는 각각 1회 일어났고, 휴지 전위는 −70 mV이다.)

보기
ㄱ. Ⅰ은 Q_1에서 측정한 막전위이다.
ㄴ. t_1일 때 B의 Q_2에서 재분극이 일어나고 있다.
ㄷ. t_1일 때 A의 Q_3에서 Na^+이 Na^+ 통로를 통해 확산된다.

① ㄱ ② ㄴ ③ ㄱ, ㄴ ④ ㄱ, ㄷ ⑤ ㄴ, ㄷ

06 그림 (가)는 신경 A~C를, (나)는 (가)의 P 지점에 역치 이상의 자극을 동시에 1회씩 준 후, Q 지점에서의 막전위를 나타낸 것이다. (나)의 Ⅰ~Ⅲ은 각각 A~C의 막전위 중 하나이다. t_1과 t_2는 Ⅰ~Ⅲ에서 같은 시점을 나타낸다.

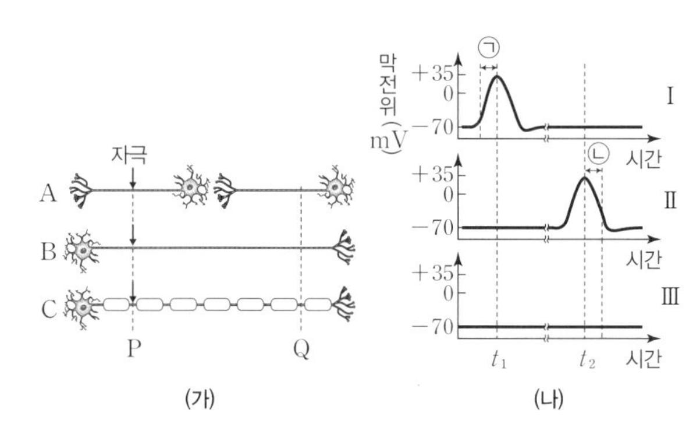

(가) (나)

이에 대한 설명으로 옳은 것만을 <보기>에서 있는 대로 고른 것은?

보기
ㄱ. Ⅰ은 C의 막전위, Ⅱ는 B의 막전위이다.
ㄴ. ㉠에서 $\frac{K^+\text{의 막 투과도}}{Na^+\text{의 막 투과도}}$는 1보다 크다.
ㄷ. ㉡에서 K^+은 K^+ 통로를 통해 세포 밖으로 능동 수송된다.

① ㄱ ② ㄴ ③ ㄷ ④ ㄱ, ㄴ ⑤ ㄱ, ㄷ

수능 기출

07 그림은 중추 신경계의 구조를 나타낸 것이다. A~E는 각각 간뇌, 대뇌, 연수, 중간뇌(중뇌), 척수 중 하나이다.

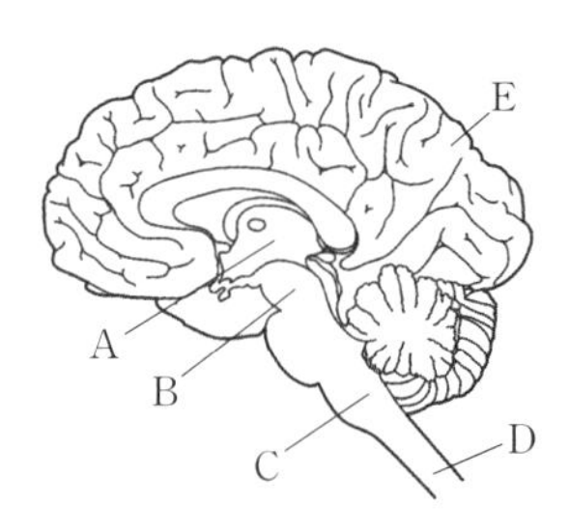

이에 대한 설명으로 옳지 않은 것은?

① A에는 시상이 존재한다.
② B는 동공 반사의 중추이다.
③ C는 뇌줄기에 속한다.
④ D에서 나온 운동 신경 다발이 후근을 이룬다.
⑤ E의 겉질에 신경 세포체가 존재한다.

08 표 (가)는 중추 신경계를 구성하는 구조 A~C에서 특징 ㉠~㉢의 유무를, (나)는 ㉠~㉢을 순서 없이 나타낸 것이다. A~C는 각각 중간뇌, 연수, 척수 중 하나이다.

구분	㉠	㉡	㉢
A	○	○	×
B	×	×	○
C	○	ⓐ	×

(○: 있음, ×: 없음)

(가)

특징(㉠~㉢)
• 심장 박동 조절 중추이다.
• 뇌줄기를 구성한다.
• 무릎 반사의 중추이다.

(나)

이에 대한 설명으로 옳은 것만을 〈보기〉에서 있는 대로 고른 것은?

보기
ㄱ. ㉠은 '심장 박동 조절 중추이다.'이다.
ㄴ. A는 침 분비 반사 중추이다.
ㄷ. ⓐ는 '×'이다.

① ㄱ ② ㄷ ③ ㄱ, ㄴ
④ ㄱ, ㄷ ⑤ ㄴ, ㄷ

수능 기출

09 그림은 중추 신경계로부터 말초 신경을 통해 심장과 다리 골격근에 연결된 경로를 나타낸 것이다.

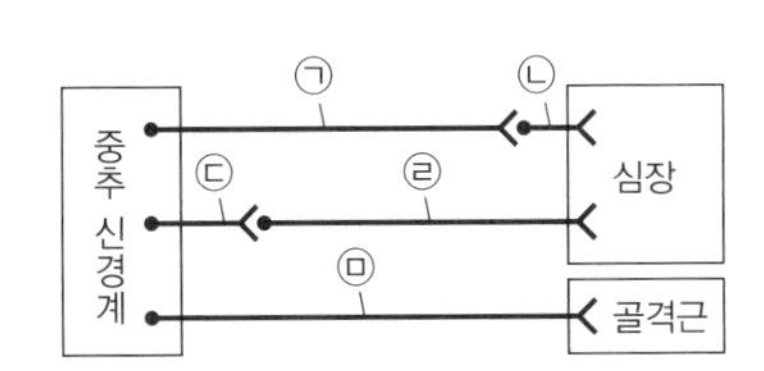

이에 대한 설명으로 옳은 것만을 〈보기〉에서 있는 대로 고른 것은?

보기
ㄱ. ㉠의 신경 세포체는 연수에 있다.
ㄴ. ㉡과 ㉢의 말단에서 분비되는 신경 전달 물질은 같다.
ㄷ. ㉤은 후근을 통해 나온다.

① ㄱ ② ㄴ ③ ㄷ
④ ㄱ, ㄴ ⑤ ㄴ, ㄷ

10 그림은 자극에 의한 반사가 일어나 근육 ⓐ가 수축할 때 흥분 전달 경로를 나타낸 것이다.

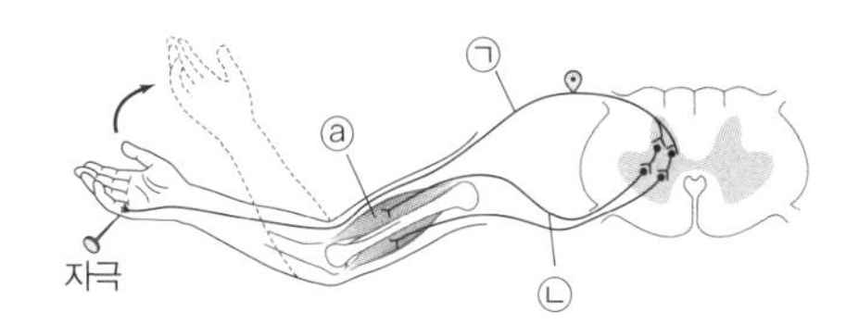

이에 대한 설명으로 옳은 것만을 〈보기〉에서 있는 대로 고른 것은?

보기
ㄱ. ㉠은 중추 신경계를 이룬다.
ㄴ. ㉡은 체성 신경계에 속한다.
ㄷ. ⓐ의 근육 원섬유 마디에서 $\frac{\text{H대의 길이}}{\text{A대의 길이}}$는 작아진다.

① ㄱ ② ㄷ ③ ㄱ, ㄴ
④ ㄴ, ㄷ ⑤ ㄱ, ㄴ, ㄷ

11 그림 (가)는 근육 원섬유 마디 X가 이완된 상태를, (나)의 A~C는 서로 다른 세 지점에서 ⓐ 방향으로 자른 단면을 나타낸 것이다. ㉠과 ㉡은 각각 액틴 필라멘트와 마이오신 필라멘트 중 하나이다.

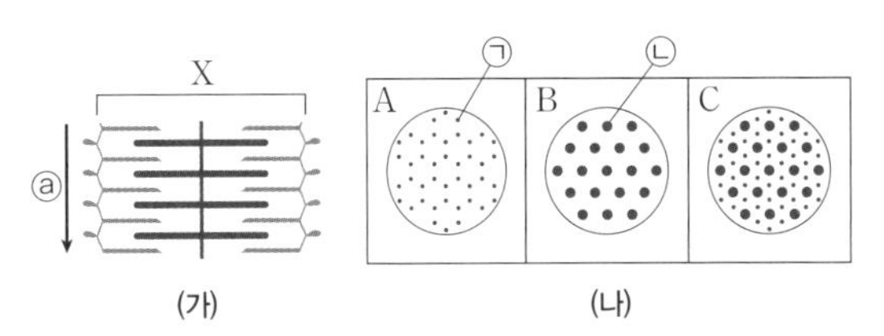

(가) (나)

이에 대한 설명으로 옳은 것만을 〈보기〉에서 있는 대로 고른 것은?

보기
ㄱ. ㉡은 마이오신 필라멘트이다.
ㄴ. A는 H대의 단면이다.
ㄷ. X의 $\frac{\text{마이오신 필라멘트의 길이}}{\text{액틴 필라멘트의 길이}}$는 (가)에서보다 X가 수축된 상태에서 작다.

① ㄱ ② ㄴ ③ ㄷ
④ ㄱ, ㄴ ⑤ ㄴ, ㄷ

실전! 수능 도전하기

정답과 해설 32쪽

수능 기출

12 다음은 골격근의 구성과 수축 과정에 대한 자료이다.

- 골격근은 근육 섬유 다발로 구성되고, 하나의 근육 섬유는 여러 개의 근육 원섬유를 가지고 있다.
- 표는 골격근 수축 과정의 두 시점 ⓐ와 ⓑ에서 근육 원섬유 마디 X의 길이를, 그림은 ⓑ일 때 X의 구조를 나타낸 것이다. X는 좌우 대칭이다.

구분	길이(μm)
ⓐ	2.4
ⓑ	3.2

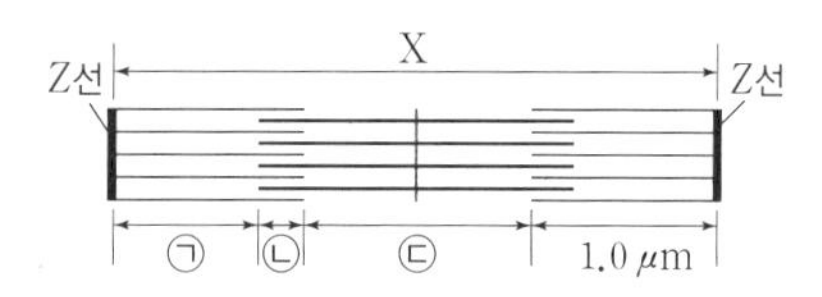

- 구간 ㉠은 액틴 필라멘트만 있는 부분이고, ㉡은 액틴 필라멘트와 마이오신 필라멘트가 겹치는 부분이며, ㉢은 마이오신 필라멘트만 있는 부분이다.
- ⓑ일 때 A대의 길이는 1.6 μm이다.

이에 대한 설명으로 옳은 것만을 〈보기〉에서 있는 대로 고른 것은?

보기

ㄱ. 근육 원섬유는 동물의 구성 단계 중 세포 단계이다.

ㄴ. ⓐ일 때 H대의 길이는 0.4 μm이다.

ㄷ. $\frac{㉡의\ 길이}{㉠의\ 길이+㉢의\ 길이}$는 ⓑ일 때보다 ⓐ일 때가 작다.

① ㄱ ② ㄴ ③ ㄱ, ㄴ ④ ㄱ, ㄷ ⑤ ㄴ, ㄷ

13 다음은 골격근의 근육 원섬유 마디 X에 대한 자료이다.

- 표는 골격근 수축 과정의 두 시점 t_1과 t_2에서 근육 원섬유 마디 X와 A대의 길이를, 그림은 t_1일 때 X의 구조를 전자 현미경으로 관찰한 것을 나타낸 것이다. X는 좌우 대칭이다.

시점	길이(μm)	
	X	A대
t_1	2.2	1.6
t_2	2.4	?

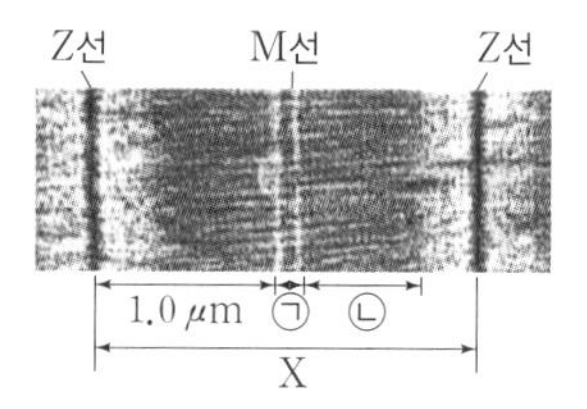

- X에서 구간 ㉠은 마이오신 필라멘트만 있는 부분이고, ㉡은 액틴 필라멘트와 마이오신 필라멘트가 겹치는 부분이다.

이에 대한 설명으로 옳은 것만을 〈보기〉에서 있는 대로 고른 것은?

보기

ㄱ. t_2에서 t_1으로 될 때 ATP가 소모된다.

ㄴ. t_1일 때 ㉡의 길이는 0.7 μm이다.

ㄷ. t_2일 때 $\frac{㉠의\ 길이+㉡의\ 길이}{A대의\ 길이}$는 $\frac{1}{2}$보다 크다.

① ㄱ ② ㄴ ③ ㄱ, ㄴ ④ ㄱ, ㄷ ⑤ ㄱ, ㄴ, ㄷ

2 호르몬과 항상성

배울 내용 살펴보기

01 호르몬

A 호르몬

B 사람의 내분비샘과 호르몬

사람의 몸속에 존재하는 내분비샘에서 생성된 호르몬은 혈액에 의해 운반되어 표적 세포나 기관에 작용해 여러 가지 생리 작용을 조절하지.

02 항상성 유지

A 항상성 조절 원리

B 체온 조절

C 혈당량 조절

D 혈장 삼투압 조절

환경 변화에 대해 몸의 내부 환경을 정상 범위로 유지하는 특성인 항상성은 대부분 음성 피드백으로 조절되고, 대표적으로 체온 조절과 혈당량 조절, 혈장 삼투압 조절이 있어.

01 호르몬

핵심 키워드로 흐름잡기

A 호르몬, 내분비샘, 표적 기관

B 시상 하부, 뇌하수체 전엽, 뇌하수체 후엽, 갑상샘, 이자, 부신, 정소, 난소

A 호르몬

|출·제·단·서| 시험에는 호르몬의 특성을 신경과 비교해서 묻는 문제가 나와.

1. 호르몬의 특성 항상성 유지 역할을 한다.

(1) 내분비샘❶에서 생성되어 특정 조직이나 기관의 생리 작용을 조절하는 화학 물질이다.

(2) 혈액에 의해 운반되어 호르몬 수용체를 가진 표적 세포나 •표적 기관에만 작용한다.

(3) 넓은 범위에 걸쳐 지속적인 조절 작용이 일어난다.

(4) 생장을 유도하고 물질대사에 영향을 주며, 체내외의 환경 변화에 맞추어 분비 시기와 양이 조절된다. 항상성, 생식, 발생, 생장에 중요한 역할을 한다.

(5) 미량으로 여러 가지 생리 작용을 조절하고, 많으면 과다증이, 부족하면 결핍증이 나타난다.

(6) 척추동물의 경우 종 특이성이 없어서 다른 종에서도 같은 작용을 하는 경우가 있다.

빈출 자료 호르몬의 분비와 작용

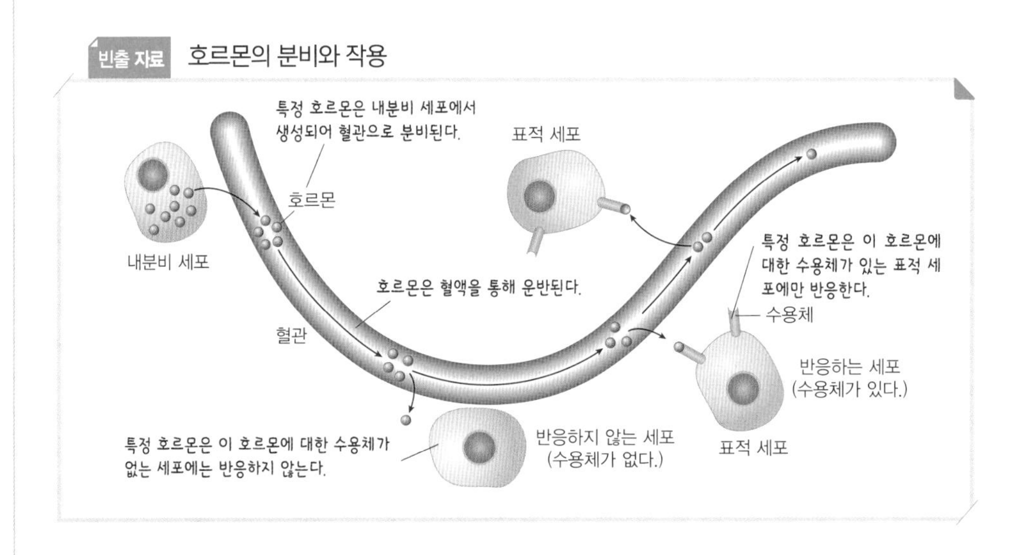

❶ 내분비샘과 외분비샘

- 내분비샘: 호르몬을 분비하는 분비샘으로 분비관이 따로 없어서 호르몬을 혈액으로 분비한다.

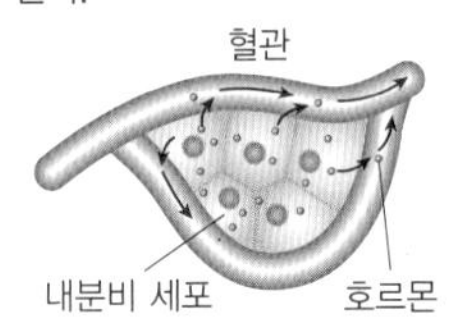

예) 뇌하수체, 갑상샘, 부신 등

- 외분비샘: 몸 표면이나 소화관으로 물질을 분비하는 분비샘으로 분비관이 따로 있다.

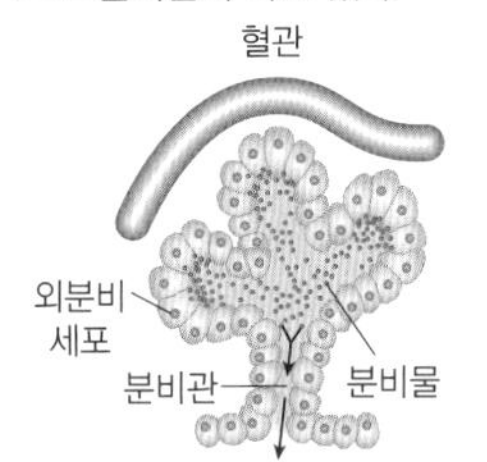

예) 땀샘, 침샘, 소화샘, 젖샘 등

호르몬과 신경은 서로 통합적으로 작용함으로써 항상성이 유지된다.

2. 호르몬과 신경의 비교

(1) 호르몬은 혈액(체액)을 통해 전달되며, 넓은 범위에서 느리지만 지속적인 효과를 나타낸다.

(2) 신경은 뉴런을 통해 전달되며, 좁은 범위에서 신속한 효과를 나타낸다.

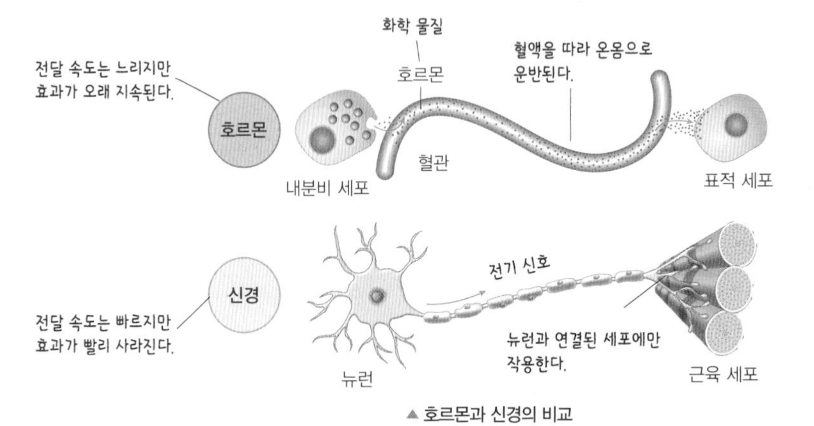

▲ 호르몬과 신경의 비교

용어 알기

•표적 기관(target organ) 특정 호르몬의 작용 대상이 되는 기관

B 사람의 내분비샘과 호르몬

|출·제·단·서| 시험에는 사람의 각 내분비샘에서 어떤 호르몬이 분비되는지 묻는 문제가 나와.

1. 사람의 내분비샘과 호르몬

(1) 혈액 속 호르몬의 농도는 내분비샘과 신경계 등에 의해 일정하게 유지된다.

(2) 내분비샘마다 분비하는 호르몬이 다르다.

(3) 호르몬의 분비를 조절하는 중추는 간뇌의 시상 하부❷이며, 시상 하부는 뇌하수체를 조절한다.

(4) 뇌하수체 전엽에서 분비되는 호르몬은 다양하여, 다른 내분비샘을 자극하는 것도 있다.

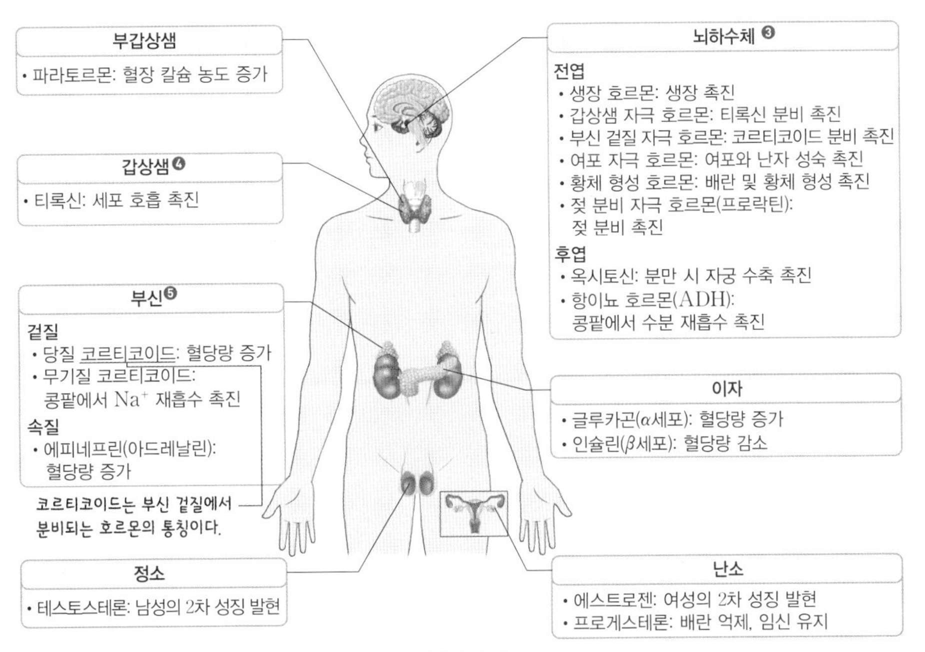

▲ 사람의 내분비샘과 호르몬

2. 호르몬 분비 이상에 의한 질환

호르몬	과다증/결핍증	질환	증상
생장 호르몬	과다	거인증	비정상적으로 키가 커짐 생장기에 성장판이 닫히기 전 생장 호르몬의 과다 분비에 의해 나타난다.
		말단 비대증	손, 발, 턱 등 몸의 말단 부위가 비정상적으로 커짐 생장기 이후 성장판이 닫힌 후 생장 호르몬의 과다 분비에 의해 나타난다.
	결핍	소인증(난쟁이증)	발육이 지체되어 표준보다 키가 훨씬 작음
티록신	과다	갑상샘 기능 항진증	갑상샘 비대, 더위에 약함, 땀이 많이 남, 체온 상승, 체중 감소, 안구 돌출 등
	결핍	갑상샘 기능 저하증	갑상샘 비대, 추위에 약함, 체중 증가 등 어린이의 경우 생장이 잘 일어나지 못하고 지능이 저하된다.
인슐린	결핍	•당뇨병	혈당량이 높아 오줌으로 다량의 포도당이 빠져나옴 갈증을 느껴 물을 자주 마시고, 오줌이 자주 마려우며, 식욕을 많이 느낀다.
항이뇨 호르몬	결핍	•요붕증	오줌의 양 증가, 탈수 증세
에피네프린, 노르에피네프린	과다	크롬 친화성 세포종	발작성 고혈압

❷ 시상 하부
시상 아래쪽에 있는 간뇌의 일부분으로, 혈당량, 체온, 삼투압 조절 등 항상성 유지의 최고 조절 중추이다.

❸ 뇌하수체 전엽과 후엽
- 뇌하수체 전엽: 다른 여러 내분비샘의 호르몬 분비를 조절하고, 젖 분비 자극 호르몬과 생장 호르몬을 분비한다.
- 뇌하수체 후엽: 시상 하부의 신경 분비 세포에서 만들어진 항이뇨 호르몬과 옥시토신을 저장하였다가 분비한다.

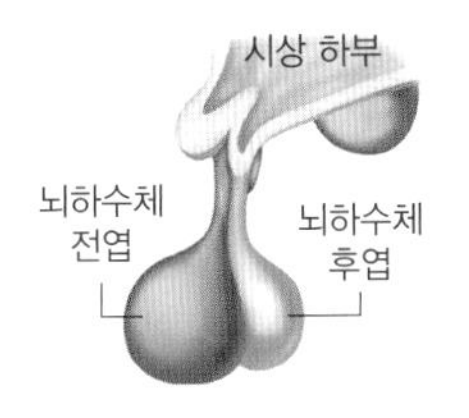

❹ 갑상샘과 부갑상샘
- 갑상샘: 기관에 나비 모양으로 붙어 있으며, 티록신과 칼시토닌을 분비한다.
- 부갑상샘: 갑상샘 뒤쪽에 4개의 콩알만한 크기의 부갑상샘이 부착되어 있으며, 파라토르몬이 분비된다.

❺ 부신
콩팥 위에 붙어 있으며, 겉질과 속질은 발생 기원이 다르고 분비하는 호르몬도 다르다.

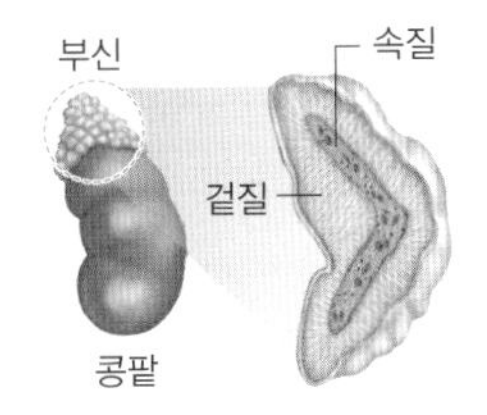

용어 알기
- 당뇨병(엿 糖, 오줌 尿, 병 病) 오줌에 당이 많이 섞여 나오는 병
- 요붕증(오줌 尿, 무너질 崩, 증세 症) 오줌이 지나치게 많이 나오는 병

콕콕! 개념 확인하기

정답과 해설 35쪽

✔ 잠깐 확인!

1. 호르몬은 □□□□에서 생성되어 □□에 의해 운반된다.

2. □□ □□
특정 호르몬의 작용 대상이 되는 기관

3. □□ □□
시상 아래쪽에 있는 간뇌의 일부분으로, 혈당량, 체온, 삼투압 조절 등 항상성 유지의 최고 조절 중추

4. 뇌하수체 □□
항이뇨 호르몬과 옥시토신을 분비하는 내분비샘

5. □□□
티록신을 분비하는 내분비샘

6. □□
글루카곤과 인슐린을 분비하는 내분비샘

7. □□□□□□
정소에서 분비되며, 남성의 2차 성징을 발현하는 호르몬

8. □□□□□
난소에서 분비되며 여성의 2차 성징을 발현하는 호르몬

9. 거인증은 몸의 생장을 촉진하는 □□ □□□이 과다 분비되어서 나타나는 질환이다.

10. □□□이 결핍되면 당뇨병이 나타날 수 있다.

A 호르몬

01 호르몬에 대한 설명 중 옳은 것은 ○, 옳지 않은 것은 ×로 표시하시오.

(1) 외분비샘에서 생성된다. ( )
(2) 호르몬 수용체가 있는 표적 세포나 표적 기관에만 작용한다. ( )
(3) 넓은 범위에 걸쳐 지속적인 조절 작용이 일어난다. ( )
(4) 체내외의 환경 변화와 상관없이 분비량이 일정하다. ( )
(5) 미량으로 여러 가지 생리 작용을 조절한다. ( )
(6) 많으면 과다증이, 부족하면 결핍증이 나타난다. ( )
(7) 척추동물 사이에서 종 특이성이 있다. ( )

02 표는 호르몬과 신경을 비교하여 나타낸 것이다. ㉠~㉥에 들어갈 알맞은 말을 쓰시오.

구분	호르몬	신경
정보 전달	화학 신호	주로 전기 신호
전달 매체	혈액	뉴런
전달 속도	(㉠)	(㉡)
작용 범위	(㉢)	(㉣)
효과의 지속성	(㉤)	(㉥)

B 사람의 내분비샘과 호르몬

03 그림은 사람의 내분비샘을 나타낸 것이다. 각 내분비샘의 명칭을 옳게 연결하시오.

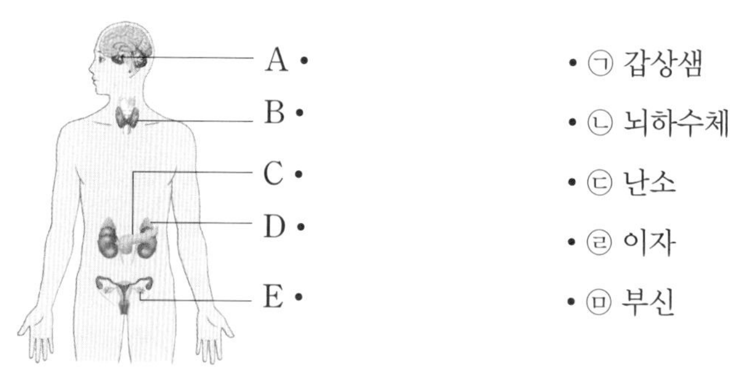

04 A~E에서 분비되는 호르몬을 각각 1가지만 쓰시오.

05 표는 호르몬 (가)~(라)의 분비 이상에 의한 질환을 나타낸 것이다.

관련 호르몬	(가)	(나)	(다)	(라)
질환	거인증	갑상샘 기능 항진증	당뇨병	요붕증

(가)~(라)에 해당하는 호르몬을 각각 쓰시오.

탄탄! 내신 다지기

정답과 해설 35쪽

A 호르몬

01 호르몬에 대한 설명으로 옳지 않은 것은?

① 내분비샘에서 분비된다.
② 미량으로 생리 작용을 조절한다.
③ 혈액을 통해 표적 기관에 작용한다.
④ 신경에 비해 일시적인 조절 작용이 일어난다.
⑤ 특정 조직이나 기관의 생리 작용을 조절한다.

02 그림은 기관 A에서 호르몬 X가 분비되어 표적 세포에 작용하는 과정을 나타낸 것이다.

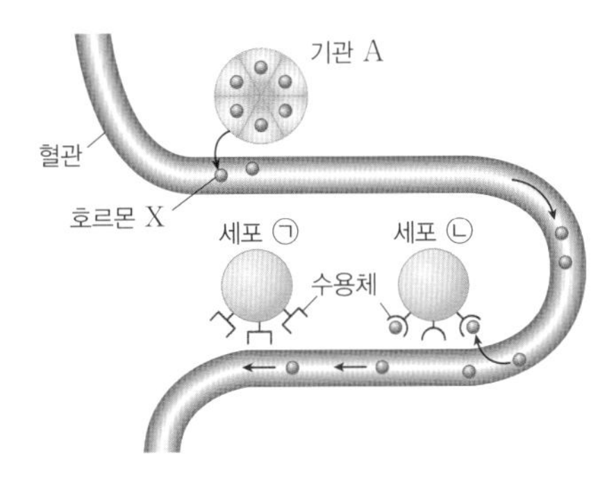

이에 대한 설명으로 옳지 않은 것은?

① 기관 A는 내분비샘이다.
② 호르몬 X는 혈관을 통해 운반된다.
③ 호르몬 X는 세포 ㉠에 작용하지 않는다.
④ 기관 A가 이자라면 호르몬 X는 티록신이다.
⑤ 세포 ㉡에는 호르몬 X에 대한 수용체가 있다.

단답형

03 그림은 항상성 유지에 관여하는 2가지 작용 방식을 나타낸 것이다. (가)와 (나)는 각각 신경과 호르몬에 의한 작용 방식 중 하나이다.

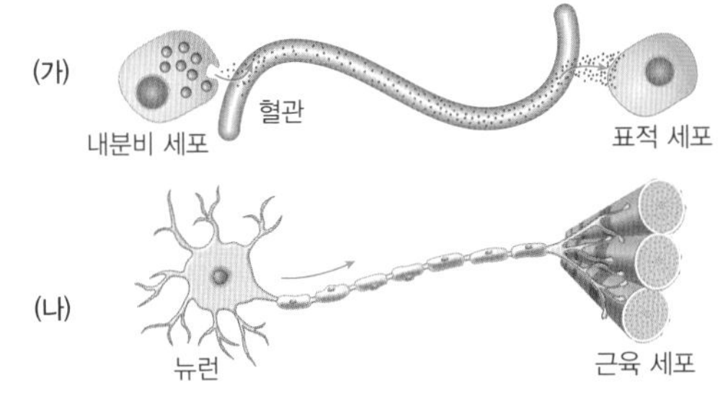

화학 물질이 정보를 전달하며 효과 지속 시간이 긴 작용 방식의 기호를 쓰시오.

[04~05] 그림은 두 종류의 분비샘 (가)와 (나)를 나타낸 것이다. (가)와 (나)는 각각 외분비샘과 내분비샘 중 하나이다.

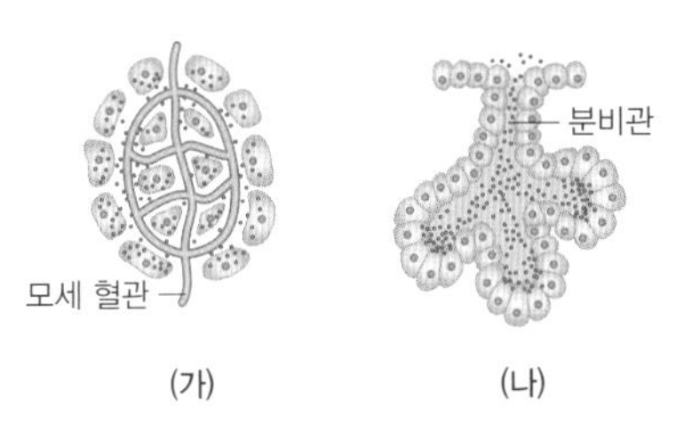

단답형

04 내분비샘과 외분비샘 중 (가)와 (나)에 각각 해당하는 것을 쓰시오.

05 이에 대한 설명으로 옳은 것만을 〈보기〉에서 있는 대로 고른 것은?

> 보기
> ㄱ. 갑상샘은 (가)에 해당한다.
> ㄴ. 땀샘은 (나)에 해당한다.
> ㄷ. (나)에서 호르몬이 분비된다.

① ㄱ ② ㄷ ③ ㄱ, ㄴ
④ ㄴ, ㄷ ⑤ ㄱ, ㄴ, ㄷ

B 사람의 내분비샘과 호르몬

06 그림은 사람의 내분비샘 A~C를 나타낸 것이다. A~C는 각각 갑상샘, 이자, 뇌하수체 전엽 중 하나이다.

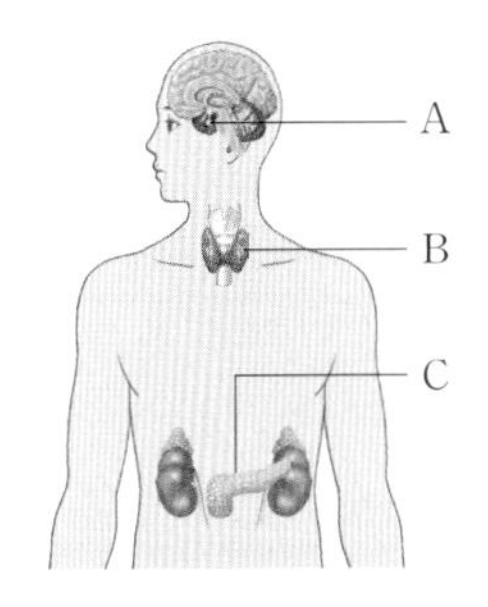

A~C에서 분비되는 호르몬을 옳게 짝 지은 것은?

	A	B	C
①	티록신	생장 호르몬	에피네프린
②	옥시토신	생장 호르몬	인슐린
③	생장 호르몬	티록신	인슐린
④	생장 호르몬	프로게스테론	글루카곤
⑤	항이뇨 호르몬	인슐린	글루카곤

정답과 해설 35쪽

07 내분비샘에 대한 설명으로 옳은 것만을 〈보기〉에서 있는 대로 고른 것은?

보기
ㄱ. 분비관이 있다.
ㄴ. 내분비샘의 호르몬 분비를 조절하는 중추는 간뇌의 시상 하부이다.
ㄷ. 뇌하수체 전엽에서는 다른 내분비샘의 분비를 조절하는 호르몬이 분비된다.

① ㄱ ② ㄷ ③ ㄱ, ㄴ
④ ㄴ, ㄷ ⑤ ㄱ, ㄴ, ㄷ

[08~10] 그림은 시상 하부와 뇌하수체를 나타낸 것이다. (가)는 (나)보다 많은 종류의 호르몬을 분비하며, (가)와 (나)는 각각 뇌하수체 전엽과 뇌하수체 후엽 중 하나이다.

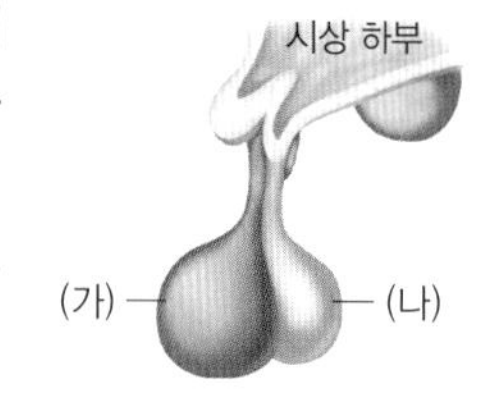

08 (가)에서 분비되는 호르몬으로 옳은 것만을 〈보기〉에서 있는 대로 고른 것은?

보기
ㄱ. 티록신
ㄴ. 생장 호르몬
ㄷ. 당질 코르티코이드
ㄹ. 갑상샘 자극 호르몬(TSH)

① ㄱ, ㄴ ② ㄱ, ㄷ ③ ㄴ, ㄷ
④ ㄴ, ㄹ ⑤ ㄷ, ㄹ

단답형

09 (나)에서 분비되는 호르몬 2가지를 쓰시오.

10 이에 대한 설명으로 옳은 것만을 〈보기〉에서 있는 대로 고른 것은?

보기
ㄱ. 시상 하부는 뇌하수체를 조절한다.
ㄴ. (가)에서 분비되는 호르몬 중에는 당질 코르티코이드의 분비를 조절하는 호르몬이 있다.
ㄷ. (나)는 뇌하수체 후엽이다.

① ㄱ ② ㄷ ③ ㄱ, ㄴ
④ ㄴ, ㄷ ⑤ ㄱ, ㄴ, ㄷ

[11~12] 표는 호르몬 (가)~(다)의 기능을 나타낸 것이다. (가)~(다)는 각각 티록신, 옥시토신, 에피네프린 중 하나이다.

호르몬	기능
(가)	분만 시 자궁 수축을 촉진한다.
(나)	세포 호흡을 촉진한다.
(다)	혈당량을 증가시킨다.

11 (가)~(다)를 옳게 짝 지은 것은?

	(가)	(나)	(다)
①	티록신	에피네프린	옥시토신
②	티록신	옥시토신	에피네프린
③	옥시토신	티록신	에피네프린
④	옥시토신	에피네프린	티록신
⑤	에피네프린	티록신	옥시토신

12 (가)~(다)에 대한 설명으로 옳은 것만을 〈보기〉에서 있는 대로 고른 것은?

보기
ㄱ. (가)와 당질 코르티코이드는 같은 내분비샘에서 분비된다.
ㄴ. (나)는 갑상샘 자극 호르몬(TSH)에 의해 분비가 조절된다.
ㄷ. (다)와 인슐린은 같은 내분비샘에서 분비된다.

① ㄱ ② ㄴ ③ ㄱ, ㄴ
④ ㄱ, ㄷ ⑤ ㄴ, ㄷ

단답형

13 다음은 호르몬 X에 의한 질환을 나타낸 것이다.

- 성장판이 닫히기 전에 X가 과다하게 분비되면 비정상적으로 키가 커진다.
- 성장판이 닫힌 후 X가 과다하게 분비되면 손, 발, 턱 등 몸의 말단 부위가 비정상적으로 커진다.
- X가 결핍되면 발육이 지체되어 표준보다 키가 훨씬 작아진다.

호르몬 X는 무엇인지 쓰시오.

정답과 해설 36쪽

출제예감

01 그림은 항상성 유지에 관여하는 2가지 작용 방식을 나타낸 것이다. (가)와 (나)는 각각 신경계와 호르몬에 의한 작용 방식 중 하나이고, 물질 A와 B는 각각 호르몬과 신경 전달 물질 중 하나이다.

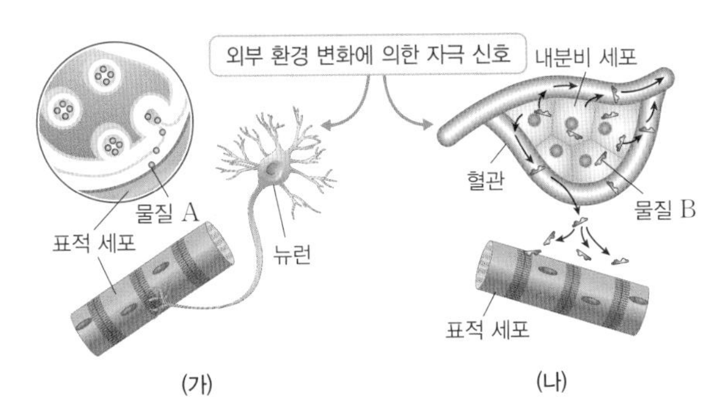

이에 대한 설명으로 옳은 것만을 〈보기〉에서 있는 대로 고른 것은?

> 보기
> ㄱ. A는 호르몬이다.
> ㄴ. (나)의 표적 세포에는 B에 대한 수용체가 있다.
> ㄷ. 외부 환경 변화에 의한 자극 신호가 표적 세포로 전달되기까지의 속도는 (가)가 (나)보다 느리다.

① ㄱ ② ㄴ ③ ㄱ, ㄴ
④ ㄱ, ㄷ ⑤ ㄴ, ㄷ

출제예감

02 그림 (가)는 시상 하부와 뇌하수체를, (나)는 부신과 콩팥을 나타낸 것이다. A와 B는 각각 뇌하수체 전엽과 뇌하수체 후엽 중 하나이며, ㉠과 ㉡은 각각 부신 속질과 부신 겉질 중 하나이다. B에서 옥시토신이 분비된다.

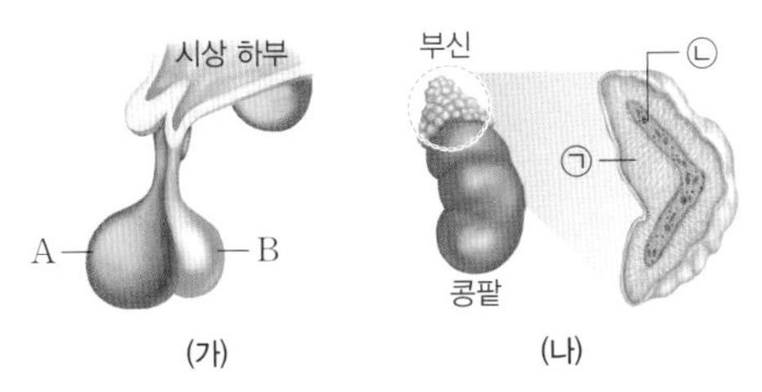

이에 대한 설명으로 옳은 것만을 〈보기〉에서 있는 대로 고른 것은?

> 보기
> ㄱ. A에서는 ㉠에서 분비되는 호르몬의 분비량을 조절하는 호르몬이 분비된다.
> ㄴ. B에서 콩팥이 표적 기관인 호르몬이 분비된다.
> ㄷ. ㉡에서 당질 코르티코이드가 분비된다.

① ㄱ ② ㄴ ③ ㄱ, ㄴ
④ ㄱ, ㄷ ⑤ ㄴ, ㄷ

03 표는 환자 (가)~(라)의 질환 증상을 나타낸 것이다.

환자	증상
(가)	더위에 약하고, 안구가 돌출되었다.
(나)	손, 발, 턱이 비정상적으로 커졌다.
(다)	오줌으로 다량의 포도당이 검출되었다.
(라)	발육이 지체되어 표준보다 키가 훨씬 작다.

이에 대한 설명으로 옳은 것만을 〈보기〉에서 있는 대로 고른 것은?

> 보기
> ㄱ. (가)는 티록신이 과다하게 분비된다.
> ㄴ. (다)는 인슐린이 과다하게 분비된다.
> ㄷ. (나)와 (라)는 모두 생장 호르몬 분비에 이상이 있다.

① ㄱ ② ㄴ ③ ㄱ, ㄴ
④ ㄱ, ㄷ ⑤ ㄴ, ㄷ

서답형 문제

서술형

04 다음은 어떤 호르몬에 대한 설명이다.

> • 갑상샘 자극 호르몬(TSH)에 의해 분비가 촉진된다.
> • 갑상샘에서 분비된다.
> • 세포 호흡을 촉진한다.

이 호르몬을 쓰고, 이 호르몬의 분비량이 증가했을 때와 감소했을 때 나타나는 증상을 각각 서술하시오.

서술형

05 요붕증이 나타나는 원인과 증상에 대해 서술하시오.

02 항상성 유지

핵심 키워드로 흐름잡기

- A 항상성 조절 원리, 음성 피드백, 길항 작용, 티록신
- B 체온 조절, 열 발생량, 열 발산량, 교감 신경, 티록신
- C 혈당량 조절, 인슐린, 글루카곤, 에피네프린
- D 혈장 삼투압 조절, ADH

A 항상성 조절 원리

|출·제·단·서| 시험에는 음성 피드백의 원리를 묻는 문제가 나와.

1. 항상성

(1) 체내외의 환경 변화에 대해 혈당량, 체온, 삼투압 등의 체내 환경을 정상 범위로 유지하는 특성이다.

(2) 자율 신경계와 내분비계의 작용으로 조절된다.

(3) 항상성 유지의 최고 조절 중추는 간뇌의 시상 하부이다.

2. 항상성 조절의 원리 음성 피드백과 길항 작용에 의해 항상성이 유지된다.

(1) 음성 피드백❶

① 어떤 자극이 반응을 일으켰을 때, 반응의 결과가 원인을 억제하는 방향으로 작용하는 현상이다.

② 인체에서 대부분의 호르몬 분비는 음성 피드백에 의해 조절된다. 예 티록신의 분비 조절

빈출 자료 음성 피드백에 의한 티록신의 분비 조절

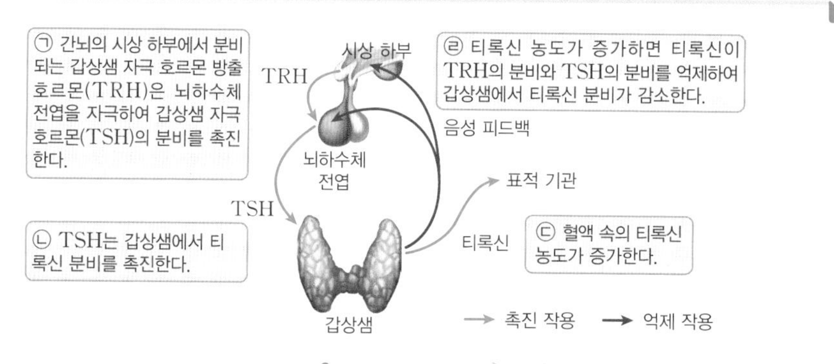

❶ 혈중 티록신의 양이 과다할 때: 시상 하부의 •TRH와 뇌하수체 전엽의 •TSH의 분비를 각각 억제하여 혈중 티록신의 분비가 감소한다.

❷ 혈중 티록신의 양이 부족할 때❷: 시상 하부의 TRH와 뇌하수체 전엽의 TSH의 분비를 억제하지 않아 혈중 티록신의 분비가 증가한다.

(2) 길항 작용

① 체내외의 상태나 환경 변화에 대해 서로 반대되는 영향을 줄 수 있는 호르몬 분비나 신경에 의해 일어난다.

② 한 기관에 2가지 요인이 함께 작용하는데, 한 요인이 기관의 기능을 촉진하면 나머지 한 요인은 기관의 기능을 억제하여 서로의 효과를 줄이는 조절이다. 예 교감 신경과 부교감 신경의 작용, 인슐린과 글루카곤의 작용 등

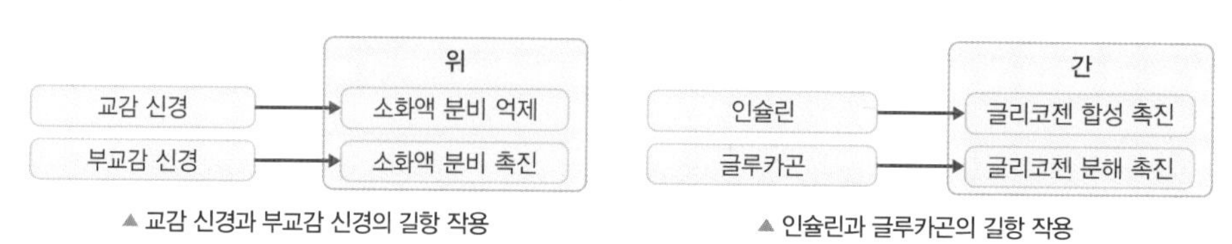

▲ 교감 신경과 부교감 신경의 길항 작용

▲ 인슐린과 글루카곤의 길항 작용

❶ 피드백(되먹임)

어떤 과정에 의해 결과가 나타나고, 그 결과가 다시 과정에 영향을 미치는 현상이다.

- 음성 피드백: 어떤 반응의 결과가 원인을 억제하는 조절이다. 호르몬의 분비량은 대부분 음성 피드백에 의해 조절된다.
- 양성 피드백: 결과가 원인을 촉진하는 조절이다.
  예 옥시토신에 의해 자궁이 수축하면 진통이 오고, 이 진통이 다시 옥시토신의 분비를 촉진하여 진통이 더 자주 오면서 분만이 일어난다.

❷ 티록신 분비량 부족: 갑상샘 기능 저하증

갑상샘 기능 저하증은 갑상샘이 비대해지는 질병이다. 아이오딘(I)은 티록신의 구성 성분인데 아이오딘이 결핍되면 티록신이 정상적으로 분비되지 않아 음성 피드백에 이상이 생겨 TSH의 분비가 과다하게 증가하게 되어 발생한다.

용어 알기

- •TRH(thyrotropin releasing hormone) 갑상샘 자극 호르몬 방출 호르몬
- •TSH(thyroid stimulating hormone) 갑상샘 자극 호르몬

B 체온 조절

|출·제·단·서| 시험에는 추울 때의 체온 조절 과정을 묻는 문제가 나와.

1. 체온❸

(1) 신체 내부의 온도를 의미하며, 정상인은 외부 기온과 관계없이 체온이 36.1~37.5 ℃로 유지된다.

(2) 체온은 체내의 •열 발생량과 몸 표면을 통한 •열 발산량을 조절하여 유지된다.

2. 체온 조절 간뇌 시상 하부의 조절을 받으며, 주로 교감 신경에 의해 조절된다.

(1) **추울 때** 열 발생량은 증가하고, 열 발산량은 감소한다.

① **열 발생량 증가:** 호르몬과 신경계의 조절에 의해 간과 근육에서 물질대사가 촉진되고, 골격근의 수축 활동에 의한 몸 떨림 현상이 일어나 열 발생량이 증가한다.

② **열 발산량 감소:** 교감 신경 작용의 강화로 피부 근처 혈관❹이 수축하여 체표면을 통한 열 발산량이 감소한다.

(2) **더울 때** 열 발생량은 감소하고, 열 발산량은 증가한다.

① **열 발산량 증가:** 교감 신경 작용의 완화로 피부 근처 혈관이 확장되며, 땀 분비가 촉진되어 체표면을 통한 열 발산량이 증가한다.

② **열 발생량 감소:** 호르몬과 신경계의 조절에 의해 간과 근육에서 물질대사가 억제되어, 열 발생량이 감소한다.

추울 때	열 발생량 증가	• 교감 신경 흥분 → 간과 근육에서의 물질대사 촉진, 골격근의 수축 활동에 의한 몸 떨림 현상, 에피네프린에 의한 물질대사 촉진 → 열 발생량의 증가 • 간뇌의 시상 하부에서 감지 및 TRH 분비 → 뇌하수체 전엽에서 TSH 분비 → 갑상샘에서 티록신 분비 → 물질대사 촉진 → 열 발생량의 증가
	열 발산량 감소	교감 신경 흥분 → 피부 근처 혈관 수축 → 체표면을 통한 열 발산량의 감소 피부 근처 혈관이 수축하면 피부의 색깔이 약간 푸르스름하거나 창백하게 보인다.
더울 때	열 발생량 감소	티록신의 분비량 감소 → 간과 근육에서 물질대사가 억제 → 열 발생량의 감소
	열 발산량 증가	• 교감 신경 작용 완화 → 피부 근처 혈관 확장 → 열 발산량의 증가 피부 근처 혈관이 확장하면 얼굴이 붉어지고 열이 난다. • 땀 분비❺ 증가 → 기화열에 의한 피부의 열 손실 증가

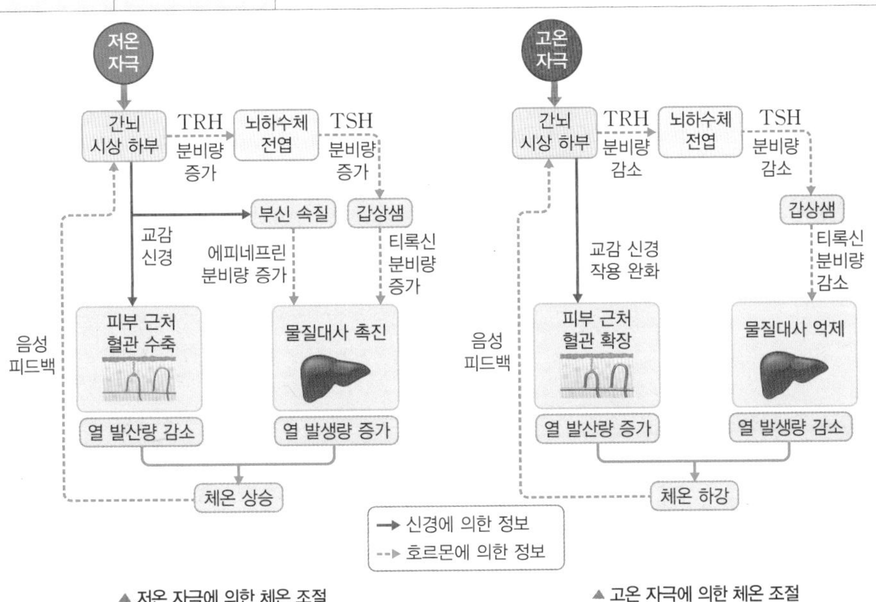

▲ 저온 자극에 의한 체온 조절 ▲ 고온 자극에 의한 체온 조절

❸ 체온과 효소의 관계
우리 몸에서 일어나는 물질대사는 효소가 관여하는 화학 반응이다. 효소의 주성분은 단백질이므로 효소의 활성은 온도에 민감하여 체온이 너무 낮거나 높으면 효소가 제 기능을 할 수 없다. 따라서 체온을 일정하게 유지하는 일은 생명 유지에 매우 중요하다.

❹ 피부 근처 혈관
피부 근처 혈관은 교감 신경의 상대적 흥분 정도에 따라 수축되거나 확장된다.

❺ 땀 분비와 기화열
액체가 기체가 될 때에 흡수하는 열에너지를 기화열이라고 하며, 물은 기화열이 높아 기체가 되기 위해서는 많은 에너지를 필요로 한다. 땀의 성분은 대부분이 물이다. 물이 증발하여 수증기가 될 때에 피부의 열을 흡수하므로 체온이 낮아진다.

추울 때는 피부에 왜 소름이 돋을까?
날씨가 추워지면 교감 신경의 작용에 의해 털을 세우는 털세움근이 수축하여 피부에 소름이 돋는다.

용어 알기
• 열 발생(필 發, 날 生) 열이 생겨남
• 열 발산(필 發, 흩을 散) 열이 밖으로 퍼져 나감

❻ 이자

이자 내에는 1000여 개의 세포들이 모여 섬 모양으로 분포하는 내분비 세포가 있다. 이 세포의 발견자의 이름에 따라 랑게르한스 섬이라고도 한다.

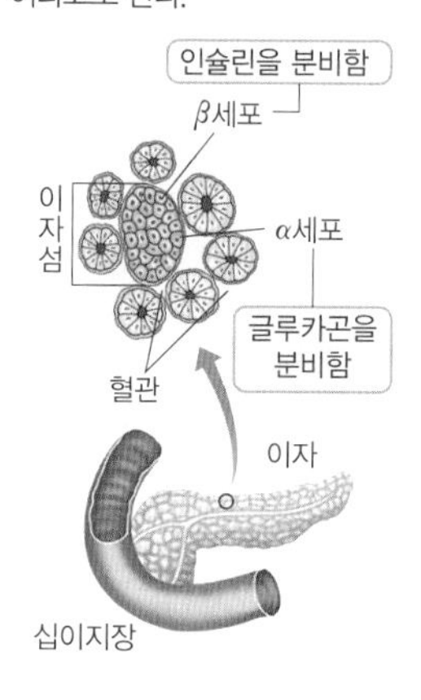

C 혈당량 조절

|출·제·단·서| 시험에는 인슐린과 글루카곤의 작용에 대해 묻는 문제가 나와.

1. 혈당량 혈액 속 포도당의 양으로, 정상인의 혈당량은 자율 신경과 호르몬에 의해 약 100 mg/100 mL(약 0.1 %)로 일정하게 유지된다.

2. 혈당량 조절 암기TiP 혈당량 감소 호르몬: 인슐린 혈당량 증가 호르몬: 글루카곤, 에피네프린

(1) 고혈당일 때 이자❻의 β세포에서 감지하여 직접 인슐린의 분비를 촉진하거나 간뇌의 시상 하부에서 감지하여 부교감 신경을 통해 인슐린의 분비를 촉진하여❼ 혈당량을 낮춘다.

(2) 저혈당일 때 이자의 α세포에서 감지하여 직접 글루카곤의 분비를 촉진하거나 간뇌의 시상 하부에서 감지하여 교감 신경을 통해 글루카곤과 에피네프린의 분비를 촉진하여 혈당량을 높인다. 혈당량 변화는 간뇌의 시상 하부에서도 감지하고, 이자섬에서도 감지한다.

고혈당일 때	• 혈당량 증가 → 이자의 β세포에서 감지 → β세포에서 인슐린 분비 → 간에서 포도당을 •글리코젠으로 합성하여 저장, 혈액에서 조직 세포로의 포도당 흡수 촉진 → 혈당량 감소 • 혈당량 증가 → 간뇌의 시상 하부에서 감지 → 부교감 신경이 이자의 β세포 자극 → β세포에서 인슐린 분비❽ → 간에서 포도당을 글리코젠으로 합성하여 저장, 혈액에서 조직 세포로의 포도당 흡수 촉진 → 혈당량 감소
저혈당일 때	• 혈당량 감소 → 이자의 α세포에서 감지 → α세포에서 글루카곤 분비 → 간에 저장된 글리코젠을 포도당으로 분해하여 혈액으로 방출 → 혈당량 증가 • 혈당량 감소 → 간뇌의 시상 하부에서 감지 → 교감 신경이 이자의 α세포 자극 → α세포에서 글루카곤 분비 → 간에 저장된 글리코젠이 포도당으로 분해되어 혈액으로 방출 → 혈당량 증가 • 혈당량 감소 → 간뇌의 시상 하부에서 감지 → 교감 신경이 부신 속질 자극 → 부신 속질에서 에피네프린 분비 → 간에 저장된 글리코젠이 포도당으로 전환되어 혈액으로 방출 → 혈당량 증가

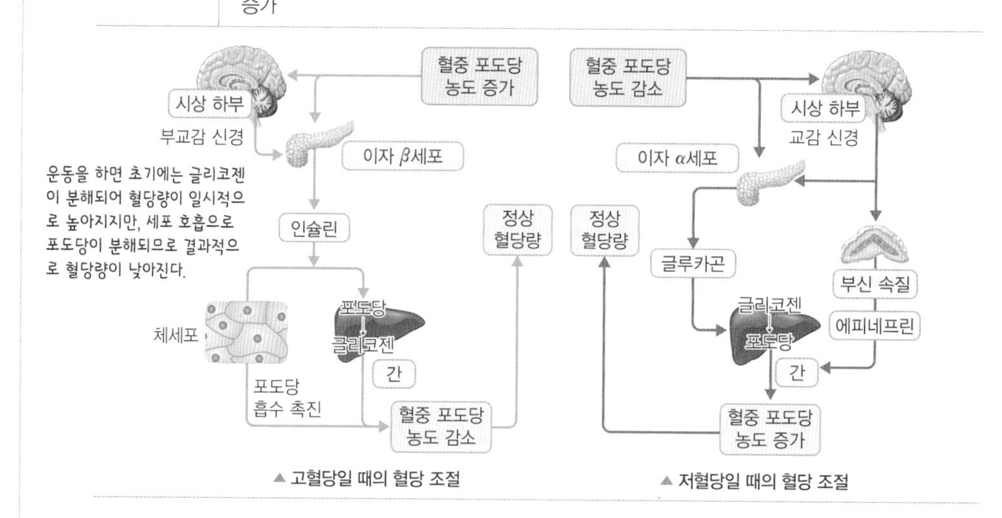

▲ 고혈당일 때의 혈당 조절 ▲ 저혈당일 때의 혈당 조절

빈출 자료 혈당량 조절

농도(mg/100 mL) 120 100 80 혈당량
농도(μU/mL) 120 80 40 0 인슐린
농도(pg/mL) 120 110 100 90 글루카곤
0 60 120 180 240 시간(분)
식사

식사 후 시간에 따른 혈당량, 인슐린, 글루카곤의 농도

- 식사 후 소화 기관에서 탄수화물이 포도당으로 분해되어 소장 융털의 모세 혈관으로 흡수되므로 혈당량이 증가한다.

인슐린과 글루카곤의 분비는 길항 작용에 의해 조절된다.

- 혈당량이 증가하면 인슐린의 분비가 촉진되고, 글루카곤의 분비가 억제된다.
- 인슐린은 간에서 포도당이 글리코젠으로 전환되는 과정을 촉진하고, 혈액에서 조직 세포로의 포도당 흡수를 촉진하여 혈당량을 감소시킨다.

❼ **자율 신경에 의한 인슐린과 글루카곤의 분비 조절**

교감 신경은 이자의 α세포를 자극하여 글루카곤의 분비를 촉진하고, 부교감 신경은 이자의 β세포를 자극하여 인슐린의 분비를 촉진한다.

❽ **인슐린 결핍에 의한 당뇨병**

포도당이 오줌을 통해 빠져나오는 증상을 당뇨병이라고 한다.

- 제1형 당뇨병(소아 당뇨병): 이자의 β세포가 파괴되어 인슐린의 분비량이 부족하다. 따라서 인슐린을 정기적으로 투여해야 한다.
- 제2형 당뇨병: 인슐린은 정상적으로 분비되지만 인슐린의 표적 세포에서 인슐린의 신호를 제대로 받아들이지 못한다. 나이가 많아질수록 발병률이 증가하며, 비만일수록 발병 확률이 높아진다.

용어 알기

• 글리코젠(glycogen) 포도당이 기본 단위인 동물의 저장 다당류

D 혈장 삼투압 조절

|출·제·단·서| 시험에는 ADH 분비량 증가에 따른 혈장 삼투압과 오줌양의 변화를 묻는 문제가 나와.

1. 삼투압

(1) ●삼투 현상에 의해 나타나는 압력으로 용액의 농도가 높을수록 삼투압이 크다.

(2) 사람의 경우 체액의 삼투압은 약 0.9 % 소금물의 삼투압 정도로 일정하게 유지된다.

2. 혈장 삼투압❾ 조절 간뇌 시상 하부의 조절을 받으며, 주로 ADH에 의해 조절된다.

(1) **혈장 삼투압이 높을 때** 간뇌 시상 하부의 조절을 받아 뇌하수체 후엽에서의 항이뇨 호르몬(ADH)❿ 분비가 증가한다. 이에 따라 콩팥에서 수분의 재흡수가 촉진되어 체내 수분량이 증가하여 혈장 삼투압이 낮아지고, 오줌양은 감소한다.

(2) **혈장 삼투압이 낮을 때** 간뇌 시상 하부의 조절을 받아 뇌하수체 후엽에서의 항이뇨 호르몬(ADH) 분비가 감소한다. 이에 따라 체내 수분량이 감소하여 혈장 삼투압이 높아지고, 오줌양은 증가한다.

혈장 삼투압이 높을 때	혈장 삼투압 증가(=체내 수분량 부족) → 간뇌의 시상 하부에서 감지 → 뇌하수체 후엽에서 항이뇨 호르몬(ADH) 분비 증가 → 콩팥에서 수분 재흡수 촉진 → 혈액의 수분량 증가 → 혈액의 삼투압 감소, 오줌양 감소 오줌의 삼투압은 증가한다.
혈장 삼투압이 낮을 때	혈장 삼투압 감소(=체내 수분량 과다) → 간뇌의 시상 하부에서 감지 → 뇌하수체 후엽에서 항이뇨 호르몬(ADH) 분비 감소 → 콩팥에서 수분 재흡수 감소 → 혈액의 수분량 감소 → 혈액의 삼투압 증가, 오줌양 증가 오줌의 삼투압은 감소한다.

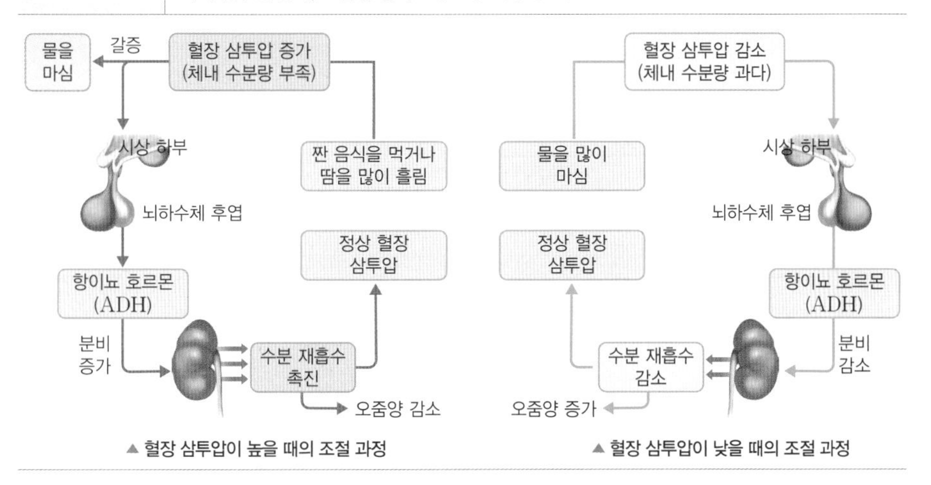

▲ 혈장 삼투압이 높을 때의 조절 과정 ▲ 혈장 삼투압이 낮을 때의 조절 과정

빈출 자료 혈장 삼투압 조절

그림 (가)는 전체 혈액량의 변화에 따른 혈중 ADH의 농도 변화를, (나)는 혈장 삼투압의 변화에 따른 혈중 ADH의 농도 변화를 나타낸 것이다.

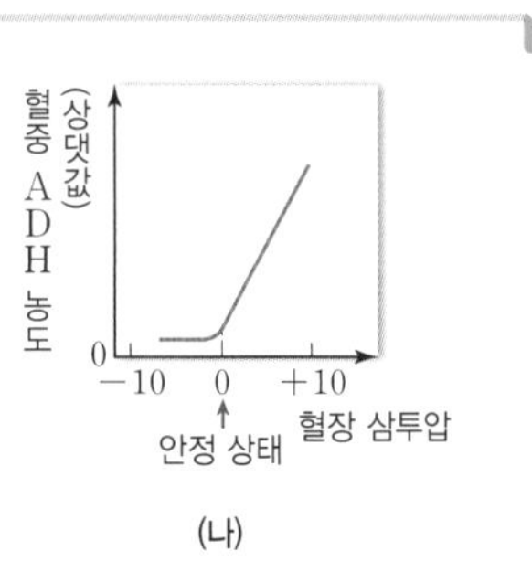

(가)

혈중 ADH 농도 (상댓값)
0
−10 0 +10
안정 상태
혈장 삼투압

(나)

- (가)에서 전체 혈액량이 커질수록 혈중 ADH의 농도는 낮아진다. → 전체 혈액량이 증가하면 혈장 삼투압이 감소하므로 뇌하수체 후엽에서 ADH의 분비가 감소하여 콩팥에서 수분의 재흡수가 억제된다.
- (나)에서 혈장 삼투압이 커질수록 혈중 ADH의 농도는 높아진다. → 혈장 삼투압이 증가하면 뇌하수체 후엽에서 ADH의 분비가 증가하므로 콩팥에서 수분의 재흡수가 촉진된다.

❾ **혈장 삼투압**
혈장 삼투압은 체액의 농도에 비례하며, 체액을 구성하는 수분의 양이 감소할수록, 무기염류의 양이 증가할수록 농도가 높아진다.

❿ **항이뇨 호르몬(ADH)**
뇌하수체 후엽에서 분비되는 호르몬으로 콩팥의 집합관에서 수분의 재흡수를 촉진한다. 혈관을 수축시켜 혈압을 상승시키는 작용도 하므로 바소프레신이라고도 한다.

? 바닷물을 마시면 갈증이 해소될까?
바닷물의 염분 농도는 약 3.5 %이다. 바닷물을 마시면 바닷물의 염분 중 2 % 정도를 오줌으로 배설하고, 나머지 1.5 %는 체내에 쌓여 체액의 삼투압이 증가하므로 더욱 갈증을 느끼게 된다.

용어 알기
●삼투(스밀 滲, 통과할 透) 현상 세포막과 같은 반투과성 막을 경계로 용액의 농도가 낮은 쪽에서 높은 쪽으로 용매가 이동하는 현상

콕콕! 개념 확인하기

정답과 해설 37쪽

✔ 잠깐 확인!

1. □□□
체내외의 환경 변화에 대해 혈당량, 체온, 삼투압 등의 체내 환경을 정상 범위로 유지하는 특성

2. □□□
어떤 원인에 의해 나타난 결과가 다시 그 원인에 영향을 주는 현상

3. 간뇌의 □□ □□
체온, 혈당량, 삼투압 조절 등의 항상성 조절 중추

4. 추울 때 열 □□□은 증가하고, 열 □□□은 감소한다.

5. 더울 때 열 □□□은 증가하고, 열 □□□은 감소한다.

6. □□□
혈당량이 증가할 때 이자에서 분비되어 혈당량을 감소시키는 호르몬

7. □□□□
혈당량이 감소할 때 이자에서 분비되어 혈당량을 증가시키는 호르몬

8. □□□ □□□
뇌하수체 후엽에서 분비되어 콩팥에서 수분의 재흡수를 촉진하는 호르몬

9. 항이뇨 호르몬의 분비량이 증가하면 혈장 삼투압은 (증가, 감소)한다.

10. 항이뇨 호르몬의 분비량이 증가하면 오줌양은 (증가, 감소)한다.

A 항상성 조절 원리

01 그림은 티록신의 분비 조절 과정을 나타낸 것이다.

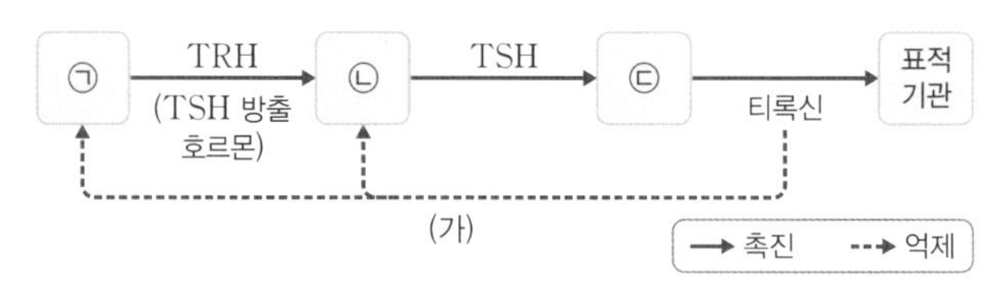

(1) ㉠~㉢에 해당하는 내분비샘을 쓰시오.

(2) (가)와 같이 반응의 결과가 원인을 억제하는 조절 작용을 무엇이라고 하는지 쓰시오.

02 그림은 인슐린과 글루카곤의 작용을 나타낸 것이다.
그림과 같이 2가지 요인이 서로 반대되는 작용을 하여 서로의 효과를 줄이는 조절 작용을 무엇이라고 하는지 쓰시오.

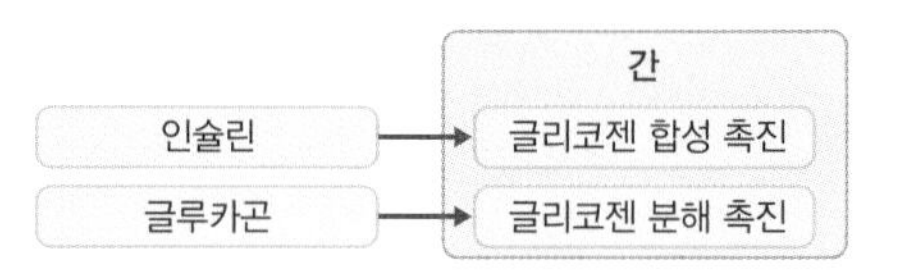

B 체온 조절

03 체온 조절에 대한 설명으로 옳은 것은 ○, 옳지 않은 것은 ×로 표시하시오.

(1) 저온 자극을 받으면 티록신의 분비량이 감소한다. ( )

(2) 추울 때 열 발생량을 증가시키고, 열 발산량을 감소시키는 조절이 일어난다. ( )

(3) 추울 때 부교감 신경이 흥분하여 피부 근처 혈관이 수축한다. ( )

(4) 더울 때 땀 분비에 의한 열 손실이 증가한다. ( )

C 혈당량 조절

04 다음은 혈당량 조절 과정에 대한 설명이다. ( ) 안에 들어갈 알맞은 말을 쓰시오.

(1) 혈당량이 증가하면 이자의 ( )세포에서 ( )의 분비량이 증가한다.

(2) 인슐린에 의해 간에서 포도당이 ( )으로 전환되어 혈당량이 감소한다.

(3) 혈당량이 감소하면 이자섬의 ( )세포에서 ( )의 분비량이 증가한다.

(4) 혈당량이 감소하면 ( ) 신경이 부신 속질을 자극하여 ( )의 분비량이 증가한다.

D 혈장 삼투압 조절

05 그림은 혈장 삼투압의 조절 과정을 나타낸 것이다.
내분비샘 A와 호르몬 X는 무엇인지 각각 쓰시오.

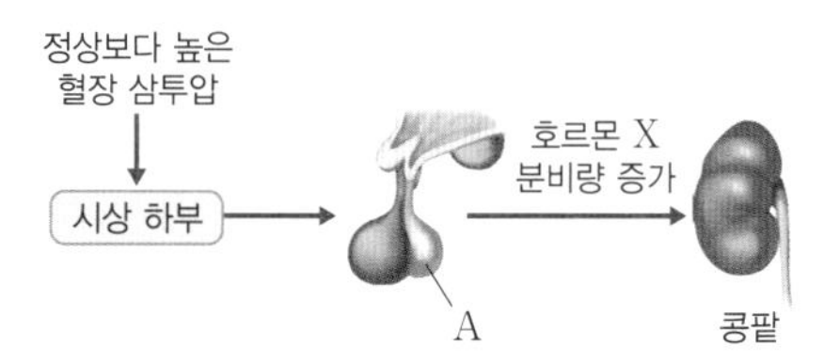

탄탄! 내신 다지기

정답과 해설 37쪽

A 항상성 조절 원리

01 항상성에 대한 설명으로 옳은 것만을 〈보기〉에서 있는 대로 고른 것은?

보기
ㄱ. 최고 조절 중추는 간뇌의 시상 하부이다.
ㄴ. 자율 신경계와 내분비계에 의해 조절된다.
ㄷ. 환경 변화에 반응하여 체내 환경을 유지하려는 성질이다.

① ㄱ ② ㄷ ③ ㄱ, ㄴ
④ ㄴ, ㄷ ⑤ ㄱ, ㄴ, ㄷ

02 그림은 호르몬의 분비 조절 방식 중 1가지를 나타낸 것이다.

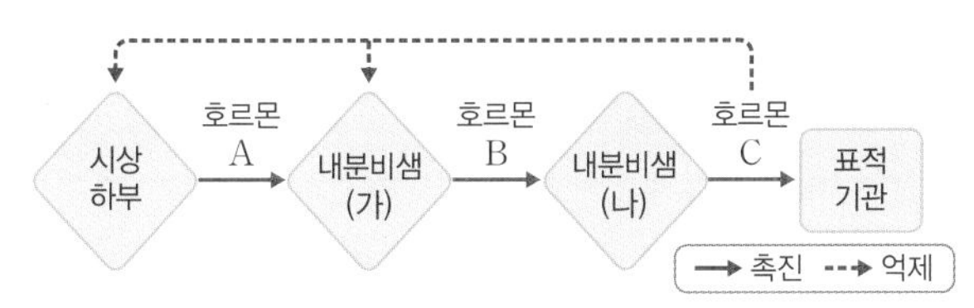

이에 대한 설명으로 옳지 않은 것은?

① A와 B는 서로 길항 작용을 한다.
② B가 TSH라면 (가)는 뇌하수체 전엽이다.
③ C가 티록신이라면 (나)는 갑상샘이다.
④ C의 농도는 음성 피드백에 의해 조절된다.
⑤ 혈액 내 C의 농도가 증가하면 A의 분비량이 감소한다.

B 체온 조절

03 추울 때 일어나는 몸의 변화에 대한 설명으로 옳은 것은?

① 열 발산량이 증가한다.
② 피부 근처 혈관이 이완된다.
③ 티록신의 분비량이 감소한다.
④ 부교감 신경의 흥분이 촉진된다.
⑤ 에피네프린에 의한 물질대사가 촉진된다.

04 표는 추울 때와 더울 때 일어나는 몸의 변화를 나타낸 것이다.

구분	티록신의 농도	피부 근처 혈관	열 발산량	열 발생량
추울 때	㉠	?	㉢	?
더울 때	?	㉡	?	㉣

㉠~㉣을 옳게 짝 지은 것은?

	㉠	㉡	㉢	㉣
①	증가	확장	감소	증가
②	증가	확장	감소	감소
③	감소	확장	증가	감소
④	감소	수축	증가	감소
⑤	감소	수축	증가	증가

05 더울 때 일어나는 몸의 변화에 대한 설명으로 옳은 것만을 〈보기〉에서 있는 대로 고른 것은?

보기
ㄱ. 땀 분비가 증가한다.
ㄴ. 교감 신경의 흥분이 촉진된다.
ㄷ. 체표면을 통한 열 발산량이 감소한다.

① ㄱ ② ㄴ ③ ㄱ, ㄴ
④ ㄱ, ㄷ ⑤ ㄴ, ㄷ

06 그림은 서로 다른 체온 변화 ㉠과 ㉡에 따른 피부 근처 혈관의 변화를 나타낸 것이다.

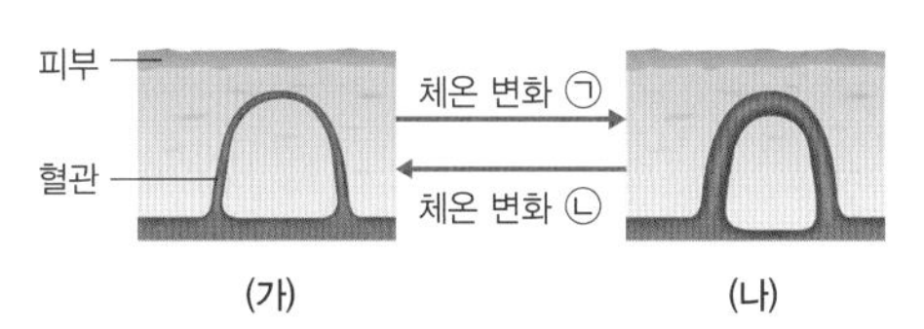

이에 대한 설명으로 옳은 것은?

① ㉠의 결과 피부 근처 혈관이 수축된다.
② ㉡의 결과 땀 분비가 증가한다.
③ 열 발산량은 (가)일 때가 (나)일 때보다 많다.
④ 교감 신경의 작용으로 피부 근처 혈관이 수축된다.
⑤ 추운 곳에서 따뜻한 곳으로 이동하면 ㉡이 일어난다.

07 그림은 저온 자극 시 체온 조절 과정을 나타낸 것이다. ㉠과 ㉡은 각각 물질대사 촉진과 피부 근처 혈관 수축 중 하나이다.

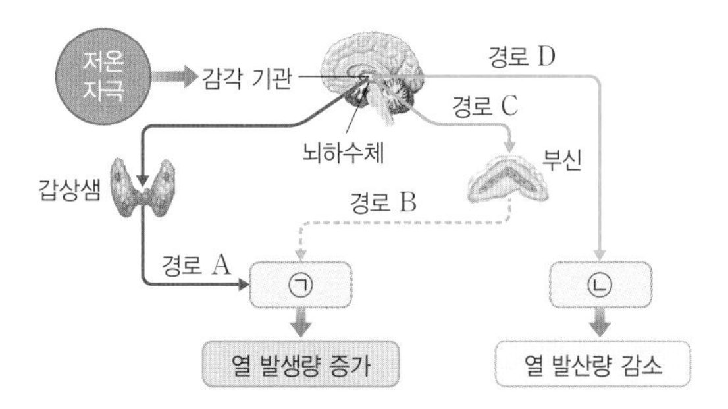

이에 대한 설명으로 옳은 것은?

① ㉠은 피부 근처 혈관 수축이다.
② A에 에피네프린이 관여한다.
③ B에 티록신이 관여한다.
④ C에 교감 신경이 관여한다.
⑤ D에 부교감 신경이 관여한다.

08 그림은 고온 자극 시 체온 조절 과정을 나타낸 것이다.

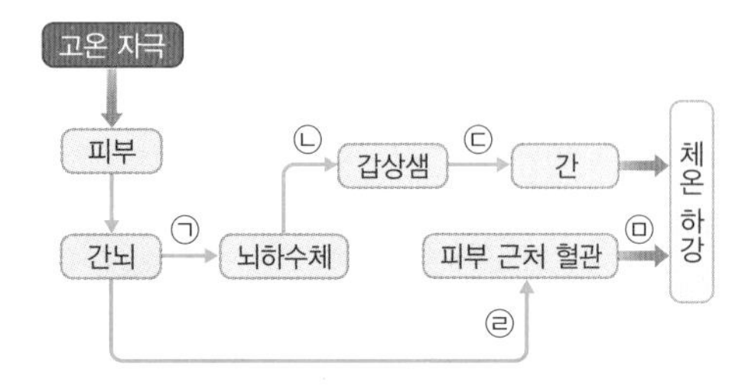

이에 대한 설명으로 옳지 않은 것은?

① 체온 조절 중추는 간뇌의 시상 하부이다.
② 간은 갑상샘에서 분비되는 호르몬의 표적 기관이다.
③ ㉠과 ㉡은 모두 호르몬에 의한 신호 전달 과정이다.
④ ㉢을 통한 신호 전달 과정은 ㉣을 통한 신호 전달 과정보다 빠르다.
⑤ ㉤ 과정에서 열 발산량이 증가한다.

C 혈당량 조절

단답형

09 다음은 몸에서 일어나는 현상이다.

- 간에서 글리코젠의 합성이 촉진된다.
- 혈액에서 조직 세포로의 포도당 흡수가 촉진된다.

이 현상은 고혈당일 때와 저혈당일 때 중 언제 일어나는지 쓰시오.

10 그림은 사람의 혈당량 조절 과정의 일부를 나타낸 것이다. A와 B는 각각 글루카곤과 인슐린 중 하나이다.

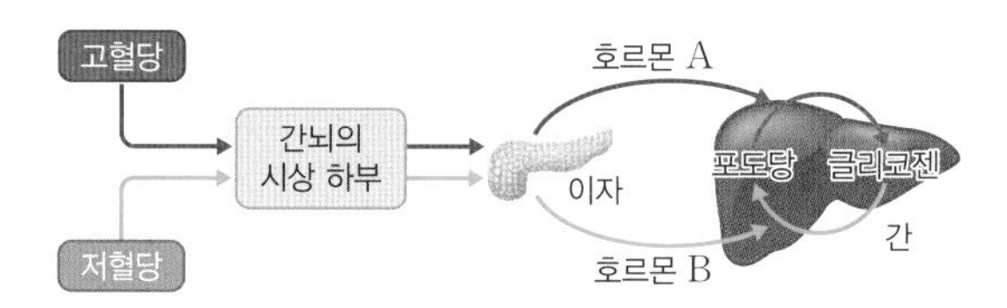

이에 대한 설명으로 옳은 것은?

① A는 글루카곤이다.
② A와 B는 서로 길항 작용을 한다.
③ A는 이자의 α세포에서 분비된다.
④ B의 농도가 증가하면 혈당량이 감소한다.
⑤ B는 부교감 신경에 의해 분비가 촉진된다.

11 그림 (가)는 정상인의 식사 후 혈당량을, (나)와 (다)는 이 사람의 식사 후 호르몬 X와 Y의 혈중 농도를 각각 나타낸 것이다. X와 Y는 각각 인슐린과 글루카곤 중 하나이다.

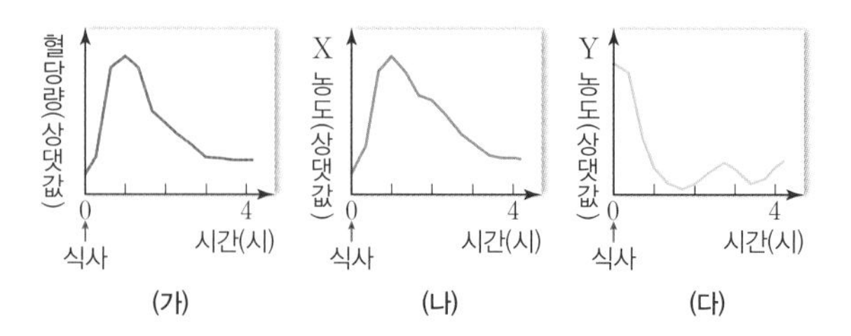

이에 대한 설명으로 옳지 않은 것은?

① X는 인슐린이다.
② X는 혈액으로부터 조직 세포로의 포도당 흡수를 촉진한다.
③ Y는 이자의 α세포에서 분비된다.
④ Y는 간에서 글리코젠의 합성을 촉진한다.
⑤ 체내 혈당량이 증가하면 혈중 X의 농도는 혈중 Y의 농도보다 증가한다.

[12~13] 그림 (가)는 정상인에게 인슐린을 주사한 후 이자 호르몬 A의 혈중 농도를, (나)는 부신 속질 호르몬 B의 혈중 농도를 나타낸 것이다.

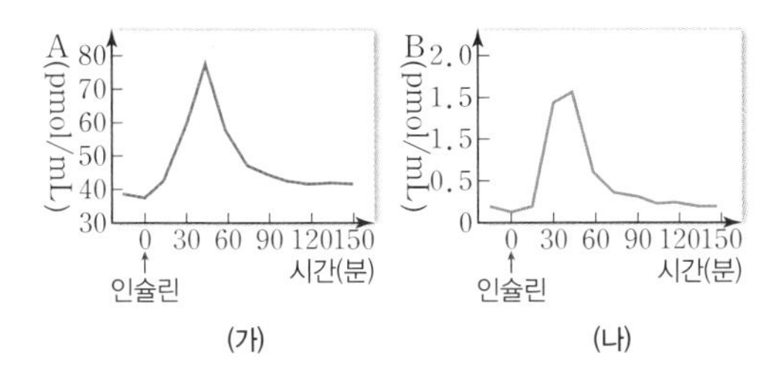

(가) (나)

단답형

12 A와 B는 각각 무엇인지 쓰시오.

13 이에 대한 설명으로 옳은 것만을 〈보기〉에서 있는 대로 고른 것은?

보기
ㄱ. A와 B는 길항 작용을 한다.
ㄴ. 간은 A와 B의 표적 기관이다.
ㄷ. 교감 신경에 의해 A와 B의 분비가 촉진된다.

① ㄱ ② ㄷ ③ ㄱ, ㄴ
④ ㄴ, ㄷ ⑤ ㄱ, ㄴ, ㄷ

D 혈장 삼투압 조절

14 그림은 혈장 삼투압을 조절하는 호르몬 A의 분비와 작용을 나타낸 것이다.

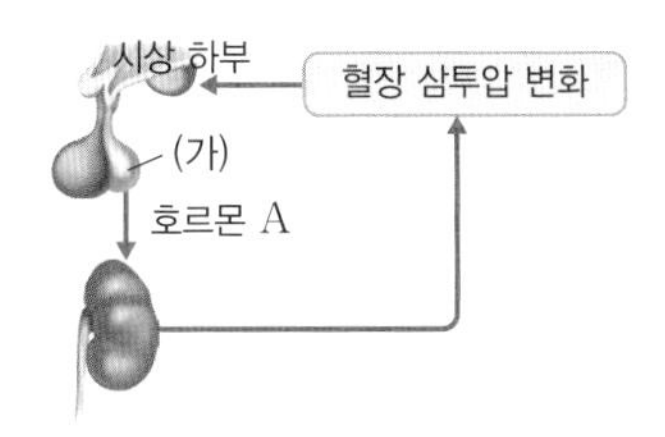

이에 대한 설명으로 옳은 것은?

① A는 인슐린이다.
② (가)는 뇌하수체 전엽이다.
③ 혈장 삼투압이 높아지면 A의 분비가 억제된다.
④ A의 분비가 촉진되면 오줌의 농도가 진해진다.
⑤ A의 분비가 촉진되면 혈장 삼투압이 증가한다.

15 그림은 건강한 사람의 혈액량이 평상시일 때와 ㉠일 때, 혈장 삼투압에 따른 혈중 ADH의 농도를 나타낸 것이다. ㉠은 평상시에 비해 혈액량이 증가했을 때와 감소했을 때 중 하나이다.

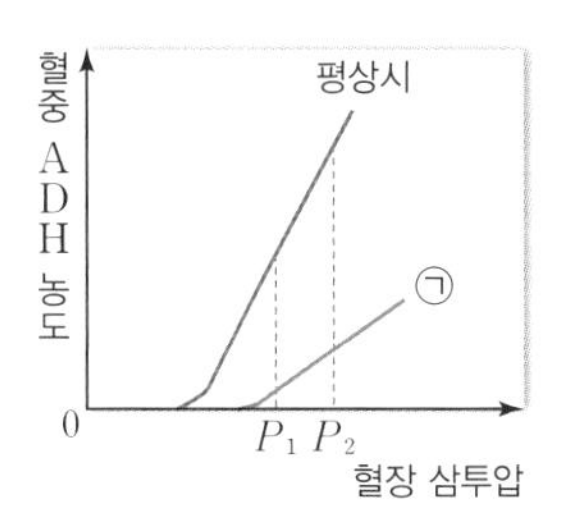

이에 대한 설명으로 옳지 않은 것은?

① 콩팥은 ADH의 표적 기관이다.
② ㉠은 평상시에 비해 혈액량이 감소했을 때이다.
③ 혈장 삼투압의 조절 중추는 간뇌의 시상 하부이다.
④ 평상시에서의 오줌 생성량은 P_1일 때가 P_2일 때보다 많다.
⑤ P_1일 때 수분 재흡수량은 평상시일 때가 ㉠일 때보다 많다.

16 그림은 건강한 사람이 물 1 L를 섭취한 후의 ㉠과 ㉡을 나타낸 것이다. ㉠과 ㉡은 각각 혈장 삼투압과 단위 시간당 오줌 생성량 중 하나이다.

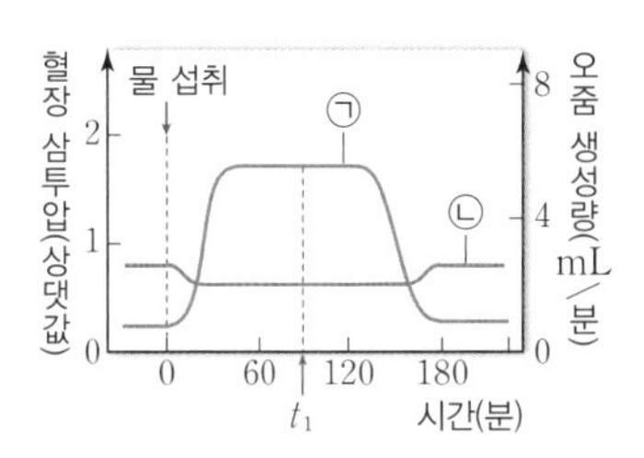

이에 대한 설명으로 옳지 않은 것은? (단, 오줌양 이외에 체내 수분량에 영향을 미치는 요인은 없다.)

① ㉠은 오줌 생성량이다.
② 전체 혈액량은 물 섭취 시점보다 t_1일 때가 적다.
③ 오줌의 삼투압은 물 섭취 시점보다 t_1일 때가 낮다.
④ 뇌하수체 후엽에서 ADH의 분비량은 물 섭취 시점보다 t_1일 때가 적다.
⑤ 콩팥에서 단위 시간당 수분 재흡수량은 물 섭취 시점보다 t_1일 때가 적다.

도전! 실력 올리기

출제예감

01 그림은 티록신의 분비 조절 과정을, 표는 사람 A~C의 혈중 호르몬 ㉠, ㉡, 티록신의 농도를 정상인과 비교하여 나타낸 것이다. A~C는 시상 하부, 뇌하수체 전엽, 갑상샘 중 한 곳에 이상이 생겨 티록신이 과다 분비되는 사람을 순서 없이 나타낸 것이다. ㉠과 ㉡은 각각 TRH와 TSH 중 하나이다.

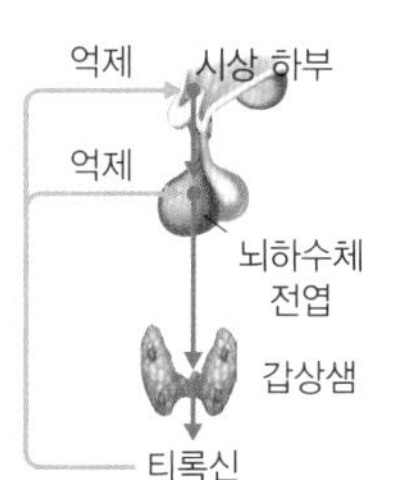

구분	㉠	㉡	티록신
정상인	정상	정상	정상
A	높음	낮음	높음
B	낮음	낮음	높음
C	높음	높음	높음

이에 대한 설명으로 옳은 것만을 〈보기〉에서 있는 대로 고른 것은?

보기
ㄱ. ㉠은 TSH, ㉡은 TRH이다.
ㄴ. B는 뇌하수체 전엽에 이상이 생긴 사람이다.
ㄷ. C는 갑상샘에 이상이 생긴 사람이다.

① ㄱ ② ㄴ ③ ㄱ, ㄴ
④ ㄱ, ㄷ ⑤ ㄴ, ㄷ

02 그림 (가)는 어떤 동물의 체온 조절 과정의 일부를, (나)는 시상 하부의 온도에 따른 A와 B의 열량을 나타낸 것이다. A와 B는 각각 근육의 열 발생량과 피부의 열 발산량 중 하나이다.

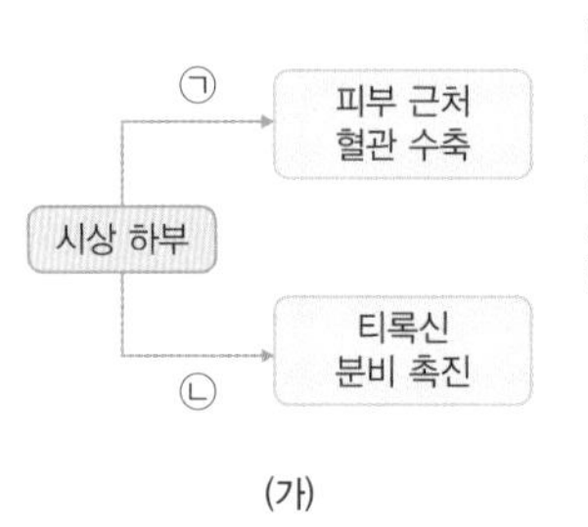

(가)

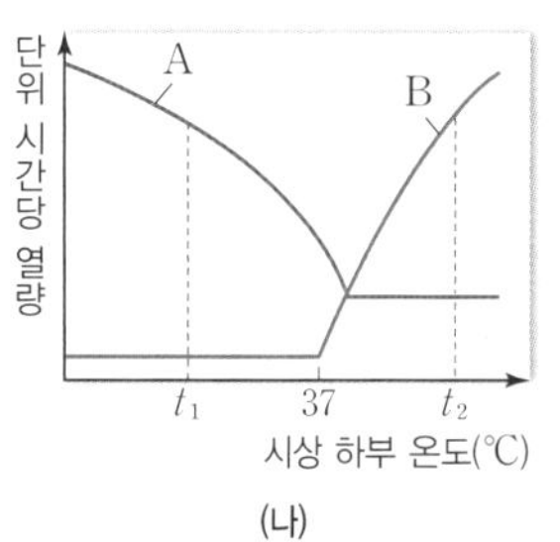

(나)

이에 대한 설명으로 옳은 것만을 〈보기〉에서 있는 대로 고른 것은?

보기
ㄱ. A는 피부의 열 발산량이다.
ㄴ. ㉠ 과정은 t_1일 때가 t_2일 때보다 활발하다.
ㄷ. 티록신 분비 촉진에 의해 B가 증가한다.

① ㄴ ② ㄷ ③ ㄱ, ㄴ
④ ㄱ, ㄷ ⑤ ㄱ, ㄴ, ㄷ

03 그림은 인슐린, 글루카곤, 에피네프린을 구분하는 과정을 나타낸 것이다.

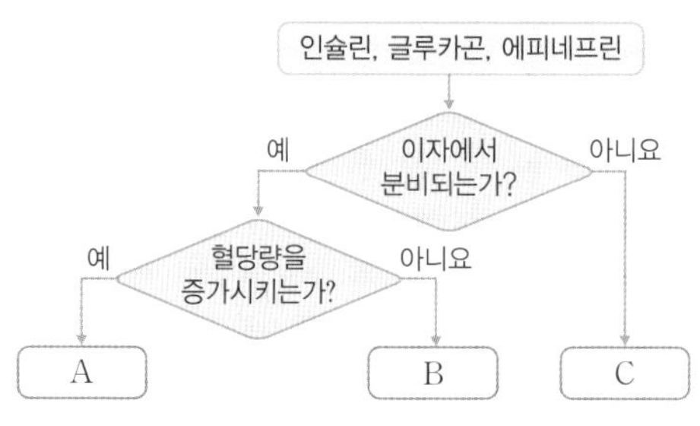

이에 대한 설명으로 옳은 것만을 〈보기〉에서 있는 대로 고른 것은?

보기
ㄱ. A는 이자의 α세포에서 분비된다.
ㄴ. B는 간에서 글리코젠의 분해를 촉진한다.
ㄷ. A와 C는 길항 작용을 한다.

① ㄱ ② ㄴ ③ ㄱ, ㄴ
④ ㄱ, ㄷ ⑤ ㄴ, ㄷ

04 그림 (가)는 건강한 사람과 환자 A의 식사 후 시간에 따른 혈당량을, (나)는 건강한 사람과 환자 A의 식사 후 시간에 따른 혈중 인슐린 농도를 나타낸 것이다.

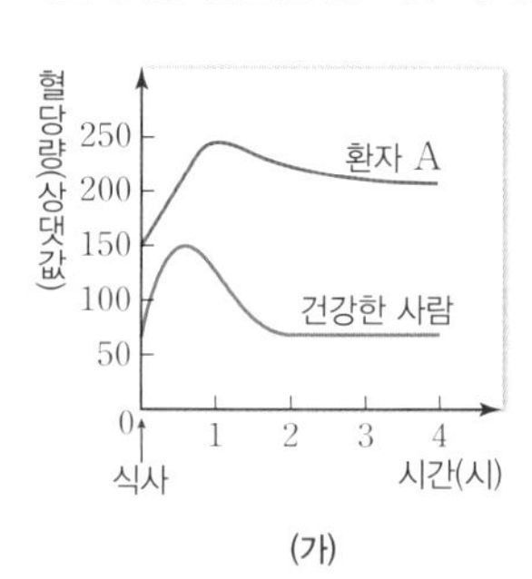

(가)

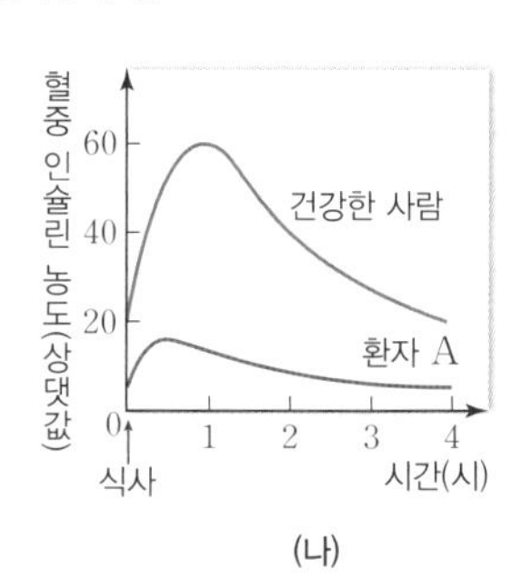

(나)

이에 대한 설명으로 옳은 것만을 〈보기〉에서 있는 대로 고른 것은?

보기
ㄱ. 혈당량이 증가하면 인슐린의 분비가 촉진된다.
ㄴ. 환자 A는 건강한 사람보다 인슐린 분비량이 적다.
ㄷ. 건강한 사람에서 혈중 글루카곤의 농도는 식사 시점보다 식사 후 1시간이 지났을 때가 더 높다.

① ㄱ ② ㄷ ③ ㄱ, ㄴ
④ ㄴ, ㄷ ⑤ ㄱ, ㄴ, ㄷ

정답과 해설 40쪽

출제예감

05 그림 (가)는 뇌하수체에서 분비되는 호르몬 ㉠과 ㉡의 각각의 표적 기관을, (나)는 혈장 삼투압에 따른 ㉠의 혈중 농도를 나타낸 것이다. ㉠과 ㉡은 각각 ADH와 TSH 중 하나이다.

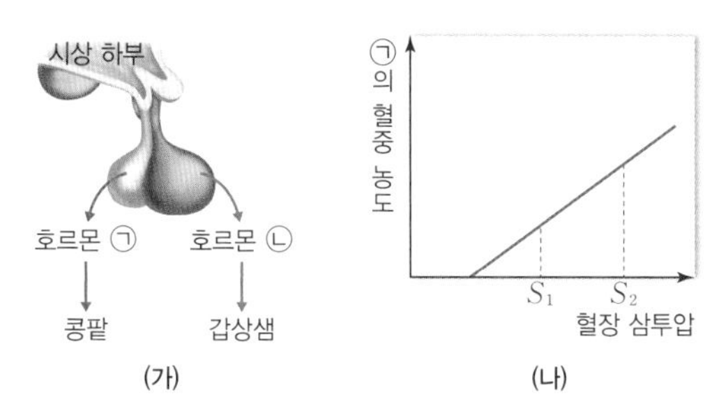

이에 대한 설명으로 옳은 것만을 〈보기〉에서 있는 대로 고른 것은?

보기
ㄱ. ㉠은 ADH이다.
ㄴ. 오줌의 삼투압은 S_1에서가 S_2에서보다 낮다.
ㄷ. 혈중 티록신의 농도가 증가하면 ㉡의 분비량이 증가한다.

① ㄱ ② ㄴ ③ ㄱ, ㄴ
④ ㄱ, ㄷ ⑤ ㄴ, ㄷ

06 그림은 정상 상태인 어떤 동물에게 물과 소금물을 순서대로 투여하였을 때 단위 시간당 오줌 생성량을 시간에 따라 나타낸 것이다.

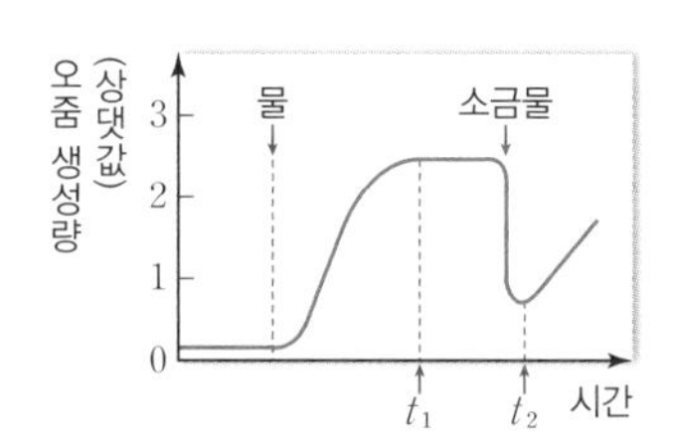

이에 대한 설명으로 옳은 것만을 〈보기〉에서 있는 대로 고른 것은? (단, 제시된 자료 이외에 체내 수분량에 영향을 미치는 요인은 없다.)

보기
ㄱ. 소금물을 섭취한 후는 물을 섭취한 후보다 ADH의 분비량이 증가한다.
ㄴ. 콩팥에서 단위 시간당 수분 재흡수량은 t_1일 때가 t_2일 때보다 적다.
ㄷ. 오줌의 삼투압은 t_1일 때가 t_2일 때보다 낮다.

① ㄱ ② ㄷ ③ ㄱ, ㄴ
④ ㄴ, ㄷ ⑤ ㄱ, ㄴ, ㄷ

서술형

07 그림은 티록신의 분비 조절 과정을 나타낸 것이다.

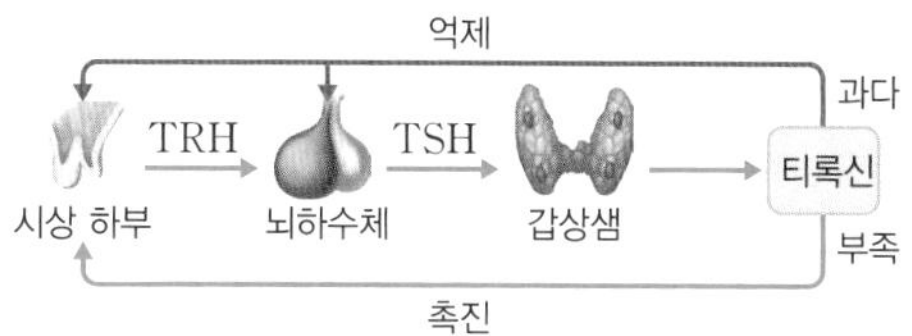

(TRH: TSH 방출 호르몬, TSH: 갑상샘 자극 호르몬)

갑상샘이 제거되었을 때 나타나는 TRH, TSH, 티록신의 농도 변화에 대해 서술하시오.

08 그림은 정상인이 운동을 할 때 호르몬 X와 Y의 혈중 농도를 나타낸 것이다. 호르몬 X와 Y는 인슐린과 글루카곤 중 하나이다.

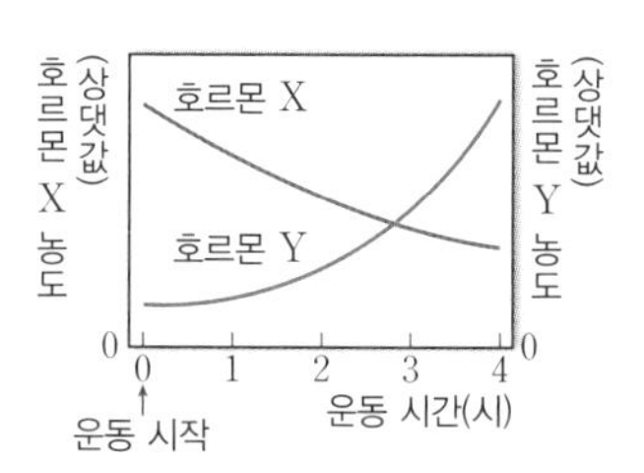

X와 Y는 각각 무엇인지 쓰시오.

서술형

09 그림 (가)와 (나)는 건강한 사람에서 각각 ㉠과 ㉡이 변할 때 뇌하수체 후엽에서 분비되는 혈중 X의 농도 변화를 나타낸 것이다. ㉠과 ㉡은 각각 혈장 삼투압과 전체 혈액량 중 하나이다.

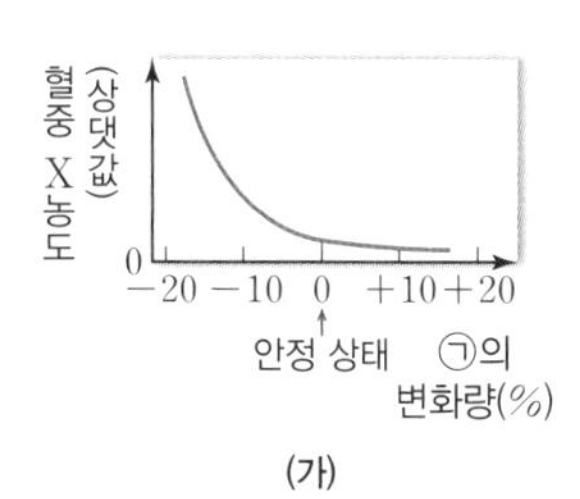

(가)

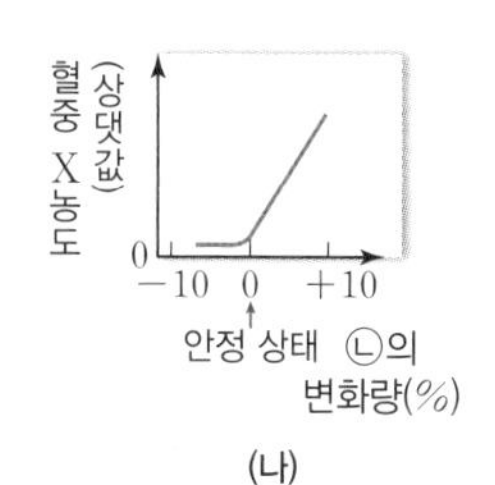

(나)

㉠과 ㉡은 무엇인지 쓰고, X의 표적 기관과 기능에 대해 서술하시오.

삼투압 조절

대표 유형

출제 의도

혈장 삼투압 증가에 따른 ADH의 농도 변화를 통해 오줌의 삼투압을 추론하고, 물 섭취에 따른 오줌 생성량의 변화를 통해 ADH의 농도와 혈장 삼투압을 추론하는 문제이다.

이것이 함정

물을 섭취하면 혈장 삼투압이 감소하여 ADH의 분비가 감소한다는 것을 알아야 한다.

그림 (가)는 정상인의 혈장 삼투압에 따른 혈중 ADH 농도를, (나)는 이 사람이 1 L의 물을 섭취한 후 단위 시간당 오줌 생성량을 시간에 따라 나타낸 것이다. (항이뇨 호르몬)

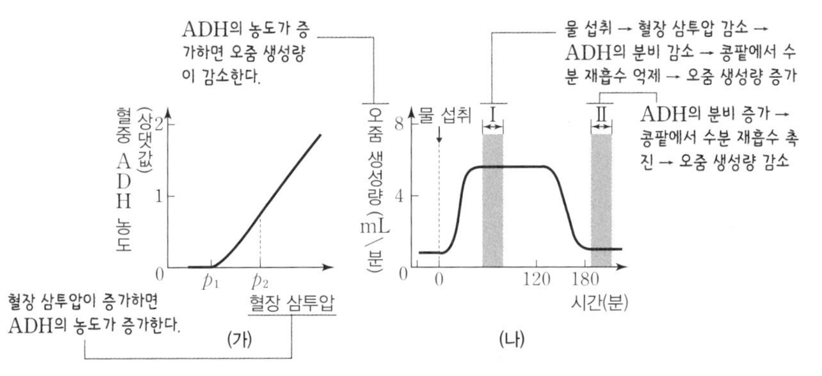

이에 대한 설명으로 옳은 것만을 〈보기〉에서 있는 대로 고른 것은? (단, (나)에서 오줌양 외에 체내 수분량에 영향을 미치는 요인은 없다.)

〈보기〉
ㄱ. ADH는 뇌하수체 후엽에서 분비된다.
ㄴ. (가)에서 오줌의 삼투압은 p_2일 때보다 p_1일 때가 높다. (낮다.)
ㄷ. (나)에서 혈장 삼투압은 구간 Ⅱ에서보다 구간 Ⅰ에서가 높다. (낮다.)

① ㄱ ② ㄴ ③ ㄱ, ㄴ ④ ㄱ, ㄷ ⑤ ㄴ, ㄷ

그림에서 경향성 찾기

그림 (가)에서 P_1과 P_2일 때 혈중 ADH의 농도를 보고 각각에서의 오줌의 삼투압을 추론한다. >>> 그림 (나)에서 물 섭취 시 혈중 ADH 농도의 변화를 추론한다. >>> 그림 (나)의 구간 Ⅰ에서 오줌의 생성량이 많은 까닭을 추론한다. >>> 그림 (나)의 구간 Ⅱ에서 오줌의 생성량이 다시 적어진 까닭을 추론한다.

추가 선택지

• 콩팥에서 단위 시간당 수분 재흡수량은 p_1일 때가 p_2일 때보다 높다. (×)
→ P_1일 때가 P_2일 때보다 혈중 ADH의 농도가 낮으므로 콩팥에서 단위 시간당 수분 재흡수량은 P_1일 때가 P_2일 때보다 낮다.

• 혈장 삼투압은 물 섭취 시점보다 구간 Ⅰ에서가 높다. (○)
→ 물을 섭취하면 혈장 삼투압이 감소해 오줌의 생성량이 증가하므로 혈장 삼투압은 물 섭취 시점보다 구간 Ⅰ에서가 높다.

실전! 수능 도전하기

정답과 해설 41쪽

수능 기출

01 표 (가)는 사람 몸에서 분비되는 호르몬 A~C에서 특징 ㉠~㉢의 유무를, (나)는 ㉠~㉢을 순서 없이 나타낸 것이다. A~C는 인슐린, 글루카곤, 에피네프린을 순서 없이 나타낸 것이다.

호르몬 \ 특징	㉠	㉡	㉢
A	?	×	○
B	○	?	○
C	○	○	?

(○: 있음, ×: 없음)

(가)

특징(㉠~㉢)
• 부신에서 분비된다. • 혈당량을 증가시킨다. • 순환계를 통해 표적 기관으로 운반된다.

(나)

이에 대한 설명으로 옳은 것만을 〈보기〉에서 있는 대로 고른 것은?

보기
ㄱ. ㉠은 '혈당량을 증가시킨다.'이다.
ㄴ. B는 간에서 글리코젠 분해를 촉진한다.
ㄷ. C는 에피네프린이다.

① ㄱ ② ㄷ ③ ㄱ, ㄴ
④ ㄴ, ㄷ ⑤ ㄱ, ㄴ, ㄷ

02 그림은 호르몬 A와 B의 분비 경로를 나타낸 것이다. A와 B는 각각 티록신, 에피네프린 중 하나이다.

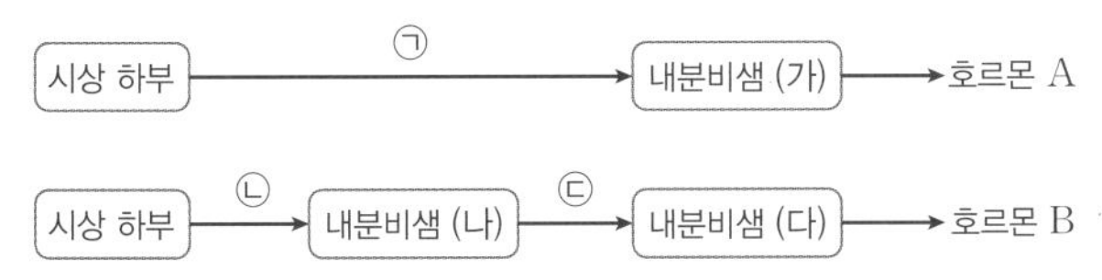

이에 대한 설명으로 옳은 것만을 〈보기〉에서 있는 대로 고른 것은?

보기
ㄱ. (가)는 부신 속질이다.
ㄴ. B가 과다 분비되면 ㉡ 과정이 촉진된다.
ㄷ. ㉠에 의한 신호 전달은 ㉢에 의한 신호 전달보다 빠르다.

① ㄱ ② ㄴ ③ ㄱ, ㄴ
④ ㄱ, ㄷ ⑤ ㄴ, ㄷ

03 그림은 추울 때 일어나는 체온 조절 과정의 일부를 나타낸 것이다. (가)와 (나)는 자극 전달 경로이다.

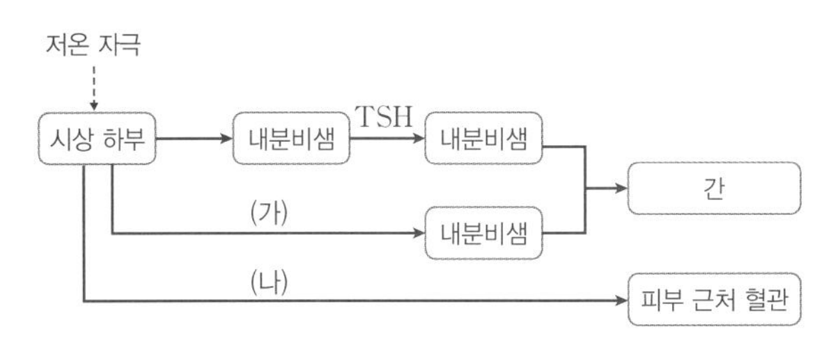

추울 때 일어나는 체온 조절 과정에 대한 설명으로 옳은 것만을 〈보기〉에서 있는 대로 고른 것은?

보기
ㄱ. (가)와 (나)는 모두 부교감 신경에 의한 자극 전달 경로이다.
ㄴ. 피부 근처 혈관이 수축되어 열 발산량이 억제된다.
ㄷ. 간에서 물질대사가 촉진되어 열 발생량이 증가된다.

① ㄱ ② ㄴ ③ ㄱ, ㄴ
④ ㄱ, ㄷ ⑤ ㄴ, ㄷ

04 그림 (가)는 어떤 사람의 체온 조절 과정 일부를, (나)는 이 사람의 시상 하부에 설정된 온도 변화에 따른 체온을 나타낸 것이다.

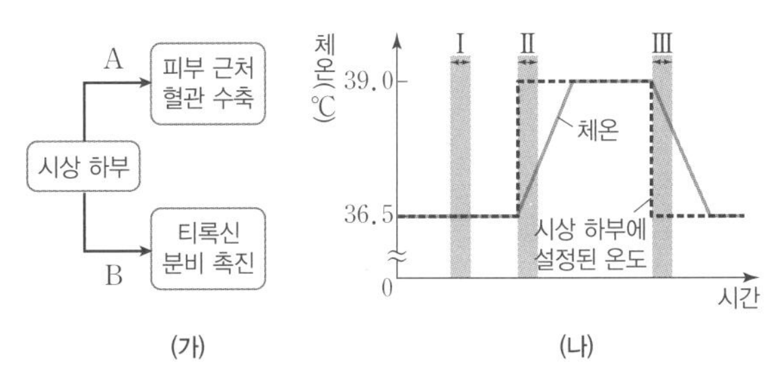

(가) (나)

이에 대한 설명으로 옳은 것만을 〈보기〉에서 있는 대로 고른 것은?

보기
ㄱ. 열 발산량은 구간 Ⅰ에서보다 구간 Ⅲ에서 적다.
ㄴ. 과정 A는 구간 Ⅲ에서보다 구간 Ⅱ에서가 활발하다.
ㄷ. 과정 B는 호르몬에 의해 일어난다.

① ㄱ ② ㄴ ③ ㄱ, ㄴ
④ ㄱ, ㄷ ⑤ ㄴ, ㄷ

정답과 해설 41쪽

05 그림 (가)는 정상인에게 공복 시 포도당을 투여한 후 시간에 따른 혈중 X의 농도를, (나)는 간에서 일어나는 포도당과 글리코젠 사이의 전환을 나타낸 것이다. X는 이자에서 분비되는 혈당량 조절 호르몬이다.

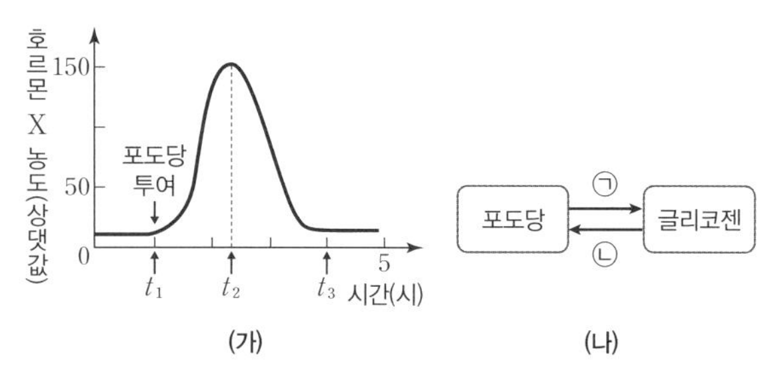

(가) (나)

이에 대한 설명으로 옳은 것만을 〈보기〉에서 있는 대로 고른 것은?

> 보기
> ㄱ. X는 간에서 과정 ㉠을 촉진한다.
> ㄴ. X는 교감 신경에 의해 분비가 촉진된다.
> ㄷ. 혈중 글루카곤 농도는 t_2일 때가 t_3일 때보다 낮다.

① ㄱ ② ㄴ ③ ㄱ, ㄷ
④ ㄴ, ㄷ ⑤ ㄱ, ㄴ, ㄷ

06 그림 (가)는 이자에서 분비되는 호르몬 ㉠과 ㉡을, (나)는 정상인에서 24시간 동안 시간에 따른 호르몬 X의 혈중 농도를 나타낸 것이다. X는 ㉠과 ㉡ 중 하나이다.

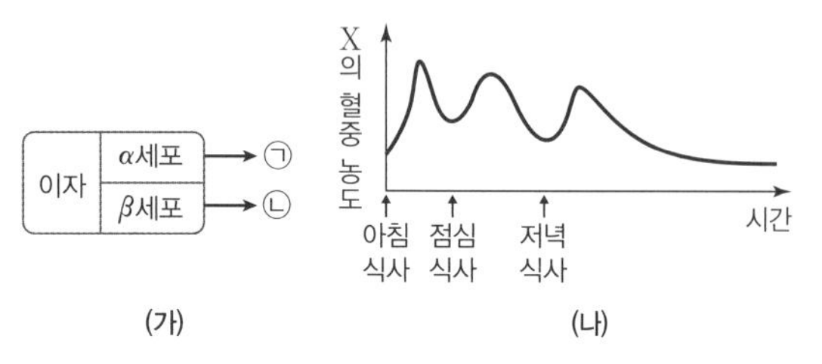

(가) (나)

이에 대한 설명으로 옳은 것만을 〈보기〉에서 있는 대로 고른 것은?

> 보기
> ㄱ. X는 ㉠이다.
> ㄴ. X는 간에서 글리코젠의 합성을 촉진한다.
> ㄷ. ㉠과 ㉡은 서로 길항 작용을 한다.

① ㄱ ② ㄴ ③ ㄷ
④ ㄱ, ㄴ ⑤ ㄴ, ㄷ

수능 기출

07 그림 (가)는 혈중 ADH 농도에 따른 ㉡의 삼투압에 대한 ㉠의 삼투압 비를, (나)는 정상인이 1 L의 물을 섭취한 후 시간에 따른 혈장과 오줌의 삼투압을 나타낸 것이다. ㉠과 ㉡은 각각 혈장과 오줌 중 하나이다.

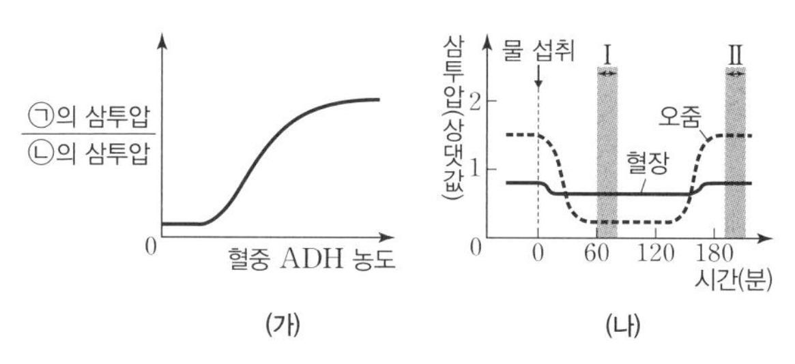

(가) (나)

이에 대한 설명으로 옳은 것만을 〈보기〉에서 있는 대로 고른 것은? (단, 제시된 자료 이외에 체내 수분량에 영향을 미치는 요인은 없다.)

> 보기
> ㄱ. 시상 하부는 ADH의 분비를 조절한다.
> ㄴ. ㉡은 오줌이다.
> ㄷ. $\frac{\text{혈중 ADH 농도}}{\text{오줌 생성량}}$는 구간 Ⅰ에서가 구간 Ⅱ에서보다 크다.

① ㄱ ② ㄴ ③ ㄱ, ㄴ
④ ㄱ, ㄷ ⑤ ㄴ, ㄷ

08 그림 (가)와 (나)는 건강한 사람에서 각각 ㉠과 ㉡이 변할 때 혈중 X의 농도 변화를 나타낸 것이다. ㉠과 ㉡은 각각 혈장 삼투압과 전체 혈액량 중 하나이다. X는 뇌하수체 후엽에서 분비된다.

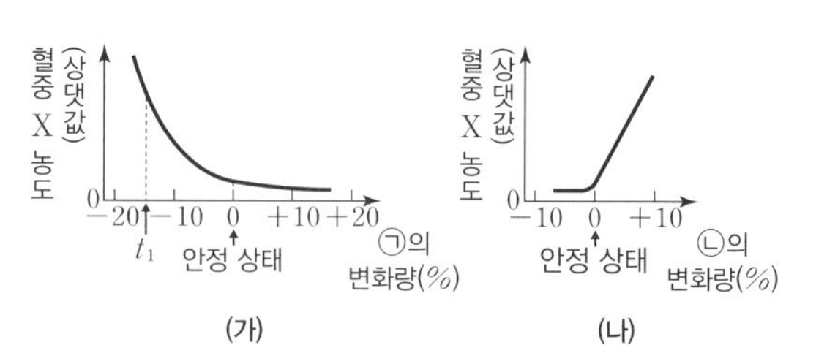

(가) (나)

이에 대한 설명으로 옳은 것만을 〈보기〉에서 있는 대로 고른 것은? (단, 오줌양 외에 체내 수분량에 영향을 미치는 요인은 없다.)

> 보기
> ㄱ. 콩팥은 X의 표적 기관이다.
> ㄴ. ㉠은 혈장 삼투압이다.
> ㄷ. (가)에서 단위 시간당 오줌 생성량은 t_1일 때가 안정 상태일 때보다 적다.

① ㄱ ② ㄷ ③ ㄱ, ㄴ
④ ㄱ, ㄷ ⑤ ㄴ, ㄷ

3 방어 작용

배울 내용 살펴보기

01 질병과 병원체

A 질병의 구분과 감염

B 병원체의 종류와 특성

질병에는 감염성 질병과 비감염성 질병이 있고, 감염성 질병의 병원체는 세균이나 바이러스, 원생생물이나 곰팡이 등이 있어.

02 우리 몸의 방어 작용

A 우리 몸의 방어 작용

B 비특이적 방어 작용

C 특이적 방어 작용 특성

D 면역 관련 질환

E 혈액의 응집 반응과 혈액형

우리 몸은 병원체의 침입을 막거나 침입한 병원체를 제거하기 위해 비특이적 방어 작용과 특이적 방어 작용이 일어나.

01 질병과 병원체

핵심 키워드로 흐름잡기

A 감염성 질병, 비감염성 질병

B 세균, 바이러스, 원생생물, 곰팡이

A 질병의 구분과 감염

|출·제·단·서| 시험에는 감염성 질병과 비감염성 질병의 예에 대해 묻는 문제가 나와.

1. 질병

구분	감염성 질병	비감염성 질병 (병원체 없이 나타난다.)
원인	세균, 바이러스 등 외부에서 침입한 병원체	생활 방식, 유전, 환경 등
전염 여부	다른 사람에게 전염됨	다른 사람에게 전염되지 않음
대표적 질병	감기, 독감, 천연두, 콜레라, 결핵, 후천성 면역 결핍증(AIDS) 등	고혈압, 혈우병, 당뇨병, 암, 비만 등

2. 질병의 감염 경로 병원체가 새로운 숙주로 침입하는 경로이다.

직접적인 감염 경로	호흡기를 통한 감염	환자가 기침이나 재채기를 할 때 방출된 병원체가 호흡기를 통해 감염될 수 있다. 예 결핵, 감기, 독감 등
	신체 접촉을 통한 감염	환자와 신체적으로 접촉하거나 피부의 상처 난 부위를 통해 병원체에 감염될 수 있다. 예 무좀, 파상풍 등
간접적인 감염 경로	소화기를 통한 감염	세균에 감염된 물❶이나 식품 등을 섭취하면 소화기를 통해 병원체에 감염될 수 있다. 예 콜레라, 세균성 식중독 등
	매개 곤충을 통한 감염	파리, 모기 등과 같은 곤충을 통해서 병원체에 감염될 수 있다. 예 말라리아, 수면병 등 말라리아는 말라리아 모기, 수면병은 체체파리를 통해 감염된다.

빈출 탐구 사람의 몸에 묻어 있는 세균 확인

사람의 몸에 묻어 있는 세균을 배양하여 관찰할 수 있다.

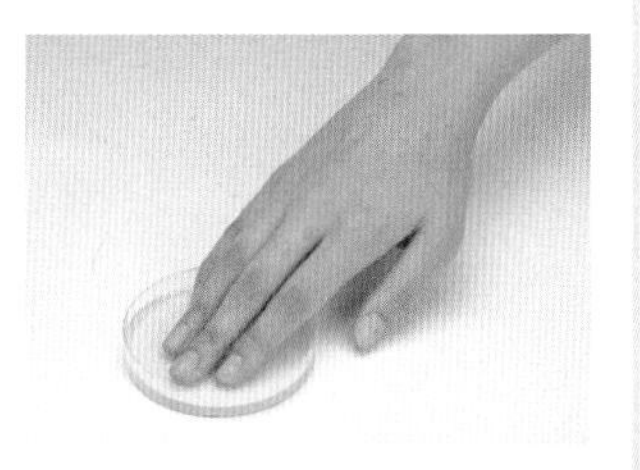

과정

① 한천 배지 3개를 준비하고 뚜껑에 A, B, C를 표시하여 구분한다.

② 한천 배지 A에 손을 씻지 않은 상태의 손가락 4개를, 한천 배지 B에 손을 깨끗이 씻은 후 손가락 4개를 대고 살짝 누른 다음 뚜껑을 닫는다.

③ 한천 배지 C의 뚜껑을 손가락을 누르는 데 걸리는 시간만큼 열었다 닫는다.

④ 한천 배지 A~C를 37 ℃의 세균 배양기에서 24시간 동안 배양한 후, 세균 군체(콜로니) 수를 확인하여 사진을 찍고 그 수와 특징을 기록한다.

결과

한천 배지 A	한천 배지 B	한천 배지 C
· 색, 형태, 크기로 봤을 때 군체 종류는 6가지 이상 · 군체 수는 200개 이상	· 군체 종류는 3가지 이상 · 군체 수는 70개 이상	· 군체 없음

정리

❶ A>B>C 순으로 세균 군체 수가 많이 나타났다.

❷ 한천 배지 C는 대조군이다. C에 생긴 군체 수를 뺀 나머지가 손에 묻어 있던 세균의 수일 것이다.

❸ 손을 씻기 전과 후의 세균 군체 수를 비교하면 손을 씻은 후가 전보다 세균 군체 수가 적다. 이 결과로 손 씻기를 잘하면 질병의 원인이 되는 세균 수가 감소하여 질병에 걸릴 확률이 줄어든다는 것을 알 수 있다.

---

❶ 수인성 질병

물을 통해 감염되는 질병으로 공용으로 이용하는 물이 오염되면 질병이 빠르게 퍼진다.

예 비브리오 패혈증, 장티푸스, 콜레라 등

? 감염성 질병을 예방하는 방법은 무엇일까?

- 휴식을 충분히 취하고 적당한 운동을 하며, 영양 섭취에 유의하여 우리 몸의 면역을 강화하면 감염성 질병을 예방할 수 있다.
- 기침을 할 때에는 손수건, 옷소매로 입을 가려야 병원체가 전파되는 것을 막을 수 있다.
- 마스크를 착용하면 호흡기를 통한 병원체 감염을 막을 수 있다.
- 올바른 손 씻기로 손을 통해 감염되는 병원체를 제거할 수 있다.
- 병원체를 사멸시키기 위해 음식을 익혀서 먹고 물은 끓여서 먹는 것이 안전하다.
- 매개 곤충이 번식하지 않도록 관리하고, 물리지 않도록 조심한다.
- 항생제의 오·남용은 항생제 내성 세균의 출현을 증가시킬 수 있으므로 꼭 필요한 경우에만 항생제를 사용한다.

용어 알기

- 감염(느낄 感 물들일 染) 병원체가 숙주에 침입하는 것
- 병원체(병 病 근원 原 몸 體) 인체에 침입하여 질병을 일으키는 것
- 전염(전할 傳 물들일 染) 병원체가 한 생물체에서 다른 생물체로 퍼지는 것

B 병원체의 종류와 특성

|출·제·단·서| 시험에는 세균과 바이러스에 의한 질병에는 어떤 것이 있는지 묻는 문제가 나와.

1. 세균(박테리아)❷

구분	내용
특성	• 하나의 독립된 세포 구조를 가지는 단세포 생물이다. • 원핵생물이다. → 핵막과 막으로 둘러싸인 세포 소기관이 없다. • 효소가 있다. → 스스로 물질대사를 할 수 있다. • 분열법으로 빠르게 번식하며, 유전과 돌연변이가 일어난다.
질병의 유발	대부분 우리 몸에 무해하지만 일부 세균은 감염된 생물의 조직을 파괴하거나 독소를 분비하여 질병을 일으킨다.
대표적 질병	결핵, 폐렴, 파상풍, 세균성 식중독, 탄저병, 콜레라, 장티푸스 등
치료	항생제를 이용하여 치료한다. 항생제를 과다하게 사용하면 항생제 내성 세균이 나타날 수 있으므로 적절한 용법과 용량을 지켜서 사용해야 한다.

DNA, 세포막, 세포벽

▲ 세균의 구조

2. 바이러스❸

구분	내용
특성	• 비세포 구조로 단백질 껍질과 내부의 핵산으로 구성되어 있다. • 세균보다 크기가 작다. • 살아 있는 숙주 세포에서 기생 생활을 한다. • 효소가 없다. → 스스로 물질대사를 할 수 없다. 숙주 세포 밖에 있을 때 • 숙주 세포 내에서는 숙주의 효소를 이용하여 물질대사를 할 수 있기 때문에 증식하고, 유전과 돌연변이가 일어난다.
질병의 유발	살아 있는 숙주 세포 내에서 증식한 후 방출될 때 숙주 세포를 파괴하여 질병을 일으킨다.
대표적 질병	감기, 독감, 홍역, 소아마비, 후천성 면역 결핍증(AIDS) 등
치료	항바이러스제를 이용하여 치료한다. 항바이러스제의 종류가 많지 않으며, 바이러스는 돌연변이가 자주 일어나 치료가 어렵다.

핵산, 단백질 껍질

▲ 바이러스의 구조

3. 원생생물

구분	내용
특성	• 단세포 생물이다. • 핵을 가지고 있는 진핵생물이다. • 독립적으로 생활하기도 하고, 동물 세포나 식물 세포에 기생하기도 한다.
질병의 유발	대부분 열대 지역에서 매개 곤충을 통하여 몸속으로 들어와 증식하면서 질병을 일으킨다.
대표적 질병	말라리아, 아메바성 이질, 수면병 등
치료	약물을 이용하여 치료한다. 원생생물은 사람의 세포와 유사해 병원체만 선택적으로 억제하기 어렵기 때문에 치료가 쉽지 않다.

말라리아 원충

4. 곰팡이 균류에 속한다.

구분	내용
특성	• 몸이 실 모양의 균사로 이루어진 다세포 생물이다. • 핵을 가지고 있는 진핵생물이다. • 습한 환경에서 살며, 포자로 번식한다.
질병의 유발	우리 몸의 피부에서 번식하거나 곰팡이의 포자가 호흡 기관을 통해 우리 몸 안으로 들어와 질병을 일으킨다.
대표적 질병	무좀, 만성 폐질환, 알레르기, 칸디다증 등 곰팡이의 일종인 칸디다가 피부나 점막의 표면에 증식하여 염증을 일으킨다.
치료	항진균제를 이용하여 치료한다. 곰팡이는 사람의 세포와 유사해 병원체만 선택적으로 억제하기 어렵기 때문에 치료가 쉽지 않다.

무좀균

❷ 세균의 구분
세균은 모양에 따라 간균, 구균, 나선균으로 구분한다.

❸ 바이러스의 구분
바이러스는 핵산의 종류의 따라 DNA 바이러스, RNA 바이러스로 구분하며, 숙주의 종류의 따라 동물 바이러스, 식물 바이러스, 세균 바이러스로 구분한다.

변형된 프라이온
• 단백질성 감염 입자이며 신경계의 퇴행성 질병을 유발하고 크기는 바이러스보다 작다.
• 변형 프라이온은 정상 프라이온을 변형된 형태로 바꾸어 증식할 수 있다.

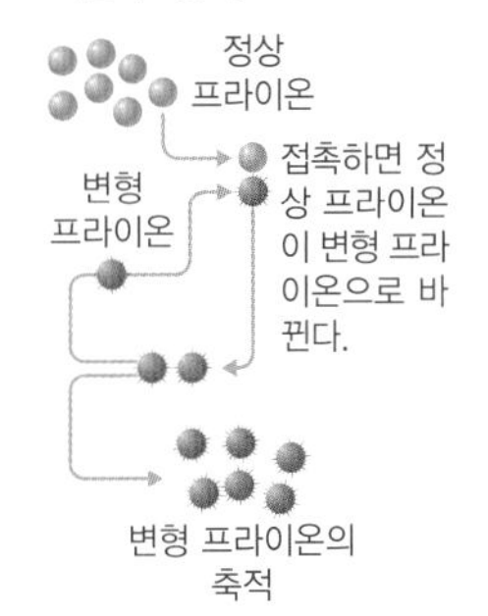

• 대표적 질병: 사람의 크로이츠펠트-야코프병, 소의 광우병, 양의 스크래피 등

? 감기와 독감의 다른 점은 무엇일까?
감기와 독감의 증상은 비슷하고, 모두 바이러스에 의해 발생하는 질병이지만, 감기는 아데노 바이러스 등 다양한 감기 바이러스에 의해, 독감은 인플루엔자 바이러스에 의해 발생하는 질병이다.

용어 알기
• 원핵(근원 原 핵 核)생물 핵막이 없어 뚜렷이 구분된 핵이 없는 생물
• 숙주(묵을 宿 주인 主) 세포 생물이 기생하는 대상으로 삼는 생물의 세포
• 진핵(참 眞 핵 核)생물 핵막으로 둘러싸인 뚜렷한 핵이 있는 생물

콕콕! 개념 확인하기

정답과 해설 42쪽

✔ 잠깐 확인!

1. ☐☐☐
우리 몸에 감염되어 질병을 일으키는 미생물

2. ☐☐☐ 질병
병원체에 의해 나타나는 질병으로 다른 사람에게 전염되기도 하는 질병

3. ☐☐☐☐ 질병
병원체 없이 나타나는 질병으로 다른 사람에게 전염되지 않는 질병

4. ☐☐☐를 통한 감염
환자가 기침이나 재채기를 할 때 공기 중에 방출된 병원체를 통한 감염

5. ☐☐ ☐☐을 통한 감염
환자와의 신체적 접촉을 통한 감염

6. ☐☐☐를 통한 감염
세균에 감염된 물이나 식품 등을 통한 감염

7. ☐☐ ☐☐을 통한 감염
파리, 모기 등을 통한 감염

8. 세균은 ☐☐가 있어 스스로 물질대사를 할 수 있다.

9. 바이러스는 살아 있는 ☐☐ 세포 안에서 기생 생활을 한다.

10. 세균과 바이러스는 모두 유전 물질인 ☐☐을 가진다.

A 질병의 구분과 감염

01 질병에 대한 설명으로 옳은 것은 ○, 옳지 않은 것은 ×로 표시하시오.

(1) 감염성 질병은 외부에서 침입한 병원체에 의해 나타난다. ( )

(2) 감염성 질병은 다른 사람에게 전염되지 않는다. ( )

(3) 감기, 독감은 비감염성 질병의 예이다. ( )

(4) 생활 방식이나 유전에 의해 나타나는 질병은 비감염성 질병에 해당한다. ( )

(5) 비감염성 질병은 다른 사람에게 전염된다. ( )

02 비감염성 질병에 해당하는 것만을 〈보기〉에서 있는 대로 골라 쓰시오.

〈보기〉
암　감기　결핵　비만　고혈압　당뇨병　콜레라　천연두

03 다음 질병을 직접적인 감염 경로에 의한 것인지 간접적인 감염 경로에 의한 것인지 구분하여 각각 쓰시오.

결핵　무좀　콜레라　말라리아

(1) 직접적인 감염 경로

(2) 간접적인 감염 경로

B 병원체의 종류와 특성

04 병원체의 종류와 이들 병원체의 감염에 의해 나타날 수 있는 질병을 옳게 연결하시오.

(1) 세균 •　　　• ㉠ 말라리아

(2) 바이러스 •　　　• ㉡ 무좀

(3) 원생생물 •　　　• ㉢ 독감

(4) 곰팡이 •　　　• ㉣ 폐렴

05 다음은 어떤 병원체의 특성에 대한 설명이다.

- 비세포 구조로 단백질 껍질과 내부의 핵산으로 구성되어 있다.
- 살아 있는 숙주 세포에서 기생 생활을 한다.
- 효소가 없어 스스로 물질대사를 할 수 없다.

이 병원체는 무엇인지 쓰시오.

탄탄! 내신 다지기

정답과 해설 42쪽

A 질병의 구분과 감염

01 질병에 대한 설명으로 옳지 않은 것은?

① 감기는 감염성 질병에 해당한다.
② 감염성 질병은 병원체에 의해 나타난다.
③ 비감염성 질병은 병원체 없이 나타난다.
④ 감염성 질병과 비감염성 질병은 모두 다른 사람에게 전염된다.
⑤ 유전적 원인에 의해 나타나는 질병은 비감염성 질병에 해당한다.

02 표는 사람의 4가지 질병을 A와 B로 구분하여 나타낸 것이다.

구분	질병
A	독감, 콜레라
B	고혈압, 당뇨병

이에 대한 설명으로 옳은 것만을 <보기>에서 있는 대로 고른 것은?

보기
ㄱ. A는 감염성 질병이다.
ㄴ. B는 병원체에 의해 나타난다.
ㄷ. 기침을 할 때 손수건으로 입을 가리면 B를 예방할 수 있다.

① ㄱ ② ㄴ ③ ㄷ ④ ㄱ, ㄴ ⑤ ㄱ, ㄷ

03 표는 질병의 감염 경로 (가)~(라)와 각각의 예를 나타낸 것이다.

감염 경로	(가)	(나)	(다)	(라)
예	감기	무좀	콜레라	말라리아

(가)~(라)에 해당하는 것으로 가장 적절한 것을 옳게 짝 지은 것은?

	(가)	(나)	(다)	(라)
①	호흡기	신체 접촉	매개 곤충	소화기
②	호흡기	신체 접촉	소화기	매개 곤충
③	소화기	호흡기	신체 접촉	매개 곤충
④	신체 접촉	소화기	호흡기	매개 곤충
⑤	매개 곤충	소화기	호흡기	신체 접촉

04 감염성 질병의 예방에 대한 설명으로 옳지 않은 것은?

① 손을 자주 흐르는 물에 깨끗이 씻는다.
② 매개 곤충이 번식하지 않도록 관리한다.
③ 음식을 익혀서 먹고 물은 끓여서 먹는다.
④ 휴식을 충분히 취하고 적당한 운동을 한다.
⑤ 항생제를 자주 사용하여 병원체에 대한 면역력을 키운다.

B 병원체의 종류와 특성

05 세균, 바이러스, 원생생물, 곰팡이에 의해 유발되는 질병을 옳게 짝 지은 것은?

	세균	바이러스	원생생물	곰팡이
①	홍역	콜레라	말라리아	수면병
②	결핵	홍역	무좀	말라리아
③	독감	결핵	칸디다증	말라리아
④	파상풍	독감	수면병	칸디다증
⑤	감기	폐렴	무좀	칸디다증

06 그림은 결핵을 일으키는 어떤 병원체를 나타낸 것이다.

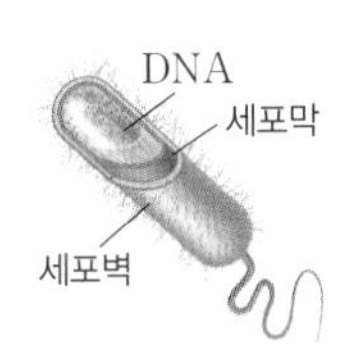

이 병원체에 대한 설명으로 옳은 것은?

① 효소가 없다.
② 다세포 생물이다.
③ 분열법으로 번식한다.
④ 항진균제를 이용하여 치료한다.
⑤ 핵과 막으로 둘러싸인 세포 소기관이 있다.

[07~08] 다음은 병원체 X의 특성이다.

- 효소가 없다.
- 비세포 구조이다.
- 살아 있는 숙주 세포에서 기생 생활을 한다.

07 X에 대한 설명으로 옳지 않은 것은?

① 바이러스이다.
② 세균보다 크기가 작다.
③ 스스로 물질대사를 한다.
④ 항바이러스제를 이용하여 치료한다.
⑤ 단백질 껍질과 핵산으로 구성되어 있다.

08 X에 의해 유발되는 질병으로 옳은 것만을 〈보기〉에서 있는 대로 고른 것은?

보기
ㄱ. 폐렴　　ㄴ. 감기
ㄷ. 홍역　　ㄹ. 말라리아

① ㄱ, ㄴ　② ㄴ, ㄷ　③ ㄷ, ㄹ
④ ㄱ, ㄴ, ㄷ　⑤ ㄴ, ㄷ, ㄹ

[09~10] 그림은 4가지 질병을 (가)와 (나)로 구분하여 나타낸 것이다.

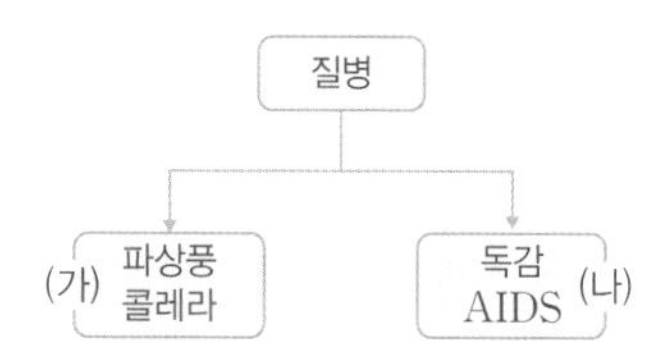

09 (가)와 (나)를 구분하는 기준을 쓰시오.

10 이에 대한 설명으로 옳은 것만을 〈보기〉에서 있는 대로 고른 것은?

보기
ㄱ. (가)를 일으키는 병원체는 핵막이 없다.
ㄴ. (나)를 일으키는 병원체는 효소가 없다.
ㄷ. (가)와 (나)는 모두 감염성 질병이다.

① ㄱ　② ㄴ　③ ㄱ, ㄴ
④ ㄱ, ㄷ　⑤ ㄱ, ㄴ, ㄷ

11 그림 (가)는 결핵을 일으키는 병원체를, (나)는 독감을 일으키는 병원체를 나타낸 것이다.

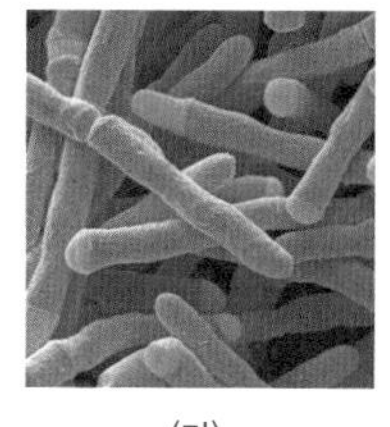
(가)

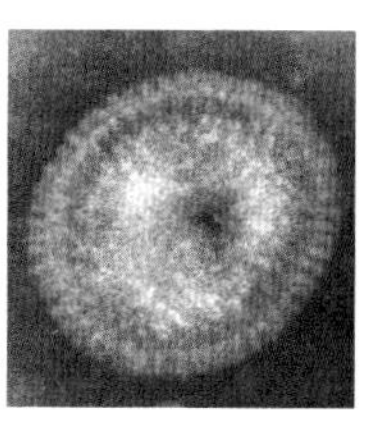
(나)

이에 대한 설명으로 옳은 것만을 〈보기〉에서 있는 대로 고른 것은?

보기
ㄱ. 바이러스는 (가)이다.
ㄴ. (가)는 스스로 물질대사를 한다.
ㄷ. (나)는 살아 있는 숙주 세포 내에서 증식한다.

① ㄱ　② ㄷ　③ ㄱ, ㄴ
④ ㄴ, ㄷ　⑤ ㄱ, ㄴ, ㄷ

12 그림 (가)는 말라리아 원충을, (나)는 무좀균을 나타낸 것이다.

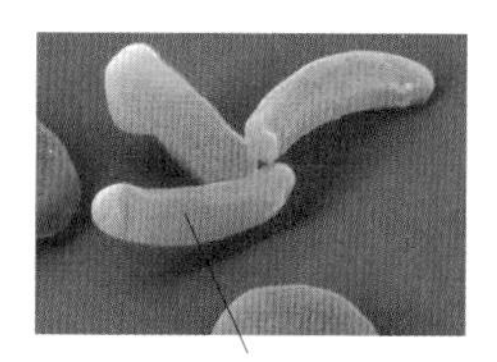
(가) 말라리아 원충

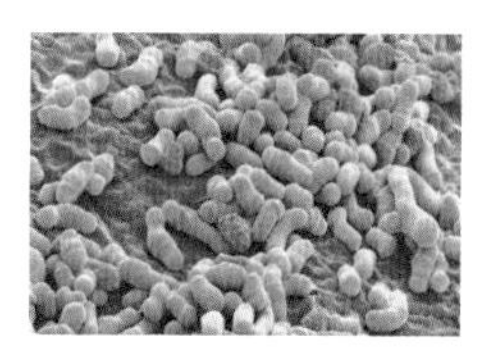
(나) 무좀균

이에 대한 설명으로 옳지 않은 것은?

① (가)는 원생생물이다.
② (가)는 매개 곤충을 통하여 몸속에 침입한다.
③ (나)는 균사로 이루어져 있다.
④ (가)와 (나)는 모두 핵을 가지고 있다.
⑤ (가)와 (나)는 모두 항생제를 이용하여 치료한다.

13 다음은 어떤 병원체의 특성이다.

- 습한 환경에서 살며, 포자로 번식한다.
- 몸이 실 모양의 균사로 이루어진 다세포 생물이다.
- 인체의 피부에서 번식하거나 포자가 호흡 기관을 통해 인체 내로 들어와 질병을 일으킨다.

이 병원체에 의해 발생하는 질병으로 옳지 않은 것은?

① 무좀　② 만성 폐질환　③ 알레르기
④ 칸디다증　⑤ 후천성 면역 결핍증(AIDS)

도전! 실력 올리기

01 그림은 3가지 질병을 구분하는 과정을 나타낸 것이다.

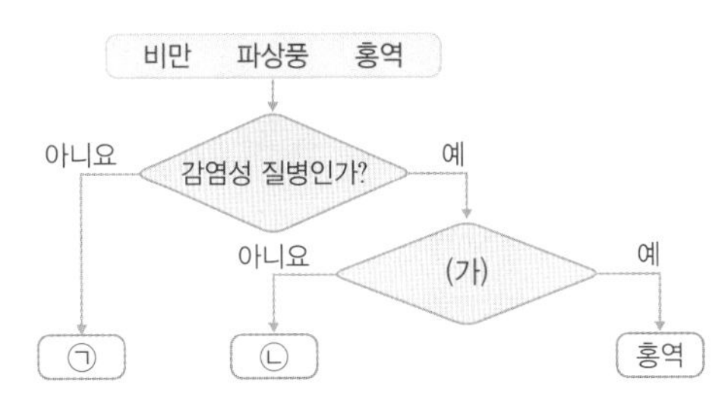

이에 대한 설명으로 옳은 것만을 〈보기〉에서 있는 대로 고른 것은?

보기
ㄱ. ㉠은 비만이다.
ㄴ. ㉡을 일으키는 병원체는 항생제를 이용하여 치료한다.
ㄷ. '핵이 있는가?'는 (가)에 해당한다.

① ㄱ ② ㄴ ③ ㄱ, ㄴ
④ ㄱ, ㄷ ⑤ ㄴ, ㄷ

출제예감

02 표 (가)는 질병 A~C에서 특징 ㉠~㉢의 유무를, (나)는 ㉠~㉢을 순서 없이 나타낸 것이다. A~C는 각각 결핵, 감기, 당뇨병 중 하나이다.

특징＼질병	A	B	C
㉠	○	○	×
㉡	×	○	×
㉢	×	×	○

(○: 있음, ×: 없음)

(가)

특징(㉠~㉢)
• 병원체가 효소를 가지고 있다.
• 병원체가 유전 물질을 가지고 있다.
• 비감염성 질병이다.

(나)

이에 대한 설명으로 옳은 것만을 〈보기〉에서 있는 대로 고른 것은?

보기
ㄱ. A의 병원체는 살아 있는 숙주 세포에서 기생 생활을 한다.
ㄴ. B의 병원체는 분열법을 통해 번식한다.
ㄷ. ㉢은 '병원체가 효소를 가지고 있다.'이다.

① ㄱ ② ㄴ ③ ㄱ, ㄴ
④ ㄱ, ㄷ ⑤ ㄴ, ㄷ

출제예감

03 표는 사람의 6가지 질병을 A~C로 구분하여 나타낸 것이다.

구분	질병
A	결핵, 폐렴
B	말라리아, 수면병
C	독감, 후천성 면역 결핍증(AIDS)

이에 대한 설명으로 옳은 것만을 〈보기〉에서 있는 대로 고른 것은?

보기
ㄱ. A~C는 모두 감염성 질병이다.
ㄴ. A와 B를 일으키는 병원체는 모두 원핵생물이다.
ㄷ. C를 일으키는 병원체는 단백질을 가지고 있다.

① ㄱ ② ㄴ ③ ㄱ, ㄴ
④ ㄱ, ㄷ ⑤ ㄴ, ㄷ

서답형 문제

서술형

04 그림은 세균과 바이러스의 공통점과 차이점을 나타낸 것이다.

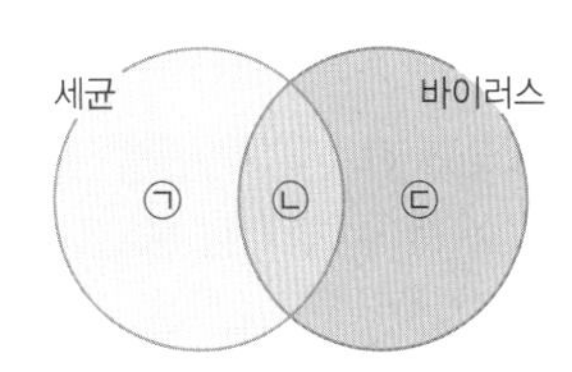

㉠~㉢에 해당하는 것을 각각 1가지씩만 서술하시오.

서술형

05 세균성 질병의 치료에 항생제를 남용하면 치료 효과가 감소된다. 그 까닭을 서술하시오.

02 우리 몸의 방어 작용

핵심 키워드로 흐름잡기

- A 방어 작용, 비특이적 방어 작용, 특이적 방어 작용
- B 피부, 점막, 점액, 식균 작용, 염증 반응
- C T 림프구, B 림프구, 항원, 항체, 세포성 면역, 체액성 면역, 1차 면역 반응, 2차 면역 반응
- D 자가 면역 질환, 후천성 면역 결핍증, 알레르기
- E 응집원, 응집소, ABO식 혈액형, Rh식 혈액형, 수혈

A 우리 몸의 방어 작용

|출·제·단·서| 시험에는 비특이적 방어 작용과 특이적 방어 작용의 특징을 구분하는 문제가 나와.

1. 방어 작용(면역) 병원체의 침입을 막거나, 병원체가 들어오더라도 이를 제거할 수 있는 방어 능력이다.

2. 방어 작용의 종류

비특이적 방어 작용	• 병원체의 종류나 감염의 유무에 관계없이 감염 즉시 신속하고, 동일한 방식으로 일어난다. • 태어날 때부터 갖고 있는 선천적 면역이다.	방어 작용 비특이적 방어 작용: ·외부 방어벽(피부, 점막) ·내부 방어(식균 작용, 염증 반응) 특이적 방어 작용: ·세포성 면역 ·체액성 면역
특이적 방어 작용	• 병원체의 종류를 인식하고, 병원체에 따라 다르게 반응하므로 반응이 일어나기까지 시간이 걸린다. • 병원체에 노출되면서 발달하는 후천적 면역이다.	

B 비특이적 방어 작용[1]

|출·제·단·서| 시험에는 비특이적 방어 작용의 과정을 묻는 문제가 나와.

1. 피부, 점막

(1) 피부 병원체의 침입을 막는 1차적인 방어벽으로 피부의 각질화된 세포층은 병원체의 침입을 막는 물리적 장벽의 역할을 한다.

(2) 점막 호흡 기관, 소화 기관 등의 내벽을 덮고 있는 세포층으로 라이소자임[2]이 포함된 *점액을 분비하며, 상피 세포의 손상을 막는다.

2. 식균 작용(식세포 작용) 백혈구가 병원체를 세포 안으로 끌어들인 뒤 세포 안에서 효소를 이용하여 분해하는 작용으로, 병원체가 몸속으로 침입하면 다양한 종류의 백혈구가 식균 작용을 하여 병원체를 제거한다.

3. 염증 반응 피부나 점막이 손상되어 병원체가 몸 안으로 침입했을 때 일어나는 반응으로 열, 부어오름, 붉어짐, 통증 등의 증상이 나타난다. 모세 혈관이 확장되어 혈류량이 증가하고, 혈장이 혈관 밖으로 빠져나가 부종을 일으키기 때문이다.

빈출 자료 염증 반응의 과정

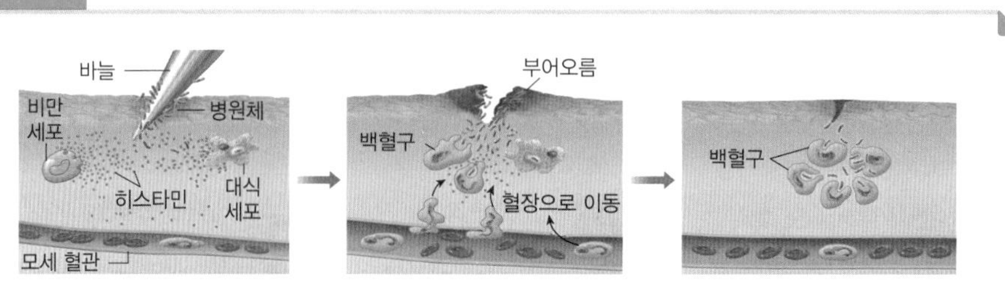

❶ 히스타민 분비
피부가 손상되어 병원체가 체내로 들어오면 *비만 세포에서 *히스타민을 분비한다.

❷ 모세 혈관 확장
히스타민은 모세 혈관을 확장시켜 혈류량을 증가시키고 혈관 벽의 투과성을 높인다. → 백혈구가 상처 부위로 빠르게 모인다.

❸ 식균 작용
상처 부위에 모인 백혈구가 식균 작용으로 병원체를 제거한다.
└► 염증 부위에 생긴 고름은 백혈구가 세균과 싸운 흔적으로, 죽은 백혈구와 세균, 조직 세포 등이 섞여 있다.

❶ 비특이적 방어 작용
병원체의 침입을 1차로 막는 방어 작용을 하는 부분이다.

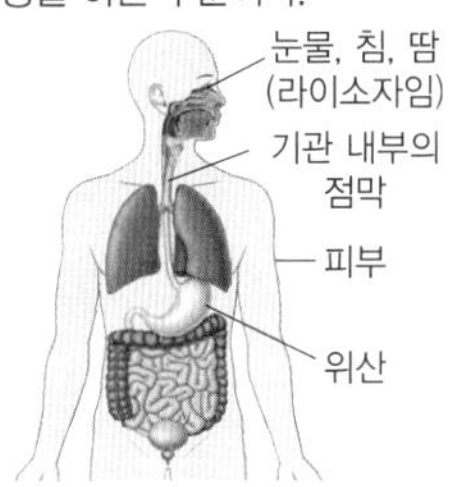

❷ 라이소자임(lysozyme)
동물의 콧물, 눈물, 침, 위액, 젖, 땀, 조직액 등의 분비액에 들어 있는 항균 효소의 하나이다. 세균의 세포벽에 들어 있는 다당류를 가수 분해함으로써 세균을 죽인다.

용어 알기

- 점액(끈끈할 粘 진액 液) 동물의 점막에서 분비되는 끈끈한 성분
- 비만(살찔 肥 찰 滿) 세포 백혈구의 일종으로 히스타민을 분비하는 면역 세포
- 히스타민(histamine) 비만 세포에서 분비되며, 모세 혈관을 확장시켜 혈류량을 증가시키고, 백혈구의 투과를 촉진하여 염증 반응을 일으키는 신호 물질

C 특이적 방어 작용 특성

|출·제·단·서| 시험에는 세포성 면역과 체액성 면역 과정을 구분하는 문제가 나와.

1. 림프구❸ 백혈구의 일종으로, 항원의 종류를 인식하고 이에 대해 특이적으로 반응한다.

(1) **T 림프구** 골수에서 생성된 후 가슴샘에서 성숙되며, 보조 T 림프구와 세포독성 T림프구가 있다.

(2) **B 림프구** 골수에서 생성되어 골수에서 성숙하며, 형질 세포와 기억 세포로 분화한다.

2. 항원 항체 반응❹ 항체❺가 항원❻과 결합하여 항원의 기능을 무력화시키는 작용이다.

(1) **항원** 외부에서 체내로 침입하여 항체를 만들게 하는 이물질(세균, 바이러스, 먼지, 꽃가루 등)이다.

(2) **항체** 형질 세포에서 생성하여 분비하는 면역 단백질로, 양쪽에 Y자 모양의 항원과 결합하는 부위를 가진다.

(3) **항원 항체 반응의 특이성** 특정 항체는 항원 결합 부위에 맞는 입체 구조를 가진 특정 항원하고만 결합한다.

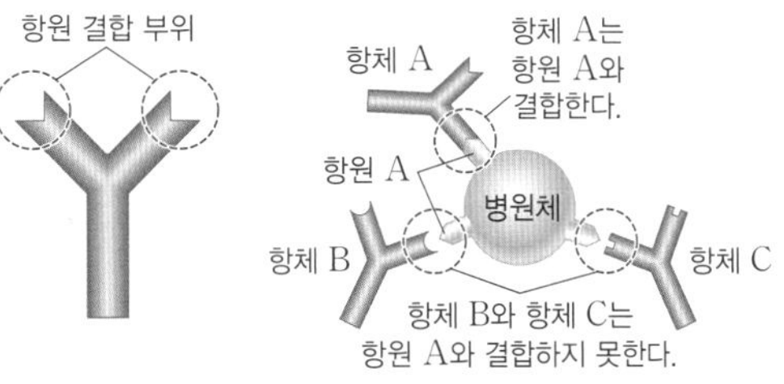

▲ 항원 항체 반응의 특이성

3. 특이적 방어 작용 림프구와 항체가 중요한 역할을 한다.

(1) **보조 T 림프구의 항원 인식**

① •대식 세포가 항원을 잡아먹은 다음 분해하여 그 조각을 세포 표면에 제시한다.

② 보조 T 림프구가 대식 세포 표면의 항원을 인식하여 활성화된다.

③ 활성화된 보조 T 림프구는 세포독성 T림프구와 B 림프구를 활성화시킨다.

(2) **세포성 면역과 체액성 면역**

① **세포성 면역:** 세포독성 T림프구가 병원체에 감염된 세포를 직접 공격하여 파괴하는 과정이다.

- 과정: 활성화된 보조 T 림프구가 세포독성 T림프구를 활성화시킴 → 활성화된 세포독성 T림프구가 병원체에 감염된 세포를 직접 공격하여 파괴

② **체액성 면역:** 형질 세포에서 생성·분비된 항체에 의해 항원을 제거하는 과정이다.

- 과정: 활성화된 보조 T 림프구가 B 림프구를 자극하면 B 림프구가 증식하여 형질 세포와 기억 세포로 분화 → 형질 세포는 항체를 생성·분비하고, 기억 세포는 항원의 특성을 기억 → 항체와 결합한 항원은 백혈구의 식세포 작용으로 제거

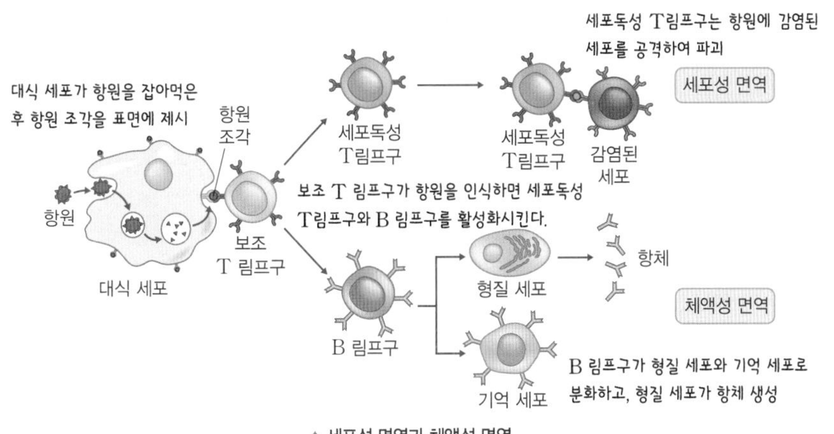

▲ 세포성 면역과 체액성 면역

❸ T 림프구와 B 림프구

- T 림프구: 가슴샘(Thymus)에서 성숙되기 때문에 Thymus의 앞 글자를 따서 T 림프구라고 한다.
- B 림프구: 골수(Bone marrow)에서 성숙되기 때문에 Bone marrow의 앞 글자를 따서 B 림프구라고 한다.

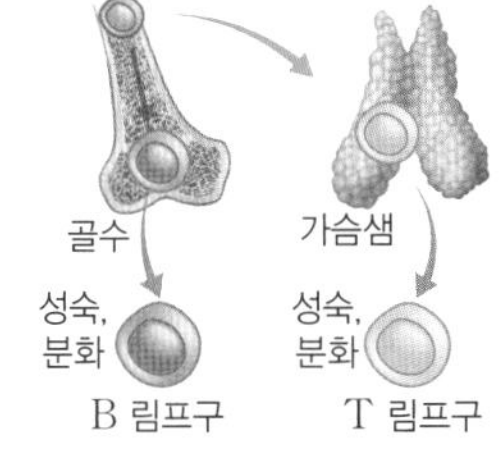

▲ 림프구의 분화

❹ 항원 항체 반응 방식

항체는 바이러스나 세균의 표면에 결합하여 중성화시키기도 하고, 항원을 엉겨 붙게 만들어 무력화시키거나 침전시키기도 한다. 무력화된 이물질은 백혈구의 식균 작용에 의해 제거된다. 또한 보체 단백질을 활성화시켜 병원체의 세포막에 구멍을 뚫어 병원체를 파괴한다.

❺ 항체

항체는 두 개의 긴 사슬과 두 개의 짧은 사슬이 결합된 구조이다. Y자 모양의 윗부분에 있는 두 개의 항원 결합 부위는 특정한 항원과 결합하기에 적합하도록 항체의 종류에 따라 모두 다른 구조를 가지고 있다.

▲ 항체의 구조

❻ 항원

외부에서 몸속으로 침입한 이물질로, 면역 반응을 유도할 수 있는 분자나 그 분자의 일부분이다.

용어 알기

•대식(클 大 먹을 食) 세포 백혈구의 일종으로 몸에 침입한 병원체를 잡아먹고, 병원체에 대한 정보를 림프구에 전달하는 세포

4. 백신의 원리 개념 POOL 비감염성 질병은 백신으로 예방할 수 없다.

(1) 1차 면역 반응과 2차 면역 반응 체액성 면역은 1차 면역 반응과 2차 면역 반응으로 구분한다.

1차 면역 반응	• 항원이 처음 침입할 때 보조 T 림프구의 도움을 받는 B 림프구는 형질 세포로 분화한 후 항체를 생성하여 항원을 제거하고, 일부는 기억 세포로 남는다. • 항체를 만들기까지 시간이 걸리며, 소량의 항체가 느리게 생성된다.
2차 면역 반응	• 동일한 항원이 재침입할 때 그 항원에 대한 기억 세포가 빠르게 형질 세포로 분화한 후 다량의 항체를 생성하여 항원을 제거하고, 일부는 그대로 기억 세포로 남는다. • 항체를 만들기까지 시간이 짧고, 다량의 항체가 빠르게 생성된다.

(2) **백신**❼ 질병을 일으키지 않도록 독성을 약화시킨 항원이다. 백신을 주사하면 병원체에 대한 기억 세포가 형성되어 실제로 동일한 병원체가 들어왔을 때 2차 면역 반응이 일어나 다량의 항체가 빠르게 생성되어 질병에 걸리지 않는다.

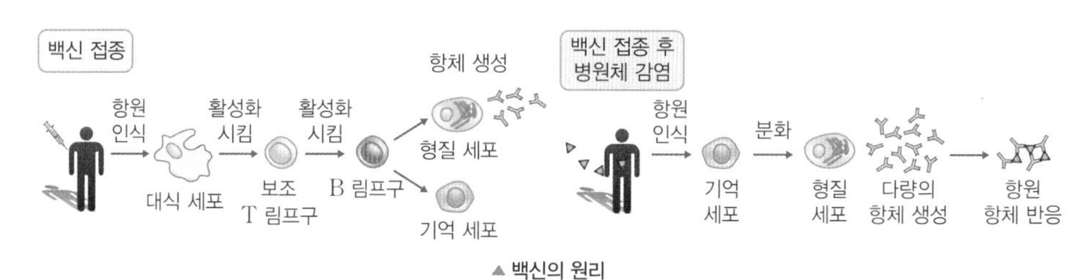

▲ 백신의 원리

빈출 자료 1차 면역 반응과 2차 면역 반응의 항체 생성 곡선

그림은 항원 A가 침입하고 일정 시간이 지난 후 항원 A와 항원 B가 침입했을 때의 항체의 농도 변화를 나타낸 것이다.

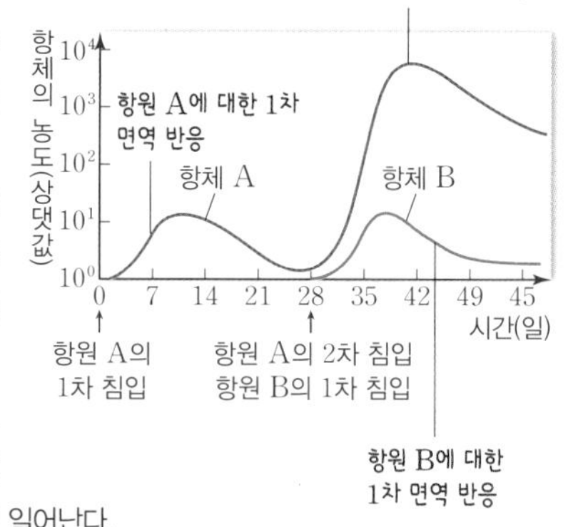

❶ 항원 A의 1차 침입 시: 항체가 생성되기까지 잠복기가 있고, 적은 양의 항체가 느린 속도로 생성된다(항원 A에 대한 1차 면역 반응).

❷ 항원 A의 2차 침입 시: 잠복기 없이 다량의 항체가 빠른 속도로 생성된다. → 항원 A의 1차 침입 때 생성된 기억 세포가 형질 세포로 빠르게 분화되어 많은 양의 항체를 생성하기 때문이다(항원 A에 대한 2차 면역 반응).

❸ 항원 B의 1차 침입: 항원 B가 처음 침입한 것이므로 1차 면역 반응이 일어난다. → 항체 A는 항원 A에만 작용하므로 항원 B는 항원 A와 별도로 1차 면역 반응이 일어난다.

D 면역 관련 질환

|출·제·단·서| 시험에는 각 면역 관련 질환의 발병 원인을 묻는 문제가 나와.

1. 자가 면역 질환 면역계가 자기 몸을 구성하는 세포나 조직을 항원으로 인식하여 공격함으로써 발생하는 질병으로, 류머티스 관절염, 홍반성 루푸스 등이 있다.

2. 후천성 면역 결핍증(AIDS)❽ 사람 면역 결핍 바이러스(HIV)가 체내로 침입하여 보조 T 림프구를 파괴하기 때문에 면역 능력을 상실하게 되는 질병이다.

3. 알레르기❾ 특정 항원에 면역계가 과민하게 반응하여 두드러기, 가려움, 콧물, 눈물 등 불필요한 면역 반응을 나타내는 현상으로 아토피성 피부염, 기관지 천식, 알레르기성 비염 등이 있다.

❼ **백신의 한계**
독감, 폐렴, 대상 포진, 풍진, 결핵과 같은 감염성 질병은 백신으로 예방할 수 있지만, 말라리아, 후천성 면역 결핍증(AIDS)과 같은 감염성 질병은 아직 효과적인 백신이 개발되지 않았다.

백신의 유래는 무엇일까?
영국의 의사 제너가 우두에 걸린 소의 고름을 건강한 사람에게 주입하여 천연두를 예방하는 우두법을 확립하였는데, 우두에 걸린 소의 고름을 소를 뜻하는 라틴어인 vacca라고 부른 것에서 유래하였다.

❽ **후천성 면역 결핍증(AIDS)**
감염 초기에는 인체의 면역 작용으로 대부분의 HIV가 제거되어 별 증상이 없지만, 점차 HIV가 증식하면서 T 림프구가 파괴되어 면역 효력을 상실하게 된다. 그래서 독성이 약한 세균이나 곰팡이의 감염에 의해서도 죽게 된다.

❾ **알레르기 반응의 과정**
알레르기 항원이 처음으로 침입 → 형질 세포가 항체 생성 → 항체가 비만 세포에 결합 → 동일한 알레르기 항원의 재침입 → 알레르기 항원이 비만 세포 표면의 항체에 결합 → 비만 세포에서 히스타민을 방출하여 알레르기 증상 유발

알레르기 유발 물질
꽃가루, 먼지, 곰팡이, 집먼지진드기, 세제 등

용어 알기
• 형질(모양 形 바탕 質) 세포 B 림프구가 특정 항원에 대한 항체를 생산할 수 있도록 분화된 세포

E 혈액의 응집 반응과 혈액형

|출·제·단·서| 시험에는 응집원과 응집소의 응집 반응을 분석하여 혈액형을 구분하는 문제가 나와.

1. 혈액의 응집 반응⑩ 적혈구 막에 있는 응집원과 혈장에 있는 응집소 사이에 항원 항체 반응이 일어나 적혈구가 서로 엉기는 현상이다.

(1) 응집원 ABO식 혈액형의 응집원에는 응집원 A, 응집원 B가 있으며, Rh식 혈액형의 응집원에는 Rh 응집원이 있다.

(2) 응집소 ABO식 혈액형의 응집소에는 응집소 α와 응집소 β가 있고, Rh식 혈액형의 응집소에는 Rh 응집소가 있다.

2. ABO식 혈액형

(1) ABO식 혈액형의 종류 응집원의 종류에 따라 A형, B형, AB형, O형으로 구분한다.

구분	A형	B형	AB형	O형
적혈구 막 표면에 존재 응집원 항원에 해당	적혈구, 응집원 A	응집원 B	응집원 B, 응집원 A	응집원 없음
혈장에 존재 응집소 항체에 해당	응집소 β	응집소 α	응집소 없음	응집소 β, 응집소 α

(2) 혈액형 판정 탐구 POOL 항 A 혈청⑪, 항 B 혈청⑫에 혈액을 떨어뜨렸을 때 나타나는 응집 반응으로 ABO식 혈액형을 판정한다. 응집원 A는 응집소 α, 응집원 B는 응집소 β와 응집 반응이 일어난다.

구분	A형	B형	AB형	O형
항 A 혈청 (응집소 α)	응집됨	응집 안 됨	응집됨	응집 안 됨
항 B 혈청 (응집소 β)	응집 안 됨	응집됨	응집됨	응집 안 됨

(3) ABO식 혈액형의 수혈 관계 같은 혈액형끼리 수혈하는 것이 원칙이지만, 이론적으로 혈액을 주는 사람의 응집원과 혈액을 받는 사람의 응집소 사이에 •응집 반응이 일어나지 않으면 다른 혈액형끼리도 소량 수혈이 가능하다.

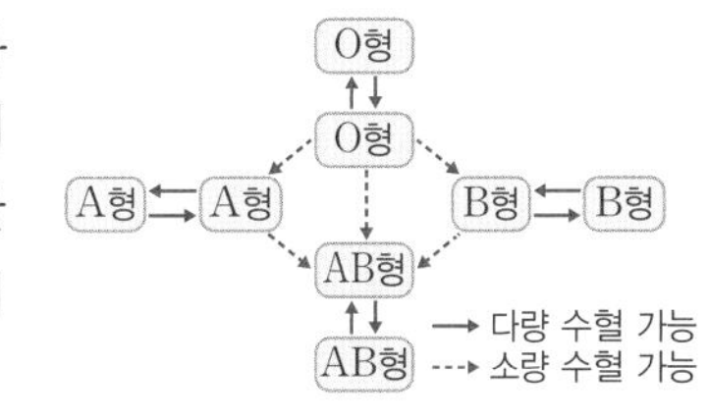

암기TIP O형은 모두에게 수혈 가능, AB형은 모두에게 수혈받을 수 있음

3. Rh식 혈액형

(1) Rh식 혈액형의 종류 응집원의 종류에 따라 Rh^+형과 Rh^-형으로 구분한다.

① **Rh^+형:** Rh 응집원은 있고, Rh 응집소는 없다.

② **Rh^-형:** Rh 응집원은 없고, Rh 응집원이 들어오면 Rh 응집소가 생성된다.

(2) 혈액형 판정⑬ 항 Rh 혈청에 혈액을 떨어뜨렸을 때 나타나는 응집 반응으로 Rh식 혈액형을 판정한다.

구분	Rh^+형	Rh^-형
항 Rh 혈청	응집됨	응집 안 됨

(3) Rh식 혈액형의 수혈 관계 같은 혈액형끼리 수혈이 가능하며, Rh 응집원에 노출되지 않은 Rh^-형은 Rh^+형에게 수혈해 줄 수 있지만, Rh^+형은 Rh^-형에게 수혈해 줄 수 없다.

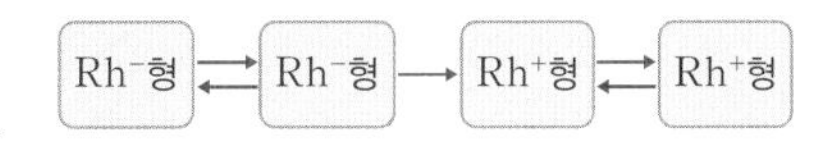

⑩ 혈액의 응집 반응
혈액의 응집 반응은 항원에 해당하는 응집원과 항체에 해당하는 응집소가 결합하여 일어나는 일종의 항원 항체 반응이다.

⑪ 혈청
혈액의 혈장 성분에서 혈액 응고 성분인 파이브리노젠이 제거된 성분을 혈청이라 한다. 따라서 혈장(혈청) 속에는 항체가 존재한다.

⑫ 항 A 혈청과 항 B 혈청
- 항 A 혈청: 응집소 α가 존재하여 A형, AB형의 혈액과 응집 반응을 일으킨다.
- 항 B 혈청: 응집소 β가 존재하여 B형, AB형의 혈액과 응집 반응을 일으킨다.

⑬ Rh식 혈액형 판정
토끼에게 붉은털원숭이의 혈액을 주사하면 토끼의 혈액 속에 붉은털원숭이의 적혈구를 응집시키는 응집소가 생긴다. 응집소가 형성된 토끼의 혈청(항 Rh 혈청)을 이용하여 이에 대한 응집 여부로 Rh식 혈액형을 판정한다.

? A형의 혈액을 B형인 사람에게 수혈하면 어떠한 일이 일어날까?
수혈해 준 사람 적혈구의 응집원 A와 수혈받은 사람 혈장의 응집소 α가 만나 응집 반응을 일으킨다면 응집된 적혈구의 덩어리가 모세 혈관을 막아 사망할 수 있다.

용어 알기
•응집(엉길 凝 모일 集) 적혈구가 한데 모여 엉기는 현상

1차 면역 반응과 2차 면역 반응

목표 1차 면역 반응과 2차 면역 반응의 차이점을 설명할 수 있다.

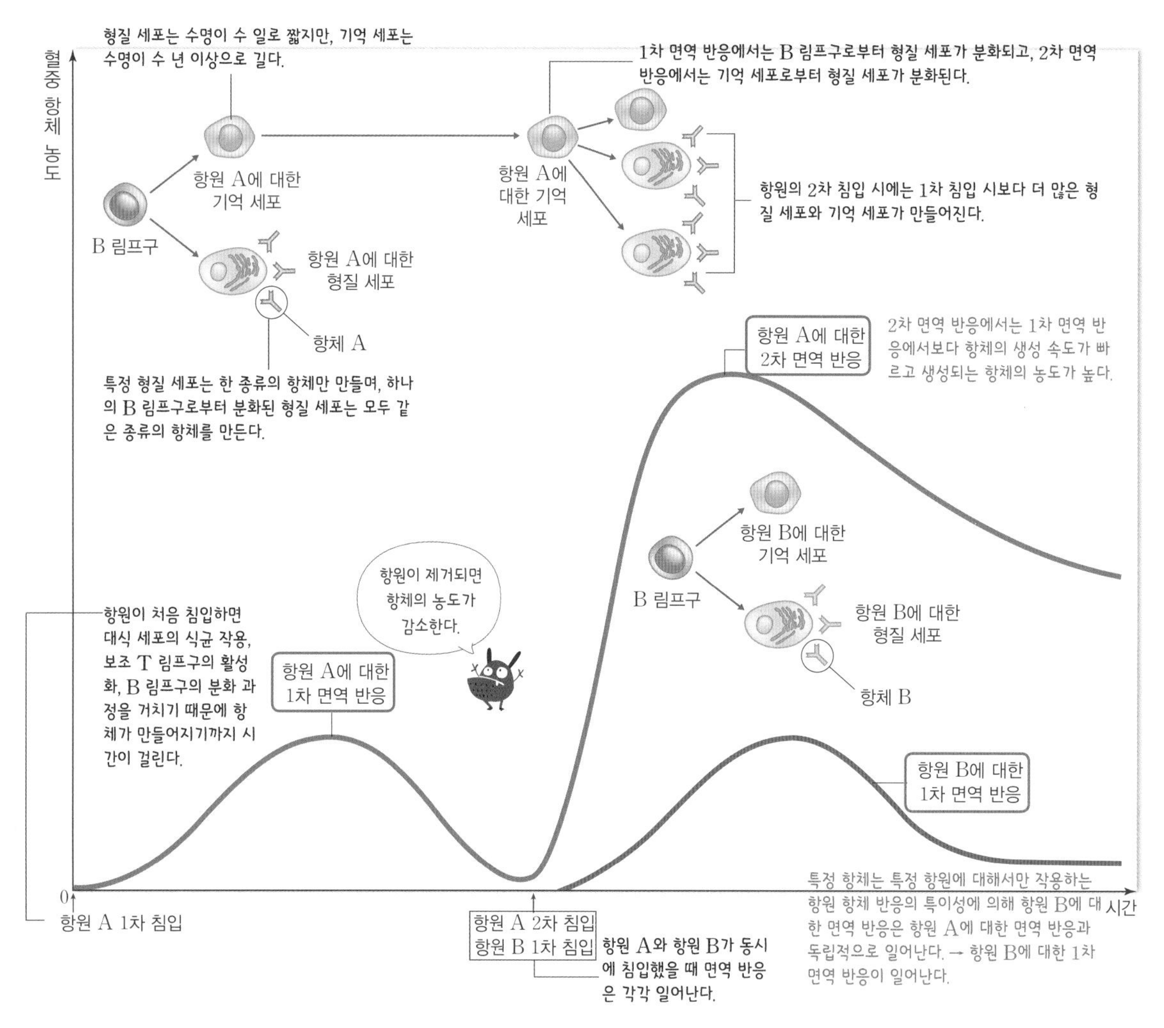

한·줄·핵심 2차 면역 반응 때에는 1차 면역 반응 때보다 다량의 항체가 빠르게 생성된다.

확인 문제

정답과 해설 45쪽

01 그림은 항원 X가 인체에 침입했을 때 일어나는 방어 작용 중 일부를 나타낸 것이다.

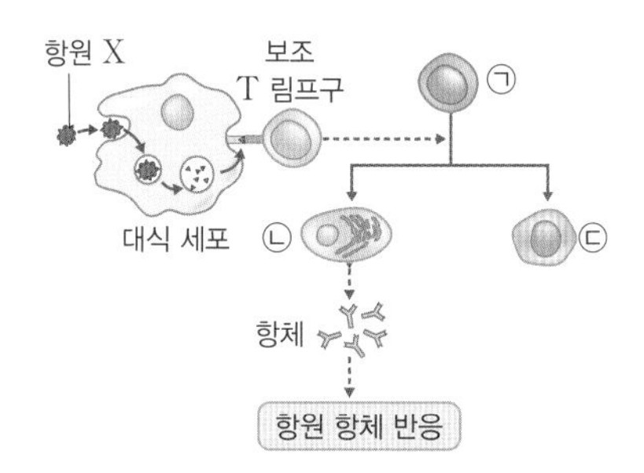

㉠~㉢의 명칭을 각각 쓰시오.

02 1차 면역 반응과 2차 면역 반응에 대한 설명으로 옳은 것은 ○, 옳지 않은 것은 ×로 표시하시오.

(1) 1차 면역 반응과 2차 면역 반응은 모두 잠복기가 있다. ( )

(2) 항체 생성에 걸리는 시간은 1차 면역 반응에서가 2차 면역 반응에서보다 길다. ( )

(3) 항체 생성 속도는 1차 면역 반응에서가 2차 면역 반응에서보다 빠르다. ( )

(4) 생성되는 항체의 농도는 1차 면역 반응에서가 2차 면역 반응에서보다 적다. ( )

혈액형 판정

목표 혈액의 응집 반응을 통해 혈액형을 판정할 수 있다.

과정

유의점

- 채혈침은 반드시 소독하여 사용하고, 한 번 사용한 채혈침은 다시 사용하지 않고 끝을 구부려 분리 수거한다.
- 혈액과 혈청을 섞을 때 사용하는 이쑤시개는 혈청에 따라 각각 따로 사용한다.
- 혈액이 응고되기 전에 빨리 혈청과 반응시킨다.

❶ 혈청 떨어뜨리기

- 혈액 반응판에 항 A 혈청, 항 B 혈청, 항 Rh 혈청을 한 방울씩 떨어뜨린다.

❷ 채혈하기

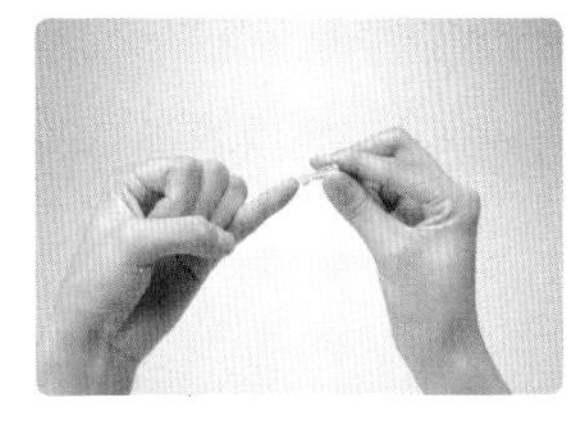

- 손가락 끝을 소독용 알코올 솜으로 소독한 다음, 채혈기로 살짝 찔러 혈액이 나오게 한다.

❸ 응집 반응 관찰하기

- 혈액을 각 혈청에 한 방울씩 떨어뜨리고, 이쑤시개로 잘 섞은 후 각 혈청에 대한 응집 여부를 관찰한다.

결과

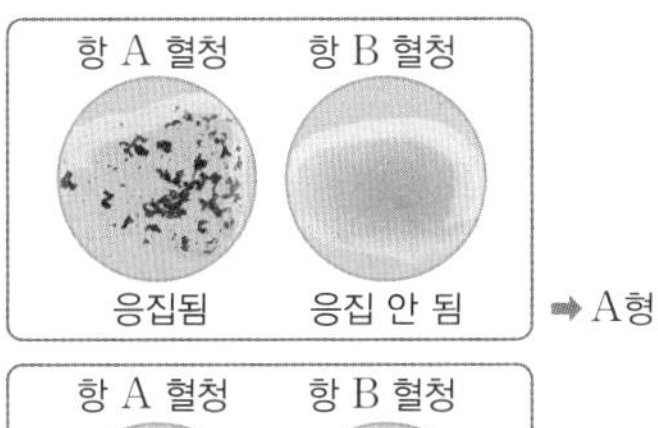

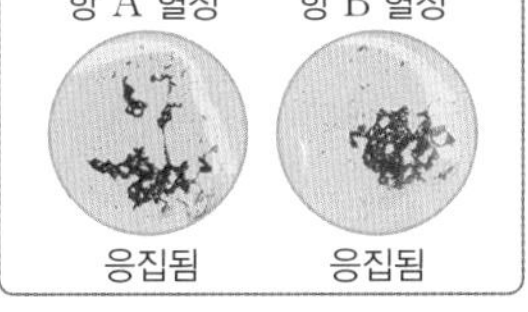

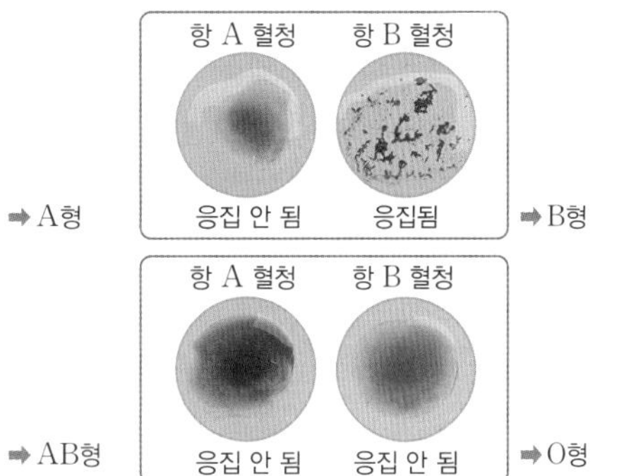

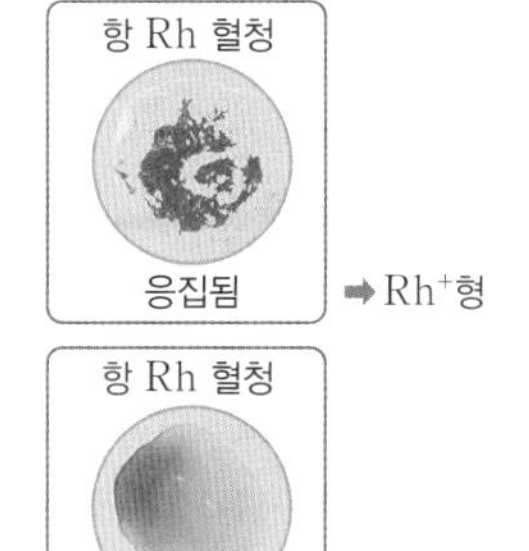

이런 실험도 있어요!

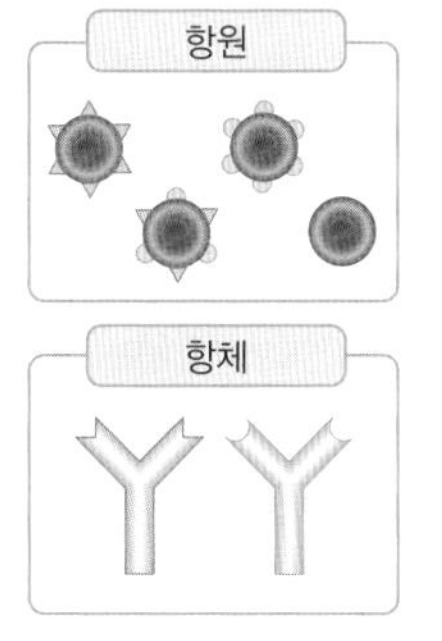

항원 항체 모형도에서 항원과 항체 부분을 가위로 오린 후 모형을 펼쳐놓고 각각의 항원이 어떤 항체와 결합할 수 있는지 알아본다.

정리 및 해석

- 항 A 혈청에는 응집소 α가 들어 있어 응집원 A와 응집 반응이 일어나고, 항 B 혈청에는 응집소 β가 들어 있어 응집원 B와 응집 반응이 일어난다. 항 Rh 혈청에는 Rh 응집소가 들어 있어 Rh 응집원과 응집 반응이 일어난다.
- 항 A 혈청에만 응집하면 A형, 항 B 혈청에만 응집하면 B형, 항 A 혈청과 항 B 혈청에 모두 응집하면 AB형, 모두 응집하지 않으면 O형이다.
- 항 Rh 혈청에 응집하면 Rh^+형, 응집하지 않으면 Rh^-형이다.

한·줄·핵심 항 A 혈청에만 응집하면 A형, 항 B 혈청에만 응집하면 B형, 항 A 혈청과 항 B 혈청에 모두 응집하면 AB형, 모두 응집하지 않으면 O형이다.

확인 문제

정답과 해설 45쪽

01 표는 사람 (가)와 (나)의 혈액형 판정 실험 결과를 나타낸 것이다. (가)와 (나)의 ABO식 혈액형을 각각 쓰시오.

구분	항 A 혈청	항 B 혈청
(가)	+	+
(나)	−	+

(+: 응집됨, −: 응집 안 됨)

02 이 탐구 과정에서 응집 반응을 통해 혈액형을 판정할 수 있는 까닭을 쓰시오.

콕콕! 개념 확인하기

정답과 해설 45쪽

✔ 잠깐 확인!

1. □□ □□
병원체의 침입을 막거나, 병원체가 들어오더라도 이를 제거할 수 있는 방어 능력

2. □□□□□
점액, 땀, 눈물, 침 속에 들어 있는 세균의 세포벽을 분해하는 효소

3. □□ □□
피부나 점막이 손상되어 병원체가 몸 안으로 침입했을 때 일어나는 반응으로 열, 부어오름, 붉어짐, 통증 등의 증상 동반

4. □□
외부에서 체내로 침입하여 항체를 만들게 하는 이물질

5. □□
형질 세포에서 생성하여 분비되는 면역 단백질

6. □□□ 면역
세포독성 T림프구가 병원체에 감염된 세포를 직접 공격하여 파괴하는 과정

7. □□□ 면역
형질 세포에서 생성·분비된 항체에 의해 항원이 제거되는 과정

8. □□
질병을 일으키지 않도록 독성을 약화시킨 것으로, 질병을 예방하기 위해 사용

9. □□□□
특정 항원에 면역계가 과민하게 반응하여 두드러기 등 불필요한 면역 반응을 나타내는 현상

10. 혈액의 □□ □□
적혈구 막에 있는 응집원과 혈장에 있는 응집소가 엉기는 현상

A 우리 몸의 방어 작용

01 우리 몸의 방어 작용에 설명으로 옳은 것은 ○, 옳지 않은 것은 ×로 표시하시오.

(1) 비특이적 방어 작용은 선천적 면역이다. ( )

(2) 비특이적 방어 작용에는 세포성 면역과 체액성 면역이 있다. ( )

(3) 특이적 방어 작용은 병원체의 종류를 인식하고, 병원체에 따라 다르게 반응한다. ( )

B 비특이적 방어 작용

02 다음은 염증 반응의 과정을 순서 없이 나타낸 것이다.

(가) 모세 혈관 확장	(나) 식균 작용	(다) 히스타민 분비

(가)~(다)를 순서대로 나열하시오.

C 특이적 방어 작용 특성

03 다음은 특이적 방어 작용에 대한 설명이다. ( ) 안에 들어갈 알맞은 말을 고르시오.

(1) T 림프구는 (골수, 가슴샘)에서 생성되고, (골수, 가슴샘)에서 성숙한다.

(2) (보조 T 림프구, 대식 세포)는 항원을 잡아먹은 다음 분해하여 그 조각을 세포 표면에 제시한다.

(3) 세포독성 T림프구가 병원체에 감염된 세포를 직접 공격하여 파괴하는 과정은 (세포성, 체액성) 면역이다.

(4) 항체는 (기억 세포, 형질 세포)에서 생성·분비된다.

(5) 2차 면역 반응에서는 1차 면역 반응에서보다 (많은, 적은) 양의 항체가 (빠르게, 느리게) 생성된다.

D 면역 관련 질환

04 다음은 어떤 질환의 특성이다.

- 사람 면역 결핍 바이러스(HIV)가 체내로 침입하여 보조 T 림프구를 파괴하기 때문에 면역 능력을 상실하게 되는 질병이다.
- 초기에는 별다른 증상이 없지만 면역 능력을 상실하여 말기에는 독성이 약한 세균이나 곰팡이의 감염에 의해서도 죽게 된다.

이 질환은 무엇인지 쓰시오.

E 혈액의 응집 반응과 혈액형

05 표는 A형, B형, AB형, O형의 응집원과 응집소를 나타낸 것이다.

구분	A형	B형	AB형	O형
응집원	A	㉠	㉡	없음
응집소	㉢	α	㉣	㉤

㉠~㉤은 각각 무엇인지 쓰시오.

탄탄! 내신 다지기

정답과 해설 45쪽

A 우리 몸의 방어 작용

01 우리 몸의 방어 작용에 대한 설명으로 옳지 않은 것은?

① 병원체로부터 우리 몸을 보호한다.
② 피부는 병원체를 가장 먼저 방어하는 방어벽이다.
③ 특이적 방어 작용 이후에 비특이적 방어 작용이 일어난다.
④ 비특이적 방어 작용은 감염 즉시 작동하여 신속하게 일어난다.
⑤ 특이적 방어 작용은 병원체의 종류를 인식하여 병원체마다 각각 다르게 반응한다.

02 비특이적 방어 작용에 대한 설명으로 옳은 것은?

① 후천적 면역이다.
② 병원체에 따라 다르게 일어난다.
③ 염증 반응은 비특이적 방어 작용에 해당한다.
④ 세포성 면역은 비특이적 방어 작용에 해당한다.
⑤ 반응이 일어나기까지 특이적 방어 작용보다 시간이 더 오래 걸린다.

03 그림은 우리 몸에서 일어나는 방어 작용을 (가)와 (나)로 구분하여 나타낸 것이다. (가)와 (나)는 각각 특이적 방어 작용과 비특이적 방어 작용 중 하나이다.

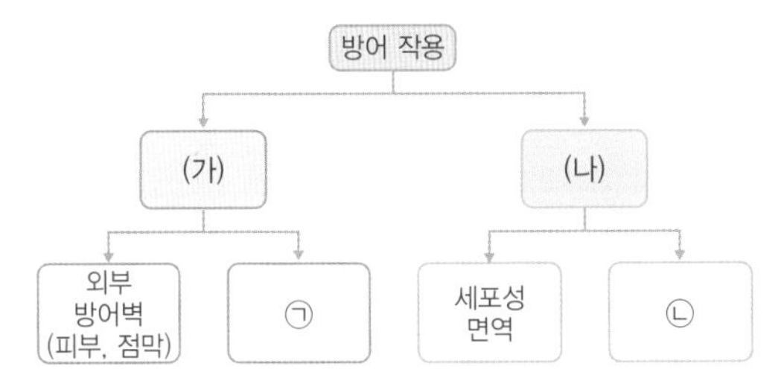

이에 대한 설명으로 옳은 것만을 〈보기〉에서 있는 대로 고른 것은?

〈보기〉
ㄱ. (가)는 특이적 방어 작용이다.
ㄴ. 식균 작용은 ㉠에 해당한다.
ㄷ. 염증 반응은 ㉡에 해당한다.

① ㄱ ② ㄴ ③ ㄱ, ㄴ
④ ㄱ, ㄷ ⑤ ㄴ, ㄷ

B 비특이적 방어 작용

04 그림은 병원체가 침입했을 때 일어나는 비특이적 방어 작용을 단계적으로 나타낸 것이다.
A와 B에 해당하는 방어 작용을 옳게 짝 지은 것은?

병원체
↓
비특이적 방어 작용
방어벽 A
↓
내부 방어 B

	A	B
①	점막	피부
②	피부	식균 작용
③	점막	분비액
④	염증 반응	식균 작용
⑤	식균 작용	피부

05 다음은 비특이적 방어 작용에 대한 설명이다.

- 피부와 ㉠ 점막은 병원체의 침입을 막는 1차적인 방어벽이다.
- 기관지 내벽의 점막 주변에 분포하는 ㉡은 점액에 붙잡힌 병원체를 밖으로 내보낸다.
- 눈물, 침, 땀 등의 분비액에는 세균의 세포벽을 분해하는 효소인 ㉢이 포함되어 있다.

이에 대한 설명으로 옳은 것만을 〈보기〉에서 있는 대로 고른 것은?

〈보기〉
ㄱ. ㉠은 호흡 기관, 소화 기관 등의 내벽을 덮고 있는 세포층이다.
ㄴ. 섬모는 ㉡에 해당한다.
ㄷ. ㉢은 점액에도 존재한다.

① ㄱ ② ㄴ ③ ㄱ, ㄴ
④ ㄱ, ㄷ ⑤ ㄱ, ㄴ, ㄷ

단답형

06 그림은 염증 반응의 과정을 나타낸 것이다.

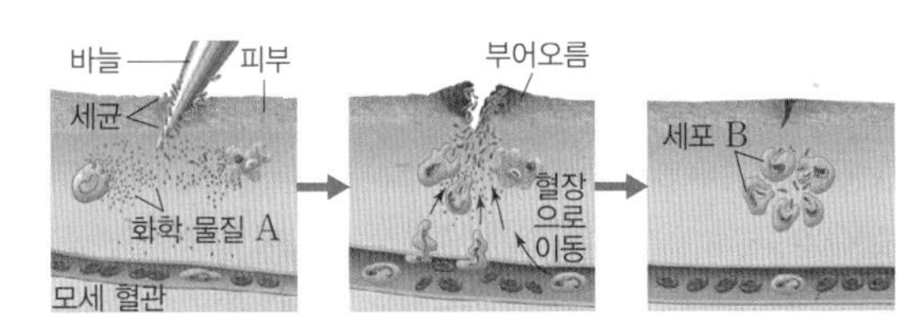

A와 B는 무엇인지 각각 쓰시오.

탄탄! 내신 다지기

C 특이적 방어 작용 특성

07 T 림프구에 대한 설명으로 옳은 것만을 〈보기〉에서 있는 대로 고른 것은?

> 보기
> ㄱ. 항체를 분비한다.
> ㄴ. 세포성 면역에 관여한다.
> ㄷ. 골수에서 생성되고, 골수에서 성숙한다.

① ㄱ ② ㄴ ③ ㄷ
④ ㄱ, ㄴ ⑤ ㄴ, ㄷ

08 그림은 림프구의 생성과 분화 과정을 나타낸 것이다. (가)와 (나)는 각각 가슴샘과 골수 중 하나이다.

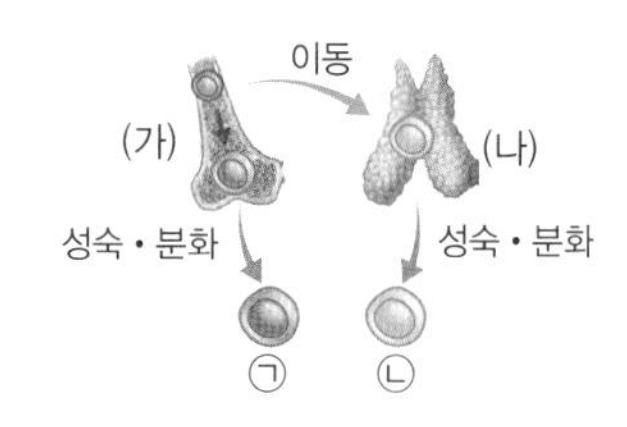

이에 대한 설명으로 옳은 것은?

① (가)는 가슴샘이다.
② ㉠은 세포성 면역에 관여한다.
③ 세포독성 T림프구는 ㉠에 해당한다.
④ ㉠과 ㉡은 모두 특이적 방어 작용에 관여한다.
⑤ 항원이 체내로 침입하면 ㉡은 형질 세포와 기억 세포로 분화한다.

09 그림은 체내에 침입하여 항체가 생성된 어느 항원의 구조를 나타낸 것이다. A~C는 각각 항체 결합 부위이다.
A~C에 각각 결합하는 항체를 〈보기〉에서 골라 옳게 짝 지은 것은?

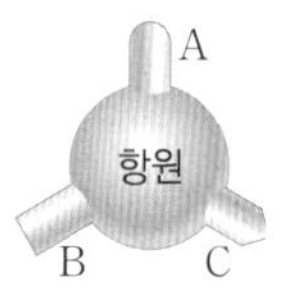

보기

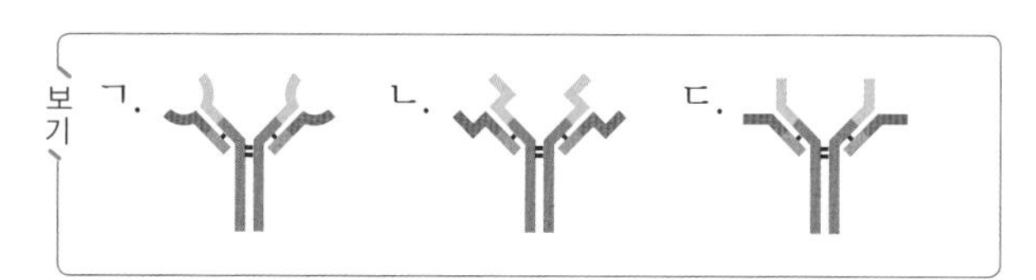

	A	B	C
①	ㄱ	ㄴ	ㄷ
②	ㄱ	ㄷ	ㄴ
③	ㄴ	ㄱ	ㄷ
④	ㄴ	ㄷ	ㄱ
⑤	ㄷ	ㄴ	ㄱ

[10~11] 그림은 세균 X가 인체에 침입하였을 때 일어나는 방어 작용의 일부를 나타낸 것이다. 세포 ㉠~㉤은 각각 형질 세포, 기억 세포, B 림프구, 보조 T 림프구, 대식 세포 중 하나이다.

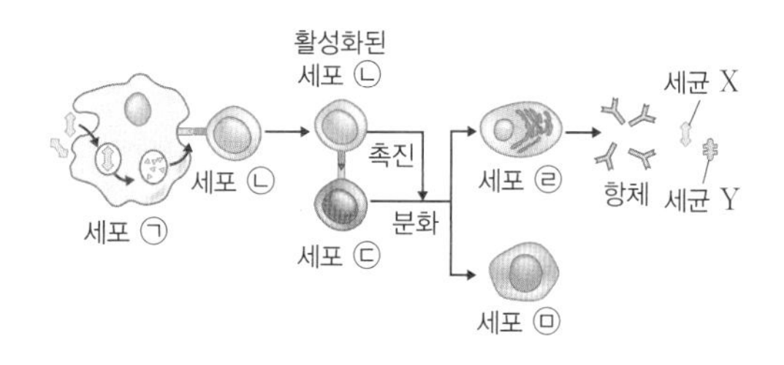

10 세포 ㉠~㉤은 무엇인지 각각 명칭을 쓰시오.

11 이에 대한 설명으로 옳은 것만을 〈보기〉에서 있는 대로 고른 것은?

> 보기
> ㄱ. ㉣이 생성한 항체는 세균 X와 결합한다.
> ㄴ. ㉣은 ㉤보다 수명이 길다.
> ㄷ. 세균 X의 2차 침입 시 ㉣은 ㉤으로 분화한다.

① ㄱ ② ㄴ ③ ㄷ
④ ㄱ, ㄴ ⑤ ㄱ, ㄷ

12 그림은 체내에서 일어나는 방어 작용의 일부를 나타낸 것이다. ㉠과 ㉡은 각각 세포독성 T림프구와 보조 T 림프구 중 하나이다.

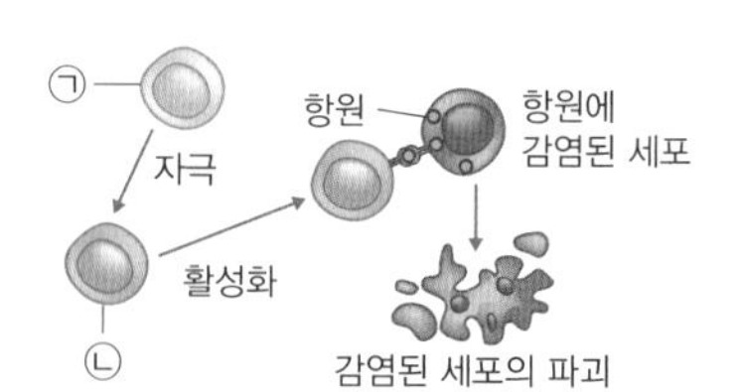

이에 대한 설명으로 옳지 않은 것은?

① 특이적 방어 작용이다.
② ㉠은 대식 세포 표면의 항원 조각을 인식한다.
③ ㉡은 체액성 면역에 관여한다.
④ ㉠과 ㉡은 모두 가슴샘에서 성숙한다.
⑤ ㉡은 항원에 감염된 세포를 직접 공격하여 파괴한다.

13 그림은 어떤 사람의 체내에 항원 A와 B가 침입했을 때 혈중 항체 X와 Y의 농도 변화를 나타낸 것이다.

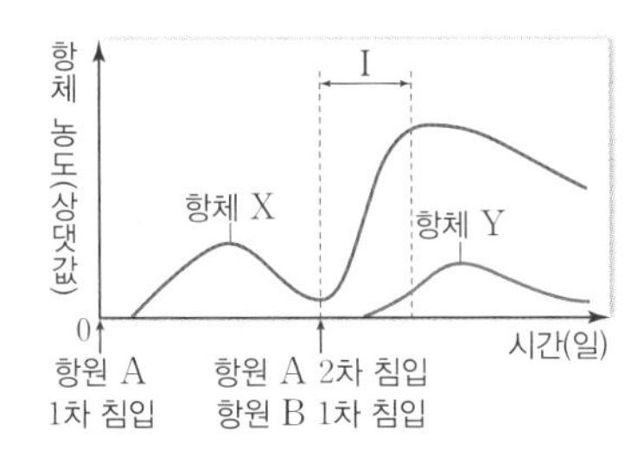

이에 대한 설명으로 옳지 않은 것은?

① 항체 X는 항원 A와 B에 모두 반응한다.
② 항체 Y는 형질 세포에서 분비되었다.
③ I 에서 항원 A에 대한 2차 면역 반응이 일어났다.
④ I 에서 항원 B에 대한 1차 면역 반응이 일어났다.
⑤ I 에서 이 사람의 체내에 항원 A에 대한 기억 세포가 존재한다.

D 면역 관련 질환

14 자가 면역 질환에 해당하는 것만을 〈보기〉에서 있는 대로 고른 것은?

보기
ㄱ. 류머티스 관절염
ㄴ. 아토피성 피부염
ㄷ. 후천성 면역 결핍증(AIDS)

① ㄱ ② ㄴ ③ ㄷ ④ ㄱ, ㄴ ⑤ ㄱ, ㄷ

15 다음은 인체에서 발생하는 질환을 나타낸 것이다.

• 기관지 천식 • 아토피성 피부염
• 알레르기성 비염

이 3가지 질환의 공통점에 대한 설명으로 옳은 것만을 〈보기〉에서 있는 대로 고른 것은?

보기
ㄱ. HIV가 보조 T 림프구를 파괴하여 발생한다.
ㄴ. 특정 항원에 면역계가 과민하게 반응하여 발생한다.
ㄷ. 면역계가 자기 몸을 구성하는 세포를 공격하여 발생한다.

① ㄱ ② ㄴ ③ ㄷ ④ ㄱ, ㄴ ⑤ ㄴ, ㄷ

E 혈액의 응집 반응과 혈액형

16 표는 세 사람 (가)~(다)의 ABO식 혈액형의 응집원과 응집소를 나타낸 것이다.

구분	(가)	(나)	(다)
응집원	A	?	?
응집소	?	α	없음

(나)와 (다)의 혈액에 있는 응집원을 각각 쓰시오.

17 그림은 어떤 사람의 혈액을 항 A 혈청과 항 B 혈청에 각각 섞었을 때 일어나는 응집 반응을 나타낸 것이다.

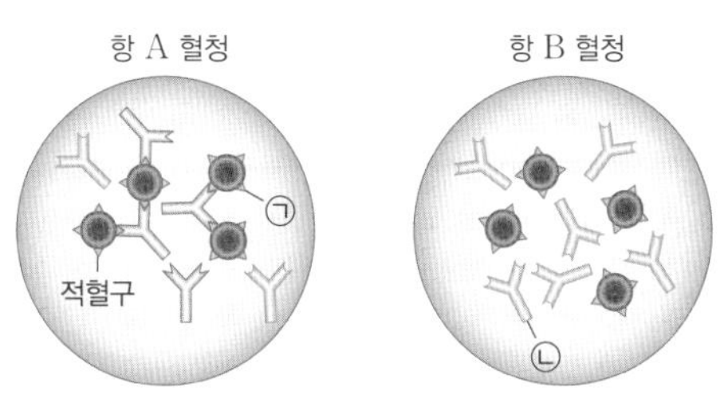

이에 대한 설명으로 옳은 것은?

① 이 사람은 A형이다.
② ㉠은 응집원 B이다.
③ ㉡은 응집소 α이다.
④ 이 사람은 O형인 사람에게 수혈해 줄 수 있다.
⑤ 이 사람은 AB형인 사람에게 수혈을 받을 수 있다.

18 그림은 철수네 가족의 ABO식 혈액형 판정 결과를 나타낸 것이다.

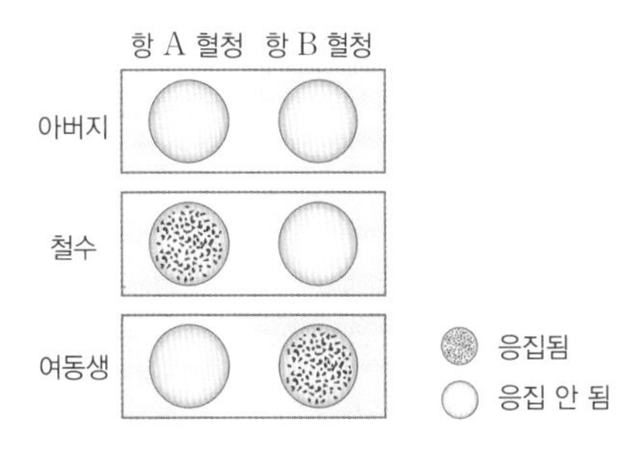

이에 대한 설명으로 옳지 않은 것은?

① 아버지는 O형이다.
② 항 A 혈청에는 응집소 α가 있다.
③ 철수의 혈액에는 응집원 A가 있다.
④ 여동생의 혈액에는 응집소 α가 있다.
⑤ 철수는 아버지에게 수혈해 줄 수 있다.

01 그림 (가)는 어떤 사람 P가 세균 X에 감염된 후 순차적으로 나타나는 면역 반응 Ⅰ과 Ⅱ를, (나)는 P의 혈액에서 세균 X에 대한 항체의 농도를 시간에 따라 나타낸 것이다.

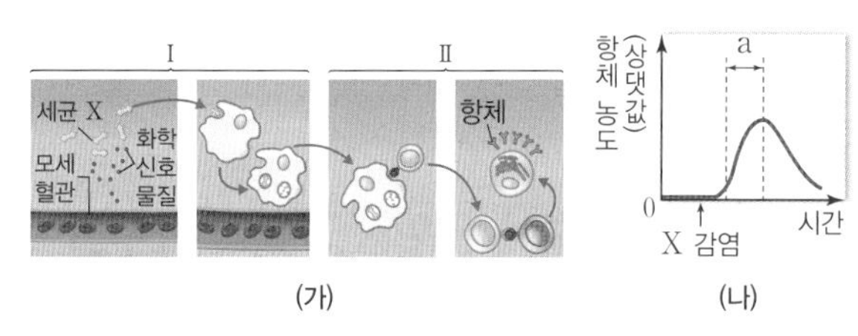

(가) (나)

이에 대한 설명으로 옳은 것만을 〈보기〉에서 있는 대로 고른 것은?

〈보기〉
ㄱ. X에 감염된 후 Ⅰ에서 비특이적 방어 작용이 일어난다.
ㄴ. Ⅱ의 세포는 모두 T 림프구이다.
ㄷ. 구간 a에서 기억 세포가 X에 대한 항체를 분비한다.

① ㄱ ② ㄴ ③ ㄱ, ㄴ
④ ㄱ, ㄷ ⑤ ㄴ, ㄷ

02 그림 (가)~(라)는 체내에 항원 A가 1차 침입할 때 일어나는 방어 작용의 일부를 순서 없이 나타낸 것이다. 세포 ㉠~㉢은 각각 B 림프구, T 림프구, 대식 세포 중 하나이다.

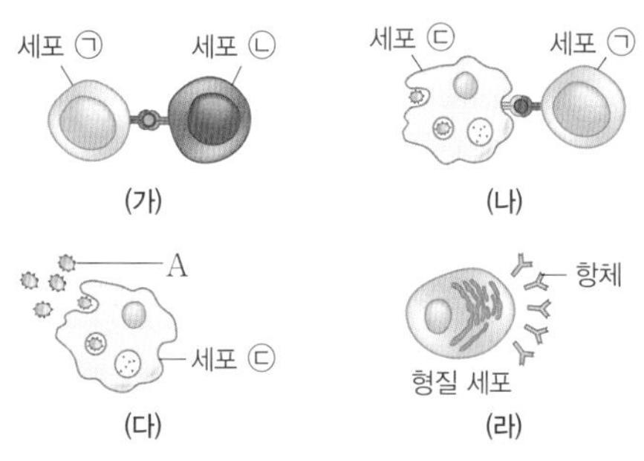

(가) (나) (다) (라)

이에 대한 설명으로 옳은 것만을 〈보기〉에서 있는 대로 고른 것은?

〈보기〉
ㄱ. 방어 작용은 (다) → (나) → (가) → (라) 순으로 진행된다.
ㄴ. ㉠은 골수에서, ㉡은 가슴샘에서 성숙한다.
ㄷ. ㉢은 A를 분해하여 세포의 표면에 제시한다.

① ㄱ ② ㄴ ③ ㄱ, ㄴ
④ ㄱ, ㄷ ⑤ ㄴ, ㄷ

출제예감

03 그림 (가)는 어떤 사람이 세균 X에 감염되었을 때 일어나는 방어 작용을, (나)는 이 사람에서 X에 대한 혈중 항체 농도를 나타낸 것이다.

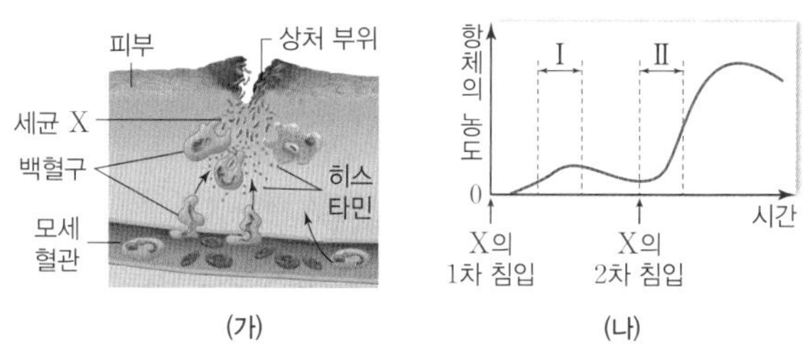

(가) (나)

이에 대한 설명으로 옳은 것만을 〈보기〉에서 있는 대로 고른 것은?

〈보기〉
ㄱ. (가)에서 백혈구는 히스타민을 분비한다.
ㄴ. 구간 Ⅰ에서 X에 대한 체액성 면역이 일어난다.
ㄷ. 구간 Ⅱ에서 형질 세포가 기억 세포로 분화한다.

① ㄱ ② ㄴ ③ ㄷ
④ ㄱ, ㄴ ⑤ ㄴ, ㄷ

04 그림 (가)는 백신 X에 들어 있는 항원 A~C를, (나)는 X를 어떤 사람에게 주사했을 때 체내의 항체 a~c의 농도를 나타낸 것이다. a, b, c는 각각 항원 A, B, C에 대한 항체이다.

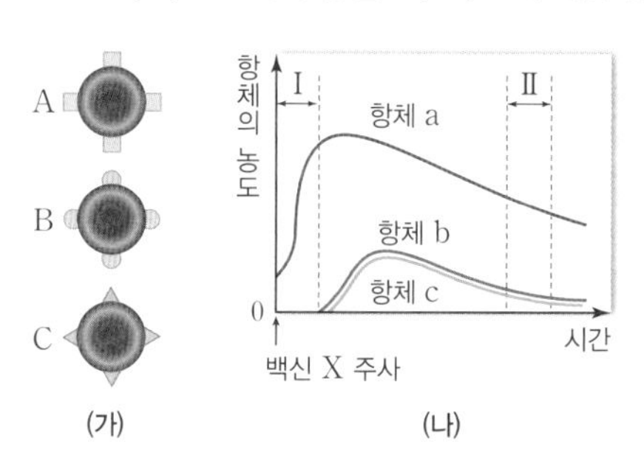

(가) (나)

이에 대한 설명으로 옳은 것만을 〈보기〉에서 있는 대로 고른 것은?

〈보기〉
ㄱ. Ⅰ에서 항원 A에 대한 2차 면역 반응이 일어난다.
ㄴ. Ⅱ에서 이 사람의 혈액에는 항원 B에 대한 기억 세포가 있다.
ㄷ. 이 사람은 X를 주사하기 전 항원 C에 노출된 적이 있다.

① ㄱ ② ㄴ ③ ㄱ, ㄴ
④ ㄱ, ㄷ ⑤ ㄴ, ㄷ

05 그림 (가)는 영희의 ABO식 혈액형 판정 실험 결과를, (나)는 영희의 혈액을 철수의 혈액과 섞었을 때 응집 반응 결과를 나타낸 것이다.

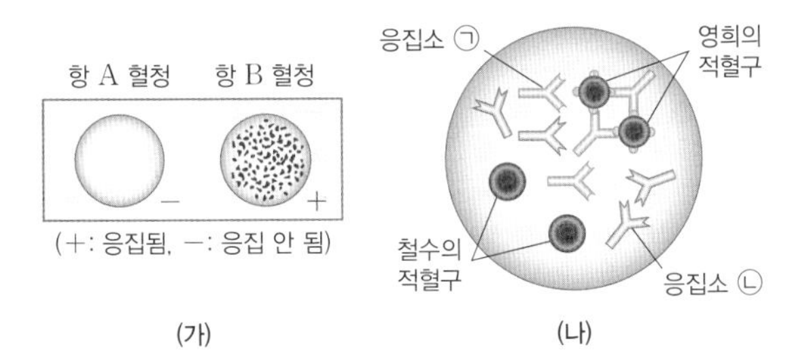

이에 대한 설명으로 옳은 것만을 〈보기〉에서 있는 대로 고른 것은?

〈보기〉
ㄱ. 영희는 B형, 철수는 O형이다.
ㄴ. ㉠은 응집소 β, ㉡은 응집소 α이다.
ㄷ. 영희 혈액의 응집원과 ㉠의 반응은 항원 항체 반응이다.

① ㄱ ② ㄷ ③ ㄱ, ㄴ
④ ㄴ, ㄷ ⑤ ㄱ, ㄴ, ㄷ

출제예감

06 표는 사람 (가)~(다)의 적혈구를 항 A 혈청과 (가)~(다)의 혈청에 각각 섞었을 때의 ABO식 혈액형에 대한 응집 반응 결과를 나타낸 것이다.

구분	항 A 혈청	(가)의 혈청	(나)의 혈청	(다)의 혈청
(가)의 적혈구	−	−	+	−
(나)의 적혈구	㉠	−	−	−
(다)의 적혈구	+	+	㉡	−

(+: 응집됨, −: 응집 안 됨)

이에 대한 설명으로 옳은 것만을 〈보기〉에서 있는 대로 고른 것은?

〈보기〉
ㄱ. ㉠과 ㉡은 모두 '+'이다.
ㄴ. (다)의 혈액형은 AB형이다.
ㄷ. (가)는 (나)에게 수혈해 줄 수 있다.

① ㄱ ② ㄴ ③ ㄱ, ㄴ
④ ㄱ, ㄷ ⑤ ㄴ, ㄷ

[07~08] 그림은 어떤 사람의 체내에 항원 A와 B가 침입했을 때 혈중 항체 X와 Y의 농도 변화를 나타낸 것이다.

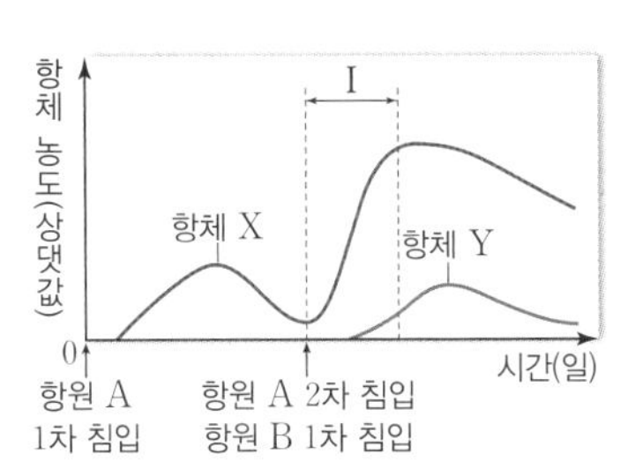

서술형

07 항원 A가 2차 침입했을 때 잠복기 없이 항체 X가 바로 생성되는 까닭을 서술하시오.

서술형

08 그림을 바탕으로 백신으로 질병을 예방할 수 있는 원리를 서술하시오.

서술형

09 ABO식 혈액형의 수혈 관계에서 O형은 나머지 ABO식 혈액형에게 모두 소량 수혈해 줄 수 있고, AB형은 나머지 ABO식 혈액형에게 모두 소량 수혈을 받을 수 있는 까닭을 서술하시오.

방어 작용

대표 유형

출제 의도

1차 면역 반응과 2차 면역 반응의 특징을 알고 있어야 풀 수 있는 문제이다. 또한 체액성 면역 반응의 정의를 알고 있어야 한다.

다음은 항원 X에 대한 생쥐의 방어 작용 실험이다.

[실험 과정]

(가) 유전적으로 동일하고 X에 노출된 적이 없는 생쥐 A와 B를 준비한다.

(나) A에게 X를 2회에 걸쳐 주사한다.

(다) 1주 후, (나)의 A에서 ㉠ 혈청을 분리하여 B에게 주사한다. — 혈액 중 액체 성분으로 X에 대한 항체가 들어 있다.

(라) 일정 시간이 지난 후, (다)의 B에게 X를 1차 주사한다.

(마) 일정 시간이 지난 후, (라)의 B에게 X를 2차 주사한다.

[실험 결과]

B의 X에 대한 혈중 항체 농도 변화는 그림과 같다.

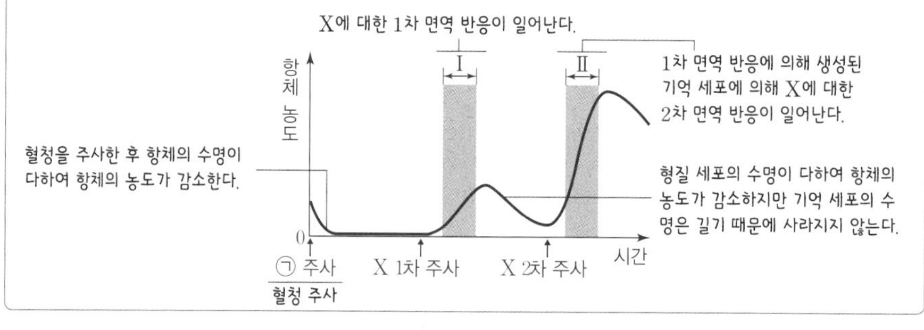

✎ 이것이 함정

혈청은 혈액 중 액체 성분으로 세포가 들어 있지 않고 항체가 들어 있다는 것을 알고 있어야 한다.

이에 대한 설명으로 옳은 것만을 〈보기〉에서 있는 대로 고른 것은?

〈보기〉

ㄱ. ㉠에는 X에 대한 ~~T 림프구~~(항체)가 들어 있다.

ㄴ. 구간 Ⅰ에서 X에 대한 체액성 면역 반응이 일어났다. — X 주사 후 항체의 농도가 증가하였으므로 항원 항체 반응이 일어났다.

ㄷ. 구간 Ⅱ에서 X에 대한 2차 면역 반응이 일어났다.

① ㄱ ② ㄷ ③ ㄱ, ㄴ ④ ㄴ, ㄷ ⑤ ㄱ, ㄴ, ㄷ

X를 1차 주사 했을 때보다 2차 주사했을 때 항체의 농도가 즉각적이고 급격히 증가하였으므로 2차 면역 반응이 일어났다.

그림에서 경향성 찾기

㉠을 주사했을 때 항체 농도가 0이 아님을 통해 혈청에 항체가 들어 있다는 것을 추론한다.

>>> 그림에서 X 1차 주사 후 1차 면역 반응이 일어났다는 것을 해석한다.

>>> X 2차 주사 후 항체 농도의 변화를 X 1차 주사 후와 비교하여 2차 면역 반응의 특징을 추론한다.

>>> X를 주사 후 항체의 농도가 증가하는 것으로 보아 형질 세포가 항체를 분비하여 항원 항체 반응을 하였다는 것을 추론한다.

추가 선택지

• 구간 Ⅰ에서 X에 대한 특이적 방어 작용이 일어났다. (○)
⋯→ 구간 Ⅰ에서 특이적 방어 작용에 속하는 항원 항체 반응이 일어났다.

• 구간 Ⅱ에서 X에 대한 기억 세포가 있다. (○)
⋯→ 구간 Ⅱ에서 X에 대한 2차 면역 반응이 일어났으므로 X에 대한 기억 세포가 있다.

실전! 수능 도전하기

정답과 해설 49쪽

수능 기출

01 표는 사람의 4가지 질병을 A와 B로 구분하여 나타낸 것이다.

구분	질병
A	결핵, 탄저병
B	독감, 홍역

이에 대한 설명으로 옳은 것만을 〈보기〉에서 있는 대로 고른 것은?

보기
ㄱ. A의 병원체는 바이러스이다.
ㄴ. B의 병원체는 세포 분열을 통하여 스스로 증식한다.
ㄷ. A의 병원체와 B의 병원체는 모두 유전 물질을 가진다.

① ㄱ ② ㄷ ③ ㄱ, ㄴ
④ ㄴ, ㄷ ⑤ ㄱ, ㄴ, ㄷ

02 표 (가)는 질병 A~C에서 특징 ㉠~㉢의 유무를, (나)는 ㉠~㉢을 순서 없이 나타낸 것이다. A~C는 각각 결핵, 독감, 말라리아 중 하나이다.

특징 \ 질병	A	B	C
㉠	×	×	ⓐ
㉡	○	ⓑ	○
㉢	×	○	○

(○: 있음, ×: 없음)

(가)

특징(㉠~㉢)
• 병원체가 유전 물질을 가지고 있다.
• 병원체가 핵을 가지고 있다.
• 병원체가 스스로 물질대사를 한다.

(나)

이에 대한 설명으로 옳은 것만을 〈보기〉에서 있는 대로 고른 것은?

보기
ㄱ. ⓐ와 ⓑ는 모두 '○'이다.
ㄴ. ㉠은 '병원체가 핵을 가지고 있다.'이다.
ㄷ. C는 결핵이다.

① ㄱ ② ㄴ ③ ㄱ, ㄴ
④ ㄱ, ㄷ ⑤ ㄴ, ㄷ

03 그림 (가)와 (나)는 각각 결핵과 후천성 면역 결핍증(AIDS)의 병원체를 나타낸 것이다.

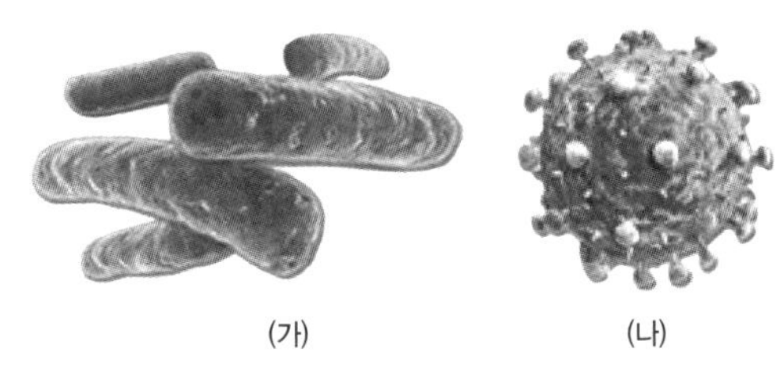

(가) (나)

이에 대한 설명으로 옳은 것만을 〈보기〉에서 있는 대로 고른 것은?

보기
ㄱ. 결핵은 감염성 질병이다.
ㄴ. (가)와 (나)는 모두 세포로 되어 있다.
ㄷ. (나)는 숙주 세포 밖에서 물질대사를 할 수 있다.

① ㄱ ② ㄴ ③ ㄷ
④ ㄱ, ㄴ ⑤ ㄱ, ㄷ

수능 기출

04 그림은 체내에 병원체 X가 1차 침입할 때 일어나는 방어 작용의 일부를 나타낸 것이다. ㉠은 B 림프구와 T 림프구 중 하나이다.

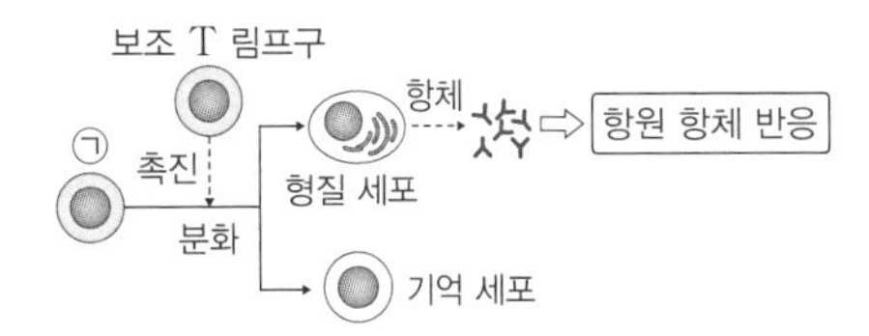

이에 대한 설명으로 옳은 것만을 〈보기〉에서 있는 대로 고른 것은?

보기
ㄱ. 이 방어 작용에서 체액성 면역 반응이 일어난다.
ㄴ. ㉠은 가슴샘에서 성숙된다.
ㄷ. X가 2차 침입할 때 보조 T 림프구에서 항체가 생성된다.

① ㄱ ② ㄴ ③ ㄱ, ㄴ
④ ㄱ, ㄷ ⑤ ㄴ, ㄷ

수능 기출

05 다음은 병원성 세균 A와 B에 대한 생쥐의 방어 작용 실험이다.

[실험 과정 및 결과]

(가) A와 B 중 한 세균의 병원성을 약화시켜 백신 ㉠을 만든다.

(나) 유전적으로 동일하고 A와 B에 노출된 적이 없는 생쥐 Ⅰ~Ⅴ를 준비한다.

(다) 표와 같이 주사액을 Ⅰ~Ⅲ에게 주사한 지 1일 후 생쥐의 생존 여부를 확인한다.

생쥐	주사액의 조성	생존 여부
Ⅰ	세균 A	죽는다
Ⅱ	세균 B	죽는다
Ⅲ	백신 ㉠	산다

(라) 2주 후 (다)의 Ⅲ에서 혈청 ⓐ를 얻는다.

(마) 표와 같이 주사액을 Ⅳ와 Ⅴ에게 주사한 지 1일 후 생쥐의 생존 여부를 확인한다.

생쥐	주사액의 조성	생존 여부
Ⅳ	혈청 ⓐ+세균 A	산다
Ⅴ	혈청 ⓐ+세균 B	죽는다

이에 대한 설명으로 옳은 것만을 〈보기〉에서 있는 대로 고른 것은?

보기

ㄱ. ㉠은 A의 병원성을 약화시켜 만들었다.

ㄴ. ⓐ에는 기억 세포가 들어 있다.

ㄷ. (마)의 Ⅳ에서 A에 대한 2차 면역 반응이 일어났다.

① ㄱ ② ㄴ ③ ㄱ, ㄴ ④ ㄱ, ㄷ ⑤ ㄴ, ㄷ

06 다음은 항원 A와 B의 면역학적 특성을 알아보기 위한 자료이다.

- A와 B에 노출된 적이 없는 동물 X에 동일한 양의 A와 B를 일정 시간 간격으로 3회 주사하였다. 그림은 X에서 A와 B에 대한 혈중 항체 농도의 변화를 나타낸 것이다.

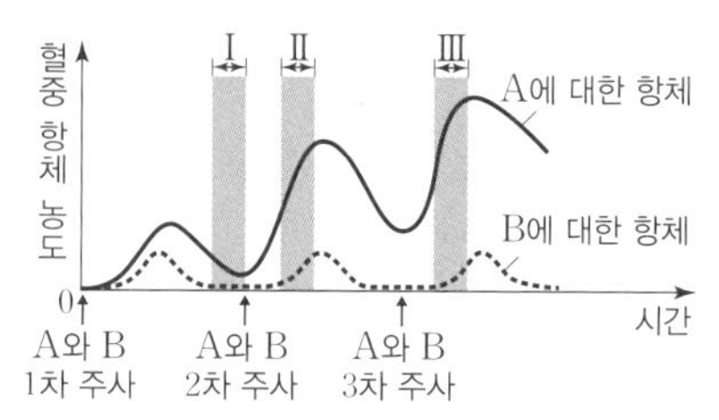

- 동물 X에서 A에 대한 기억 세포는 생성되었고, B에 대한 기억 세포는 생성되지 않았다.

이에 대한 설명으로 옳은 것만을 〈보기〉에서 있는 대로 고른 것은?

보기

ㄱ. A에 대한 형질 세포 수는 구간 Ⅰ에서보다 구간 Ⅱ에서가 많다.

ㄴ. 구간 Ⅱ에서 B에 대한 2차 면역 반응이 일어난다.

ㄷ. 구간 Ⅲ에서 A와 B에 대한 체액성 면역 반응이 모두 일어난다.

① ㄱ ② ㄴ ③ ㄱ, ㄴ ④ ㄱ, ㄷ ⑤ ㄴ, ㄷ

07 그림 (가)는 항원 X가 침입했을 때 세포 ㉠에 의해, (나)는 세포 ㉡에 의해 일어나는 방어 과정의 일부를 나타낸 것이다. 세포 ㉠~㉣은 B 림프구, T 림프구, 기억 세포, 형질 세포를 순서 없이 나타낸 것이다.

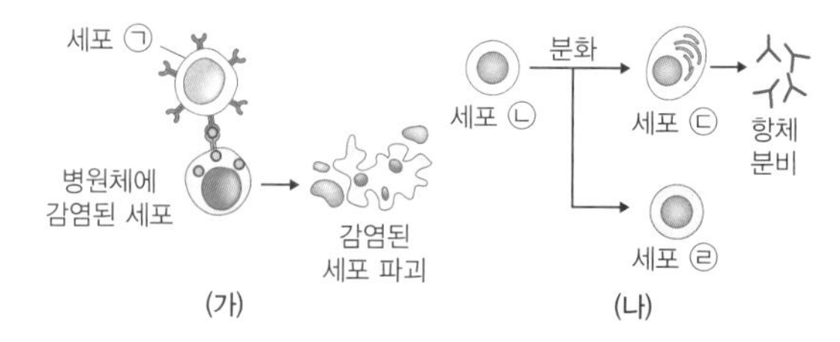

이에 대한 설명으로 옳은 것만을 〈보기〉에서 있는 대로 고른 것은?

보기

ㄱ. ㉠은 B 림프구이다.

ㄴ. ㉠과 ㉡은 모두 골수에서 생성된다.

ㄷ. X가 다시 침입했을 때 ㉢은 ㉣로 분화한다.

① ㄱ ② ㄴ ③ ㄷ ④ ㄱ, ㄴ ⑤ ㄴ, ㄷ

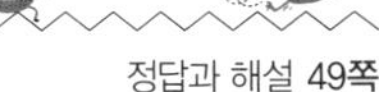

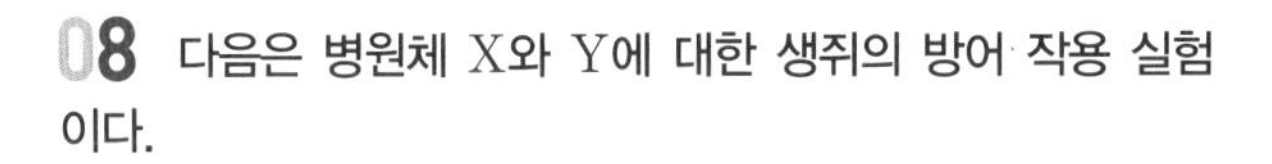

08 다음은 병원체 X와 Y에 대한 생쥐의 방어 작용 실험이다.

(가) 유전적으로 동일하고 X와 Y에 노출된 적이 없는 생쥐 A~D를 준비하고, C와 D에게 방사선을 쬐여 림프구를 모두 제거한다.
(나) A에게 X를 감염시킨 후 감염된 A에게서 ㉠기억 세포를 분리한다. B에게 Y를 감염시킨 후 감염된 B에게서 ㉡기억 세포를 분리한다.
(다) ㉠을 C에게, ㉡을 D에게 각각 주사한다.
(라) 일정 시간이 지난 후 C와 D에게 동일한 종류의 병원체를 감염시킨다. 감염시킨 병원체는 X와 Y 중 하나이다.
(마) C와 D에서의 감염시킨 병원체에 대한 항체 농도는 그림과 같다.

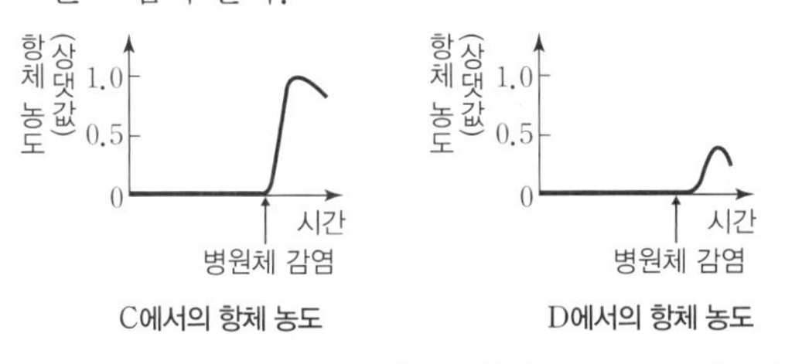

C에서의 항체 농도 D에서의 항체 농도

이에 대한 설명으로 옳은 것만을 <보기>에서 있는 대로 고른 것은?

보기
ㄱ. (나)의 X에 감염된 A에게서 체액성 면역 반응이 일어났다.
ㄴ. (라)에서 C와 D에게 감염시킨 병원체는 Y이다.
ㄷ. (라)의 병원체에 감염된 C에서 2차 면역 반응이 일어났다.

① ㄱ ② ㄷ ③ ㄱ, ㄷ
④ ㄴ, ㄷ ⑤ ㄱ, ㄴ, ㄷ

09 그림은 철수의 혈액 응집 반응 결과를, 표는 200명의 학생으로 구성된 집단을 대상으로 ABO식 혈액형에 대한 응집원 ㉠과 응집소 ㉡의 유무를 조사하여 나타낸 것이다. 이 집단에는 철수가 포함되지 않으며, A형, B형, AB형, O형이 모두 있다.

항 A 혈청	항 B 혈청
응집됨	응집됨

구분	사람 수(명)
응집원 ㉠이 있는 사람	79
응집소 ㉡이 있는 사람	111
응집원 ㉠과 응집소 ㉡이 모두 있는 사람	57

이에 대한 설명으로 옳은 것만을 <보기>에서 있는 대로 고른 것은?

보기
ㄱ. 철수는 O형이다.
ㄴ. 이 집단에서 응집원 A와 B를 모두 갖는 사람의 수는 22명이다.
ㄷ. 이 집단에서 응집소 α와 β를 모두 갖는 사람의 수는 54명이다.

① ㄱ ② ㄷ ③ ㄱ, ㄴ
④ ㄴ, ㄷ ⑤ ㄱ, ㄴ, ㄷ

10 다음은 Rh식 혈액형 판정에 대한 실험이다.

[실험 과정]
(가) 붉은털원숭이의 혈액에서 적혈구를 분리하여 토끼에게 주사한다.
(나) 1주 후, (가)의 토끼에서 혈액을 채취하여 ⓐ적혈구와 ⓑ혈청을 각각 분리하여 얻는다.
(다) (나)에서 얻은 ㉠을 사람 Ⅰ, Ⅱ의 혈액에 각각 섞었을 때의 응집 여부에 따라 Rh식 혈액형을 판정한다.

[실험 결과]

구분	응집 여부
사람 Ⅰ	응집됨
사람 Ⅱ	응집 안 됨

이에 대한 설명으로 옳은 것만을 <보기>에서 있는 대로 고른 것은?

보기
ㄱ. ㉠은 ⓑ이다.
ㄴ. Ⅰ은 Rh^+형이다.
ㄷ. Ⅰ은 Ⅱ에게 수혈해 줄 수 있다.

① ㄱ ② ㄴ ③ ㄱ, ㄴ ④ ㄱ, ㄷ ⑤ ㄴ, ㄷ

한눈에 보는
대단원 정리

1 신경계

01 뉴런 및 흥분 전도와 전달

1. 뉴런의 구조와 종류

① **뉴런:** 신경계를 구성하는 구조적·기능적 단위가 되는 신경 세포로 신경 세포체, 가지 돌기, 축삭 돌기로 구성된다.

② **뉴런의 종류**
- 말이집의 유무에 따른 구분: 말이집 신경, 민말이집 신경
- 기능에 따른 구분: 구심성 뉴런, 연합 뉴런, 원심성 뉴런

2. 흥분 전도

① **흥분 발생**

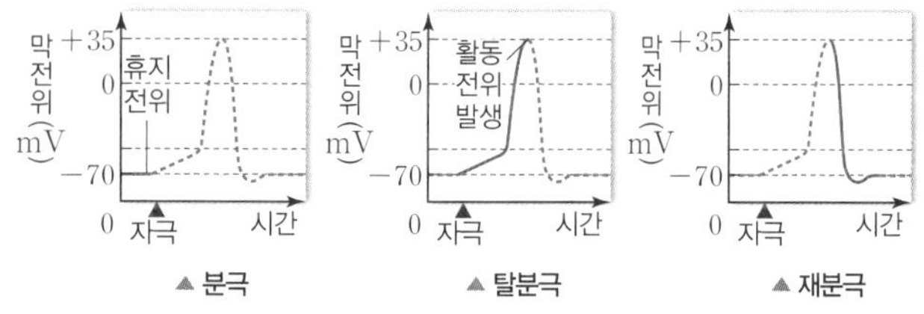

▲ 분극　▲ 탈분극　▲ 재분극

- $Na^{+}-K^{+}$ 펌프를 통해 Na^{+}은 세포 밖으로, K^{+}은 세포 안으로 이동한다.
- 세포막을 경계로 상대적으로 안쪽은 음(−)전하를, 바깥쪽은 양(+)전하를 띤다.
- 역치 이상의 자극을 받으면 Na^{+}의 유입으로 탈분극된다.

② **흥분 전도**
- 흥분 전도 과정: 뉴런의 특정 부위에 탈분극이 일어나면 세포 안으로 유입된 Na^{+}이 옆으로 확산되어 인접 부위의 세포막도 막전위가 역치 전위까지 상승되어 탈분극이 일어난다.
- 흥분 전도 속도: 말이집 신경은 민말이집 신경보다 흥분 전도 속도가 빠르고, 축삭 돌기의 지름이 클수록 흥분 전도 속도가 빠르다.

3. 흥분 전달

① **흥분 전달**
- 흥분 전달 과정: 흥분이 축삭 돌기 말단까지 전도 → 시냅스 소포에 있는 신경 전달 물질이 시냅스 틈으로 분비 → 신경 전달 물질이 시냅스 이후 뉴런의 수용체와 결합 → 시냅스 이후 뉴런의 탈분극
- 흥분 이동의 방향성: 전도는 양방향으로, 전달은 한 방향으로 이동한다.

② **시냅스의 흥분 전달에 영향을 미치는 약물**
- 진정제: 알코올, 수면제, 진통제, 아편
- 각성제: 카페인, 니코틴, 코카인, 암페타민(필로폰)
- 환각제: 대마초, LSD, 마리화나

02 신경계의 구조와 기능

1. 신경계의 구성

① **신경계:** 감각 기관으로부터 정보를 받아들이고, 정보를 분석하여 명령을 내리며, 명령을 반응 기관에 전달한다.

② **신경계의 구성:** 중추 신경계와 말초 신경계

2. 중추 신경계

① **뇌:** 대뇌, 중간뇌, 소뇌, 간뇌, 연수

② **척수**
- 뇌와 말초 신경 사이에 정보를 전달하는 통로 역할
- 무릎 반사, 회피 반사, 땀 분비, 배변·배뇨 반사 등의 중추

3. 말초 신경계

감각 신경계	• 감각 기관에서 받아들인 자극을 중추 신경계로 전달 • 감각 기관과 중추 신경계 사이가 1개의 뉴런으로 연결
체성 운동 신경계	• 주로 대뇌의 지배를 받아 의식적인 골격근의 반응을 조절 • 중추 신경계와 반응 기관 사이가 1개의 뉴런으로 연결
자율 신경계	• 대뇌의 직접적인 지배를 받지 않고, 몸의 기능을 조절 • 중추 신경계와 반응 기관 사이에 시냅스가 있어 2개의 뉴런으로 연결 • 교감 신경과 부교감 신경으로 구성 • 교감 신경은 신경절 이전 뉴런 말단에서 아세틸콜린이, 신경절 이후 뉴런 말단에서 노르에피네프린이 분비됨 • 부교감 신경은 신경절 이전 뉴런 말단과 신경절 이후 뉴런 말단에서 아세틸콜린이 분비됨

4. 신경계 질환

① **중추 신경계 질환:** 파킨슨병, 알츠하이머병

② **말초 신경계 질환:** 근위축성 측삭 경화증(루게릭병)

03 근육의 구조와 수축 원리

1. 근육의 종류와 구조

① **근육의 종류:** 골격근, 심장근, 내장근

② **골격근의 구조:** 골격근 → 근육 섬유 다발 → 근육 섬유 → 근육 원섬유 → 액틴 필라멘트와 마이오신 필라멘트

2. 골격근의 수축 과정

① **골격근의 수축 과정:** 체성 운동 신경에서 아세틸콜린 분비 → 근육 섬유 세포막의 탈분극 → 액틴 필라멘트가 마이오신 필라멘트 사이로 미끄러져 들어가면서 근육이 수축

② **근육 원섬유 마디의 변화:** 골격근이 수축할 때 액틴 필라멘트, 마이오신 필라멘트, A대의 길이는 변하지 않지만, 근육 원섬유 마디, H대, I대의 길이는 짧아진다.

2 호르몬과 항상성

01 호르몬

1. 호르몬의 특성

① 내분비샘에서 생성되어 혈액을 통해 운반되고, 표적 기관에만 작용한다.

② 미량으로 여러 가지 생리 작용을 조절하고, 많으면 과다증이, 부족하면 결핍증이 나타난다.

2. 호르몬과 신경의 비교

구분	전달 매체	전달 속도	작용 범위	효과의 지속성
호르몬	혈액	느리다	넓다	지속적
신경	뉴런	빠르다	좁다	일시적

02 항상성 조절

1. 항상성

① 체내외의 환경 변화에 대해 혈당량, 체온, 삼투압 등의 체내 환경을 정상 범위로 유지하는 특성이다.

② 항상성 조절 중추는 간뇌의 시상 하부이다.

2. 항상성 조절 원리

① **음성 피드백:** 반응의 결과가 원인을 억제하는 방향으로 작용

② **길항 작용:** 한 기관에 대해 서로 반대 효과를 나타내는 작용

3. 체온 조절

① **추울 때:** 교감 신경 흥분으로 몸 떨림 현상과 티록신과 에피네프린 분비 증가로 물질대사가 촉진되어 열 발생량 증가하며, 피부 근처 혈관이 수축되어 열 발산량이 감소한다.

② **더울 때:** 티록신의 분비 감소로 물질대사가 억제되어 열 발생량이 감소하고, 교감 신경 작용의 완화로 피부 근처 혈관이 확장되고, 땀 분비가 증가되어 열 발산량이 증가한다.

4. 혈당량 조절

① **고혈당일 때:** 이자 β세포에서 인슐린 분비 → 간에서 포도당이 글리코젠으로 합성되어 저장, 혈액에서 조직 세포로의 포도당 흡수 촉진

② **저혈당일 때:** 이자 α세포에서 글루카곤 분비, 부신 속질에서 에피네프린 분비 → 간에 저장된 글리코젠이 포도당으로 분해되어 혈액으로 방출

5. 삼투압 조절

① **혈장 삼투압이 높을 때:** 뇌하수체 후엽에서 항이뇨 호르몬(ADH) 분비 증가 → 콩팥에서 수분 재흡수 촉진

② **혈장 삼투압이 낮을 때:** 뇌하수체 후엽에서 항이뇨 호르몬(ADH) 분비 감소 → 콩팥에서 수분 재흡수 억제

3 방어 작용

01 질병과 병원체

세균	• 원핵생물, 단세포 생물 • 효소가 있으며, 분열법으로 번식 • 질병의 예: 결핵, 폐렴, 파상풍, 탄저병, 콜레라 등
바이러스	• 비세포 구조, 단백질 껍질과 내부 핵산으로 구성 • 기생 생활, 효소가 없어 스스로 물질대사 불가능 • 질병의 예: 감기, 독감, 홍역, AIDS 등
원생생물	• 진핵생물, 단세포 생물 • 질병의 예: 말라리아, 아메바성 이질, 수면병 등
곰팡이	• 진핵생물, 다세포 생물 • 질병의 예: 무좀, 알레르기, 칸디다증 등

02 우리 몸의 방어 작용

1. 비특이적 방어 작용

① 피부, 점막, 분비액이 외부 방어벽의 역할을 한다.

② 식균 작용과 염증 반응에 의한 내부 방어가 일어난다.

2. 특이적 방어 작용

① **보조 T 림프구의 항원 인식:** 대식 세포가 항원을 세포 표면에 제시하면 보조 T 림프구가 항원을 인식하여 활성화된다.

② 활성화된 보조 T 림프구는 세포독성 T림프구와 B 림프구를 활성화시킨다.

③ **세포성 면역과 체액성 면역**

세포성 면역	세포독성 T림프구가 병원체에 감염된 세포를 직접 공격하여 파괴하는 과정
체액성 면역	기억 세포와 형질 세포는 B 림프구에서 분화되며, 형질 세포에서 생성·분비된 항체에 의해 항원을 제거하는 과정

3. 1차 면역 반응과 2차 면역 반응

① **1차 면역 반응과 2차 면역 반응:** 항원이 처음 침입하면 1차 면역 반응, 동일한 항원이 재침입하면 2차 면역 반응이 일어난다. → 2차 면역 반응은 1차 면역 반응보다 항체 생성 시간이 짧고, 다량의 항체가 빠르게 생성된다.

② **백신:** 질병을 일으키지 않도록 독성을 약화시킨 항원으로, 백신을 주사하면 기억 세포가 형성된다.

4. 혈액의 응집원과 응집소

혈액형	A형	B형	AB형	O형	Rh^+형	Rh^-형
응집원	A	B	A, B	없음	있음	없음
응집소	β	α	없음	α, β	없음	생성될 수 있음

한번에 끝내는

대단원 문제

정답과 해설 51쪽

01 그림은 신경 세포의 한 지점 X에서 측정한 막전위와, 두 시점 t_1과 t_2일 때 X에서 A와 B를 통한 이온의 이동을 나타낸 것이다. A와 B는 각각 Na^+ 통로와 K^+ 통로 중 하나이다.

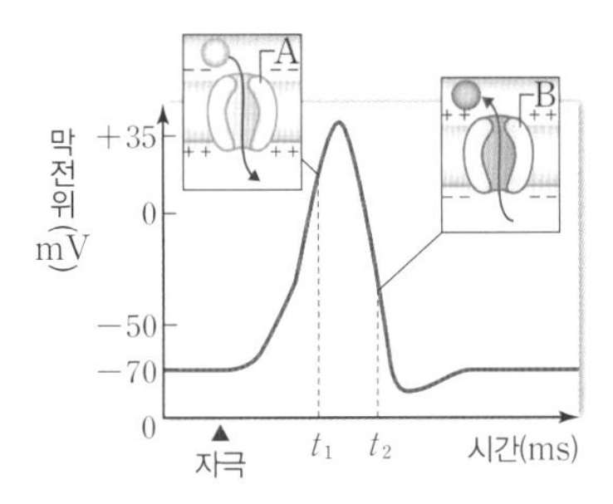

이에 대한 설명으로 옳은 것만을 〈보기〉에서 있는 대로 고른 것은?

〈보기〉
ㄱ. A를 통해 K^+이 세포 밖에서 세포 안으로 유입된다.
ㄴ. A와 B를 통한 이온의 이동에 에너지가 소모된다.
ㄷ. t_1과 t_2일 때 모두 Na^+의 농도는 세포 밖이 세포 안보다 높다.

① ㄱ ② ㄴ ③ ㄷ
④ ㄱ, ㄷ ⑤ ㄴ, ㄷ

고난도

02 그림은 어떤 뉴런의 축삭 돌기 일부를, 표는 그림의 ㉠과 ㉡ 중 한 지점에 역치 이상의 자극을 1회 주고 일정 시간이 지난 후 t_1일 때 지점 A~E에서 동시에 측정한 막전위를 나타낸 것이다.

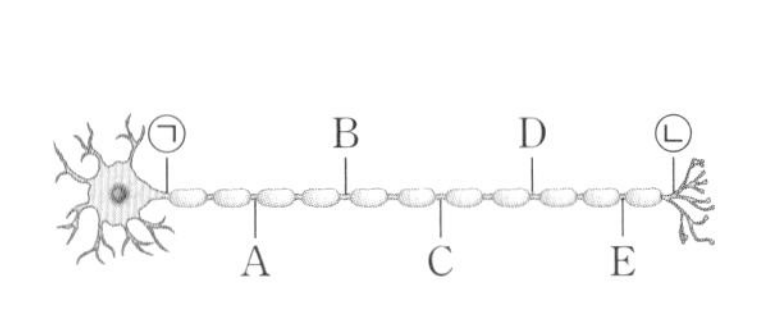

지점	막전위(mV)
A	−70
B	+30
C	+20
D	−80
E	−70

이에 대한 설명으로 옳은 것만을 〈보기〉에서 있는 대로 고른 것은? (단, 휴지 전위는 −70 mV이다.)

〈보기〉
ㄱ. 자극을 준 지점은 ㉠이다.
ㄴ. t_1일 때 A에서 Na^+이 세포 안에서 세포 밖으로 유출될 때 에너지가 소비된다.
ㄷ. t_1일 때 C에서 탈분극이 일어나고 있다.

① ㄱ ② ㄴ ③ ㄷ
④ ㄱ, ㄷ ⑤ ㄴ, ㄷ

03 그림은 중추 신경계 A~D의 구조를, 표는 A~D에서 특징 ㉠과 ㉡의 유무를 나타낸 것이다. A~D는 각각 간뇌, 대뇌, 연수, 중간뇌(중뇌) 중 하나이며, ㉠과 ㉡은 각각 '뇌줄기를 구성한다.', '동공 반사의 중추이다.' 중 하나이다.

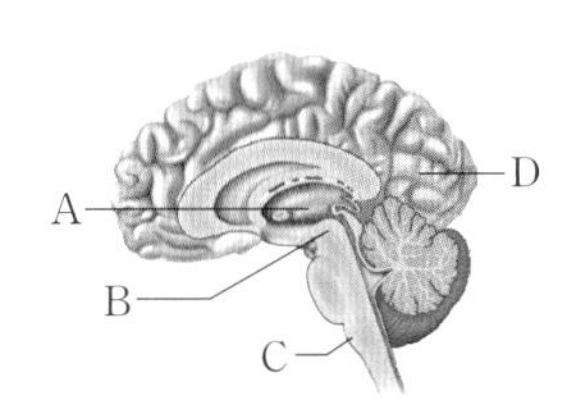

구분	㉠	㉡
A	×	×
B	○	ⓑ
C	○	×
D	ⓐ	?

(○: 있음, ×: 없음)

이에 대한 설명으로 옳은 것만을 〈보기〉에서 있는 대로 고른 것은?

〈보기〉
ㄱ. ⓐ와 ⓑ는 모두 '○'이다.
ㄴ. ㉠은 '뇌줄기를 구성한다.'이다.
ㄷ. D의 겉질에는 신경 세포체가 존재한다.

① ㄱ ② ㄷ ③ ㄱ, ㄴ
④ ㄴ, ㄷ ⑤ ㄱ, ㄴ, ㄷ

04 그림은 무릎 반사(ⓐ)가 일어나는 과정에서 흥분 전달 경로를 나타낸 것이다.

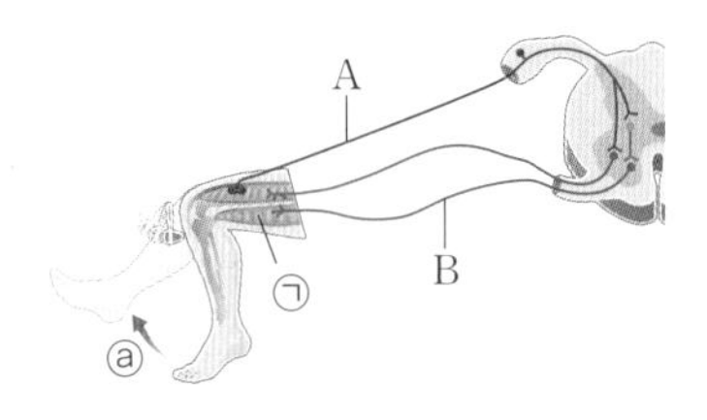

이에 대한 설명으로 옳은 것만을 〈보기〉에서 있는 대로 고른 것은?

〈보기〉
ㄱ. A는 척수의 전근을 구성한다.
ㄴ. B의 신경 세포체는 척수의 속질에 존재한다.
ㄷ. ⓐ가 일어나는 동안 ㉠의 근육 원섬유 마디에서 I대의 길이는 짧아진다.

① ㄱ ② ㄴ ③ ㄷ
④ ㄱ, ㄴ ⑤ ㄴ, ㄷ

05 그림 (가)는 골격근의 구조를, (나)는 이 근육에 포함된 근육 원섬유의 서로 다른 세 지점의 단면 A~C를 나타낸 것이다. ㉠과 ㉡은 각각 액틴 필라멘트와 마이오신 필라멘트 중 하나이다.

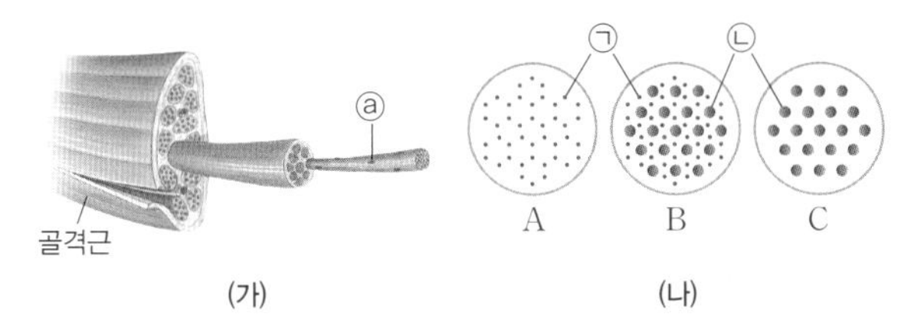

(가) (나)

이에 대한 설명으로 옳은 것만을 〈보기〉에서 있는 대로 고른 것은?

보기
ㄱ. ⓐ는 다핵 세포이다.
ㄴ. ㉠은 마이오신 필라멘트이다.
ㄷ. 근육이 수축할 때 근육 원섬유에서 B와 같은 단면을 갖는 부분의 길이는 길어진다.

① ㄱ ② ㄴ ③ ㄱ, ㄷ
④ ㄴ, ㄷ ⑤ ㄱ, ㄴ, ㄷ

06 그림 (가)의 ⓐ와 ⓑ는 골격근과 내장근 중 하나를, (나)는 ⓐ와 ⓑ 중 하나의 근육 원섬유 마디를 나타낸 것이다. (나)에는 체성 운동 신경이 연결되어 있으며, ㉠과 ㉡은 각각 H대와 A대 중 하나이다.

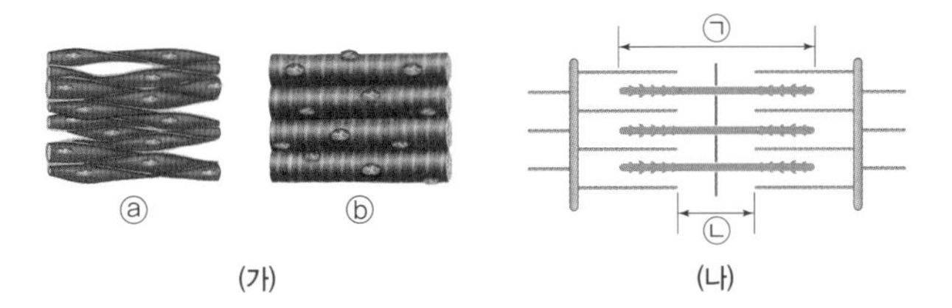

(가) (나)

이에 대한 설명으로 옳은 것만을 〈보기〉에서 있는 대로 고른 것은?

보기
ㄱ. (나)는 ⓐ의 근육 원섬유 마디이다.
ㄴ. ⓑ는 불수의근이다.
ㄷ. (나)에서 근육이 수축할 때 $\frac{㉠}{㉡}$의 길이는 증가한다.

① ㄱ ② ㄴ ③ ㄷ
④ ㄱ, ㄷ ⑤ ㄴ, ㄷ

07 그림은 티록신의 분비 조절 과정을, 표는 물질 X와 Y의 작용을 나타낸 것이다.

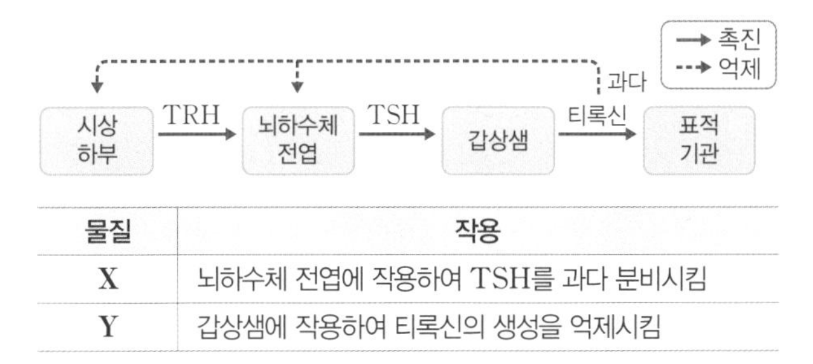

물질	작용
X	뇌하수체 전엽에 작용하여 TSH를 과다 분비시킴
Y	갑상샘에 작용하여 티록신의 생성을 억제시킴

이에 대한 설명으로 옳은 것만을 〈보기〉에서 있는 대로 고른 것은?

보기
ㄱ. 티록신의 분비는 음성 피드백에 의해 조절된다.
ㄴ. 혈관에 X를 주사하면 TRH의 분비가 억제된다.
ㄷ. 혈관에 Y를 주사하면 갑상샘이 비대해질 수 있다.

① ㄱ ② ㄴ ③ ㄱ, ㄴ
④ ㄱ, ㄷ ⑤ ㄱ, ㄴ, ㄷ

08 그림은 정상인에서 일정 시간 동안 시간에 따른 혈당량과 호르몬 X의 혈중 농도를 나타낸 것이다. X는 이자에서 분비된다.

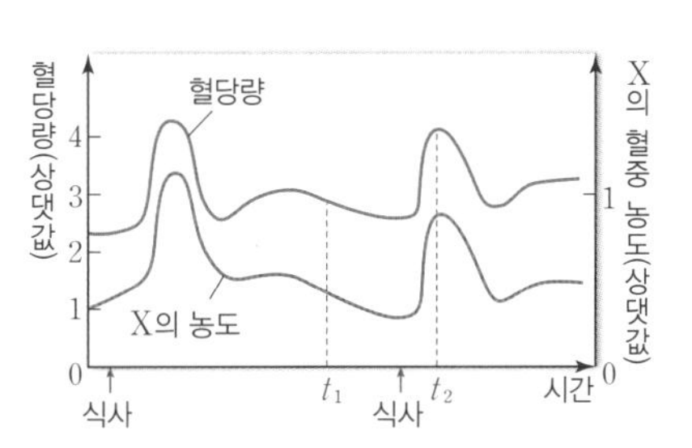

이에 대한 설명으로 옳은 것만을 〈보기〉에서 있는 대로 고른 것은?

보기
ㄱ. X는 이자의 α세포에서 분비된다.
ㄴ. 조직 세포로 흡수되는 포도당의 양은 t_1에서가 t_2에서보다 낮다.
ㄷ. 혈중 글루카곤의 농도는 t_1에서가 t_2에서보다 높다.

① ㄱ ② ㄴ ③ ㄱ, ㄴ
④ ㄱ, ㄷ ⑤ ㄴ, ㄷ

09 그림은 탄저병을 유발하는 병원체 A와 후천성 면역 결핍증(AIDS)을 유발하는 병원체 B의 공통점과 차이점을 나타낸 것이다.

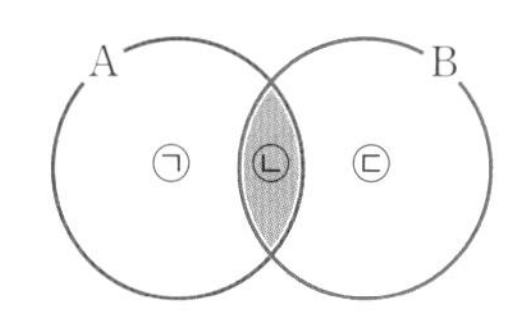

이에 대한 설명으로 옳은 것만을 〈보기〉에서 있는 대로 고른 것은?

> 보기
> ㄱ. '단백질을 가진다.'는 ㉠에 해당한다.
> ㄴ. '핵산을 가진다.'는 ㉡에 해당한다.
> ㄷ. '세포 구조이다.'는 ㉢에 해당한다.

① ㄱ ② ㄴ ③ ㄷ
④ ㄱ, ㄷ ⑤ ㄴ, ㄷ

고난도

10 다음은 병원체 X에 대한 생쥐의 방어 작용 실험이다.

> [실험 과정]
> (가) 유전적으로 동일하고 X에 노출된 적이 없는 생쥐 A와 B를 준비한다.
> (나) X의 병원성을 약화시켜 X^*를 만든다.
> (다) A에 식염수를 주사하고, 10일 후 X를 주사한다.
> (라) B에 X^*를 주사하고, 10일 후 X를 주사한다.
> [실험 결과]
> 시간에 따른 A와 B의 혈중 항체 농도 변화는 그림과 같다. ㉠과 ㉡은 각각 A와 B 중 하나이다.
>
> 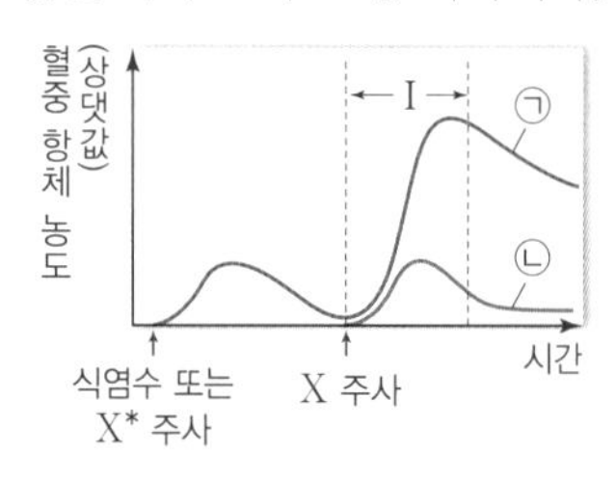
>

이에 대한 설명으로 옳은 것만을 〈보기〉에서 있는 대로 고른 것은?

> 보기
> ㄱ. ㉠은 A이다.
> ㄴ. X^*는 X에 대한 백신으로 이용할 수 있다.
> ㄷ. 구간 I에서 A와 B는 모두 체액성 면역 반응이 일어났다.

① ㄱ ② ㄴ ③ ㄱ, ㄴ
④ ㄱ, ㄷ ⑤ ㄴ, ㄷ

11 그림은 어떤 질병을 일으키는 병원체 X가 체내에 침입했을 때 일어나는 방어 작용의 일부를 나타낸 것이다.

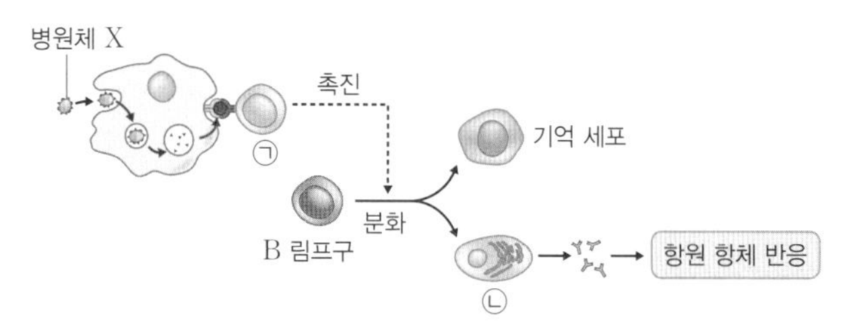

이에 대한 설명으로 옳은 것만을 〈보기〉에서 있는 대로 고른 것은?

> 보기
> ㄱ. ㉠은 가슴샘에서 성숙한다.
> ㄴ. ㉠은 대식 세포 표면의 X의 조각을 인식한다.
> ㄷ. ㉡에서 분비된 항체는 다양한 병원체와 반응할 수 있다.

① ㄱ ② ㄴ ③ ㄱ, ㄴ
④ ㄱ, ㄷ ⑤ ㄴ, ㄷ

12 그림은 A형, B형, AB형 혈액형을 응집 여부에 따라 구분하는 과정을 나타낸 것이다. ㉠과 ㉡은 각각 A형, B형 중 하나이다.

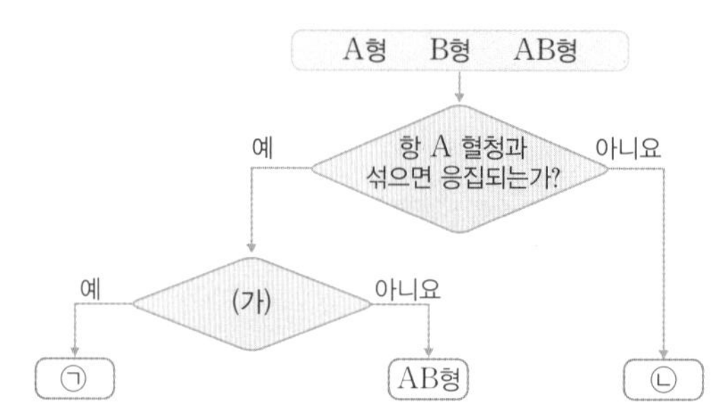

이에 대한 설명으로 옳은 것만을 〈보기〉에서 있는 대로 고른 것은? (단, ABO식 혈액형만 고려한다.)

> 보기
> ㄱ. ㉡은 A형이다.
> ㄴ. '응집소 β가 있는가?'는 (가)에 해당한다.
> ㄷ. ㉠은 AB형에게 소량 수혈해 줄 수 있다.

① ㄱ ② ㄴ ③ ㄱ, ㄴ
④ ㄱ, ㄷ ⑤ ㄴ, ㄷ

서술형

13 그림은 신경과 호르몬의 작용 방식을 나타낸 것이다.

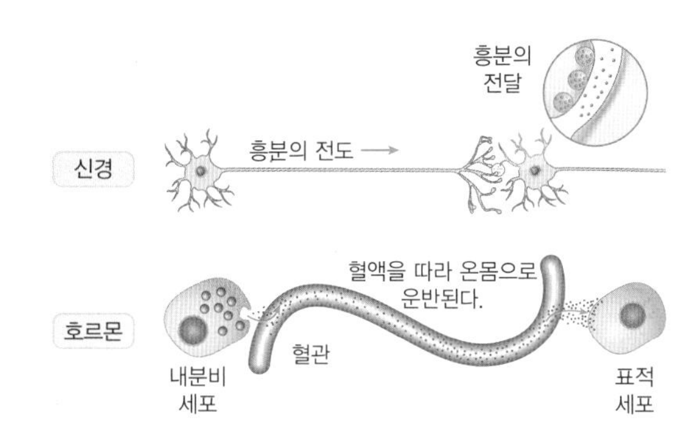

그림을 바탕으로 호르몬의 전달 속도, 작용 범위, 효과의 지속성을 신경과 비교하여 서술하시오.

서술형

14 다음은 티록신에 관한 자료이다.

- 티록신의 구성 성분인 아이오딘(I)이 부족하면 갑상샘이 비대해진다.
- 그림은 티록신의 분비 조절 과정을 나타낸 것이다.

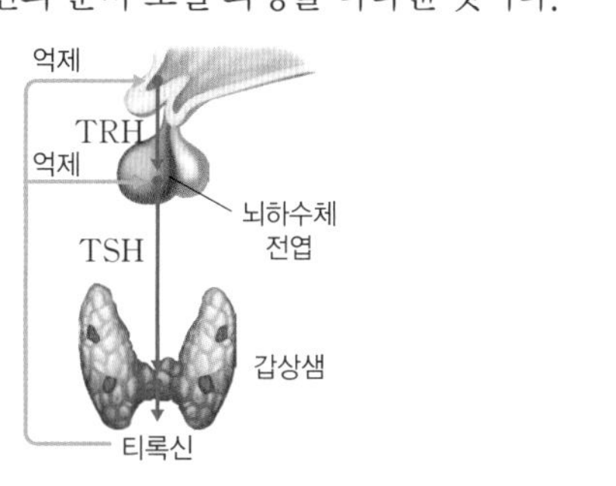

자료를 바탕으로 아이오딘(I)이 부족하면 갑상샘이 비대해지는 까닭을 서술하시오.

[15~16] 그림은 구분 기준 (가)~(다)를 이용하여 4가지 질병을 구분하는 과정을, 표는 구분 기준 (가)~(다)를 순서 없이 나타낸 것이다. A~C는 각각 고혈압, 결핵, 감기 중 하나이다.

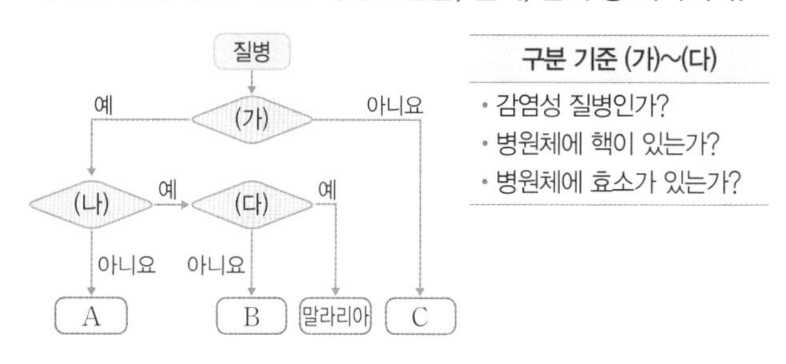

구분 기준 (가)~(다)
• 감염성 질병인가? • 병원체에 핵이 있는가? • 병원체에 효소가 있는가?

15 구분 기준 (가)~(다)는 무엇인지 각각 쓰시오.

16 A~C는 무엇인지 각각 쓰시오.

[17~18] 그림 (가)와 (나)는 체내에 항원이 침입하였을 때 일어나는 방어 작용의 일부를 나타낸 것이다.

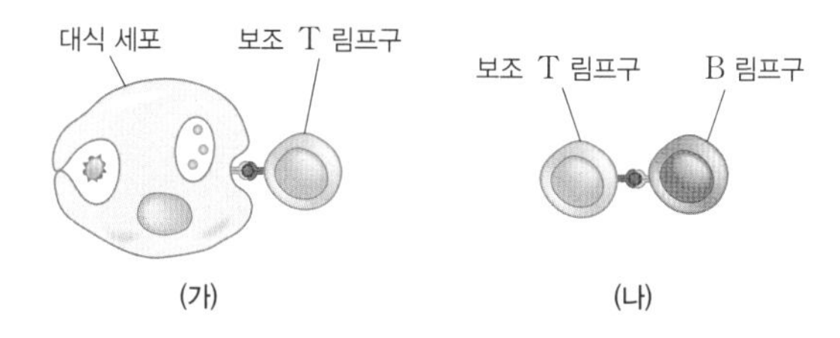

서술형

17 과정 (가)에서 대식 세포가 하는 일을 서술하시오.

서술형

18 과정 (가)와 (나)에서 보조 T 림프구가 하는 일을 서술하시오.

Ⅳ
유전

나의 학습 계획표

중단원	소단원	계획일	실천일	성취도
1 유전의 원리	01. 염색체와 유전 물질	/	/	○△×
	02. 생식세포 분열	/	/	○△×
	수능 POOL + 실전! 수능 도전하기	/	/	○△×
2 사람의 유전과 유전병	01. 사람의 유전	/	/	○△×
	02. 유전자 이상과 염색체 이상	/	/	○△×
	수능 POOL + 실전! 수능 도전하기	/	/	○△×
	대단원 정리 + 문제	/	/	○△×

1 유전의 원리

배울 내용 살펴보기

01 염색체와 유전 물질

- A 유전자, DNA, 염색체, 유전체
- B 사람의 염색체 분석
- C 상동 염색체와 대립유전자
- D 세포 주기와 체세포 분열

사람의 유전 정보는 DNA에 저장되어 있고, DNA는 히스톤 단백질과 결합하여 염색체를 형성해.

02 생식세포 분열

- A 생식세포의 형성
- B 체세포 분열과 감수 분열의 비교
- C 생식세포 형성과 유전적 다양성

유성 생식을 하는 생물은 자손에게 유전 정보를 전달해 주기 위해 생식세포를 만드는 과정에서 감수 분열을 하지.

01 염색체와 유전 물질

핵심 키워드로 흐름잡기

- A 유전자, DNA, 염색체, 유전체
- B 상염색체, 성염색체, 핵형, 핵상
- C 상동 염색체, 대립유전자, 염색 분체
- D 세포 주기, 간기, 분열기, 핵분열, 세포질 분열

A 유전자, DNA, 염색체, 유전체

|출·제·단·서| 시험에는 유전자, DNA, 염색체, 유전체의 개념과 관계에 대한 자료 분석 문제가 나와.

1. 유전자, DNA, 염색체, 유전체의 구분

(1) **유전자** 유전 정보❶가 저장된 DNA의 특정 부분으로, 생물의 형질❷을 결정하는 유전 정보는 DNA의 염기 서열 형태로 저장되어 있다.

(2) **DNA** 생물의 형질에 대한 모든 유전 정보를 담고 있는 유전 물질로, 뉴클레오타이드가 결합하여 형성된 폴리뉴클레오타이드 두 가닥이 서로 꼬여 있는 이중 나선 구조를 갖는다.

(3) **°염색체** DNA와 히스톤 단백질이 결합하여 형성된 뉴클레오솜이 수백만 개 연결되어 응축된 막대 모양의 구조물로, 세포가 분열할 때 관찰할 수 있다. 세포가 분열하지 않는 시기에 염색체는 길게 풀어진 형태인 염색사로 존재한다.

(4) **유전체❸** 한 생명체의 유전 정보가 저장되어 있는 DNA 전체이다.

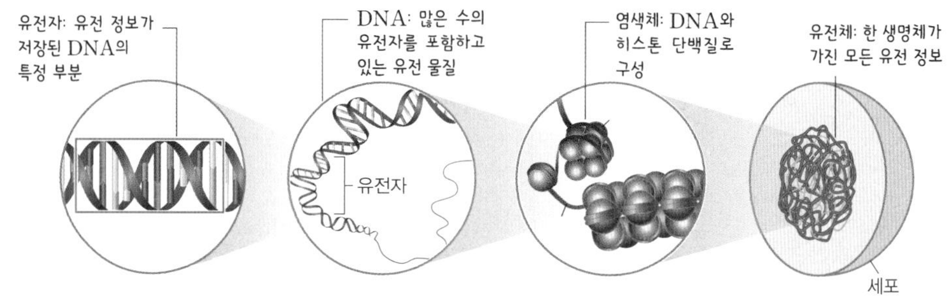

▲ 유전자, DNA, 염색체, 유전체의 구분

암기TiP 염색체 수보다 유전자 수가 훨씬 많다.

2. 염색체의 구조 개념 POOL 염색체는 DNA와 히스톤 단백질로 이루어진 복합체이다.

(1) 유전자는 DNA의 특정 염기 서열이며, DNA에는 유전자가 아닌 부분도 존재한다.

(2) DNA는 히스톤 단백질과 결합하여 응축된 상태의 염색체로 존재하는데, 유전자는 염색체의 일정한 위치에 있다.

(3) 염색체는 세포 분열에서 DNA의 손상을 막고 딸세포에 유전 물질이 정확하게 분배되도록 하기 위해 매우 강하게 응축된다.

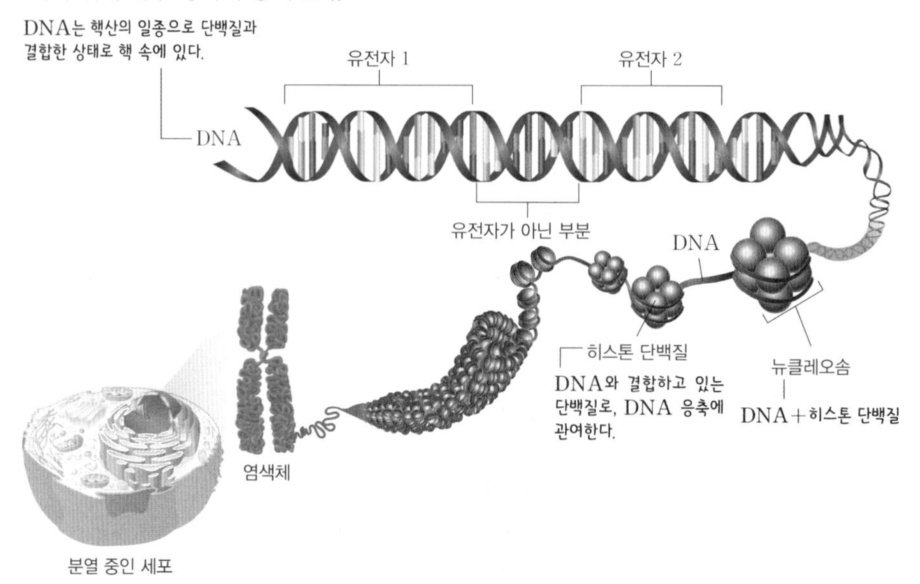

▲ 염색체의 구조

❶ **유전 정보**
DNA는 5탄당인 디옥시리보스, 인산, 염기로 구성된 뉴클레오타이드가 수없이 많이 연결된 고분자 물질이며, 염기 서열의 형태로 유전 정보가 저장되어 있다.

❷ **형질**
눈동자의 색, 눈꺼풀의 모양, 털색 등과 같이 생물이 나타내는 특성이다.

❸ **유전체(게놈, genome)**
유전자(gene)와 염색체(chromosome)의 합성어로, 1920년 빙클러(Winkler. H., 1877~1945)가 생식세포에 들어 있는 염색체에 대하여 게놈이라는 표현을 쓰고 이 안에 분류학상의 단위가 될 기초 유전 물질이 들어 있다고 하였다.

용어 알기

● 염색체(물들일 染, 빛 色, 몸 體) 세포를 현미경으로 관찰하던 중 카민과 같은 염색액에 의해 염색이 잘 되기 때문에 붙여진 이름

B 사람의 염색체 분석

|출·제·단·서| 제시된 핵형을 분석하거나 핵상을 알아내는 문제가 나올 수 있어.

1. 사람의 염색체 구성[4]

사람은 부계와 모계로부터 염색체를 물려받아 사람의 체세포 1개에는 총 46개의 염색체가 들어 있다.

(1) 상염색체

① 남녀가 공통으로 갖는 염색체로, 체세포 1개에는 공통적으로 1~22번까지 44개(22쌍)의 상염색체가 있다.

상동 염색체 1쌍의 염색체 번호는 서로 같고, 성염색체에는 번호를 부여하지 않는다.

② 생식세포인 정자와 난자 1개에는 각각 1~22번까지 22개의 상염색체가 들어 있다.

(2) 성염색체

① 남녀에 따라 구성이 다른 염색체로, X 염색체와 Y 염색체가 있다.

② 남자의 성염색체는 XY, 여자의 성염색체는 XX이다.

사람의 염색체 구성을 표현할 때 남자는 44+XY, 여자는 44+XX로 표현한다.

③ 정자에는 X 염색체와 Y 염색체 중 1개가 들어 있고, 난자에는 X 염색체 1개가 들어 있다.

2. 핵형과 핵상

(1) •핵형 한 생물이 가지는 염색체의 수, 모양, 크기 등 염색체의 외형적인 특성이다.

① 핵형은 종에 따라 다르며, 같은 종에서 성별이 같으면 핵형이 동일하다.

② **핵형 분석[5]**: 생물의 핵형을 조사하는 것으로 분열기 중기에 있는 세포의 염색체를 이용한다.

염색체가 가장 뚜렷하게 관찰되는 시기이다.

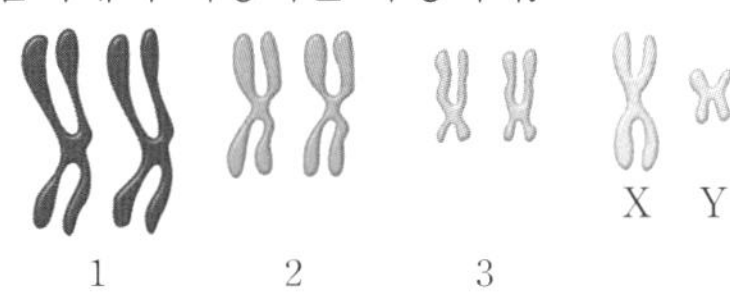

▲ 수컷 초파리의 핵형(체세포)

(2) 핵상 세포 하나에 들어 있는 염색체의 상대적인 수이다.

사람의 체세포 하나에는 46개의 염색체가 2개씩 쌍으로 들어 있으므로 $2n=46$으로 나타낼 수 있다.

① 체세포는 형태적 특징이 같은 염색체가 2개씩 있어 $2n$으로 표시한다.

② 생식세포는 염색체가 쌍을 이루고 있지 않으면 n으로 표시한다.

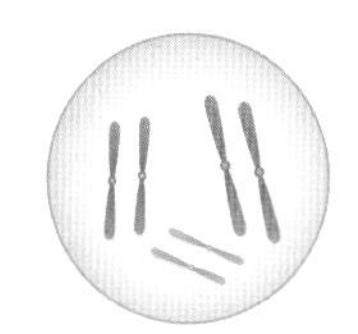
DNA 복제 전 체세포($2n=6$)

DNA 복제 후 체세포($2n=6$)

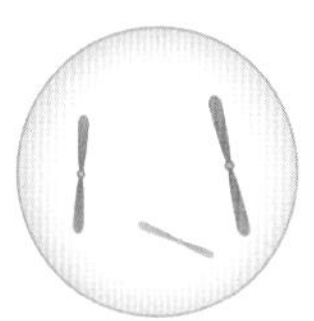
생식세포($n=3$)

▲ 핵상과 염색체 수

빈출 자료 사람의 핵형 분석

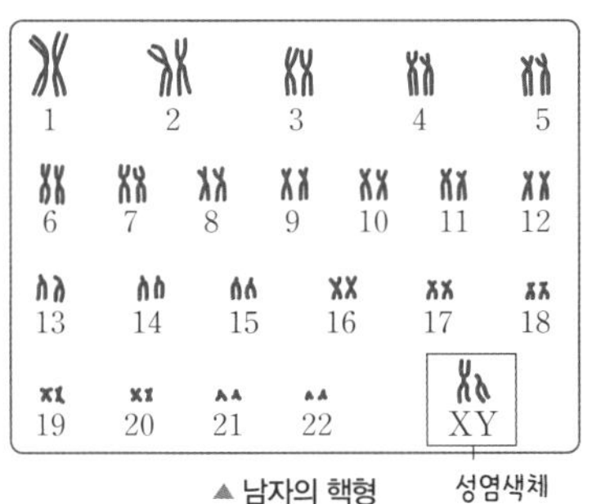

▲ 남자의 핵형 성염색체

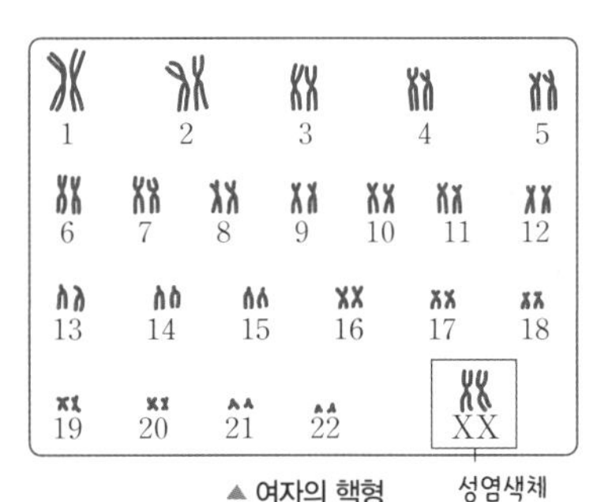

▲ 여자의 핵형 성염색체

❶ 상염색체인 1~22번 염색체는 남자와 여자 모두 각각 2개씩 동일하게 가지고 있다.

❷ 남자는 성염색체로 X 염색체와 Y 염색체를 1개씩 가지고 있으며, 여자는 남자와 달리 X 염색체 2개를 가지고 있다.

❸ 핵형 분석으로 성별과 염색체 상의 이상 여부는 알 수 있지만, 유전자에 의해 나타나는 형질이나 유전자 이상 질환은 알 수 없다.

---

❹ 생식을 통한 사람의 염색체 구성

정자 22+Y, 정자 22+X, 44+XY → 남자 44+XY
난자 22+X, 난자 22+X, 44+XX → 여자 44+XX

• 감수 분열에 의해 형성된 정자와 난자는 각각 상염색체 22개(1~22번 각 1개씩)와 성염색체 1개가 들어 있으며, 이들의 수정에 의해 자손이 형성된다.

• 아들의 X 염색체는 어머니로부터, Y 염색체는 아버지로부터 받은 것이다. 아버지의 성염색체 중 X 염색체는 딸에게만, Y 염색체는 아들에게만 전달된다.

? 염색체 수가 같으면 같은 종의 생물일까?

동물		식물	
사람	46	벼	24
침팬지	48	보리	14
개	78	완두	14
초파리	8	감자	48

▲ 체세포 1개에 들어 있는 염색체 수

같은 종의 생물은 염색체 수가 같으나, 염색체 수가 같다고 해서 같은 종은 아니다. 염색체 수가 같아도 종이 다르면 염색체의 크기나 모양, 유전자의 종류 등이 다르다.

❺ 핵형 분석

정상인의 핵형과 비교하여 염색체의 수나 구조 이상에 의한 질환을 알아내고, 핵형의 유사한 정도를 비교하여 생물들 사이의 유연관계를 분석할 수 있다.

용어 알기

•핵형(씨 核, 거푸집 型) (karyotype) 핵 안에 들어 있는 염색체의 수와 모양 등 보이는 형태

C 상동 염색체와 대립유전자

|출·제·단·서| 상동 염색체와 대립유전자의 관계를 분석하거나 상동 염색체와 염색 분체를 구분하는 문제가 나와.

1. 상동 염색체와 대립유전자

암기TiP 하나의 염색체를 구성하는 두 염색 분체의 유전자는 서로 같고, 상동 염색체의 같은 위치에 있는 대립유전자는 서로 같을 수도 있고, 다를 수도 있다.

(1) 상동 염색체

① 체세포에 들어 있는 모양과 크기가 같은 1쌍의 염색체로, 사람은 부계와 모계로부터 상동 염색체를 하나씩 물려받는다.

② 생식세포 분열 시 접합하여 •2가 염색체를 형성하였다가 분리되어 딸세포에 하나씩 들어간다.

③ 사람의 체세포에는 23쌍의 상동 염색체가 있다.

(2) 대립유전자 유전자는 염색체의 일정한 위치에 있으므로 두 상동 염색체의 유전자 배열 순서는 같지만, 각각의 대립유전자는 같을 수도 있고 다를 수도 있다.

① 상동 염색체의 같은 위치에 있으며 1가지 형질을 결정하는 1쌍의 유전자❻로, 부모에게서 하나씩 물려받는다.

② 상동 염색체 쌍은 감수 1분열 시 분리되어 딸세포에 하나씩 들어가는데, 이때 대립유전자 쌍도 분리되어 딸세포에 하나씩 들어간다.

③ 상동 염색체에서 특정 유전자 위치의 대립유전자는 같은 경우도 있지만, 다른 경우도 있다.

④ 대립유전자가 같은 경우를 동형 접합성, 서로 다른 경우를 이형 접합성이라고 한다.

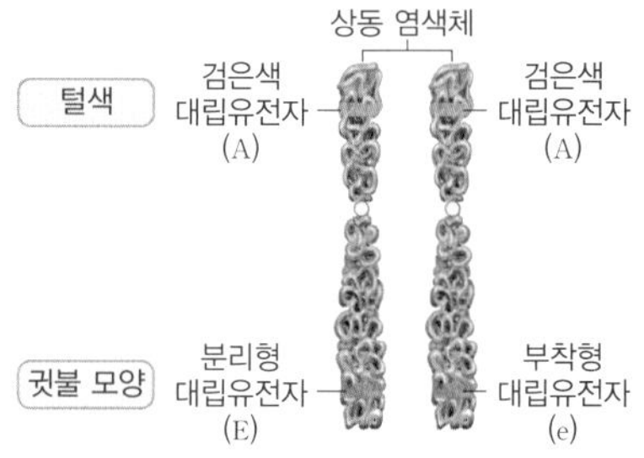

▲ 털색과 귓불 모양의 대립유전자 위치의 예

2. 염색 분체

세포 분열이 시작될 때 나타나는 응축된 염색체는 두 가닥이 하나의 동원체❼에 붙어 있는데, 각 가닥을 염색 분체라고 한다.

(1) 염색 분체의 형성 세포 분열 전 DNA가 복제되고, 복제된 DNA는 각각 독자적으로 응축하여 염색 분체를 형성한다. 만약 DNA가 복제되지 않는다면 세포가 분열할수록 세포의 DNA양은 줄어들 것이다.

(2) 염색 분체와 유전자 1개의 염색체를 구성하는 2개의 염색 분체에 포함된 DNA는 유전자 구성이 서로 동일하다.

세포 분열 시 모세포가 가진 DNA는 세포가 분열하기 전에 복제되었다가 분열 과정에서 분리되어 딸세포로 나뉘어 들어간다.

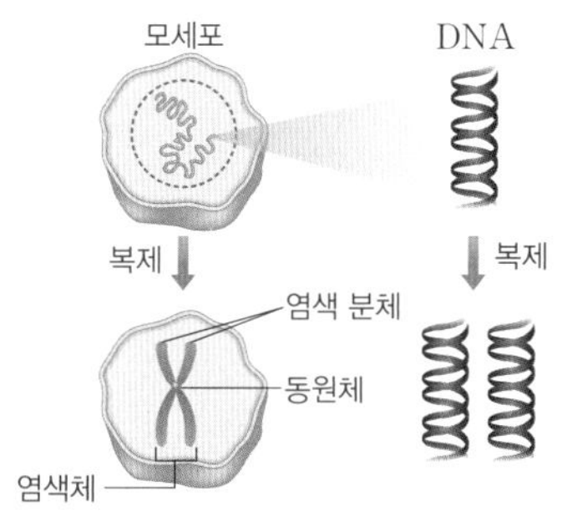

▲ 염색 분체의 형성

빈출 자료 상동 염색체와 대립유전자

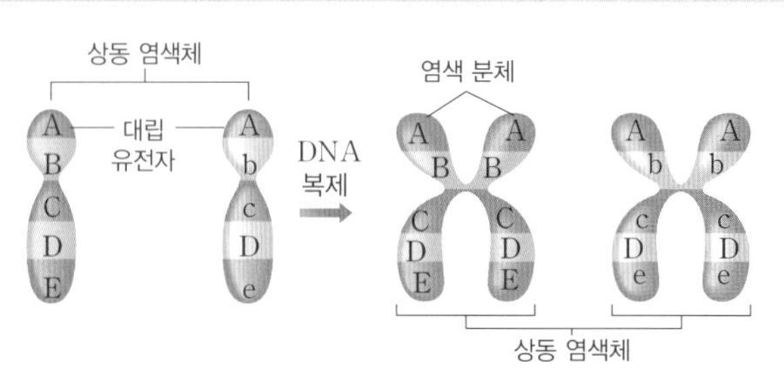

❶ 1쌍의 상동 염색체의 같은 위치에 동일한 형질을 결정하는 대립유전자가 있다.

❷ 1쌍의 상동 염색체는 부모에게서 1개씩 물려받은 것이므로 1가지 형질을 결정하는 대립유전자는 A와 A처럼 같을 수도 있고, C와 c처럼 다를 수도 있다.

❸ 세포는 분열하기 전에 DNA를 복제하여 2개의 염색 분체를 형성한다.

❹ 1개의 염색체는 유전자 구성이 동일한 2개의 염색 분체로 구성되어 있다.

---

❻ 염색체 상의 유전자 위치에 대한 연구

모건(Morgan. T. H.)은 초파리의 돌연변이에 대한 연구를 통해 '유전자는 염색체 상의 일정한 위치에 자리하고 있으며, 대립유전자는 상동 염색체의 같은 위치에 존재한다.'는 유전자설을 1926년에 발표하였다.

A B D / a B d — 상동 염색체, 유전자 자리

❼ 동원체

염색체의 잘록한 부분으로, 세포 분열 시 방추사가 붙는 부위이다.

? X 염색체와 Y 염색체는 상동 염색체일까?

X 염색체와 Y 염색체는 모양과 크기가 다르고 대립유전자 쌍이 거의 존재하지 않지만 생식세포 분열 시 접합하여 2가 염색체를 형성하고, 염색체 끝부분에 서로 상동인 부분이 존재하므로 상동 염색체로 간주한다.

용어 알기

•2가 염색체(둘 二, 수 價, 물들일 染, 색 色, 모양 體) 감수 1분열 전기에 상동 염색체가 접합하여 4개의 염색 분체를 이루고 있는 것

D 세포 주기와 체세포 분열

|출·제·단·서| 세포 주기의 각 단계에서 일어나는 세포의 변화와 DNA양을 분석하는 문제가 시험에 나와.

1. 세포 주기[8] 세포 분열 결과 형성된 딸세포가 생장하여 다시 분열을 마칠 때까지의 과정으로, 간기와 분열기로 나눈다.

(1) 간기 세포 주기의 대부분을 차지하며, 핵막이 뚜렷하게 보이고 염색체는 풀어진 상태로 있다. 간기는 G_1기, S기, G_2기로 구분된다.

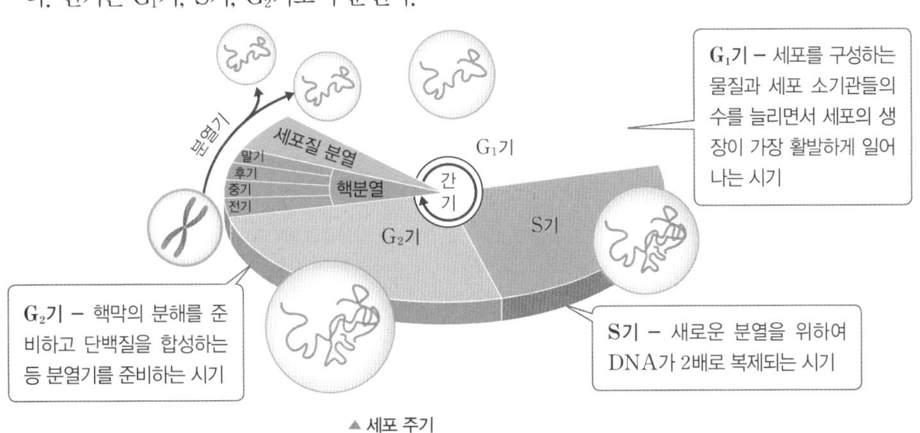

▲ 세포 주기

(2) 분열기(M기) 응축된 염색체를 관찰할 수 있으며, 유전 물질이 나누어지는 핵분열이 먼저 일어난 다음 세포질 분열이 일어나 2개의 딸세포가 만들어진다.

동물은 몸 전체에서 체세포 분열이 일어나지만 식물은 생장점과 같은 분열 조직에서만 일어난다.

2. 체세포 분열[9] 생물의 생장과 조직의 재생 과정에서 일어나는 분열이다.

간기	분열기			
	전기	중기	후기	말기
• DNA 복제 • 세포 분열에 필요한 물질을 합성	• 핵막과 인이 사라지고, 염색체 응축 • ●방추사가 형성되어 동원체에 결합	염색체가 세포 중앙에 배열	염색체를 이루고 있던 두 염색 분체가 방추사에 의해 분리되어 이동	• 양극에 도달한 염색체가 풀어지고, 핵막이 다시 나타남. • 방추사가 사라지고 세포질 분열 시작

간기 → 전기 → 중기 → 후기 → 말기

핵막, 방추사, 염색 분체

빈출 자료 체세포 분열 과정에서의 염색체 구조와 DNA양[10] 변화

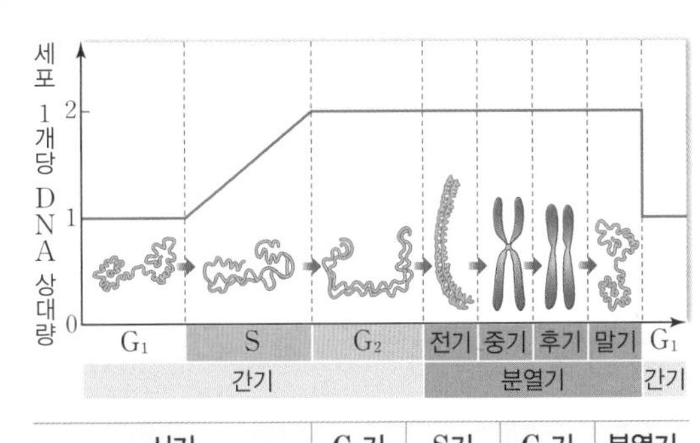

시기	G_1기	S기	G_2기	분열기
세포당 DNA 상대량	1	1~2	2	2 → 1

❶ G_1기의 염색체는 풀어진 상태이며, S기에 DNA 복제가 진행되어 G_2기의 DNA양은 G_1기의 2배가 된다.

❷ 분열기의 전기에 2개의 염색 분체로 이루어진 염색체가 형성된다.

❸ 후기에 염색 분체가 분리되고, 각각 딸세포로 들어간다.

→ 생성된 2개의 딸세포는 유전자 구성이 같고, 모세포와도 같다.

---

❽ 세포의 종류와 세포 주기

세포 주기를 한 번 거치는 데 걸리는 시간은 세포의 종류와 환경에 따라 다양하다. 활발하게 분열하는 상피 세포는 G_1기가 짧아 세포 주기가 짧고, 근육 세포나 신경 세포로 분화된 세포는 다시 분열하지 않는다.

세포 종류	세포 주기(일)
골수 세포	0.75
입술 상피 세포	1~2
대장 상피 세포	6
백혈구	14
적혈구	120
뼈세포	200

❾ 체세포 분열의 의의

- 세포 수를 늘려 생장한다.
- 상처 부위나 손실된 부위를 재생한다.
- 각 기관의 기능을 유지하기 위해 새로운 세포를 만들어 낸다.

❿ DNA양(DNA 상대량)

염색체에 들어 있는 DNA의 총합을 상댓값으로 나타낸 것으로, DNA가 복제되어 염색 분체가 형성되면 염색체 수는 그대로지만 DNA양은 2배로 증가한다.

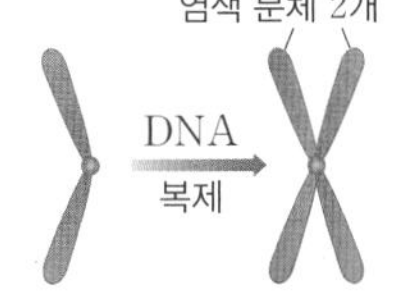

구분	복제 전	복제 후
염색체 수	1개	1개
DNA양 (상대량)	1	2

용어 알기

●방추사(실을 뽑을 紡, 저울 錘, 실 絲)(mitotic spindle) 세포 분열을 할 때 세포의 양극과 염색체를 연결하는 실 모양의 구조물

세포 속 DNA를 찾아서

목표 세포 속 염색체와 유전자, DNA의 관계를 알 수 있다.

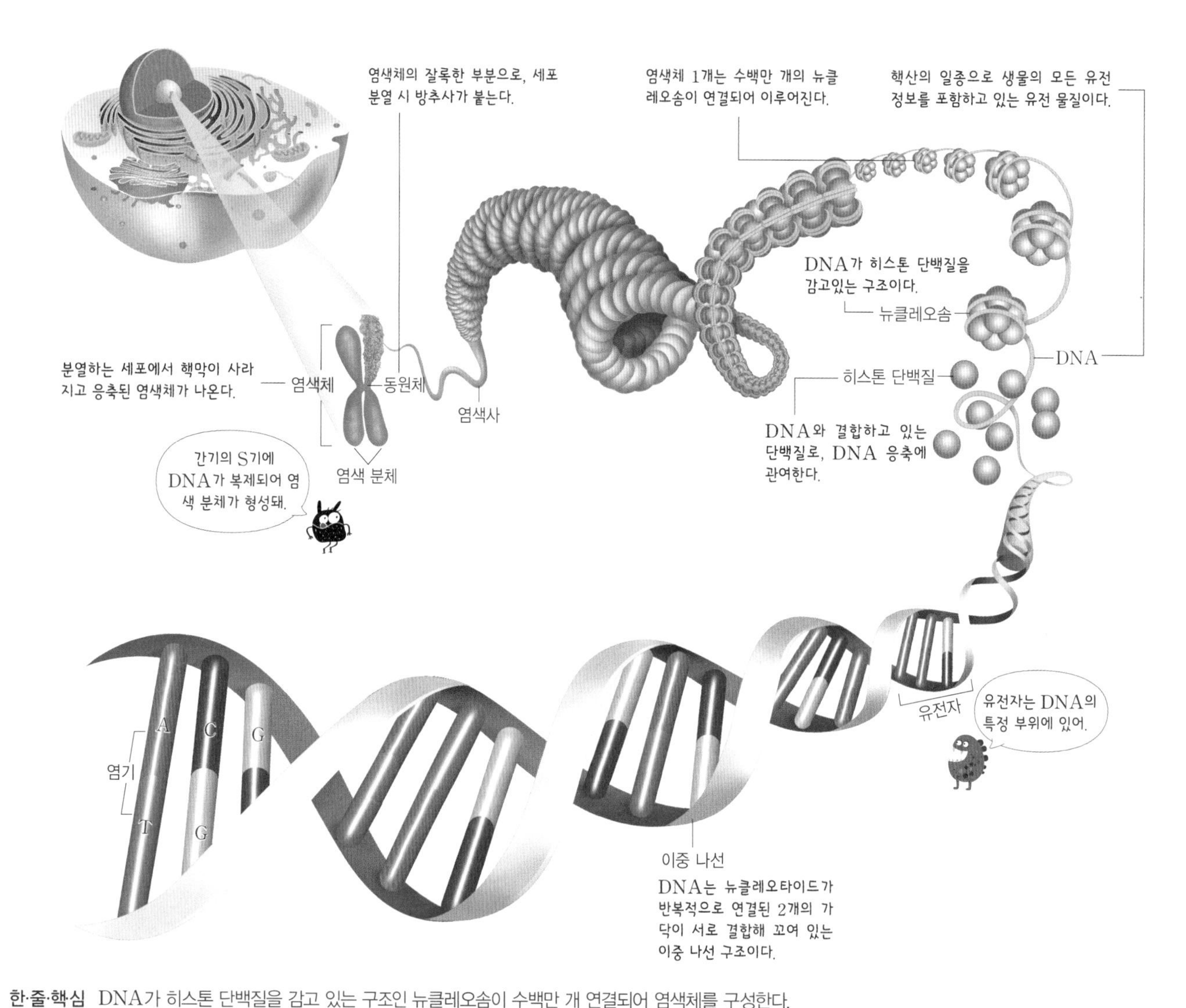

한·줄·핵심 DNA가 히스톤 단백질을 감고 있는 구조인 뉴클레오솜이 수백만 개 연결되어 염색체를 구성한다.

확인 문제

정답과 해설 54쪽

01 ①~⑦에 들어갈 알맞은 말을 각각 쓰시오.

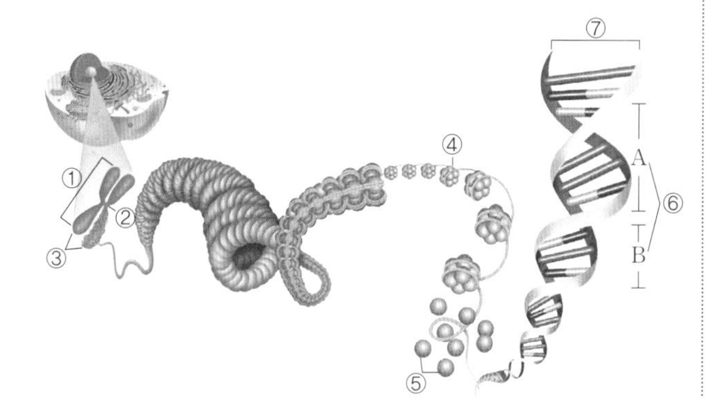

02 다음 설명 중 옳은 것은 ○, 옳지 않은 것은 ×로 표시하시오.

(1) 체세포 분열 전기의 염색체는 2개의 염색 분체로 이루어져 있다. ( )

(2) 염색체는 DNA와 단백질 복합체이다. ( )

(3) 히스톤 단백질은 유전 정보를 저장하는 역할을 한다. ( )

(4) DNA에는 유전자가 아닌 부분이 있다. ( )

콕콕! 개념 확인하기

정답과 해설 54쪽

✔ 잠깐 확인!

1. ☐☐☐ 유전 정보가 저장된 DNA의 특정 부분

2. ☐☐☐ 한 생명체의 유전 정보가 저장되어 있는 DNA 전체

3. ☐☐☐☐ 성에 관계없이 남녀 공통으로 가지고 있는 염색체

4. ☐☐ ☐☐ 핵 속의 염색체 수, 모양, 크기 등을 분석하는 것

5. ☐☐ ☐☐☐ 모양과 크기가 같은 1쌍의 염색체

6. ☐☐☐☐☐ 상동 염색체의 같은 위치에 있으며 동일한 형질을 결정하는 유전자 쌍

7. ☐☐ ☐☐ 세포 분열 결과 형성된 딸세포가 생장하여 분열을 마칠 때까지의 과정

8. ☐☐ 세포 주기의 간기 중 새로운 분열을 위해 DNA가 2배로 복제되는 시기

A 유전자, DNA, 염색체, 유전체

01 유전 물질에 대한 명칭과 의미를 옳게 연결하시오.

(1) 유전 정보가 저장된 DNA의 특정 부분 •   • ㉠ 유전체

(2) 한 생명체의 유전 정보가 저장되어 있는 DNA 전체 •   • ㉡ 염색체

(3) DNA와 단백질이 강하게 응축되어 나타나는 막대 모양의 구조물 •   • ㉢ 유전자

B 사람의 염색체 분석

02 다음은 사람의 염색체에 대한 설명이다. ㉠과 ㉡에 들어갈 알맞은 숫자를 쓰시오.

> 사람의 체세포 1개에는 상염색체가 (㉠)쌍, 성염색체가 (㉡)개 들어 있다.

03 핵형을 분석할 때 세포 분열의 과정 중 어느 시기의 세포를 주로 이용하는지 쓰시오.

C 상동 염색체와 대립유전자

04 염색체와 유전자에 대한 설명으로 옳은 것은 ○, 옳지 않은 것은 ×로 표시하시오.

(1) 사람의 체세포에는 23쌍의 상동 염색체가 있다. ( )

(2) 하나의 염색체를 구성하는 두 염색 분체는 부모로부터 하나씩 물려받은 것이다. ( )

05 다음은 염색체와 유전자에 대한 설명이다. ㉠, ㉡에 들어갈 알맞은 말을 쓰시오.

> (㉠)의 같은 위치에 있으며 1가지 형질을 결정하는 1쌍의 유전자를 (㉡)이라고 한다.

D 세포 주기와 체세포 분열

06 체세포 분열에 대한 설명으로 옳은 것은 ○, 옳지 않은 것은 ×로 표시하시오.

(1) 간기의 S기에 DNA가 복제된다. ( )

(2) 상동 염색체가 접합하였다가 후기에 분리된다. ( )

(3) 1개의 모세포로부터 형성된 두 딸세포의 유전자 구성은 동일하다. ( )

탄탄! 내신 다지기

A 유전자, DNA, 염색체, 유전체

01 그림은 염색체의 구조를 나타낸 것이다.

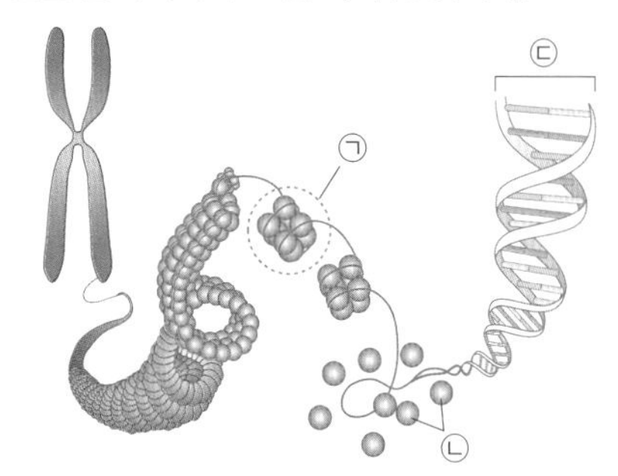

㉠~㉢의 명칭을 옳게 연결한 것은?

	㉠	㉡	㉢
①	히스톤 단백질	뉴클레오솜	유전자
②	염색체	히스톤 단백질	뉴클레오솜
③	DNA	뉴클레오솜	염색체
④	뉴클레오솜	히스톤 단백질	DNA
⑤	염색체	뉴클레오솜	유전자

02 그림 A와 B는 염색체의 2가지 상태를 나타낸 것이다.

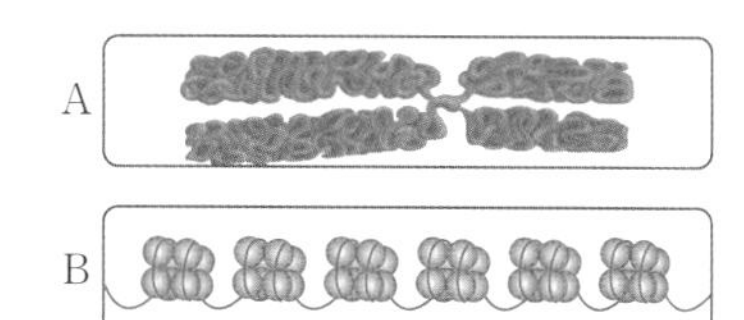

이에 대한 설명으로 옳은 것만을 〈보기〉에서 있는 대로 고른 것은?

보기
ㄱ. A은 뉴클레오솜으로 구성되어 있다.
ㄴ. A는 세포 분열이 일어날 때 주로 관찰된다.
ㄷ. B는 단백질 없이 DNA만으로 구성된다.

① ㄱ ② ㄷ ③ ㄱ, ㄴ
④ ㄴ, ㄷ ⑤ ㄱ, ㄴ, ㄷ

B 사람의 염색체 분석

03 핵형이 정상인 어떤 여자의 체세포에 대한 설명으로 옳은 것만을 〈보기〉에서 있는 대로 고른 것은?

보기
ㄱ. 상염색체는 총 22개이다.
ㄴ. 23쌍의 상동 염색체가 있다.
ㄷ. 성염색체 2개는 모두 어머니로부터 물려받은 것이다.

① ㄴ ② ㄷ ③ ㄱ, ㄴ
④ ㄱ, ㄷ ⑤ ㄴ, ㄷ

04 표는 3종의 생물에서 체세포 1개에 들어 있는 염색체 수를 나타낸 것이다.
이에 대한 설명으로 옳은 것은?

생물종	염색체 수
침팬지	48
감자	48
벼	24

① 침팬지와 감자의 핵형은 동일하다.
② 식물보다 동물의 염색체 수가 더 많다.
③ 침팬지의 생식세포 1개는 24개의 염색체를 갖는다.
④ 감자와 벼는 모두 세포 1개당 24개의 유전자를 갖는다.
⑤ 침팬지와 감자는 감자와 벼보다 동일한 유전자를 더 많이 갖는다.

05 그림은 어떤 동물의 세포 (가)와 (나)를 나타낸 것이다. 이 동물의 성염색체는 XY이다.

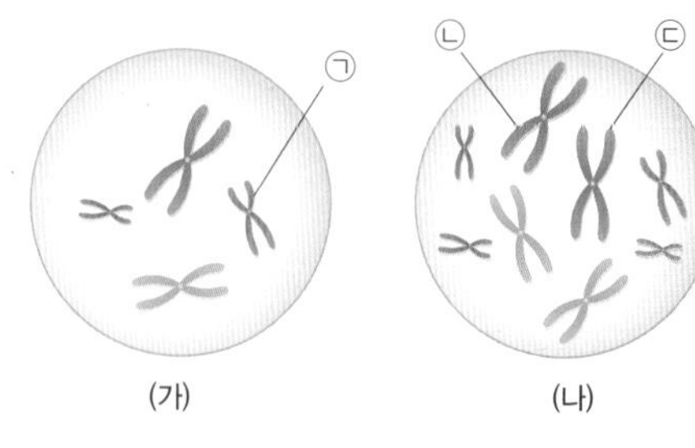

이에 대한 설명으로 옳은 것만을 〈보기〉에서 있는 대로 고른 것은? (단, 돌연변이는 고려하지 않는다.)

보기
ㄱ. ㉠은 성염색체이다.
ㄴ. (가)와 (나)의 핵상은 다르다.
ㄷ. ㉡과 ㉢은 상동 염색체이다.

① ㄱ ② ㄴ ③ ㄷ
④ ㄴ, ㄷ ⑤ ㄱ, ㄴ, ㄷ

C 상동 염색체와 대립유전자

06 그림은 어떤 동물의 세포에서 1쌍의 상동 염색체에 존재하는 2종류의 유전자를 나타낸 것이다.
이에 대한 설명으로 옳지 않은 것은? (단, 돌연변이는 고려하지 않는다.)

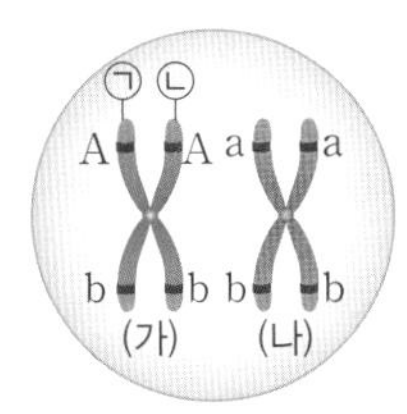

① ㉠과 ㉡은 염색 분체이다.
② A와 a는 같은 형질에 관여하는 대립유전자이다.
③ 이 동물의 생식세포는 모두 유전자 b를 갖는다.
④ ㉠과 ㉡의 유전자 구성은 서로 같을 수도 있고 다를 수도 있다.
⑤ (가)가 부계로부터 물려받은 것이라면, (나)는 모계로부터 물려받은 것이다.

07 대립유전자에 대한 설명으로 옳은 것만을 〈보기〉에서 있는 대로 고른 것은?

〈보기〉
ㄱ. 상동 염색체의 같은 위치에 있는 유전자를 말한다.
ㄴ. 체세포에 들어 있는 모양과 크기가 같은 1쌍의 염색체이다.
ㄷ. 쌍을 이루고 있다가 생식세포 형성 시 분리되어 서로 다른 생식세포로 들어간다.

① ㄱ ② ㄴ ③ ㄷ
④ ㄱ, ㄴ ⑤ ㄱ, ㄷ

08 그림은 유전자형이 AaBbDd인 어떤 동물 세포에 들어 있는 염색체 (가), (나)와 유전자를 나타낸 것이다.
이에 대한 설명으로 옳은 것만을 〈보기〉에서 있는 대로 고른 것은? (단, 돌연변이는 고려하지 않는다.)

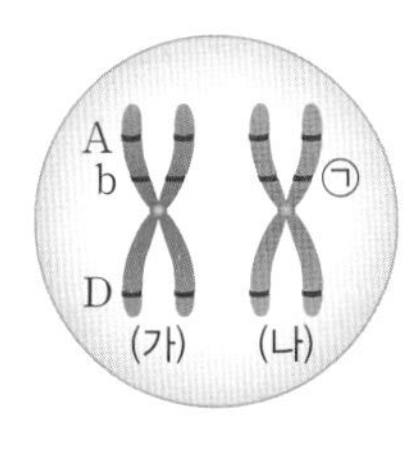

〈보기〉
ㄱ. (가)와 (나)는 상동 염색체이다.
ㄴ. (가)가 복제되어 (나)가 형성되었다.
ㄷ. b와 ㉠은 부모로부터 각각 물려받은 것이다.

① ㄱ ② ㄴ ③ ㄱ, ㄷ
④ ㄴ, ㄷ ⑤ ㄱ, ㄴ, ㄷ

D 세포 주기와 체세포 분열

09 표는 서로 다른 세포 (가)~(다)의 세포 주기에서 각 시기별 소요 시간을 나타낸 것이다.

(단위: 시간)

구분	(가)	(나)	(다)
G_1기	1	12	8
S기	10.5	6	7
G_2기	2.5	8	4
분열기	3	2	1

이에 대한 설명으로 옳은 것만을 〈보기〉에서 있는 대로 고른 것은?

〈보기〉
ㄱ. 간기의 소요 시간은 (가)가 (다)보다 길다.
ㄴ. DNA가 복제되는 시기의 소요 시간은 (가)가 (나)보다 길다.
ㄷ. 세포 주기는 (가)~(다) 중 (나)가 가장 길다.

① ㄱ ② ㄴ ③ ㄱ, ㄷ
④ ㄴ, ㄷ ⑤ ㄱ, ㄴ, ㄷ

단답형

10 다음은 체세포 분열에 대한 설명이다. ㉠~㉢에 들어갈 알맞은 말을 쓰시오.

(㉠)에 핵막이 사라지고, 응축된 염색체가 형성된다. 염색체를 관찰하기에 가장 좋은 시기는 (㉡)이며, 후기에 (㉢)가 분리되어 양극으로 이동한다.

11 그림은 어떤 동물의 체세포의 세포 주기를 나타낸 것이다. ㉠과 ㉡은 각각 S기와 G_1기 중 하나이다.
이에 대한 설명으로 옳은 것만을 〈보기〉에서 있는 대로 고른 것은?

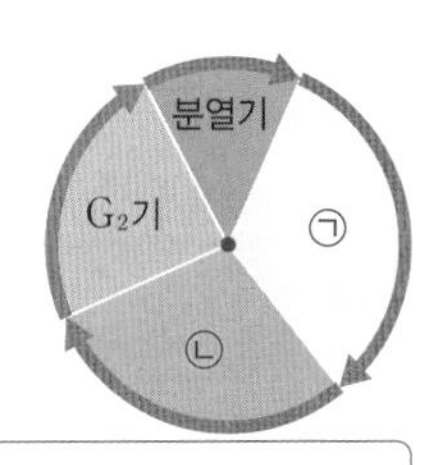

〈보기〉
ㄱ. ㉠은 G_1기이다.
ㄴ. ㉡ 시기에 핵막이 사라진다.
ㄷ. 분열기에 응축된 염색체가 관찰된다.

① ㄱ ② ㄴ ③ ㄱ, ㄷ
④ ㄴ, ㄷ ⑤ ㄱ, ㄴ, ㄷ

도전! 실력 올리기

01 그림은 어떤 식물의 생장점에 존재하는 체세포 A, B와 B에 있는 염색체의 구조를 나타낸 것이다. A와 B는 각각 분열기 전기의 세포와 간기의 세포 중 하나이며, ㉠과 ㉡은 각각 DNA와 뉴클레오솜 중 하나이다.

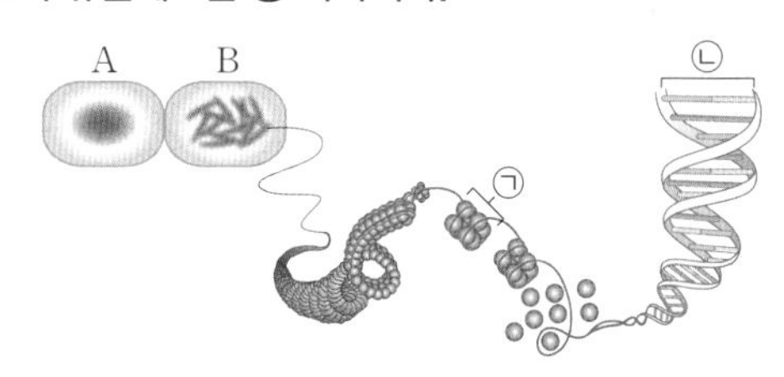

이에 대한 설명으로 옳은 것만을 〈보기〉에서 있는 대로 고른 것은?

보기
ㄱ. A에는 ㉠이 존재하지 않는다.
ㄴ. 핵형 분석에는 A의 세포를 이용한다.
ㄷ. B에는 ㉡이 복제된 상태의 염색체가 들어 있다.

① ㄱ ② ㄷ ③ ㄱ, ㄴ
④ ㄴ, ㄷ ⑤ ㄱ, ㄴ, ㄷ

02 그림은 어떤 동물의 세포 분열 과정 중에 있는 두 세포 (가), (나)를 나타낸 것이다. (가)와 (나)에는 1번 염색체만을 나타내었다.

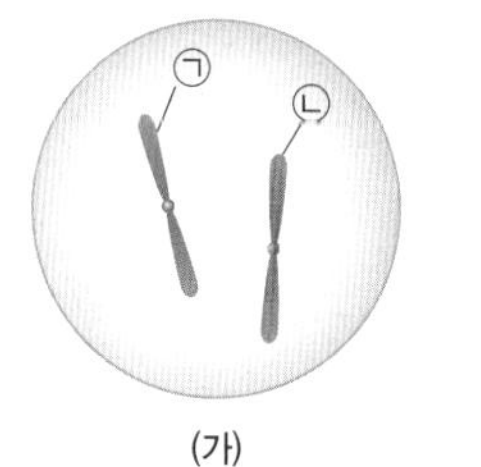

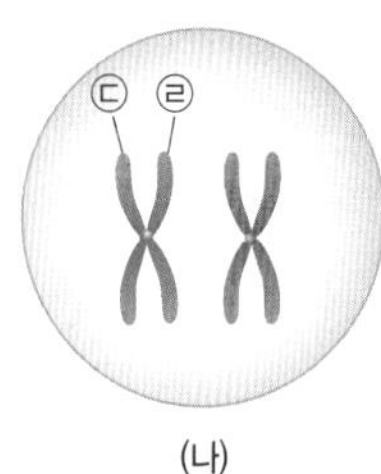

(가) (나)

이에 대한 설명으로 옳은 것만을 〈보기〉에서 있는 대로 고른 것은?

보기
ㄱ. ㉠과 ㉡은 상동 염색체이다.
ㄴ. ㉢과 ㉣의 유전자 구성은 동일하다.
ㄷ. (가)와 (나)의 1번 염색체 수는 같다.

① ㄱ ② ㄷ ③ ㄱ, ㄴ
④ ㄴ, ㄷ ⑤ ㄱ, ㄴ, ㄷ

03 표는 아버지를 제외한 철수의 가족 구성원에서 체세포 1개당 유전자 P, P*, T, T*의 DNA 상대량을 나타낸 것이다. P, P*, T, T* 1개당 DNA 상대량은 같다.

구성원	DNA 상대량			
	P	P*	T	T*
어머니	0	2	2	0
누나	1	1	2	0
철수	0	1	1	1
여동생	1	1	1	1

이에 대한 설명으로 옳은 것만을 〈보기〉에서 있는 대로 고른 것은? (단, P는 P*의 대립유전자이며, T는 T*의 대립유전자이고, 돌연변이는 고려하지 않는다.)

보기
ㄱ. 철수 아버지는 P를 가지고 있다.
ㄴ. T는 성염색체에 존재한다.
ㄷ. 철수 아버지의 체세포 1개당 T의 DNA 상대량은 1이다.

① ㄱ ② ㄴ ③ ㄱ, ㄷ
④ ㄴ, ㄷ ⑤ ㄱ, ㄴ, ㄷ

출제예감

04 그림은 어떤 사람의 핵형 분석 결과를 나타낸 것이다.

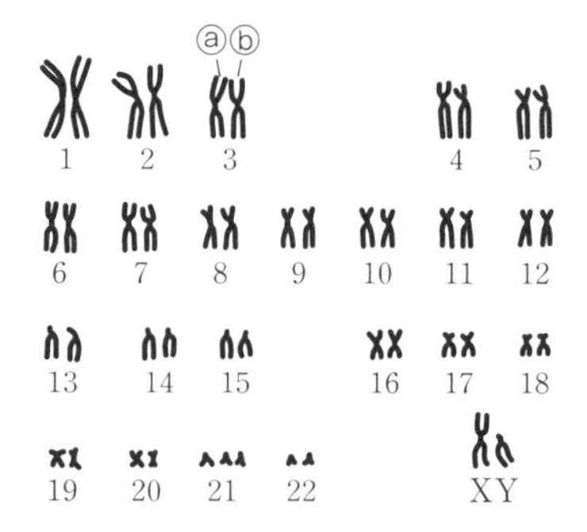

이에 대한 설명으로 옳은 것만을 〈보기〉에서 있는 대로 고른 것은?

보기
ㄱ. ⓐ와 ⓑ는 상동 염색체이다.
ㄴ. 핵형 분석에 사용한 세포는 체세포이다.
ㄷ. 이 핵형 분석 결과에서 관찰되는 염색 분체 수는 94개이다.

① ㄱ ② ㄴ ③ ㄱ, ㄷ
④ ㄴ, ㄷ ⑤ ㄱ, ㄴ, ㄷ

출제예감

05 그림 (가)는 어떤 동물의 체세포가 분열하는 동안 세포 1개당 DNA양을, (나)는 (가)의 구간 Ⅰ~Ⅲ 중 어느 한 구간의 특정 시기에서 관찰되는 세포를 나타낸 것이다.

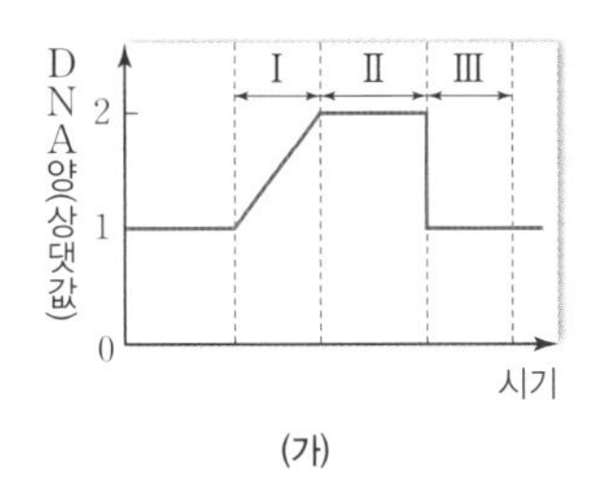

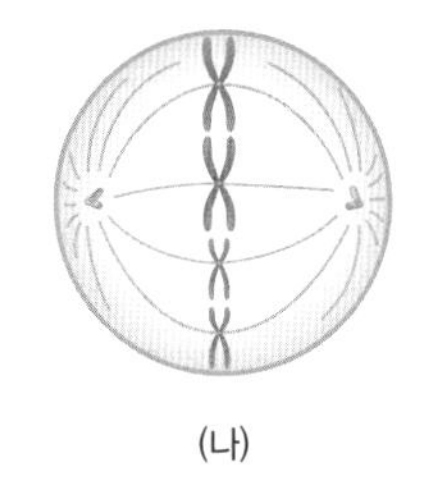

(가) (나)

이에 대한 설명으로 옳은 것만을 〈보기〉에서 있는 대로 고른 것은?

> 보기
> ㄱ. (나)가 관찰되는 시기는 Ⅰ이다.
> ㄴ. Ⅱ에서 핵막의 소실과 형성이 관찰된다.
> ㄷ. 방추사의 길이는 Ⅲ 시기에 가장 길다.

① ㄱ ② ㄴ ③ ㄷ
④ ㄴ, ㄷ ⑤ ㄱ, ㄴ, ㄷ

06 그림 (가)는 어떤 동물의 체세포의 세포 주기를, (나)는 (가)의 세포 주기 중 일부를 나타낸 것이다.

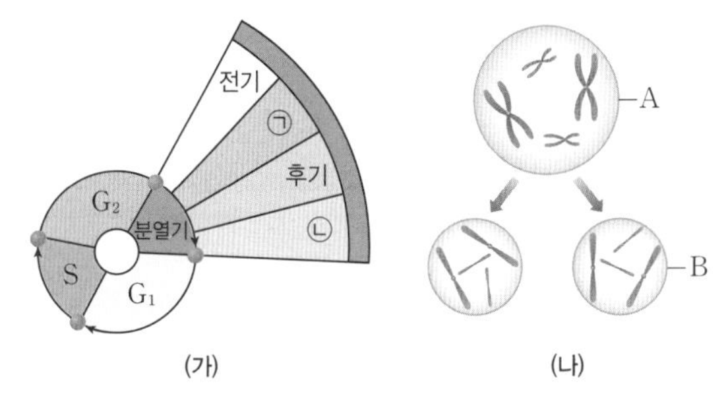

(가) (나)

이에 대한 설명으로 옳은 것만을 〈보기〉에서 있는 대로 고른 것은?

> 보기
> ㄱ. A와 ㉠ 시기 세포 1개의 DNA 상대량은 같다.
> ㄴ. B의 핵상은 n이다.
> ㄷ. ㉡에서 세포질 분열이 일어난다.

① ㄱ ② ㄴ ③ ㄱ, ㄷ
④ ㄴ, ㄷ ⑤ ㄱ, ㄴ, ㄷ

07 그림은 아버지를 제외한 철수 가족의 G_1기 체세포 1개당 유전자 T와 t의 DNA양을 나타낸 것이다. T와 t는 형질 (가)에 대한 대립유전자이다.

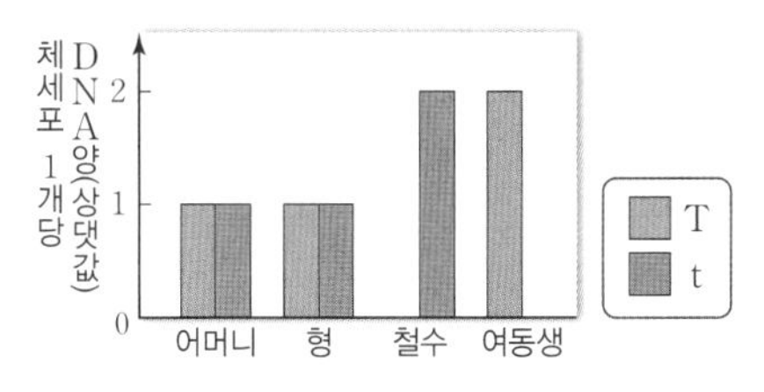

아버지의 형질 (가)에 대한 유전자형과 아버지의 G_1기 체세포 1개당 유전자 T와 t의 DNA양(상댓값)은 얼마인지 각각 쓰시오. (단, 돌연변이는 고려하지 않는다.)

서술형

08 세포 분열이 일어날 때는 염색체가 응축되는데, 이것이 세포 분열 과정에서 유리한 점 2가지를 서술하시오.

서술형

09 그림 (가)는 사람 상피 세포의 세포 주기를, (나)는 수정란의 초기 발생 과정에서의 세포 주기를 나타낸 것이다.

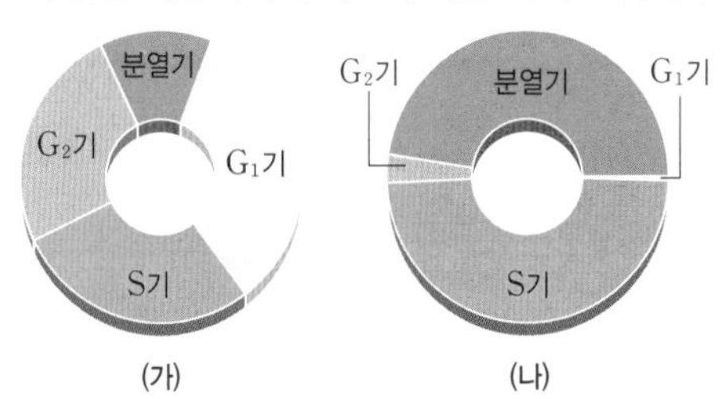

(가) (나)

(가)와 (나)에서 각각 세포 주기가 여러 번 진행되었을 때, G_1기의 특징을 근거로 (가)와 (나)에서 $\frac{\text{딸세포 1개의 크기}}{\text{모세포 1개의 크기}}$를 비교하여 서술하시오.

02 생식세포 분열

핵심 키워드로 흐름잡기

A 감수 분열, 감수 1분열, 2가 염색체, 상동 염색체 분리, 감수 2분열, 염색 분체 분리

B 모세포와 딸세포, 염색 분체 수, DNA양

C 유전적 다양성, 상동 염색체의 배열, 무작위 수정

A 생식세포의 형성

|출·제·단·서| 시험에는 생식세포 분열의 각 단계별 특징과 염색체 수의 변화를 알고 있는지 묻는 문제가 나와.

1. 생식세포 분열(감수 분열) 생식세포를 형성할 때 일어나는 분열이다.

(1) 감수 분열의 특징 암기TiP 1번 복제, 2회 분열 → 염색체 수와 DNA양 반감, 딸세포 4개

① 간기의 S기에 DNA가 1번 복제된 후 2회의 핵분열(감수 1분열과 감수 2분열)을 거쳐 딸세포 4개가 형성된다.

② 딸세포의 염색체 수가 모세포의 절반으로 감소하고, 딸세포의 DNA양은 모세포의 G_1기 DNA양의 절반으로 감소한다.

(2) 감수 1분열 암기TiP 감수 1분열은 상동 염색체의 분리, $2n \to n$

① 간기에서 DNA가 복제된 모세포($2n$)로부터 감수 1분열이 시작된다.

② 상동 염색체가 접합하여 2가 염색체❶를 형성한 후 분리되므로 염색체 수와 DNA양이 절반으로 줄어들고, 핵상은 $2n$에서 n으로 변한다. 상동 염색체의 유전자 구성은 서로 다르기 때문에 상동 염색체가 분리되는 감수 1분열로 생긴 딸세포의 유전자 구성은 서로 다르다.

③ **감수 1분열 과정**

시기		특징
간기		S기에 DNA가 복제되고 세포 분열에 필요한 물질을 합성한다.
분열기	전기	· 염색체가 •응축되어 나타나고, 핵막과 인이 사라진다. · 상동 염색체가 접합하여 2가 염색체를 형성한다. · 방추사가 형성되고, 방추사가 염색체의 동원체에 결합한다.
	중기	방추사에 의해 2가 염색체가 세포 중앙에 배열된다.
	후기	방추사가 짧아지면서 상동 염색체의 분리가 일어나고, 분리된 상동 염색체는 각각 세포의 양극으로 이동한다. 대립유전자는 상동 염색체의 같은 위치에 있으므로 상동 염색체가 분리될 때 대립유전자도 분리된다.
	말기	· 염색체가 풀리고, 핵막과 인이 재형성된다. · 방추사가 사라지고, 세포질 분열이 시작된다. · 2개의 딸세포가 만들어진다.

(3) 감수 2분열❷ 암기TiP 감수 2분열은 염색 분체의 분리, $n \to n$

① 감수 1분열 결과 형성된 딸세포(n) 2개로부터 DNA 복제 없이 각각 감수 2분열이 진행되어 4개의 딸세포가 형성된다.

② 염색 분체가 분리되므로 염색체 수에 변화가 없으며 DNA양은 절반으로 줄어들고, 핵상은 n에서 n으로 변화 없다.

③ **감수 2분열 과정**

시기		특징
분열기	전기	· 유전 물질의 복제 없이 염색체가 응축된다. · 방추사가 형성되고, 핵막이 사라진다.
	중기	염색체가 세포 중앙에 배열된다.
	후기	방추사가 짧아지면서 염색 분체가 분리되어 양극으로 이동한다.
	말기	· 염색체가 풀리고, 핵막과 인이 재형성된다. · 방추사가 사라지고, 세포질 분열이 시작된다. · 4개의 딸세포가 만들어진다.

❶ **2가 염색체**
상동 염색체가 접합하여 4개의 염색 분체로 이루어진 것으로, 4분 염색체라고도 한다. 감수 1분열 전기와 중기에 관찰할 수 있다.

유성 생식과 무성 생식
유성 생식은 암수 생식세포의 결합을 통해 새로운 개체를 만드는 생식 방법이고, 무성 생식은 체세포 분열을 통해 모체의 세포나 몸의 일부가 그대로 나뉘어 자손이 되는 생식 방법이다.

❷ **감수 2분열**
감수 1분열 후 DNA 복제 없이 바로 감수 2분열이 진행되며, 감수 2분열의 전기 또한 짧아 감수 2분열의 전기와 중기를 합쳐 전중기로 구분하기도 한다.

용어 알기
•응축(바뀔 凝, 줄일 縮) 한데 엉겨 굳어서 줄어듦

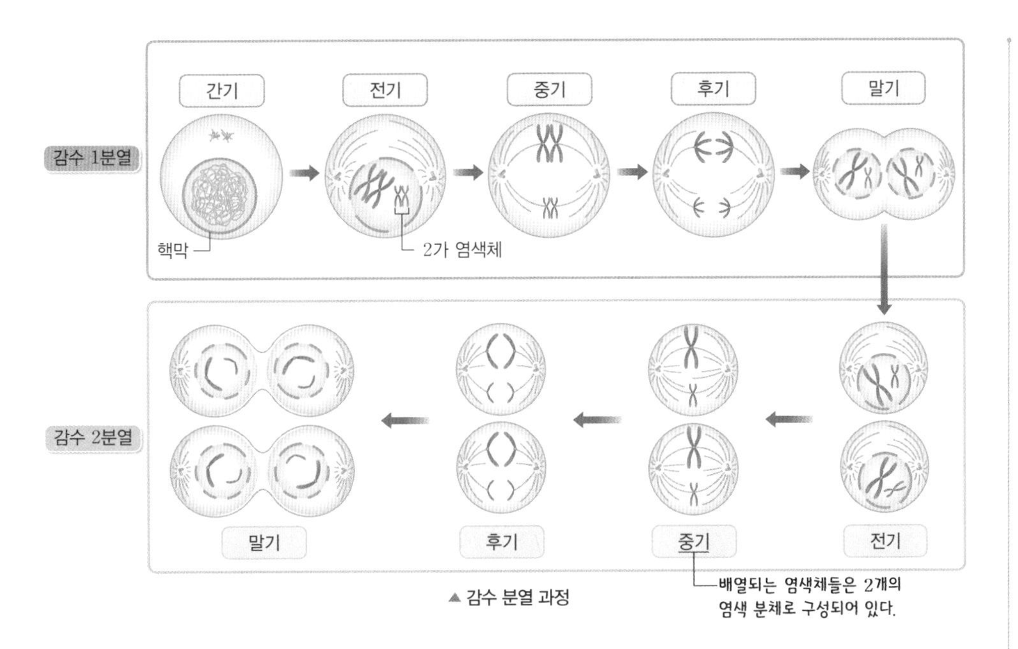

▲ 감수 분열 과정

❷ 감수 분열로 형성된 딸세포는 더 분열을 할까?

감수 2분열까지 마친 딸세포는 정자, 난자 등의 생식세포가 되기까지 성숙 과정을 거친다. 식물의 생장점 등에서 체세포 분열이 일어난 경우 딸세포가 다시 세포 주기를 반복하기도 하지만, 감수 분열이 끝난 후 형성된 딸세포는 분열을 반복할 수 없다.

2. 감수 1분열과 감수 2분열의 비교[3]

구분		감수 1분열	감수 2분열
분열 전 DNA 복제		있음	없음
2가 염색체		전기에 형성, 중기에 세포 중앙에 배열	형성하지 않음
후기		상동 염색체가 분리됨	염색 분체가 분리됨
모세포 → 딸세포	염색체 수	반감($2n \rightarrow n$)	변화 없음($n \rightarrow n$)
	DNA양	반감	반감
유전자 구성	모세포와 딸세포	다름	같음
	딸세포 2개	다름	같음

❸ 감수 1분열과 감수 2분열의 모세포와 딸세포

- 감수 1분열의 모세포는 $2n$이고 딸세포는 n이며, 모세포와 딸세포의 염색체는 모두 2개의 염색 분체로 이루어져 있다.
- 감수 2분열의 모세포와 딸세포는 모두 n이고, 모세포의 염색체만 2개의 염색 분체로 이루어져 있다.

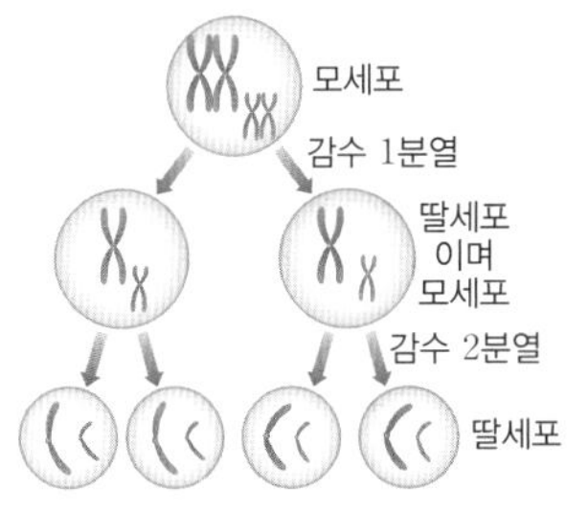

▲ 감수 분열에서의 모세포와 딸세포

3. 감수 분열의 의의

(1) 생식세포 분열로 형성된 생식세포의 염색체 수와 DNA양은 체세포의 절반이므로 생식세포의 수정으로 형성된 수정란의 염색체 수와 DNA양은 체세포와 같다.

(2) 감수 분열을 통해 다양한 유전적 조합이 가능하여 생식세포 수정 시 같은 부모에게서 형질이 다양한 자손이 만들어질 수 있다.

(3) 수정란이 성숙한 •개체가 되는 과정에서 체세포 분열로 체세포가 만들어지며, 수정란의 염색체와 DNA는 체세포에 전달된다.

빈출 자료 감수 분열의 의의

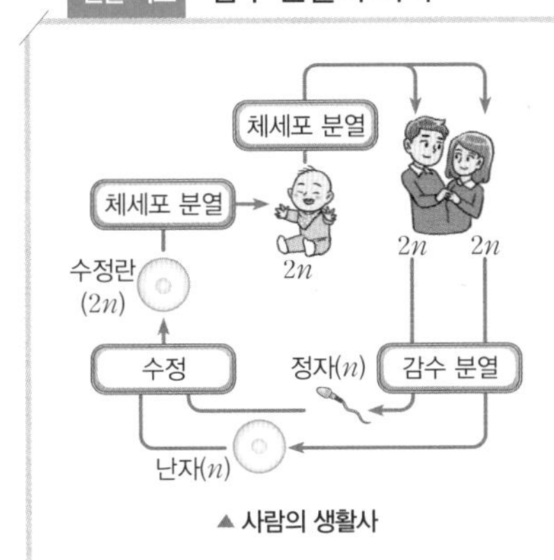

▲ 사람의 생활사

❶ **염색체 수와 DNA양 유지**: 유성 생식을 하는 생물은 감수 분열로 염색체 수와 DNA양이 체세포의 절반인 생식세포를 형성한다.
→ 세대를 거듭해도 염색체 수와 DNA양을 일정하게 유지할 수 있다.

❷ **유전적 다양성 증가**: 감수 분열로 다양한 유전적 조합을 갖는 생식세포가 만들어진다.
→ 같은 부모에게서 태어난 자손들의 형질이 다양하게 나타난다.

용어 알기 

•개체(낱 個, 몸 體) 세포들이 모여 조직과 기관을 이루며 생존에 필요한 구조적, 기능적 특징을 갖춘 생물체

B 체세포 분열과 감수 분열의 비교

|출·제·단·서| 시험에는 체세포 분열과 감수 분열 과정의 일부를 자료로 제시하고 분석하는 문제가 나와.

식물의 체세포 분열과 감수 분열의 관찰

- 식물의 체세포 분열을 관찰하기 위해서는 주로 분열 조직이 있는 뿌리 끝의 생장점 부분을 이용한다.
- 식물의 감수 분열을 관찰하기 위해서는 생식 기관인 꽃을 이용하며, 주로 감수 분열이 활발하게 일어나는 어린 꽃봉오리를 이용한다.
- 분열 중인 세포를 관찰할 때에는 조직을 떼어 내어 에탄올 등으로 고정시키고 염색액을 이용해 염색한 후 현미경으로 관찰한다.

1. 세포 분열의 의미 체세포 분열은 발생과 생장, 재생을 위한 분열로, 단세포 생물의 경우 생식을 의미하기도 한다. 감수 분열은 생식세포 형성을 위한 분열로, 각 생물종의 염색체 수를 일정하게 유지하고, 자손의 유전적 다양성을 증가시킨다.

2. 체세포 분열과 감수 분열 과정 비교

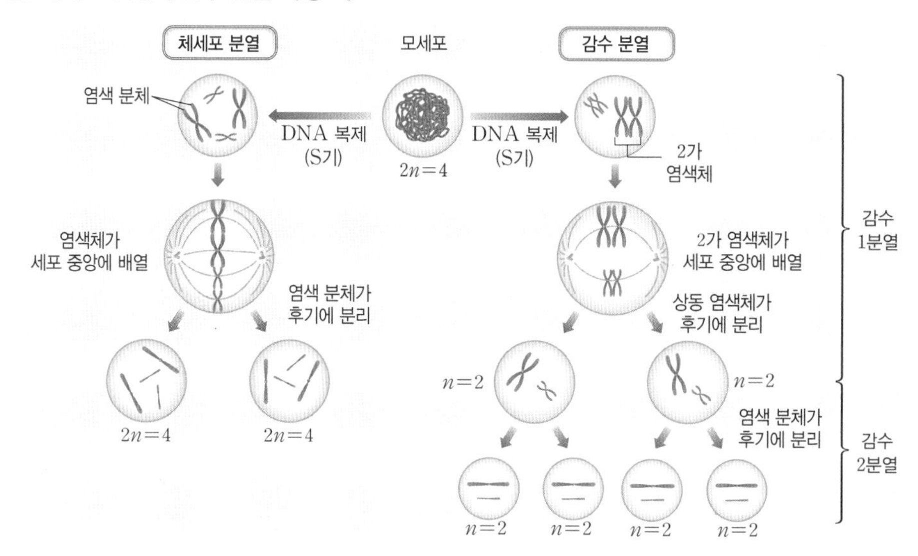

체세포 분열	특징	감수 분열
온몸	**분열 장소**	난소와 정소
간기에 1회 일어남	**DNA 복제**	간기에 1회 일어남
1회	**분열 횟수**	2회(감수 1분열, 감수 2분열)
일어나지 않음	**상동 염색체의 접합**	일어남(감수 1분열 전기에 2가 염색체 형성)
2개, $2n$	**딸세포 수와 핵상**	4개, n
세포 ●증식	**역할**	생식세포 형성

❓ 핵 1개당 DNA양과 세포 1개당 DNA양은 어떻게 다를까?

분열기 중 핵분열 말기에 세포질 분열이 시작되는데, 핵분열이 끝나고 세포질 분열이 진행되는 과정은 분열기의 말기에 속한다. 따라서 핵분열이 끝나고 세포질 분열이 진행되는 시기에는 세포 1개에 핵이 2개이기 때문에 핵 1개당 DNA양은 세포 1개당 DNA양의 절반이다.

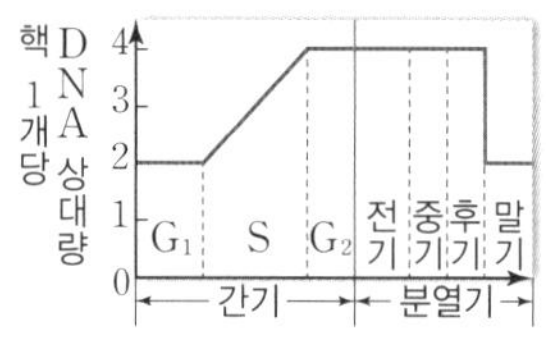

▲ 핵 1개당 DNA 상대량

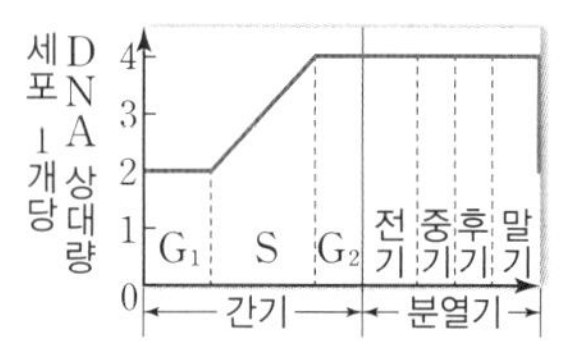

▲ 세포 1개당 DNA 상대량

용어 알기

●증식(늘릴 增, 번성할 殖) 생물이나 조직 세포 따위가 세포 분열을 하여 그 수를 늘려 감 또는 그런 현상

빈출 자료 체세포 분열과 감수 분열 과정에서의 DNA양 변화

체세포 분열에서는 염색 분체가 양극으로 분리되면 핵 1개당 DNA양이 절반으로 감소한다.

감수 1분열에서는 상동 염색체가 분리되므로 딸세포의 염색체 수와 DNA양은 모세포에 대해 각각 절반이다.

핵 1개당 DNA양(상댓값)
$2n$ $2n$ $2n$
G_1 S G_2 전기 중기 후기 말기
간기 분열기

핵 1개당 DNA양(상댓값)
$2n$ $2n$ n n
전기 중기 후기 말기 전기 중기 후기 말기
간기 감수 1분열 감수 2분열

암기TiP DNA양은 분열기 말기 때마다 반감, 염색체 수는 핵상 변화와 일치!

감수 2분열에서는 염색 분체가 분리되므로 감수 2분열을 마친 딸세포는 모세포와 염색체 수는 같고, DNA양은 모세포의 절반이다.

- **체세포 분열:** 간기의 S기에 DNA 1회 복제, 1회 분열 → G_1기 모세포와 딸세포의 염색체 수와 DNA양은 서로 같다.
- **감수 분열:** 간기의 S기에 DNA 1회 복제 → 연속 2회 분열 → 딸세포의 염색체 수와 DNA양은 G_1기 모세포에 대해 각각 절반이다.

C 생식세포 형성과 유전적 다양성

|출·제·단·서| 생식세포 형성 과정에서 어떻게 유전적 다양성을 획득하는지 기억해야 해.

1. 생식 과정에서 자손의 유전적 다양성 개념 POOL

같은 부모로부터 형질이 다양한 자손이 만들어지는 현상은 감수 분열 및 •수정 과정과 관계가 있다.

2. 유전적 다양성의 요인

암기TiP 상동 염색체가 n쌍일 경우 상동 염색체 쌍의 무작위 배열과 분리에 의한 생식세포의 종류는 2^n가지!

(1) 상동 염색체 쌍의 무작위 배열❹ 감수 1분열 중기에 상동 염색체 쌍(2가 염색체)이 무작위로 배열된다. 각 상동 염색체 쌍은 다른 상동 염색체 쌍과 독립적으로 분리되기 때문에 각 상동 염색체 쌍을 이루던 부계 염색체와 모계 염색체 중에서 하나씩만 갖는 다양한 염색체 조합의 생식세포가 형성될 수 있다. 상동 염색체 중 부계 염색체와 모계 염색체의 대립유전자 구성은 서로 다르므로 염색체 조합이 다른 생식세포는 유전적으로도 다르다.

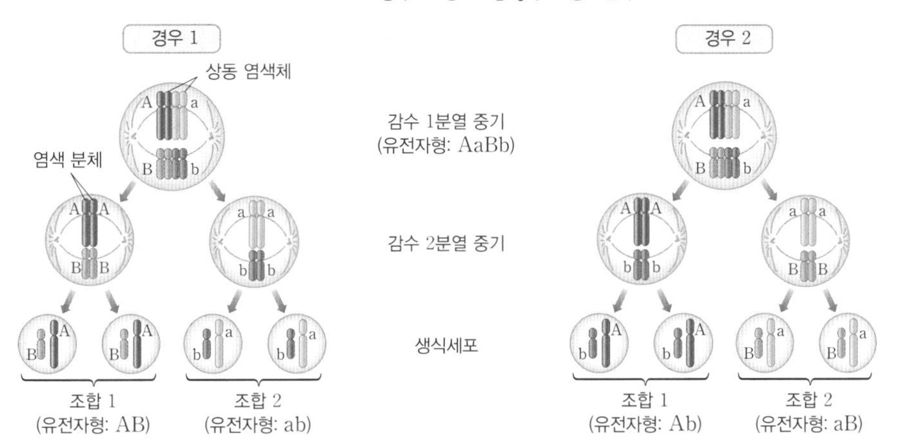

▲ 상동 염색체 쌍의 무작위 배열과 유전적 다양성

(2) 생식세포의 무작위 수정 암수의 생식세포는 수정 과정에서 무작위로 결합하여 유전적 구성이 다양한 수정란이 형성된다.

3. 유전적 다양성❺의 중요성

유성 생식으로 태어난 자손은 부모로부터 다양한 형질을 받아 태어나기 때문에 유전적 구성이 다양하여 무성 생식으로 태어난 자손에 비해 급격한 환경 변화에 대한 적응력이 우수하다. 즉, 유전적으로 다양한 집단은 환경 변화에 대해 생존 가능성이 높다.

빈출 계산연습 상동 염색체 쌍의 배열과 무작위 수정에 의한 사람의 유전적 다양성 계산하기

자손이 태어날 때 부모의 감수 분열에 의해 형성된 정자와 난자가 1개씩 수정되어 수정란이 형성되는데, 이 과정에서 나타나는 수정란의 유전적 다양성은 구체적으로 어느 정도인지 구해 보자. 사람의 염색체 수는 23쌍(46개)이다.

1단계 상동 염색체 쌍의 수에 따른 감수 1분열 중기 배열에 의해 나타나는 생식세포의 유전적 다양성에 대한 경우의 수를 구한다.

2쌍일 때 $2 \times 2 = 4$가지, 3쌍일 때 $2 \times 2 \times 2 = 8$가지이므로

23쌍일 때 $2 \times 2 \times 2 \times \cdots \times 2 \times 2 \times 2 = 2^{23}$가지(8388608가지)

2단계 정자와 난자의 무작위 수정이 일어날 경우의 수를 구한다.

❶ 정자 형성 시 2^{23}가지, 난자 형성 시 2^{23}가지

❷ 정자 2^{23}가지 중 1개의 정자와 난자 2^{23}가지 중 1개의 난자가 수정되므로 $2^{23} \times 2^{23} = 2^{46}$가지(약 70조)

→ 한 부모에게서 유전적 구성이 다른 약 70조 가지의 수정란이 형성될 수 있다.

---

❹ 상동 염색체 쌍의 무작위 배열과 생식 세포

생식세포가 모세포의 상동 염색체 중 어느 1개를 가질 확률은 $\frac{1}{2}$이다.

23쌍의 상동 염색체를 가진 사람에서 특정 염색체 조합을 지닌 생식세포가 만들어질 확률은 $\frac{1}{2^{23}}$이다.

동물과 종자식물의 수정 비교

동물은 수컷의 정자를 암컷의 난자가 받아들여 새로운 개체를 이루고, 종자식물에서는 암술의 씨방 안에 수술의 화분이 들어가 수정이 이루어진다.

❺ 유전적 다양성

유전적 다양성은 급격한 환경 변화로부터 개체군이나 생물종의 생존 가능성을 높인다. 무성 생식은 유전적 다양성 측면에서는 불리하지만 생식의 과정이 단순하고 증식 속도가 빠르다는 장점이 있다.

용어 알기

•수정(받을 受, 정할 精) (fertilization) 암수의 생식세포가 서로 결합하는 현상

세포 분열과 유전적 다양성

목표 세포 분열 과정에서 유전적 다양성이 나타나는 까닭을 이해할 수 있다.

체세포 분열

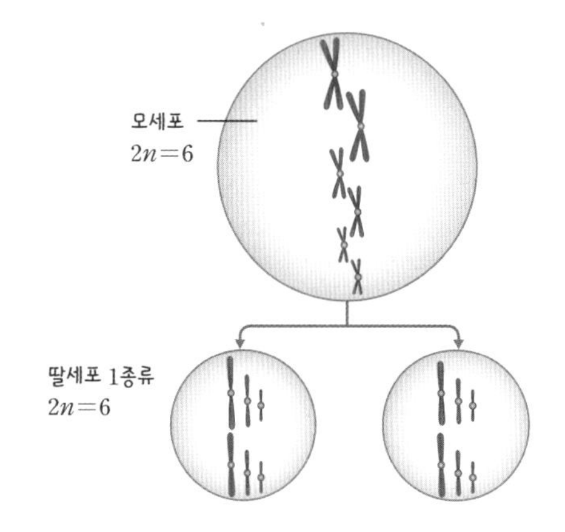

■ 모계 염색체 ■ 부계 염색체

- 염색 분체가 분리되는 체세포 분열에서는 딸세포의 유전적 다양성이 발생하지 않는다.

→ 체세포 분열에 의한 분열법 등 무성 생식 과정에서는 자손의 유전적 다양성이 나타나지 않는다.

감수 분열

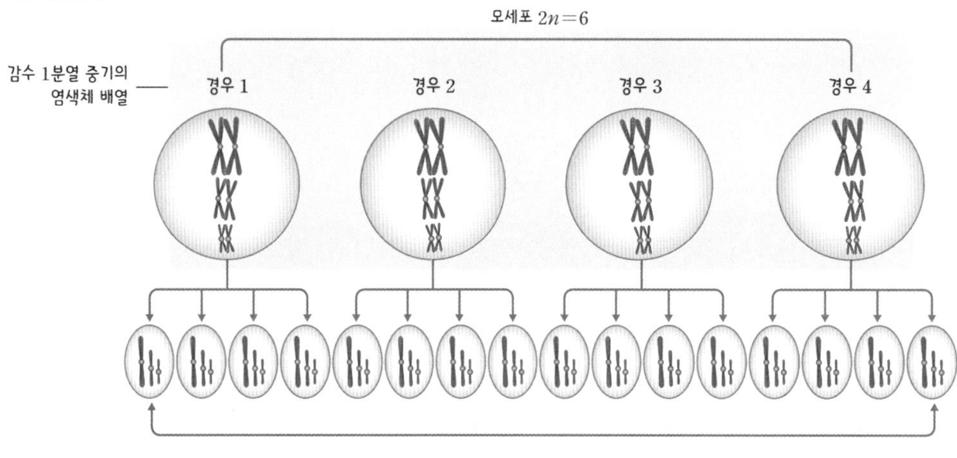

❶ 감수 1분열 중기에 2가 염색체(상동 염색체 쌍)가 배열할 때 다양한 경우의 수가 발생한다.

→ 생식세포의 유전적 다양성이 나타난다.

❷ 감수 2분열에서는 유전적 다양성이 발생하지 않는다.

한·줄·핵심 체세포 분열과 감수 분열 중 딸세포의 유전적 다양성이 발생하는 것은 감수 분열이며, 감수 1분열에서 유전적 다양성이 발생한다.

확인 문제

정답과 해설 56쪽

01 무성 생식 중 분열법으로 번식하는 짚신벌레와 정자, 난자의 수정에 의한 유성 생식으로 번식하는 사람 중 유전적 다양성이 더 높은 생물은 무엇인지 쓰시오.

02 유전자형이 AaBbDdEe인 어떤 동물 (가)($2n=8$)에서 A와 a, B와 b, D와 d, E와 e는 대립유전자이며, A, B, D, E는 각각 서로 다른 염색체에 존재한다. 이 동물에서 생성된 생식세포 중 유전자형이 ABDE일 확률을 구하시오.

03 다음 설명 중 옳은 것은 ○, 옳지 않은 것은 ×로 표시하시오.

(1) 사람의 경우 정자 형성 과정에서 감수 1분열 결과 생성된 딸세포 1개당 염색체 수는 23개이다. ( )

(2) $2n=4$인 생물에서 형성되는 생식세포가 가질 수 있는 염색체 조합은 4가지이다. ( )

(3) 같은 부모로부터 형성된 수정란의 염색체 조합은 모두 동일하다. ( )

콕콕! 개념 확인하기

정답과 해설 57쪽

✔ 잠깐 확인!

1. □□ □□
생식세포를 형성할 때 염색체 수가 모세포의 절반으로 감소하는 생식세포 분열

2. □□ □□□
감수 1분열 전기에 상동 염색체가 접합하여 형성된 염색체

3. 감수 1분열 □□에 상동 염색체가 분리되면서 염색체 수가 반감된 딸세포가 형성된다.

4. 감수 분열에서는 1개의 모세포로부터 2회 연속 분열을 통해 □개의 딸세포가 형성된다.

5. □□ □□
체세포 분열과 감수 2분열 후기에 공통적으로 양극으로 이동하는 것

6. 2쌍의 상동 염색체가 감수 1분열 중기에 무작위 배열되어 생성될 수 있는 생식세포의 종류는 □가지이다.

7. 유성 생식에서 자손의 유전적 다양성은 상동 염색체 쌍의 무작위 배열과 무작위 □□에 의해 결정된다.

A 생식세포의 형성

01 감수 분열에 대한 설명으로 옳은 것은 ○, 옳지 않은 것은 ×로 표시하시오.

(1) 사람의 정자와 난자가 형성될 때 일어난다. ( )

(2) 감수 1분열 전기에 2가 염색체가 형성된다. ( )

(3) 감수 1분열과 감수 2분열을 통해 염색체 수가 2회 반감한다. ( )

(4) 감수 1분열과 감수 2분열 전에 각각 1회씩 DNA가 복제된다. ( )

02 다음은 감수 분열에 대한 설명이다. ㉠, ㉡에 들어갈 알맞은 말을 쓰시오.

> 감수 1분열 후기에 (㉠)가 분리되고, 감수 2분열 후기에 (㉡)가 분리된다.

B 체세포 분열과 감수 분열의 비교

03 체세포 분열과 감수 분열에서 모세포와 딸세포의 핵상을 각각 쓰시오.

04 표는 체세포 분열과 감수 분열의 몇 가지 특징을 비교한 것이다. ㉠~㉣에 들어갈 알맞은 숫자를 쓰시오.

특징	체세포 분열	감수 분열
DNA 복제	간기에 (㉠)회 일어남	간기에 (㉡)회 일어남
분열 횟수	(㉢)회	(㉣)회

D 생식세포 형성과 유전적 다양성

05 다음은 감수 분열 과정에 의해 나타나는 생식세포의 유전적 다양성에 대한 설명이다. ㉠~㉢에 들어갈 알맞은 말을 쓰시오.

> 감수 (㉠)분열 중기에 상동 염색체 쌍이 무작위로 배열된다. 각 상동 염색체 쌍은 다른 상동 염색체 쌍과 독립적으로 분리되기 때문에 각 상동 염색체 쌍을 이루던 (㉡) 염색체와 (㉢) 염색체 중에서 하나씩만 갖는 다양한 염색체 조합의 생식세포가 형성될 수 있다.

탄탄! 내신 다지기

A 생식세포의 형성

01 다음 중 감수 분열에 대한 설명으로 옳은 것은?

① 유전적으로 동일한 생식세포를 형성한다.
② 2회 분열 중 DNA 복제가 2회 일어난다.
③ 염색체 수가 모세포에 비해 반감된 생식세포를 형성한다.
④ 체세포 분열에 비해 세포 분열 과정이 단순하고 속도가 빠르다.
⑤ 무성 생식을 하는 생물이나 개체의 생장을 위해 일어나는 세포 분열이다.

02 그림 (가)~(라)는 감수 2분열의 과정을 순서 없이 나열한 것이다. (가)~(라)는 각각 전기, 중기, 후기, 말기 중 하나이다.

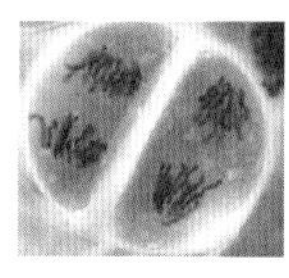
(가)

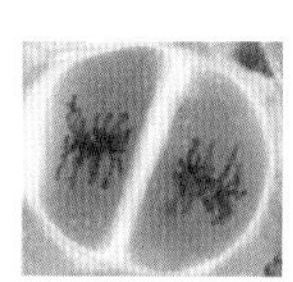
(나)

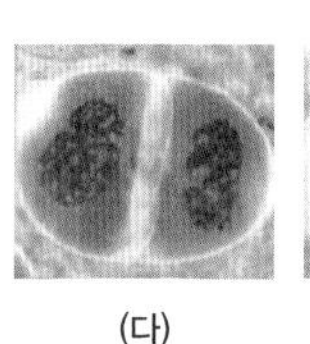
(다)

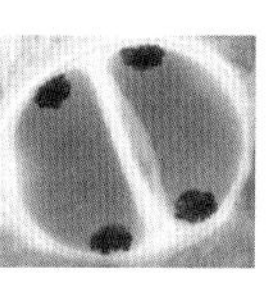
(라)

감수 2분열 과정을 순서대로 옳게 나열한 것은?

① (가)-(나)-(다)-(라) ② (나)-(다)-(라)-(가)
③ (다)-(나)-(가)-(라) ④ (다)-(라)-(나)-(가)
⑤ (라)-(다)-(나)-(가)

03 생식세포 형성 과정 중 2가 염색체를 관찰할 수 있는 시기로 옳은 것만을 <보기>에서 있는 대로 고른 것은?

보기
ㄱ. 감수 1분열 전기 ㄴ. 감수 1분열 중기
ㄷ. 감수 2분열 전기 ㄹ. 감수 2분열 후기

① ㄱ, ㄴ ② ㄱ, ㄹ ③ ㄴ, ㄷ
④ ㄷ, ㄹ ⑤ ㄴ, ㄷ, ㄹ

단답형

04 사람의 정자 형성 과정 중 감수 1분열 중기와 감수 2분열 중기의 세포 1개당 염색 분체 수는 각각 몇 개인지 쓰시오.

05 그림은 어떤 동물($2n=4$)의 모세포 1개로부터 생식세포가 형성될 때 서로 다른 시기의 세포 (가)와 (나)를 나타낸 것이다.

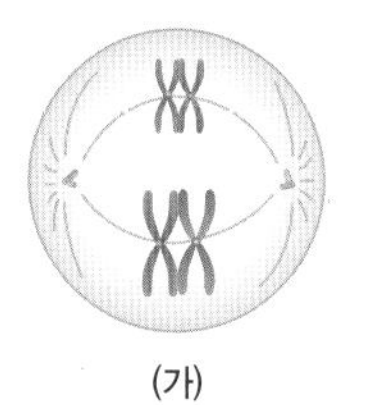
(가)

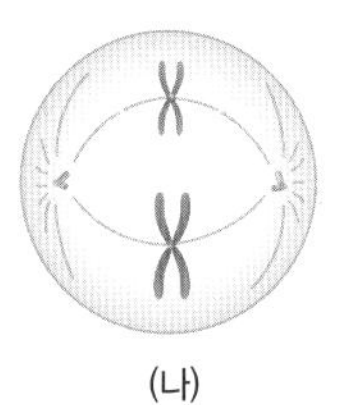
(나)

(가)와 (나)의 시기를 옳게 짝 지은 것은?

	(가)	(나)
①	감수 1분열 전기	감수 2분열 전기
②	감수 1분열 중기	감수 2분열 중기
③	감수 1분열 후기	감수 2분열 후기
④	감수 2분열 전기	감수 1분열 전기
⑤	감수 2분열 중기	감수 1분열 중기

06 다음은 감수 1분열과 감수 2분열의 특징을 비교한 것이다. 비교한 내용이 옳지 않은 것은?

	구분	감수 1분열	감수 2분열
①	분열 전 DNA 복제	있음	없음
②	후기	상동 염색체 분리	염색 분체 분리
③	핵상 변화	$2n \rightarrow n$	$n \rightarrow n$
④	DNA양	반감	변화 없음
⑤	모세포와 딸세포의 유전자 구성	다름	같음

07 그림은 어떤 동물 세포($2n$)가 분열하는 동안 핵 1개당 DNA 상대량을 나타낸 것이다.

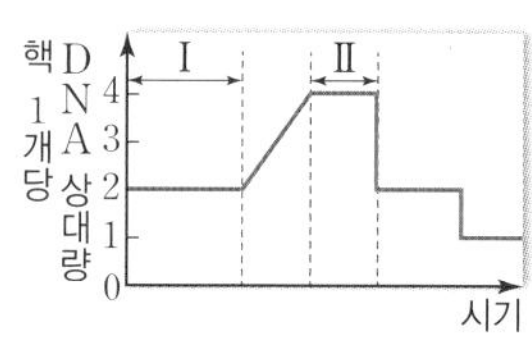

이에 대한 설명으로 옳은 것만을 <보기>에서 있는 대로 고른 것은?

보기
ㄱ. 구간 Ⅰ에서 세포에 방추사가 나타난다.
ㄴ. 구간 Ⅱ에서 염색 분체가 분리된다.
ㄷ. 구간 Ⅱ에서 2가 염색체가 관찰된다.

① ㄱ ② ㄷ ③ ㄱ, ㄴ
④ ㄴ, ㄷ ⑤ ㄱ, ㄴ, ㄷ

B 체세포 분열과 감수 분열의 비교

08 그림은 어떤 동물($2n=4$)의 분열 중인 세포 (가)와 (나)를 나타낸 것이다.

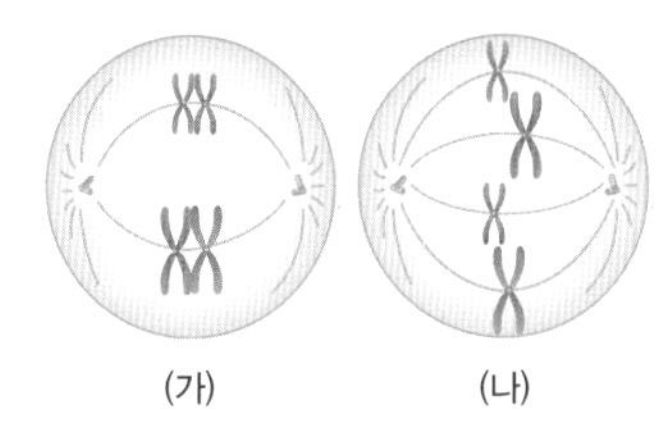

(가) (나)

이에 대한 설명으로 옳은 것만을 〈보기〉에서 있는 대로 고른 것은?

보기
ㄱ. (가)와 (나)의 핵상은 다르다.
ㄴ. (가)는 감수 1분열 중기 세포이다.
ㄷ. (나)의 분열 과정에서 염색 분체가 분리된다.

① ㄱ ② ㄴ ③ ㄱ, ㄷ
④ ㄴ, ㄷ ⑤ ㄱ, ㄴ, ㄷ

09 그림 (가)와 (나)는 백합의 수술과 양파의 뿌리에서 핵상이 $2n$인 하나의 모세포가 분열하는 과정 중의 한 시기를 순서 없이 나타낸 것이다.

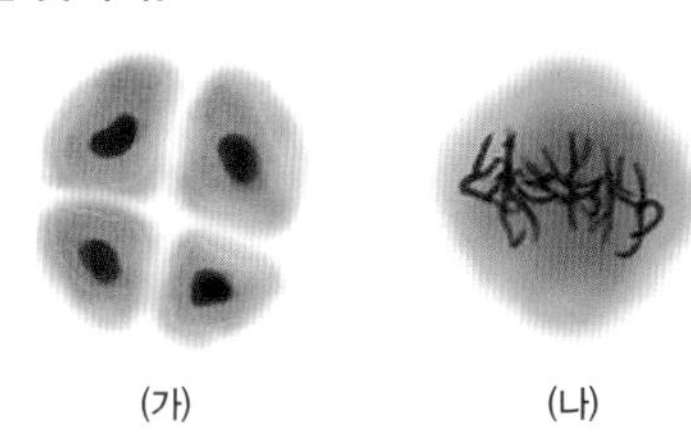

(가) (나)

이에 대한 설명으로 옳은 것만을 〈보기〉에서 있는 대로 고른 것은?

보기
ㄱ. (가)의 세포는 S기에 해당한다.
ㄴ. (나) 세포의 핵상은 $2n$이다.
ㄷ. (나)는 양파의 뿌리에서 관찰된 것이다.

① ㄱ ② ㄷ ③ ㄱ, ㄴ
④ ㄴ, ㄷ ⑤ ㄱ, ㄴ, ㄷ

단답형

10 그림 (가)와 (나)는 어떤 동물 세포($2n=4$)에서 일어나는 2종류의 세포 분열 과정 중 일부를 나타낸 것이다.

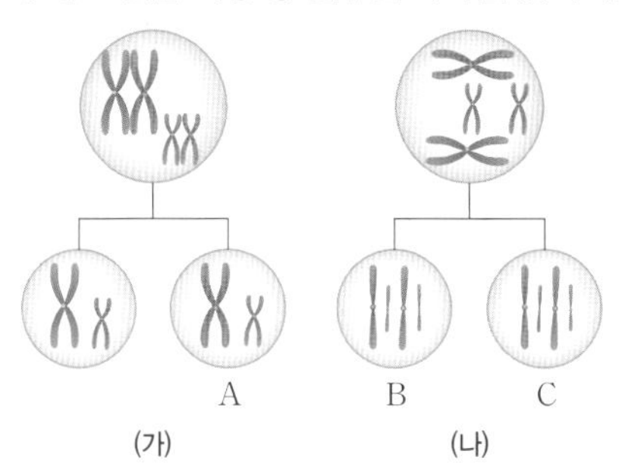

(가) (나)

A, B, C의 DNA양을 수학적 기호(<, >, =)를 사용하여 비교하시오.

C 생식세포 형성과 유전적 다양성

11 사람의 생식 과정에서 자손의 유전적 다양성이 생기는 요인에 대한 설명으로 옳은 것만을 〈보기〉에서 있는 대로 고른 것은?

보기
ㄱ. 정자와 난자 형성 과정 중 감수 2분열에서 염색 분체가 분리된다.
ㄴ. 유전적 구성이 서로 다른 많은 수의 정자와 난자가 무작위로 수정되어 수정란이 형성된다.
ㄷ. 정자와 난자 형성 과정 중 감수 1분열 중기에 상동 염색체 쌍이 무작위로 배열된 후 분리된다.

① ㄱ ② ㄱ, ㄴ ③ ㄱ, ㄷ
④ ㄴ, ㄷ ⑤ ㄱ, ㄴ, ㄷ

단답형

12 그림은 어떤 동물의 체세포 1개에 들어 있는 염색체를 모두 나타낸 것이다.

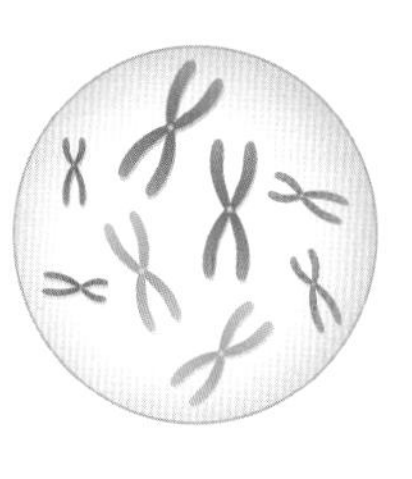

이 동물에게서 형성될 수 있는 서로 다른 염색체 조합을 가진 생식세포의 종류는 최대 몇 가지인지 쓰시오.
(단, 돌연변이는 고려하지 않는다.)

도전! 실력 올리기

01 그림은 정자가 형성될 때 염색체가 변화되는 과정을 나타낸 것이다.

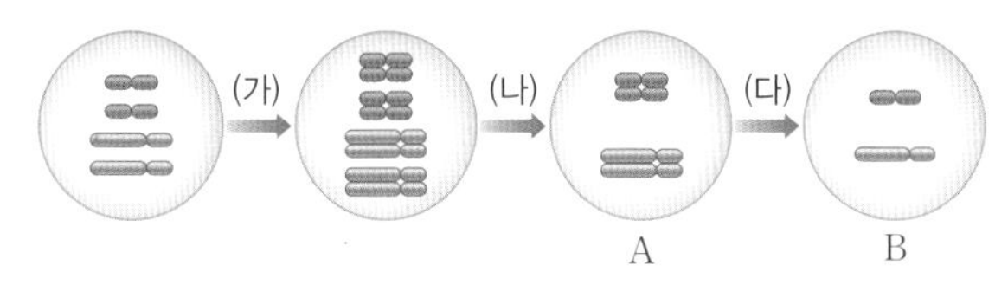

이에 대한 설명으로 옳은 것만을 <보기>에서 있는 대로 고른 것은? (단, 2쌍의 상동 염색체만을 나타내었다.)

보기
ㄱ. A의 DNA양은 B의 2배이다.
ㄴ. (가)에서 염색체 수가 2배로 증가한다.
ㄷ. (나)와 (다)에서 모두 염색체 수가 반감한다.

① ㄱ ② ㄴ ③ ㄱ, ㄷ
④ ㄴ, ㄷ ⑤ ㄱ, ㄴ, ㄷ

02 표는 어떤 동물의 감수 분열 과정 중 분열기의 중기에서 볼 수 있는 세포 A와 B를 비교한 것이다.

구분 \ 세포	A	B
핵 1개당 DNA 상대량	1	2
염색체 수(개)	4	8
염색 분체 수(개)	8	16

이에 대한 설명으로 옳은 것만을 <보기>에서 있는 대로 고른 것은?

보기
ㄱ. G_1기 세포의 핵 1개당 DNA 상대량은 1이다.
ㄴ. 생식세포의 염색체 수는 2개이다.
ㄷ. B에 2가 염색체가 있다.

① ㄱ ② ㄴ ③ ㄱ, ㄷ
④ ㄴ, ㄷ ⑤ ㄱ, ㄴ, ㄷ

출제예감

03 그림 (가)는 어떤 동물의 G_1기 세포 ㉠으로부터 감수 분열을 통해 정자가 형성되는 과정을, (나)는 세포 ㉠~㉣ 중 하나를 나타낸 것이다. ㉡과 ㉢은 중기의 세포이다.

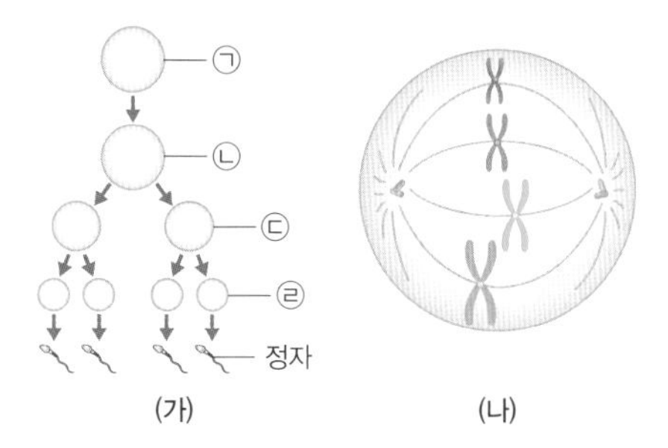

이에 대한 설명으로 옳은 것만을 <보기>에서 있는 대로 고른 것은?

보기
ㄱ. 세포당 DNA양은 ㉠이 ㉡의 2배이다.
ㄴ. (나)는 ㉡을 나타낸 것이다.
ㄷ. ㉢과 ㉣의 염색체 수는 같다.

① ㄱ ② ㄷ ③ ㄱ, ㄴ
④ ㄴ, ㄷ ⑤ ㄱ, ㄴ, ㄷ

04 그림 (가)는 어떤 동물의 세포 분열 과정에서 핵 1개당 DNA 상대량 변화를, (나)는 (가)의 어느 구간에서 관찰된 세포를 나타낸 것이다.

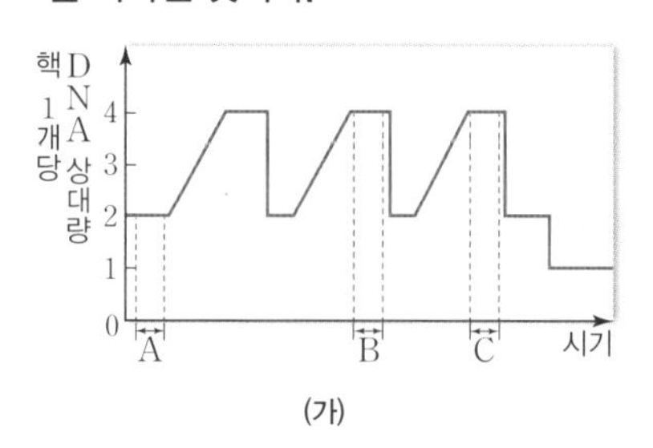

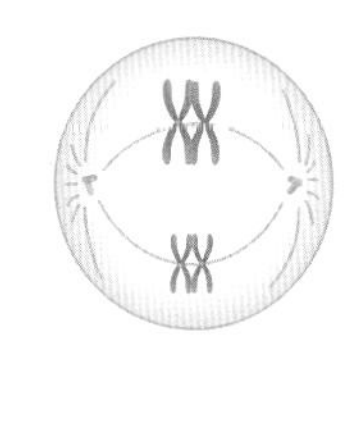

이에 대한 설명으로 옳은 것만을 <보기>에서 있는 대로 고른 것은? (단, (나)에는 2쌍의 상동 염색체만 나타내었다.)

보기
ㄱ. (가)에서 체세포 분열이 3회 일어났다.
ㄴ. (나)는 구간 C에서 관찰된다.
ㄷ. 구간 A와 B에 있는 세포의 핵상은 모두 $2n$이다.

① ㄱ ② ㄴ ③ ㄱ, ㄷ
④ ㄴ, ㄷ ⑤ ㄱ, ㄴ, ㄷ

05 그림은 어떤 동물($2n=4$)에서 일어나는 2가지 세포 분열 과정의 일부를 나타낸 것이다.

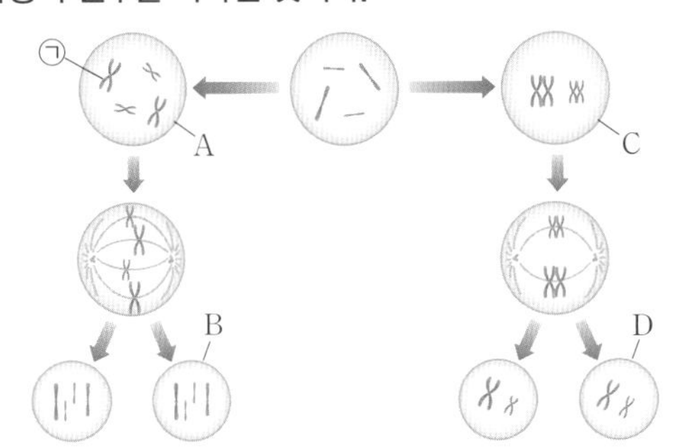

이에 대한 설명으로 옳은 것만을 〈보기〉에서 있는 대로 고른 것은?

보기
ㄱ. ㉠은 2가 염색체이다.
ㄴ. B와 C의 핵상은 같다.
ㄷ. $\frac{\text{DNA양}}{\text{염색체 수}}$은 A와 D에서 같다.

① ㄱ ② ㄴ ③ ㄱ, ㄷ
④ ㄴ, ㄷ ⑤ ㄱ, ㄴ, ㄷ

출제예감

06 그림은 어떤 동물 암컷과 수컷의 체세포가 갖는 유전자 구성을 나타낸 것이다.

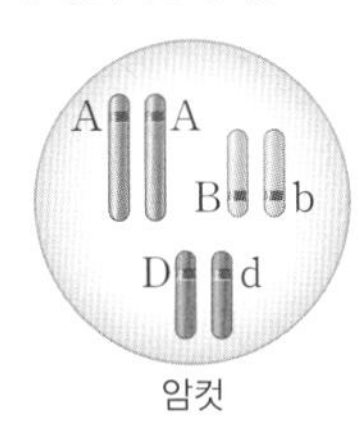

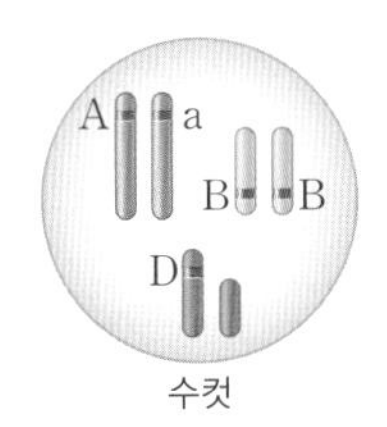

이에 대한 설명으로 옳은 것만을 〈보기〉에서 있는 대로 고른 것은? (단, 제시된 유전자만 고려한다.)

보기
ㄱ. 이 암컷에서 형성되는 생식세포의 유전자형은 4가지이다.
ㄴ. 이 수컷에서 형성되는 생식세포 중 유전자형이 ABD일 확률은 aBD일 확률보다 높다.
ㄷ. 이들로부터 태어날 수 있는 자손의 유전자형은 8가지이다.

① ㄱ ② ㄴ ③ ㄱ, ㄷ
④ ㄴ, ㄷ ⑤ ㄱ, ㄴ, ㄷ

07 그림 A~D는 백합의 어린 꽃봉오리 안의 수술에서 분열 중인 세포를 현미경으로 관찰한 결과를 나타낸 것이다. A~D는 모두 같은 배율로 관찰한 것이다.

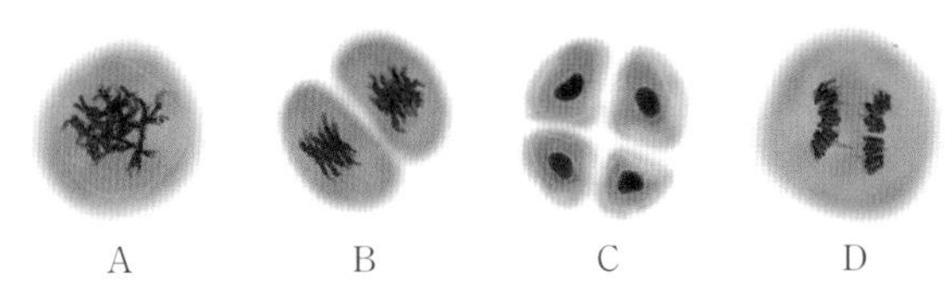

A~D를 세포 분열이 진행되는 순서에 맞게 나열하고, 이 중 핵상이 $2n$인 세포가 있는 것을 모두 쓰시오.

서술형

08 그림은 어떤 동물($2n=?$)의 한 세포에 들어 있는 염색체를 모두 나타낸 것이다.

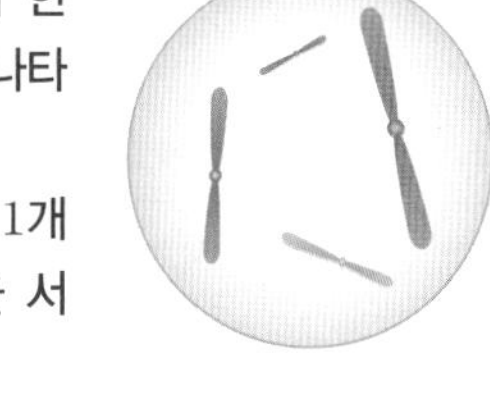

이 동물의 감수 1분열 중기의 세포 1개당 염색체 수를 구하고, 그 까닭을 서술하시오.

09 그림은 핵형이 정상인 어떤 남자의 성염색체와 상염색체 1쌍씩을 나타낸 것이다.

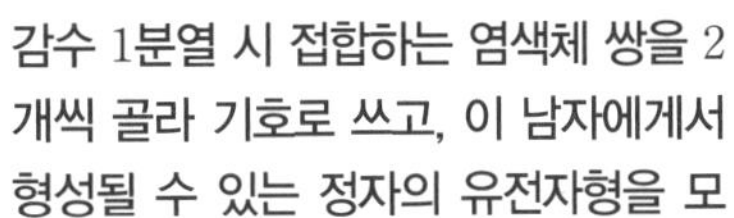

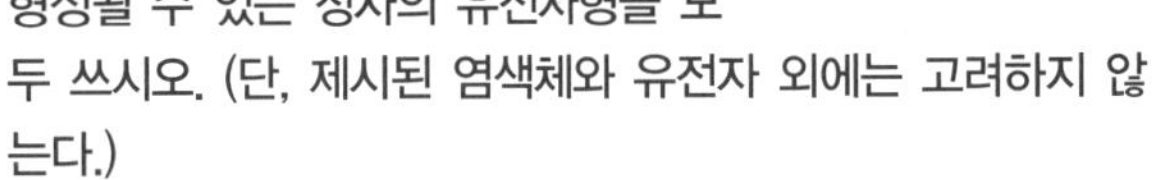

감수 1분열 시 접합하는 염색체 쌍을 2개씩 골라 기호로 쓰고, 이 남자에게서 형성될 수 있는 정자의 유전자형을 모두 쓰시오. (단, 제시된 염색체와 유전자 외에는 고려하지 않는다.)

상동 염색체와 대립유전자, 염색 분체와 감수 분열 과정 추론

대표 유형

출제 의도

제시된 자료를 분석하여 상염색체와 성염색체를 구분하고 핵상을 판단하며, 생식세포의 유전자형 등을 추론하는 문제이다.

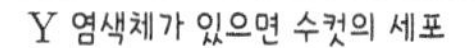

그림은 동물 Ⅰ의 세포 (가)와 동물 Ⅱ의 세포 (나)에 들어 있는 모든 염색체를 나타낸 것이다. Ⅰ과 Ⅱ는 같은 종이며, 수컷의 성염색체는 XY, 암컷의 성염색체는 XX이다. Ⅰ과 Ⅱ의 특정 형질에 대한 유전자형은 모두 Aa이며, A와 a는 대립유전자이다.

Ⅰ과 Ⅱ가 같은 핵상에서 염색체 수가 같아야 한다.

핵상이 $2n$일 때 상동 염색체 중 하나에 A, 다른 하나에 a가 있다.

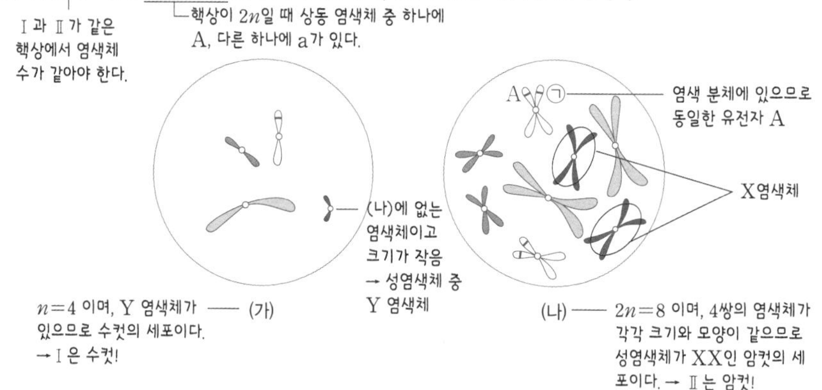

이에 대한 설명으로 옳은 것만을 〈보기〉에서 있는 대로 고른 것은? (단, 돌연변이와 교차는 고려하지 않는다.)

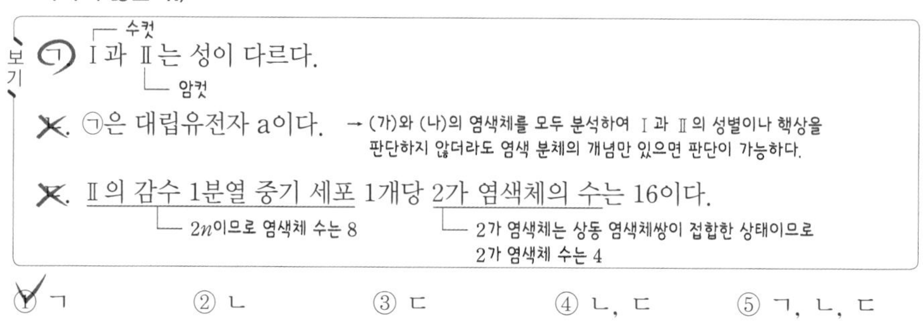

〈보기〉

ㄱ. Ⅰ과 Ⅱ는 성이 다르다. (Ⅰ: 수컷, Ⅱ: 암컷)

ㄴ. ㉠은 대립유전자 a이다. → (가)와 (나)의 염색체를 모두 분석하여 Ⅰ과 Ⅱ의 성별이나 핵상을 판단하지 않더라도 염색 분체의 개념만 있으면 판단이 가능하다.

ㄷ. Ⅱ의 감수 1분열 중기 세포 1개당 2가 염색체의 수는 16이다.
(Ⅱ의 감수 1분열 중기 세포: $2n$이므로 염색체 수는 8 / 2가 염색체 수: 2가 염색체는 상동 염색체쌍이 접합한 상태이므로 2가 염색체 수는 4)

① ㄱ ② ㄴ ③ ㄷ ④ ㄴ, ㄷ ⑤ ㄱ, ㄴ, ㄷ

이것이 함정

유전자형이 Aa일 때 대립유전자 A와 a는 상동 염색체에 각각 존재하며, 하나의 염색체를 구성하는 두 염색 분체의 유전자는 동일하다는 것을 기억해야 한다.

세포 그림에서 핵상과 염색체 종류 찾기

그림 (가)와 (나)를 분석하여 핵상을 구한다. >>> (가)와 (나)의 염색체 구성을 비교하여 성염색체를 찾고, Ⅰ과 Ⅱ의 성별을 판단한다. >>> ㉠이 있는 부분이 A가 있는 부분과 염색 분체 관계임을 알고 ㉠이 A임을 판단한다. >>> Ⅱ의 세포인 (나)의 염색체 수를 파악하여 감수 1분열 중기 세포에서 2가 염색체 수를 구한다.

추가 선택지

• (나)에서 형성된 생식세포와 (가)가 수정되어 태어나는 자손의 성별이 수컷일 확률은 $\frac{1}{2}$이다. (×)

⋯→ (나)는 성염색체 구성이 XX인 암컷이므로 생식세포의 성염색체는 X이고, (가)에 Y 염색체가 들어 있으므로 이들의 수정에 의해 태어나는 자손은 항상 수컷이다.

• Ⅰ의 체세포 분열 중기 세포 1개당 염색 분체의 수는 16이다. (○)

⋯→ Ⅰ의 체세포 염색체 수는 8이고 체세포 분열 중기 염색체는 모두 염색 분체가 2개씩이므로 염색 분체 수는 16이다.

실전! 수능 도전하기

정답과 해설 59쪽

01 그림은 유전자형이 Aa인 어떤 동물의 체세포에서 염색체가 형성되는 과정을 나타낸 것이다. ㉡에는 대립유전자 A가 존재한다.

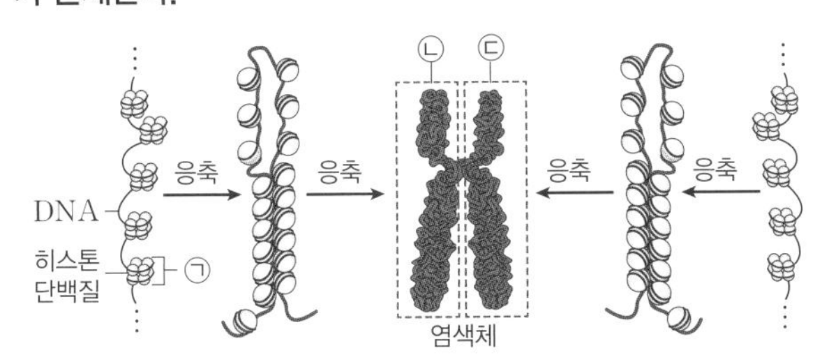

이에 대한 설명으로 옳은 것만을 〈보기〉에서 있는 대로 고른 것은?

보기
ㄱ. 이 동물의 S기 세포에는 ㉠이 없다.
ㄴ. ㉢에 대립유전자 a가 있다.
ㄷ. 이 동물의 감수 1분열 중기 세포에는 ㉡과 ㉢이 모두 있다.

① ㄱ　② ㄷ　③ ㄱ, ㄴ　④ ㄴ, ㄷ　⑤ ㄱ, ㄴ, ㄷ

02 그림 (가)는 핵상이 $2n$인 식물 P에서 체세포의 세포 주기를, (나)는 P의 체세포 분열 과정 중에 있는 세포들을 나타낸 것이다. P의 특정 형질에 대한 유전자형은 Tt이며, T와 t는 대립유전자이다.

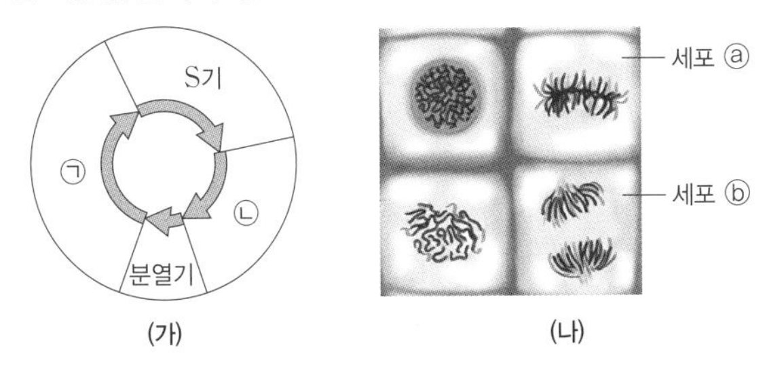

(가)　(나)

이에 대한 설명으로 옳은 것만을 〈보기〉에서 있는 대로 고른 것은?

보기
ㄱ. ⓐ는 ㉠ 시기의 세포에 해당한다.
ㄴ. ⓑ는 세포질 분열기의 세포이다.
ㄷ. 세포 1개당 T의 수는 ㉡ 시기의 세포와 ⓐ가 같다.

① ㄱ　② ㄷ　③ ㄱ, ㄴ　④ ㄴ, ㄷ　⑤ ㄱ, ㄴ, ㄷ

수능 기출

03 그림은 어떤 동물의 체세포를 배양한 후 세포당 DNA 양에 따른 세포 수를 나타낸 것이다.

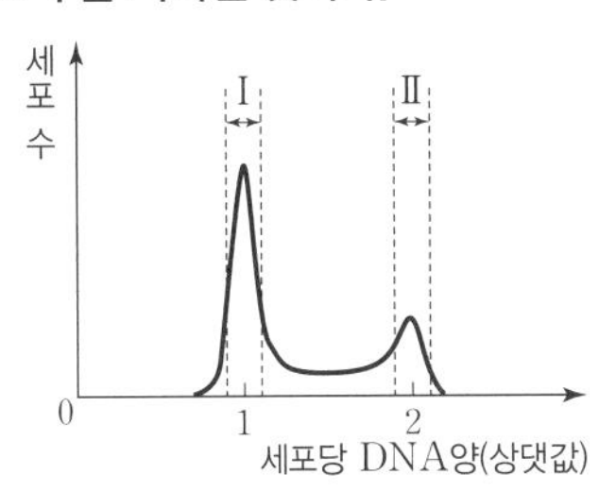

이에 대한 설명으로 옳은 것만을 〈보기〉에서 있는 대로 고른 것은?

보기
ㄱ. 구간 Ⅰ에는 G_1기의 세포가 있다.
ㄴ. 구간 Ⅱ에는 핵막을 가진 세포가 있다.
ㄷ. 구간 Ⅱ에는 염색 분체의 분리가 일어나는 시기의 세포가 있다.

① ㄱ　② ㄴ　③ ㄱ, ㄷ　④ ㄴ, ㄷ　⑤ ㄱ, ㄴ, ㄷ

04 그림 (가)와 (나)는 각각 유전자형이 AaBbDd와 aabbdd인 동물 Ⅰ과 Ⅱ의 세포에서 대립유전자의 위치를 나타낸 것이다. Ⅱ는 Ⅰ과 개체 X 사이에서 얻은 자손이다.

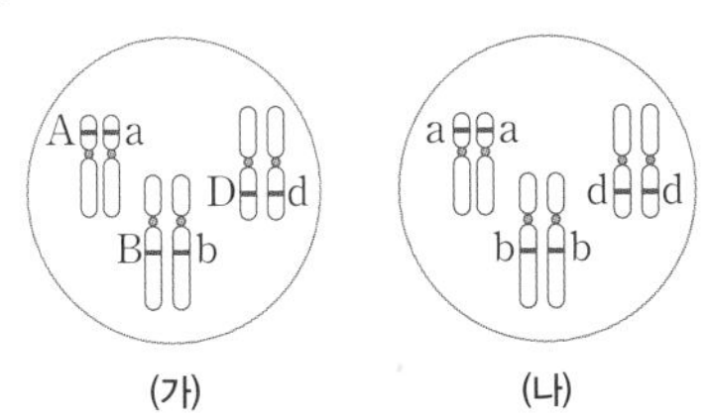

(가)　(나)

이에 대한 설명으로 옳은 것만을 〈보기〉에서 있는 대로 고른 것은? (단, 제시된 염색체와 유전자만 고려한다.)

보기
ㄱ. Ⅰ에서 형성될 수 있는 생식세포의 유전자형은 8가지이다.
ㄴ. Ⅰ과 X에서 유전자형이 abd인 생식세포가 형성된다.
ㄷ. Ⅱ와 유전자형이 AABBDD인 개체 사이에서 자손이 형성될 때 자손의 유전자형이 Ⅰ과 같을 확률은 $\frac{1}{2}$이다.

① ㄱ　② ㄴ　③ ㄱ, ㄴ　④ ㄱ, ㄷ　⑤ ㄴ, ㄷ

05 그림은 유전자형이 Hh인 어떤 동물의 세포 분열 과정과 수정 과정에서 세포 1개당 DNA양 변화를 나타낸 것이다. t_2는 중기에 해당한다.

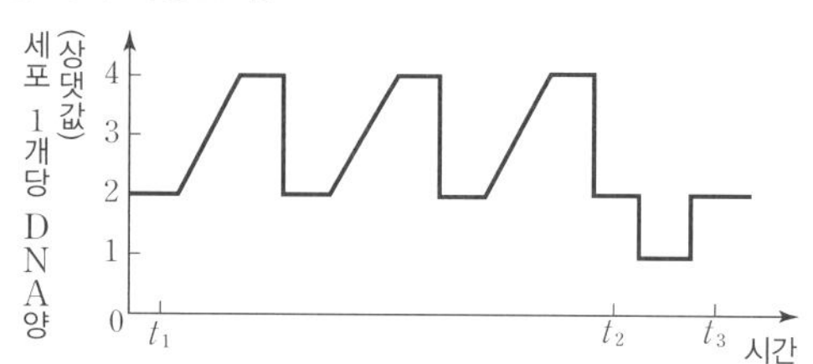

이에 대한 설명으로 옳은 것만을 〈보기〉에서 있는 대로 고른 것은?

보기
ㄱ. t_1~ t_2에서 체세포 분열이 2회 일어났다.
ㄴ. 세포 1개당 H의 수는 t_1일 때와 t_2일 때가 서로 같다.
ㄷ. 세포 1개당 염색체 수는 t_3일 때가 t_2일 때의 2배이다.

① ㄱ ② ㄴ ③ ㄱ, ㄷ
④ ㄴ, ㄷ ⑤ ㄱ, ㄴ, ㄷ

06 그림은 세포 (가)~(다) 각각에 들어 있는 모든 염색체를 나타낸 것이다. (가)~(다)는 각각 수컷 A와 암컷 B의 세포 중 하나이다. A와 B는 같은 종이고, 성염색체는 수컷이 XY, 암컷이 XX이다.

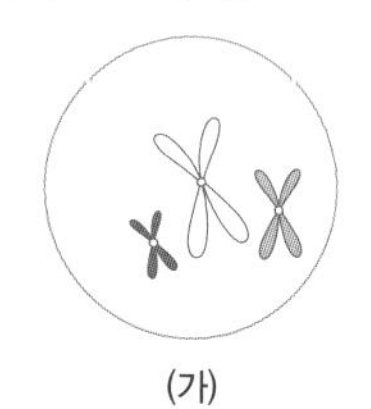
(가)

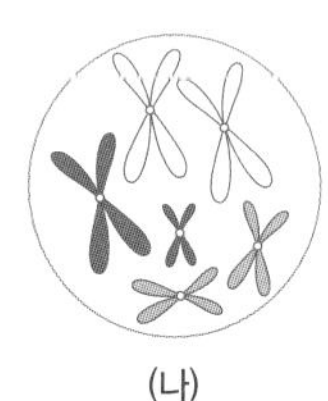
(나)

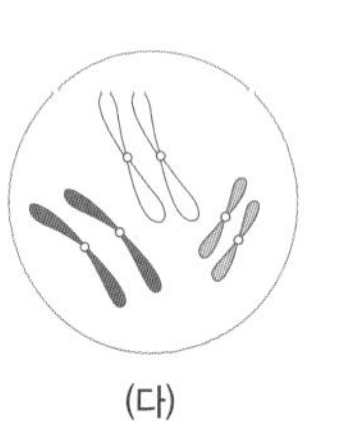
(다)

이에 대한 설명으로 옳은 것만을 〈보기〉에서 있는 대로 고른 것은?

보기
ㄱ. (가)와 (나)는 A의 세포이다.
ㄴ. (나)와 (다)의 핵상은 같다.
ㄷ. (다)에 성염색체가 2개 있다.

① ㄱ ② ㄷ ③ ㄱ, ㄴ
④ ㄴ, ㄷ ⑤ ㄱ, ㄴ, ㄷ

수능 기출

07 그림은 핵상이 $2n$인 어떤 동물에서 G_1기의 세포 ㉠으로부터 정자가 형성되는 과정을, 표는 세포 ⓐ~ⓓ에 들어 있는 세포 1개당 대립유전자 H와 t의 상대량을 나타낸 것이다. ⓐ~ⓓ는 ㉠~㉣을 순서 없이 나타낸 것이고, H는 h와 대립유전자이며, T는 t와 대립유전자이다.

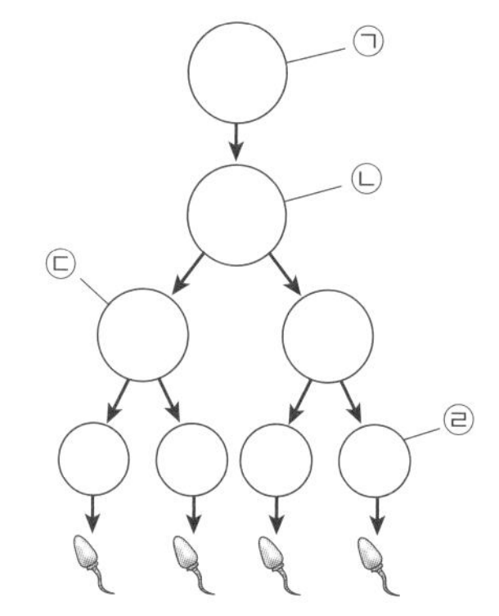

세포	DNA 상대량	
	H	t
ⓐ	2	0
ⓑ	2	2
ⓒ	?	?
ⓓ	1	1

이에 대한 설명으로 옳은 것만을 〈보기〉에서 있는 대로 고른 것은? (단, 돌연변이는 고려하지 않으며, H, h, T, t 각각의 1개당 DNA 상대량은 같다.)

보기
ㄱ. ㉡은 ⓑ이다.
ㄴ. 세포의 핵상은 ㉢과 ⓑ에서 같다.
ㄷ. ⓒ에 들어 있는 H의 DNA 상대량은 1이다.

① ㄱ ② ㄴ ③ ㄱ, ㄷ
④ ㄴ, ㄷ ⑤ ㄱ, ㄴ, ㄷ

2 사람의 유전과 유전병

배울 내용 살펴보기

01 사람의 유전

- A 사람의 유전
- B 단일 인자 유전
- C 다인자 유전

사람의 유전에는 1쌍의 대립유전자에 의해 형질이 결정되는 단일 인자 유전과 여러 쌍의 대립유전자가 관여하는 다인자 유전이 있어.

02 유전자 이상과 염색체 이상

- A 유전자 이상
- B 염색체 이상

사람의 유전병에는 유전자 이상으로 인한 유전병과 염색체 구조와 수의 이상으로 인한 유전병이 존재해.

01 사람의 유전

핵심 키워드로 흐름잡기

- A 유전 형질, 대립유전자, 가계도, 우성과 열성, 분리의 법칙
- B 단일 인자 유전, 상염색체 유전, 복대립 유전, ABO식 혈액형 유전, 성염색체 유전, 반성 유전, 적록 색맹
- C 다인자 유전, 연속 변이, 피부색 유전

A 사람의 유전

|출·제·단·서| 시험에는 특정 유전 형질의 유전에 대한 자료나 가계도가 제시되고 이를 분석하는 문제가 나와.

1. 유전의 기본 용어

암기TiP 하나의 형질은 2개의 유전자에 의해 결정되며, 생식세포에는 둘 중 하나만 들어간다.

용어	설명
유전 형질	• 생물이 지닌 고유한 특징(형질) 중 부모에게서 자손으로 전달되는 것 예 키, 피부색, 눈꺼풀, 보조개, 귓불 모양 등 (형질에는 유전 형질과 획득 형질이 있으며, 일반적으로 형질이라고 하면 유전 형질을 의미한다.)
대립 형질	• 1가지 유전 형질에 대해 대립 관계에 있는 형질 예 쌍꺼풀과 외까풀, 분리형 귓불과 부착형 귓불
대립유전자	• 상동 염색체의 같은 위치에 있으며 하나의 유전 형질에 관여하는 유전자 쌍 • 대립유전자 쌍이 같은 경우를 동형 접합성, 서로 다른 경우를 이형 접합성이라고 한다.
우성과 열성❶	• 두 대립유전자가 서로 다를 때 우성인 유전자만 표현형으로 나타나고, 열성인 유전자는 나타나지 않는다.
유전자형과 표현형	• 하나의 형질을 결정하는 대립유전자의 조합을 유전자형이라고 하고, 유전자형에 의해 겉으로 드러나는 형질을 표현형이라고 한다.

❶ 우성과 열성의 예외
중간 유전에서는 이형 접합성일 때 중간 형질이 표현형이 되기도 하고, 다인자 유전에서는 우열을 뚜렷하게 구분하기 어렵다.

2. 유전의 기본 원리(멘델의 유전 원리)

(1) **분리의 법칙** 대립유전자 쌍은 생식세포 형성 시 분리되어 각각의 생식세포로 나누어진다.

(2) **독립의 법칙** 서로 다른 염색체 상에 있는 두 대립유전자 쌍은 서로 영향을 주지 않고 독립적으로 유전된다.

3. 사람의 유전 연구 방법

개념 POOL 특정 형질을 가지는 집안의 •가계도 조사(형질의 우열 관계, 태어날 자손의 형질예측 등이 가능하다.), 집단 유전학 연구, 쌍둥이 연구, 염색체 및 유전자 연구 등이 있다.

4. 사람의 유전❷ 현상 구분

(1) **유전자가 존재하는 염색체의 종류에 따른 구분**

① **상염색체 유전:** 형질을 결정하는 유전자가 상염색체에 있는 유전 현상

② **성염색체 유전:** 형질을 결정하는 유전자가 성염색체에 있는 유전 현상

(2) **형질을 결정하는 대립유전자 쌍의 수에 따른 구분** 암기TiP '단일 인자/다인자'의 '인자'는 대립유전자 쌍을 의미!

① **단일 인자 유전:** 1쌍의 대립유전자가 하나의 형질을 결정하는 유전 현상

② **다인자 유전:** 여러 쌍의 대립유전자가 하나의 형질을 결정하는 유전 현상

❷ 사람의 유전 연구가 어려운 까닭
사람은 한 세대가 길고, 자손 수가 적으며, 인위적인 교배 실험을 할 수 없다.

빈출 자료 가계도를 나타내는 방법

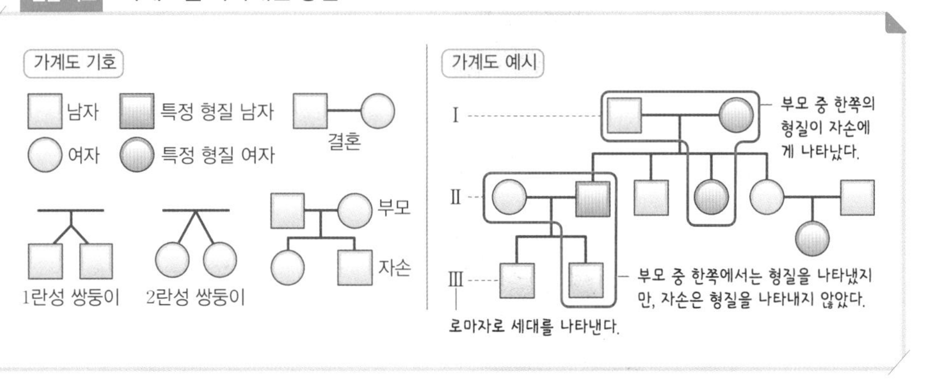

용어 알기

• 가계도(집 家, 이을 系, 그림 圖) 한 집안의 계통을 나타내기 위하여 가족 사이의 관계를 그림으로 표현한 것

B 단일 인자 유전

|출·제·단·서| 단일 인자 유전이나 복대립 유전인 ABO식 혈액형, 적록 색맹에 대한 가계도나 자료가 제시되고 구성원의 유전자형이나 자손의 형질을 예측하는 문제가 나와.

1. 상염색체 유전 탐구 POOL

상염색체에 있는 대립유전자 1쌍에 의해 형질이 결정되므로 형질이 나타나는 •빈도는 이론적으로 남녀에게서 같다.

(단일 인자 유전 — 대립유전자 1쌍에 의해 형질이 결정)
(사람은 상염색체의 수가 성염색체의 수보다 훨씬 많으므로 상염색체 유전 형질이 성염색체 유전 형질보다 훨씬 많다.)

(1) 단일 대립 유전(대립유전자의 종류가 2가지인 유전) 암기TiP ＞ 단일 인자 유전은 '단일 대립유전자 쌍' 유전!

① 단일 대립 유전은 1쌍의 대립유전자로 형질이 결정되고 대립유전자의 종류가 2개이다.

② 혀 말기, 보조개, 눈꺼풀, 이마선 모양, 귓불 모양 등은 우성과 열성이 뚜렷하여 표현형이 2가지로 명확하게 구분된다.❸

③ 멘델의 유전 원리가 적용되며, 가계도를 통해 형질의 특성을 분석할 수 있다.

형질	혀 말기	보조개	눈꺼풀	이마선 모양	귓불 모양
우성	가능	있음	쌍꺼풀	V자형	분리형
열성	불가능	없음	외꺼풀	일자형	부착형

빈출 자료 귓불 모양 유전 가계도 분석

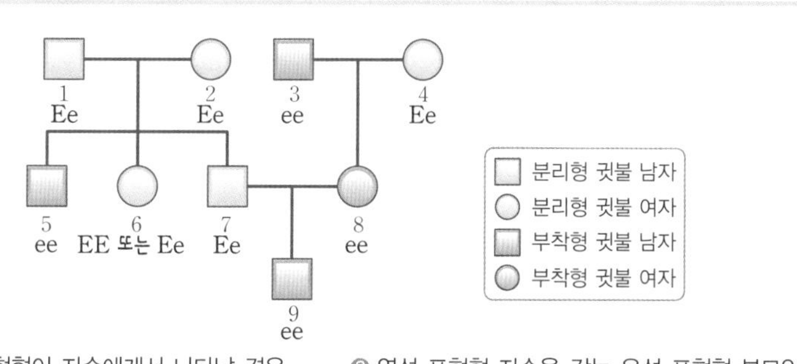

❶ 부모에게 없던 표현형이 자손에게서 나타날 경우 부모의 표현형은 우성, 자손의 표현형은 열성이다.
→ 분리형 1, 2 사이에서 부착형인 5가 태어났으므로 분리형이 우성(EE 또는 Ee), 부착형이 열성(ee)이다.

❷ 열성 표현형 자손을 갖는 우성 표현형 부모인 1, 2, 4, 7의 유전자형은 모두 이형 접합성(Ee)이다.

❸ 분리형인 6의 유전자형은 EE 또는 Ee이며, EE일 확률은 $\frac{1}{3}$, Ee일 확률은 $\frac{2}{3}$이다.

(2) 복대립 유전(대립유전자의 종류가 3가지 이상인 유전)

① 복대립 유전의 특징

• 1쌍의 대립유전자에 의해 형질이 결정되고, 하나의 형질을 결정하는 대립유전자의 종류가 3가지 이상인 유전이다.
(복대립 유전에서 대립유전자의 종류는 3가지 이상이지만 한 사람의 표현형을 결정하는 대립유전자는 1쌍이므로 복대립 유전도 단일 인자 유전에 해당한다.)

• 대립유전자의 종류가 2가지인 경우에 비해 유전자형과 표현형의 종류가 다양하다.

• 복대립 유전에 해당하는 대표적인 예가 ABO식 혈액형이다.

② ABO식 혈액형 유전

• 3개의 대립유전자 I^A, I^B, i가 관여하는 유전으로, I^A는 응집원 A를, I^B는 응집원 B를 만들며, i는 응집원을 만들지 못한다.

• I^A와 I^B는 i에 우성이며, I^A와 I^B 사이에는 우열이 구분되지 않는다.❹

표현형	A형	B형	O형	AB형
적혈구 표면의 응집원 (△ / ○ 응집원 A 응집원 B)				
유전자형	I^AI^A, I^Ai	I^BI^B, I^Bi	ii	I^AI^B

❸ 이마선 모양과 귓불 모양

형질	이마선 모양
우성 (V자형)	
열성 (일자형)	

▲ 이마선 모양

형질	귓불 모양
우성 (분리형)	
열성 (부착형)	

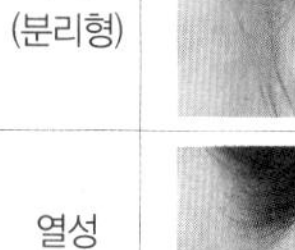
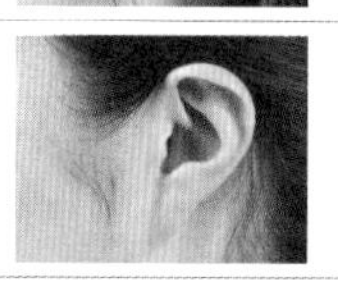

▲ 귓불 모양

? 복대립 유전에서는 한 사람이 3개 이상의 대립유전자를 가질까?

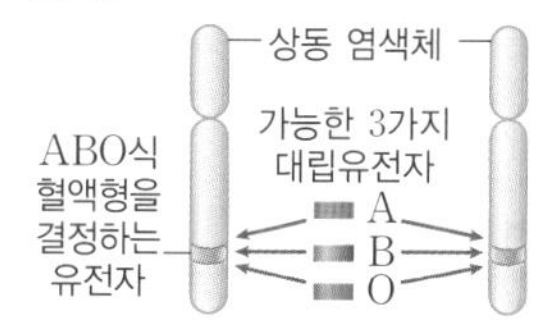

대립유전자의 종류가 3가지 이상이더라도 한 자손은 부모로부터 대립유전자를 하나씩 물려받으므로 2개의 대립유전자를 가진다.

❹ 대립유전자 사이에 우열이 구분되지 않는 경우

ABO식 혈액형에서 대립유전자 I^A, I^B와 같이 대립유전자 사이에 우열 관계가 없고 유전자형이 이형 접합성(I^AI^B)일 때 두 대립유전자가 나타내는 형질이 동일한 정도로 발현되는 유전 방식을 공동 우성이라고 한다.

용어 알기 

•빈도(자주 頻, 법도 度) 같은 현상이나 일이 반복되는 도수

2. 성염색체 유전 개념 POOL

암기TiP 어머니 열성 표현형 → 아들 열성 표현형, 아버지 우성 표현형 → 딸 우성 표현형

(1) 사람의 성 결정 사람의 성별은 난자와 정자의 성염색체의 구성에 따라 결정된다.

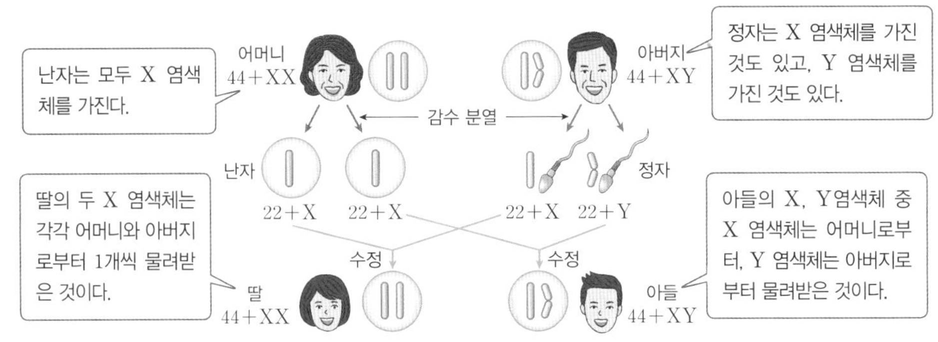

▲ 사람의 성 결정

(2) ●반성유전❺ 형질을 결정하는 유전자가 X 염색체나 Y 염색체에 있을 때 유전자가 발현되는 빈도가 성에 따라 달라진다.

① **X 염색체에 의한 유전:** 형질을 결정하는 유전자가 X 염색체에 있는 것으로 적록 색맹❻, 혈우병❼ 등이 있다.

② **Y 염색체에 의한 유전:** 형질을 결정하는 유전자가 Y 염색체에 있다. Y 염색체에는 유전자가 적고 남성의 성 결정에 관여하는 것이 많아 일반적으로 알려진 유전 형질이나 질환이 많지 않다.

(3) 적록 색맹 적색과 녹색을 잘 구별하지 못한다.

① 적록 색맹 대립 유전자는 X 염색체에 있으며, 정상 대립유전자에 대해 열성이다.

② 여자는 적록 색맹 대립유전자가 2개인 경우에(X^aX^a)만 적록 색맹이 되며, 남자는 1개(X^aY)만 있어도 적록 색맹이 된다.

③ 여자보다 남자에게서 적록 색맹의 빈도가 높다.

구분	남자		여자		
유전자형	X^AY	X^aY	X^AX^A	X^AX^a	X^aX^a
표현형	정상	적록 색맹	정상	정상(보인자)❽	적록 색맹

▲ 정상 대립유전자를 X^A, 적록 색맹 대립유전자를 X^a라고 할 때 적록 색맹에 대한 남녀의 유전자형과 표현형

④ 어머니가 적록 색맹(X^aX^a)이고, 아버지가 정상(X^AY)이면 아들은 반드시 적록 색맹(X^aY)이며, 딸은 반드시 정상(X^AX^a)이다.

⑤ 적록 색맹인 딸(X^aX^a)의 아버지는 반드시 적록 색맹(X^aY)이며, 적록 색맹인 아들(X^aY)의 적록 색맹 대립유전자는 어머니(X^AX^a 또는 X^aX^a)로부터 물려받는다.

빈출 자료 적록 색맹 유전의 가계도 분석

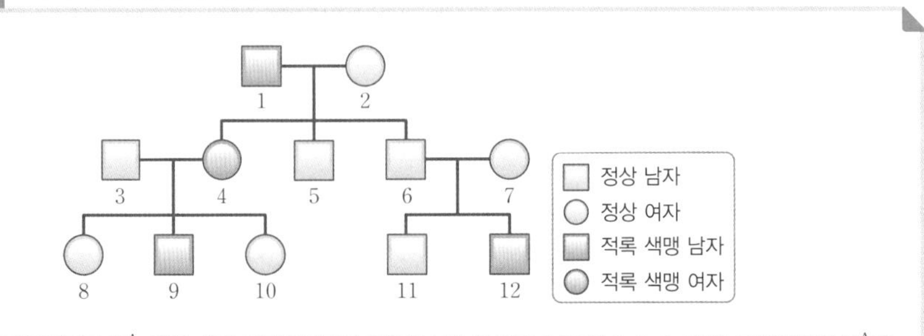

❶ 정상 대립유전자를 X^A, 적록 색맹 대립유전자를 X^a라고 할 때 정상 남자인 3, 5, 6, 11은 유전자형이 X^AY이고, 적록 색맹인 남자 1, 9, 12는 X^aY이다.

적록 색맹 대립유전자(X^a)의 전달: 1, 2 → 4 → 8, 9, 10
7 → 12

❷ 적록 색맹인 여자 4의 유전자형은 X^aX^a이며, 1과 2로부터 X^a를 각각 1개씩 받았다.

❸ 정상 여자인 2와 7은 각각 자손 4와 12가 적록 색맹이므로 유전자형이 X^AX^a이고, 8과 10은 각각 부모 3과 4를 통해 유전자형이 X^AX^a라는 것을 알 수 있다.

---

❺ **반성유전**
- 반성유전은 형질을 결정하는 유전자가 성염색체에 있는 경우를 의미한다.
- 형질을 결정하는 유전자가 X 염색체에 있는 유전병의 경우 정상에 대해 열성이면 남자에서, 우성이면 여자에서 발현 빈도가 높다. Y 염색체에 있는 경우는 남자에게만 발현된다.

❻ **적록 색맹**
시각 색소 유전자 이상으로 색을 잘 구별하지 못하는 것을 색맹이라고 하며, 적색과 녹색의 구별에 어려움을 겪는 적록 색맹은 색맹 중 가장 흔하다.

❼ **혈우병**
혈액 응고에 관여하는 단백질을 만드는 유전자에 이상이 있어 혈액 응고 작용이 정상적으로 일어나지 않는 유전병이다.

❽ **보인자**
형질은 겉으로 드러나지 않지만, 형질을 나타내는 유전자를 가지고 있는 사람을 말한다.

용어 알기

●반성유전(따를 伴, 성품 性, 끼칠 遺, 전할 傳) 성염색체 상의 유전자에 의해 발현되는 유전 현상

C 다인자 유전

|출·제·단·서| 시험에는 제시된 자료를 통해 복대립 유전과 다인자 유전을 구분하거나 다인자 유전 현상에서 자손의 표현형이나 유전자형을 예측하도록 하는 문제가 나와.

1. 다인자 유전 하나의 형질을 결정하는 데 여러 쌍의 대립유전자가 관여하는 유전이다.

(1) 다인자 유전의 특징

① 여러 쌍의 대립유전자가 표현형에 영향을 미친다.

② 대립 형질의 우열이 뚜렷하지 않다.

③ 각 표현형을 나타내는 개체 수를 조사하여 그래프로 나타내면 정규 분포 곡선[9] 형태의 •연속 변이를 나타낸다. 단일 인자 유전의 유전자형은 대립유전자 2개로 표현되며, 2쌍의 대립유전자가 관여하는 다인자 유전의 유전자형은 대립유전자 4개로, 3쌍이면 6개로 표현된다.

④ 사람의 키, 피부색, 몸무게, 눈색 유전[10] 등이 다인자 유전에 해당한다.

• 사람의 피부색 유전은 100개 이상의 유전자가 관여하며, 유전자형이 같더라도 여러 가지 환경 요인의 영향을 받아 피부색이 달라지므로 매우 다양한 피부색이 나타난다.

(2) 단일 인자 유전과 다인자 유전의 비교 단일 인자 유전은 표현형이 불연속적인 변이로 나타나지만 다인자 유전은 표현형이 연속적인 변이로 나타난다.

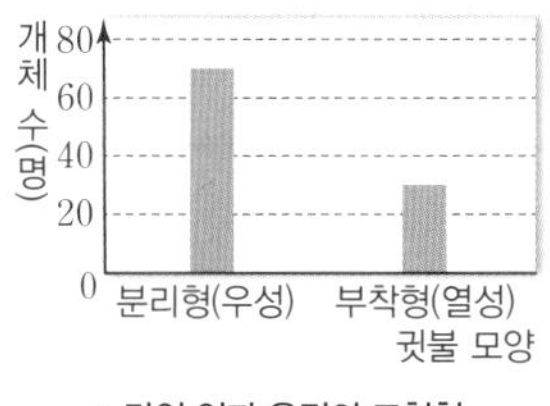

▲ 단일 인자 유전의 표현형

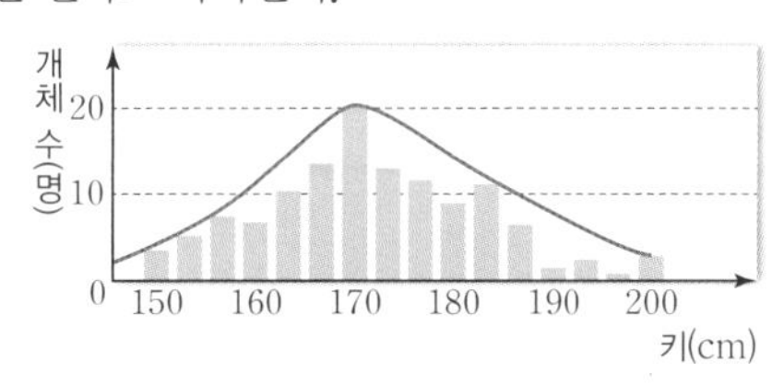

▲ 다인자 유전의 표현형

빈출 자료 사람의 피부색 유전 모델[11]

❶ 피부색은 서로 다른 염색체에 있는 3쌍의 대립유전자로 결정된다고 가정한다.

❷ 대립유전자 A, B, C는 피부색을 검게 만드는 대립유전자이고, a, b, c는 피부색을 희게 만드는 대립유전자이다.

❸ 피부색은 유전자 종류에 관계없이 A, B, C의 개수가 많을수록 피부색이 검다.

❹ 매우 검은 피부색의 사람(AABBCC)과 매우 흰 피부색의 사람(aabbcc)에게서 태어난 중간 피부의 자손(F_1, AaBbCc)이 같은 유전자형을 가진 사람과 결혼했을 때 태어날 수 있는 자손(F_2)의 피부색 분포는 다음과 같다.

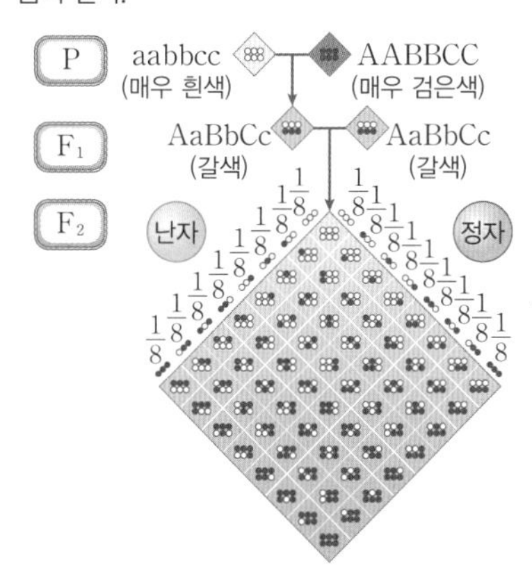

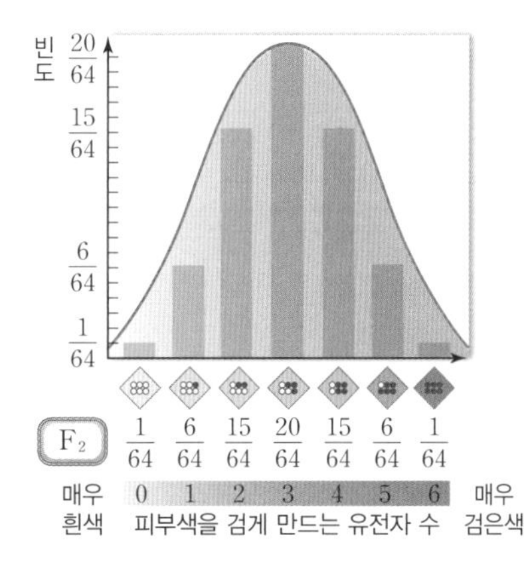

❺ F_2에서 피부색을 어둡게 만드는 대립유전자의 수가 0개부터 6개까지 가능하므로, 피부색의 표현형은 7가지이다.

❻ F_2에서 매우 검은 피부색인 AABBCC나 매우 흰 피부색인 aabbcc의 확률은 $\frac{1}{64}$로 매우 낮고, 중간 피부색인 자손이 나올 확률은 $\frac{20}{64}$으로 가장 높으므로 피부색 표현형에 대한 그래프는 정규 분포 곡선을 나타낸다.

---

❾ 정규 분포 곡선
세상의 수많은 현상을 이상적으로 나타낸 정규 분포를 표현한 곡선으로, 평균값을 중심으로 하여 좌우대칭의 종 모양으로 나타난다.

❿ 사람의 눈색 유전
사람의 눈색은 홍채의 앞부분에 존재하는 갈색 색소인 멜라닌의 양에 따라 결정된다. 검고 진갈색의 눈은 녹갈색의 눈보다 더 많은 멜라닌 색소를 가지며, 파란색의 눈은 홍채에 멜라닌 색소를 전혀 가지지 않는다. 이를 결정하는 데 15개 정도의 유전자가 관여한다고 알려져 있다.

? 1란성 쌍둥이는 모든 표현형이 다 같을까?
1란성 쌍둥이는 수정란의 분열 과정에서 분리되어 각각 개체가 되었으므로 모든 유전자가 동일한 상태로 태어난다. 따라서 모든 형질에 대한 유전자형이 같다. 그러나 서로 다른 환경에서 성장한다면 피부색과 같이 환경의 영향을 많이 받는 형질에서는 표현형에서 서로 차이가 생길 수 있다.

⓫ 사람의 피부색 유전
피부색을 검게 만드는 유전자가 0개일 확률은 희게 만드는 유전자가 6개일 경우와 같은 경우로, 검게 하는 유전자가 6개일 확률과 그 값이 같다. 마찬가지로 검게 만드는 유전자가 1개일 확률은 5개일 확률과 같고, 검게 만드는 유전자가 2개일 확률은 4개일 확률과 같다.

용어 알기
•연속 변이(잇닿을 連, 이을 續, 변할 變, 다를 異)(continuos variation) 생물의 체중이나 키처럼 많은 개체의 측정값을 모았을 때 형질의 구분이 모호하고 연속적인 분포를 보이는 변이

서로 다른 2가지 유전 형질의 가계도 분석

목표 상염색체 유전과 성염색체 유전 각각의 유전 원리를 정확하게 이해하고 이를 가계도 분석에 적용한다.

자료 제시 다음은 어떤 집안의 유전 형질 (가)와 (나)에 대한 자료이다. 자료를 분석하여 (가)와 (나)의 유전 원리를 이해하고, 구성원 1~9의 유전자형을 알아낸다.

- (가)는 대립유전자 A와 a에 의해, (나)는 대립유전자 B와 b에 의해 결정된다. A는 a에 대해, B는 b에 대해 각각 완전 우성이다.
- (가)의 유전자와 (나)의 유전자는 각각 성염색체와 상염색체 중 하나에 존재한다.
- 구성원 3의 (가)에 대한 유전자형은 동형 접합성이다.

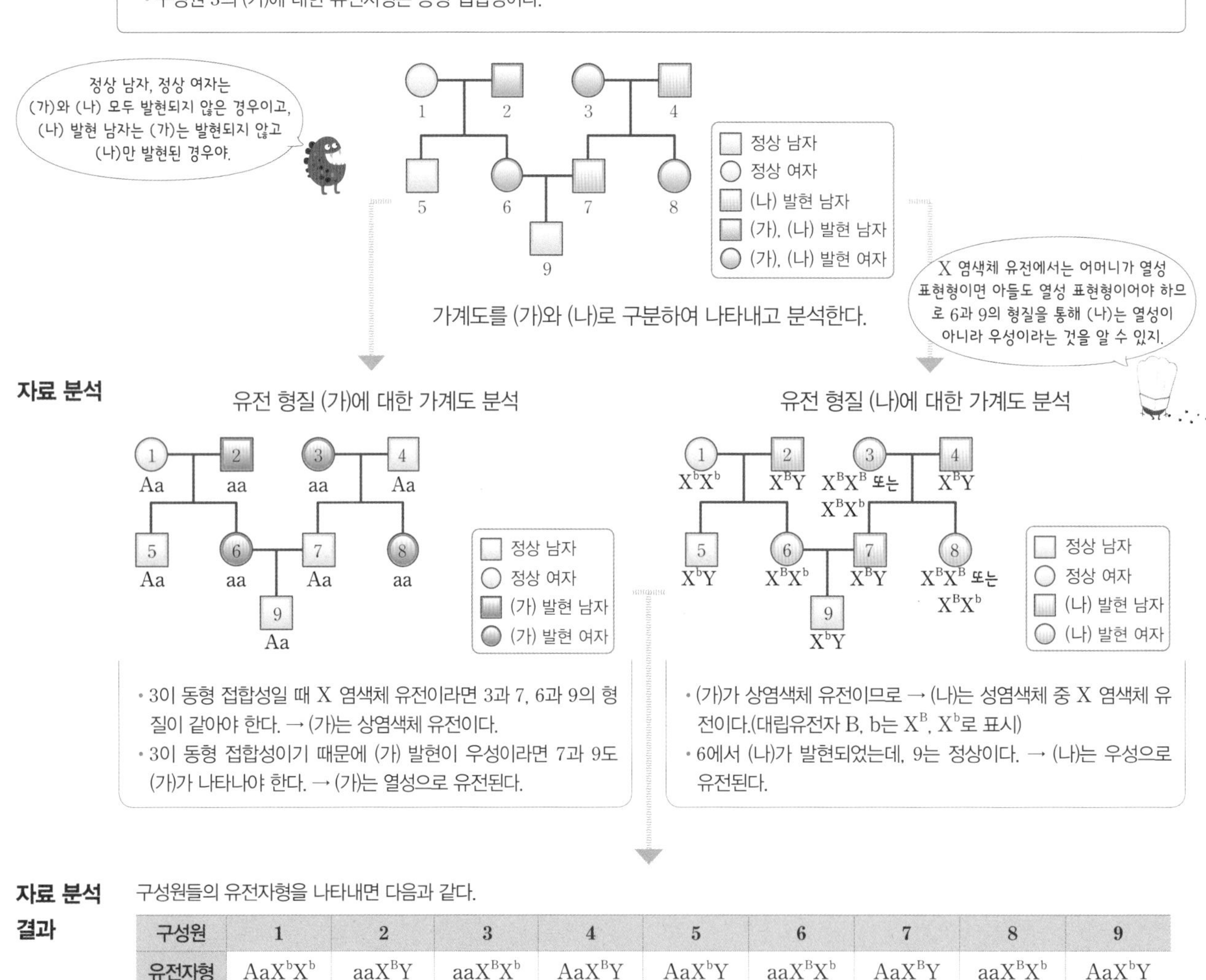

자료 분석 결과 구성원들의 유전자형을 나타내면 다음과 같다.

구성원	1	2	3	4	5	6	7	8	9
유전자형	AaX^bX^b	aaX^BY	aaX^BX^b	AaX^BY	AaX^bY	aaX^BX^b	AaX^BY	aaX^BX^b	AaX^bY

한·줄·핵·심 대립유전자 2개 중 하나는 어머니, 다른 하나는 아버지로부터 물려받는 것이며, 아들의 X 염색체는 어머니로부터 물려받는다.

확인 문제

정답과 해설 61쪽

01 위의 자료에서 9의 동생이 태어났을 때, 이 동생의 (가)와 (나) 형질에 대해 다음을 구하시오.

(1) (가)를 나타낼 확률 ( )

(2) (가)와 (나)를 모두 나타낼 확률 ( )

02 다음 설명 중 옳은 것은 ○, 옳지 않은 것은 ×로 표시하시오.

(1) (가)는 복대립 유전이다. ( )

(2) 7이 가진 B는 3에서 유래되었다. ( )

사람의 유전 현상 모의 실험

목표 역할놀이를 통해 사람의 유전 형질이 자손에게 전달되는 과정을 이해할 수 있다.

과정

❶ 남편과 아내 역할 정하기

- 2명의 학생이 가상의 부부가 되어 1명은 남편 역할을, 다른 1명은 아내 역할을 맡는다.

❷ 상염색체 모형에 4가지 형질에 대한 유전자형 기록하기

- 귓불 모양, 보조개, 이마선 모양, ABO식 혈액형의 유전자형을 상염색체 모형의 위쪽 빈 칸에 적는다. 같은 형질은 동일한 번호 모형에 적는다.

❸ 성염색체 모형에 적록 색맹 유전자형 기록하기

- 남편은 XY, 아내는 XX 모형을 갖고 적록 색맹에 대해 남편은 정상, 아내는 보인자로 유전자형을 적는다.

형질	표현형(유전자형)	형질	표현형(유전자형)
귓불 모양	분리형(EE, Ee)	ABO식 혈액형	A형(I^AI^A, I^Ai)
	부착형(ee)		B형(I^BI^B, I^Bi)
보조개	있음(HH, Hh)		AB형(I^AI^B)
	없음(hh)		O형(ii)
이마선 모양	V자형(RR, Rr)	적록 색맹	정상(X^AY, X^AX^A, X^AX^a)
	일자형(rr)		적록 색맹(X^aY, X^aX^a)

❹ 염색체 모형 만들어 던지기

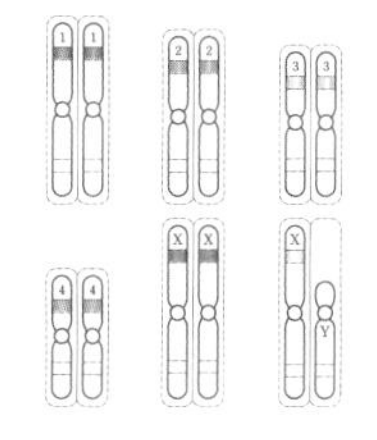

- 염색체 모형을 오려내고 반으로 접어 풀로 붙인 후 각자 5개의 염색체 모형을 부부가 같이 던진다.

❺ 유전자형과 표현형 기록하기

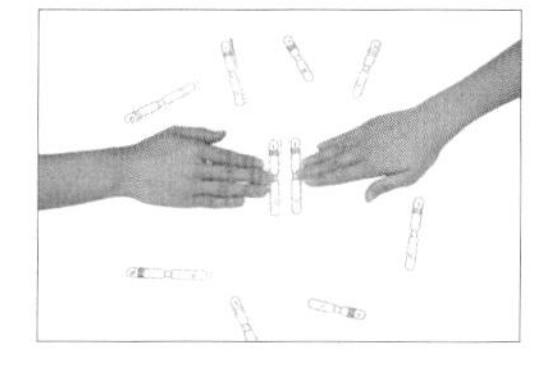

- 염색체 모형 같은 번호에 적인 대립유전자를 보고 유전자형과 표현형을 적는다. (첫째 아이)

❻ 과정 ❹와 ❺ 1번 더 반복하기

- 과정 ❹와 ❺를 1번 더 반복하여 표에 기록한다. (둘째 아이)

> **유의점**
> - 염색체 모형을 가위로 오릴 때 다치지 않도록 조심한다.
> - 부부의 상염색체에 있는 4가지 형질의 유전자형을 모르면 이형 접합성으로 한다.
> - 적록 색맹인 학생들도 있으므로 표에서 제시한 유전자형으로 적는다.

> **이런 실험도 있어요!**
> ★ 동아 교과서에만 나오는 내용이다.
> **사람에게 없는 다양한 형질을 마시멜로와 이쑤시개 등의 창의적인 재료로 유전 현상 탐구**
>
> 
>
> 마시멜로로 몸통의 수를 표현하고, 단추로 눈의 수를 표현하며, 머리카락을 다양한 색의 색종이로 표현하는 등 다양한 방법으로 유전 형질을 표현한다.

결과

형질		귓불 모양	보조개	이마선 모양	ABO식 혈액형	적록 색맹
첫째 아이	유전자형	Ee	hh	RR	I^Ai	X^aY
	표현형	분리형	없음	V자형	A형	적록 색맹
둘째 아이	유전자형	EE	Hh	rr	I^AI^A	X^AY
	표현형	분리형	있음	일자형	A형	정상

정리 및 해석

자손은 부모의 상동 염색체 중 하나(대립유전자 쌍 중 1가지)를 각각 무작위로 물려받아 유전자형과 표현형이 결정되므로 한 부모에게서 성별과 형질의 조합이 서로 다른 다양한 자손들이 태어날 수 있다.
(대립유전자는 상동 염색체의 같은 위치에 각각 하나씩 있다.)

한·줄·핵·심 자손의 형질은 부모에게서 물려받은 대립유전자 각 하나씩의 조합으로 결정된다.

확인 문제

정답과 해설 61쪽

01 위 5가지 형질에 대해 자손 중 딸이 가질 수 있는 유전자형이 최대로 나올 수 있는 부모의 유전자형 조합은 무엇인지 쓰시오.

02 위 5가지 형질에 대해 자손이 가질 수 있는 유전자형은 최대 몇 가지인지 쓰시오.

콕콕! 개념 확인하기

정답과 해설 61쪽

✔ 잠깐 확인!

1. □□□
겉으로 드러나는 형질

2. □□□
가족 구성원의 성별, 혈연 및 결혼 관계, 특정 형질의 표현형 등을 그림으로 나타낸 것

3. □□ □□ □□
1쌍의 대립유전자에 의해 형질이 결정되는 유전

4. 부모에게 없던 열성 형질이 자손에게 나타나는 경우 부모의 유전자형은 □□ □□□이다.

5. □□□ □□
하나의 형질을 결정하는 대립유전자가 3가지 이상인 경우로 1쌍의 대립유전자에 의해 결정되는 유전

6. □□ □□
적색과 녹색을 잘 구별하지 못하는 유전 형질로, 유전자가 X 염색체에 있다.

A 사람의 유전

01 유전의 기본 용어와 의미를 옳게 연결하시오.

(1) 하나의 유전 형질에 관여하는 유전자 쌍 •   • ㉠ 유전자형

(2) 하나의 형질을 결정하는 대립유전자의 조합 •   • ㉡ 대립 형질

(3) 1가지 유전 형질에 대해 대립 관계에 있는 형질 •   • ㉢ 대립유전자

B 단일 인자 유전

02 사람의 유전 형질에 대한 설명으로 옳은 것은 ○, 옳지 않은 것은 ×로 표시하시오.

(1) 사람의 형질을 결정하는 유전자는 상염색체에만 있다. ( )

(2) 하나의 형질을 결정하는 대립유전자의 종류가 3가지 이상인 경우를 복대립 유전이라고 한다. ( )

03 다음은 몇 가지 형질에 대한 설명이다. ㉠, ㉡에 알맞은 말을 쓰시오.

> 혀 말기, 보조개, 눈꺼풀, 이마선 모양, 귓불 모양 등은 우성과 열성이 뚜렷하여 표현형이 (㉠)가지로 명확하게 구분된다. ABO식 혈액형 유전에는 3개의 대립유전자 I^A, I^B, i가 관여하며 이 중 I^A와 I^B는 서로 우열이 없고 i에 대해 우성이므로 ABO식 혈액형의 유전자형은 최대 (㉡)가지가 있다.

04 다음은 성염색체 유전에 관한 설명이다. ㉠, ㉡에 알맞은 말을 쓰시오.

> 형질을 결정하는 유전자가 성염색체에 있을 경우 발현 빈도가 성에 따라 다른데, 이러한 성염색체 유전을 (㉠)이라고 한다. 적록 색맹 대립유전자는 X 염색체에 있으며, 정상 대립유전자에 대해 (㉡)이다.

05 적록 색맹인 어머니와 정상인 아버지 사이에서 태어나는 아들의 적록 색맹 여부를 쓰시오.

C 다인자 유전

06 다인자 유전에 대한 설명으로 옳은 것은 ○, 옳지 않은 것은 ×로 표시하시오.

(1) 여러 쌍의 대립유전자가 하나의 형질에 관여한다. ( )

(2) 표현형이 뚜렷하게 구분된다. ( )

(3) 사람의 피부색 유전은 다인자 유전에 해당된다. ( )

탄탄! 내신 다지기

정답과 해설 61쪽

A 사람의 유전

01 유전의 기본 용어에 대한 설명으로 옳지 않은 것은?

① 두 대립유전자가 같은 경우를 동형 접합성이라고 한다.
② 대립유전자는 하나의 유전 형질에 관여하는 유전자 쌍이다.
③ 1가지 형질에 대해 대립 관계에 있는 형질을 대립 형질이라고 한다.
④ 생물이 지닌 고유한 특징 중 부모에게서 자손으로 전달되는 것을 유전 형질이라고 한다.
⑤ 어떤 형질이 나타나게 하는 대립유전자의 구성을 기호로 표시한 것을 표현형이라고 한다.

단답형

02 다음은 멘델의 유전 원리에 대한 설명이다.

> 하나의 형질을 결정하는 두 대립유전자가 서로 다를 때 (㉠)인 유전자만 표현형으로 나타난다. 또한, 대립유전자 쌍이 생식세포 형성 시 분리되어 서로 다른 생식세포로 나누어 들어가는 것을 (㉡)이라고 한다.

㉠, ㉡에 알맞은 말을 쓰시오.

03 다음은 여러 가지 사람의 유전 현상을 설명한 것이다.

> (가) 형질을 결정하는 유전자가 상염색체에 있는 유전
> (나) 형질을 결정하는 유전자가 성염색체에 있는 유전
> (다) 1쌍의 대립유전자가 하나의 형질을 결정하는 유전

(가)~(다)에 대한 명칭을 모두 옳게 연결한 것은?

	(가)	(나)	(다)
①	다인자 유전	성염색체 유전	단일 인자 유전
②	상염색체 유전	성염색체 유전	단일 인자 유전
③	상염색체 유전	단일 인자 유전	다인자 유전
④	단일 인자 유전	상염색체 유전	다인자 유전
⑤	단일 인자 유전	성염색체 유전	다인자 유전

B 단일 인자 유전

04 상염색체 유전이면서 단일 대립 유전인 경우에 대한 설명으로 옳은 것만을 〈보기〉에서 있는 대로 고른 것은?

> 보기
> ㄱ. 대립 형질이 뚜렷하게 구분된다.
> ㄴ. 형질이 성별에 관계 없이 유전된다.
> ㄷ. 표현형이 연속적인 변이로 나타난다.

① ㄱ ② ㄴ ③ ㄱ, ㄴ
④ ㄱ, ㄷ ⑤ ㄴ, ㄷ

05 그림은 어떤 집안의 보조개 유전 가계도를 나타낸 것이다. T와 t는 보조개를 결정하는 대립유전자이고 상염색체에 있으며, T는 t에 대해 우성이다.

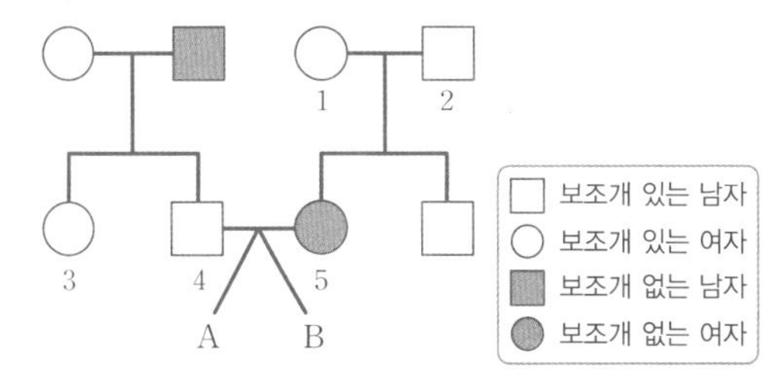

이에 대한 설명으로 옳은 것만을 〈보기〉에서 있는 대로 고른 것은?

> 보기
> ㄱ. 보조개가 있는 것이 없는 것에 대해 우성이다.
> ㄴ. 보조개 유전은 분리의 법칙에 따라 유전된다.
> ㄷ. A와 B는 1란성 쌍둥이로서 보조개 유전자형은 항상 동일하다.

① ㄱ ② ㄷ ③ ㄱ, ㄴ
④ ㄴ, ㄷ ⑤ ㄱ, ㄴ, ㄷ

06 다음은 사람의 귓불 모양 유전에 대한 자료이다.

> 귓불 모양을 결정하는 대립유전자는 상염색체에 있고 분리형 대립유전자 E와 부착형 대립유전자 e에 의해 결정된다. E는 e에 대해 우성이다.

유전자형이 Ee인 부모에게서 아이가 태어났을 때, 이 아이의 귓불 모양이 분리형일 확률로 옳은 것은? (단, 돌연변이는 고려하지 않는다.)

① $\frac{1}{4}$ ② $\frac{1}{3}$ ③ $\frac{3}{8}$ ④ $\frac{1}{2}$ ⑤ $\frac{3}{4}$

07 다음은 사람의 유전 형질 (가)의 특성을 나타낸 것이다.

- (가)를 나타내는 남녀의 비율은 비슷하다.
- 자녀는 (가)를 나타내지만 부모 모두 (가)를 나타내지 않을 수 있다.
- (가)는 1쌍의 대립유전자에 의해 결정된다.

이에 대한 설명으로 옳은 것만을 〈보기〉에서 있는 대로 고른 것은?

보기
ㄱ. (가)는 열성으로 유전되는 형질이다.
ㄴ. (가)는 상염색체 유전이다.
ㄷ. (가)를 나타내는 부모로부터 태어난 자녀가 (가)를 나타낼 확률은 $\frac{1}{4}$이다.

① ㄴ ② ㄷ ③ ㄱ, ㄴ
④ ㄱ, ㄷ ⑤ ㄴ, ㄷ

08 표는 ABO식 혈액형의 표현형과 유전자형을 나타낸 것이다.

표현형	A형	B형	O형	AB형
유전자형	I^AI^A, I^Ai	I^BI^B, I^Bi	ii	I^AI^B

ABO식 혈액형 유전에 대한 설명으로 옳지 않은 것은?
① 복대립 유전에 해당한다.
② 상염색체 유전에 해당한다.
③ 단일 인자 유전에 해당한다.
④ O형의 유전자형은 동형 접합성이다.
⑤ AB형은 응집원 A와 응집원 B의 중간 형태의 응집원을 갖는다.

단답형
09 그림은 어떤 집안의 ABO식 혈액형에 대한 가계도를 나타낸 것이다.

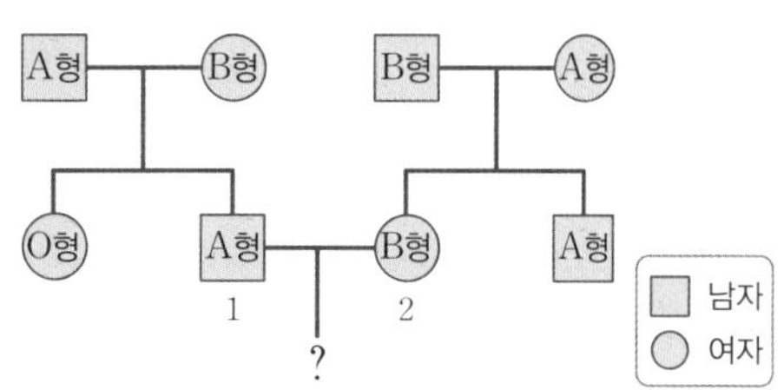

1과 2 사이에서 아이가 태어날 때, 이 아이의 혈액형이 A형일 확률은 얼마인지 쓰시오. (단, 돌연변이는 고려하지 않는다.)

10 다음은 어떤 형질 X의 유전적 특성을 조사한 것이다.

- X는 여자보다 남자에게서 나타나는 경우가 많다.
- 어머니는 X가 나타나고 아버지는 X가 나타나지 않을 때, 아들은 모두 X가 나타나고 딸은 모두 나타나지 않는다.

이에 대한 설명으로 옳은 것만을 〈보기〉에서 있는 대로 고른 것은?

보기
ㄱ. X는 반성유전이다.
ㄴ. 적록 색맹은 X와 같은 유전적 특성을 나타낸다.
ㄷ. X를 나타내는 어머니의 X에 대한 유전자형은 동형 접합성이다.

① ㄱ ② ㄴ ③ ㄱ, ㄷ
④ ㄴ, ㄷ ⑤ ㄱ, ㄴ, ㄷ

단답형
11 적록 색맹인 아버지와 정상인 어머니 사이에서 적록 색맹인 딸이 태어났다. 이 부모 사이에서 아들이 태어날 때, 아들이 적록 색맹일 확률은 얼마인지 쓰시오. (단, 돌연변이는 고려하지 않는다.)

12 그림은 철수네 집안의 적록 색맹 유전 가계도를 나타낸 것이다.

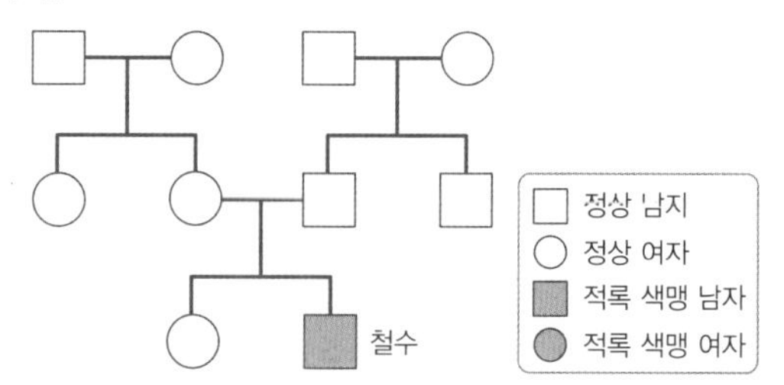

이에 대한 설명으로 옳은 것만을 〈보기〉에서 있는 대로 고른 것은? (단, 돌연변이는 고려하지 않는다.)

보기
ㄱ. 적록 색맹 대립유전자는 정상에 대해 열성이다.
ㄴ. 철수의 어머니가 보인자일 확률은 1이다.
ㄷ. 철수의 적록 색맹 대립유전자는 외할아버지로부터 어머니를 거쳐 전달된 것이다.

① ㄱ ② ㄴ ③ ㄱ, ㄴ
④ ㄱ, ㄷ ⑤ ㄴ, ㄷ

13 그림은 어떤 유전병에 대한 철수네 집안의 유전자형과 유전병의 여부를 나타낸 것이다. H와 h는 유전병에 대한 대립유전자이다.

아버지	어머니	철수
h h (X), Y	H H (X), h h (X)	h h (X), Y
유전병	정상	유전병

이에 대한 설명으로 옳은 것만을 〈보기〉에서 있는 대로 고른 것은?

〈보기〉
ㄱ. 이 유전병은 정상에 대해 열성이다.
ㄴ. 이 유전병은 반성유전에 해당된다.
ㄷ. 철수의 여동생이 태어났을 때, 유전병일 확률은 $\frac{1}{2}$이다.

① ㄱ ② ㄴ ③ ㄱ, ㄷ
④ ㄴ, ㄷ ⑤ ㄱ, ㄴ, ㄷ

[14~15] 다음은 영수네 집안의 유전병 (가)에 대한 설명이다. (단, 돌연변이는 고려하지 않는다.)

- 유전병 유전자는 성염색체에 존재한다.
- 어머니와 영수는 유전병 (가)가 발현되었다.
- 아버지와 형, 여동생은 정상이다.

14 이에 대한 설명으로 옳은 것만을 〈보기〉에서 있는 대로 고른 것은?

〈보기〉
ㄱ. 유전병 (가)의 대립유전자는 X 염색체에 있다.
ㄴ. 어머니의 유전병 (가)의 유전자형은 이형 접합성이다.
ㄷ. 유전병 (가)는 여자보다 남자에게서 많이 나타난다.

① ㄱ ② ㄴ ③ ㄱ, ㄴ
④ ㄴ, ㄷ ⑤ ㄱ, ㄴ, ㄷ

15 영수가 정상인 여자와 결혼해서 딸을 낳았을 때, 이 딸이 유전병 (가)일 확률로 옳은 것은?

① $\frac{1}{4}$ ② $\frac{1}{3}$ ③ $\frac{1}{2}$ ④ $\frac{3}{4}$ ⑤ 1

C 다인자 유전

16 다인자 유전에 대한 설명으로 옳은 것만을 〈보기〉에서 있는 대로 고른 것은?

〈보기〉
ㄱ. 여러 쌍의 대립유전자가 관여한다.
ㄴ. 다인자 유전의 예로 ABO식 혈액형 유전이 있다.
ㄷ. 표현형의 개체 수를 조사하면 중간값이 가장 큰 정규 분포 곡선을 나타낸다.

① ㄱ ② ㄴ ③ ㄱ, ㄷ
④ ㄴ, ㄷ ⑤ ㄱ, ㄴ, ㄷ

17 그림은 어떤 학교에서 학생들의 미맹 여부와 키의 분포를 조사하여 나타낸 것이다.

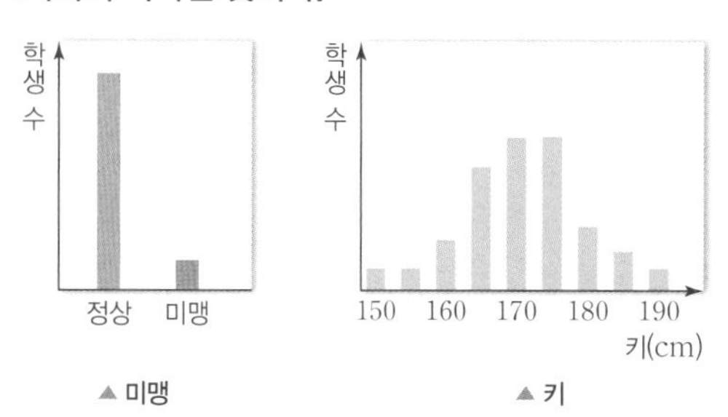

▲ 미맹 ▲ 키

이에 대한 설명으로 옳은 것만을 〈보기〉에서 있는 대로 고른 것은?

〈보기〉
ㄱ. 미맹은 우열 관계가 뚜렷하다.
ㄴ. 키의 표현형은 연속 변이로 나타난다.
ㄷ. 미맹과 키는 모두 다인자 유전 형질이다.

① ㄱ ② ㄴ ③ ㄱ, ㄴ
④ ㄱ, ㄷ ⑤ ㄴ, ㄷ

단답형

18 다음은 사람의 피부색 유전 모델에 대한 설명이다.

- 사람의 피부색은 서로 다른 염색체에 의해서만 존재하는 3쌍의 대립유전자로 결정된다.
- A, B, C는 피부색을 검게 만드는 대립유전자이고, a, b, c는 피부색을 희게 만드는 대립유전자이다.
- 피부색은 유전자의 종류에 관계없이 A, B, C의 개수가 많을수록 검고, a, b, c의 수가 많을수록 희다.

유전자형이 AaBbCc인 남자와 여자가 결혼하여 아이가 태어날 때 이 아이가 부모와 같은 표현형일 확률을 쓰시오.

도전! 실력 올리기

01 그림은 어떤 유전병에 대한 가계도를 나타낸 것이다.

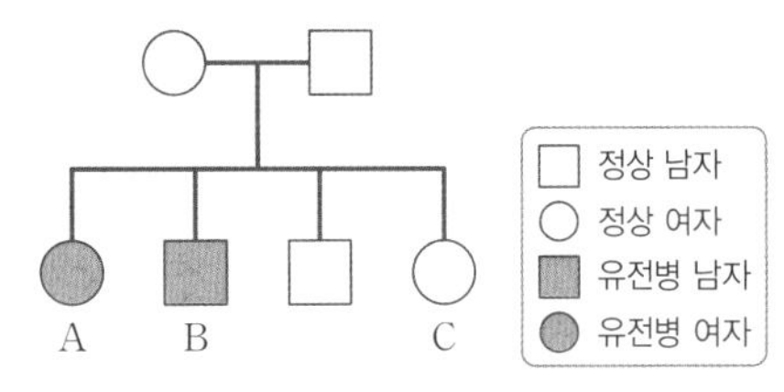

이에 대한 설명으로 옳은 것만을 〈보기〉에서 있는 대로 고른 것은? (단, 돌연변이는 고려하지 않는다.)

보기
ㄱ. 이 유전병 대립유전자는 X 염색체에 있다.
ㄴ. B는 어머니와 아버지로부터 유전병 대립유전자를 하나씩 물려받았다.
ㄷ. C의 유전자형이 이형 접합성일 확률은 $\frac{2}{3}$이다.

① ㄱ ② ㄷ ③ ㄱ, ㄴ ④ ㄴ, ㄷ ⑤ ㄱ, ㄴ, ㄷ

출제예감

02 그림은 어떤 집안의 유전병 X와 ABO식 혈액형에 대한 가계도를 나타낸 것이다.

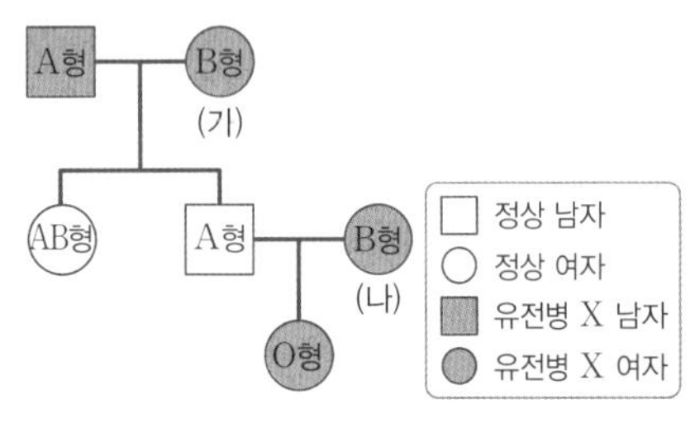

이에 대한 설명으로 옳은 것만을 〈보기〉에서 있는 대로 고른 것은?

보기
ㄱ. 유전병 X는 정상에 대해 열성이다.
ㄴ. 유전병 X는 반성유전에 해당한다.
ㄷ. (가)와 (나)의 ABO식 혈액형의 유전자형은 같다.

① ㄱ ② ㄷ ③ ㄱ, ㄴ ④ ㄴ, ㄷ ⑤ ㄱ, ㄴ, ㄷ

출제예감

03 표는 철수 어머니를 제외한 나머지 가족 구성원의 유전병 (가)의 유무를, 그림은 이 가족에서 유전병 (가)의 발현에 관여하는 대립유전자 A와 A*의 DNA 상대량을 나타낸 것이다.

가족	유전병 (가)
아버지	있음
철수	있음
누나	있음
형	없음

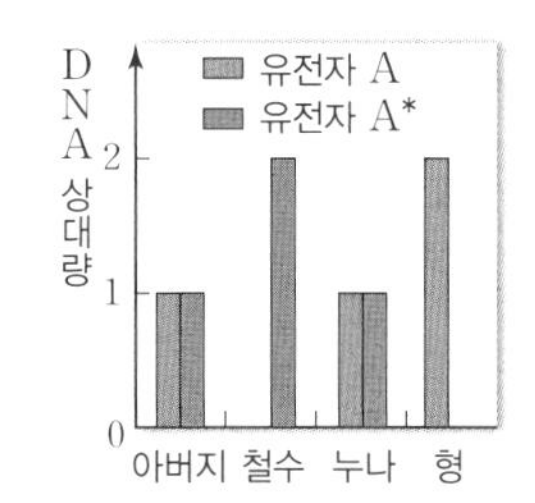

이에 대한 설명으로 옳은 것만을 〈보기〉에서 있는 대로 고른 것은? (단, 돌연변이는 고려하지 않는다.)

보기
ㄱ. 유전병 (가)는 정상에 대해 우성이다.
ㄴ. A와 A*는 상염색체에 있다.
ㄷ. 어머니는 A와 A*를 모두 가지고 있다.

① ㄱ ② ㄷ ③ ㄱ, ㄴ ④ ㄴ, ㄷ ⑤ ㄱ, ㄴ, ㄷ

04 그림 (가)는 어떤 유전병에 대한 철수네 집안의 가계도를, (나)는 어머니와 철수가 가지고 있는 유전병 대립유전자의 DNA 상대량을 나타낸 것이다.

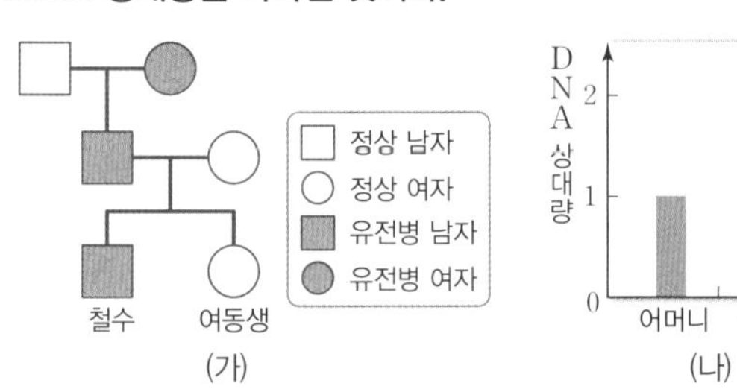

이에 대한 설명으로 옳은 것만을 〈보기〉에서 있는 대로 고른 것은? (단, 돌연변이는 고려하지 않는다.)

보기
ㄱ. 유전병은 정상에 대해 열성이다.
ㄴ. 유전병 대립유전자는 X 염색체에 있다.
ㄷ. 여동생은 보인자이다.

① ㄱ ② ㄷ ③ ㄱ, ㄴ ④ ㄴ, ㄷ ⑤ ㄱ, ㄴ, ㄷ

05 그림은 유전병 A와 B에 대한 가계도를 나타낸 것이다.

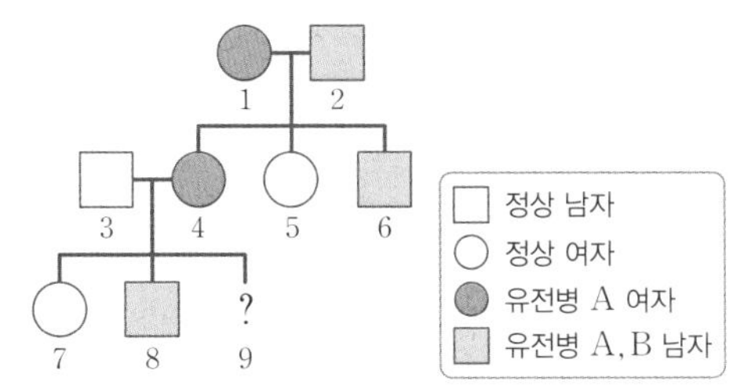

이에 대한 설명으로 옳은 것만을 〈보기〉에서 있는 대로 고른 것은? (단, 돌연변이는 고려하지 않으며, 유전병 B는 성염색체 유전 형질이다.)

〈보기〉
ㄱ. 1과 4의 유전병 A에 대한 유전자형은 이형 접합성이다.
ㄴ. 8의 유전병 B 대립유전자는 2에서부터 4를 통해 전달되었다.
ㄷ. 9가 유전병 A를 가진 남자일 확률은 $\frac{1}{2}$이다.

① ㄱ ② ㄴ ③ ㄱ, ㄴ
④ ㄴ, ㄷ ⑤ ㄱ, ㄴ, ㄷ

06 다음은 사람의 피부색 유전을 설명하기 위한 자료이다.

- 피부색은 서로 다른 염색체에 존재하는 3쌍의 대립유전자 A와 a, B와 b, D와 d에 의해 결정된다.
- 유전자 A, B, D는 피부색을 어둡게 하며, 종류에 상관없이 개수가 같으면 피부색은 동일하다.
- 유전자 a, b, d는 피부색을 밝게 하며, 종류에 상관없이 개수가 같으면 피부색은 동일하다.
- ㉠ 유전자형이 AaBbDd인 두 사람이 결혼하여 자손을 낳을 경우 자손에서 다양한 피부색이 나타날 수 있다.

이 자료에 대한 설명으로 옳은 것만을 〈보기〉에서 있는 대로 고른 것은? (단, 환경의 영향은 고려하지 않는다.)

〈보기〉
ㄱ. 피부색 유전은 복대립 유전이다.
ㄴ. 유전자형이 AaBbDd인 사람이 생성할 수 있는 생식세포의 유전자형은 8가지이다.
ㄷ. ㉠에서 AaBbDD의 피부색과 동일한 피부색을 가진 자손이 태어날 확률은 $\frac{15}{64}$이다.

① ㄱ ② ㄴ ③ ㄱ, ㄴ
④ ㄷ ⑤ ㄴ, ㄷ

07 그림은 어떤 집안의 ABO식 혈액형에 대한 가계도를 나타낸 것이다.

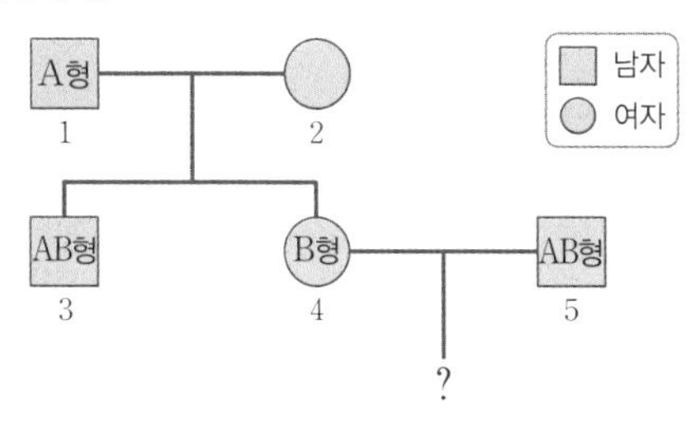

4와 5 사이에서 아이가 태어날 때, 이 아이가 2와 같은 ABO식 혈액형을 갖는 딸이 태어날 확률을 쓰시오. (단, 2의 ABO식 혈액형의 유전자형은 동형 접합성이며, 돌연변이는 고려하지 않는다.)

서술형

08 그림 (가)와 (나)는 각각 유전병 A와 B에 대한 가계도를 나타낸 것이다. 유전병 A와 B를 나타내는 유전자는 서로 다른 종류의 성염색체에 존재한다.

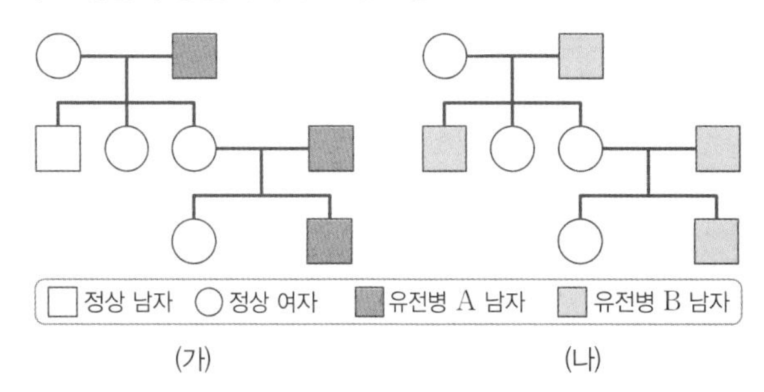

유전병 A와 B에 대한 대립유전자는 각각 X 염색체와 Y 염색체 중 어디에 존재하는지 쓰고, 그 까닭을 서술하시오. (단, 돌연변이는 고려하지 않는다.)

02 유전자 이상과 염색체 이상

핵심 키워드로 흐름잡기

- A 유전병, 유전자 돌연변이, 낫 모양 적혈구 빈혈증
- B 염색체 돌연변이, 염색체 구조 이상, 결실, 역위, 중복, 전좌
- C 염색체 수 이상, 염색체 비분리, 다운 증후군, 터너 증후군, 클라인펠터 증후군

A 유전자 이상

|출·제·단·서| 시험에는 유전자 이상으로 인한 질환의 발생 과정과 종류에 대한 자료 분석 문제가 나와.

1. 사람의 유전병 염색체나 유전자에 이상이 생겨 나타나는 질병으로, 사람의 유전병은 유전자 이상에 의한 •돌연변이❶와 염색체 이상에 의한 돌연변이로 나타날 수 있다.

암기TiP 유전자(DNA의 특정 염기 서열) 이상 → 단백질 이상 → 형질 이상

2. 유전자 돌연변이 유전자에 이상이 생겨 나타나는 돌연변이이다.

(1) 유전자 돌연변이의 발생 과정 DNA 염기 서열 변화 ➡ 유전자의 유전 정보 변화 ➡ 정상적인 단백질이 생성되지 않음 ➡ 비정상적인 표현형 발생

(2) 유전자 돌연변이 특징

① 멘델의 법칙에 따라 유전되며, 우성과 열성이 있다.

② 염색체의 구조나 수에는 영향을 주지 않아 핵형 분석으로는 알아낼 수 없고, 유전자 분석법이나 생화학적 분석법을 통해 알아낼 수 있다.

(3) 유전자 돌연변이에 의한 사람의 유전병 열성으로 유전되는 경우는 증상이 생존에 치명적이라도 유전자가 발현되지 않아 자손에게 유전병 유전자를 전달한다.

종류	특징
낫 모양 적혈구 빈혈증(열성)	헤모글로빈 유전자 이상으로 헤모글로빈의 구조가 변하고, 그 결과 적혈구가 낫 모양으로 변하여 악성 빈혈을 유발하는 유전병
페닐케톤뇨증❷ (열성)	페닐알라닌을 분해하는 효소의 결핍으로 체내에 페닐알라닌이 축적되고, 축적된 페닐알라닌이 페닐케톤으로 바뀌어 중추 신경계에 손상을 일으키는 유전병
알비노증 (열성)	멜라닌 합성 효소가 결핍되어 멜라닌 색소를 만들지 못해 눈, 피부, 머리카락 등에 색소가 결핍되는 유전병
낭성 섬유증 (열성)	상피 세포의 물질 수송 단백질이 정상적으로 합성되지 않아 점액 생성에 이상이 생겨 폐와 소화 기관의 기능에 영향을 미치는 유전병
헌팅턴 무도병❸ (우성)	뇌세포를 점차적으로 손상시키는 비정상 단백질이 합성되어 지적 장애가 생기고 머리와 팔다리의 움직임이 통제되지 않는 유전병

헌팅턴 무도병과 같이 우성으로 유전되는 경우는 대체로 자손을 남긴 이후의 연령에서 형질이 발현되는 경우가 많아 유전병 유전자가 다음 세대로 전달된다.

빈출 자료 낫 모양 적혈구 빈혈증 탐구 POOL

정상 헤모글로빈	구분	낫 모양 적혈구 헤모글로빈
3′ C T C 5′ 5′ G A G 3′	DNA	3′ C A C 5′ 5′ G T G 3′
글루탐산	아미노산 배열	발린
헤모글로빈들이 서로 엉기지 않아 원반 모양의 적혈구 형성 → 각 분자들이 산소를 운반함 모세 혈관을 자유롭게 통과하는 정상 적혈구	특징	헤모글로빈들이 엉겨 낫 모양 적혈구 형성 → 산소 운반 능력이 현저히 감소함 모세 혈관을 자유롭게 통과하지 못하는 낫 모양 적혈구

❶ 헤모글로빈 합성과 관련된 유전자의 DNA 염기 서열에 이상이 생겨 헤모글로빈을 구성하는 폴리펩타이드의 6번째 아미노산이 글루탐산에서 발린으로 바뀐다.

❷ 아미노산 서열의 변화는 단백질 구조의 변화를 일으켜 비정상적인 헤모글로빈을 형성한다.

❸ 돌연변이 헤모글로빈은 낮은 산소 농도에서 적혈구를 낫 모양으로 변화시킨다.

❹ 낫 모양 적혈구는 산소 운반 능력이 떨어져 악성 빈혈을 유발한다.

❶ **돌연변이**
생물의 형질을 결정하는 유전자 또는 염색체에 이상이 생기는 것으로, 흔히 볼 수 없는 새로운 표현형이 나타날 수 있다.

❷ **페닐케톤뇨증**
신생아의 선천성 대사 이상 검사를 통해 진단 가능하고, 페닐알라닌이 포함된 단백질 섭취를 제한하면 병의 진행을 늦출 수 있다.

❸ **헌팅턴 무도병**
대표적인 우성 유전병으로, 대부분 중년에 이르러서야 증세가 나타나므로 유전자가 자손에게 전달된다.

? 돌연변이를 유발하는 요인은 무엇이 있을까?
돌연변이는 자연적으로 발생하기도 하지만 환경에 따른 돌연변이 유발원에 의해 발생하는 비율이 더 높다. X선이나 γ선과 같은 방사선, 이상 고온, 타르 등 화학 발암 물질의 대부분이 돌연변이 유발원이다.

용어 알기
•돌연변이(갑자기 突, 그러할 然, 변할 變, 다를 異) DNA의 유전 정보가 여러 가지 까닭으로 갑자기 변화하여 형질이 변하고 이것이 후대에게까지 전달되는 현상

B 염색체 이상

|출·제·단·서| 자료를 통해 염색체 구조와 수의 이상을 구분하고, 그 과정을 분석하는 문제가 시험에 나와.

1. 염색체 돌연변이 염색체 이상에 의해 나타나는 돌연변이이며, 핵형 분석으로 확인할 수 있다. 염색체 돌연변이는 염색체 구조에 이상이 생긴 경우와 염색체 수에 이상이 생긴 경우로 구분한다.

2. 염색체 구조 이상

(1) 염색체 구조의 변화

① 생식세포 형성 시 염색체의 일부 부위에서 이상이 발생할 수 있다.

② 염색체 수는 정상이지만 염색체 구조의 이상으로 유전자가 없어지거나 유전자 발현에 영향을 주어 표현형이 바뀔 수 있다.

③ 염색체 구조 이상은 핵형 분석으로 정상 핵형과 비교하여 확인할 수 있다.

④ 염색체 구조 이상이 일어난 부위에는 많은 유전자가 포함되어 있어서 심각한 유전병이나 암 등을 유발할 수 있으며, 불임이나 유산의 원인이 될 수 있다.

(2) 염색체 구조 이상의 종류 결실과 전좌가 동시에 일어나는 등 2가지 구조 이상이 함께 일어나는 경우도 있다.

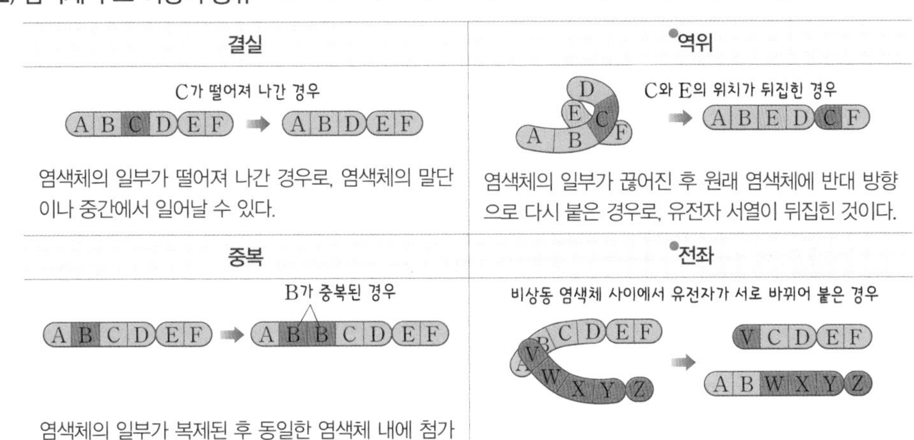

결실	•역위
염색체의 일부가 떨어져 나간 경우로, 염색체의 말단이나 중간에서 일어날 수 있다.	염색체의 일부가 끊어진 후 원래 염색체에 반대 방향으로 다시 붙은 경우로, 유전자 서열이 뒤집힌 것이다.
중복	**•전좌**
염색체의 일부가 복제된 후 동일한 염색체 내에 첨가되어 특정 유전자 부위가 1번 이상 반복되어 나타나는 경우이다.	염색체의 일부가 떨어진 후 상동 염색체가 아닌 다른 염색체에 붙은 경우이다.

(3) 염색체 구조 이상에 의한 사람의 유전병❹ 결실로 발생하는 유전병❺으로는 고양이 울음 증후군과 윌리암스 증후군이 있고, 전좌로 발생하는 유전병으로는 만성 골수성 백혈병이 있다.
만성 골수성 백혈병은 10만 명당 환자가 1~2명 정도 발생하며, 중년층 이상에서 주로 발생한다.

빈출 자료 염색체 구조 이상에 의한 사람의 유전병

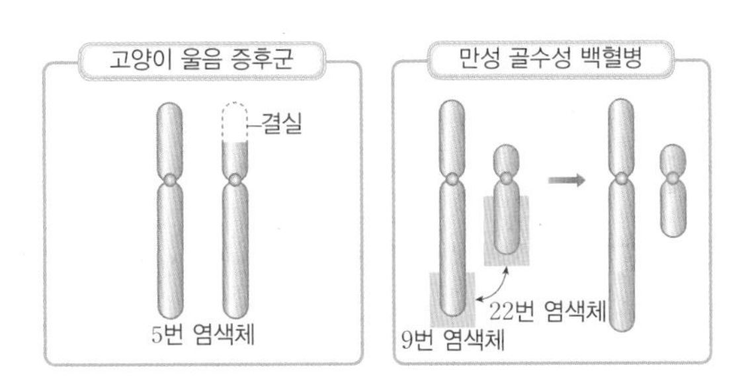

❶ **고양이 울음 증후군:** 5번 염색체의 특정한 부분이 결실되어 생긴다. 아이의 울음소리가 고양이 울음소리처럼 들린다. 머리가 작고 지적 장애를 보이며, 보통 유아 시절에 사망한다.

❷ **만성 골수성 백혈병:** 9번 염색체와 22번 염색체 끝 부분이 전좌되어 생긴다. 혈액 세포를 만드는 조혈 모세포에 이상이 생기는 질병이다. 전좌로 인해 두 유전자가 융합되어 발암 단백질이 생겨나고 그 결과 백혈구가 암세포로 변해 과도하게 증식한다.

❓ 사람에게는 유전자 이상 질환과 염색체 이상 질환 중 무엇이 더 많을까?
유전자의 수가 염색체의 수보다 훨씬 많으므로 유전자 돌연변이가 염색체 돌연변이보다 더 많다. 유전자 돌연변이는 DNA 염기 서열에 이상이 생긴 것으로 사람의 생존에 치명적으로 작용하지 않는 경우가 많다. 그러나 염색체의 구조나 수 이상에 의한 돌연변이는 유전자의 결손이 크기 때문에 정상적으로 생장하지 못하거나 생존이 어려우며, 자손을 남기지 못하는 경우가 많다.

❹ 유전병
유전병은 유전으로 자손에게 전해지는 병을 뜻하기도 하지만, 넓은 의미로는 유전자나 염색체 등의 유전체가 원인이 되어 나타나는 질병을 말한다. 만성 골수성 백혈병은 부모로부터 유전되는 병은 아니지만 염색체의 이상으로 유전병으로 불린다.

❺ 결실로 발생하는 유전병
고양이 울음 증후군과 윌리암스 증후군이 있다. 그중 윌리암스 증후군은 7번 염색체의 특정 부위가 결실되어 큰 입, 납작한 콧마루 등 특징적인 얼굴과 뇌 손상이 발생하고 심장 기형, 콩팥 손상, 근육 약화 등의 장애가 생기는 경우가 있다.

용어 알기
•역위 (거스를 逆, 자리 位) (inversion) 염색체의 일부가 역전된 경우
•전좌 (구를 轉, 자리 座) (translocation) 단일 염색체의 일부가 다른 염색체로 전이하는 경우

3. 염색체 수 이상[6]

생식세포 형성 과정에서 염색체가 비분리되어 특정 염색체의 수가 많거나 적어진 생식세포가 만들어지고, 염색체 수가 정상($2n$)보다 1~2개 많거나 적은 자손이 태어나는 경우가 있다. 염색체 수 이상은 핵형 분석으로 정상 핵형과 비교하여 확인할 수 있다.
(이수성 돌연변이)

> **❻ 염색체 수 이상**
> 염색체 수 이상은 특정 염색체의 수가 많아지거나 적어지는 이수성 돌연변이가 있고, 염색체가 한 벌 단위(n, $3n$, $4n$, … 등)로 변화하는 배수성 돌연변이가 있다. 사람에게서 볼 수 있는 돌연변이는 모두 이수성 돌연변이이다.

(1) 염색체 ●비분리 현상

① 생식세포 형성 과정에서 일부 염색체 또는 모든 염색체가 분리되지 않고 동일한 딸세포로 이동하는 현상이다. 감수 분열 과정에서 모든 염색체가 비분리되어 염색체 수가 한 벌(n) 단위로 변화되는 경우도 있다.

② 감수 1분열에서 상동 염색체가 비분리되거나 감수 2분열에서 염색 분체가 비분리될 수 있다.

③ 상염색체가 비분리되거나 성염색체가 비분리될 수 있다.

(2) 염색체 비분리가 일어나는 과정

감수 1분열과 감수 2분열 중 염색체 비분리가 일어나는 시기에 따라 염색체 구성에 따른 생식세포의 종류가 다르다.

① **감수 1분열에서만 염색체 비분리가 일어나는 경우:** 1개의 모세포가 감수 분열을 거치는 과정에서 감수 1분열 중 1쌍의 상동 염색체가 비분리되고, 감수 2분열은 정상적으로 진행되어 4개의 딸세포가 형성되었을 때

➡ 딸세포 2개는 염색체 수가 1개 적고($n-1$), 다른 2개는 염색체 수가 1개 많다($n+1$).

② **감수 2분열에서만 염색체 비분리가 일어나는 경우:** 1개의 모세포에서 감수 1분열이 정상적으로 진행되어 형성된 2개의 세포 중 1개의 세포에서 감수 2분열 중 염색체 1개의 염색 분체가 비분리되었을 때

➡ 염색체 비분리가 일어나 형성된 2개의 딸세포 중 하나는 염색체 수가 1개 많고($n+1$) 다른 하나는 염색체 수가 1개 적으며($n-1$), 다른 2개의 딸세포는 정상(n)이다.

암기TiP 감수 2분열에서 비분리가 일어나면 정상적인 염색체 수를 갖는 생식세포가 형성된다.

> **배수체**
> 감수 분열 과정에서 모든 염색체가 비분리되면, 염색체 수가 $3n$, $4n$과 같이 배수로 증가할 수 있는데, 이러한 개체를 배수체라고 한다. 식물의 배수체는 농작물을 육종하는 과정에서 많이 이용된다. 씨 없는 수박($3n$)은 보통의 수박에 염색체 비분리를 유발하는 콜히친을 처리하여 얻은 4배체($4n$)와 2배체($2n$)의 교배로 얻은 것이다. 우리나라에 서식하는 일부 붕어는 자연 상태에서 생성된 3배체($3n$)이다.

빈출 자료 감수 분열에서의 염색체 비분리

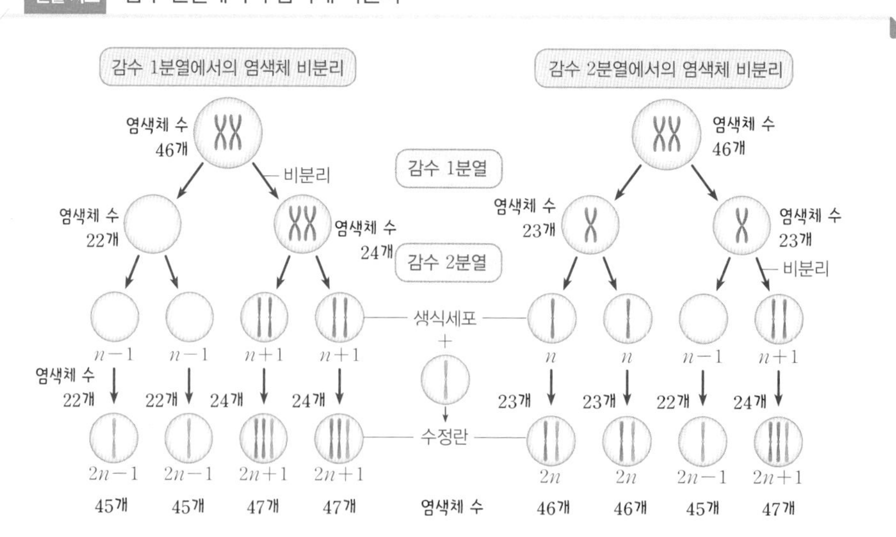

❶ 감수 1분열에서 상동 염색체의 비분리가 일어나면 모든 생식세포의 염색체 수가 정상(n)보다 많거나($n+1$) 적어진다($n-1$).

❷ 감수 2분열에서 염색 분체의 비분리가 일어나면 염색체 수가 비정상적인 생식세포($n+1$, $n-1$)와 정상적인 생식세포(n)가 모두 만들어진다.

❸ 염색체 비분리로 인해 염색체 수가 많거나($n+1$) 적은($n-1$) 정자(혹은 난자)가 정상 난자(혹은 정자)와 수정하면 염색체 수가 $2n+1$ 또는 $2n-1$인 수정란이 만들어지며, 이 수정란이 태아로 발생하면 염색체 수에 이상이 있는 아이가 태어난다.

> **❓ 감수 2분열에서 염색 분체가 분리되지 않았을 때 분리되지 않은 염색 분체는 어떻게 세는 것일까?**
> 감수 2분열에서 염색 분체가 비분리되었다는 것은 두 염색 분체가 각각의 딸세포에 나뉘어 들어가지 않았음을 의미한다. 두 염색 분체가 붙어 있는 채로 딸세포에 들어갔더라도 이를 하나의 염색체로 간주하는 것이 아니라 염색체 수가 하나 더 증가한 것으로 간주한다.

> **용어 알기**
> ●비분리(아닐 非, 나눌 分, 떼놓을 離) 감수 분열 과정에서 쌍을 이루고 있는 염색체가 분리되지 않고 한쪽 극으로 이동하는 현상

(3) 염색체 수 이상에 의한 사람의 유전병

염색체에는 수많은 유전자가 들어 있으므로 염색체 수가 정상과 다를 경우 심각한 유전병이 나타나는 원인이 된다.

① **상염색체 수 이상에 의한 유전병:** 남녀 모두에게 나타날 수 있으며, 대표적으로 다운 •증후군이 있다.

유전병	염색체 구성	특징
다운 증후군❼	45+XX(여자) 45+XY(남자)	• 21번 염색체가 3개이다. • 일반적으로 머리가 작고, 양쪽 눈 사이가 멀며 지적 장애, 심장 기형, 조기 노화 등이 나타난다.
에드워드 증후군	45+XX(여자) 45+XY(남자)	• 18번 염색체가 3개이다. • 심한 지적 장애를 가지고 있고, 거의 모든 장기 기형으로 유아기에 대부분 사망한다.

② **성염색체 수 이상에 의한 유전병** 개념 POOL: 성염색체 구성에 따라 유전병이 나타나며 성별이 구분된다. 대표적인 예로 터너 증후군과 클라인펠터 증후군이 있다.

유전병	염색체 구성	특징
터너 증후군❽	44+X(여자)	• 성염색체로 X 염색체를 1개만 가진다. • 외관상 여자이지만 생식 기관이 제대로 발달하지 않아 불임이다.
클라인펠터 증후군❾	44+XXY(남자)	• 성염색체로 X 염색체 2개, Y 염색체 1개를 가진다. • 외관상 남자이지만 정소가 비정상적으로 작고 불임이며, 유방 발달과 같은 여자의 신체적 특징이 나타난다.

빈출 탐구 성염색체 수 이상과 적록 색맹 유전

적록 색맹 유전 가계도와 핵형 분석을 통해 성염색체의 비분리 과정을 설명할 수 있다.

과정

① 철수네 집안의 적록 색맹 가계도를 보고 철수네 가족 구성원의 적록 색맹 유전자형을 모두 써 본다.

② 철수의 핵형에서 나타난 유전병을 판별하고, 염색체 이상 유전병이 나타난 과정을 설명한다.

결과

적록 색맹 가계도는 다음과 같고, A~I의 핵형은 모두 정상이며 철수의 핵형에 다음과 같은 이상이 있다.

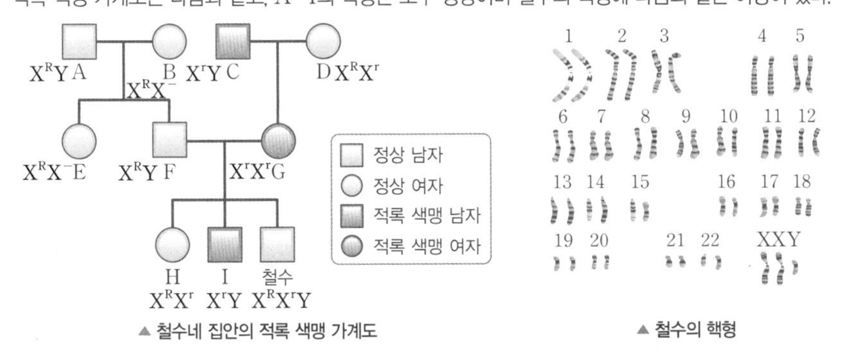

▲ 철수네 집안의 적록 색맹 가계도

▲ 철수의 핵형

정리 (암기TIP) X 염색체와 Y 염색체를 모두 갖는 정자는 감수 1분열에서 성염색체 비분리로 생성된다!

부모의 생식세포 형성 시 염색체 비분리가 부모 중 한 명에서 1회만 일어났다고 가정할 때 철수에게 염색체 이상 유전병이 나타나게 된 과정

- 정상 대립유전자를 X^R, 적록 색맹 대립유전자를 X^r로 표시할 경우 철수의 성염색체 구성은 XXY이므로 적록 색맹인 어머니로부터 X^rX^r, 아버지로부터 Y를 받은 경우와 어머니로부터 X^r, 아버지로부터 X^RY를 받은 경우 2가지가 가능하다. 이 중 철수가 적록 색맹이 아님을 만족시키는 경우는 어머니로부터 X^r, 아버지로부터 X^RY를 받아 X^RX^rY인 경우이다.
- 철수의 성염색체 구성은 감수 1분열에서 성염색체가 비분리되어 형성된 정자(22+XY)와 정상 난자(22+X)가 수정된 경우이다.

❼ 다운 증후군

700~800명 중 1명 꼴로 나타나는 흔한 유전병으로 1866년 존 랭던 다운이라는 영국 의사에 의해서 처음 보고되었다. 1959년에 다운 증후군 환자에게 21번 염색체가 1개 더 존재한다는 것이 밝혀졌다. 의학 기술의 발달로 환자의 생존율이 높아져 평균 수명이 50세 정도이다.

❽ 터너 증후군

여아 2500~3500명 중 1명 꼴로 나타나는 흔한 유전병으로, 1938년 키가 작고 목이 짧고 두꺼우며 성적 발달이 지연된 여자 환자들에 대해 처음 발표한 헨리 터너라는 학자의 이름에서 명명되었다. 1959년 터너 증후군의 원인이 성염색체 이상임이 알려졌다.

❾ 클라인펠터 증후군

남아 1000명 중 1명 꼴로 나타나는 흔한 유전병으로, 1942년 클라인펠터 등이 고환이발생증과 여성형 유방의 임상 증상을 처음 기술하면서 명명되었다. 1959년 클라인펠터 증후군의 원인이 X 염색체가 하나 더 많은 성염색체 이상 질환임이 밝혀졌다.

용어 알기

• **증후군(증세 症, 물을 候, 무리 群)(syndrome)** 어떤 공통성이 있는 몇 가지 증후가 함께 나타나는 병적 증세로, 원인 규명이 정확하게 되지 않은 상태에서 여러 가지 증상들이 복합적으로 나타나는 질병

감수 분열과 성염색체 비분리

목표 감수 분열 과정에서 성염색체 비분리가 일어난 생식세포와 나타날 수 있는 유전병의 종류를 알 수 있다.

1 정자 형성 과정: 성염색체의 정상 분열과 염색체 비분리

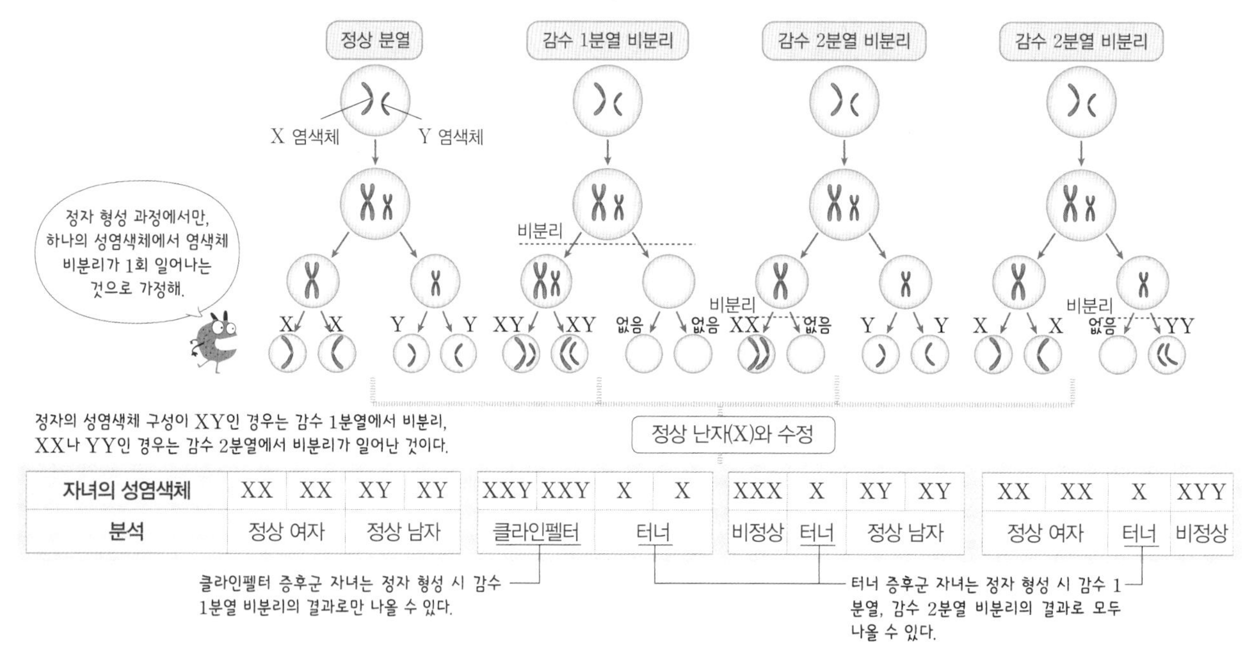

2 난자 형성 과정: 성염색체의 정상 분열과 염색체 비분리

난자 형성 시 감수 1분열, 감수 2분열 비분리의 결과로 터너 증후군, 클라인펠터 증후군 자녀가 모두 나올 수 있다.

한·줄·핵심 정자 형성 시 성염색체 비분리로 클라인펠터 증후군 자녀가 나타났다면 비분리 시점은 감수 1분열이다.

확인 문제

정답과 해설 64쪽

01 클라인펠터 증후군 자녀가 나올 수 있는 경우에는 어떤 것이 있는지 정자와 난자의 감수 분열 과정에서의 비분리와 관련지어 서술하시오.

02 다음 설명 중 옳은 것은 ○, 옳지 않은 것은 ×로 표시하시오.

(1) 감수 분열에서 염색체 비분리는 성염색체에서만 일어난다. ( )

(2) 감수 2분열에서 염색체 비분리가 일어났을 때 형성된 난자와 정상 정자의 수정으로 핵형이 정상인 자녀가 태어날 수 있다. ( )

낫 모양 적혈구의 형성

목표 탐구 활동을 통해 산소가 부족할 때 낫 모양 적혈구의 변형이 어떻게 일어나는지 설명할 수 있다.

유의점

- 마이크로튜브의 뚜껑을 제거할 때 손을 다치지 않도록 주의한다.
- 점토로 적혈구를 만들 때에는 일정한 크기의 점토 덩어리를 여러 개 미리 만든 후 형태를 만든다.

과정 속 모형이 갖는 의미

모형	의미
뚜껑이 있는 마이크로튜브	정상 헤모글로빈
뚜껑이 없는 마이크로튜브	돌연변이 헤모글로빈
뚜껑이 있는 마이크로튜브가 든 풍선	산소가 부족한 상태의 정상 적혈구
뚜껑이 없고 서로 연결된 마이크로튜브가 든 풍선	산소가 부족한 상태의 낫 모양 적혈구
Y자형 연결관	모세 혈관

이런 실험도 있어요!

★ 천재 교과서에만 나오는 내용이다.

비즈와 물 풍선을 이용한 낫 모양 적혈구의 막 변형 현상 모의 활동

공 모양 비즈 10개를 낱개로 넣은 물 풍선(정상 적혈구)과 같은 비즈 10개를 실에 꿰어 넣은 물 풍선(낫 모양 적혈구)을 만들고 좁은 길(모세 혈관)에 굴려 보면서 움직임의 차이를 비교한다.

과정

탐구 1

❶ 마이크로튜브 준비하기

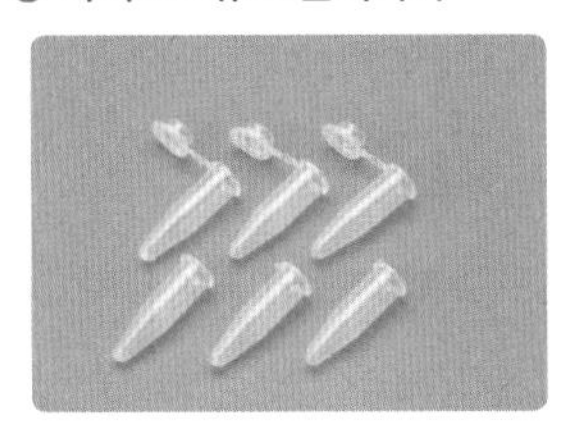

1.5 mL 마이크로튜브 6개 중 3개는 뚜껑을 그대로 두고, 다른 3개는 뚜껑을 제거한다.

❷ 풍선 안에 마이크로튜브 넣기

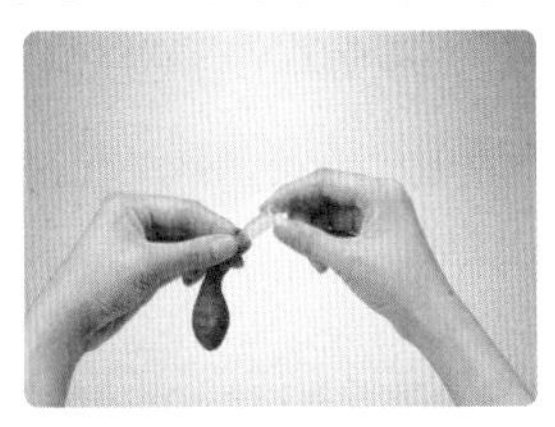

2개의 풍선 중 하나에는 뚜껑을 닫은 마이크로튜브를, 다른 하나에는 뚜껑을 없앤 마이크로튜브를 각각 3개씩 넣는다.

❸ 풍선 속 마이크로튜브 연결하기

뚜껑이 없는 튜브는 풍선을 늘려 풍선 속에서 연결하고 뚜껑이 있는 튜브는 그대로 둔 다음, 두 풍선의 모습을 비교한다.

탐구 2

❶ 정상 적혈구와 낫 모양 적혈구 점토 모형 만들기

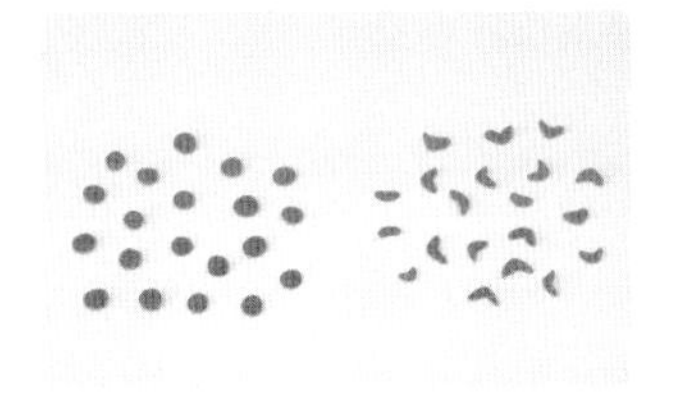

점토를 이용하여 정상적인 모양의 적혈구와 낫 모양 적혈구 모형을 각각 20개씩 만든다.

❷ Y자형 연결관에 두 가지 적혈구 모형을 통과시키고 비교하기

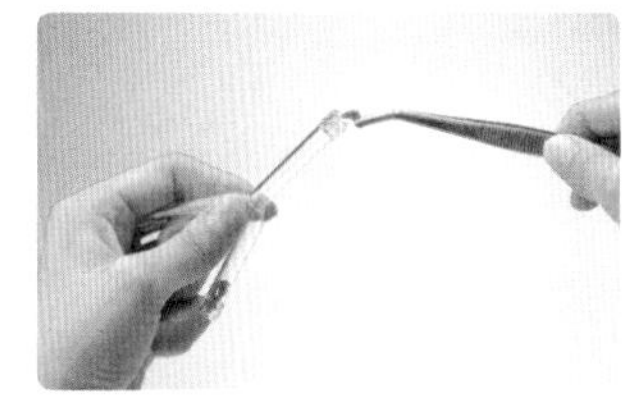

Y자형 연결관에 점토로 만든 정상 적혈구와 낫 모양 적혈구 모형을 각각 통과시켜 이동 상태를 관찰하고 비교한다.

결과

적혈구 모형	정상 적혈구	낫 모양 적혈구
탐구 1 완성된 풍선의 모습	둥근 모양	길쭉한 모양
탐구 2 Y자형 연결관에 통과시켰을 때 이동 상태	자연스럽게 이동함	적혈구가 관에 걸리는 현상으로 인해 이동하지 못함

정리 및 해석

(비정상 단백질: 돌연변이 헤모글로빈 / 환경에 의한 단백질 구조 변화: 산소가 부족할 때 여러 분자가 결합하면서)

유전자 이상으로 인한 돌연변이 헤모글로빈이 산소가 부족할 때 여러 분자가 결합하면서 낫 모양 적혈구가 형성되는데, 낫 모양 적혈구는 모세 혈관을 쉽게 통과하지 못한다.

한·줄·핵심 돌연변이 헤모글로빈으로 인해 낫 모양 적혈구가 형성되면 산소의 운반과 혈액의 이동에 문제가 발생한다.

확인 문제

정답과 해설 64쪽

01 탐구 1의 과정 ❶에서 뚜껑이 제거된 마이크로튜브(가)와 과정 ❸에서 서로 연결된 마이크로튜브(나)는 각각 무엇을 뜻하는지 쓰시오.

02 탐구 1, 2의 결과로 알 수 있는 낫 모양 적혈구의 형성이 체내에 미치는 문제점이 무엇인지 서술하시오.

콕콕!
개념 확인하기

정답과 해설 65쪽

✔ 잠깐 확인!

1. ☐☐☐ 돌연변이
DNA 염기 서열에 이상이 생겨 나타나는 돌연변이

2. ☐☐☐
유전자나 염색체의 이상으로 발생하는 질병

3. 낫 모양 적혈구 빈혈증은 ☐☐☐☐☐ 유전자의 이상으로 발생한다.

4. ☐☐
염색체의 일부가 복제되어 같은 부분이 반복되는 염색체 구조 이상

5. 고양이 울음 증후군은 5번 염색체의 ☐☐에 의해 나타난다.

6. ☐☐ ☐☐☐
21번 염색체가 3개로, 지적 장애와 심장 기형을 동반하는 염색체 수 이상 질환

7. ☐☐☐
클라인펠터 증후군의 성염색체 구성

8. 다운 증후군과 같이 ☐염색체 수에 이상이 생긴 경우에는 남녀 모두에게서 나타날 수 있다.

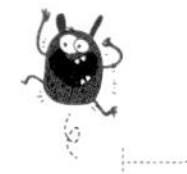

A 유전자 이상

01 유전병에 대한 설명으로 옳은 것은 ○, 옳지 않은 것은 ×로 표시하시오.

(1) 유전병은 유전자 이상으로만 발생한다. ( )

(2) 유전자 이상은 핵형 분석으로 확인할 수 있다. ( )

(3) DNA 염기 서열 이상으로 유전자 돌연변이가 발생한다. ( )

(4) 유전자 이상으로 인한 유전병에는 우성인 것과 열성인 것이 있다. ( )

02 유전자 이상으로 인한 유전병 중 헤모글로빈 유전자에 이상이 생겨 낫 모양 적혈구가 형성되는 질환이 있다. 이 유전병은 무엇인지 쓰시오.

B 염색체 이상

03 염색체 구조 이상의 특징과 명칭을 옳게 연결하시오.

(1) 염색체의 일부가 끊어진 다음 반대 방향으로 다시 붙은 경우 • • ㉠ 결실

(2) 염색체의 일부가 없어진 경우 • • ㉡ 전좌

(3) 염색체의 일부가 상동이 아닌 다른 염색체에 옮겨 붙는 경우 • • ㉢ 역위

04 다음은 어떤 유전병에 대한 설명을 나타낸 것이다. 이 유전병이 무엇인지 쓰시오.

- 성염색체로 X 염색체 하나만 가진다.
- 외관상 여자이지만 생식 기관이 제대로 발달하지 않아 불임이다.

05 다운 증후군, 터너 증후군, 클라인펠터 증후군인 사람의 체세포 1개당 염색체 수를 각각 쓰시오.

06 다음은 염색체 수 이상에 대한 설명이다. ㉠, ㉡에 들어갈 알맞은 말을 쓰시오.

염색체 수의 이상은 생식세포를 형성하는 (㉠) 과정에서 염색체가 분리되지 않는 (㉡) 현상에 의해 나타난다.

탄탄! 내신 다지기

정답과 해설 65쪽

A 유전자 이상

01 돌연변이에 대한 설명으로 옳은 것만을 〈보기〉에서 있는 대로 고른 것은?

보기
ㄱ. DNA 염기 서열의 변화에 의해 일어날 수 있다.
ㄴ. 염색체 수와 구조의 변화에 의해 일어날 수 있다.
ㄷ. 유전적인 요인에 의해 일어나며, 환경의 영향은 없다.

① ㄱ ② ㄷ ③ ㄱ, ㄴ
④ ㄴ, ㄷ ⑤ ㄱ, ㄴ, ㄷ

02 유전자 돌연변이에 대한 설명으로 옳지 않은 것은?

① DNA 염기 서열에 이상이 생긴 경우이다.
② 유전자 돌연변이는 핵형 분석으로 확인할 수 있다.
③ 페닐케톤뇨증은 유전자 돌연변이에 의한 유전병이다.
④ 유전자 이상으로 단백질이 생성되지 않거나 정상적인 기능을 하지 못하는 단백질을 생성한다.
⑤ 열성으로 유전되는 유전병은 돌연변이가 일어난 유전자가 있는 사람이라도 발병하지 않을 수 있다.

03 유전자 돌연변이에 의한 유전병으로 옳은 것만을 〈보기〉에서 있는 대로 고른 것은?

보기
ㄱ. 다운 증후군 ㄴ. 고양이 울음 증후군
ㄷ. 헌팅턴 무도병 ㄹ. 낭성 섬유증

① ㄱ, ㄴ ② ㄱ, ㄹ ③ ㄴ, ㄷ
④ ㄷ, ㄹ ⑤ ㄴ, ㄷ, ㄹ

04 낫 모양 적혈구 빈혈증에 대한 설명으로 옳은 것만을 〈보기〉에서 있는 대로 고른 것은?

보기
ㄱ. 유전자 이상으로 인한 유전병이다.
ㄴ. 5번 염색체의 결실로 인해 발생한다.
ㄷ. 정상 적혈구에 비해 모세 혈관을 통과하기 어렵다.

① ㄱ ② ㄷ ③ ㄱ, ㄴ
④ ㄱ, ㄷ ⑤ ㄴ, ㄷ

B 염색체 이상

05 다음은 염색체 구조 이상인 (가)와 (나)에 대한 설명이다.

(가) 염색체의 일부가 복제된 후 동일한 염색체 내에 첨가되어 특정 유전자 부위가 한 번 이상 반복되어 나타나는 경우
(나) 염색체의 일부가 떨어진 후 상동 염색체가 아닌 다른 염색체에 붙은 경우

(가)와 (나)의 명칭을 옳게 연결한 것은?

	(가)	(나)
①	결실	역위
②	중복	전좌
③	역위	결실
④	전좌	중복
⑤	중복	역위

단답형

06 그림은 정상 염색체 (가)가 돌연변이 염색체 (나)가 되는 과정을 나타낸 것이다.

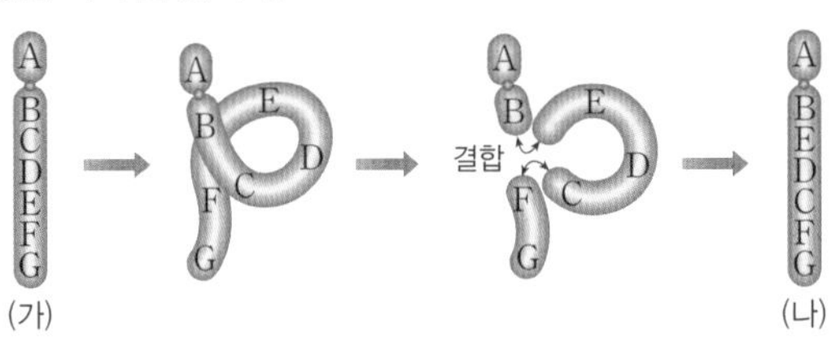

이러한 돌연변이를 무엇이라고 하는지 쓰시오.

07 그림은 고양이 울음 증후군 환자의 핵형 분석 결과이다.

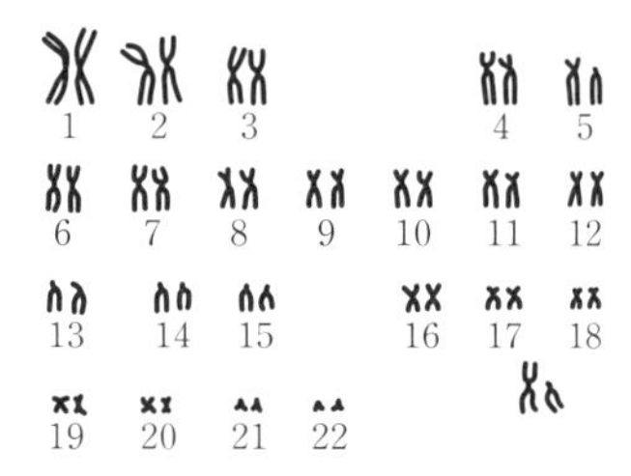

이에 대한 설명으로 옳은 것만을 〈보기〉에서 있는 대로 고른 것은?

> 보기
> ㄱ. 염색체 수가 정상과 다르다.
> ㄴ. 성염색체에 돌연변이가 일어났다.
> ㄷ. 결실이 일어난 염색체가 있음을 알 수 있다.

① ㄱ ② ㄷ ③ ㄱ, ㄴ
④ ㄴ, ㄷ ⑤ ㄱ, ㄴ, ㄷ

08 염색체 구조 이상 돌연변이에 대한 설명으로 옳지 않은 것은?

① 상염색체의 구조에 이상이 있을 경우 남녀에게 모두 나타날 수 있다.
② 염색체의 일부가 잘려 나가는 현상에 의해 염색체 구조에 이상이 생긴다.
③ 염색체의 일부가 복제되어 반복되는 현상인 중복에 의해 염색체 수가 증가한다.
④ 상동이 아닌 두 염색체 사이에서 염색체의 일부가 교환되는 현상에 의해 염색체 구조에 이상이 생긴다.
⑤ 하나의 염색체가 꼬인 상태에서 잘리고 다시 붙는 과정에서 염색체 구조에 이상이 생긴다.

09 그림은 만성 골수성 백혈병 환자의 세포에서 일어난 염색체 돌연변이를 나타낸 것이다.
이에 대한 설명으로 옳은 것만을 〈보기〉에서 있는 대로 고른 것은?

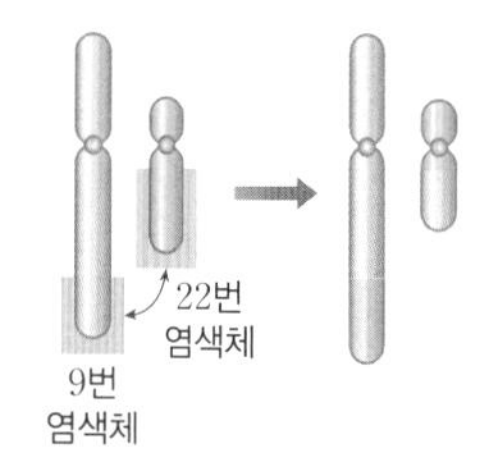

> 보기
> ㄱ. 상염색체의 구조에 이상이 있다.
> ㄴ. 전좌가 일어난 염색체가 있음을 알 수 있다.
> ㄷ. 상동 염색체 사이에서 염색체 일부가 교환되었다.

① ㄱ ② ㄷ ③ ㄱ, ㄴ
④ ㄴ, ㄷ ⑤ ㄱ, ㄴ, ㄷ

10 염색체 비분리 현상에 대한 설명으로 옳은 것만을 〈보기〉에서 있는 대로 고른 것은?

> 보기
> ㄱ. 염색체 비분리는 성염색체에서만 일어난다.
> ㄴ. 전체 염색체들이 분리되지 않고 하나의 딸세포에 함께 들어가는 경우도 있다.
> ㄷ. 염색체 비분리가 일어난 생식세포의 수정으로 염색체 수에 이상이 있는 돌연변이가 나타날 수 있다.

① ㄱ ② ㄴ ③ ㄱ, ㄷ
④ ㄴ, ㄷ ⑤ ㄱ, ㄴ, ㄷ

단답형

11 그림은 어떤 남자의 정자 형성 과정과 그 결과 형성된 정자의 염색체 수를 나타낸 것이다.

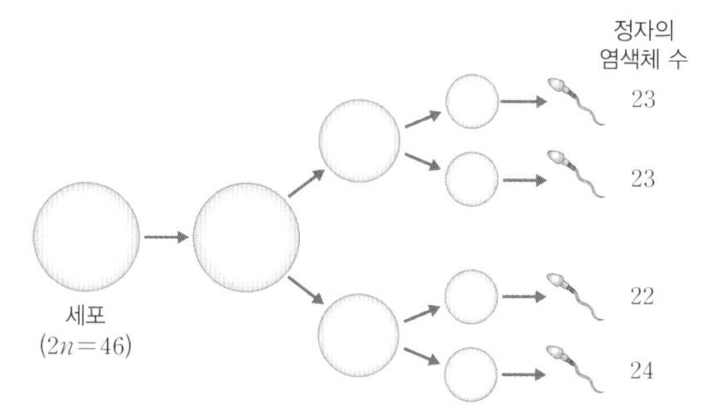

정자의 염색체 수를 참고하여 위 과정에서 염색체 비분리가 일어난 시점이 감수 1분열인지 감수 2분열인지 쓰시오.

12 그림은 어떤 유전병 환자의 핵형을 분석한 결과를 나타낸 것이다.

1 2 3 4 5
6 7 8 9 10 11 12
13 14 15 16 17 18
19 20 21 22 XY

핵형 분석으로 알 수 있는 이 사람의 질환으로 옳은 것은?

① 터너 증후군 ② 낫 모양 적혈구 빈혈증
③ 클라인펠터 증후군 ④ 다운 증후군
⑤ 헌팅턴 무도병

13 터너 증후군과 클라인펠터 증후군인 사람의 체세포의 염색체 구성을 옳게 나타낸 것은?

	터너 증후군	클라인펠터 증후군
①	45+XY	44+XXY
②	44+X	45+XY
③	44+XXY	44+X
④	45+XX	45+XY
⑤	44+X	44+XXY

14 다운 증후군, 터너 증후군, 클라인펠터 증후군의 공통점으로 옳은 것만을 〈보기〉에서 있는 대로 고른 것은?

보기
ㄱ. 핵형 분석으로 확인할 수 있다.
ㄴ. 성염색체에 이상이 생긴 돌연변이이다.
ㄷ. 감수 분열 중 염색체 비분리 현상에 의해 나타난다.

① ㄱ ② ㄴ ③ ㄱ, ㄷ
④ ㄴ, ㄷ ⑤ ㄱ, ㄴ, ㄷ

15 표는 감수 분열 과정에서 성염색체의 비분리가 일어난 생식세포가 정상 생식세포와 수정하는 경우를 나타낸 것이다.

구분	정자	난자
(가)	없음	X
(나)	XX	X
(다)	X	없음

이에 대한 설명으로 옳은 것만을 〈보기〉에서 있는 대로 고른 것은? (단, 감수 분열 과정에서 상염색체는 모두 정상적으로 분리되었고, 다른 돌연변이는 고려하지 않는다.)

보기
ㄱ. (가)의 상염색체 수는 44이다.
ㄴ. (나)의 정자는 감수 1분열에서 비분리가 일어나 형성되었다.
ㄷ. (다)는 남자와 여자에게서 공통적으로 나타날 수 있다.

① ㄱ ② ㄴ ③ ㄱ, ㄷ
④ ㄴ, ㄷ ⑤ ㄱ, ㄴ, ㄷ

16 정자 형성 과정 중 감수 2분열에서 성염색체의 비분리가 1회 일어났을 경우 생성될 수 있는 정자의 염색체 구성으로 옳은 것만을 〈보기〉에서 있는 대로 고른 것은?

보기
ㄱ. 22 + X ㄴ. 22 + XY
ㄷ. 22 + Y ㄹ. 22 + XX

① ㄱ, ㄷ ② ㄴ, ㄹ ③ ㄱ, ㄴ, ㄷ
④ ㄱ, ㄷ, ㄹ ⑤ ㄴ, ㄷ, ㄹ

17 그림 (가)는 어떤 남자의 정상 세포를, (나)는 (가)가 분열하는 과정에서 염색체 비분리 현상이 1회 일어났을 때 형성될 수 있는 세포 ㉠~㉢을 나타낸 것이다. 세포에는 성염색체만을 나타내었고, 다른 염색체의 돌연변이는 없다.

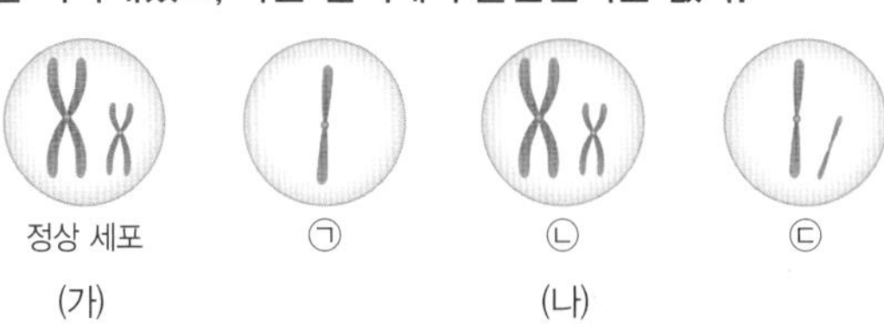

이에 대한 설명으로 옳지 않은 것은?

① (가)와 ㉠의 핵상은 서로 다르다.
② ㉠이 정상 난자와 수정하면 터너 증후군인 아이가 태어난다.
③ ㉡은 감수 1분열 과정에서 염색체 비분리 현상이 일어난 경우 관찰된다.
④ ㉢은 ㉡의 딸세포 중 하나이다.
⑤ ㉢이 정상 난자와 수정하면 염색체 수에 이상이 있는 수정란이 만들어진다.

단답형

18 그림은 어떤 사람의 정자 형성 과정에서 21번 염색체의 비분리 현상이 일어나 형성된 정자를 나타낸 것이다.

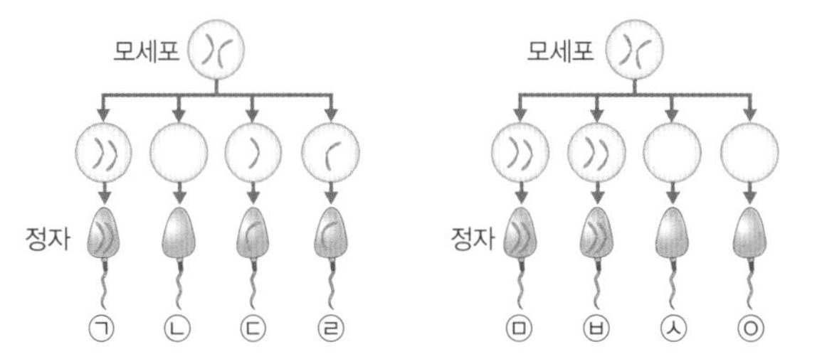

㉠~㉧ 중 정상 난자와 수정하여 아이가 태어났을 때, 다운 증후군이 나타나는 경우를 모두 골라 기호를 쓰시오. (단, 그림에서는 21번 염색체만을 나타내었고, 제시하지 않은 나머지 염색체는 모두 정상이다.)

도전! 실력 올리기

01 표는 유전병을 가진 사람 (가)~(다)의 핵형 분석 결과를 나타낸 것이다.

사람	유전병	핵형 분석 결과
(가)	페닐케톤뇨증	정상인과 핵형이 같다.
(나)	고양이 울음 증후군	정상인과 비교하여 5번 염색체의 일부가 결실되었다.
(다)	터너 증후군	정상인보다 ㉠ 염색체가 1개 적다.

이에 대한 설명으로 옳은 것만을 〈보기〉에서 있는 대로 고른 것은? (단, (가)~(다)는 각각 제시된 유전병 이외에 다른 유전병은 없다.)

〈보기〉
ㄱ. 페닐케톤뇨증은 유전자 돌연변이이다.
ㄴ. (나)의 체세포 1개당 상염색체 수는 44개이다.
ㄷ. ㉠은 성염색체이다.

① ㄱ ② ㄷ ③ ㄱ, ㄴ
④ ㄴ, ㄷ ⑤ ㄱ, ㄴ, ㄷ

02 그림은 정상인과 유전병 X를 가진 환자의 헤모글로빈(Hb) 단백질을 구성하는 아미노산 서열을 나타낸 것이다.

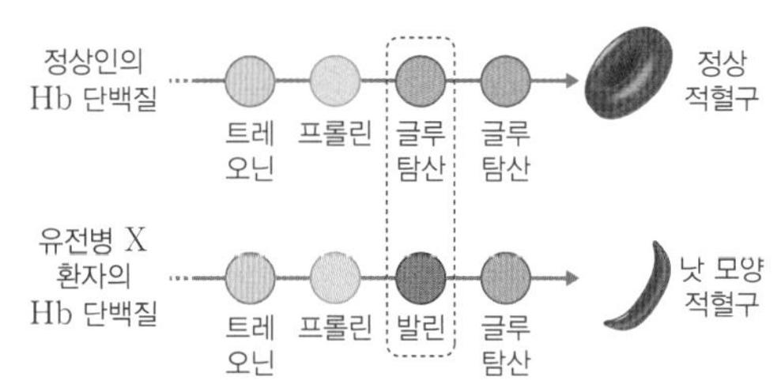

이에 대한 설명으로 옳은 것만을 〈보기〉에서 있는 대로 고른 것은?

〈보기〉
ㄱ. X는 낫 모양 적혈구 빈혈증이다.
ㄴ. 아미노산 서열의 변화는 DNA 염기 서열의 변화로 인해 나타난다.
ㄷ. 낫 모양 적혈구는 정상 적혈구보다 산소와의 결합력이 더 뛰어나다.

① ㄱ ② ㄴ ③ ㄱ, ㄴ
④ ㄱ, ㄷ ⑤ ㄴ, ㄷ

03 그림 (가)는 염색체의 구조 이상을, (나)는 정상 염색체와 구조 이상이 일어난 ㉠~㉢의 유전자 배열을 나타낸 것이다.

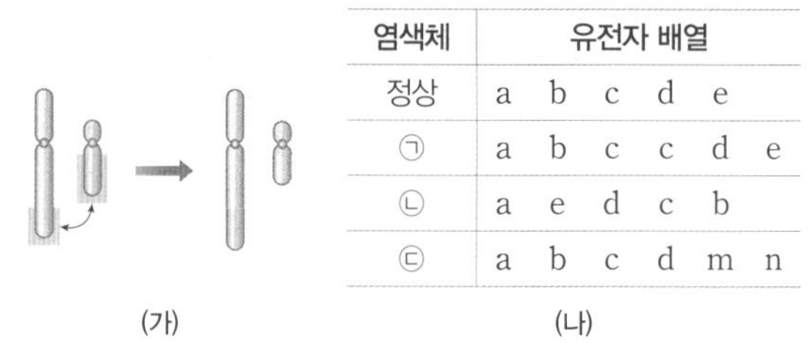

염색체	유전자 배열
정상	a b c d e
㉠	a b c c d e
㉡	a e d c b
㉢	a b c d m n

(가) (나)

이에 대한 설명으로 옳은 것만을 〈보기〉에서 있는 대로 고른 것은? (단, (나)에서 a~n은 유전자를 나타낸다.)

〈보기〉
ㄱ. (가)와 ㉢에서는 전좌가 일어났다.
ㄴ. ㉠은 중복이 일어난 염색체이다.
ㄷ. ㉡은 상동이 아닌 염색체와 유전자 일부가 교환된 염색체이다.

① ㄱ ② ㄷ ③ ㄱ, ㄴ
④ ㄴ, ㄷ ⑤ ㄱ, ㄴ, ㄷ

04 그림 (가)~(다)는 어떤 동물에서 볼 수 있는 세포들의 염색체 일부를 나타낸 것이다. (가)는 체세포, (나)는 분열 중인 체세포, (다)는 감수 2분열이 끝난 생식세포이다.

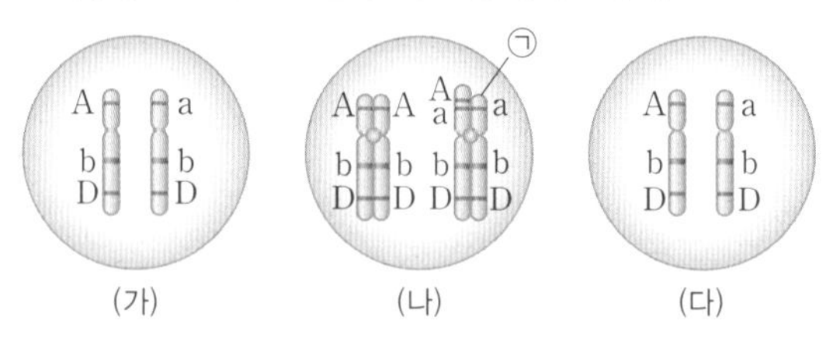

이에 대한 설명으로 옳은 것만을 〈보기〉에서 있는 대로 고른 것은?

〈보기〉
ㄱ. ㉠은 결실이 일어난 염색 분체이다.
ㄴ. (나)와 (다)에서 염색체 돌연변이가 일어났다.
ㄷ. (다)는 감수 1분열에서 염색체 비분리가 일어나 형성되었다.

① ㄱ ② ㄴ ③ ㄱ, ㄷ
④ ㄴ, ㄷ ⑤ ㄱ, ㄴ, ㄷ

정답과 해설 67쪽

출제예감

05 그림 (가)는 정상인의 핵형 분석 결과이고, (나)~(라)는 돌연변이가 일어난 세 사람의 이상 염색체만을 나타낸 것이다.

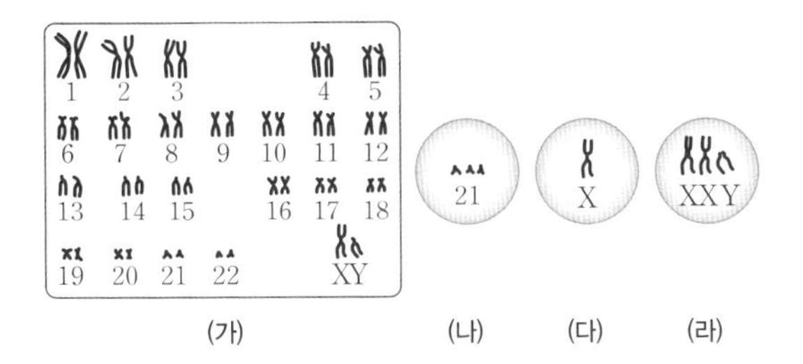

이에 대한 설명으로 옳은 것만을 〈보기〉에서 있는 대로 고른 것은?

> 보기
> ㄱ. (나)는 남녀 구분 없이 나타난다.
> ㄴ. (나)와 (라) 염색체를 가진 사람의 체세포 염색체 수는 서로 다르다.
> ㄷ. (다)와 (라)는 성염색체 비분리 현상 때문에 나타났다.

① ㄴ ② ㄷ ③ ㄱ, ㄴ
④ ㄱ, ㄷ ⑤ ㄱ, ㄴ, ㄷ

출제예감

06 그림은 어떤 집안의 적록 색맹에 대한 가계도를 나타낸 것이다. C를 제외한 가족 구성원들의 핵형은 모두 정상이다.

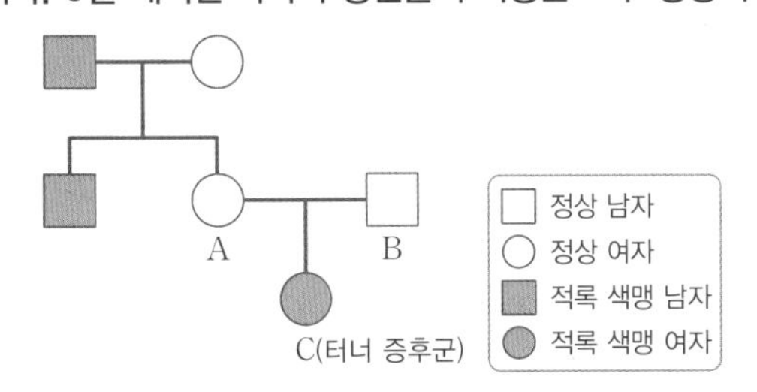

이에 대한 설명으로 옳은 것만을 〈보기〉에서 있는 대로 고른 것은?

> 보기
> ㄱ. A는 적록 색맹 보인자이다.
> ㄴ. C의 적록 색맹 대립유전자는 B에게서 받은 것이다.
> ㄷ. 감수 2분열에서 비분리가 일어나 형성된 난자가 정상 정자와 수정되어 C가 태어났다.

① ㄱ ② ㄴ ③ ㄱ, ㄷ
④ ㄴ, ㄷ ⑤ ㄱ, ㄴ, ㄷ

서술형

07 그림은 만성 골수성 백혈병 환자의 3가지 세포에 들어 있는 9번과 22번 염색체의 모양을 나타낸 것이다.

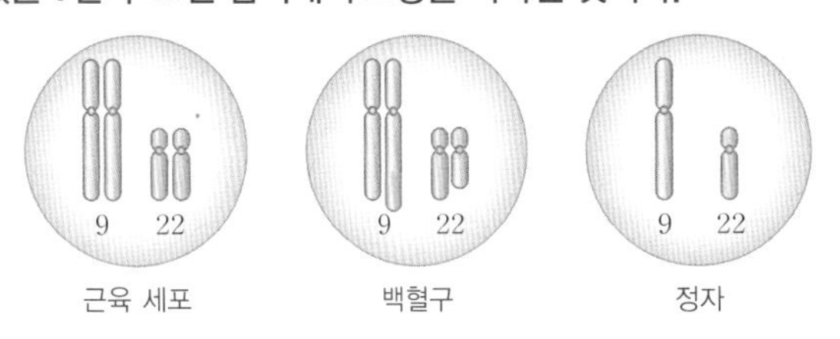

만성 골수성 백혈병 환자에서 일어난 염색체 돌연변이의 특성을 서술하고, 이 병이 자손에게 유전되지 않는 까닭을 서술하시오.

08 그림은 어떤 사람의 정자 형성 과정을, 표는 정자 ㉠과 ㉡의 X 염색체 수를 나타낸 것이다.

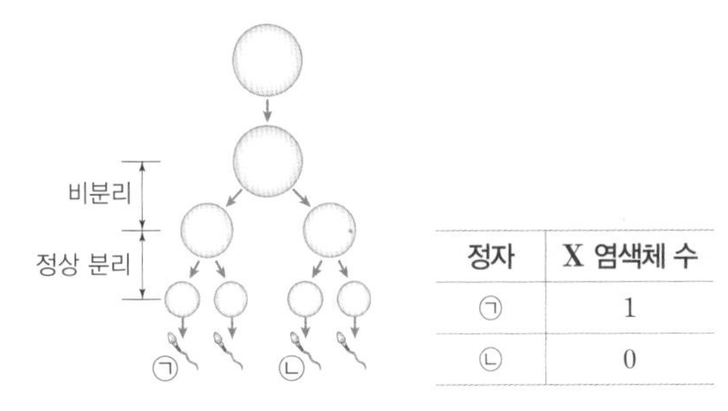

정자	X 염색체 수
㉠	1
㉡	0

정상 난자의 염색체 구성을 22+X로 나타내는 것을 참고하여 ㉠과 ㉡의 염색체 구성을 쓰시오. (단, 정자 형성 과정에서 성염색체에서만 비분리가 1회 일어났으며, 이외의 다른 돌연변이는 고려하지 않는다.)

서술형

09 헌팅턴 무도병은 우성으로 유전되는 유전병이며, 발병하면 생존에 치명적이어서 결국 사망에 이른다. 그럼에도 불구하고 헌팅턴 무도병 유전자가 자손에게 전달되어 유전병이 계속 나타나는 까닭은 무엇일지 서술하시오.

감수 분열 과정과 염색체 비분리

대표 유형

출제 의도

감수 분열에서 염색체와 대립유전자의 흐름을 염색체 비분리와 연결하여 추론하는 문제이다.

그림 (가)는 어떤 동물($2n=6$) 에서 형질 ⓐ의 유전자형이 BBEeFfhh인 G_1기의 세포로부터 정자가 형성되는 과정을, (나)는 ⓐ의 유전자형이 eh인 세포 ⓜ에 들어 있는 모든 염색체를 나타낸 것이다. (가)에서 염색체 비분리가 1회 일어났고, ㉠과 ㉡에서 F의 DNA 상대량은 같다.

- 다인자 유전이며, 핵상이 n인 정상적인 생식세포에는 형질 ⓐ에 관한 유전자가 4개 들어 있어야 한다.
- 핵상이 n일 때 염색체는 3개
- ㉢에도 F가 존재한다. 그런데 ⓜ에 F가 없으므로 감수 2분열에서 염색체 비분리가 일어났다. ∴ BF가 들어 있는 염색체가 ㉣에 2개 있다.
- 염색체 수가 정상이라면 ⓜ에는 염색체 3개, 유전자 4개가 있어야 하는데 염색체 2개, 유전자 2개가 있으므로 염색체 비분리가 일어났고 부족한 하나의 염색체에 나머지 유전자(B, F)가 함께 들어 있다.

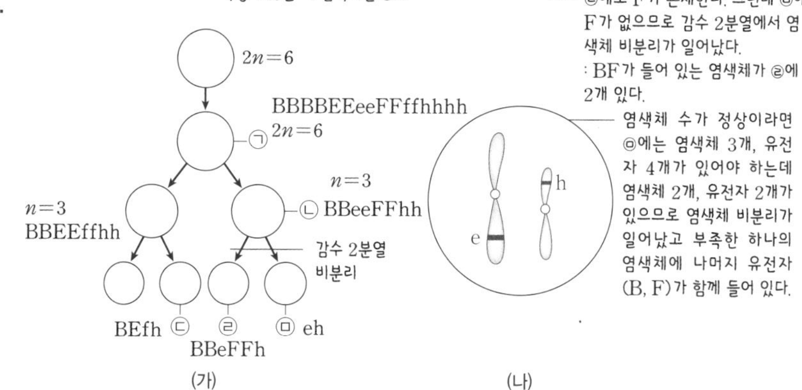

(가)　　　　(나)

이것이 함정

감수 1분열이 끝난 딸세포 2개에는 대립유전자가 분리되어 들어갔다는 것을 기억해야 한다.

이에 대한 설명으로 옳은 것만을 〈보기〉에서 있는 대로 고른 것은? (단, 제시된 염색체 비분리 이외의 돌연변이와 교차는 고려하지 않으며, ㉠과 ㉡은 중기의 세포이다.)

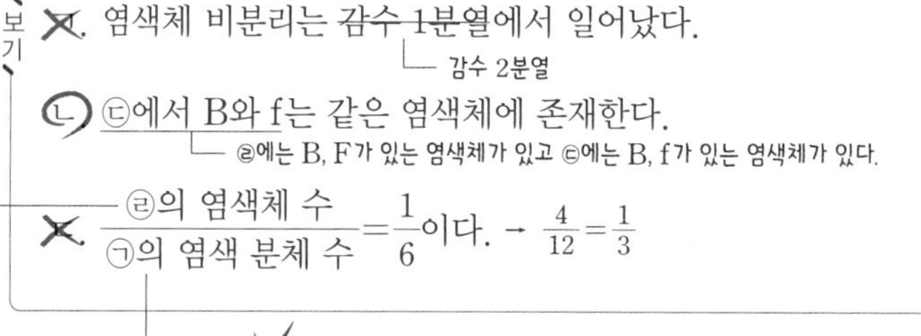

보기

ㄱ. 염색체 비분리는 감수 1분열에서 일어났다. (→ 감수 2분열) ✗

ㄴ. ㉢에서 B와 f는 같은 염색체에 존재한다. ○
- ㉣에는 B, F가 있는 염색체가 있고 ㉢에는 B, f가 있는 염색체가 있다.

ㄷ. $\frac{㉣의\ 염색체\ 수}{㉠의\ 염색\ 분체\ 수}=\frac{1}{6}$이다. → $\frac{4}{12}=\frac{1}{3}$ ✗
- $n+1$이므로 염색체 수는 4개
- $2n$이므로 염색체 수는 6개, 염색 분체 수는 12개

① ㄱ　② ㄴ　③ ㄱ, ㄷ　④ ㄴ, ㄷ　⑤ ㄱ, ㄴ, ㄷ

발문과 그림, 조건에서 감수 분열 중 대립유전자의 흐름 찾기

발문에서 $2n$, n일 때의 염색체 수와 감수 분열 각 시기에서의 대립유전자 구성을 판단한다. >>> (나)를 통해 B, F가 하나의 염색체에 있다는 것과 염색체 수가 $n-1$이라는 것을 찾는다. >>> 조건(㉠과 ㉡에서 F의 DNA 상대량이 같다.)을 통해 감수 2분열에서 염색체 비분리가 일어남을 판단한다. >>> ㉡~㉣ 각각의 염색체 수와 대립유전자 구성을 구한다.

추가 선택지

- ㉣의 ⓐ에 대한 유전자형은 BBeFFh이다. (○)
  - ⋯→ 감수 2분열 비분리로 ㉣에 B와 F가 함께 들어 있는 염색체가 2개 있으므로 유전자형은 BBeFFh이다.
- B의 수는 ㉠이 ㉣의 4배이다. (×)
  - ⋯→ ㉠에는 B가 4개, ㉣에는 B가 2개 있으므로 B의 수는 ㉠이 ㉣의 2배이다.

실전! 수능 도전하기

정답과 해설 68쪽

01 그림은 어떤 유전병에 대한 가계도를 나타낸 것이다.

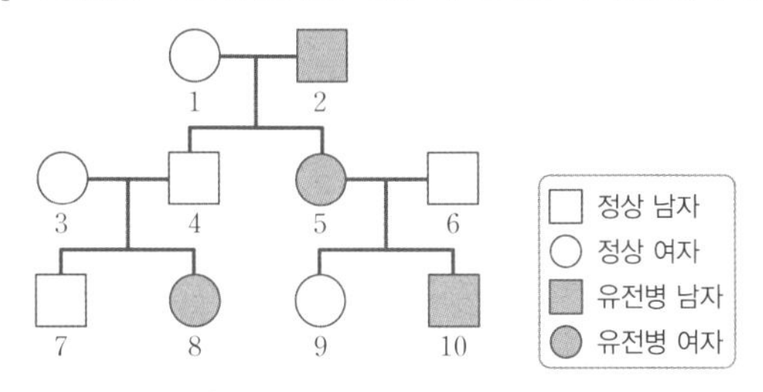

이에 대한 설명으로 옳은 것만을 〈보기〉에서 있는 대로 고른 것은?

〈보기〉
ㄱ. 유전병 유전자는 성염색체에 있다.
ㄴ. 1, 3, 4, 6, 9는 모두 유전병 보인자이다.
ㄷ. 8의 동생이 태어날 때, 이 아이가 유전병인 아들일 확률은 $\frac{1}{8}$이다.

① ㄱ ② ㄴ ③ ㄱ, ㄷ
④ ㄴ, ㄷ ⑤ ㄱ, ㄴ, ㄷ

02 그림은 어떤 집안의 ABO식 혈액형과 반성유전을 하는 유전병에 대한 가계도를 나타낸 것이다. ㉠과 ㉡은 ABO식 혈액형의 유전자형이 동일하다.

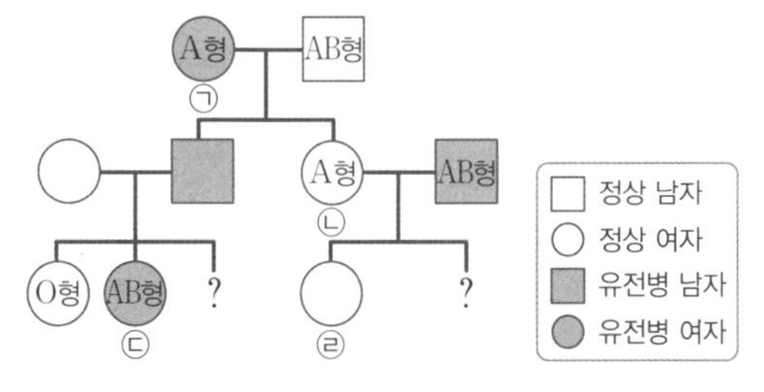

이에 대한 설명으로 옳은 것만을 〈보기〉에서 있는 대로 고른 것은?

〈보기〉
ㄱ. ㉠과 ㉡의 혈액형 유전자형은 동형 접합성이다.
ㄴ. ㉢의 동생이 태어날 때 이 아이의 혈액형이 B형일 확률은 $\frac{1}{4}$이다.
ㄷ. ㉣의 동생이 태어날 때, 이 아이가 A형이면서 유전병인 딸일 확률은 $\frac{1}{8}$이다.

① ㄱ ② ㄷ ③ ㄱ, ㄴ
④ ㄴ, ㄷ ⑤ ㄱ, ㄴ, ㄷ

03 다음은 어떤 동물에서 형질 X를 결정하는 대립유전자에 대한 설명이다.

(가) 형질 X는 1쌍의 대립유전자에 의해 표현된다.
(나) 대립유전자는 A, B, C이며 상염색체에 있다.
(다) 우열 관계는 A>B>C이며, 이형 접합성일 때에는 우성 형질만이 표현된다.
(라) 유전자형 BB의 표현형은 다른 어떤 유전자형의 표현형과도 다르다.

형질 X에 대한 설명으로 옳은 것만을 〈보기〉에서 있는 대로 고른 것은?

〈보기〉
ㄱ. 복대립 유전에 해당한다.
ㄴ. (가)에서 단일 인자 유전임을 알 수 있다.
ㄷ. 유전자형은 6가지, 표현형은 4가지가 있다.

① ㄱ ② ㄷ ③ ㄱ, ㄴ
④ ㄴ, ㄷ ⑤ ㄱ, ㄴ, ㄷ

수능 기출

04 다음은 어떤 동물의 깃털 색 유전에 대한 자료이다.

- 깃털 색은 상염색체에 있는 1쌍의 대립유전자에 의해 결정되며, 대립유전자에는 B, C, D가 있다.
- B는 C, D 각각에 대해 완전 우성이고, C는 D에 대해 완전 우성이다.
- 깃털 색의 표현형은 3가지이며, 갈색, 붉은색, 회색이다.
- 갈색 깃털 암컷과 ㉠ 붉은색 깃털 수컷 사이에서 갈색 깃털 자손, 붉은색 깃털 자손, 회색 깃털 자손이 태어났다.
- 붉은색 깃털 암컷과 붉은색 깃털 수컷 사이에서 갈색 깃털 자손과 붉은색 깃털 자손이 태어났다.

이에 대한 설명으로 옳은 것만을 〈보기〉에서 있는 대로 고른 것은? (단, 돌연변이는 고려하지 않는다.)

〈보기〉
ㄱ. 깃털 색 유전은 다인자 유전이다.
ㄴ. 유전자형이 BC인 개체의 깃털 색은 붉은색이다.
ㄷ. ㉠의 깃털 색 유전자형은 BD이다.

① ㄱ ② ㄴ ③ ㄱ, ㄷ
④ ㄴ, ㄷ ⑤ ㄱ, ㄴ, ㄷ

실전! 수능 도전하기

05 그림 (가)는 유전병 A, (나)는 유전병 B에 대한 가계도이다.

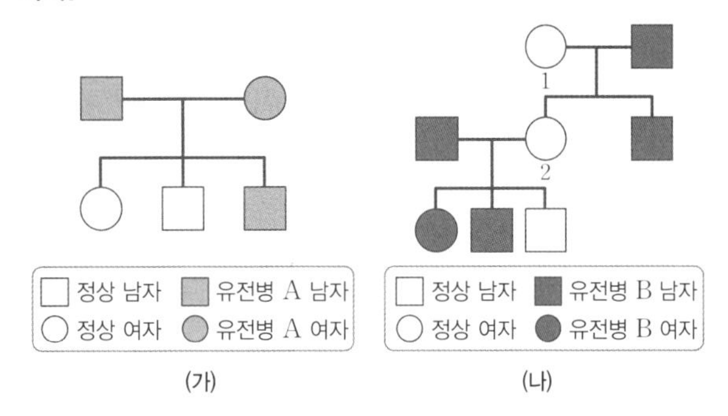

A와 B에 대한 설명으로 옳은 것만을 〈보기〉에서 있는 대로 고른 것은? (단, B를 결정하는 유전자는 성염색체에 있다.)

보기
ㄱ. A는 정상에 대해 우성이다.
ㄴ. A를 결정하는 유전자는 B를 결정하는 유전자와 같은 염색체에 있다.
ㄷ. 1과 2는 B의 보인자이다.

① ㄱ ② ㄴ ③ ㄱ, ㄴ
④ ㄱ, ㄷ ⑤ ㄴ, ㄷ

06 그림은 유전자형이 AaBbDd인 동물 P의 세포에서 피부색 유전자를 염색체 상에 나타낸 것이다. 동물의 피부색은 3쌍의 대립유전자 A와 a, B와 b, D와 d에 의해 결정된다. 피부색의 표현형은 유전자형에서 대문자로 표시되는 대립유전자의 수에 의해서만 결정되며, 이 대립유전자의 수가 다르면 피부색이 표현형이 다르다.

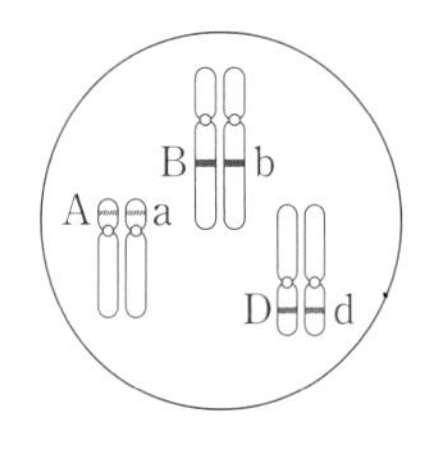

이에 대한 설명으로 옳은 것만을 〈보기〉에서 있는 대로 고른 것은? (단, 돌연변이와 환경의 영향은 고려하지 않는다.)

보기
ㄱ. 피부색 유전은 다인자 유전이다.
ㄴ. P를 유전자형이 aabbdd인 개체와 교배하였을 때 태어나는 자손의 피부색 표현형은 최대 4가지이다.
ㄷ. P를 유전자형이 AaBbDd인 개체와 교배하였을 때 태어나는 자손의 피부색 유전자형은 최대 7가지이다.

① ㄱ ② ㄴ ③ ㄱ, ㄴ
④ ㄱ, ㄷ ⑤ ㄴ, ㄷ

수능 기출

07 다음은 어떤 동물의 유전 형질 ㉠과 ㉡에 대한 자료이다.

- ㉠은 3쌍의 대립유전자 A와 a, B와 b, D와 d에 의해 결정된다.
- ㉠의 표현형은 유전자형에서 대문자로 표시되는 대립유전자의 수에 의해서만 결정되며, 이 대립유전자의 수가 다르면 ㉠의 표현형이 다르다.
- ㉡은 대립유전자 E와 e에 의해 결정되며, E는 e에 대해 완전 우성이다.
- A, B, D, E 유전자는 각각 서로 다른 상염색체에 있다.

이에 대한 설명으로 옳은 것만을 〈보기〉에서 있는 대로 고른 것은? (단, 돌연변이는 고려하지 않는다.)

보기
ㄱ. 유전자형이 AaBbDdEe인 개체에서 형성될 수 있는 생식세포의 유전자형은 최대 14가지이다.
ㄴ. 유전자형이 AaBbDdEe인 개체와 aabbddee인 개체 사이에서 자손(F_1)이 태어날 때, 이 자손에게서 나타날 수 있는 표현형은 최대 8가지이다.
ㄷ. 유전자형이 AaBbDdEe인 암수를 교배하여 자손(F_1)이 태어날 때, 이 자손의 표현형이 부모와 같을 확률은 $\frac{5}{32}$이다.

① ㄱ ② ㄴ ③ ㄷ
④ ㄱ, ㄴ ⑤ ㄴ, ㄷ

수능 기출

08 그림 (가)는 사람 A의, (나)는 사람 B의 핵형 분석 결과를 나타낸 것이다.

(가) 1 2 3 4 5 6 7 8 9 10 11 12
13 14 15 16 17 18 19 20 21 22 X

(나) 1 2 3 4 5 6 7 8 9 10 11 12
13 14 15 16 17 18 19 20 21 22 XY

이에 대한 설명으로 옳은 것만을 〈보기〉에서 있는 대로 고른 것은?

보기
ㄱ. A는 터너 증후군이다.
ㄴ. (나)에서 적록 색맹 여부를 알 수 있다.
ㄷ. $\frac{\text{(가)의 염색 분체 수}}{\text{(나)의 성염색체 수}}=45$이다.

① ㄱ ② ㄴ ③ ㄱ, ㄴ
④ ㄱ, ㄷ ⑤ ㄴ, ㄷ

09 그림 (가)와 (나)는 각각 핵형이 정상인 여자와 남자의 생식세포 형성 과정을 나타낸 것이다. (가)에서는 21번 염색체가, (나)에서는 성염색체가 비분리되었다.

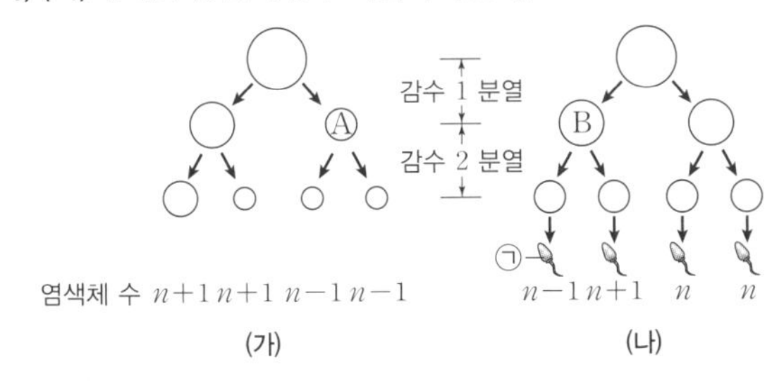

이에 대한 설명으로 옳은 것만을 〈보기〉에서 있는 대로 고른 것은? (단, (가)와 (나)에서 비분리는 각각 1회씩 일어났다.)

보기
ㄱ. (가)에서 상동 염색체가 비분리되었다.
ㄴ. B의 총염색체 수−A의 상염색체 수=1이다.
ㄷ. ㉠과 정상 난자가 수정되어 아이가 태어날 때, 이 아이는 터너 증후군이다.

① ㄱ ② ㄴ ③ ㄱ, ㄷ
④ ㄴ, ㄷ ⑤ ㄱ, ㄴ, ㄷ

10 그림은 어떤 남자의 세포 (가)로부터 생식세포가 형성되는 과정을 나타낸 것이다. (가)에서는 상염색체와 성염색체를 1쌍씩만 나타냈으며, (나)~(라)는 이로부터 형성된 세포이다. 생식세포 형성 과정 중 염색체 비분리가 1회 일어났다.

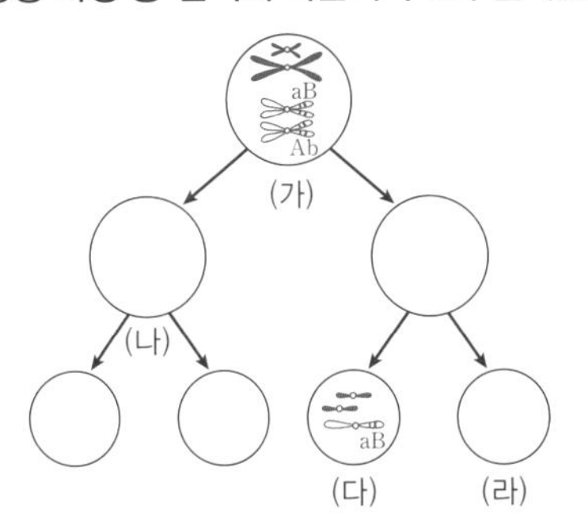

이에 대한 설명으로 옳은 것만을 〈보기〉에서 있는 대로 고른 것은? (단, 제시된 염색체 비분리 이외의 돌연변이는 일어나지 않았다.)

보기
ㄱ. $\frac{\text{(가)의 염색 분체 수}}{\text{(다)의 염색체 수}}=4$이다.
ㄴ. (나)가 형성될 때 성염색체가 비분리되었다.
ㄷ. (라)에는 대립유전자 a와 B가 있다.

① ㄱ ② ㄷ ③ ㄱ, ㄴ
④ ㄴ, ㄷ ⑤ ㄱ, ㄴ, ㄷ

한눈에 보는 대단원 정리

1 유전의 원리

01 유전자, DNA, 염색체, 유전체

1. DNA, 유전자, 염색체, 유전체의 관계

유전자	유전 정보가 저장된 DNA의 특정 부분
DNA	생물의 모든 유전 정보를 담고 있는 유전 물질
염색체	DNA와 히스톤 단백질이 결합하여 응축된 형태
유전체	한 생명체의 유전 정보가 저장되어 있는 DNA 전체

2. 염색체의 구조

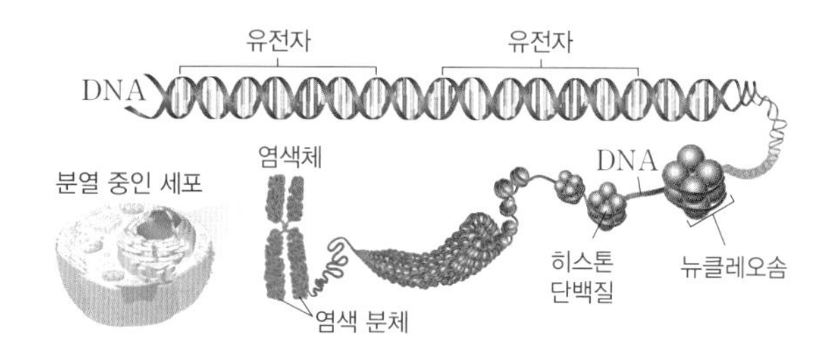

3. 사람의 염색체와 핵형

① **사람의 염색체:** 상염색체 22쌍, 성염색체 1쌍
남자: $2n=44+XY$, 여자: $2n=44+XX$

② **핵형:** 생물이 가지는 고유한 특성

③ **핵상:** 세포 하나에 들어 있는 염색체의 상대적인 수

4. 상동 염색체와 대립유전자

① **상동 염색체:** 체세포에 들어 있는 모양과 크기가 같은 1쌍의 염색체

② **대립유전자:** 1가지 형질을 결정하는 1쌍의 유전자

③ **염색 분체:** 1개의 염색체를 구성하는 2개의 염색체 가닥

5. 세포 주기와 세포 분열

시기			특징
간기	G_1기		세포 구성 물질 합성, 세포 소기관 수 증가
	S기		DNA 복제
	G_2기		세포 분열에 필요한 물질 합성
분열기 (체세포 분열)	핵분열	전기	염색체 응축, 방추사 형성, 핵막이 사라짐
		중기	염색체가 세포 중앙에 배열
		후기	염색 분체가 분리되어 양극으로 이동
		말기	핵막이 나타나고 염색체가 풀어짐
	세포질 분열		세포질이 분열되어 2개의 딸세포 형성

02 생식세포 분열

1. 감수 분열 과정

	전기	중기	후기	말기
감수 1분열	• 핵막 사라짐 • 2가 염색체($2n$) 형성 • 방추사 형성	세포 중앙에 2가 염색체 배열	상동 염색체의 분리와 이동	염색체 수가 반감된(n) 딸세포 형성
감수 2분열	• 염색체(n) 응축 • 방추사 형성 • 핵막 사라짐	세포 중앙에 염색체 배열	염색 분체의 분리와 이동	• 염색체(n) 풀림 • 핵막 형성 • 방추사 사라짐

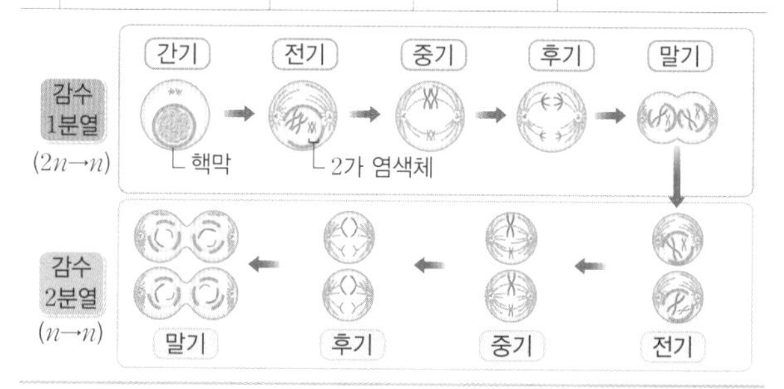

2. 체세포 분열과 감수 분열의 비교

특징	체세포 분열	감수 분열
DNA 복제	간기에 1회 일어남	간기에 1회 일어남
분열 횟수	1회	2회 (감수 1분열, 감수 2분열)
상동 염색체의 접합	일어나지 않음	감수 1분열 전기 2가 염색체 형성
딸세포 수와 핵상	2개, $2n$	4개, n
역할	세포 증식	생식세포의 형성

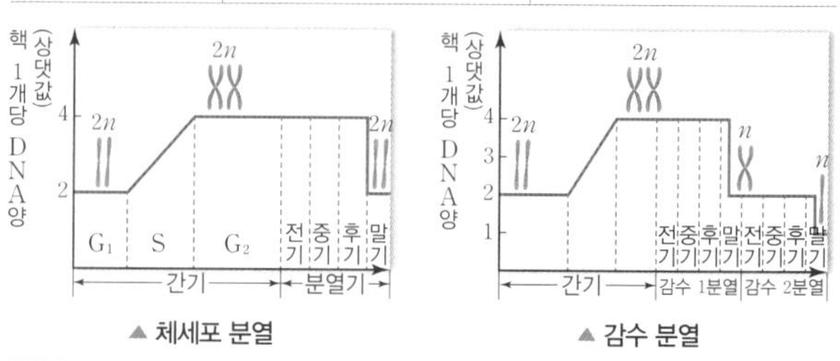

▲ 체세포 분열 ▲ 감수 분열

3. 감수 분열과 유전적 다양성: 감수 분열 시 상동 염색체 쌍의 무작위 배열과 분리, 무작위 수정에 의해 유전적 다양성이 나타난다.

2 사람의 유전과 유전병

01 사람의 유전

1. 유전의 기본 용어

유전 형질	생물이 지닌 고유한 특징인 형질 중 부모에게서 자손으로 전달되는 것
대립 형질	1가지 유전 형질에 대해 대립 관계에 있는 형질
유전자형	어떤 형질이 나타나게 하는 대립유전자의 구성을 기호로 표시한 것
우성과 열성	두 대립유전자가 서로 다를 때 우성인 유전자만 표현형으로 나타나는 것
표현형	외관상 나타나는 형질
가계도	가족 구성원의 성별, 혈연 및 결혼 관계, 특정 형질의 표현형 등을 도표로 나타낸 것

2. 사람의 유전

① 유전의 기본 원리(멘델의 유전 원리)

- 분리의 법칙: 생식세포 형성 시 대립유전자 쌍이 분리되어 각각의 생식세포로 나누어지는 것이다.
- 독립의 법칙: 서로 다른 염색체 상에 있는 두 대립유전자 쌍이 서로 영향을 주지 않고 독립적으로 유전되는 것이다.

② 유전 현상의 구분

- 유전자가 존재하는 염색체의 종류에 따른 구분: 상염색체 유전과 성염색체 유전
- 형질을 결정하는 대립유전자 쌍의 수에 따른 구분: 단일 인자 유전과 다인자 유전

3. 단일 인자 유전과 다인자 유전

구분			의미와 특징	예
단일 인자 유전	상염색체 유전	단일 대립 유전	상염색체에 있는 2종류의 대립유전자가 1쌍을 이루어 하나의 형질을 결정	귓불 모양, 보조개, 이마선 모양, 눈꺼풀
		복대립 유전	상염색체에 있는 3종류 이상의 대립유전자가 1쌍을 이루어 하나의 형질을 결정	ABO식 혈액형
	성염색체 유전		대립유전자가 성염색체에 위치	적록 색맹, 혈우병
다인자 유전			여러 쌍의 대립유전자가 하나의 형질을 결정	피부색, 키

02 유전자 이상과 염색체 이상

1. 유전자 돌연변이

① 유전자 돌연변이의 발생 과정

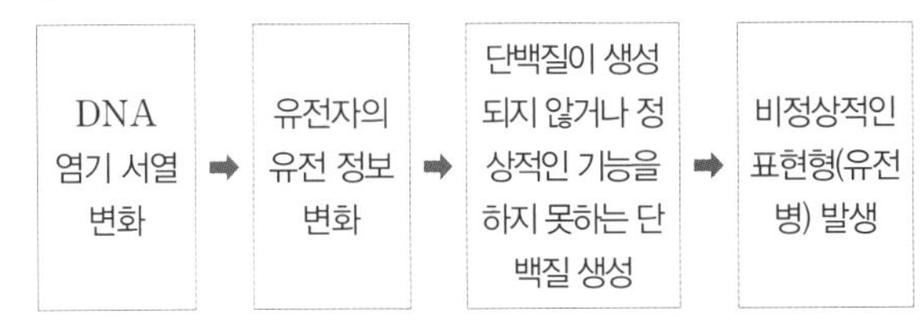

② 유전자 돌연변이의 특징

- 비정상적인 단백질로 비정상적인 표현형이 발생한다.
- 핵형 분석으로는 알아낼 수 없다.

③ **유전자 돌연변이의 종류:** 낫 모양 적혈구 빈혈증, 페닐케톤뇨증, 헌팅턴 무도병 등

2. 염색체 이상

① 염색체 구조 이상

결실	염색체의 일부가 떨어져 나간 경우 예 고양이 울음 증후군
역위	염색체의 일부가 끊어진 다음 반대 방향으로 원래의 염색체에 다시 붙은 경우
중복	염색체의 일부가 복제된 후 동일한 염색체 내에 첨가되어 특정 유전자 부위가 한 번 이상 반복되어 나타나는 경우
전좌	염색체의 일부가 떨어진 후 상동 염색체가 아닌 다른 염색체에 붙은 경우 예 만성 골수성 백혈병

② 염색체 수 이상

- 염색체 비분리 현상
  - 감수 1분열에서의 염색체 비분리: 염색체 수가 $n+1$, $n-1$인 생식세포 형성
  - 감수 2분열에서의 염색체 비분리: 염색체 수가 n, $n+1$, $n-1$인 생식세포 형성
- 염색체 수 이상에 의한 사람의 유전병

구분	다운 증후군	터너 증후군	클라인펠터 증후군
염색체 구성	45+XX(여자) 45+XY(남자)	44+X(여자)	44+XXY (남자)
염색체 이상	21번 염색체가 3개	X 염색체가 1개	X 염색체가 2개, Y 염색체가 1개

한번에 끝내는 대단원 문제

정답과 해설 70쪽

01 그림은 염색체의 구조를 나타낸 것이다.

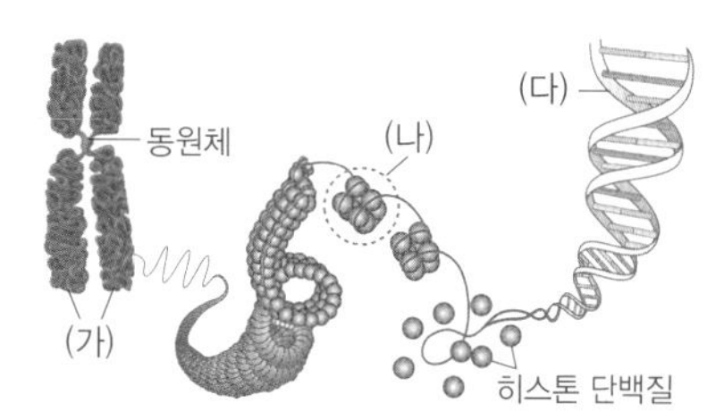

이에 대한 설명으로 옳은 것만을 〈보기〉에서 있는 대로 고른 것은?

> 보기
> ㄱ. (가)는 상동 염색체이다.
> ㄴ. (나)는 뉴클레오솜이다.
> ㄷ. (다)의 특정 부위에 유전 정보가 저장되어 있다.

① ㄱ ② ㄷ ③ ㄱ, ㄴ
④ ㄱ, ㄷ ⑤ ㄴ, ㄷ

02 다음에서 설명하는 (가)~(다)가 무엇인지 모두 옳게 나타낸 것은?

> (가) 체세포에 들어 있는 크기와 모양이 같은 1쌍의 염색체
> (나) 하나의 형질 발현에 관여하는 1쌍의 유전자
> (다) 간기에 DNA가 복제되어 복제된 DNA 분자가 각각 응축하여 형성된 염색체 가닥

	(가)	(나)	(다)
①	2가 염색체	상동 염색체	동원체
②	상동 염색체	대립유전자	염색 분체
③	염색 분체	상동 염색체	대립유전자
④	대립유전자	염색 분체	상동 염색체
⑤	동원체	2가 염색체	염색 분체

03 그림 (가)는 철수의 집안에서 어떤 형질 P의 발현에 관여하는 대립유전자 A와 A*의 DNA 상대량을, (나)는 유전자 A 또는 A*의 위치를 염색체 상에 나타낸 것이다.

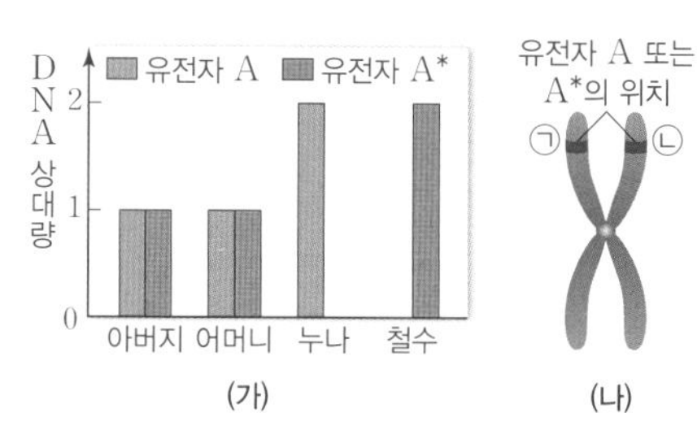

(가) (나)

이에 대한 설명으로 옳은 것만을 〈보기〉에서 있는 대로 고른 것은? (단, 돌연변이는 고려하지 않는다.)

> 보기
> ㄱ. 아버지의 형질 P에 대한 유전자형은 이형 접합성이다.
> ㄴ. 어머니의 체세포에는 ㉠에 A, ㉡에 A*를 가진 염색체가 존재한다.
> ㄷ. 철수의 동생이 태어날 경우 형질 P에 대한 유전자형이 동형 접합성일 확률은 $\frac{1}{2}$이다.

① ㄱ ② ㄷ ③ ㄱ, ㄴ
④ ㄱ, ㄷ ⑤ ㄴ, ㄷ

고난도

04 그림 (가)와 (나)는 각각 동물 A($2n=6$)와 B($2n=?$)의 어떤 세포에 들어 있는 모든 염색체를 나타낸 것이다.

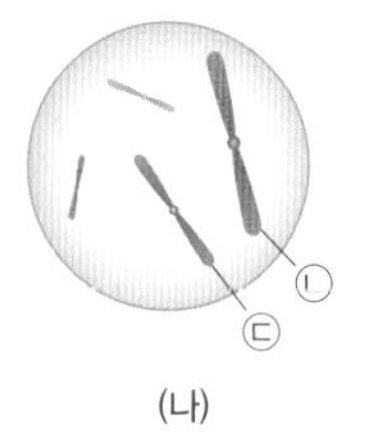

(가) (나)

이에 대한 설명으로 옳은 것만을 〈보기〉에서 있는 대로 고른 것은? (단, A와 B의 성염색체는 XY이다.)

> 보기
> ㄱ. ㉠은 상염색체이다.
> ㄴ. ㉡은 ㉢의 상동 염색체이다.
> ㄷ. $\frac{\text{A의 생식세포에 들어 있는 염색체의 총 수}}{\text{B의 체세포에 들어 있는 상염색체 수}}=\frac{1}{2}$이다.

① ㄱ ② ㄷ ③ ㄱ, ㄴ
④ ㄴ, ㄷ ⑤ ㄱ, ㄴ, ㄷ

05 그림 (가)는 세포 분열이 활발하게 일어나는 어떤 생물의 세포 집단을 관찰한 것이고, (나)는 이 과정에서 관찰한 세포들의 세포 1개당 DNA양에 따른 세포 수를 나타낸 것이다.

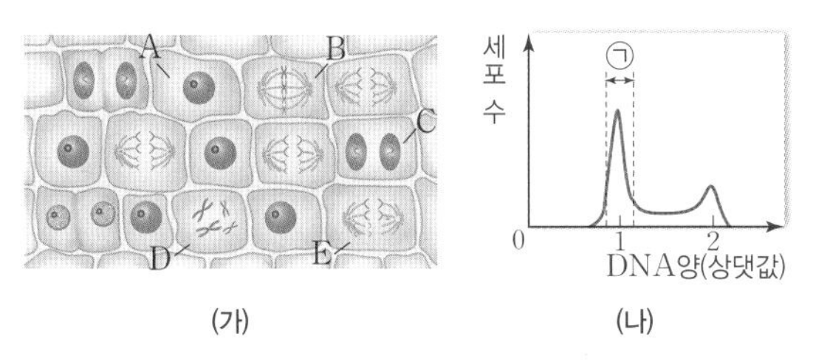

(가) (나)

이에 대한 설명으로 옳은 것만을 〈보기〉에서 있는 대로 고른 것은?

보기
ㄱ. 관찰한 세포에서는 감수 분열이 일어난다.
ㄴ. B, C, D, E는 ㉠ 구간에 존재하는 세포들이다.
ㄷ. (가)의 세포들을 간기부터 세포 주기의 순서대로 나열하면 A－D－B－E－C이다.

① ㄱ ② ㄷ ③ ㄱ, ㄴ
④ ㄴ, ㄷ ⑤ ㄱ, ㄴ, ㄷ

고난도

06 그림은 분열하고 있는 어떤 동물 세포에서 시간에 따른 세포 1개당 세포질량과 핵 1개당 DNA양을 나타낸 것이다.

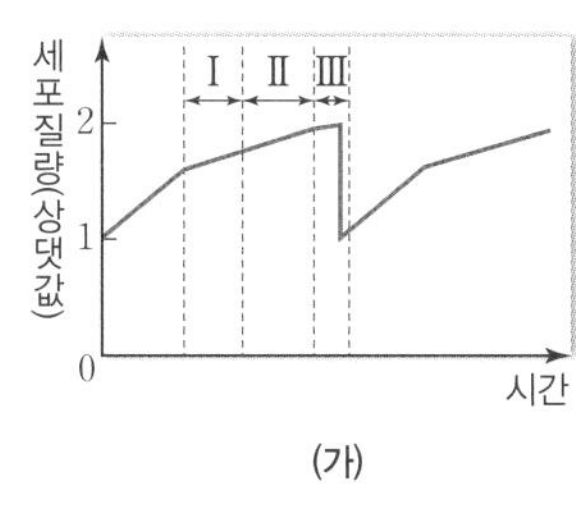

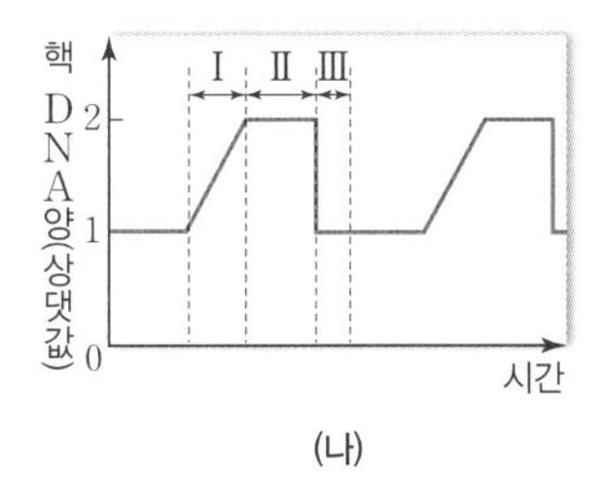

(가) (나)

이에 대한 설명으로 옳은 것만을 〈보기〉에서 있는 대로 고른 것은?

보기
ㄱ. 구간 Ⅰ에서 방추사가 형성된다.
ㄴ. 구간 Ⅱ에 핵상이 $2n$인 세포가 있다.
ㄷ. 구간 Ⅲ에서 세포질 분열이 일어난다.

① ㄱ ② ㄷ ③ ㄱ, ㄴ
④ ㄴ, ㄷ ⑤ ㄱ, ㄴ, ㄷ

07 그림은 어떤 사람의 몸에서 감수 분열이 일어나는 과정을 1쌍의 상동 염색체를 중심으로 나타낸 것이다.

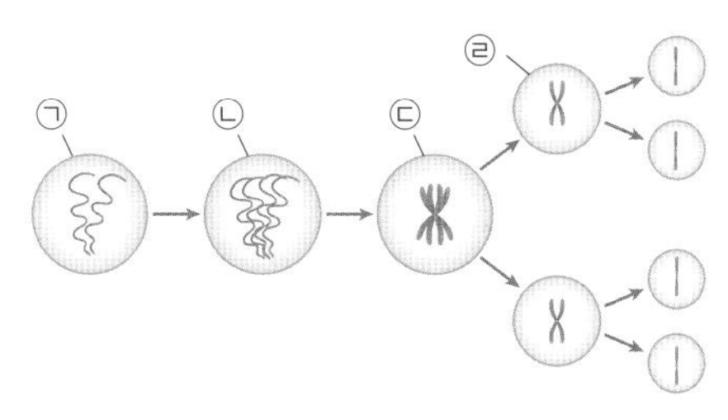

이에 대한 설명으로 옳은 것만을 〈보기〉에서 있는 대로 고른 것은? (단, 돌연변이는 고려하지 않는다.)

보기
ㄱ. ㉠에서 ㉡이 될 때 DNA가 복제된다.
ㄴ. ㉢의 염색 분체 수는 92개이다.
ㄷ. ㉣의 DNA양은 ㉠의 2배이다.

① ㄱ ② ㄷ ③ ㄱ, ㄴ
④ ㄴ, ㄷ ⑤ ㄱ, ㄴ, ㄷ

08 다음은 어떤 유전병 X에 대한 설명이다.

- 부모 모두 유전병 X를 가지고 있으면 이들 사이에서 태어난 여자는 모두 유전병 X를 가진다.
- 유전병 X를 가진 남자와 정상인 여자 사이에서 태어난 여자는 모두 유전병 X를 가진다.

유전병 X에 대한 설명으로 옳은 것만을 〈보기〉에서 있는 대로 고른 것은?

보기
ㄱ. 정상에 대해 열성이다.
ㄴ. 반성유전에 해당한다.
ㄷ. 정상인 부모 사이에서 태어난 자녀는 모두 정상이다.

① ㄱ ② ㄴ ③ ㄱ, ㄷ
④ ㄴ, ㄷ ⑤ ㄱ, ㄴ, ㄷ

09 그림은 어떤 집안의 ABO식 혈액형에 대한 가계도를 나타낸 것이다.

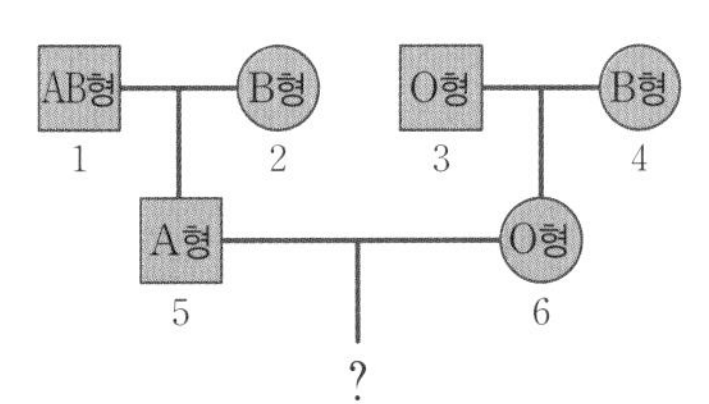

이에 대한 설명으로 옳은 것만을 〈보기〉에서 있는 대로 고른 것은?

> 보기
> ㄱ. 2와 4의 ABO식 혈액형 유전자형은 서로 같다.
> ㄴ. 5의 ABO식 혈액형 유전자형은 이형 접합성이다.
> ㄷ. 5와 6 사이에서 자녀가 태어날 때, 이 자녀가 A형 딸일 확률은 $\frac{1}{2}$이다.

① ㄱ ② ㄷ ③ ㄱ, ㄴ ④ ㄴ, ㄷ ⑤ ㄱ, ㄴ, ㄷ

고난도

10 다음은 사람의 눈 색 유전에 대한 자료이다.

> • 눈 색을 결정하는 데 관여하는 2개의 유전자는 서로 다른 상염색체에 있으며, 2개의 유전자는 각각 대립유전자 A와 a, 대립유전자 B와 b이다.
> • 눈 색의 표현형은 유전자형에서 대문자로 표시되는 대립유전자의 수에 의해서만 결정되며, 대문자로 표시되는 대립유전자가 많을수록 더 짙은 색을 나타낸다.

유전자형이 모두 AaBb인 부모 사이에서 아이가 태어날 때, 부모보다 눈 색이 더 짙은 아이가 태어날 확률로 옳은 것은?

① $\frac{3}{4}$ ② $\frac{1}{2}$ ③ $\frac{3}{8}$ ④ $\frac{5}{16}$ ⑤ $\frac{1}{8}$

11 그림은 유전병에 대한 세 학생의 설명이다.

제시한 설명이 옳은 학생만을 있는 대로 고른 것은?

① A ② C ③ A, B ④ B, C ⑤ A, B, C

12 그림은 어떤 동물에서 정상 핵형을 가진 수컷의 세포 (가)와 염색체 구조 이상이 일어난 암컷의 세포 (나) 각각에 들어 있는 상염색체와 성염색체를 1쌍씩 나타낸 것이다. A와 a는 서로 대립유전자이다.

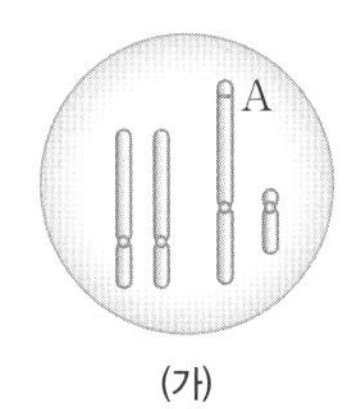

(가)

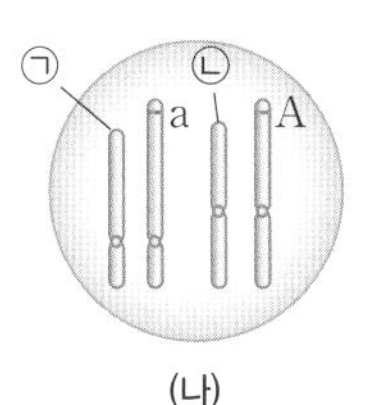

(나)

이에 대한 설명으로 옳은 것만을 〈보기〉에서 있는 대로 고른 것은? (단, 염색체 구조 이상은 1회만 일어났으며, 제시된 자료 이외의 염색체와 돌연변이는 고려하지 않는다.)

> 보기
> ㄱ. ㉠과 ㉡은 상동 염색체이다.
> ㄴ. (나)에는 전좌가 일어난 염색체가 있다.
> ㄷ. (나)는 감수 분열 과정에서 성염색체 비분리가 일어난 세포이다.

① ㄱ ② ㄴ ③ ㄱ, ㄷ
④ ㄴ, ㄷ ⑤ ㄱ, ㄴ, ㄷ

고난도

13 그림 (가)는 어떤 사람에서 G_1기의 세포 ㉠으로부터 정자가 형성되는 과정을, (나)는 세포 ㉠~㉣의 세포 1개당 대립유전자 T와 t의 DNA 상대량을 나타낸 것이다. 이 사람의 유전자형은 Tt이며, T와 t는 18번 염색체에 존재한다.

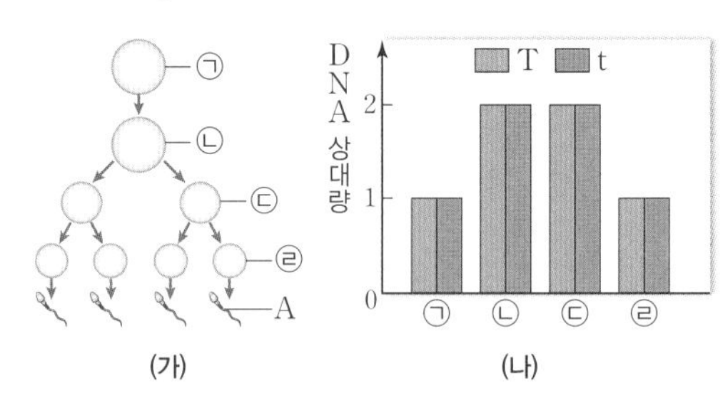

(가) (나)

이에 대한 설명으로 옳은 것만을 〈보기〉에서 있는 대로 고른 것은? (단, (가)에서 염색체 비분리는 18번 염색체에서만 1회 일어났으며, 그 외의 다른 돌연변이는 고려하지 않는다.)

> 보기
> ㄱ. ㉡의 상염색체 수는 ㉣의 2배이다.
> ㄴ. ㉡에서 ㉢이 생성되는 과정에서 염색체 비분리가 일어났다.
> ㄷ. A가 정상 난자와 수정되어 태어난 아이는 다운 증후군이다.

① ㄱ ② ㄴ ③ ㄱ, ㄷ
④ ㄴ, ㄷ ⑤ ㄱ, ㄴ, ㄷ

서술형

14 그림은 유전자형이 AaBbDD인 사람이 가지고 있는 염색체 중 하나를, 표는 이 사람의 세포 (가)~(다)에 들어 있는 대립유전자 a, B, D의 DNA 상대량을 나타낸 것이다. (나)와 (다)는 중기 세포이다.

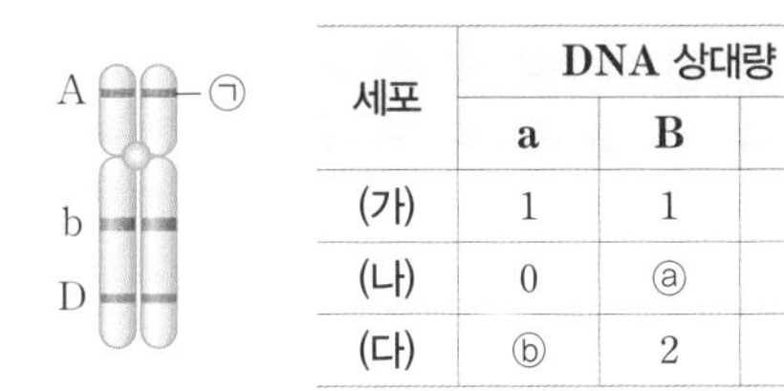

세포	DNA 상대량		
	a	B	D
(가)	1	1	2
(나)	0	ⓐ	2
(다)	ⓑ	2	2

(1) ㉠에 들어갈 유전자는 무엇인지 쓰시오.

(2) ⓐ와 ⓑ에 들어갈 값을 그 과정과 함께 서술하시오.

서술형

15 그림은 어떤 동물($2n=4$)의 감수 분열 과정을 나타낸 것이다.

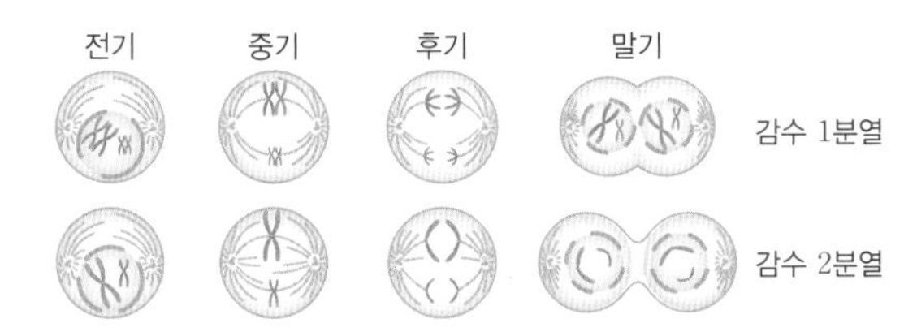

위 동물의 암컷과 수컷의 생식세포가 수정되어 태어난 자손의 체세포가 가질 수 있는 염색체의 조합은 총 몇 가지인지 과정과 함께 서술하시오. (단, 돌연변이는 고려하지 않는다.)

서술형

16 그림 (가)는 철수네 집안의 유전병 ㉠에 대한 가계도를, (나)는 철수의 할아버지와 어머니에서 유전병 ㉠의 발현에 관여하는 대립유전자 A와 A^*의 DNA 상대량을 나타낸 것이다.

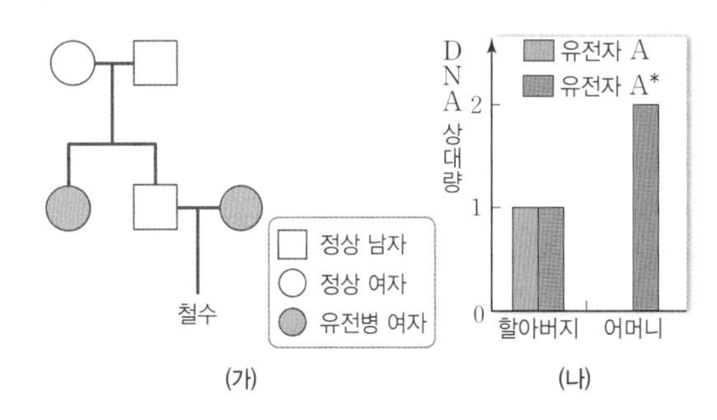

철수가 유전병 ㉠을 가질 확률을 과정과 함께 서술하시오. (단, 돌연변이는 고려하지 않는다.)

17 그림은 사람의 정자 형성 과정에서 상염색체의 비분리가 일어나는 과정을 나타낸 것이다. 제시된 염색체 이외의 염색체는 모두 정상적으로 분리되었다.

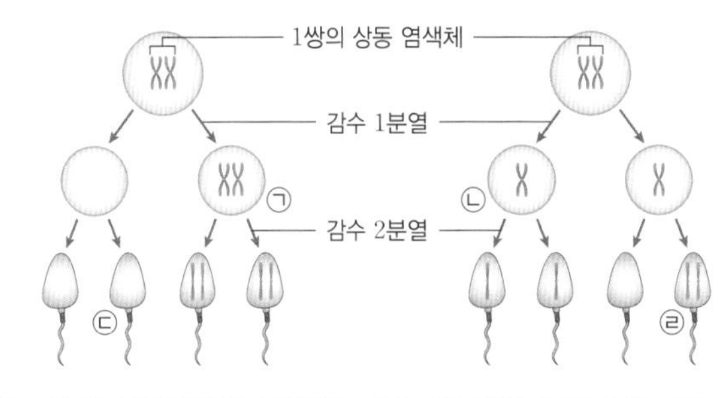

㉠~㉣의 상염색체와 성염색체 수는 몇 개인지 각각 쓰시오.

V

생태계와 상호 작용

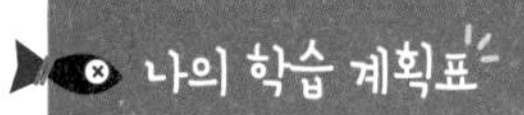

중단원	소단원	계획일	실천일	성취도
1 생태계의 구성과 기능	01. 생태계의 구성	/	/	○△×
	02. 개체군	/	/	○△×
	03. 군집	/	/	○△×
	04. 에너지 흐름과 물질 순환	/	/	○△×
	수능 POOL + 실전! 수능 도전하기	/	/	○△×
2 생물 다양성과 보전	01. 생물 다양성	/	/	○△×
	02. 생물 다양성 보전	/	/	○△×
	수능 POOL + 실전! 수능 도전하기	/	/	○△×
	대단원 정리 + 문제	/	/	○△×

1 생태계의 구성과 기능

배울 내용 살펴보기

01 생태계의 구성

- A 개체, 개체군, 군집, 생태계
- B 생물과 환경의 상호 작용

생태계는 일정한 지역에 포함된 모든 생물들이 환경 요인과 서로 영향을 주고 받으며 살아가는 체계를 말해.

02 개체군

- A 개체군의 특성
- B 개체군의 주기적 변동
- C 개체군 내 상호 작용

개체군은 일정한 지역에서 생활하는 같은 종에 속하는 개체들의 집단을 말하며, 개체군 내 상호 작용에는 텃세, 순위제, 리더제, 사회생활, 가족생활이 있어.

03 군집

- A 군집의 특성
- B 군집의 층상 구조와 생태 분포
- C 군집의 천이
- D 군집 내 상호 작용

군집은 일정한 지역에서 생활하는 모든 개체군들의 집합으로, 군집 내 상호 작용에는 종간 경쟁, 분서, 공생, 기생, 포식과 피식이 있어.

04 에너지 흐름과 물질 순환

- A 에너지 흐름
- B 물질의 생산과 소비
- C 물질 순환
- D 생태계 평형

생태계에서 에너지는 한 방향으로 흘러가고, 물질은 생태계 내를 순환해.

01 생태계의 구성

핵심 키워드로 흐름잡기

A 개체, 개체군, 군집, 생태계, 생산자, 소비자, 분해자, 작용, 반작용, 상호 작용

B 빛의 세기, 빛의 파장, 일조 시간, 변온 동물, 정온 동물

A 개체, 개체군, 군집, 생태계

|출·제·단·서| 시험에는 생태계의 구성 요소를 파악하고 개체군과 군집을 구분하는 문제가 자주 나와.

1. 개체, 개체군, 군집, 생태계의 관계

생물과 생물, 생물과 환경이 서로 영향을 주고받으며 물질이 순환하고 에너지의 흐름이 일어나는 기능적인 단위 ─ 생태계

개체	개체군	군집	생태계
생존에 필요한 구조적, 기능적 특징을 갖춘 독립된 하나하나의 생물체 개체는 세포로 구성된다.	일정한 지역에서 생활하는 같은 종에 속하는 개체들의 집단	일정한 지역에서 생활하는 모든 개체군들의 집합	일정한 지역에 포함된 모든 생물들이 빛, 공기, 토양 등의 환경 요인과 서로 영향을 주고받으며 살아가는 체계

암기TiP 개체가 모여 개체군, 개체군이 모여 군집

❓ 생태계라는 용어는 어떻게 생겨난 걸까?

영국의 식물학자인 탠슬리(Tansley, A. G., 1871~1955)는 동물과 식물 모두 비생물계와 밀접하게 의존하며 시스템을 이루고 있음을 알아차리고 1935년에 생물적 요인과 비생물적 요인을 하나로 묶어서 생각할 수 있도록 생태계라는 용어를 만들었다.

2. 생태계 구성 요소

생태계는 생물적 요인과 비생물적 요인으로 구성된다.

(1) 생물적 요인 생태계의 모든 생물로, 역할에 따라 생산자, 소비자, 분해자로 구분된다.

암기TiP 생산자는 유기물 합성, 소비자와 분해자는 유기물 분해

생산자	광합성을 통해 무기물로부터 *유기물을 합성하는 독립 영양 생물❶ 예 식물과 *조류 등
소비자	생산자나 다른 동물을 먹이로 하여 양분을 얻는 종속 영양 생물❷ 예 • 1차 소비자: 생산자를 먹이로 하는 메뚜기, 토끼, 사슴 등의 초식 동물 • 2차 소비자: 1차 소비자를 먹이로 하는 개구리, 여우, 호랑이 등의 육식 동물
분해자	사체나 배설물에 포함된 유기물을 무기물로 분해하여 환경으로 되돌려 보내는 작용을 하는 생물 예 일부 세균이나 곰팡이, 버섯 등

(2) 비생물적 요인 생물을 둘러싸고 있는 환경으로, 생물의 생존과 생장에 필요한 물질 및 에너지를 공급하고 생활을 위한 터전을 제공한다.

예 빛, 온도, 물, 공기, 토양 등

❶ 독립 영양 생물

무기물로부터 유기물을 합성하여 스스로 양분을 만드는 생물로, 생산자가 이에 속한다.

❷ 종속 영양 생물

스스로 양분을 합성하지 못하여 다른 생물로부터 양분을 얻는 생물로, 소비자와 분해자가 이에 속한다.

용어 알기

• 유기물(있을 有, 틀 機, 만물 物) 생물체를 구성하는 탄소 화합물

• 조류(algae) 물속에서 광합성을 하는 미역, 다시마, 파래 등의 생물

3. 생태계 구성 요소 간의 관계 생태계 내에서 생물적 요인과 비생물적 요인은 서로 영향을 주고받는다. 암기TiP 작용: 환경 → 생물, 반작용: 생물 → 환경, 상호 작용: 생물 ↔ 생물

작용	비생물적 요인이 생물적 요인에게 영향을 주는 현상 생물은 환경의 조건에 따라 살아남기에 적합한 형질을 갖는다. 예 • 양분이 풍부한 토양에서 식물이 잘 자란다. • 빛의 세기에 따라 식물 잎의 두께가 다르다. • 선인장은 건조한 사막에서 살아남을 수 있는 특별한 구조가 발달해 있다.
반작용	생물적 요인이 비생물적 요인에 영향을 주는 현상 생물의 생명 활동 결과 외부 환경이 변하기도 한다. 예 • 낙엽이 쌓이면 토양이 비옥해진다. • 지렁이나 두더지가 흙 속을 파헤치면 토양의 통기성이 높아진다. • 버섯과 미생물이 토양 속 유기물을 분해하면 토양 속 무기물의 양이 증가한다.
상호 작용	• 생물적 요인끼리 서로 영향을 주고받는 현상 예 경쟁, 피식과 포식, ●공생, 기생 등

생태계
비생물적 요인: 빛, 공기, 온도, 물, 토양
생물적 요인: 생산자, 소비자, 분해자, 상호 작용
작용 / 반작용

▲ 생태계 구성 요소 간의 관계

★ 교학사, 미래엔, 비상 교과서는 작용, 반작용, 상호 작용의 용어를 직접 언급하지 않고, 생물적 요인과 비생물적 요인 간의 상호 작용과 생물적 요인 간의 상호 작용으로 설명하였다.

B 생물과 환경의 상호 작용

★ 교학사, 미래엔, 천재 교과서는 빛, 온도, 물, 토양, 공기와 생물과의 상호 작용에 대해 자세히 설명하였다.

|출·제·단·서| 시험에는 어떤 환경 요인에 적응한 것인지 묻는 문제가 시험에 나와.

1. 빛과 생물

(1) 빛의 세기와 생물 빛의 세기가 보상점보다 큰 지역에서 식물이 생장한다.

양지 식물과 음지 식물의 광합성량

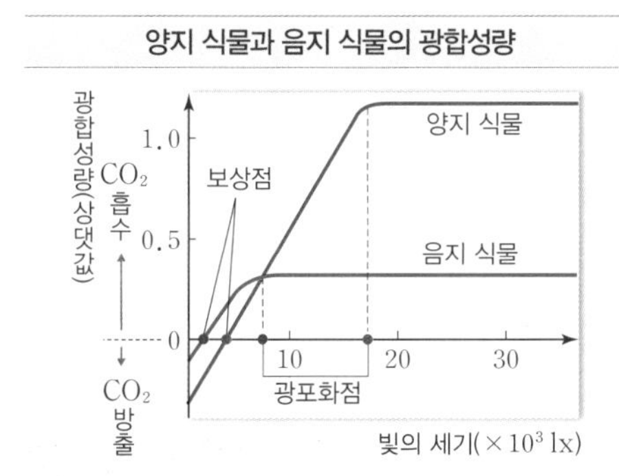

강한 빛에 적응한 양지 식물은 약한 빛에 적응한 음지 식물에 비해 보상점❸과 광포화점❹이 높다.
음지 식물은 보상점과 광포화점이 낮으므로 빛이 약한 곳에서도 서식할 수 있다.

음엽과 양엽❺의 단면 구조

음엽: 울타리 조직, 해면 조직
표피
양엽: 울타리 조직, 해면 조직

한 식물에서도 강한 빛을 받는 양엽은 약한 빛을 받는 음엽보다 ●울타리 조직이 더 발달하여 잎이 두껍고 좁으며, 광합성 작용이 더 활발하다.
음엽의 넓고 얇은 잎은 빛 투과율이 높아 빛을 효율적으로 흡수한다.

(2) 빛의 파장과 생물 빛의 파장에 따라 바다에 서식하는 해조류❻의 분포가 달라진다.

① **적색광이 주로 도달하는 얕은 바다:** 녹조류가 분포한다.

② **청색광이 주로 도달하는 깊은 바다:** 홍조류가 분포한다.

빛은 파장이 짧을수록 바다의 깊은 곳까지 도달하여 해조류는 자신과 반대의 색깔(보색)을 가장 잘 흡수하는데 이를 보색 적응설이라고 한다.

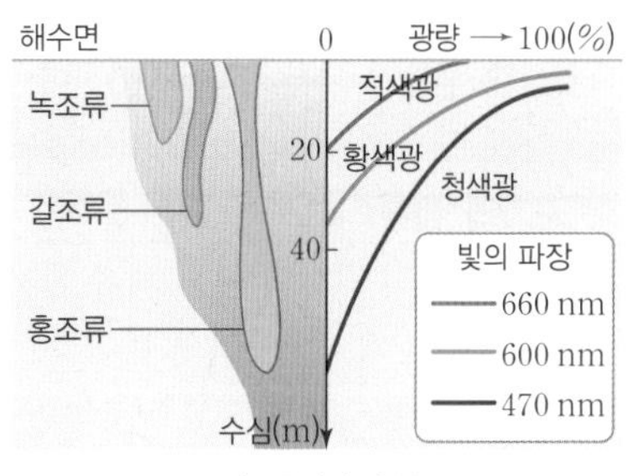

▲ 해조류의 수직 분포

❸ 보상점
식물이 광합성을 하기 위해 흡수하는 이산화 탄소의 양과 호흡으로 방출하는 이산화 탄소의 양이 같을 때의 빛의 세기

❹ 광포화점
광합성량이 더 이상 증가하지 않는 최소한의 빛의 세기

❺ 음엽과 양엽

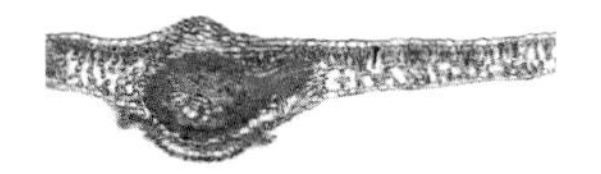

▲ 음엽

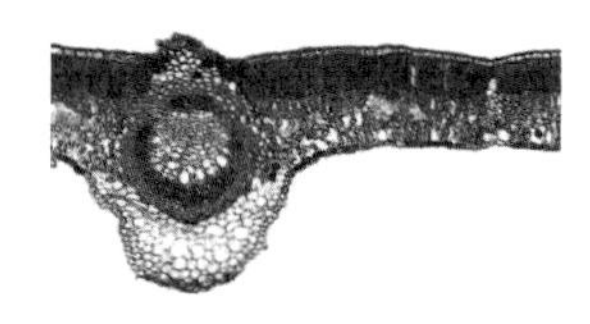

▲ 양엽

❻ 해조류
• 녹조류: 엽록소가 있어 녹색을 띤다. 파래, 해캄 등이 속한다.
• 갈조류: 엽록소와 갈조소가 있으며 미역, 다시마 등이 속한다.
• 홍조류: 엽록소와 홍조소가 있으며 김, 우뭇가사리 등이 속한다.

용어 알기
●공생(함께 할 共, 날 生) 두 종의 생물이 서로 이익을 주고받으며 살아가는 관계
●울타리 조직(palisade parenchyma) 잎의 표피층 밑에 엽록체가 있는 길쭉한 세포들이 빽빽이 들어서 있는 조직

❼ 단일 식물의 꽃눈 형성
단일 식물의 경우 일정 시간 이상의 암기 중에 잠깐 동안이라도 빛을 비추면 꽃눈이 형성되지 않는다. 식물의 꽃눈 형성은 낮의 길이보다는 연속된 밤의 길이가 더 중요하다.

❽ 광주기성
빛의 변화에 따라 나타나는 생물의 주기적 행동이나 변화되는 활동으로 동물성 플랑크톤이나 크릴새우의 일주 현상(낮에는 수면 아래로, 밤에는 수면으로 올라옴), 조류 등이 일조 시간이 길어지는 봄에 짝짓기나 산란을 하는 것 등이 있다.

온도에 따른 호랑나비 형태
번데기 시절의 온도는 봄보다 여름에 태어난 호랑나비가 더 높다. 이에 따라 여름형 호랑나비는 봄형 호랑나비보다 색이 진하고 크기도 크다.

❾ 베르그만과 알렌의 법칙
- 베르그만의 법칙: 추운 지방일수록 동물의 몸통이 커지는 경향이 있다.
- 알렌의 법칙: 추운 지방에서는 동물의 말단부가 작고 더운 지방에서는 크다.

용어 알기
- 변온(변할 變, 따뜻할 溫) 온도가 변함
- 정온(정할 定, 따뜻할 溫) 일정한 온도

(3) 일조 시간과 생물 일조 시간은 식물의 꽃눈 형성과 동물의 생식 시기와 관계가 있다.
(일조 시간: 하루 중 햇빛이 지표면을 내리쬐는 시간)

일조 시간과 식물	• 장일 식물: 일조 시간이 긴 봄과 초여름에 꽃을 피운다. 예 보리, 양배추, 시금치 등 • 단일 식물❼: 일조 시간이 짧은 가을에 꽃을 피운다. 예 국화, 코스모스, 도꼬마리 등
일조 시간과 동물	• 꾀꼬리나 종달새 등은 일조 시간이 길어지면 알을 낳고, 송어나 노루 등은 일조 시간이 짧아지면 번식을 하는 등 광주기성❽이 있다.

2. 온도와 생물

(1) 온도와 식물

① 온도가 낮아지면 활엽수는 단풍이 들고 낙엽을 만든다. 낙엽수는 겨울 동안 잎을 떨어뜨려 추위에 적응한다.

② 밀이나 보리는 봄에 파종하면 생장만 일어나고 개화와 결실을 맺지 않기 때문에 가을에 씨를 뿌려 이듬해 봄에 수확한다. 밀이나 보리는 겨울의 낮은 온도가 꽃눈 형성을 유도하기 때문이다.

(2) 온도와 동물

① **변온 동물**: 외부 온도에 따라 물질대사나 활동성에 영향을 받아 체온이 결정되며, 온도 조건에 따라 겨울잠과 같은 적응 현상이 나타나기도 한다. 예 변온 동물에는 양서류, 어류, 파충류가 있다.

② **정온 동물**: 물질대사를 통해 열을 생성하고 열 손실에 대해 적극적으로 대응하여 체온을 일정하게 유지한다. 예 추운 지방에 사는 북극여우는 몸집이 크고 몸의 말단부가 작지만(열을 보존하기 적합), 더운 지방에 사는 사막여우는 몸집이 작고 몸의 말단부가 크게 발달하였다(열을 방출하기 적합).❾

북극여우(한대)

붉은여우(온대)

사막여우(열대)

3. 물과 생물

(1) 물과 식물

① **물이 부족한 곳에 사는 식물**: 사막에 사는 선인장에는 물을 저장하는 저수 조직이 있고, 건조한 지역에 사는 바오바브나무는 몸통에 대량의 수분을 저장한다.

② **물속에 사는 식물**: 연의 줄기와 뿌리는 공기가 통하는 통기 조직이 발달하였고, 연잎은 물에 젖지 않는 구조가 발달하였다. 부레옥잠은 잎자루에 공기주머니가 있어 물 위에 뜰 수 있다.

선인장

바오바브나무

부레옥잠

연꽃과 잎

(2) 물과 동물 곤충의 키틴질 껍질이나 뱀과 같은 파충류의 몸 표면의 비늘은 수분 손실을 막고, 조류의 알에는 단단한 껍질이 있어 수분 증발을 막는다.

4. 공기와 생물

고도가 높아질수록 산소 분압(산소만의 압력)이 낮아져 고산 지대에 사는 사람은 저지대 사람보다 표면적이 더 넓은 폐를 가지고 있어 더 많은 공기를 들이마실 수 있다.

5. 토양과 생물

많은 미생물들과 곤충, 지렁이 등은 토양의 수분 함량, 통기성, 영양염류의 양 등 토양의 성질에 직접적인 영향을 받는다.

콕콕! 개념 확인하기

정답과 해설 73쪽

✓ 잠깐 확인!

1. □□
독립된 하나하나의 생물체

2. □□□
일정한 지역에서 생활하는 같은 종에 속하는 개체들의 집단

3. □□
일정한 지역에서 생활하는 모든 개체군들의 집합

4. □□□
일정한 지역에 포함된 모든 생물들이 빛, 공기 등의 환경 요인과 서로 영향을 주고받으며 살아가는 체계

5. □□□
광합성을 통해 무기물로부터 유기물을 합성하는 생태계 구성 요소

6. □□□
생산자나 다른 동물을 먹이로 하여 양분을 얻는 생태계 구성 요소

7. □□□
사체나 배설물에 포함된 유기물을 무기물로 분해하여 환경으로 되돌려 보내는 작용을 하는 생태계 구성 요소

8. □□
비생물적 요인이 생물적 요인에게 영향을 주는 현상

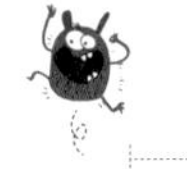

A 개체, 개체군, 군집, 생태계

01 생태계에 대한 설명으로 옳은 것은 ○, 옳지 않은 것은 ×로 표시하시오.

(1) 생태계는 생물적 요인으로만 구성된다. ( )

(2) 보리와 갈조류는 생산자에 해당하는 생물이다. ( )

(3) 생산자는 독립 영양 생물이고, 분해자는 종속 영양 생물이다. ( )

(4) 1차 소비자는 생산자를 먹이로 하는 동물로 개구리, 여우 등이 있다. ( )

02 생태계를 구성하는 생물들을 역할에 맞게 옳게 연결하시오.

(1) 개나리, 토끼풀, 소나무 • • ㉠ 생산자

(2) 송이버섯, 느타리버섯, 푸른곰팡이 • • ㉡ 소비자

(3) 메뚜기, 잠자리, 토끼 • • ㉢ 분해자

03 다음은 생물과 환경과의 관계에 대한 설명이다. ㉠~㉢에 들어갈 알맞은 말을 쓰시오.

> 비생물적 요인이 생물적 요인에게 영향을 주는 현상을 (㉠)이라 하고, 생물적 요인이 비생물적 요인에게 영향을 주는 현상을 (㉡)이라 하며, 생물과 생물이 서로 영향을 주고받는 현상을 (㉢)이라 한다.

B 생물과 환경의 상호 작용

04 다음은 환경에 적응한 생물의 특징을 설명한 것이다.

> (가) 깊은 바다에는 홍조류가, 중간 깊이에는 갈조류가, 얕은 바다에는 녹조류가 주로 분포한다.
> (나) 꾀꼬리나 종달새 등은 일조 시간이 길어지면 알을 낳고, 송어나 노루 등은 일조 시간이 짧아지면 번식을 하는 등 광주기성이 있다.
> (다) 선인장에는 물을 저장하는 저수 조직이 있고, 물에서 자라는 연의 줄기와 뿌리에는 공기가 통하는 통기 조직이 발달하고 연잎은 물에 젖지 않는 구조로 발달하였다. 부레옥잠은 잎자루에 공기주머니가 있어 물 위에 뜰 수 있고, 건조한 지역에 사는 바오바브나무는 몸통에 대량의 수분을 저장한다.

(가)~(다)의 생물적 특징에 영향을 미친 환경 요인은 무엇인지 각각 쓰시오.

탄탄! 내신 다지기

A 개체, 개체군, 군집, 생태계

01 생태계를 구성하는 요인에 대한 설명으로 옳은 것은?

① 일정한 지역에서 함께 생활하는 같은 종의 개체들을 군집이라고 한다.
② 개체군은 생산자, 소비자, 분해자로 구분되는 생물로 구성되는 집단이다.
③ 생태계를 구성하는 생물 집단은 모두 독립 영양 생물로 스스로 양분을 합성할 수 있다.
④ 일정한 지역에서 여러 종의 생물들이 서로 상호 작용하며 살아가는 집단을 개체군이라고 한다.
⑤ 생태계는 생물적 요인만이 아니라 온도, 물, 공기, 토양과 같은 비생물적 요인도 포함한다.

단답형

02 다음은 생태계 구성 요소 중 생물적 요인의 특징을 나타낸 것이다.

(가) 식물이나 다른 동물을 먹이로 하여 양분을 얻는 종속 영양 생물이다.
(나) 빛에너지를 이용하여 무기물로부터 유기물을 합성하여 스스로 양분을 만든다.

(가), (나)의 생태계 내에서의 역할을 각각 쓰시오.

03 다음은 초원에 서식하는 생물들이다.

ㄱ. 사자 한 마리, 기린 한 마리, 얼룩말 한 마리
ㄴ. 새끼 사자와 이들을 돌보는 암사자와 수사자 집단
ㄷ. 사자 무리, 코끼리 무리, 얼룩말 무리를 모두 합친 생물들의 집단

각 생물이 속한 범위를 옳게 연결한 것은?

	ㄱ	ㄴ	ㄷ
①	개체	군집	생태계
②	개체	개체군	군집
③	군집	개체군	개체
④	개체군	개체	생태계
⑤	개체군	군집	생태계

단답형

04 다음은 생태계를 구성하는 요인들 사이의 영향을 나타낸 것이다.

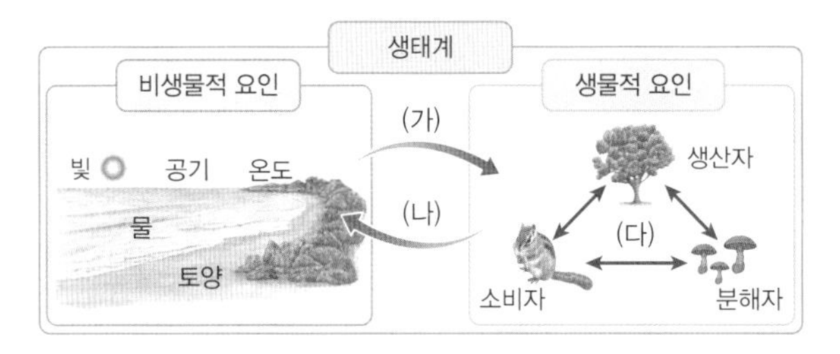

(가)~(다)에 해당하는 말을 각각 쓰시오.

05 작용에 관한 예로 옳은 것만을 〈보기〉에서 있는 대로 고른 것은?

〈보기〉
ㄱ. 지렁이나 두더지가 흙 속을 파헤치면 토양의 통기성이 높아진다.
ㄴ. 버섯과 미생물이 토양 속 유기물을 분해하면 토양 속 무기물의 양이 증가한다.
ㄷ. 선인장은 건조한 사막에서 살아남을 수 있는 특별한 구조가 발달해 있다.

① ㄱ ② ㄴ ③ ㄷ
④ ㄴ, ㄷ ⑤ ㄱ, ㄴ, ㄷ

B 생물과 환경의 상호 작용

06 그림은 잎의 구조를 나타낸 것이다. (가)와 (나)는 양엽과 음엽 중 하나이다.

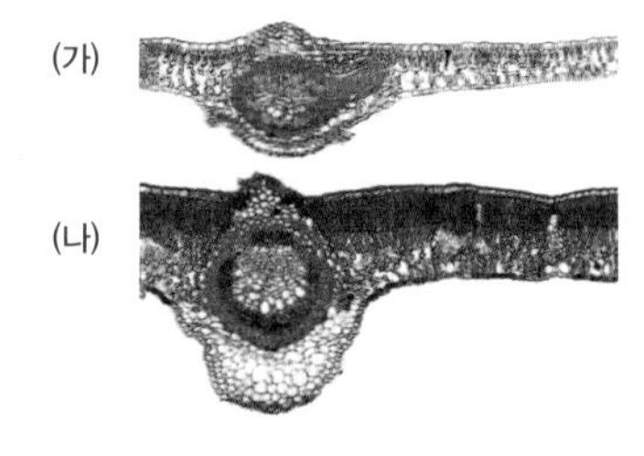

이에 대한 설명으로 옳은 것은?

① (가)는 양엽, (나)는 음엽이다.
② (가)는 (나)에 비해 울타리 조직이 발달하였다.
③ (가), (나) 중 광합성 작용이 더 활발한 것은 (가)이다.
④ (가)보다 (나)가 더 강한 빛에 적응한 식물의 잎이다.
⑤ (가)와 (나)는 서로 다른 빛의 파장에 적응한 식물들이다.

07 그림은 빛의 세기에 따른 식물들의 순 이산화 탄소 흡수량을 나타낸 것이다. (가)와 (나)는 음지 식물과 양지 식물 중 하나이다.

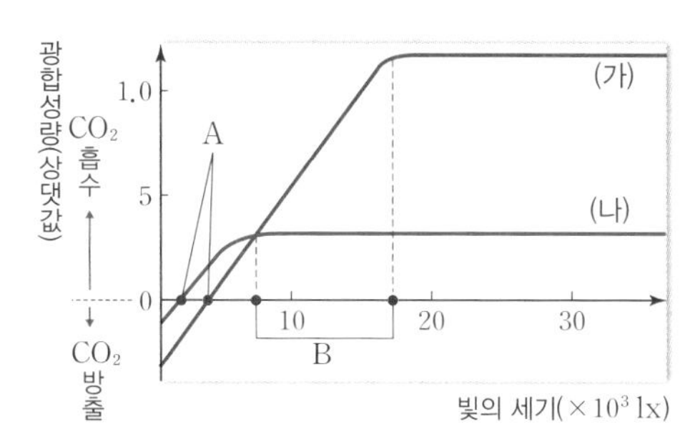

이에 대한 설명으로 옳은 것은?

① (가)는 음지 식물, (나)는 양지 식물이다.
② 순 이산화 탄소의 흡수량이 증가할수록 광합성량은 감소한다.
③ A는 광포화점으로 광합성량과 호흡량이 같을 때의 빛의 세기이다.
④ (가)와 (나)는 광합성량이 더 이상 증가하지 않는 최소한의 빛의 세기가 동일하다.
⑤ (가)는 (나)에 비해 B의 크기가 큰 것으로 보아 더 강한 빛의 세기에 적응한 식물이다.

08 그림은 수심에 따른 해조류의 분포와 빛의 도달 범위를 나타낸 것이다. (가)~(다)는 갈조류, 녹조류, 홍조류 중 하나이다.

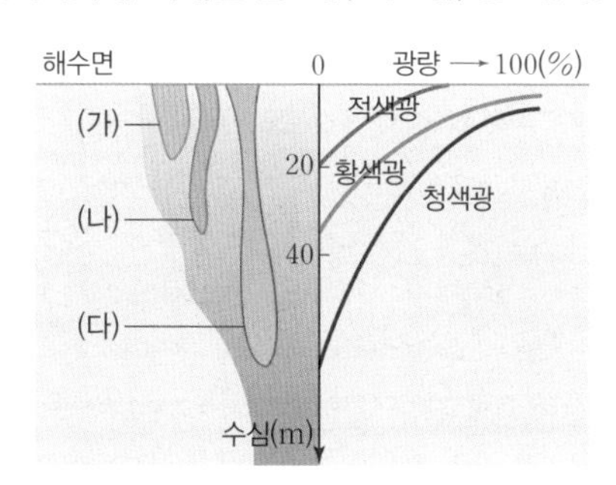

이에 대한 설명으로 옳은 것은?

① (가)는 적색광을 주로 이용하는 갈조류이다.
② (나)에 해당하는 생물에는 김, 우뭇가사리 등이 있다.
③ (다)는 가장 깊은 바다에 서식하는 생물이므로 광합성을 하지 못한다.
④ (가)~(다) 모두 바다에 서식하며 광합성을 할 수 있는 식물이다.
⑤ (가)~(다)의 서식 분포가 다른 까닭은 빛의 파장에 생물이 적응한 결과이다.

09 일조 시간에 따른 생물들의 적응 사례로 옳은 것만을 〈보기〉에서 있는 대로 고른 것은?

보기
ㄱ. 장일 식물은 봄과 초여름에 꽃을 피우고, 단일 식물은 가을에 꽃을 피운다.
ㄴ. 더운 지방에 사는 사막여우는 몸집이 작고 몸의 말단부가 크게 발달하였지만, 추운 지방에 사는 북극여우는 몸집이 크고 몸의 말단부가 작다.
ㄷ. 동물성 플랑크톤이나 크릴새우는 낮에는 수면 아래로 내려가고 밤에는 수면으로 올라오는 일주 현상을 나타낸다.

① ㄱ ② ㄱ, ㄴ ③ ㄱ, ㄷ
④ ㄴ, ㄷ ⑤ ㄱ, ㄴ, ㄷ

단답형

10 다음은 비생물적 환경 요인이 생물에 미친 영향에 대한 설명이다.

(가) 고도가 높아질수록 산소 분압은 낮아진다. 고산 지대인 티베트에 사는 사람은 저지대 사람보다 표면적이 더 넓은 폐를 가지고 있어 더 많은 공기를 들이마실 수 있다.
(나) 곤충, 지렁이 등과 많은 미생물들은 토양의 수분 함량, 통기성, 영양염류의 양 등 토양의 성질에 직접적인 영향을 받는다.

(가)와 (나)에 나타난 생물에 영향을 미치는 환경 요인은 각각 무엇인지 쓰시오.

11 저수 조직이 발달한 선인장의 구조에 영향을 미친 것과 동일한 환경 요인에 적응한 생물의 사례로 옳은 것만을 〈보기〉에서 있는 대로 고른 것은?

보기
ㄱ. 낙엽수는 겨울 동안 잎을 떨어뜨린다.
ㄴ. 연잎은 물에 젖지 않는 구조가 발달하였다.
ㄷ. 조류의 알에는 단단한 껍질이 있어 수분 증발을 막는다.

① ㄱ ② ㄴ ③ ㄷ
④ ㄴ, ㄷ ⑤ ㄱ, ㄴ, ㄷ

도전! 실력 올리기

출제예감

01 그림은 생태계 구성 요소 간의 관계를 나타낸 것이다. A는 여러 개체군들로 이루어지고 역할에 따라 (가), (나), 소비자로 나눈다.

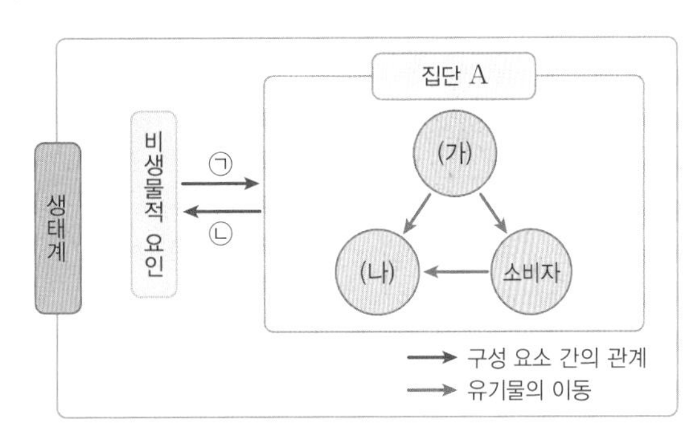

이에 대한 설명으로 옳은 것만을 〈보기〉에서 있는 대로 고른 것은?

보기
ㄱ. A는 군집으로 생물적 요인과 비생물적 요인을 모두 포함한다.
ㄴ. ㉠은 작용으로 '비옥한 토양에서 식물이 잘 자라는 것'을 예로 들 수 있다.
ㄷ. ㉡은 상호 작용으로 '낙엽이 쌓이면 토양이 비옥해지는 현상'을 예로 들 수 있다.

① ㄱ ② ㄴ ③ ㄱ, ㄴ
④ ㄴ, ㄷ ⑤ ㄱ, ㄴ, ㄷ

02 표는 여러 생물들의 특징을 나타낸 것이다.

구분	특징
A	한 식물에서도 양엽이 음엽보다 두껍다.
B	부레옥잠은 잎자루에 공기주머니가 있어 물에 뜬다.
C	송어나 노루 등은 일조 시간이 짧아지면 번식을 한다.

이에 대한 설명으로 옳은 것만을 〈보기〉에서 있는 대로 고른 것은?

보기
ㄱ. A는 작용, B는 반작용의 예이다.
ㄴ. A와 C는 모두 빛에 적응한 생물의 예이다.
ㄷ. B는 물에 적응한 생물의 예이고, C는 빛이 생식 시기에 영향을 미친 것이다.

① ㄱ ② ㄴ ③ ㄷ
④ ㄴ, ㄷ ⑤ ㄱ, ㄴ, ㄷ

03 그림은 생태계를 구성하는 일부 요소들을 나타낸 것이다.

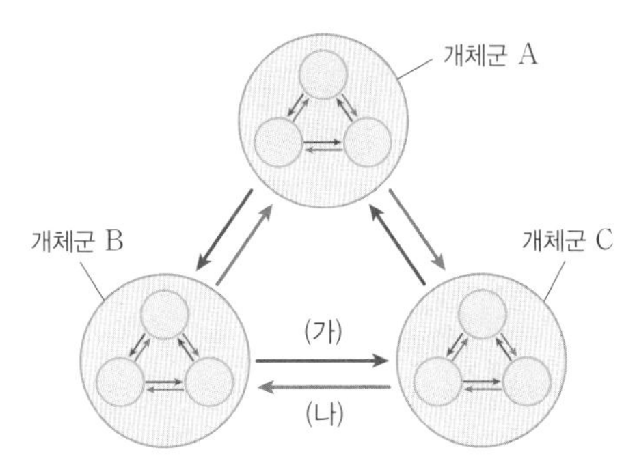

이에 대한 설명으로 옳은 것만을 〈보기〉에서 있는 대로 고른 것은?

보기
ㄱ. A, B, C는 서로 다른 종의 생물들이다.
ㄴ. 동일한 지역에서 생활하는 A, B, C 개체군들의 집합을 생태계라고 한다.
ㄷ. 빛의 세기에 따라 식물 잎의 두께가 달라지는 것은 (가)의 예이며, 숲이 우거질수록 지표면에 도달하는 빛의 세기가 약해지는 것은 (나)의 예이다.

① ㄱ ② ㄴ ③ ㄷ
④ ㄱ, ㄷ ⑤ ㄴ, ㄷ

출제예감

04 그림은 북극여우와 사막여우의 모습을 나타낸 것이다.

이에 대한 설명으로 옳은 것만을 〈보기〉에서 있는 대로 고른 것은?

보기
ㄱ. 몸집이 작고 몸의 말단부가 크게 발달할수록 몸의 열이 쉽게 빠져 나가지 못한다.
ㄴ. 추운 지방에 사는 동물일수록 몸통은 점점 커지고 말단부는 점점 작아지는 경향이 있다.
ㄷ. 낙엽수가 가을이 오면 잎을 떨어뜨리는 현상도 위와 같은 환경 요인에 적응한 사례이다.

① ㄱ ② ㄴ ③ ㄷ
④ ㄱ, ㄴ ⑤ ㄴ, ㄷ

정답과 해설 74쪽

출제예감

05 그림은 빛의 세기에 따른 양지 식물과 음지 식물의 광합성량을 나타낸 것이다.

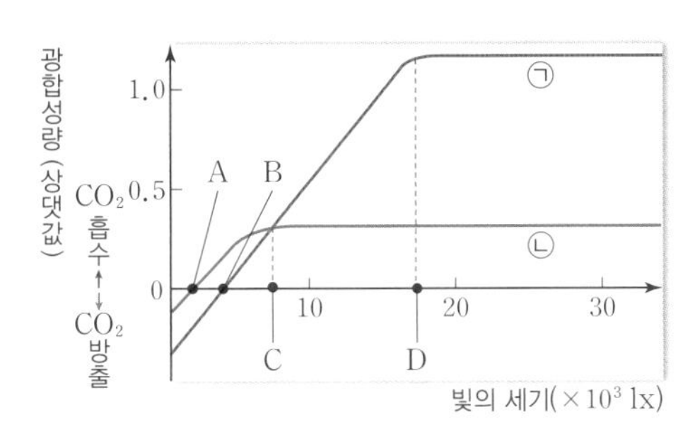

이에 대한 설명으로 옳은 것만을 〈보기〉에서 있는 대로 고른 것은?

〈보기〉
ㄱ. 빛의 세기가 A, B일 때 ㉠과 ㉡ 식물 모두 광합성을 하지 않는다.
ㄴ. 빛의 세기가 C와 D일 때 ㉡ 식물의 광합성량은 모두 동일한 값을 나타낸다.
ㄷ. 식물 ㉠과 ㉡이 빛의 파장에 적응한 결과이다.

① ㄱ　② ㄴ　③ ㄱ, ㄷ　④ ㄴ, ㄷ　⑤ ㄱ, ㄴ, ㄷ

06 그림은 봄에 나타나는 호랑나비와 여름에 나타나는 호랑나비의 모습을 나타낸 것이다.

(가)

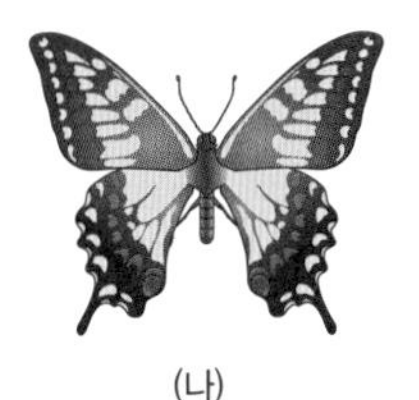
(나)

이에 대한 설명으로 옳은 것만을 〈보기〉에서 있는 대로 고른 것은?

〈보기〉
ㄱ. 호랑나비의 계절형으로 (가)는 여름형, (나)는 봄형이다.
ㄴ. (가)와 (나)의 크기와 색깔에 차이가 나는 주된 까닭은 번데기 시절의 온도 때문이다.
ㄷ. 위와 같은 환경 요인의 영향을 받은 생물의 예는 '바다 깊이에 따라 해조류의 분포가 다른 것'을 들 수 있다.

① ㄱ　② ㄴ　③ ㄷ　④ ㄴ, ㄷ　⑤ ㄱ, ㄴ, ㄷ

서술형

07 그림은 생태계를 구성하는 생물적 요인과 비생물적 요인을 나타낸 것이며, (가)와 (나)는 생물적 요인과 비생물적 요인의 관계에 대한 설명이다.

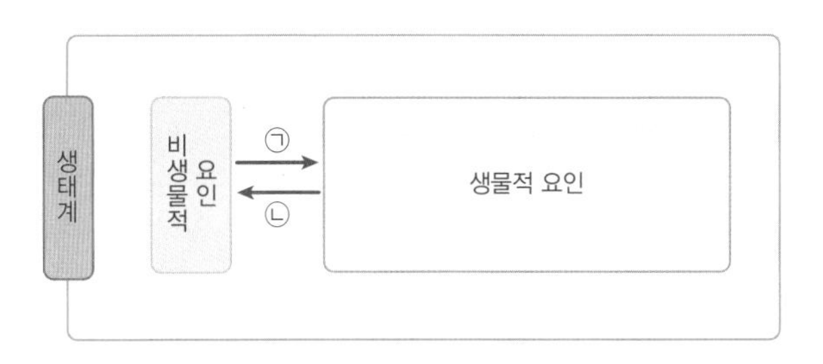

(가) 가을이 되면 나뭇잎의 색깔이 변하여 단풍이 든다.
(나) 숲이 우거질수록 지표면에 도달하는 빛의 양은 감소한다.

(가)와 (나)는 ㉠과 ㉡ 중 어디에 해당되는 사례인지 쓰고, 그렇게 생각하는 까닭을 서술하시오.

08 그림은 뽕나무의 계절에 따른 탄수화물 함량과 삼투압 변화를 나타낸 것이다.

녹말을 포도당으로 분해하면 삼투압이 높아져 세포 내외에 존재하는 수분의 어는점이 내려가게 된다. 따라서 뽕나무는 추운 겨울에 삼투압을 높여 저온에 적응한다.

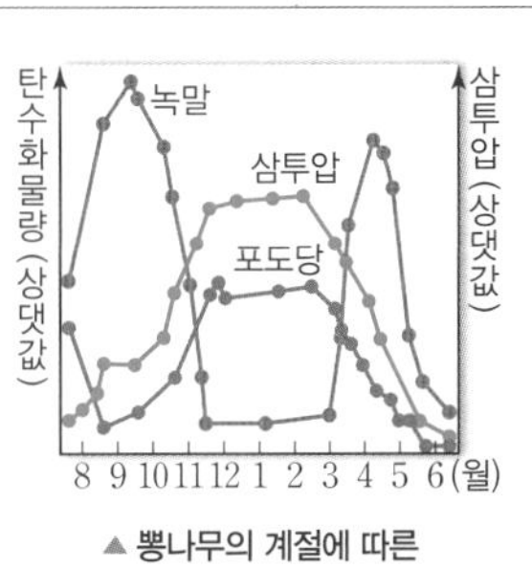

▲ 뽕나무의 계절에 따른 탄수화물과 삼투압 변화

위의 사례는 작용, 반작용, 상호 작용 중 어디에 해당되는지를 쓰고, 뽕나무의 특징에 영향을 미친 비생물적 요인은 무엇인지 쓰시오.

02 개체군

핵심 키워드로 흐름잡기

- A 개체군의 밀도, 생장 곡선, 환경 저항, 생존 곡선, 연령 피라미드
- B 개체군의 단기적 변동, 개체군의 장기적 변동
- C 텃세, 순위제, 리더제, 사회생활, 가족 생활

A 개체군의 특성

|출·제·단·서| 개체군의 생장 곡선에서 실제의 생장 곡선과 환경 저항에 관한 내용을 묻는 문제가 시험에 나와.

1. 개체군❶의 밀도 개체군의 단위 면적당 개체 수를 의미한다. ➡ 개체군의 출생, 사망, 이입, 이출에 의해 밀도가 변화된다. 개체군 밀도가 높아지면 개체 사이에 먹이나 서식지에 대한 종내 경쟁이 증가하여 개체가 생존하기 어렵고, 밀도가 너무 낮아져도 개체군이 유지되기 어려우므로, 개체군은 밀도를 일정하게 유지하는 것이 중요하다.

$$\text{개체군의 밀도}(D)=\frac{\text{개체군을 구성하는 개체 수}(N)}{\text{개체군의 서식 공간의 면적}(S)}$$

▲ 개체군의 밀도 변화

- 개체군 밀도 변화는 개체군의 이입과 이출보다 출생률과 사망률이 더 큰 영향을 미친다.
- 먹이의 양, 기후, 질병, 천적 등의 환경 요인 또한 개체군의 밀도 변화에 영향을 준다.

❶ **개체군**
개체군은 개체의 나이와 크기가 다양하고, 개체들 간에 상호 작용이 계속해서 일어나므로 개체에서 생각할 수 없는 고유한 특성을 갖는다.

2. 개체군의 생장 곡선 탐구 POOL (암기TiP) 이론상의 생장 곡선과 실제의 생장 곡선의 차이는 환경 저항 때문

개체군에 속하는 개체 수가 시간이 지날수록 증가하는 것을 개체군의 생장이라고 하며, 시간에 따른 개체군의 크기 변화를 그래프로 나타낸 것을 생장 곡선이라고 한다.

이론상의 생장 곡선	먹이, 서식 공간 등의 조건이 최적이고, 아무런 제약 없이 생식 활동을 할 수 있다면 개체 수가 계속 늘어나 J자형 생장 곡선을 나타낼 것이다.
실제의 생장 곡선	개체 수가 증가할수록 서식 공간과 먹이 등의 자원에 대한 경쟁이 심해지고, 노폐물이 축적되며 질병 발생이 증가한다. 그 결과 개체 수는 더 이상 증가하지 않고 일정해져 S자형 생장 곡선이 나타난다.
환경 저항	서식 공간과 먹이 부족, 노폐물 축적, 질병, 개체 간의 경쟁, 천적의 증가 등 개체군 생장을 억제하는 환경 요인이다. 환경 저항이 커질수록 사망률이 높아지고 출생률이 낮아진다.
환경 수용력	서식지에서 증가할 수 있는 개체군의 최대 크기이다. 일반적인 환경에서 개체군의 크기는 환경 수용력까지 증가할 수 있다.

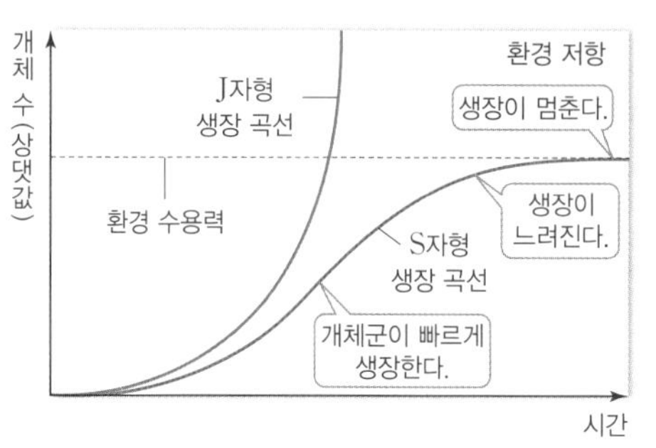

▲ 개체군의 생장 곡선

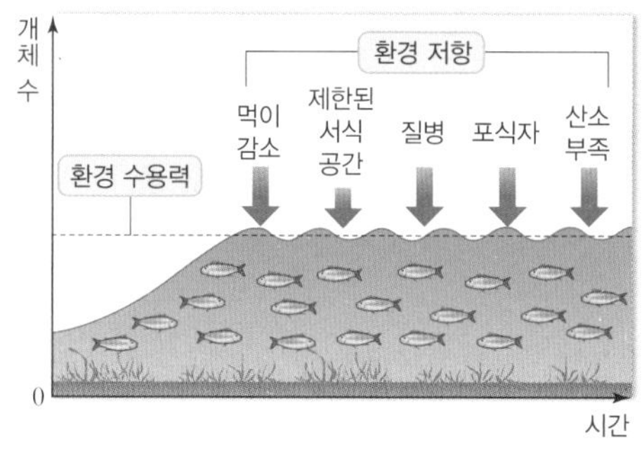

▲ 개체군의 생장과 환경 저항

❓ 움직이는 동물은 특정 지역에 살고 있는 개체 수를 어떻게 셀 수 있을까?
움직임이 많은 동물의 개체 수 측정 방법은 다음과 같다.
먼저 동물 중 일부를 잡은 다음, 잡은 동물에 표시를 한 후 놓아준다. 그리고 다시 잡아 아래와 같은 비율로 계산하여 개체군의 전체 개체 수를 구한다.

$$\frac{\text{처음 잡은 개체 수}}{\text{전체 개체 수}}=\frac{\text{표시된 개체 수}}{\text{다시 잡은 개체 수}}$$

용어 알기
- 이입(옮길 移, 들 入) 다른 개체군으로부터 개체가 들어오는 현상
- 이출(옮길 移, 날 出) 다른 개체군으로 개체가 빠져나가는 현상

3. 개체군의 생존 곡선❷ 같은 시기에 태어난 개체들이 시간이 지남에 따라 얼마나 살아남았는지를 그래프로 나타낸 것이다. ➡ 생존 곡선을 통해 개체군의 사망률이 나이에 따라 변화되는 양상과 개체군의 생활사, 생식, 서식 환경 등에 관한 자료를 파악할 수 있다.

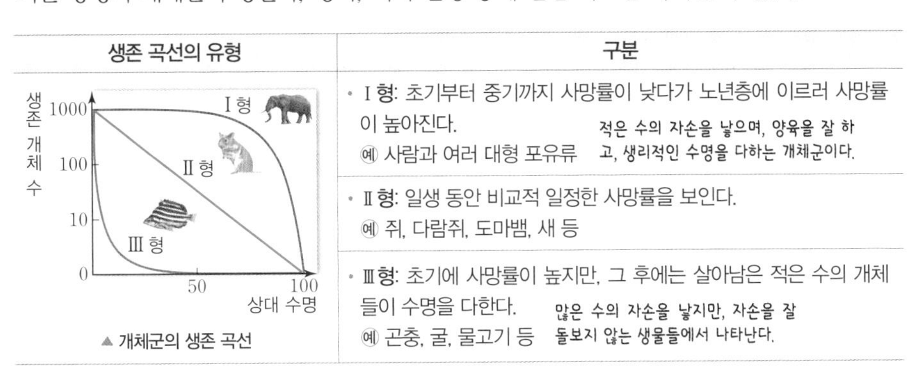

생존 곡선의 유형	구분
▲ 개체군의 생존 곡선	• Ⅰ형: 초기부터 중기까지 사망률이 낮다가 노년층에 이르러 사망률이 높아진다. 예 사람과 여러 대형 포유류 (적은 수의 자손을 낳으며, 양육을 잘 하고, 생리적인 수명을 다하는 개체군이다.)
	• Ⅱ형: 일생 동안 비교적 일정한 사망률을 보인다. 예 쥐, 다람쥐, 도마뱀, 새 등
	• Ⅲ형: 초기에 사망률이 높지만, 그 후에는 살아남은 적은 수의 개체들이 수명을 다한다. 예 곤충, 굴, 물고기 등 (많은 수의 자손을 낳지만, 자손을 잘 돌보지 않는 생물들에서 나타난다.)

빈출 탐구 생존 곡선

개체군의 특성을 파악하여 개체군의 생존 곡선의 유형을 나타낼 수 있다.

과정

다음은 서로 다른 개체군에 대한 설명이다.

> (가) 사막에 서식하는 클레오메는 100개의 개체가 한 해에 100만 개의 씨를 만들지만, 이 중 40그루만 살아남아 어린나무가 된다. 어린나무가 되면 이후의 사망률은 감소한다.
> (나) 아프리카코끼리는 한 번에 1마리의 새끼를 낳는다. 새끼가 태어나면 가족은 새끼를 보호한다. 코끼리의 수명은 보통 50~70년이다.
> (다) 노래지빠귀는 5~6개의 알을 낳으며, 부모로부터 보호받는 어린 시기를 지나 날기 시작한 이후에는 전 생애에 거쳐 일정한 비율로 죽는다.

결과

(가)~(다) 개체군의 생존 곡선은 (가)는 Ⅲ형, (나)는 Ⅰ형, (다)는 Ⅱ형이다.

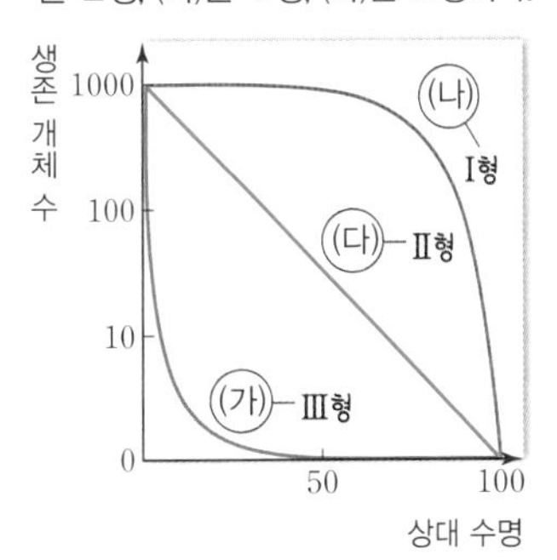

정리

❶ (가) 개체군의 생존 곡선: Ⅲ형은 초기에 사망률이 높아 생존 개체 수가 급격히 하강하지만, 그 후에는 살아남은 적은 수의 개체들이 수명을 다한다. 많은 수의 자손을 낳아 종족을 보존한다.

❷ (나) 개체군의 생존 곡선: Ⅰ형은 적은 수의 자손을 낳지만 양육이 잘 이루어져 생리적인 수명을 다한다.

❸ (다) 개체군의 생존 곡선: Ⅱ형은 일생 동안 비교적 일정한 사망률을 나타낸다.

4. 개체군의 °연령 피라미드 개체군의 연령 분포❸를 조사하여 나이 어린 연령부터 차례로 쌓아 올려 그림으로 나타낸 것이다. ➡ 생식 전 연령층 분포에 따라 개체군의 크기 변화를 예측할 수 있다.

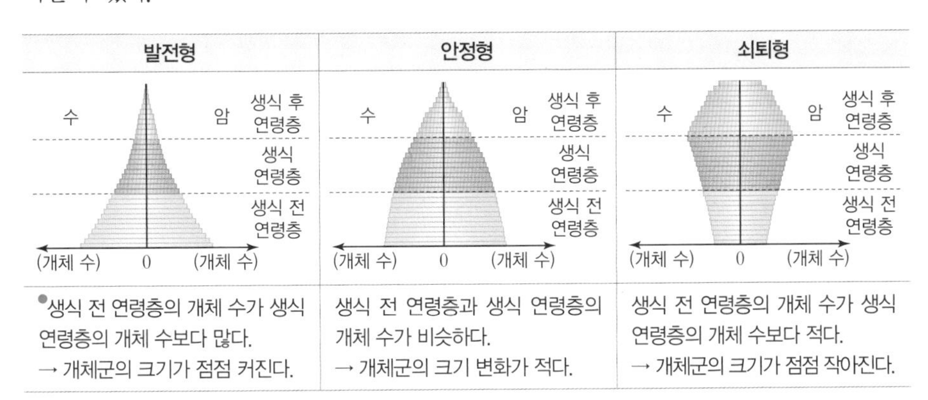

발전형	안정형	쇠퇴형
°생식 전 연령층의 개체 수가 생식 연령층의 개체 수보다 많다. → 개체군의 크기가 점점 커진다.	생식 전 연령층과 생식 연령층의 개체 수가 비슷하다. → 개체군의 크기 변화가 적다.	생식 전 연령층의 개체 수가 생식 연령층의 개체 수보다 적다. → 개체군의 크기가 점점 작아진다.

❷ 생존 곡선
• 같은 시기에 태어난 개체들 중 일부가 사망하면서 시간이 지남에 따라 생존한 개체 수는 점점 줄어들지만 개체군의 생활 방식에 따라 감소되는 비율에 차이가 난다.
• 생존 곡선을 통해 그 생물이 어느 시기에 불리한 환경에 있었는가를 짐작할 수 있고, 일정한 시기에 출생한 여러 개체 중에서 앞으로 살아남을 개체 수를 알 수 있다.

❸ 연령 분포
개체군을 구성하는 개체들의 연령별 개체 수를 조사하여 나타낸 것을 말한다. 연령 피라미드상의 연령 분포를 통해 개체군의 크기가 앞으로 어떻게 변화할 것인지 예측할 수 있다.

용어 알기
• 연령(해 年, 나이 齡) 세상에 태어나서 살아온 햇수, 나이
• 생식(날 生, 심을 植) 생물 개체가 자신과 닮은 새로운 생물 개체를 생산하는 현상

B 개체군의 주기적 변동

|출·제·단·서| 시험에는 개체군의 주기적 변동에 어떤 요인이 어떻게 영향을 미치는지 파악하는 문제가 나와.

암기TiP 단기적 변동은 주로 계절적 영향, 장기적 변동은 먹이 관계 영향

1. 계절에 따른 돌말 개체군의 주기적 변동 돌말[4]은 영양염류[5]의 농도, 수온, 빛의 세기와 같은 환경 요인의 영향으로 계절에 따라 개체 수가 변한다. 단기적 변동에 해당한다.

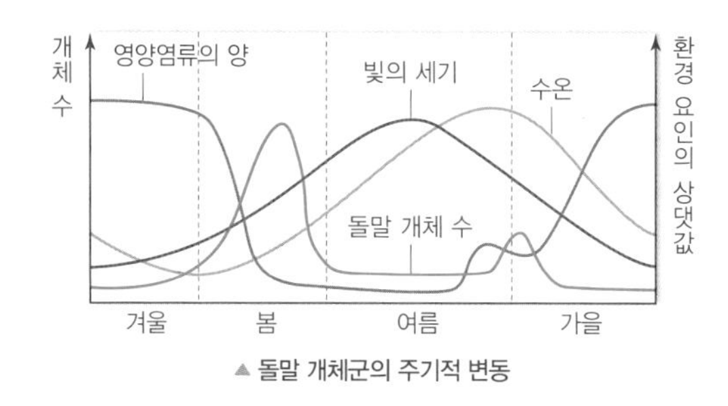

▲ 돌말 개체군의 주기적 변동

▲ **돌말** 조류의 일종으로 대부분 단세포이며, 세포 분열로 번식한다.

(1) **봄** 영양염류가 충분한 상태에서 빛의 세기와 수온이 증가하므로 돌말 개체군의 크기가 크게 증가한다.

(2) **여름** 영양염류의 감소로 인해 자원이 고갈되어 돌말 개체군의 크기가 감소한다.

(3) **가을과 겨울** 영양염류에 의해 돌말 개체군의 크기가 약간 증가하지만 가을 이후 빛의 세기와 수온이 감소되면서 돌말 개체군의 크기가 감소한다.

2. 포식과 피식에 따른 개체군의 주기적 변동 •포식과 •피식 또는 환경의 영향에 따라 개체군의 크기가 변동한다. 장기적 변동에 해당한다.

(1) **눈신토끼와 스라소니**

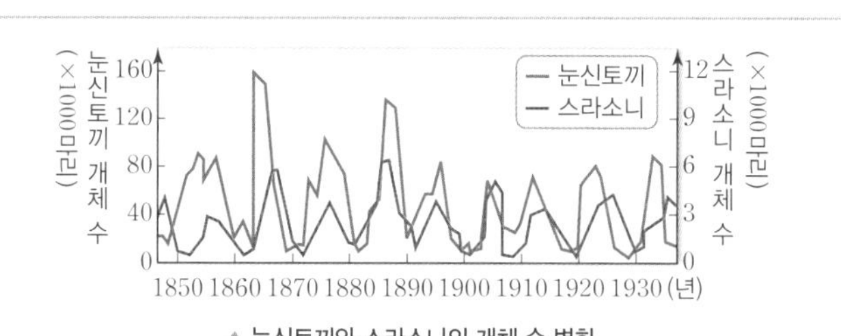

▲ 눈신토끼와 스라소니의 개체 수 변화

❶ **주기적 변동:** 피식자인 눈신토끼의 개체 수 증가 → 포식자인 스라소니의 개체 수 증가 → 눈신토끼의 개체 수 감소 → 스라소니의 개체 수 감소

❷ 눈신토끼와 스라소니는 먹고 먹히는 관계로 인해 약 10년을 주기로 개체군의 증감이 나타난다.

(2) **뿔사슴과 늑대** ★ 뿔사슴과 늑대의 개체군의 밀도 변화는 지학사 교과서에만 나오는 내용이다.

▲ 로열섬의 뿔사슴과 늑대의 개체 수 변화

❶ **지역적 격리:** 뿔사슴은 1900년경에 미국 본토에서 얼어붙은 호수를 가로질러 로열섬으로 와서 무리를 이루었고, 1950년경에 늑대 무리가 이 섬으로 건너오게 되었다. 그 후로 뿔사슴과 늑대 개체군은 이입과 이출이 없이 격리되었다.

❷ **주기적 변동** 개체군의 크기는 생물적, 비생물적 요인들의 복합적인 상호 작용에 의해 변하기도 한다.

- 1975년~1980년: 늑대 개체군의 개체 수 증가 → 뿔사슴 개체군의 개체 수 감소
- 1995년경: 눈 때문에 먹이가 부족해 뿔사슴 개체군의 개체 수 감소 → 늑대 개체군의 개체 수 감소

---

❹ 돌말
규조류에 속하는 식물성 플랑크톤으로, 엽록소가 있어 광합성을 한다.

❺ 영양염류
영양염류는 인산염이나 질산 이온 등을 말하며 식물성 플랑크톤의 구성 성분이 되는 물질이다. 그러므로 바닷물이나 호수의 영양염류량은 식물성 플랑크톤의 번식에 영향을 미친다.

? 적조 현상이 일어나면 어떻게 될까?
- 바다의 수온이 상승하고 영양염류가 증가하였을 때, 해양 플랑크톤 중 붉은 색소를 가진 조류가 급격히 증가하여 바닷물이 붉게 보이는 현상을 적조 현상이라고 한다.
- 적조 현상이 발생하면 조류가 분비하는 독소와 물속의 산소 고갈로 어패류가 집단 폐사할 수 있다.

용어 알기
- 포식(사로잡을 捕, 밥 食) 생물의 먹이 관계에서 잡아먹는 행위
- 피식(입을 被, 밥 食) 생물의 먹이 관계에서 잡아먹히는 행위

C 개체군 내 상호 작용

|출·제·단·서| 개체군 내 상호 작용의 종류와 예를 찾는 문제가 시험에 나와.

1. 개체군 내 상호 작용

암기TiP 개체군 내 상호 작용은 같은 종끼리의 관계

(1) 개체군의 밀도가 증가함에 따라 개체들은 먹이, 서식지 공간, 배우자 등을 차지하기 위해 서로 경쟁을 한다. → 종내 경쟁

(2) 종내 경쟁이 심해지면 개체군의 유지가 어려워지고 다른 개체군과의 경쟁에서도 불리해진다.

(3) 개체군 내에서는 불필요한 경쟁을 피하고 질서를 유지하기 위해 다양한 상호 작용이 일어난다.

2. 개체군 내 상호 작용의 종류와 특징

종류	특징
텃세 은어	• 개체가 자신의 생활 구역을 확보하여 다른 개체의 접근을 막고 먹이, 배우자, 공간 등을 독점하는 것을 텃세라고 하며, 이렇게 확보된 생활 구역을 세력권이라고 한다. ㉠ 은어, 까치, 물개, 얼룩말 등 • 텃세는 개체를 분산시켜 개체군 밀도를 조절하고 불필요한 경쟁이나 싸움을 피하게 하는 효과가 있다.
순위제❻ 닭	• 개체군의 구성원 사이에서 힘의 서열에 따라 순위가 정해지는 것을 순위제라고 한다. ㉠ 고릴라, 닭, 토끼, 사슴, 원숭이 등 • 순위를 정하는 과정은 치열하지만 일단 정해지고 나면 순위에 따라 먹이나 배우자를 차지하게 되므로 불필요한 경쟁을 줄이고 질서를 유지할 수 있다.
리더제 기러기	• 동물 개체군에서 경험이 많거나 영리한 개체가 리더가 되어 개체군을 이끄는 것을 리더제라고 한다. ㉠ 코끼리, 늑대, 기러기, 순록 등 • 리더는 무리 전체를 통솔하며 개체군의 이동, 먹이 탐색, 도피 등을 결정하고 질서를 유지하는 역할을 한다. 다른 개체들은 리더를 따름으로써 생존에 도움이 되는 선택을 할 수 있다.
사회생활❼ 꿀벌	• 개체들의 역할이 먹이 수집, 방어, 생식 등으로 분업화되고 이들의 협력으로 전체 개체군이 유지되는 체제를 사회생활이라고 한다. ㉠ 꿀벌, 개미 등 • 사회생활을 하는 개체들의 몸 구조나 습성은 자신이 맡은 일만 수행할 수 있도록 •분화되어 있어 개체군에서 벗어나면 독자적인 생존이 어렵다.
가족생활 사자	• •혈연관계로 묶인 개체들이 무리를 이루고 함께 새끼를 돌보거나 먹이를 사냥하는 것을 가족생활이라고 한다. ㉠ 사자, 코요테, 제비 등 사자, 하이에나 등과 같은 동물은 힘이 센 수컷이나 암컷을 중심으로 가족생활을 한다. 가족은 먹이를 공유하고 어린 개체를 효과적으로 키울 수 있어 개체군을 유지하는 데 도움이 된다.

빈출 자료 은어의 텃세

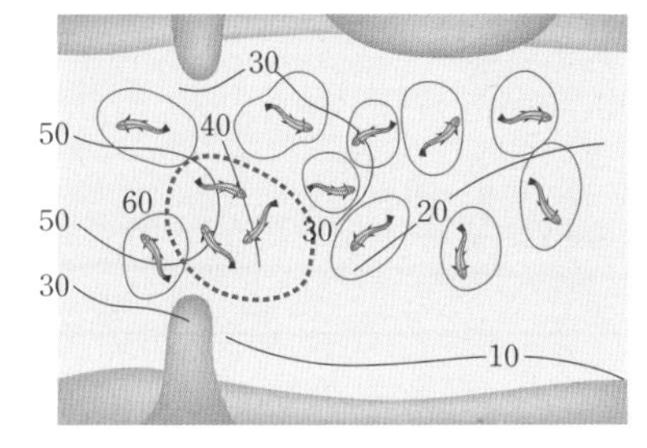

— 개체의 세력권 ···· 무리의 생활 범위

▲ 은어의 텃세와 세력권

❶ 민물 어류인 은어는 수심이 얕은 곳에서 개체군을 형성하고 있지만, 제각각 서식하는 범위가 정해져 있다.

❷ 그림에서 실선은 각 개체의 세력권을 나타낸 것이고, 가운데 있는 점선으로 나타낸 영역은 공동생활 구역이다.

❸ 은어는 서식지의 확보, 먹이 획득, 배우자 독점 등을 위해 세력권을 차지하고 다른 개체의 침입을 적극적으로 막아 개체를 분산시켜 개체군 밀도를 조절하고 불필요한 경쟁을 피한다.

❻ 순위제

순위 결정은 서로 상처를 입힐 수 있는 직접적인 충돌을 피하기 위해 몸의 크기, 장식, 체력 등을 비교하거나 과시 행동을 주고받는 방식으로 이루어지기도 한다. 또, 강한 상대 앞에서 미리 항복 의사를 표시함으로써 싸움을 피하는 것도 치명적인 상처를 입지 않고 순위를 결정할 수 있는 방법 중 하나이다.

❼ 꿀벌의 사회생활

꿀벌의 사회생활에서 여왕벌은 조직을 통솔하고 산란하며, 일벌은 꿀의 채취와 벌집 관리 등을 한다. 수벌은 생식에 관여한다.

? 순위제와 리더제의 차이는 무엇일까?

순위제는 힘의 서열에 따라 먹이나 배우자를 얻는 순위가 정해지는 것이고, 리더를 정하여 개체군 통솔이나 지휘를 하는 리더제는 리더를 제외한 나머지 개체들 간에는 순위가 없다.

용어 알기 

• 분화(나눌 分, 될 化) 구조나 기능 등이 특수화되는 현상

• 혈연(피 血, 인연 緣)(blood relation) 같은 핏줄에 의하여 연결된 관계

효모 개체군의 생장 곡선 그리기

목표 효모 개체군의 생장 곡선을 그려 보고, 환경 저항이 효모 개체군 생장에 어떤 영향을 미치는지 파악할 수 있다.

유의점

- 효모는 1회 세포 분열에 2~3시간 정도 소요되며, 건조 효모는 처음 분열을 시작하기까지 시간이 더 필요하다.
- 현미경으로 효모 개체 수를 셀 때는 같은 배율에서 개체 수를 세어야 한다.
- 개체 수가 너무 많으면 희석하여 개체 수를 센 후, 희석 비율을 고려하여 개체 수를 계산한다.

과정

❶ 효모 배양액 만들기

효모

- 1 % 포도당 수용액 100 mL를 넣은 비커와 0.5 % 포도당 수용액 100 mL를 넣은 비커에 건조 효모 1 g을 각각 넣고 섞은 후 35 °C로 배양한다.

❷ 효모 배양액 준비 및 염색하기

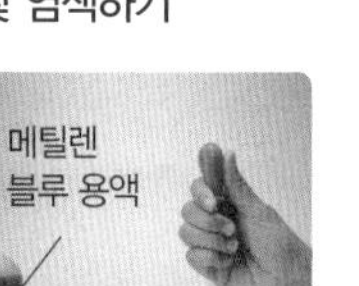

- 스포이트로 효모 배양액 1방울을 받침 유리 위에 떨어뜨린 후 0.5 % 메틸렌 블루 용액을 1방울 떨어뜨린다.

❸ 효모 현미경 표본 만들기

- 받침 유리에 덮개 유리를 살짝 덮은 후, 여분의 용액은 거름종이로 제거한다.

❹ 시간에 따른 효모 개체 수 기록하기

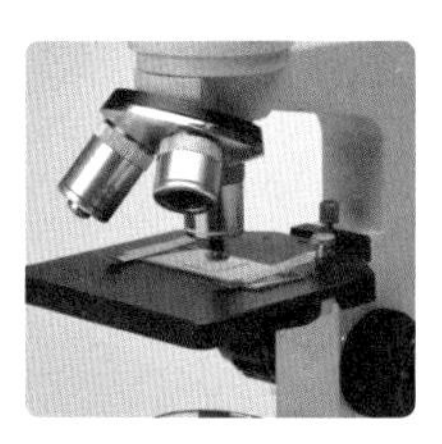

- 2시간이 지날 때마다 현미경으로 관찰하여 효모의 개체 수를 기록한다.

결과

수용액 \ 시간	0	2	4	6	8	10	12	14
1 % 포도당 수용액	20	50	120	210	230	240	240	240
0.5 % 포도당 수용액	20	40	80	130	140	150	150	130

이런 실험도 있어요!

★ 비상 교과서에만 나오는 내용이다.

pH에 따른 좀개구리밥 개체군의 생장 곡선

pH가 서로 다른 배양액이 든 페트리 접시에 같은 수의 좀개구리밥을 각각 넣어 햇빛이 잘 드는 창가에 두고 실온에서 배양하면서 개체군의 크기를 측정한다.

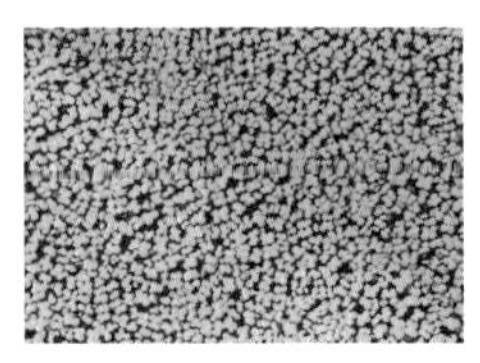

▲ 좀개구리밥

정리 및 해석

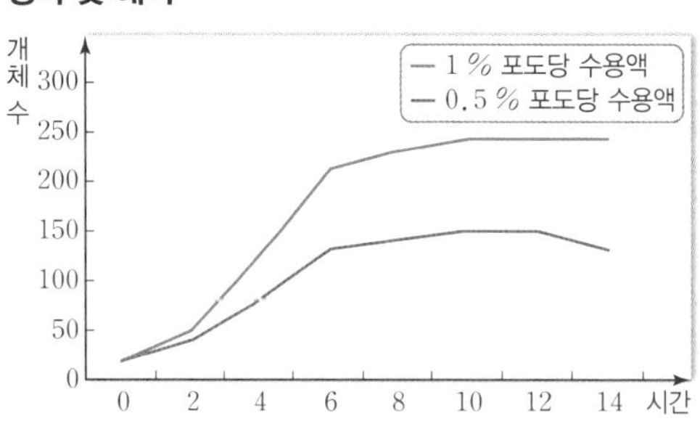

- 개체 수가 증가할수록 환경 저항이 증가하므로 개체 수는 더 이상 증가하지 않고 일정해져 S자형 생장 곡선이 나타난다.
- 환경 저항이 클수록 환경 수용력은 감소한다.
  서식 공간과 먹이 부족, 노폐물 축적, 질병, 개체 간의 경쟁, 천적의 증가 등 개체군 생장을 억제하는 요인

한·줄·핵심 개체 수가 증가할수록 환경 저항이 증가하여 S자형 생장 곡선이 나타난다.

확인 문제

정답과 해설 76쪽

01 시간에 따른 개체군의 크기를 그래프로 나타낸 것을 무엇이라고 하는지 쓰시오.

02 서식 공간과 먹이 부족, 노폐물 축적, 질병 등 개체군 생장을 억제하는 요인을 무엇이라고 하는지 쓰시오.

콕콕! 개념 확인하기

정답과 해설 76쪽

✔ 잠깐 확인!

1. 개체군의 ☐☐
개체군의 단위 면적당 개체 수

2. ☐☐ ☐☐
시간에 따른 개체군의 크기 변화를 그래프로 나타낸 것

3. ☐☐ ☐☐
같은 시기에 태어난 개체들이 시간이 지남에 따라 얼마나 살아남았는지를 나타낸 그래프

4. ☐☐ 피라미드
개체군의 연령 분포를 조사하여 나이 어린 연령부터 차례로 쌓아 올려 나타낸 그림

5. ☐☐
개체가 자신의 생활 구역을 확보하여 다른 개체의 접근을 막고 먹이, 배우자, 공간 등을 독점하는 개체군 내 상호 작용

6. ☐☐☐
개체군의 구성원 사이에서 힘의 서열에 따라 순위가 정해지는 개체군 내 상호 작용

7. ☐☐☐
경험이 많거나 영리한 개체가 리더가 되어 개체군을 이끄는 개체군 내 상호 작용

A 개체군의 특성

01 개체군의 특성에 대한 설명으로 옳은 것은 ○, 옳지 않은 것은 ×로 표시하시오.

(1) 개체군의 밀도는 단위 면적당 개체 수로 출생과 이입에 의해 증가하고 사망과 이출에 의해 감소한다. (   )

(2) 먹이, 서식 공간 등의 조건이 최적이고, 아무런 제약 없이 생식 활동을 할 수 있다면 개체 수가 계속 늘어나 S자형 생장 곡선을 나타낸다. (   )

(3) 서식 공간과 먹이 부족, 노폐물 축적, 질병, 개체 간의 경쟁, 천적의 증가 등 개체군 생장을 억제하는 요인을 환경 저항이라고 한다. (   )

(4) 생식 전 연령층과 생식 연령층의 개체 수가 비슷하면 개체군의 크기가 점점 커지고, 생식 전 연령층의 개체 수가 생식 연령층의 개체 수보다 적으면 개체군의 크기는 점점 작아진다. (   )

02 한 서식지에서 증가할 수 있는 개체군의 최대 크기를 무엇이라고 하는지 쓰시오.

B 개체군의 주기적 변동

03 다음은 돌말의 개체 수 변동에 대한 설명이다. ㉠~㉢에 들어갈 알맞은 말을 쓰시오.

> 봄에는 영양염류가 충분한 상태에서 빛과 수온이 점점 증가하므로 돌말 개체군의 크기는 크게 (㉠)하고, 여름에는 영양염류의 감소로 인해 자원이 고갈되어 돌말 개체군의 크기는 (㉡)한다. 가을 이후 빛의 세기와 수온이 감소되면서 돌말 개체군의 크기는 (㉢)한다.

C 개체군 내 상호 작용

04 생물의 특징과 이에 해당하는 개체군 내 상호 작용의 명칭을 옳게 연결하시오.

(1) 1~2마리의 수사자는 다수의 암사자와 새끼를 함께 돌보며 무리 지어 생활한다. •   • ㉠ 순위제

(2) 각각 다른 곳에 있던 닭을 한 닭장에 넣고 모이를 주면 처음에는 서로 쪼아가며 싸우지만 며칠 후에는 모이를 먹는 순서가 정해진다. •   • ㉡ 가족생활

탄탄! 내신 다지기

A 개체군의 특성

01 개체군의 특성에 대한 설명으로 옳은 것은?

① 일정 지역에서 함께 생활하는 같은 종에 속하는 개체들의 집단이다.
② 한 서식지에서 생활하며 역할에 따라 생산자, 소비자, 분해자로 구분된다.
③ 개체군에 속하는 개체 수의 시간에 따른 크기를 그래프로 나타낸 것을 생존 곡선이라고 한다.
④ 개체군의 단위 면적당 개체 수를 개체군의 밀도라 하며 개체군의 밀도는 이입에 의해 감소하고 이출에 의해 증가한다.
⑤ 같은 시기에 태어난 개체들이 시간이 지남에 따라 얼마나 살아남았는지를 그래프로 나타낸 것이 개체군의 생태 곡선이다.

02 개체군의 밀도에 관한 설명으로 옳은 것은?

① 개체군 밀도가 낮아지면 개체 사이에 먹이나 서식지에 대한 종내 경쟁이 증가한다.
② 개체군의 크기가 정상적으로 유지되기 위해서는 개체군의 밀도가 낮을수록 더 유리하다.
③ 개체군의 밀도는 출생과 사망에 의해서만 영향을 받고 환경 요인은 개체군의 밀도 변화에 영향을 주지 않는다.
④ 개체군 내 환경 저항이 커지게 되면 생장 곡선에는 영향을 미치지만 개체군의 밀도에는 영향을 미치지 않는다.
⑤ 개체군 밀도에 가장 큰 영향을 미치는 요인은 개체군의 출생률과 사망률이며, 출생률이 클수록 개체군의 밀도가 증가한다.

03 그림은 시간에 따른 개체군의 개체 수를 나타낸 것이다.

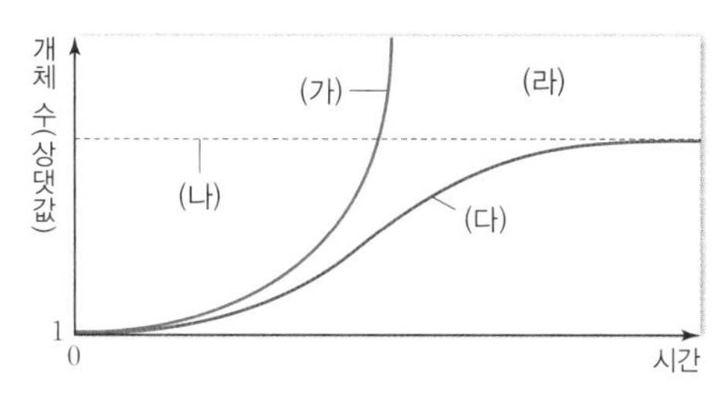

이에 대한 설명으로 옳은 것은?

① 이 그래프는 개체군의 생존 곡선이다.
② (가)는 환경 저항이 없을 경우에 나타나는 개체군의 크기 변화이다.
③ (나)는 이론상의 생장 곡선으로 한 서식지에서 나타나는 개체군의 최대 크기이다.
④ (다)를 통해 연령에 따른 개체군의 사망률의 변화를 전체적으로 파악할 수 있다.
⑤ (라)는 환경 수용력으로 개체군의 생장을 억제시키는 요인에 해당한다.

04 그림은 개체군의 상대 수명에 따른 생존 개체 수를 나타낸 것이다.

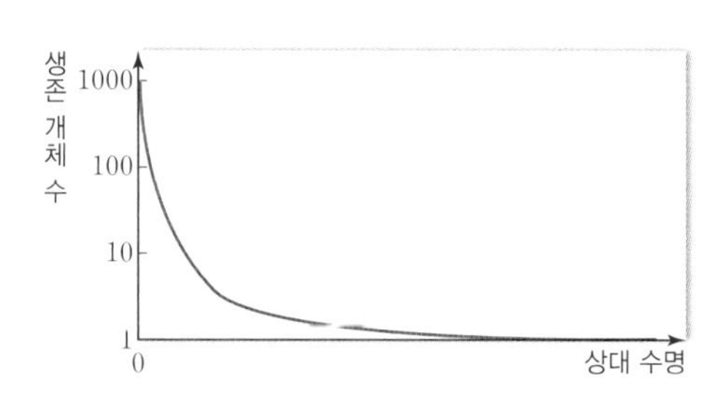

이에 대한 설명으로 옳은 것만을 〈보기〉에서 있는 대로 고른 것은?

보기
ㄱ. 동시에 출생한 개체들이 얼마나 많은 자손을 낳았는지를 알려준다.
ㄴ. 이 개체군에 속하는 개체들은 어릴 때부터 많은 보살핌을 받았다.
ㄷ. 이 개체군이 유지되기 위해서는 많은 수의 자손을 낳아야 함을 알 수 있다.

① ㄱ ② ㄴ ③ ㄷ
④ ㄱ, ㄷ ⑤ ㄴ, ㄷ

B 개체군의 주기적 변동

05 그림은 계절에 따른 돌말의 개체 수 변동과 비생물적 요인들의 변화량을 나타낸 것이다.

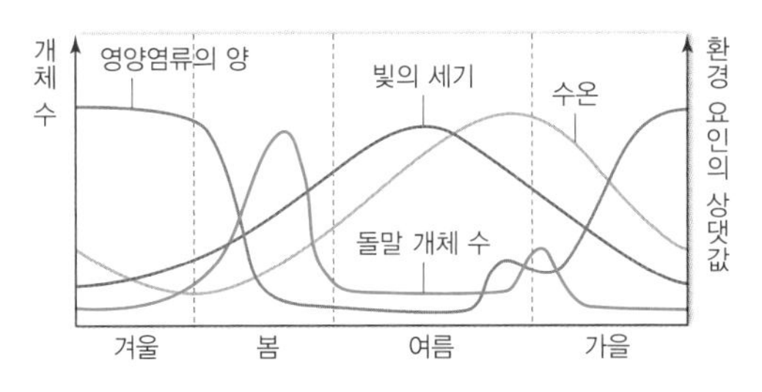

이에 대한 설명으로 옳은 것은?

① 돌말 개체 수의 장기적 변동을 나타낸 것이다.
② 돌말 개체 수에 영향을 미치는 요인은 영양염류의 양뿐이다.
③ 빛의 세기와 수온이 감소되면 돌말 개체군의 크기는 점점 증가한다.
④ 봄과 가을에는 돌말의 개체 수가 늘어나고 여름과 겨울에는 개체 수가 줄어드는 경향을 나타낸다.
⑤ 봄에 돌말 개체군의 크기가 크게 증가하는 까닭은 영양염류가 부족한 상태에서 빛의 세기와 수온이 증가하기 때문이다.

06 그림은 눈신토끼와 스라소니의 개체 수 변화이다.

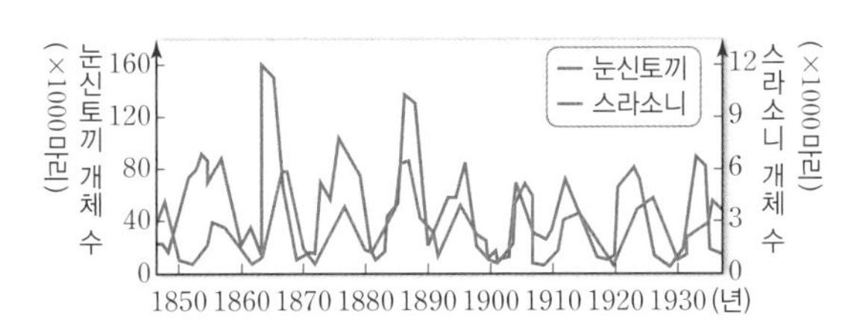

이에 대한 설명으로 옳은 것만을 〈보기〉에서 있는 대로 고른 것은?

〈보기〉
ㄱ. 눈신토끼는 포식자에, 스라소니는 피식자에 해당한다.
ㄴ. 스라소니의 개체 수가 눈신토끼의 개체 수보다 항상 많다.
ㄷ. 스라소니의 개체 수가 너무 많아지면 눈신토끼의 개체 수가 감소하고 곧이어 스라소니의 개체 수도 감소하는 주기적인 변동이 나타난다.

① ㄱ ② ㄴ ③ ㄷ
④ ㄱ, ㄴ ⑤ ㄴ, ㄷ

C 개체군 내 상호 작용

07 개체군 내 상호 작용에 대한 설명으로 옳은 것만을 〈보기〉에서 있는 대로 고른 것은?

〈보기〉
ㄱ. 개체군 내 경쟁이 심할수록 개체군 유지가 어려워지고 다른 개체군과의 경쟁에서도 불리해진다.
ㄴ. 개체군 내에서는 불필요한 경쟁을 피하고 질서를 유지하기 위해 사회생활 등 다양한 상호 작용이 일어난다.
ㄷ. 개체군의 밀도가 증가함에 따라 개체들은 먹이, 서식지 공간, 배우자 등을 차지하기 위한 종간 경쟁이 치열해진다.

① ㄱ ② ㄱ, ㄴ ③ ㄱ, ㄷ
④ ㄴ, ㄷ ⑤ ㄱ, ㄴ, ㄷ

08 다음은 개체군 내 상호 작용에 대한 설명이다.

(가) 개체들의 역할이 먹이 수집, 방어, 생식 등으로 분업화되고 이들의 협력으로 전체 개체군이 유지된다.
(나) 개체가 자신의 생활 구역을 확보하여 다른 개체의 접근을 막고 먹이, 배우자, 공간 등을 독점하는 체제이다.

(가)와 (나)에 대한 설명으로 옳은 것은?

① (가)는 가족생활, (나)는 텃세이다.
② (가)의 개체군 사이에 힘의 서열에 따른 순위가 있다.
③ (나)의 개체군 중에서 가장 영리한 개체가 리더가 된다.
④ (가)와 (나)는 동일한 개체군 내에서 동시에 일어나기도 한다.
⑤ (가)의 개체군에 속한 개체의 경우 개체군에서 벗어나면 독자적인 생존이 어렵다.

단답형

09 다음에서 설명하는 개체군 내 상호 작용의 명칭을 쓰시오.

혈연관계로 묶인 개체들이 무리를 이루고 함께 새끼를 돌보거나 먹이를 사냥한다.

도전! 실력 올리기

01 다음은 효모를 배양하여 효모의 개체 수 변화를 조사하는 실험 내용이다.

> [실험 과정]
>
> (가) 1 % 포도당 수용액 100 mL를 넣은 비커 A와 0.5 % 포도당 수용액 100 mL를 넣은 비커 B에 건조 효모 1 g을 각각 넣고 섞어 준다.
>
> (나) A와 B의 효모 배양액을 35 °C의 항온 수조에 넣고 배양한 후 시간에 따라 현미경으로 관찰하여 효모의 개체 수를 기록한다.
>
> [실험 결과]
>
> 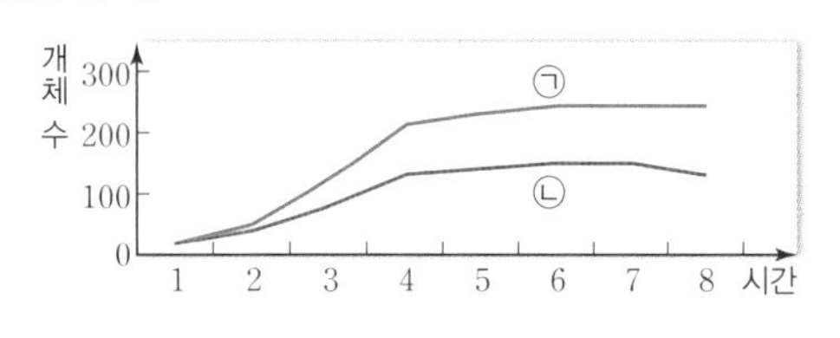
>

이에 대한 설명으로 옳은 것만을 <보기>에서 있는 대로 고른 것은?

보기
- ㄱ. ㉠은 B, ㉡은 A의 효모 배양액의 결과이다.
- ㄴ. ㉠은 이론적 생장 곡선, ㉡은 실제 생장 곡선이다.
- ㄷ. A보다 B의 효모 배양액에 있는 개체군에서 환경 저항이 더 크다.

① ㄱ ② ㄴ ③ ㄷ
④ ㄱ, ㄴ ⑤ ㄱ, ㄷ

출제예감

02 그림은 어떤 개체군의 이론상 생장 곡선과 실제 생장 곡선을 나타낸 것이다.
이에 대한 설명으로 옳은 것만을 <보기>에서 있는 대로 고른 것은?

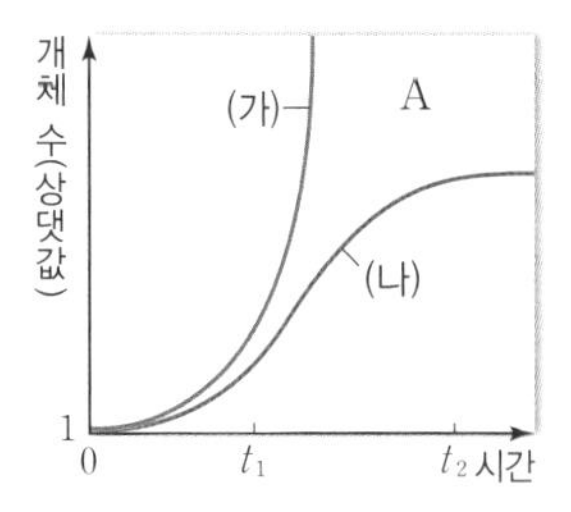

보기
- ㄱ. A는 환경 저항으로 t_1보다 t_2일 때가 작다.
- ㄴ. 개체군의 실제 크기 변화량은 t_1보다 t_2일 때가 작다.
- ㄷ. A는 서식지에서 증가할 수 있는 개체군의 최대 크기이다.

① ㄱ ② ㄴ ③ ㄷ
④ ㄴ, ㄷ ⑤ ㄱ, ㄴ, ㄷ

03 그림은 개체군 A의 생존 곡선을 나타낸 것이다.

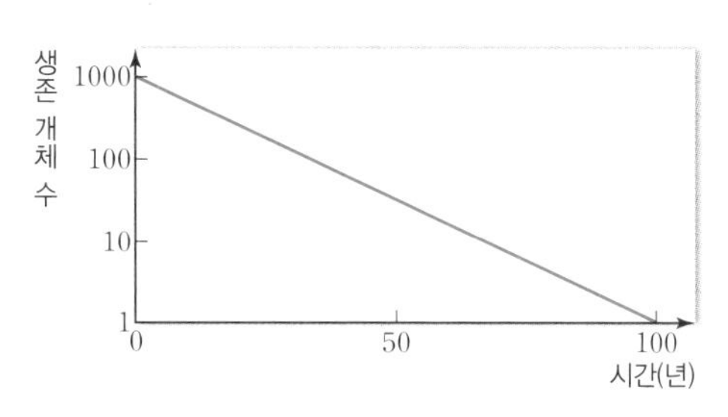

이에 대한 설명으로 옳은 것만을 <보기>에서 있는 대로 고른 것은?

보기
- ㄱ. A의 출생률과 사망률은 항상 일정하다.
- ㄴ. 쥐, 다람쥐, 도마뱀, 새 등은 A와 같은 생존 곡선을 나타낸다.
- ㄷ. 초기부터 중기까지 사망률이 낮다가 노년층에 이르러 사망률이 높아진다.

① ㄱ ② ㄴ ③ ㄷ
④ ㄱ, ㄷ ⑤ ㄴ, ㄷ

04 그림 (가)~(다)는 세 개체군의 연령 피라미드를 나타낸 것이다. A, B, C는 생식 전 연령층, 생식 연령층, 생식 후 연령층 중 하나이다.

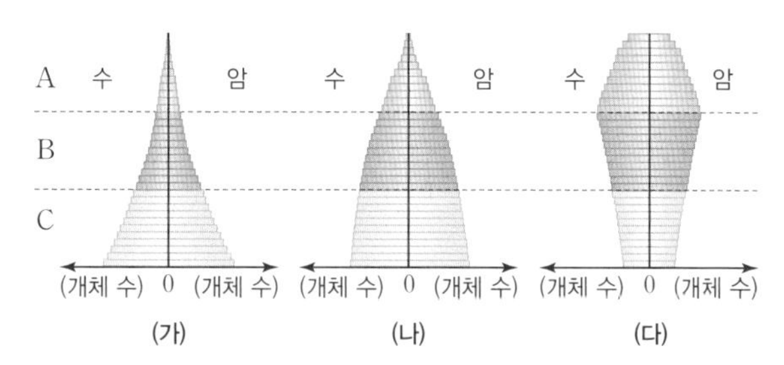

이에 대한 설명으로 옳은 것만을 <보기>에서 있는 대로 고른 것은?

보기
- ㄱ. A는 생식 전 연령층, B는 생식 연령층, C는 생식 후 연령층이다.
- ㄴ. (가)와 (나)는 앞으로 개체군의 크기가 점점 커질 것으로 예상된다.
- ㄷ. (다)는 쇠퇴형으로 생식 전 연령층의 개체 수가 생식 연령층의 개체 수보다 적다.

① ㄱ ② ㄴ ③ ㄷ
④ ㄱ, ㄴ ⑤ ㄱ, ㄴ, ㄷ

정답과 해설 78쪽

05 다음은 클레오메 개체군에 대한 설명이다.

> 사막에 서식하는 작은 나무인 클레오메는 100개의 개체가 한 해에 100만 개의 씨를 만들지만, 이 중 40그루만 살아남아 어린나무가 된다. 어린나무가 되면 이후의 사망률은 감소한다.

클레오메 개체군에 대한 설명으로 옳은 것만을 〈보기〉에서 있는 대로 고른 것은?

보기
ㄱ. 어류, 굴 등과 같이 Ⅲ형의 생존 곡선을 나타내는 개체군이다.
ㄴ. 연령대별 사망률이 일정한 개체군으로 앞으로 개체군의 크기는 점점 커질 것이다.
ㄷ. 비교적 적은 수의 자손을 낳아 양육을 잘 하며 생리적인 수명을 다하는 개체군이다.

① ㄱ ② ㄴ ③ ㄷ
④ ㄱ, ㄴ ⑤ ㄱ, ㄴ, ㄷ

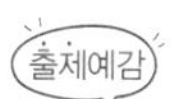

06 그림은 은어가 서식하는 장소의 활동 구역을 나타낸 것이다.

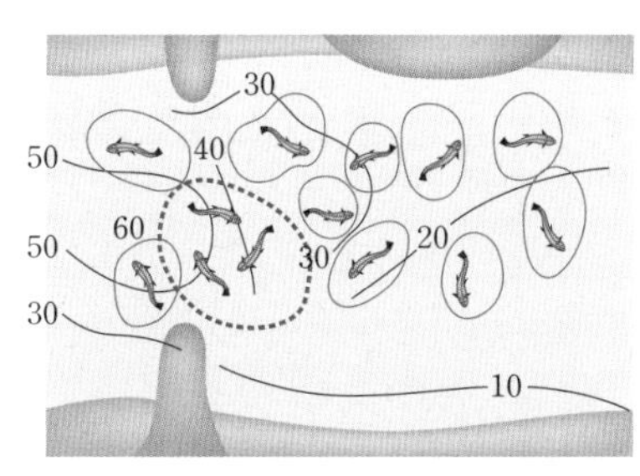

— 개체의 세력권 ····· 무리의 생활 범위

이에 대한 설명으로 옳은 것만을 〈보기〉에서 있는 대로 고른 것은?

보기
ㄱ. 은어는 힘의 서열에 따라 순위가 정해진다.
ㄴ. 개체의 세력권은 다른 개체의 접근을 막고 먹이나 배우자, 서식 공간 등을 독점하는 구역이다.
ㄷ. 은어의 개체군 내 상호 작용은 개체를 분산시켜 개체군 밀도를 조절하고 불필요한 경쟁이나 싸움을 피하게 하는 효과가 있다.

① ㄱ ② ㄴ ③ ㄷ
④ ㄱ, ㄷ ⑤ ㄴ, ㄷ

서술형

07 그림은 시간에 따른 돌말의 개체군 생장에 영향을 미치는 영양염류의 양과 빛의 세기, 수온을 나타낸 것이다.

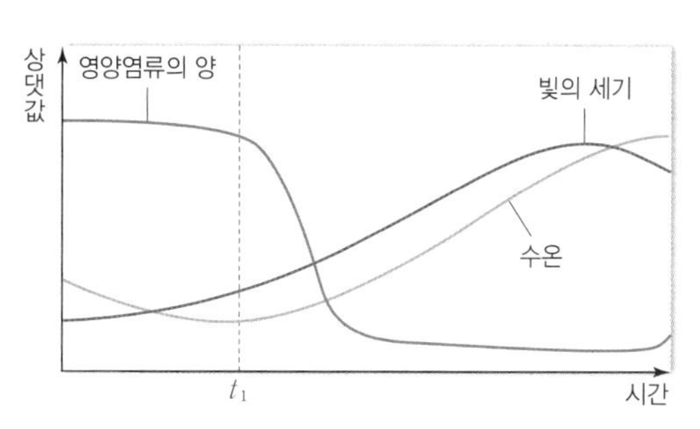

t_1 시기에 예상되는 돌말 개체군의 크기 변화와 그렇게 생각하는 까닭을 서술하시오.

08 다음에 해당하는 개체군 내의 상호 작용의 명칭을 쓰시오.

> 개체가 자신의 생활 구역을 확보하여 다른 개체의 접근을 막고 먹이, 배우자, 공간 등을 독점한다.

서술형

09 그림은 개체군의 생장 곡선을 나타낸 것이다.

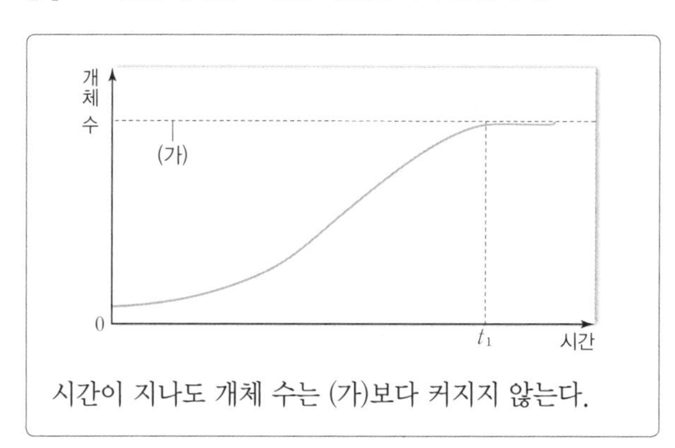

시간이 지나도 개체 수는 (가)보다 커지지 않는다.

(1) (가)의 명칭을 쓰시오.

(2) 개체 수가 기하급수적으로 증가하지 않고 t_1 이후 개체군의 생장이 멈춰 S자형 곡선이 나타나는 까닭을 구체적인 예를 들어 서술하시오.

03 군집

핵심 키워드로 흐름잡기

A 군집, 먹이 사슬, 먹이 그물, 우점종, 지표종, 핵심종, 희귀종, 방형구

B 층상 구조, 생태 분포

C 천이, 1차 천이, 2차 천이, 건성 천이, 습성 천이, 개척자, 극상

D 종간 경쟁, 경쟁·배타 원리, 분서, 공생, 기생, 포식과 피식

A 군집의 특성

|출·제·단·서| 시험에는 군집의 구성과 먹이 사슬에서의 생태적 지위에 관련된 문제가 나와.

1. 군집의 구성

(1) 군집 군집은 조직화된 하나의 단위이며, 개체군과는 다른 특성을 가진다.

① 한 지역에 서식하며 상호 작용하는 여러 개체군 집단을 말한다.

② 군집을 이루는 개체군은 역할에 따라 생산자, 소비자, 분해자로 구분된다.

소비자는 먹이 단계에 따라 1차 소비자, 2차 소비자, 3차 소비자, 최종 소비자 등으로 구분된다.

(2) 군집 내 먹이 사슬과 먹이 그물❶ 먹이 사슬은 생산자에서 최종 소비자까지 먹고 먹히는 관계를 사슬 모양으로 나타낸 것이며, 먹이 그물은 먹이 사슬이 복잡하게 얽혀 있는 것을 말한다.

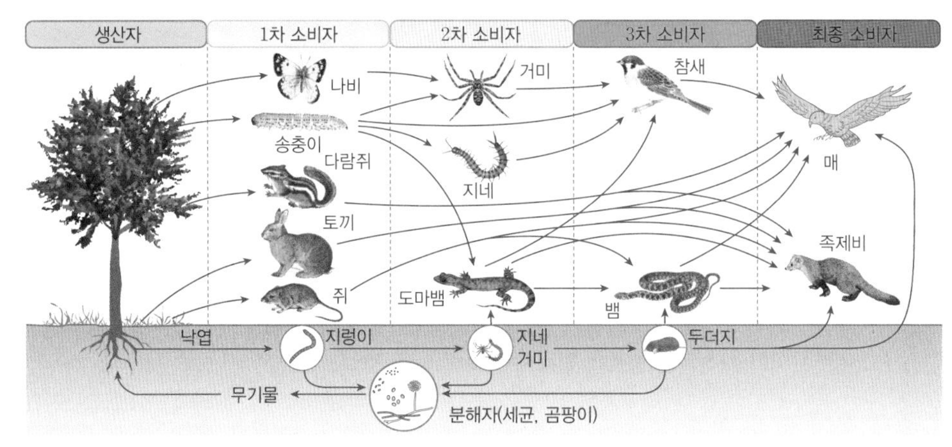

▲ 먹이 그물

(3) 생태적 지위 군집 내에서 개체군이 차지하는 서식 공간, 먹이 관계, 다른 생물 또는 환경과의 상호 관계 등의 생태적 역할을 말하며, 먹이 지위와 공간 지위 등이 있다.

① **먹이 지위:** 개체군이 먹이 사슬에서 차지하고 있는 위치이다.

② **공간 지위:** 개체군이 차지하고 있는 서식 공간이다.

2. 군집의 구조

(1) 군집의 특성을 나타내는 주요 종

우점종	군집을 대표하는 개체군 → 개체 수가 많고, 차지하는 공간이 커서 가장 큰 비중을 차지한다. 주로 식물 군집에 사용되며 •중요치가 가장 높은 종으로 환경에 가장 큰 영향을 미치고 군집의 겉모습을 결정하는 경우가 많다. 식물로 특징지어지는 군집을 군락이라 하는데, 이러한 군락은 우점종에 의해 특유의 외관을 나타낸다.
지표종❷	그 군집에서만 발견되어 그 군집의 특성을 보여 주는 개체군 예 지의류, 에델바이스
핵심종❸	개체 수는 적지만 군집의 구조에 큰 영향을 미치는 개체군으로, 주로 상위 포식자가 이에 해당한다. 예 해달, 비버
희귀종	개체 수가 적은 개체군

(2) 방형구를 이용한 군집의 구조 조사 탐구 POOL 식물 군집의 종류와 특성에 따른 방형구를 설치하여 식물의 종과 개체 수(밀도), 종이 출현한 방형구 수(빈도), 지표를 덮고 있는 정도(피도)를 조사하여 우점종을 알아내는 방법이다. 수중 저서 생물이나 고착성 동물 등 조사에도 이용한다.

---

❶ 먹이 그물
생산자는 1차 소비자에게, 1차 소비자는 2차 소비자에게 먹힌다. 또한 한 개체는 여러 영양 단계에 해당하기도 한다. 예를 들어 사람은 식물을 먹는 1차 소비자인 동시에 소를 먹는 2차 소비자이기도 하다.

❷ 지표종의 예
- 지의류는 이산화 황의 농도가 높으면 살 수 없으므로 이산화 황의 오염 정도를 예측할 수 있는 지표종이다.
- 에델바이스는 고산 지대에 서식하여 고도와 온도의 범위를 예측할 수 있는 지표종이다.

❸ 핵심종의 예
- 해달은 해조류를 갉아먹는 성게를 잡아먹는데, 해달이 사라지면 성게의 개체 수가 늘어나 해조류가 사라지고, 이후 해조류와 관련된 수많은 해양 생물이 위기를 겪는다.
- 비버는 강에 댐을 쌓아 숲을 습지로 만드는데, 이로 인해 그곳에 살던 생물의 구성이 크게 달라진다.

용어 알기
●중요치(무거울 重, 구할 要, 값 値) 식물 군집에서 특정 개체군의 상대 밀도, 상대 빈도, 상대 피도를 더한 값

3. 군집의 종류 초원은 초본류가 우점종인 군락이고, 삼림은 나무가 우점종인 군락이다.

육상 군집❹	삼림	대표적인 육상 군집으로 강수량이 많고 식물이 자라기에 온도가 적당한 곳에 형성 예 열대 우림(열대 지방), 상록 활엽수림(아열대와 난대 지방), 낙엽 활엽수림(온대 지방), 침엽수림(아한대 지방)
	초원	삼림보다 강수량이 적은 곳에 형성 예 열대 초원(열대 지방), 온대 초원(온대 지방)
	사막	강수량이 매우 적거나 건조하고 바람이 강한 곳에 형성 예 열대 사막(열대 지방), 온대 사막(온대 지방), 툰드라(한대와 극지방)
수생 군집	담수	하천이나 호수, 강에 형성 예 담수 군집
	해수	바다에 형성 예 해수 군집

B 군집의 층상 구조와 생태 분포

|출·제·단·서| 시험에는 식물 군집의 층상 구조에서 생물적·비생물적 요인과 관계된 특징을 묻는 문제가 나와.

1. 군집의 층상 구조 암기TiP 식물 군집의 층상 구조에서 아래로 갈수록 빛의 세기 약화

(1) 층상 구조❺ 삼림과 같은 많은 식물 개체군으로 구성된 군집은 수직적인 몇 개의 층으로 구성되는데, 이를 층상 구조라고 한다. 층상 구조의 발달로 높이에 따라 통과하여 도달하는 빛의 양에 차이가 있다.

(2) 층상 구조 구분 빛의 세기와 양, 온도 등 환경 변화에 따라 위에서부터 교목층, 아교목❻층, 관목❼층, 초본층, •선태층, 지중층으로 구분된다.

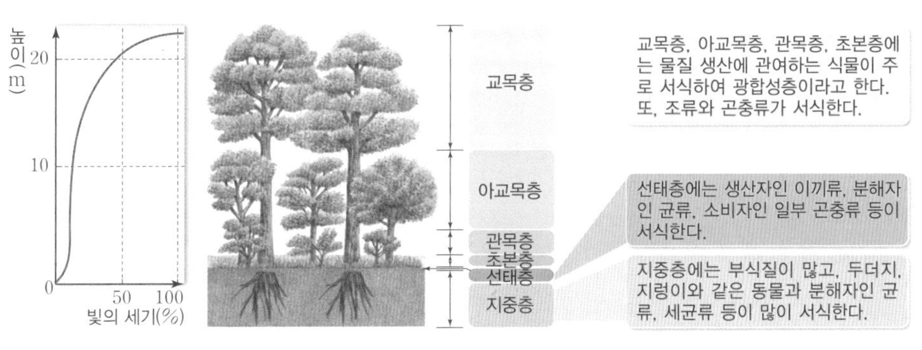

▲ **식물 군집의 층상 구조** 교목층과 아교목층에는 그 군집을 대표하는 수목들이 자라고 있다.

2. 군집의 생태 분포 서식하는 지역의 온도, 강수량, 햇빛 등 환경 요인에 따라 나타나는 식물 군집의 분포를 말하며, 수평 분포와 수직 분포로 구분된다. 암기TiP 수평 분포: 기온과 강수량의 차, 수직 분포: 고도에 따른 기온 차

수평 분포	수직 분포
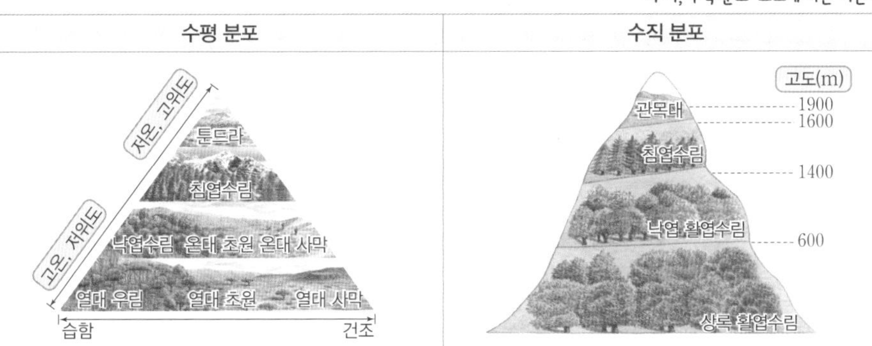	
• •위도에 따라 기온과 강수량이 달라지는데, 저위도에서 고위도로 갈수록 기온이 낮아진다. • 열대나 아열대의 저위도 지방에서는 상록 활엽수림의 분포가 주를 이루고, 고위도 지방으로 갈수록 낙엽 활엽수림, 침엽수림, 툰드라 순으로 분포한다.	• 특정 지역에서 고도에 따라 기온이 달라지는데, 고도가 높아질수록 기온이 낮아진다. • 고도에 따라 저지대에서 고지대로 갈수록 상록 활엽수림, 낙엽 활엽수림, 침엽수림 순으로 나타난다.

❹ 육상 군집

▲ 열대 우림

▲ 온대 초원

▲ 온대 사막

❺ 층상 구조
층상 구조의 발달은 동물에게 다양한 서식 환경을 제공하며 한정된 공간에 많은 개체군을 수용할 수 있다. 층상 구조가 잘 발달된 군집일수록 안정하다.

❻ 교목과 아교목
교목은 뿌리에서 한 개의 굵은 줄기가 나와서 자라는 나무로, 보통 높이가 8 m 이상이다. 아교목은 교목과 모양이 비슷하지만 교목보다 작은 나무이다.

❼ 관목
뿌리에서 여러 개의 줄기가 나와서 자라는 나무로, 보통 높이가 2 m 이하이다.

? 위도와 고도에 따라 기온이 달라지는 까닭은 무엇일까?
고위도 지방에서는 태양의 고도가 낮아 빛에너지를 적게 받으므로 기온이 낮고, 저위도 지방에서는 태양의 고도가 높아 빛에너지를 많이 받으므로 기온이 높다. 생물이 살아가는 대류권에서는 해발 고도가 100 m 높아질 때마다 기온이 0.5 °C~0.6 °C 씩 낮아지는데, 이는 지표면에서 방출되는 지구 복사 에너지가 감소하기 때문이다.

용어 알기
• 선태(이끼 蘚, 이끼 苔) 이끼류
• 위도(씨 緯, 법도 度) 지구 위의 위치를 나타내는 좌표축의 가로선

C 군집의 천이

|출·제·단·서| 천이 과정의 순서와 각 단계의 우점종을 찾는 문제가 시험에 나와.

1. 군집의 천이

암기TiP 토양이 없는 곳은 1차 천이, 토양이 있는 곳은 2차 천이 진행

(1) **천이** 오랜 세월에 걸쳐 변화된 환경 요인에 따라 생물 군집의 종 구성이나 특성이 서서히 달라지는 현상이다.

(2) **천이의 특징**

① 천이는 개척자[8]의 유입부터 극상[9]에 이르기까지 몇 단계를 거쳐 이루어진다.

② 식물 생장에 필요한 토양의 형성은 천이의 속도를 결정하는 데 매우 중요한 요소가 된다.

③ **천이의 종류:** 천이에는 1차 천이와 2차 천이가 있다.

토양은 암석의 풍화 산물에 유기물이 섞인 것을 말하며, 식물 생장에 꼭 필요하다.

2. 1차 천이

화산 활동으로 생성된 용암 대지처럼 생명체가 없고, 토양 발달이 미약한 곳에서 시작하는 천이이다.

(1) **건성 천이** •용암 대지나 •빙퇴석과 같은 건조한 지역에서 시작하는 천이이다.

지의류[10]	➡	초원	➡	관목림	➡	양수림	➡	혼합림	➡	음수림
개척자로 지의류가 들어와 토양이 형성된다.		토양이 형성되면 빛을 좋아하고 생장이 빠른 초본류가 유입된다.		키가 작은 관목이 들어와 토양층이 더 두꺼워진다.		소나무, 전나무 등 빛이 강한 곳에서 빠르게 자란다.		양수림과 함께 약한 빛에도 잘 자라는 신갈나무, 떡갈나무 등의 음수가 들어와 혼합림을 형성한다.		신갈나무, 떡갈나무 등의 음수림으로 극상을 이룬다.

(2) **습성 천이** 연못이나 호수 등 수분이 많은 곳에서 시작하는 천이이다. 빈영양호에 유기물과 퇴적물이 쌓여 형성된 습지에 개척자인 이끼류가 들어오고, 습지에서 잘 자라는 초본이 들어와 •습원을 형성한 후 건성 천이와 같은 과정을 거쳐 극상을 이룬다.

암기TiP 빈영양호 → 부영양호 → 습원 → 초원 → 관목림 → 양수림 → 혼합림 → 음수림(극상)

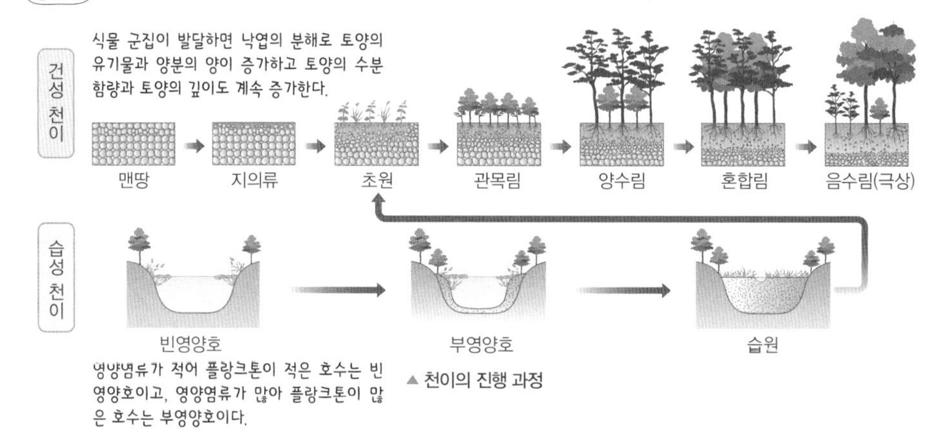

▲ 천이의 진행 과정

3. 2차 천이

암기TiP 초원(개척자) → 관목림 → 양수림 → 혼합림 → 음수림(극상)

(1) 화재, 홍수, 벌목, 산사태 등으로 생물 군집이 파괴된 후 기존에 남아 있던 토양에서 시작하는 천이를 말한다.

(2) 2차 천이는 1차 천이보다 토양에 수분과 유기물이 풍부하므로 초원부터 시작하여 관목림, 양수림, 혼합림, 음수림으로 빠르게 진행된다.

이미 생물이 서식하던 곳이었기 때문

대부분 초본이 개척자가 되며 초원이 형성된 후 1차 천이와 같은 과정으로 일어난다.

4. 천이로 인한 환경의 변화

(1) 양수림이 발달할수록 숲의 지표면에 도달하는 빛의 양은 점점 감소한다.

(2) 1차 천이에서 천이가 진행될수록 토양 속 영양염류의 양이 증가하지만 극상을 이룬 뒤에는 토양 속 영양염류의 양은 감소한다.

낙엽이 되어 토양으로 되돌아가는 영양염류보다 식물체 내로 흡수되어 저장되는 영양염류가 더 많기 때문이다.

---

8 개척자
첫 번째 천이를 시작하는 생물로 1차 천이의 건성 천이에서는 지의류, 습성 천이에서는 이끼류, 2차 천이에서는 초본류이다.

9 극상
천이에서 마지막의 안정된 군집 상태로 음수림이 우점종이다.

10 지의류
- 조류와 균류의 공생체로 조류는 균류에게 광합성 산물을 공급하고, 균류는 물과 무기 양분을 공급함으로써 바위 표면, 극지방 등 다른 생물이 살기 어려운 환경에서도 잘 적응하여 살아간다.
- 지의류는 여러 종류의 산성 물질을 분비하여 바위 표면을 부식시켜 미세한 틈을 만들어 풍화 작용을 촉진시킨다.

용어 알기

•용암 대지(녹일 熔, 바위 巖, 돈대 臺, 땅 地) 화산의 용암이 대량으로 유출되어 형성된 평탄한 대지

•빙퇴석(얼음 氷, 쌓을 堆, 돌 石) 빙하가 운반해 온 암석, 자갈, 토사등이 하류에 퇴적되어 형성된 지형

•습원(축축할 濕, 벌판 原) 습기가 많은 초원

D 군집 내 상호 작용

|출·제·단·서| 군집 내 상호 작용의 종류와 상호 작용의 특징을 그림으로 전환시킨 문제가 시험에 나와.

1. 군집 내 상호 작용의 종류와 특징

종류	특징
종간 경쟁	• 먹이나 서식지 등이 비슷한 개체군 사이에서 자원을 차지하기 위한 종간 경쟁이 일어난다. • 생태적 지위가 많이 겹칠수록 경쟁이 심하게 일어난다. • **경쟁·배타 원리:** 두 개체군 사이에서 심한 경쟁이 발생하여 한 개의 개체군이 •도태되어 완전히 사라지는 현상
분서⑪(생태적 지위 분화)	• 먹이나 서식지 등이 비슷한 개체군들이 서식지, 먹이, 활동 시기, 산란 시기 등을 달리하여 경쟁을 피하는 관계로, 분서에는 서식지 분리와 먹이 분리가 있다. 예 나무에 사는 새들의 분서, 피라미와 은어의 분서, 피라미와 갈겨니의 분서 등
공생	• **편리 공생:** 한쪽 개체군은 이익을 얻지만 다른 개체군에는 이익도 손해도 없는 경우 예 황로(이익)와 들소, 빨판상어(이익)와 거북, 숨이고기(이익)와 해삼, 따개비(이익)와 혹등고래 등 ▲ 황로와 들소의 편리 공생 • **상리 공생:** 두 개체군 모두가 이익을 얻는 경우 예 흰동가리와 말미잘, 콩과식물과 뿌리혹박테리아, 도미와 청소놀래기, 개미와 진딧물 등 ▲ 흰동가리와 말미잘의 상리 공생
기생	• 한쪽 생물이 다른 생물에 붙어살며 해를 주는 관계로 해를 주는 생물을 기생 생물, 해를 입는 생물을 숙주라고 한다. 예 나무와 겨우살이(기생 생물), 다른 식물과 새삼(기생 생물), 사람과 기생충(기생 생물), 개와 벼룩(기생 생물) 등 ▲ 겨우살이의 기생
포식과 피식	• 서로 다른 종 사이의 먹고 먹히는 관계로 다른 생물을 잡아먹는 생물을 포식자, 먹이가 되는 생물을 피식자라고 한다. 예 치타(포식자)와 가젤(피식자), 스라소니(포식자)와 눈신토끼(피식자) 등 포식자를 피식자의 천적이라 하며 포식과 피식 관계로 먹이 사슬이 형성되고, 개체군의 크기에 주기적 변동을 가져오기도 한다. ▲ 치타(포식자)와 가젤(피식자)

빈출 자료 경쟁·배타 원리

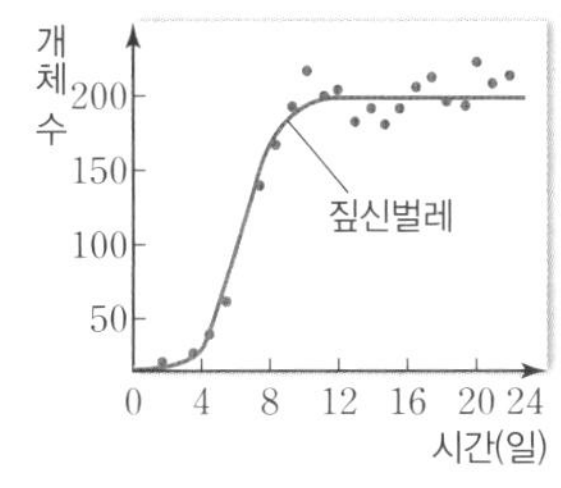

▲ 짚신벌레 단독 배양

▲ 애기짚신벌레 단독 배양

▲ 두 종 혼합 배양

❶ 두 종을 따로 배양할 때

같은 먹이를 먹는 두 종의 짚신벌레인 짚신벌레와 애기짚신벌레를 따로 배양하면 두 개체군 모두 잘 살아간다.

❷ 두 종을 혼합 배양할 때

두 종 사이에 경쟁이 일어나 애기짚신벌레는 살아남지만 짚신벌레는 결국 사라진다.

→ **경쟁·배타 원리**

⑪ 분서의 예

• 북아메리카의 솔새는 한 나무에 여러 종이 서식하지만 경쟁을 피하기 위해 다른 위치에 서식하여 공간 지위와 먹이 지위를 달리한다.

▲ 솔새의 분서

• 피라미는 은어가 없을 때에는 하천의 중앙에서 녹조류를 먹으며 살지만 은어가 있으면 하천의 가장자리로 이동하여 수서 곤충을 먹고 은어는 중앙에서 녹조류를 먹는다.

? 포식과 피식의 관계는 동물에서만 나타날까?

포식과 피식의 관계는 육식 동물과 초식 동물의 관계, 초식 동물과 식물의 관계를 모두 나타내는 표현이다.

개체군 간의 상호 작용

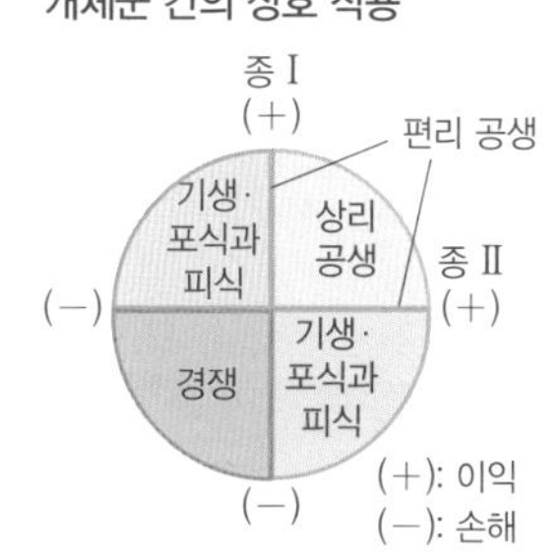

용어 알기

•도태(쌀 일 淘, 일 汰) 여럿 중에서 불필요하거나 부적당한 것을 줄여 없앰

방형구법으로 식물 군집 조사

목표 방형구틀을 이용하여 식물 군집을 조사하고 우점종을 결정할 수 있다.

과정

유의점
- 색지 두 개가 겹쳤을 때는 어림잡아 계산한다.
- 색지의 모양은 다양하게 할 수 있으나 면적을 구하기 쉬운 모양으로 하는 것이 좋다.

❶ 모둠별로 가로 1 m, 세로 1 m의 모조 전지에 10 cm 격자로 나누어진 방형구틀을 그린다.

❷ 파랑, 노랑, 분홍 색지를 각각 가로, 세로 5 cm, 10 cm, 20 cm의 네모 모양으로 여러 개 잘라 주머니에 넣는다(각각의 색지는 식물 1, 식물 2, 식물 3으로 가정한다.).

❸ 방형구틀을 바닥에 놓고 과정 ❷에서 만든 것을 무작위로 한 번만 꺼내어 바닥에 던진다.

❹ 각 종이 출현한 격자를 조사하여 각 종의 밀도, 피도를 구해 기록한다.

❺ 같은 방법으로 과정 ❸을 5회~6회 반복한다.

❻ 과정 ❸, ❹의 결과를 토대로 빈도를 구한다.

❼ 다음 식을 참고하여 방형구 안에 나타나는 밀도, 빈도, 피도를 기록하고, 상대 밀도, 상대 빈도, 상대 피도, 중요치를 계산하여 우점종을 찾아본다.

1 m
1 m
■ 식물 1 ■ 식물 2 ■ 식물 3

▲ 방형구법

방형구
군집 조사에 이용하는 정사각형이나 직사각형 모양의 표본이다. 군집의 종류와 특성에 따라 다른 크기의 방형구를 이용하며, 수중 저서 생물이나 고착성 동물 등을 조사할 때도 방형구를 이용한다.

표지법
동물 군집을 조사하는 방법으로, 개체에 표지를 한 후 놓아주었다가 다시 잡아서 표지된 개체 수의 비율로 전체 개체 수를 예측하는 방법이다.

* 밀도 $=\dfrac{\text{특정 종의 개체 수}}{\text{전체 방형구의 면적}(m^2)}$
* 빈도 $=\dfrac{\text{특정 종이 출현한 방형구의 수}}{\text{전체 방형구의 수}}$
* 피도 $=\dfrac{\text{특정 종이 차지한 면적}(m^2)}{\text{전체 방형구의 면적}(m^2)}$
* 중요치(%) = 상대 밀도 + 상대 빈도 + 상대 피도
* 상대 밀도(%) $=\dfrac{\text{특정 종의 밀도}}{\text{모든 종의 밀도 합}}\times 100$
* 상대 빈도(%) $=\dfrac{\text{특정 종의 빈도}}{\text{모든 종의 빈도 합}}\times 100$
* 상대 피도(%) $=\dfrac{\text{특정 종의 피도}}{\text{모든 종의 피도 합}}\times 100$

결과(예시 답안)

식물종	상대 밀도(%)	상대 피도(%)	상대 빈도(%)	중요치(%)
식물 1	42.8	38	27	107.8
식물 2	23	14	28	65
식물 3	34.2	48	45	127.2

→ 중요치가 가장 높은 개체군이 우점종이 되므로 식물 3이 우점종이다.

정리 및 해석

- 중요치가 가장 큰 종이 그 군집의 우점종이 된다.
- 우점종은 생물량과 개체 수가 많은 종으로 넓은 공간을 차지하고 있으므로 광합성량도 많다.
  → 우점종은 군집의 구조와 환경에 큰 영향을 미친다.

한·줄·핵심 우점종은 중요치(상대 밀도, 상대 빈도, 상대 피도의 합)가 가장 높은 종이다.

확인 문제

정답과 해설 79쪽

01 생물 군집에서 가장 큰 비중을 차지하며, 생물 구조와 환경에 가장 많은 영향을 미치는 개체군으로 개체 수가 많고, 차지하는 넓이나 공간이 큰 생물종의 개체군을 무엇이라고 하는지 쓰시오.

02 생태계의 어느 식물 군집에 존재하는 각 식물종의 상대 밀도, 상대 빈도, 상대 피도의 합은 무엇인지 쓰시오.

콕콕!
개념 확인하기

정답과 해설 79쪽

✔ 잠깐 확인!

1. □□
한 지역에 서식하는 여러 개체군 집단

2. □□ □□
생산자에서 최종 소비자까지 먹고 먹히는 관계를 사슬 모양으로 나타낸 것

3. 식물 군집에서 개체 수가 많고, 차지하는 공간이 커서 가장 큰 비중을 차지하는 개체군을 □□□이라고 한다.

4. 삼림과 같은 많은 식물 개체군으로 구성된 군집은 수직적인 몇 개의 층으로 구성되는데, 이를 □□ □□라고 한다.

5. □□
오랜 세월에 걸쳐 여러 환경 요인의 변화에 따라 생물 군집의 종 구성이나 특성이 서서히 달라지는 현상

6. □□
천이에서 마지막의 안정된 군집 상태

7. □□
서식지, 먹이 등을 달리하여 경쟁을 피하는 관계

A 군집의 특성

01 군집 내 개체군의 먹이 관계에 대한 설명으로 옳은 것은 ○, 옳지 않은 것은 ×로 표시하시오.

(1) 생산자는 1차 소비자에게, 1차 소비자는 2차 소비자에게 먹힌다. ( )

(2) 먹이 관계에서 가장 하위 단계에 해당하는 생물은 생산자이다. ( )

(3) 1차 소비자인 동시에 2차 소비자인 생물은 군집 내 존재할 수 없다. ( )

02 다음은 개체군의 지위에 대한 설명이다. ㉠~㉢에 들어갈 알맞은 말을 쓰시오.

> 군집을 구성하는 개체군은 먹이 사슬에서 어떤 위치에 있는가를 나타내는 (㉠) 지위와 어떤 공간을 점유하고 있는가를 나타내는 (㉡) 지위를 가지고 있으며, (㉠) 지위와 (㉡) 지위를 합쳐서 (㉢) 지위라고 한다.

B 군집의 층상 구조와 생태 분포

03 식물 군집의 층상 구조에서 가장 위쪽에 위치한 층부터 각각의 명칭을 쓰시오.

04 식물 군집은 온도, 강수량, 햇빛 등 환경 요인의 영향을 받아 특유의 구조를 가지는데 이러한 군집의 분포를 무엇이라고 하는지 쓰시오.

C 군집의 천이

05 다음은 건성 천이의 과정이다. ㉠~㉢에 들어갈 알맞은 말을 쓰시오.

> (㉠) → 초원 → 관목림 → (㉡) → 혼합림 → (㉢)

D 군집 내 상호 작용

06 군집 내 상호 작용의 특징과 종류의 명칭을 옳게 연결하시오.

(1) 개체군들이 서식지, 먹이 등을 달리하여 경쟁을 피하는 관계 • 　　• ㉠ 상리 공생

(2) 종이 다른 두 개체가 함께 생활하며 두 개체군 모두 이익을 얻는 경우 • 　　• ㉡ 분서

(3) 서로 다른 종 사이의 먹고 먹히는 관계 • 　　• ㉢ 포식과 피식

탄탄! 내신 다지기

A 군집의 특성

01 군집을 구성하는 생물적 요인에 대한 설명으로 옳은 것은?

① 군집은 한 지역에 서식하며, 한 종으로만 이루어진 생물들의 집합이다.
② 군집을 이루는 개체군들은 역할에 따라 생산자, 소비자, 분해자로 구성된다.
③ 군집을 구성하는 개체군이 먹이 사슬에서 차지하는 위치를 공간 지위라고 한다.
④ 군집 내 먹이 그물에서 1차 소비자이면서 2차 소비자가 되는 경우는 절대 없다.
⑤ 군집 내 생물들 사이에 먹고 먹히는 관계가 나타나는데 이 관계가 단순할수록 생태계가 잘 유지된다.

02 그림은 서로 다른 개체군 A와 B의 먹이와 서식하는 공간의 범위를 나타낸 것이다.

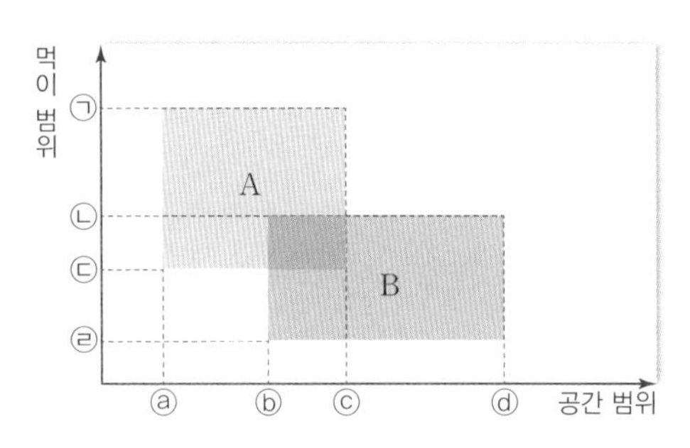

이에 대한 설명으로 옳은 것은?

① A와 B는 같은 종의 생물들이다.
② A의 공간 지위는 ⓐ~ⓑ이고, B의 공간 지위는 ⓒ~ⓓ이다.
③ A의 먹이 지위는 ㉠~㉡이고, B의 먹이 지위는 ㉢~㉣이다.
④ 먹이 범위와 서식하는 공간 범위는 각각 먹이 지위와 공간 지위를 의미하며 이 둘을 합쳐 생태적 지위라고 한다.
⑤ A와 B는 서로 영향을 미치지 않는 개체군으로 한 지역에서 함께 서식하여도 각각의 개체군은 단독으로 서식할 때와 동일하게 개체군의 크기가 증가한다.

03 군집의 특성을 나타내는 개체군에 대한 설명으로 옳은 것은?

① 개체 수가 가장 적은 개체군을 우점종이라고 한다.
② 떡갈나무 숲에서 환경에 가장 큰 영향을 미치며 중요치가 가장 높은 종은 떡갈나무이다.
③ 군집에서 가장 개체 수가 많고, 차지하는 공간이 커서 가장 큰 비중을 차지하는 개체군을 지표종이라고 한다.
④ 개체 수는 적지만 군집의 구조에 큰 영향을 미치는 개체군을 희귀종이라고 하며 주로 상위 포식자가 이에 해당한다.
⑤ 이산화 황의 오염 정도를 예측할 수 있는 지의류나 고산 지대에 서식하여 고도 등을 예측할 수 있는 에델바이스는 대표적인 핵심종이다.

04 군집의 종류 중 삼림에 해당하지 않는 것을 〈보기〉에서 있는 대로 고른 것은?

보기	
ㄱ. 상록 활엽수림	ㄴ. 열대 우림
ㄷ. 침엽수림	ㄹ. 툰드라

① ㄱ　② ㄷ　③ ㄹ
④ ㄱ, ㄷ　⑤ ㄷ, ㄹ

B 군집의 층상 구조와 생태 분포

05 식물의 층상 구조에 대한 설명으로 옳은 것은?

① 군집에서 수평적인 몇 개의 층을 층상 구조라고 한다.
② 층상 구조 중 지중층에서 광합성 작용이 가장 활발하게 일어난다.
③ 층상 구조가 잘 발달된 군집일수록 특정 생물만 서식할 수 있어 생태계 유지가 더 어렵다.
④ 층상 구조는 각 층에 주로 서식하는 생물의 종만 다를 뿐 빛의 세기와 양, 온도 등의 환경은 동일하다.
⑤ 층상 구조의 발달은 동물에게 다양한 서식 환경을 제공하며 한정된 공간에 많은 개체군을 수용할 수 있다.

06 그림은 식물 군집의 생태 분포를 나타낸 것이다.

이에 대한 설명으로 옳은 것은?

① 고도에 따른 식물 종의 분포이다.
② 위도가 낮을수록 온도가 낮아 식물 종이 단순하다.
③ 강수량의 영향만을 받아 구성된 식물 종의 분포이다.
④ 위도에 따라 기온과 강수량이 달라져 특성이 다른 군집이 분포한다.
⑤ 주로 온도의 영향을 받은 식물 군집의 분포로 가장 위쪽은 바람의 영향이 가장 크다.

C 군집의 천이

07 천이에 대한 설명으로 옳지 않은 것은?

① 생명체가 없고, 토양이 발달되지 않은 곳에서 시작하는 천이는 2차 천이이다.
② 지의류는 건성 천이의 개척자로 바위 표면을 부식시켜 풍화 작용을 촉진시킨다.
③ 식물 생장에 필요한 토양의 형성은 천이의 속도를 결정하는 데 매우 중요한 요소가 된다.
④ 오랜 세월에 걸쳐 생물 군집의 종 구성이나 특성이 서서히 달라지는 현상을 천이라고 한다.
⑤ 습성 천이는 빈영양호에 유기물과 퇴적물이 쌓여 형성된 습지에 이끼류가 들어오면서 시작된다.

단답형

08 다음은 천이에 대한 설명이다. ㉠~㉣에 들어갈 알맞은 말을 각각 쓰시오.

> 1차 천이 중 용암대지나 빙퇴석과 같은 건조한 지역에서 시작하는 (㉠) 천이와 빈영양호에서 시작하는 (㉡) 천이가 있다. (㉠) 천이의 개척자는 (㉢)이고, (㉡) 천이의 개척자는 (㉣)이다.

단답형

09 2차 천이에 대한 설명으로 옳은 것만을 〈보기〉에서 있는 대로 골라 쓰시오.

> 보기
> ㄱ. 기존에 남아 있던 토양에서 시작하는 천이이다.
> ㄴ. 대부분 초본이 개척자가 되며, 1차 천이에 비해 천이의 진행 속도가 느리다.
> ㄷ. 화재, 홍수, 벌목, 산사태 등으로 생물 군집이 파괴된 후 다시 시작하는 천이이다.

D 군집 내 상호 작용

10 다음은 군집 내 상호 작용에 대한 설명이다.

> (가) 서로 다른 종 사이의 먹고 먹히는 관계로 먹이 사슬의 일부이다.
> (나) 서식지, 먹이, 활동 시기, 산란 시기 등을 달리하여 경쟁을 피하는 관계이다.

(가), (나)의 상호 작용 명칭으로 옳은 것은?

	(가)	(나)
①	경쟁	편리 공생
②	경쟁	상리 공생
③	포식과 피식	분서
④	포식과 피식	경쟁
⑤	상리 공생	분서

11 그림은 종 A와 종 B를 단독 배양할 때와 혼합 배양했을 때의 개체 수를 나타낸 것이다.

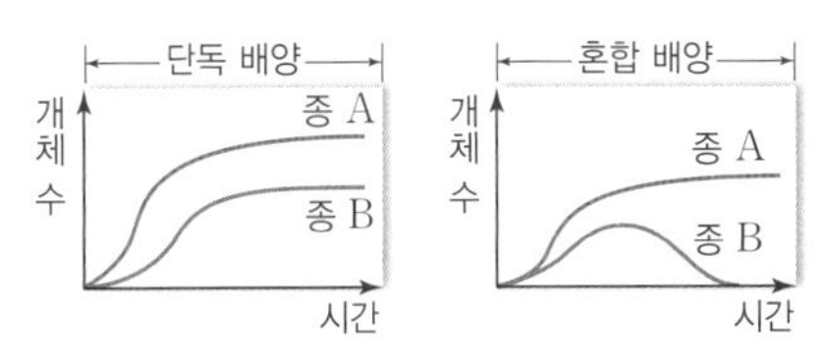

혼합 배양에서 A와 B의 관계에 대한 설명으로 옳은 것은?

① A와 B는 공생 관계이다.
② 경쟁·배타 원리가 적용되었다.
③ A와 B는 상리 공생 관계이다.
④ A는 포식자, B는 피식자의 관계이다.
⑤ A는 B를 피해 먹이를 다른 것으로 바꾸었다.

도전! 실력 올리기

01 그림은 어떤 지역에서 안정된 생태계의 먹이 관계를 나타낸 것이다.

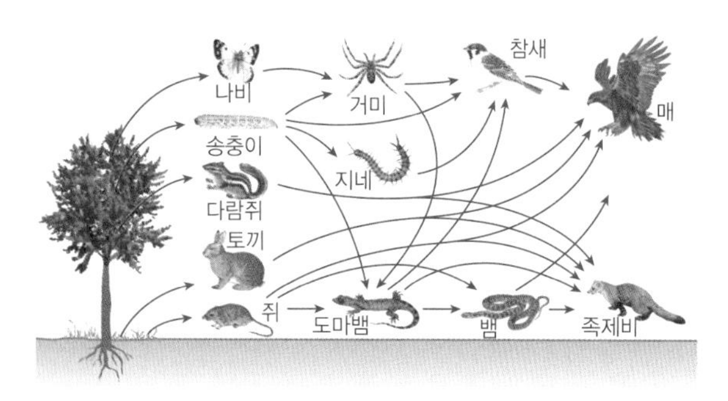

이에 대한 설명으로 옳은 것만을 〈보기〉에서 있는 대로 고른 것은?

보기
ㄱ. 먹이 그물로 생산자, 소비자, 분해자를 포함한다.
ㄴ. 도마뱀은 2차 소비자이면서 동시에 3차 소비자이기도 하다.
ㄷ. 매의 먹이 지위는 최종 소비자이며, 가장 개체 수가 많아 군집을 대표하는 우점종이다.

① ㄱ ② ㄴ ③ ㄷ
④ ㄱ, ㄴ ⑤ ㄱ, ㄴ, ㄷ

02 그림은 종 A~D의 먹이 범위와 서식하는 공간 범위를 나타낸 것이다.

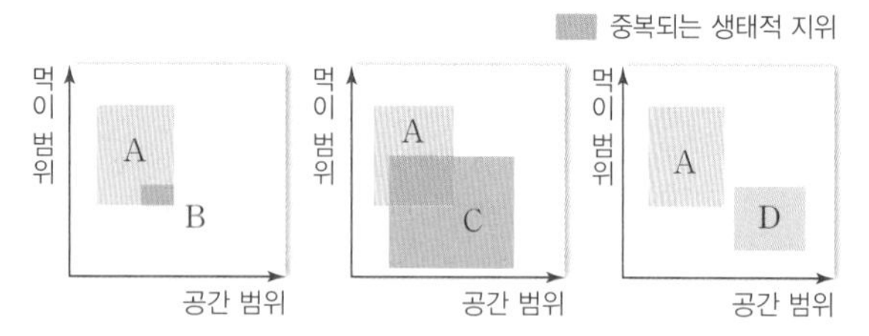

이에 대한 설명으로 옳은 것만을 〈보기〉에서 있는 대로 고른 것은?(단, A~D의 생존에 영향을 주는 요인으로 종들 사이의 경쟁, 먹이 지위, 공간 지위만 고려한다.)

보기
ㄱ. A, B는 포식과 피식의 관계로 A는 포식자, B는 피식자이다.
ㄴ. A와 C는 생태적 지위가 중복되므로 먹이와 서식지에 관한 경쟁 관계에 있다.
ㄷ. 자연 상태에서 A와 D는 생태적 지위가 중복되지 않으므로 서로 경쟁하지 않는다.

① ㄱ ② ㄴ ③ ㄷ
④ ㄴ, ㄷ ⑤ ㄱ, ㄴ, ㄷ

출제예감

03 그림은 식물 군집의 층상 구조와 높이에 따른 빛의 세기를 나타낸 것이다.

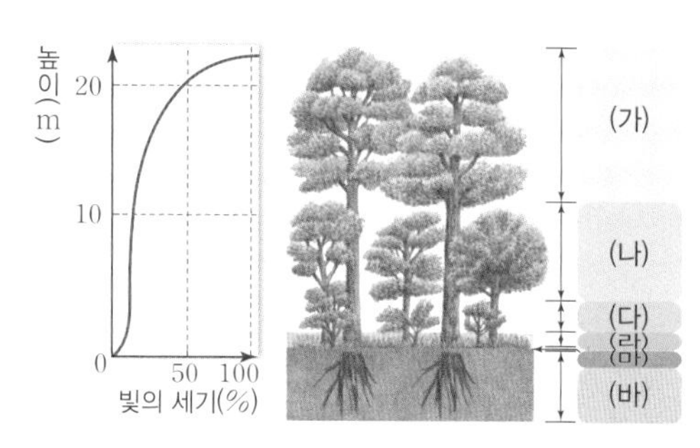

이에 대한 설명으로 옳은 것만을 〈보기〉에서 있는 대로 고른 것은?

보기
ㄱ. 빛의 세기는 지표로 갈수록 줄어들어 (라)와 (마)에서는 광합성이 일어나지 않는다.
ㄴ. (바)는 부식질이 풍부한 지중층에 해당하며, 생물이 전혀 살고 있지 않은 층이다.
ㄷ. (가)~(다) 중에서 광합성이 가장 활발하게 일어나는 곳은 빛의 세기가 가장 강한 (가)이다.

① ㄱ ② ㄴ ③ ㄷ
④ ㄱ, ㄷ ⑤ ㄴ, ㄷ

출제예감

04 표는 서로 다른 종 개체군 A와 개체군 B가 근접해 있을 때, 일어날 수 있는 상호 작용과 각각의 개체군이 받는 영향을 나타낸 것이다.

상호 작용	(가)	상리 공생	기생	(나)	(다)
개체군 A	−	+	+	+	+
개체군 B	−	+	−	−	0

이에 대한 설명으로 옳은 것만을 〈보기〉에서 있는 대로 고른 것은? (단, +는 이익을 얻는 것, 0은 이익도 해도 없는 것, −는 해를 입는 것을 의미한다.)

보기
ㄱ. (가)는 생태적 지위가 많이 겹치는 개체군 사이에서 일어나는 상호 작용이다.
ㄴ. (나)는 피식과 포식의 관계로 A는 피식자, B는 포식자에 각각 해당한다.
ㄷ. (다)는 A와 B가 함께 서식하는 공간에서 개체군 B가 완전히 도태되어 사라지는 관계이다.

① ㄱ ② ㄷ ③ ㄱ, ㄷ
④ ㄴ, ㄷ ⑤ ㄱ, ㄴ, ㄷ

05 다음은 종 A에 대한 설명이다.

> 종 A는 식물 군집을 대표하는 개체군으로 개체 수가 많고, 차지하는 공간이 커서 가장 큰 비중을 차지한다. 종 A는 중요치가 가장 높은 종으로 환경에 가장 큰 영향을 미치며 군집의 겉모습을 결정한다.

이에 대한 설명으로 옳은 것만을 〈보기〉에서 있는 대로 고른 것은?

> 보기
> ㄱ. A는 특정 군집에서만 발견되어 그 군집의 특성을 보여주는 종이다.
> ㄴ. A의 중요치를 파악하기 위해 방형구법으로 식물 군집을 조사해야 한다.
> ㄷ. 방형구 안에 나타나는 밀도, 빈도, 피도를 모두 합한 것이 중요치이다.

① ㄱ　② ㄴ　③ ㄷ
④ ㄱ, ㄴ　⑤ ㄱ, ㄴ, ㄷ

출제예감

06 그림은 천이가 시작되는 초기의 과정 일부를 나타낸 것이다.

이에 대한 설명으로 옳은 것만을 〈보기〉에서 있는 대로 고른 것은?

> 보기
> ㄱ. 습성 천이에 해당하며 개척자는 지의류이고 음수림에서 극상을 이룬다.
> ㄴ. 초원 이후의 천이 과정은 관목림 → 양수림 → 혼합림 → 음수림으로 진행된다.
> ㄷ. 호수는 영양염류가 적어 플랑크톤이 적은 빈영양호에서 영양염류가 많아 플랑크톤이 많은 부영양호로 진행된다.

① ㄱ　② ㄴ　③ ㄷ
④ ㄱ, ㄷ　⑤ ㄴ, ㄷ

서술형

07 그림은 어떤 지역에 설치한 방형구를 나타낸 것이다. (단, 종 A, B, C의 각 개체가 차지하는 면적은 $4\ cm^2$, $2\ cm^2$, $1\ cm^2$로 간주한다.)

1 m
1 m
▣ 종 A
◉ 종 B
● 종 C

이 방형구에서 종 A와 B의 상대 밀도와 상대 피도의 값을 계산식을 포함하여 구하시오. (단, 소수 첫째자리에서 반올림할 것)

서술형

08 그림 (가)는 종 A~C를 각각 단독 배양했을 때, (나)와 (다)는 종 A와 종 B, 종 A와 종 C를 각각 혼합 배양했을 때 시간에 따른 개체 수를 나타낸 것이다.

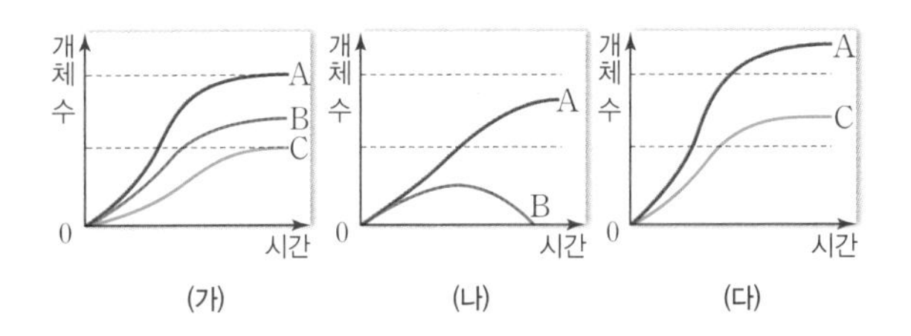

(1) (나)에서 종 B가 도태되는 까닭을 서술하시오.

(2) 종 A의 개체 수가 증가하는 속도는 (다)가 (가)보다 더 빠르다. 그 까닭을 서술하시오.

서술형

09 그림은 어떤 지역의 천이 과정을 나타낸 것이다.

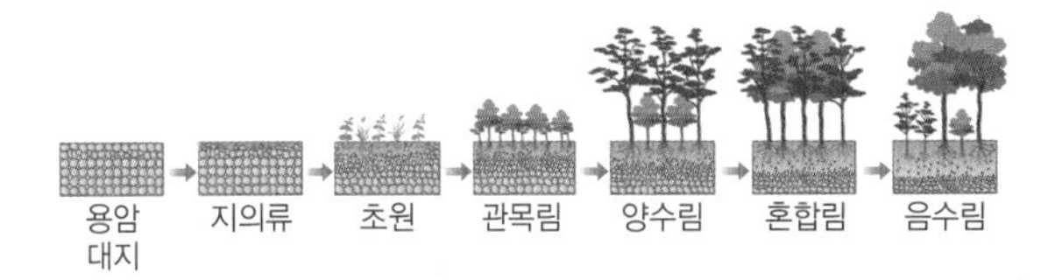

천이가 진행되는 동안 식물 군집의 지표면에 도달하는 빛의 세기와 토양의 수분 함량을 서술하시오.

04 에너지 흐름과 물질 순환

핵심 키워드로 흐름잡기

- A 에너지 흐름, 생태 피라미드, 에너지 효율
- B 총생산량, 순생산량, 호흡량, 생체량, 섭식량, 동화량, 배출량
- C 물질 순환, 탄소 순환, 질소 순환, 질소 고정, 질산화, 탈질산화
- D 생태계 평형, 외래 생물

A 에너지 흐름

|출·제·단·서| 시험에는 에너지 흐름의 특징과 에너지 흐름에 따른 에너지 효율을 구하는 문제가 나와.

1. 생태계에서 에너지 흐름 개념 POOL 에너지는 순환하지 않고 한 형태에서 다른 형태로 전환되어 먹이 사슬을 따라 한 방향으로만 이동하기 때문에 생태계가 유지되려면 외부에서 에너지가 끊임없이 유입되어야 한다. 암기TiP 생태계에서의 에너지 전환: 빛에너지 → 화학 에너지 → 열에너지

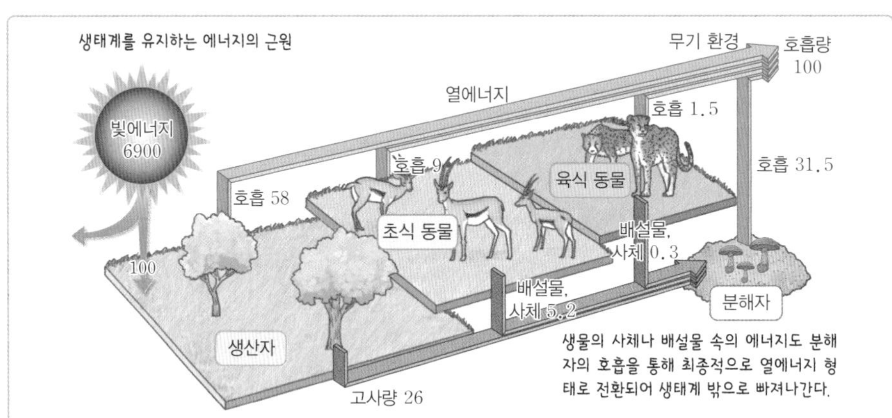

▲ **생태계에서의 에너지 흐름** 먹이 사슬을 따라 상위 영양 단계로 이동할 때마다 각 영양 단계에서 생명 활동에 에너지가 사용되므로 영양 단계가 높아질수록 에너지양은 감소한다.

- **생산자의 광합성:** 빛에너지는 생산자의 광합성❶을 통해 *유기물의 화학 에너지로 전환된다.
- **먹이 사슬을 통한 에너지 전달:** 광합성을 통해 전환된 화학 에너지의 일부는 먹이 사슬을 따라 소비자에게로 이동하다가 사체나 배설물의 형태로 분해자에게로 이동한다.
- **열에너지 형태로 방출:** 유기물에 포함된 에너지는 생산자, 소비자, 분해자의 호흡에 의해 생활 에너지로 쓰인 후에 열에너지로 방출된다.

❶ **광합성**
빛을 이용하여 무기물(물, 이산화 탄소)로부터 유기물(포도당)을 합성하는 과정이다. 포도당은 생물체에서 에너지원으로 사용된다.

❷ **영양 단계**
한 개체가 먹이 사슬에서 차지하는 위치를 나타내는 말로 생산자, 1차 소비자, 2차 소비자, 최종 소비자 등을 일컫는다.

★ 지학사, 교학사, 동아, 미래엔 교과서에서는 생체량 피라미드를 생물량 피라미드라고 설명한다.

❸ **에너지 효율**
- 상위 영양 단계로 갈수록 에너지양은 점점 감소하지만 에너지 효율은 증가한다.
- 에너지 효율은 생태계에 따라 다르게 나타나며 대체로 에너지 효율은 5 %~20 %이다.

2. 생태 피라미드 생태계에서 각 영양 단계❷의 개체 수, 생체량, 에너지양의 상대적인 값을 차례로 쌓아 올린 것으로, 상위 영양 단계로 갈수록 그 값이 작아져서 감소하는 모양의 피라미드를 나타낸다.

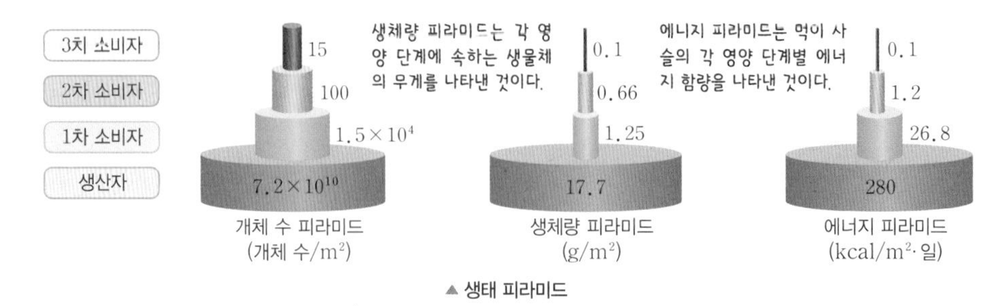

▲ 생태 피라미드

암기TiP 상위 영양 단계로 갈수록 에너지 효율은 증가

3. 에너지 효율❸ 생태계에서 하위 영양 단계에서 상위 영양 단계로 이동하는 에너지의 비율로, 에너지 효율은 상위 영양 단계로 갈수록 증가한다.

$$\text{에너지 효율(\%)} = \frac{\text{현 영양 단계가 보유한 에너지 총량}}{\text{전 영양 단계가 보유한 에너지 총량}} \times 100$$

용어 알기

*유기물(있을 有, 틀 機, 만물 物) 생물체를 구성하는 탄소 화합물

B 물질의 생산과 소비

|출·제·단·서| 물질의 생산과 소비에 관련된 각 용어의 개념을 정확히 알고 있는지 묻는 문제가 시험에 나와.

1. 생태계에서 물질의 생산과 소비 생태계의 모든 생물은 생산자가 생산하는 유기물을 이용하므로 생산자가 충분한 양의 유기물을 생산하는 것은 생태계 유지에 매우 중요하다.

(1) 생산자의 물질의 생산과 소비 (암기TiP) 순생산량=총생산량－호흡량

총생산량	• 생산자가 일정 기간 동안 광합성으로 생산한 유기물의 총량 • 총생산량은 생산자가 유기물의 화학 에너지로 전환한 태양 에너지의 일부이다.
호흡량	생산자가 자신의 생활에 필요한 에너지를 얻기 위해 호흡에 소비한 유기물의 양
순생산량❹	• 총생산량에서 호흡량을 제외한 나머지 유기물의 양 • 순생산량은 생태계에서 소비자나 분해자가 사용할 수 있는 화학 에너지의 양이다. • 순생산량은 피식량, 고사량·낙엽량, 생장량으로 구성된다. • **피식량**: 생산자가 소비자에 의해 먹히는 유기물의 양 • **고사량·낙엽량**: 잎이나 줄기가 말라죽거나 낙엽으로 소실되는 유기물의 양 • **생장량**: 순생산량에서 피식량과 고사량을 제외하고 식물체에 남아 있는 유기물의 양 └ 식물의 생장량은 식물 군집에 저장되는 유기물의 양을 결정한다.

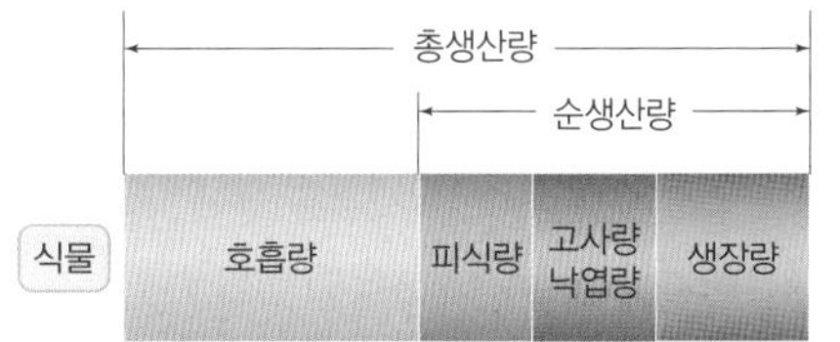

▲ 생산자의 총생산량

• 총생산량=호흡량+순생산량
• 순생산량=피식량+고사량·낙엽량+생장량
=총생산량－호흡량
• 생장량=순생산량－(피식량+고사량·낙엽량)

(2) 소비자의 섭식과 소비 ★ 교학사, 동아 교과서에만 나오는 내용이다.

① **섭식량**: 소비자인 동물은 식물이나 다른 동물을 먹이로 섭취하는데, 섭식량은 소비자인 동물이 섭취한 유기물의 총량이다. 소비자의 섭식량은 생산자의 피식량이다.

② 섭식량의 구성

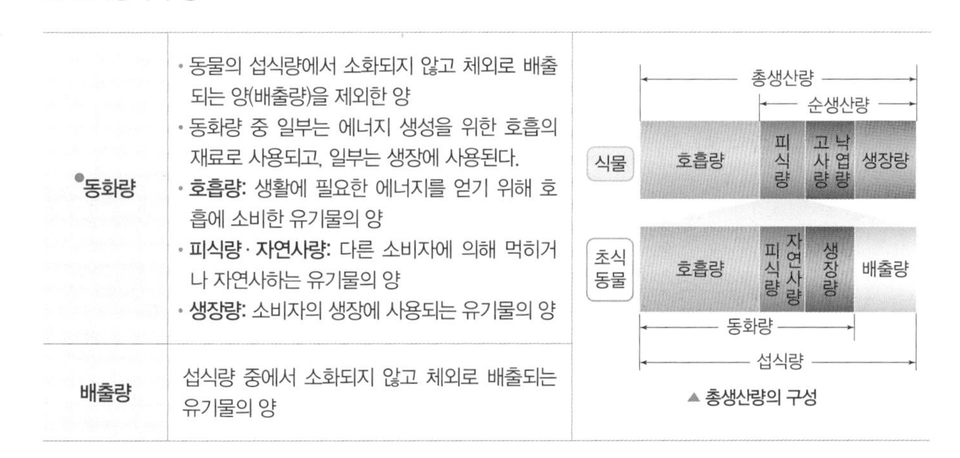

동화량	• 동물의 섭식량에서 소화되지 않고 체외로 배출되는 양(배출량)을 제외한 양 • 동화량 중 일부는 에너지 생성을 위한 호흡의 재료로 사용되고, 일부는 생장에 사용된다. • **호흡량**: 생활에 필요한 에너지를 얻기 위해 호흡에 소비한 유기물의 양 • **피식량·자연사량**: 다른 소비자에 의해 먹히거나 자연사하는 유기물의 양 • **생장량**: 소비자의 생장에 사용되는 유기물의 양
배출량	섭식량 중에서 소화되지 않고 체외로 배출되는 유기물의 양

▲ 총생산량의 구성

생체량(=생물량,=현존량)
생장의 결과 현재 한 군집이 가지고 있는 유기물의 총량

❹ 순생산량
열대 우림은 육상 생태계 중 총생산량이 가장 많은 곳이다. 오래된 원시림과 같이 극상에 도달한 군집은 총생산량과 호흡량이 균형을 이루어 생체량은 많지만 순생산량은 적다. 반대로 천이가 진행 중인 군집은 생체량은 적지만 순생산량은 많다. 사람이 관리하는 농경지도 순생산량이 많다.

용어 알기
• 섭식(당길 攝, 밥 食) 동물이 먹이를 먹는 것
• 동화량(한 가지 同, 될 化, 헤아릴 量) 생물이 외계에서 물질을 섭취한 후 화학 변화를 일으켜 자신에게 유용한 물질로 변화시키는 양

C 물질 순환

(암기TiP) 물질은 끊임없이 순환하고 에너지는 한 방향으로만 흐른다.

|출·제·단·서| 시험에는 물질 순환의 특징과 질소 순환 과정의 용어를 확인하는 문제가 나와.

1. 생태계에서 물질 순환 개념 POOL 생명 활동에 필수적인 물질을 구성하는 원소인 탄소, 질소 등은 환경으로부터 생물 군집 내로 유입된 후 먹이 사슬을 따라 이동하다가 분해자에 의해 토양이나 대기로 되돌아가는 물질 순환을 한다.

(1) **탄소 순환** 대기나 물속에 있는 이산화 탄소(CO_2)는 생산자의 광합성 작용으로 유기물로 전환된다. 유기물은 생산자, 소비자, 분해자의 호흡으로 분해되어 이산화 탄소(CO_2) 형태로 대기나 물속으로 돌아간다.

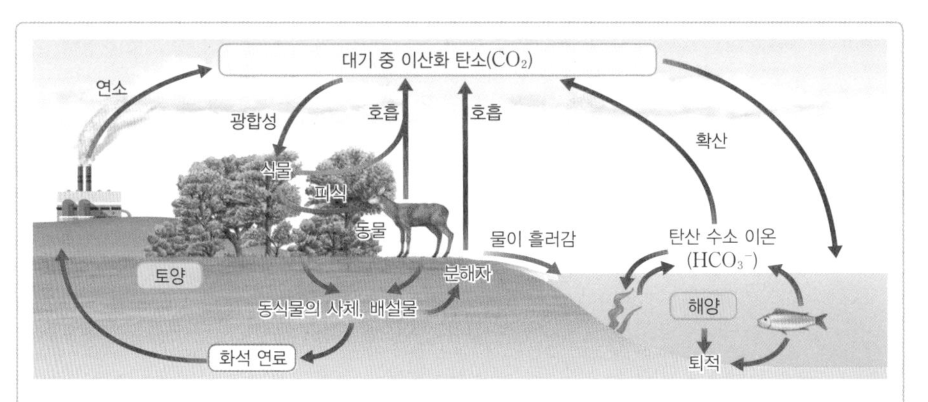

❶ 탄소는 주로 이산화 탄소의 형태로 대기 중에 존재하거나 탄산 수소 이온의 형태로 물에 녹아 있다.
❷ 이산화 탄소는 생산자에 흡수된 후 광합성에 이용되어 유기물로 전환된다.
❸ 유기물은 먹이 사슬을 따라 이동하면서 생산자와 소비자의 호흡으로 분해되어 이산화 탄소 형태로 대기 또는 물속으로 돌아간다.
❹ 생물의 사체와 배설물 속에 들어 있는 유기물은 분해자의 작용으로 분해되어 이산화 탄소 형태로 대기 또는 물속으로 돌아간다.
❺ 생물의 사체 중 분해되지 않은 유기물은 땅속, 호수, 해저 등에 오랜 기간 퇴적되어 •화석 연료로 변화되고, 화석 연료는 연소되어 이산화 탄소 형태로 다시 대기 중으로 돌아간다.

(2) **질소 순환** 대기 중의 질소(N_2)는 생물이 이용할 수 있는 형태인 암모늄 이온(NH_4^+)이나 질산 이온(NO_3^-)으로 전환되어 이용된 후 질소 기체(N_2)로 환원되어 대기 중으로 돌아간다. 질소는 단백질을 구성하는 중요한 원소로 대기 중의 78 % 정도를 차지하는데, 질소 원자 사이의 삼중 결합으로 인해 대부분의 생물이 직접 이용하기 어렵다.

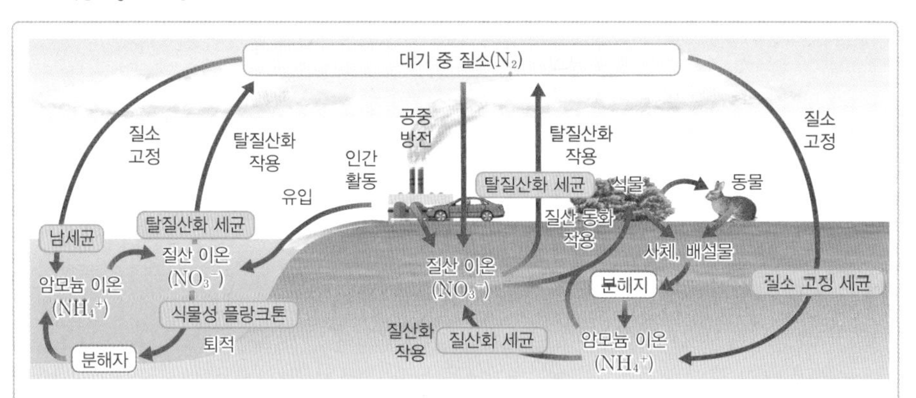

❶ **공중 방전과 질소 고정❺** 대기 중 일부 질소는 번개와 같은 공중 방전으로 질산 이온으로 전환되기도 하지만, 대부분 뿌리혹박테리아❻, 아조토박터 등과 같은 질소 고정 세균이 대기 중의 질소를 식물이 이용할 수 있는 암모늄 이온으로 전환한다.
❷ **질산화 작용❼** 암모늄 이온은 질산화 세균에 의해 질산 이온으로 전환된다.
❸ **질소 동화 작용** 암모늄 이온이나 질산 이온은 식물의 뿌리로 흡수되어 질소 동화 작용을 통해 •핵산, 단백질 등의 질소 화합물 합성에 이용된다.
❹ **먹이 사슬을 통한 이동** 식물이 합성한 질소 화합물은 먹이 사슬을 따라 소비자에게로 이동하고, 그 과정에서 일부는 생물체에서 분해되어 질소 노폐물로 배설된다.
❺ **분해자의 작용** 사체나 배설물 속의 질소 화합물은 분해자에 의해 암모늄 이온으로 분해된다.
❻ **탈질산화 작용** 토양 속 질소 화합물의 일부는 탈질산화 세균의 작용으로 질소 기체로 환원되어 대기 중으로 돌아간다.

지구 온난화 현상
무분별한 벌채와 숲의 파괴로 인해 식물의 광합성량이 감소하고 산업화에 따른 화석 연료의 사용량 증가로 대기의 이산화 탄소의 양이 증가함에 따라 온실 효과가 증대되어 지구 온난화 현상이 나타나고 있다.

❺ 질소 고정
질소 고정 세균에 의해 질소 기체가 암모늄 이온으로 전환되는 과정으로 질소가 생물이 이용할 수 있는 형태로 전환되는 경로이다.

화학 비료 속 질소
질소는 화학 비료 속의 질소 화합물의 형태로 토양에 유입되어 식물체에 전달되기도 한다.

❻ 뿌리혹박테리아
콩과식물의 뿌리에 뿌리혹을 만들어 식물과 공생하면서 대기 중의 질소 기체를 암모늄 이온으로 고정한다.

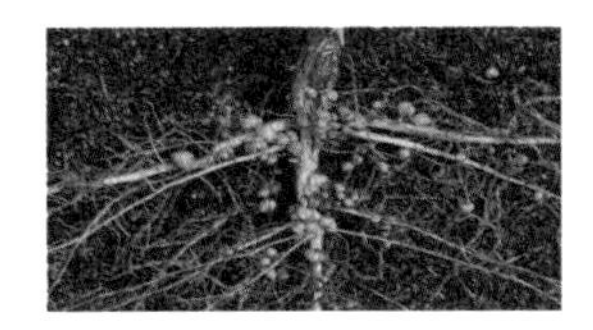

❼ 질산화 작용
아질산균, 질산균 등의 질산화 세균에 의해 암모늄 이온이 아질산 이온을 거쳐 질산 이온으로 전환되는 과정이다.

동물의 질소 화합물 이용
동물은 단백질과 같은 유기물 형태의 질소만 사용할 수 있어 식물이나 다른 동물을 섭취하여 질소 화합물을 얻는다.

용어 알기
• 화석 연료(될 化, 돌 石, 탈 燃, 셀 料) 오랜 기간 동안 땅속에서 분해되지 않은 생물의 사체가 화석화되어 만들어진 퇴적물로 석유나 석탄을 말함
• 핵산(씨 核, 초 酸) 핵에 존재하는 산성 물질이라는 뜻의 DNA와 RNA를 말함

D 생태계 평형

|출·제·단·서| 생태계 평형이 파괴되었을 때 먹이 관계에 의해 생태계 평형을 조절하는 과정이 시험에 나와.

1. 생태계 평형 생태계 내 생물 군집의 구성, 개체 수, 물질의 양, 에너지 흐름이 안정된 상태를 유지하는 것으로, 주로 먹이 관계에 의해 유지되기 때문에 먹이 그물이 복잡할수록 생태계 평형이 유지되기 쉽다. 생태계 평형은 주로 먹이 그물을 기초로 하여 유지되지만 빛, 온도, 공기 등과 같은 비생물적 요인의 영향도 받는다.

2. 생태계 평형의 조절

(1) **생태계 평형 파괴** 안정된 생태계에서 어떤 요인으로 한 영양 단계에 있는 생물의 수가 증가하거나 감소하면 그 생물과 먹고 먹히는 관계로 연결된 생물의 개체 수가 영향을 받는다.

(2) **먹이 사슬에 의한 평형 유지** 생태계 평형이 일시적으로 깨지더라도 생태계는 스스로 안정된 상태를 유지할 수 있는 조절 능력이 있어 평형을 회복할 수 있다.

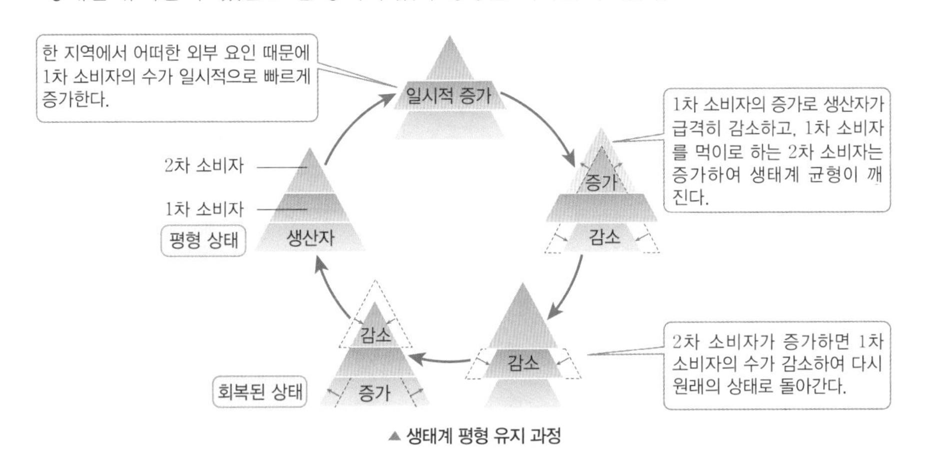

▲ 생태계 평형 유지 과정

(3) **생태계 평형 유지의 한계** 생태계 조절 능력에는 한계가 있으므로 이 한계를 넘는 심한 외부 요인이 작용하면 생태계 평형은 깨지고 결국 생태계 전체가 파괴될 수도 있다.

3. 생태계 평형의 파괴 원인

(1) **자연 재해** 지진, 홍수, 화산 폭발 등과 같은 천재지변은 생태계 평형을 위협하는 요인이다.

(2) **인간의 활동** 댐, 공장, 도로 건설, •경작지 확보를 위한 개간, 간척 사업, 화석 연료의 과다 사용, 원유 유출 사고, 환경 오염 등의 인간에 의한 활동은 생태계 평형에 심각한 문제를 일으킬 수 있다.

(3) **외래 생물[8]의 무분별한 유입** 외래 생물의 무분별한 유입도 생물 다양성을 감소시켜 생태계 파괴로 이어질 수 있다. 외래 생물은 원래 서식지에 존재했던 포식자 등으로부터 벗어나 새로운 지역에서 활발히 번식하면서 고유종과 경쟁하거나 고유종을 포식하여 생태계가 파괴되는 경우가 있다.

빈출 자료 카이바브 고원의 생태계

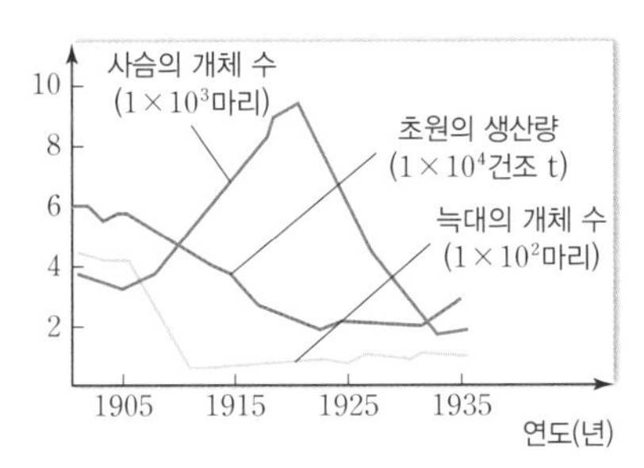

▲ 카이바브 고원의 사슴과 늑대의 개체 수와 초원의 생산량 변화

❶ 미국 그랜드 캐니언 북쪽의 카이바브 고원에는 1905년까지 약 4000마리의 사슴이 살고 있었다.

❷ 미국 정부는 사슴을 보호하기 위해 1906년 이후부터 30년 동안 사슴의 천적인 퓨마, 코요테, 늑대의 사냥을 허가하였다.

❸ 사냥으로 인해 천적의 개체 수가 감소하자 사슴의 개체 수는 급증하였고, 초원은 황폐해지기 시작하였다.

❹ 이후 먹이가 부족해 굶어 죽는 사슴이 증가하면서 사슴의 개체 수가 줄어 초원의 생산량은 회복되기 시작하였다.

? 생태계 평형은 먹이 관계에 의해서만 유지될까?
남극의 펭귄은 일정한 개체 수를 유지하는데, 이는 남극의 낮은 기온 때문이다. 추운 환경에서 펭귄은 번식률을 낮추어 개체 수가 무한히 증가하는 것을 막는다. 극지방이나 사막과 같이 척박한 환경에서는 먹이 그물보다 기온이나 수분과 같은 환경에 의해 개체군 생장이 제한된다.

바이오스피어 2
1991년부터 밀폐된 공간에서 이루어졌던 인공 생태계 실험이다. 최대한 지구 환경과 비슷하게 구성하였으나 이산화 탄소 농도가 급격하게 증가하는 등 물질 순환 조절에 실패하여 2년 만에 종료되었다. 이 실험은 인간의 힘으로 생태계 평형을 유지하는 것이 얼마나 어려운 일인지를 잘 보여 주는 사례이다.

❽ 외래 생물
원래의 서식지로부터 다른 곳으로 이주한 동식물로 우리나라의 외래 생물에는 뉴트리아, 블루길, 가시박, 붉은귀거북, 큰입배스, 돼지풀, 꽃매미 등이 있다.

용어 알기
•경작지(**밭 갈 耕, 지을 作, 땅 地**) 땅을 갈아서 농사짓는 땅

에너지 흐름과 물질 순환의 비교

목표 에너지 흐름과 물질 순환의 차이를 비교할 수 있다.

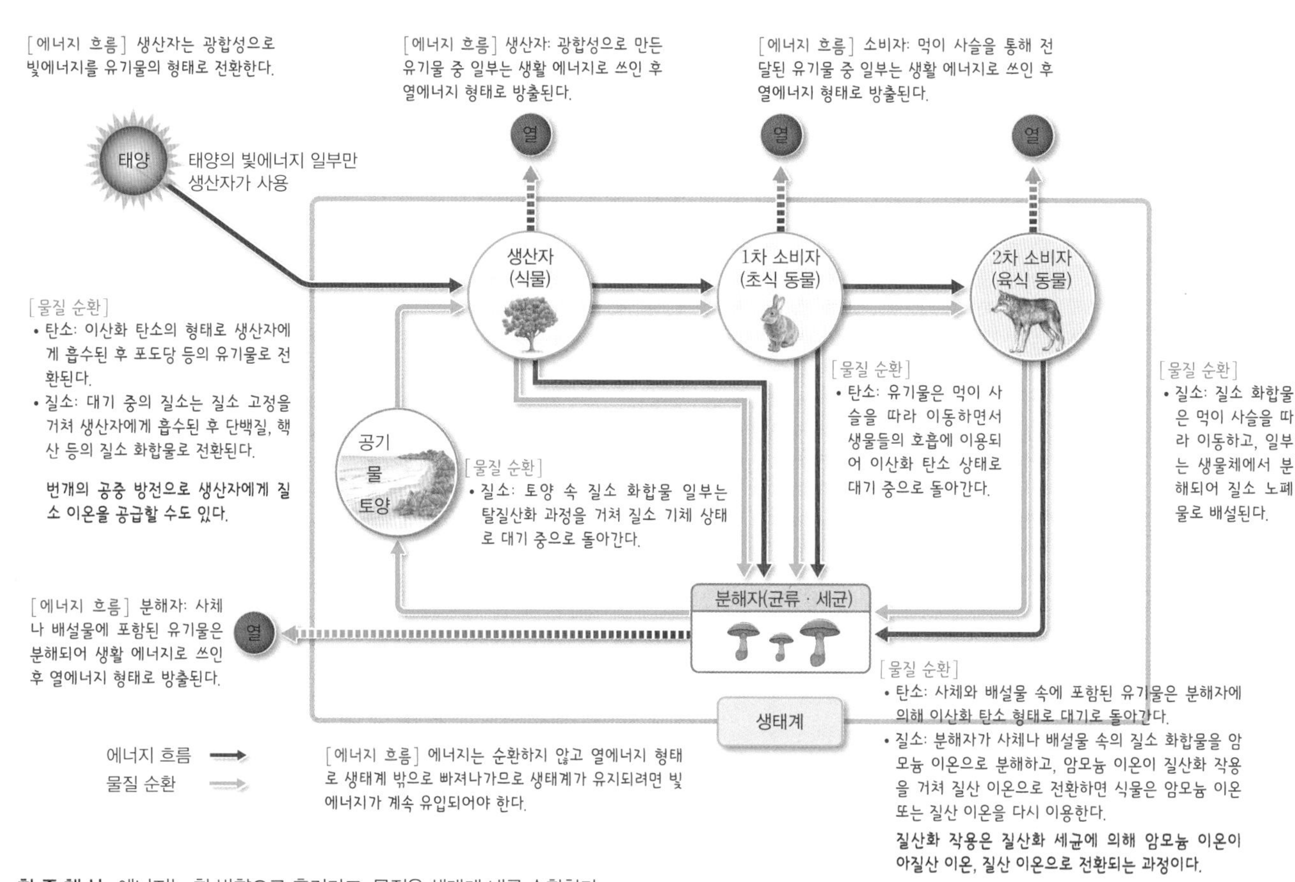

한·줄·핵·심 에너지는 한 방향으로 흘러가고, 물질은 생태계 내를 순환한다.

확인 문제

정답과 해설 82쪽

01 ㉠~㉣에 들어갈 알맞은 말을 각각 쓰시오.

> 생산자는 (㉠)을 통해 태양으로부터 나오는 에너지 일부를 유기물의 형태로 전환한다. 생산자가 만든 유기물 중 일부는 생활 에너지로 쓰인 후 (㉡)에너지 형태로 방출된다. 1, 2차 소비자는 (㉢)을 따라 전달된 유기물 중 일부를 생활 에너지로 사용한 후 (㉡)에너지 형태로 방출한다. 분해자는 사체나 배설물에 포함된 유기물을 분해하여 생활 에너지로 사용한 후 (㉡)에너지 형태로 방출한다. 에너지는 순환하지 않고 (㉡)에너지 형태로 생태계 밖으로 빠져나가므로 생태계가 유지되려면 (㉣)에너지가 계속 유입되어야 한다.

02 다음 설명 중 옳은 것은 ○, 옳지 않은 것은 ×로 표시하시오.

(1) 탄소는 이산화 탄소의 형태로 생산자에게 흡수된 후 유기물로 전환된다. ( )

(2) 대기 중의 질소는 직접 생산자에게 흡수된 후 단백질, 핵산 등의 질소 화합물로 전환된다. ( )

(3) 탄소와 질소는 유기물의 형태로 먹이 사슬을 따라 이동하다가 바로 대기 중으로 돌아간다. ( )

(4) 분해자는 사체나 배설물 속의 질소 화합물을 암모늄 이온으로 분해한다. ( )

(5) 에너지는 생태계 내를 순환하고, 물질은 한 방향으로 흘러간다. ( )

콕콕!
개념 확인하기

정답과 해설 82쪽

✓ 잠깐 확인!

1. 생태계를 유지하는 에너지의 근원은 ☐☐ 에너지이다.

2. ☐☐☐☐ ☐☐
하위 영양 단계에서 상위 영양 단계로 이동하는 에너지의 비율

3. ☐☐☐☐
식물 군집의 총생산량에서 호흡량을 제외한 나머지 유기물량

4. ☐☐는 이산화 탄소의 형태로 생산자에 흡수된 후 광합성에 이용되어 유기물로 전환된다.

5. ☐☐ ☐☐
대기 중의 질소가 질소 고정 세균에 의해 암모늄 이온으로 전환되는 과정

6. ☐☐☐☐ 과정
토양 속 질소 화합물이 탈질산화 세균의 작용으로 질소 기체로 환원되는 과정

7. 생태계 ☐☐
생태계 내 생물 군집의 구성, 개체 수, 물질의 양 등이 안정된 상태를 유지하는 것

A 에너지 흐름

01 생태계의 에너지 흐름에 대한 설명으로 옳은 것은 ○, 옳지 않은 것은 ×로 표시하시오.

(1) 에너지는 순환하지 않고 한 형태에서 다른 형태로 전환되어 한 방향으로 이동한다. (　　)

(2) 1차 소비자는 빛에너지를 유기물의 화학 에너지로 전환시킨다. (　　)

(3) 광합성을 통해 전환된 화학 에너지의 일부는 사체나 배설물의 형태로 분해자에게로 이동한다. (　　)

02 다음은 생태 피라미드에 대한 설명이다. ㉠, ㉡에 들어갈 알맞은 말을 쓰시오.

> 생태 피라미드에서 먹이 사슬의 각 영양 단계별 에너지 함량을 나타낸 것을 (㉠) 피라미드라고 하며, 각 영양 단계에 속하는 생물체의 무게를 나타낸 것을 (㉡) 피라미드라고 한다.

B 물질의 생산과 소비

03 생산자의 생산과 소비에 관한 설명과 이에 해당하는 용어를 옳게 연결하시오.

(1) 생산자가 광합성으로 생산한 유기물의 총량 • 　　　• ㉠ 호흡량

(2) 생산자가 자신의 호흡에 소비한 유기물의 양 • 　　　• ㉡ 피식량

(3) 생산자가 소비자에 의해 먹히는 유기물의 양 • 　　　• ㉢ 총생산량

C 물질 순환

04 대기 중의 이산화 탄소가 생산자로 흡수된 후 포도당과 같은 유기물로 전환되는 과정을 무엇이라고 하는지 쓰시오.

05 생명 활동에 필수적인 원소인 탄소, 질소 등이 환경으로부터 생물 군집 내로 유입된 후 먹이 사슬을 따라 이동하다가 분해자에 의해 토양이나 대기로 되돌아가는 현상을 무엇이라고 하는지 쓰시오.

D 생태계 평형

06 생태계 평형 유지에 관한 설명이다. (　) 안에 들어갈 알맞은 말을 고르시오.

> 생태계 평형은 주로 먹이 관계에 의해 유지되므로 먹이 그물이 (단순, 복잡)할수록 생태계 평형이 유지되기 쉽다.

탄탄! 내신 다지기

A 에너지 흐름

01 그림은 어떤 생태계의 에너지 흐름을 나타낸 것이다. (가)와 (나)는 에너지이고, A, B, C는 생산자, 분해자, 소비자 중 하나이다.

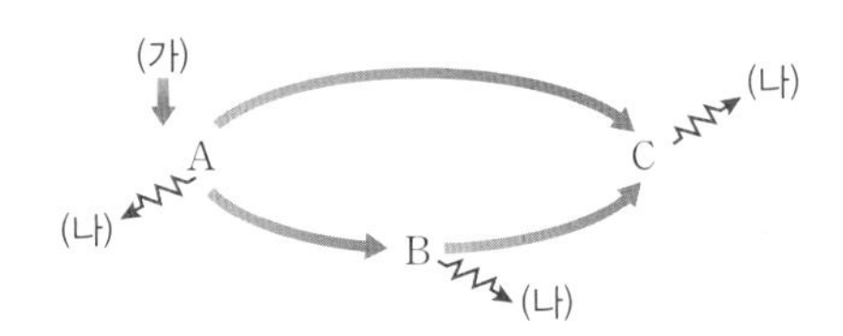

이에 대한 설명으로 옳은 것은?

① (가)는 태양으로부터 오는 열에너지로 이 생태계가 유지되려면 끊임없이 에너지가 공급되어야 한다.
② (나)는 여러 생물들의 호흡에 의해 생활 에너지로 쓰인 후에 방출되는 열에너지이다.
③ A는 (가)로부터 방출된 에너지의 일부를 유기물의 형태로 합성하는 분해자이다.
④ B는 A로부터 전달받은 에너지를 모두 먹이 사슬을 따라 이동시킴으로써 먹이 사슬을 유지시킨다.
⑤ C는 A와 B로부터 사체나 배설물 형태로 에너지를 전달받은 후 다시 A로 전달하여 에너지를 순환시킨다.

02 그림은 어떤 생태계에서 얻은 생태 피라미드를 나타낸 것이다. (가), (나), (다), (라)는 영양 단계이다.

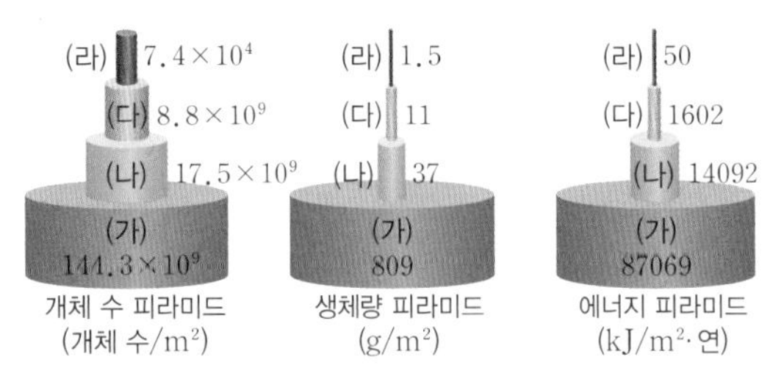

이에 대한 설명으로 옳은 것만을 <보기>에서 있는 대로 고른 것은?

> **보기**
> ㄱ. 생체량은 한 지역에 존재하는 개체군이나 군집의 양을 무게로 나타낸 것이다.
> ㄴ. 상위 영양 단계로 갈수록 에너지양이 감소하므로 각 영양 단계의 에너지 효율은 감소한다.
> ㄷ. 생태 피라미드에서 가장 아래에 있는 (가)는 생산자이고, 가장 위쪽에 있는 (라)는 분해자이다.

① ㄱ ② ㄴ ③ ㄷ ④ ㄱ, ㄴ ⑤ ㄴ, ㄷ

B 물질의 생산과 소비

03 생산자의 생산과 소비에 대한 설명으로 옳은 것은?

① 생산자가 일정 기간 동안 광합성으로 생산한 유기물의 총량은 순생산량이다.
② 생산자가 순생산량의 일부를 호흡으로 소비하는데 그 양을 호흡량이라고 한다.
③ 식물 군집의 총생산량에서 호흡량을 제외한 나머지 유기물량을 생장량이라고 한다.
④ 순생산량은 생태계에서 소비자나 분해자가 사용할 수 있는 화학 에너지의 양에 해당한다.
⑤ 식물 군집의 피식량, 고사·낙엽량, 생장량을 모두 더한 값은 총생산량에서 생산자의 호흡량을 뺀 값보다 항상 크다.

단답형

04 다음은 어느 식물 군집의 한 해 동안의 생산량과 소비량의 단위 면적당 수치이다.

> • 총생산량: 5000 • 고사·낙엽량: 100
> • 생장량: 1500 • 피식량: 1200

식물 군집의 호흡량을 구하시오.

05 그림은 1차 소비자의 에너지 양을 나타낸 것이다.

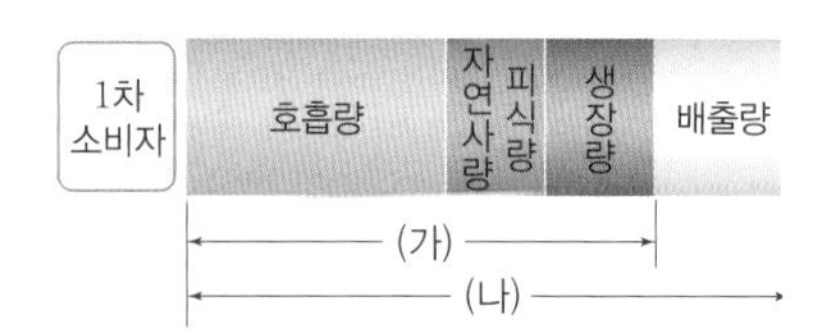

이에 대한 설명으로 옳은 것은?

① (나)는 생산자의 피식량에 해당한다.
② 피식량은 생활에 필요한 에너지를 얻기 위해 호흡에 소비한 유기물의 양이다.
③ 1차 소비자의 생장에 사용되는 유기물의 양은 생장량과 배출량을 합한 값이다.
④ (가)는 섭식량으로 (나)에서 소화되지 않고 체외로 배출되는 양을 제외한 양이다.
⑤ (가)의 크기는 1차 소비자보다 2차 소비자, 3차 소비자로 영양 단계가 올라갈수록 점점 커진다.

C 물질 순환

단답형

06 다음은 탄소의 순환에 대한 설명이다.

탄소는 (㉠)의 형태로 대기에서 생산자에게로 흡수된 후 (㉡)을 통해 유기물로 전환된다. 유기물은 먹이 사슬을 따라 이동하면서 생산자와 소비자의 (㉢)에 의해 (㉠)의 형태로 다시 대기로 돌아간다.

㉠~㉢에 들어갈 알맞은 말을 쓰시오.

07 그림은 질소 순환 과정을 나타낸 것이다.

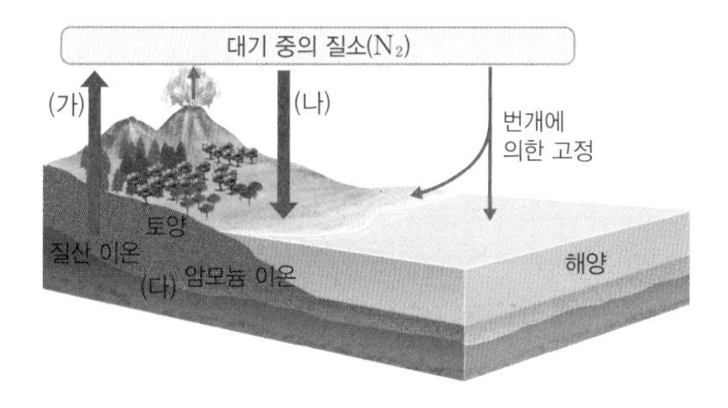

이에 대한 설명으로 옳은 것은?

① 대기 중의 질소는 번개에 의한 공중 방전으로만 토양에 공급된다.
② (가)는 토양 속 질소 화합물이 질소가 되어 대기 중으로 돌아가는 질산화 과정이다.
③ (나)의 과정에는 뿌리혹박테리아, 아조토박터 등과 같은 미생물들이 작용한다.
④ (다)는 토양 속의 질소 화합물이 식물이 쉽게 이용할 수 있는 형태로 변형되는 질소 동화 작용이다.
⑤ 식물체 내로 흡수된 질소는 광합성 과정에 의해 유기물의 형태로 전환된 후 먹이 사슬을 따라 이동한다.

08 식물이 암모늄 이온이나 질산 이온을 뿌리로 흡수하여 핵산, 단백질 등의 질소 화합물을 합성하는 과정은?

① 질소의 순환 ② 질산화 작용
③ 탈질산화 작용 ④ 질소 고정 작용
⑤ 질소 동화 작용

D 생태계 평형

09 다음은 생태계의 평형을 회복하는 과정에 대한 설명이다.

한 지역에서 어떠한 외부 요인 때문에 1차 소비자의 수가 일시적으로 빠르게 증가한다. ➡

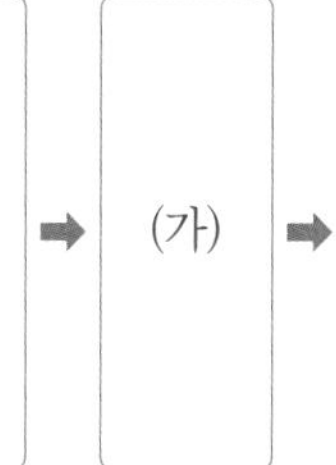

➡ 1차 소비자의 수가 감소하여 다시 원래의 상태로 돌아간다.

(가)에 해당하는 내용으로 옳은 것은?

① 생산자는 감소하고, 2차 소비자도 감소한다.
② 생산자는 감소하고, 2차 소비자는 증가한다.
③ 생산자는 감소하고, 2차 소비자는 변화없다.
④ 생산자는 증가하고, 2차 소비자도 증가한다.
⑤ 생산자는 증가하고, 2차 소비자는 감소한다.

10 그림은 미국 카이바브 고원에 대한 설명이다.

카이바브 고원에는 1905년까지 약 4000마리의 사슴이 살고 있었는데 정부는 사슴 보호를 위해 1906년 이후부터 사슴의 천적인 늑대의 사냥을 허가하였다.

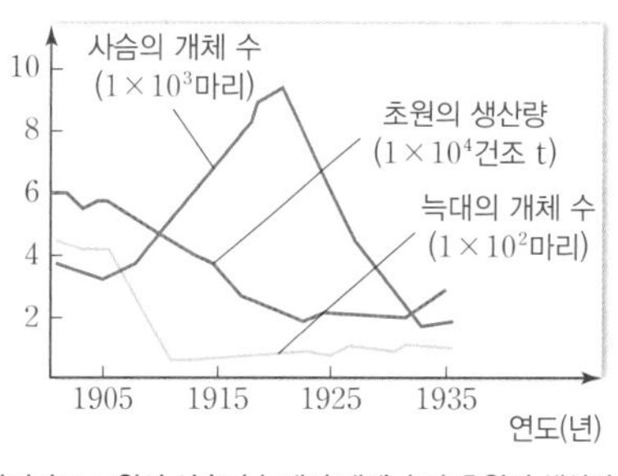

▲ 카이바브 고원의 사슴과 늑대의 개체 수와 초원의 생산량 변화

사냥을 허가한 이후 카이바브 고원에 관한 설명으로 옳은 것만을 〈보기〉에서 있는 대로 고른 것은?

〈보기〉
ㄱ. 사슴과 늑대의 개체 수는 피식과 포식의 관계로 인한 주기적 변동이 나타났다.
ㄴ. 처음에는 사슴의 개체 수가 급증하다가 초원의 생산량이 줄면서 사슴의 개체 수가 줄어들었다.
ㄷ. 초원의 생산량이 계속 감소하다가 사슴의 개체 수 감소로 회복되기 시작했다.

① ㄱ ② ㄴ ③ ㄷ
④ ㄱ, ㄴ ⑤ ㄴ, ㄷ

도전! 실력 올리기

출제예감

01 그림은 어느 생태계의 에너지 흐름을 나타낸 것이다. 에너지양은 상댓값으로 나타낸 것이다.

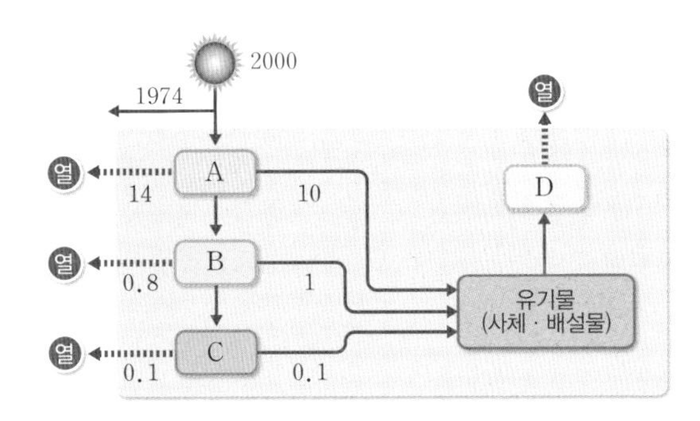

이에 대한 설명으로 옳은 것만을 〈보기〉에서 있는 대로 고른 것은?

보기
ㄱ. A에서 B로 전달되는 에너지양은 2이고, A의 총 광합성량에 소모된 에너지양은 1974이다.
ㄴ. A에서 B로, B에서 C로 전달되는 에너지는 먹이 사슬을 따라 유기물의 형태로 이동한다.
ㄷ. 생물의 사체나 배설물 속의 에너지가 D의 호흡을 통해 최종적으로 열에너지 형태로 전환되어 생태계 밖으로 빠져나가는 양은 0.1 미만이다.

① ㄱ ② ㄴ ③ ㄷ ④ ㄱ, ㄴ ⑤ ㄴ, ㄷ

02 그림은 서로 다른 생태계의 영양 단계에 따른 에너지 피라미드를 나타낸 것이다. 에너지양은 상댓값으로 나타낸 것이고, (가)의 생태계에서 사람은 옥수수만 먹고, (나)의 생태계에서 사람은 소만 먹는다고 가정한다.

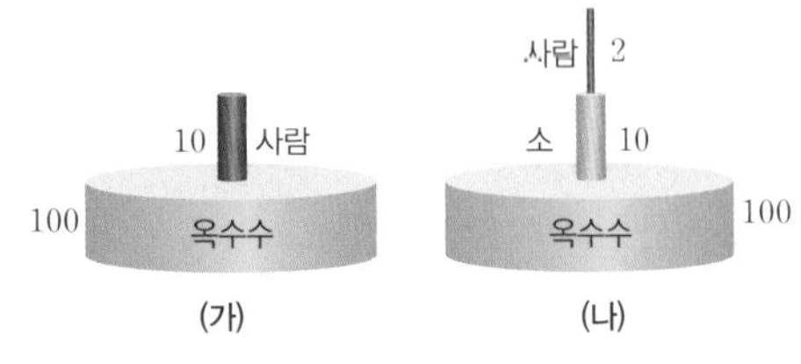

이에 대한 설명으로 옳은 것만을 〈보기〉에서 있는 대로 고른 것은?

보기
ㄱ. 사람의 에너지 효율은 (가)에서보다 (나)에서 작다.
ㄴ. (가)와 (나)에서 사람의 영양 단계는 모두 동일하다.
ㄷ. (가)와 (나)에 포함된 에너지는 모두 태양의 빛에너지를 근원으로 한다.

① ㄱ ② ㄴ ③ ㄷ ④ ㄱ, ㄴ ⑤ ㄴ, ㄷ

03 그림은 물질의 생산량과 소비량을 나타낸 것이다. (가)와 (나)는 각각 1차 소비자와 생산자 중 하나이다.

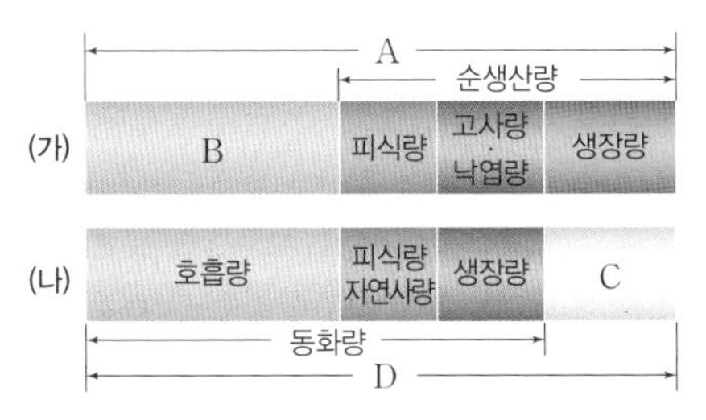

이에 대한 설명으로 옳은 것만을 〈보기〉에서 있는 대로 고른 것은?

보기
ㄱ. A는 광합성으로 만들어진 유기물의 총량이다.
ㄴ. B와 C는 생활에 필요한 에너지를 얻기 위해 소비한 양이다.
ㄷ. D는 (나)의 섭식량에 해당하며 (가)의 피식량과 동일한 양이다.

① ㄱ ② ㄴ ③ ㄱ, ㄴ
④ ㄱ, ㄷ ⑤ ㄱ, ㄴ, ㄷ

출제예감

04 그림은 탄소 순환 과정을 나타낸 것이다.

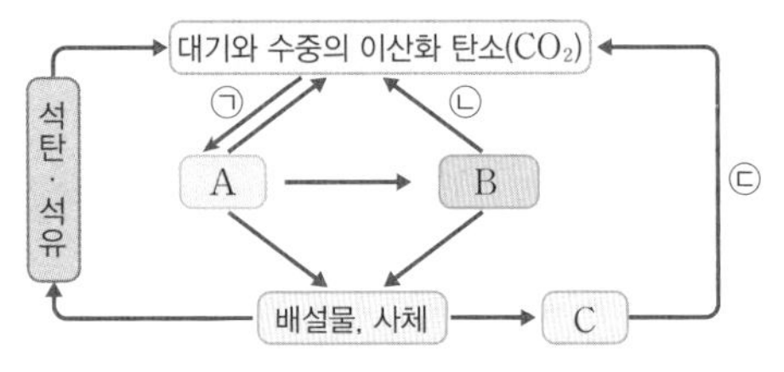

이에 대한 설명으로 옳은 것만을 〈보기〉에서 있는 대로 고른 것은?

보기
ㄱ. ㉠ 과정을 통해 무기물이 유기물로 전환되며, ㉠ 과정에서 전환된 총 유기물의 양은 생태계의 총생산량이다.
ㄴ. ㉡ 과정은 호흡이며, ㉢ 과정은 탈질산화 과정으로 ㉡과 ㉢ 과정을 통해 물질이 대기 중으로 되돌아가 순환을 한다.
ㄷ. A에서 합성한 유기물은 먹이 사슬을 따라 B로 이동하는데 그 양을 A의 피식량이라고 하며, 이는 B의 섭식량보다 조금 더 크다.

① ㄱ ② ㄷ ③ ㄱ, ㄷ
④ ㄴ, ㄷ ⑤ ㄱ, ㄴ, ㄷ

정답과 해설 84쪽

05 그림은 서로 다른 두 종류의 물질 순환 과정을 일부만 나타낸 것이다. (가)와 (나)는 각각 탄소 순환과 질소 순환 중 하나이다.

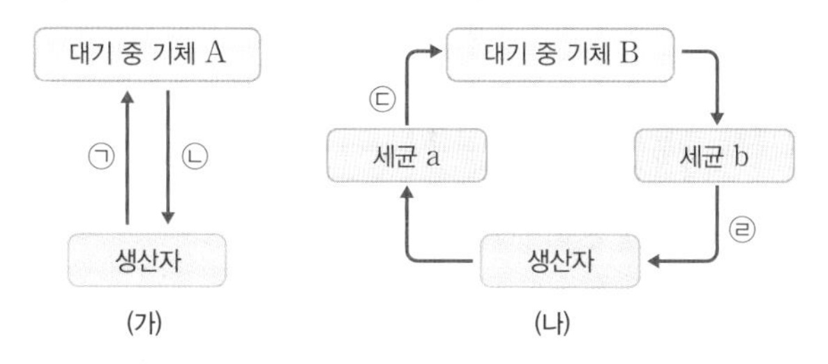

이에 대한 설명으로 옳은 것만을 〈보기〉에서 있는 대로 고른 것은?

> 보기
> ㄱ. A는 탄소, B는 질소이다.
> ㄴ. 과정 ㉠은 호흡, 과정 ㉡과 ㉣은 광합성, 과정 ㉢은 탈질산화 작용을 의미한다.
> ㄷ. 세균 a는 탈질산화 세균이고, 세균 b에는 뿌리혹박테리아, 아조토박터 등이 속한다.

① ㄱ ② ㄴ ③ ㄷ
④ ㄱ, ㄷ ⑤ ㄴ, ㄷ

출제예감

06 그림 (가)는 생태계 평형이 유지되다가 갑자기 B의 개체 수가 일시적으로 증가한 것이고, (나)는 생태계 평형이 파괴된 후 먹이 사슬에 의해 생태계 평형이 회복되는 과정을 순서 없이 나타낸 것이다. A~C 중 하나는 생산자이다.

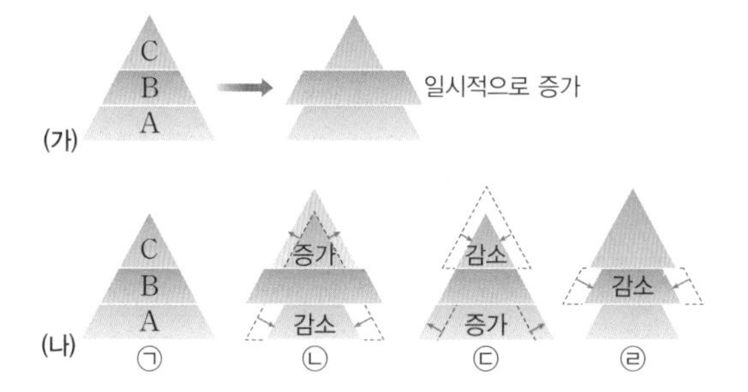

이에 대한 설명으로 옳은 것만을 〈보기〉에서 있는 대로 고른 것은?

> 보기
> ㄱ. A는 생산자이고, B와 C는 소비자이다.
> ㄴ. (나)의 과정을 순서대로 하면 ㉢, ㉡, ㉣, ㉠이다.
> ㄷ. 생태계 평형은 주로 먹이 그물을 기초로 하여 유지되며 환경 요인의 영향은 전혀 받지 않는다.

① ㄱ ② ㄴ ③ ㄷ
④ ㄱ, ㄷ ⑤ ㄴ, ㄷ

서술형

07 그림은 생태계 내의 (가)와 (나)의 이동을 나타낸 것이다. (가)와 (나)는 각각 물질과 에너지 중 하나이다.

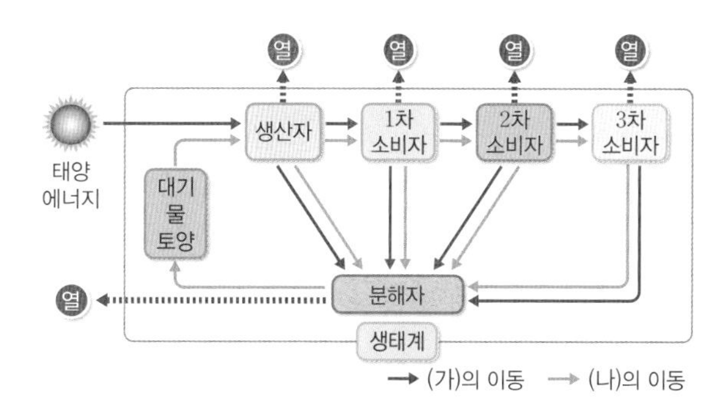

(1) (가)와 (나)는 각각 무엇에 해당하는지 쓰시오.

(2) (가)와 (나)의 이동에서 나타나는 가장 큰 차이점을 서술하시오.

서술형

08 그림은 생태계의 질소 순환 과정을 나타낸 것이다. A, B는 각각 생산자와 분해자 중 하나이다.

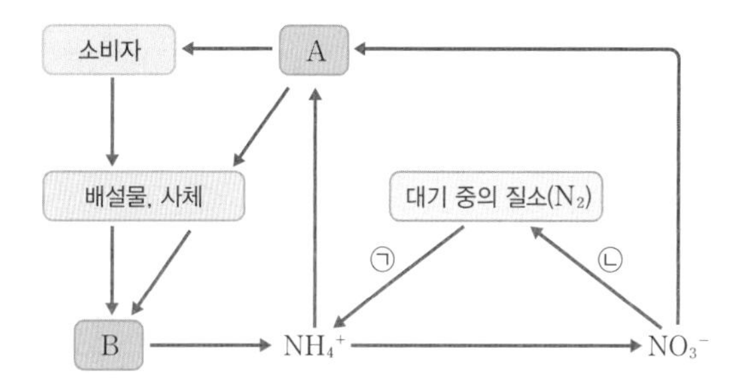

(1) A, B와 과정 ㉠, ㉡의 명칭을 쓰시오.

(2) A가 NH_4^+ 또는 NO_3^-를 흡수하여 어떤 일을 하는지 서술하시오.

개체군 간의 상호 작용

대표 유형

출제 의도

개체군 간의 상호 작용을 파악하여 개체군의 생장 곡선 의미를 알아보는 문제이다.

그림 (가)는 종 A와 종 B를 각각 단독 배양했을 때, (나)는 A와 B를 혼합 배양했을 때 시간에 따른 개체 수를 나타낸 것이다.

- A와 B는 서로 다른 종이므로 다른 개체군에 해당한다.
- A와 B 사이에는 군집 내 개체군 간 상호 작용이 존재한다.
- 시간에 따른 개체 수의 변화는 개체군의 생장 곡선으로 나타난다. 개체군의 이론적 생장 곡선은 J자형이고 실제 생장 곡선은 S자형으로 나타난다.

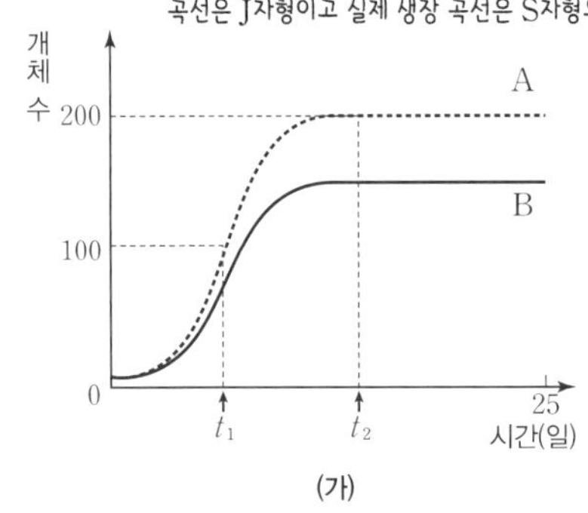

(가)

개체군의 생장 곡선에서 이론적 생장 곡선은 J자형으로 나타나지만 환경 저항에 의해 실제 생장 곡선은 S자형으로 나타난다. 개체군 생장을 억제하는 환경 저항에는 서식 공간과 먹이 부족, 노폐물 축적, 질병, 개체 간의 경쟁, 천적의 증가 등이 있다.

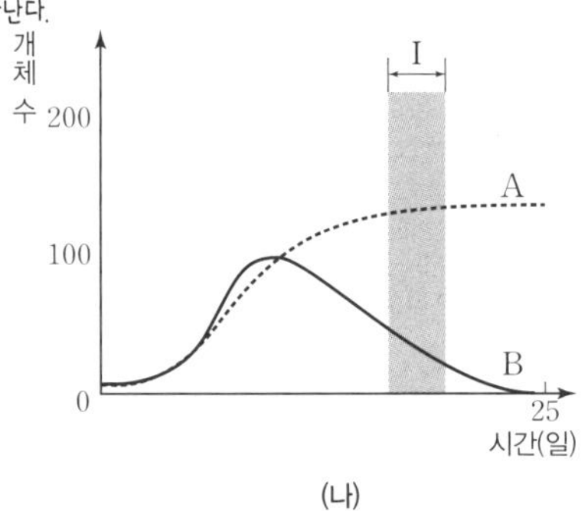

(나)

A와 B를 혼합 배양했을 때 두 종 모두 개체 수가 감소하였다는 것은 A와 B의 생태적 지위가 겹쳐 경쟁 관계에 있었음을 의미한다. 특히 종 B가 도태된 것은 경쟁·배타 원리가 적용되었음을 알 수 있다.

이것이 함정

이론적 생장 곡선과 실제 생장 곡선의 차이는 환경 저항 때문임을 기억해야 한다.

이에 대한 설명으로 옳은 것만을 <보기>에서 있는 대로 고른 것은? (단, (가)와 (나)에서 초기 개체 수와 배양 조건은 동일하다.)

보기

ㄱ. A의 개체 수는 t_2일 때가 t_1일 때보다 많다.
t_2일 때의 A의 개체 수는 200 / t_1일 때의 A의 개체 수는 100

ㄴ. (나)에서 A와 B 사이에 편리 공생이 일어났다.
→ A와 B가 편리 공생이라면 두 개체군 모두 혼합 배양했을 때의 개체 수가 단독 배양했을 때의 개체 수보다 감소하지 않아야 하는데 A와 B 모두 개체 수가 줄었으므로 A와 B는 경쟁 관계이다.

ㄷ. 구간 Ⅰ에서 A와 B 모두에 환경 저항이 작용한다.
→ A와 B 모두 이론적 생장 곡선을 나타내지 않으므로 환경 저항을 받고 있는 것이다.

① ㄱ ② ㄴ ③ ㄱ, ㄷ ④ ㄴ, ㄷ ⑤ ㄱ, ㄴ, ㄷ

두 그림을 비교 분석하여 경향성 파악하기

A와 B를 단독 배양했을 때와 혼합 배양했을 때의 개체 수를 비교한다. >>> A와 B의 개체 수가 모두 감소하면 종간 경쟁이며, 특히 한 종이 도태되면 경쟁·배타 원리가 적용된 것이다. >>> (나)에서 A와 B의 생장 곡선이 이론적 생장 곡선이 아님을 파악한다. >>> 개체군의 생장 곡선이 이론적 생장 곡선이 될 수 없는 까닭은 환경 저항 때문임을 생각한다.

추가 선택지

- A의 개체군 크기 증가율은 t_1일 때보다 t_2일 때가 크다. (×)
  ⋯→ t_1에서는 개체 수가 계속 증가하고, t_2에서는 개체 수가 더 이상 증가하지 않으므로 개체군 크기 증가율은 t_1일 때가 크다.
- (나)의 구간 Ⅰ에서 받는 환경 저항의 크기는 A와 B가 동일하다. (×)
  ⋯→ 구간 Ⅰ에서 환경 저항은 A보다 B가 더 크게 받는다.

실전! 수능 도전하기

정답과 해설 86쪽

수능 기출

01 그림은 생태계를 구성하는 요소 사이의 상호 관계를 나타낸 것이다.

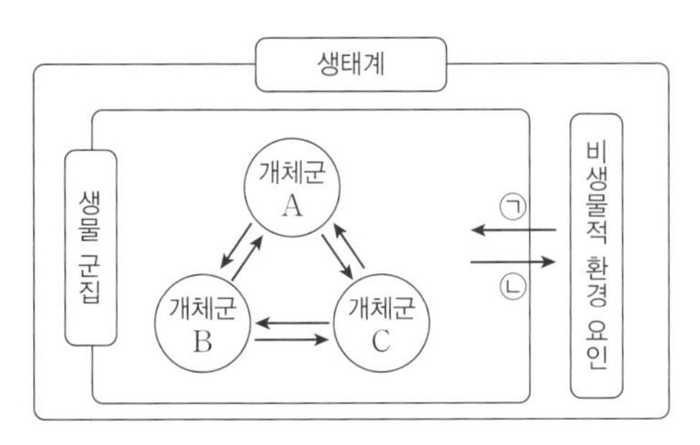

이에 대한 설명으로 옳은 것만을 〈보기〉에서 있는 대로 고른 것은?

〈보기〉
ㄱ. 일조 시간이 식물의 개화에 영향을 주는 것은 ㉠에 해당한다.
ㄴ. 분해자는 비생물적 환경 요인에 해당한다.
ㄷ. 개체군 A는 여러 종으로 구성되어 있다.

① ㄱ ② ㄴ ③ ㄱ, ㄷ
④ ㄴ, ㄷ ⑤ ㄱ, ㄴ, ㄷ

02 그림은 어떤 개체군의 생장 곡선을 나타낸 것이다. A와 B는 이론적 생장 곡선과 실제 생장 곡선 중 하나이다.

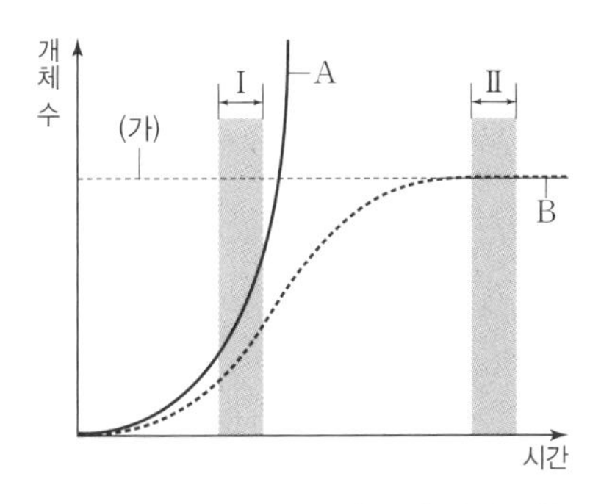

이에 대한 설명으로 옳은 것만을 〈보기〉에서 있는 대로 고른 것은?

〈보기〉
ㄱ. A는 환경 저항이 있는 경우, B는 환경 저항이 없는 경우의 생장 곡선이다.
ㄴ. (가)는 환경 수용력으로 이 서식지에서 증가할 수 있는 개체군의 최대 크기이다.
ㄷ. B에서 개체 수 증가율은 구간 Ⅰ에서보다 구간 Ⅱ에서 크다.

① ㄱ ② ㄴ ③ ㄷ
④ ㄴ, ㄷ ⑤ ㄱ, ㄴ, ㄷ

03 일조 시간이 식물의 개화에 미치는 영향을 알아보기 위하여, A 종의 식물 ㉠~㉢에서 빛 조건을 달리하여 개화 여부를 관찰하였다. 그림은 조건 Ⅰ~Ⅲ을, 표는 Ⅰ~Ⅲ에서 ㉠~㉢의 개화 여부를 나타낸 것이다. ⓐ는 이 식물이 개화하는 데 필요한 최소한의 '연속적인 빛 없음' 기간이다.

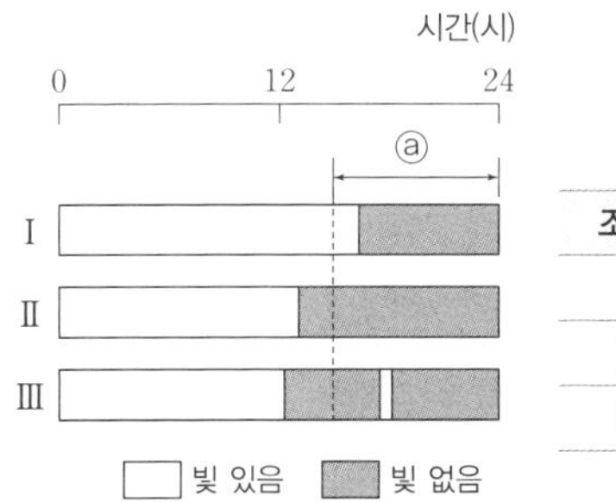

조건	식물	개화 여부
Ⅰ	㉠	×
Ⅱ	㉡	○
Ⅲ	㉢	×

(○: 개화함, ×: 개화 안 함)

이에 대한 설명으로 옳은 것만을 〈보기〉에서 있는 대로 고른 것은? (단, 제시된 조건 이외는 고려하지 않는다.)

〈보기〉
ㄱ. A 종의 식물은 '연속적인 빛 없음' 기간이 ⓐ보다 길 때 개화한다.
ㄴ. Ⅲ에서 '연속적인 빛 없음' 기간은 ⓐ보다 길다.
ㄷ. 비생물적 환경 요인이 생물에 영향을 주는 예이다.

① ㄱ ② ㄴ ③ ㄱ, ㄷ
④ ㄴ, ㄷ ⑤ ㄱ, ㄴ, ㄷ

04 그림은 어느 생태계를 구성하는 요소 사이의 관계를 나타낸 것이다.

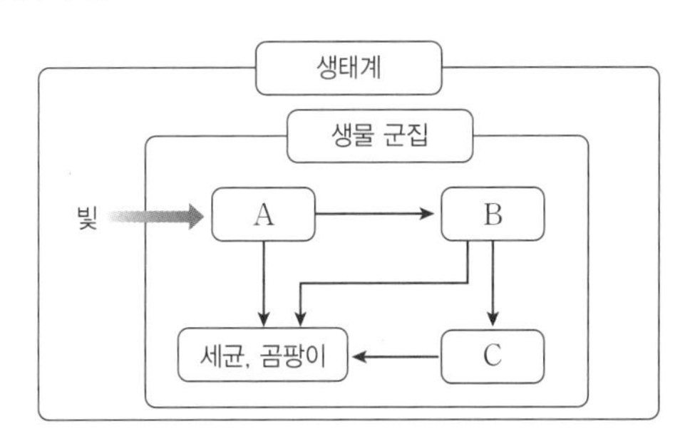

이에 대한 설명으로 옳은 것만을 〈보기〉에서 있는 대로 고른 것은? (단, →는 물질 이동의 일부를 나타낸다.)

〈보기〉
ㄱ. A는 무기물을 유기물로 전환하는 생물이다.
ㄴ. B와 C는 같은 개체군으로 피식과 포식 관계에 있다.
ㄷ. 세균이나 곰팡이는 유기물을 무기물로 전환하는 생물이다.

① ㄱ ② ㄷ ③ ㄱ, ㄴ
④ ㄱ, ㄷ ⑤ ㄴ, ㄷ

05 그림은 동시에 출생한 1000개체에 대해 상대 연령에 따라 사망한 개체 수를 나타낸 것이다.

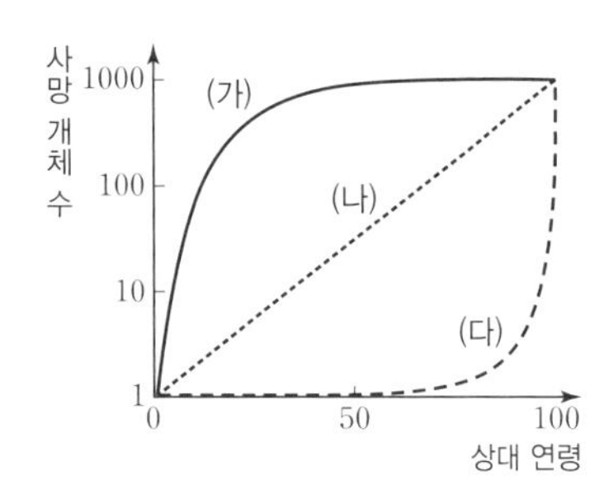

보기
ㄱ. (가)는 적은 수의 자손을 낳아 양육을 잘 하며 생리적인 수명을 다하는 개체군이다.
ㄴ. (나)는 전 연령대가 일정하게 위험에 노출되어 있어 전 생애를 거쳐 일정한 비율로 죽는다.
ㄷ. (다)는 많은 수의 자손을 낳지만, 그 자손을 잘 돌보지 않는 생물들에서 나타난다.

① ㄱ ② ㄴ ③ ㄷ
④ ㄱ, ㄴ ⑤ ㄴ, ㄷ

06 그림 (가)와 (나)는 각각 서로 다른 생태계에서 생산자, 1차 소비자, 2차 소비자의 에너지양을 상댓값으로 나타낸 생태 피라미드이다.

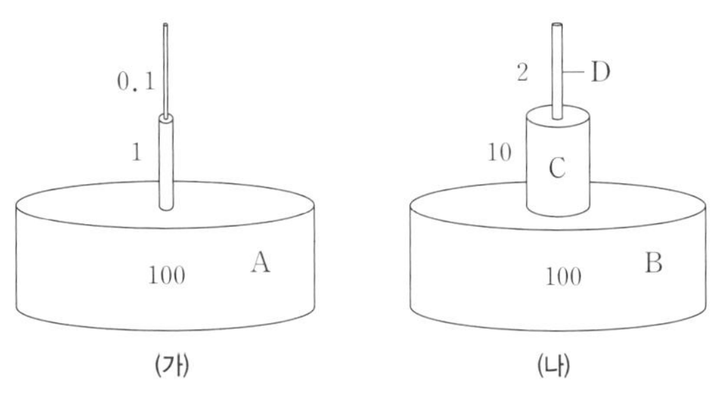

이에 대한 설명으로 옳은 것만을 〈보기〉에서 있는 대로 고른 것은?

보기
ㄱ. A와 B는 유기물을 무기물로 전환시키는 생물로 생산자에 해당한다.
ㄴ. 에너지량은 C에 비해 D가 적고, 에너지 효율은 C에 비해 D가 크다.
ㄷ. (나)에서 B의 순생산량 중 일부가 C에게로 이동하는데 이를 C의 섭식량이라고 한다.

① ㄱ ② ㄴ ③ ㄷ
④ ㄴ, ㄷ ⑤ ㄱ, ㄴ, ㄷ

07 그림은 생물 간의 상호 작용 4가지를 분류하는 과정을 나타낸 것이다.

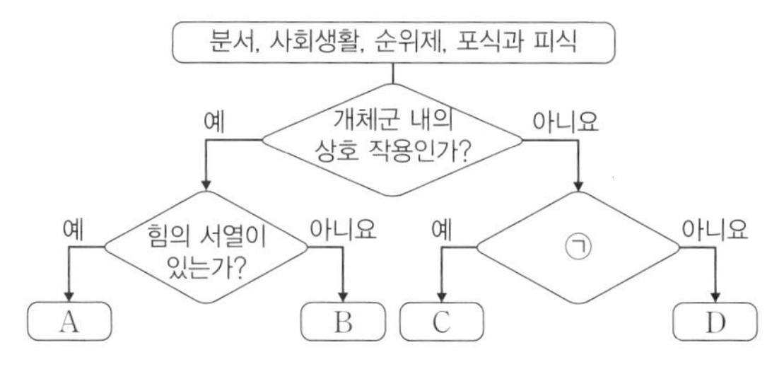

이에 대한 설명으로 옳은 것만을 〈보기〉에서 있는 대로 고른 것은?

보기
ㄱ. A는 구성원들 사이에 먹이나 배우자를 얻을 때 일정한 순위가 정해지는 상호 작용이다.
ㄴ. B는 경쟁·배타 원리가 적용되어 경쟁하는 두 종 중 한 종이 도태되는 상호 작용이다.
ㄷ. '같은 장소에 살며, 생태적 지위가 비슷한가?'는 ㉠에 해당한다.

① ㄱ ② ㄷ ③ ㄱ, ㄴ ④ ㄱ, ㄷ ⑤ ㄴ, ㄷ

08 수생 식물 종 A와 종 B 사이의 상호 작용이 생장에 미치는 영향을 알아보기 위하여, A와 B를 인공 연못 ㉠~㉢에 심고 일정 시간이 지난 후 수심에 따른 생물량을 조사하였다. 그림 (가)는 A를 ㉠에, B를 ㉡에 각각 심었을 때이고, (나)는 A와 B를 ㉢에 혼합하여 심었을 때의 결과를 나타낸 것이다.

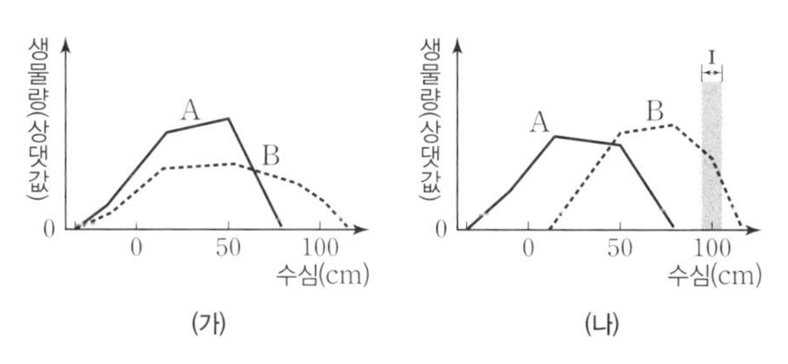

이에 대한 설명으로 옳은 것만을 〈보기〉에서 있는 대로 고른 것은? (단, A와 B를 각각 심은 것과 혼합하여 심은 것 이외의 조건은 동일하다.)

보기
ㄱ. B가 서식하는 수심의 범위는 (가)에서가 (나)에서보다 넓다.
ㄴ. Ⅰ에서 A가 생존하지 못한 것은 경쟁·배타의 결과이다.
ㄷ. (나)에서 A는 B와 한 개체군을 이룬다.

① ㄱ ② ㄴ ③ ㄱ, ㄴ ④ ㄱ, ㄷ ⑤ ㄴ, ㄷ

09 그림 (가)는 종 A와 B를 단독 배양할 때, (나)는 종 A와 B를 혼합 배양할 때 시간에 따른 개체 수를, (다)는 종 사이의 상호 작용을 나타낸 것이다. A와 B 사이의 상호 작용은 (다)의 ㉠과 ㉡ 중 하나이며, ㉠과 ㉡은 각각 경쟁과 상리 공생 중 하나이다.

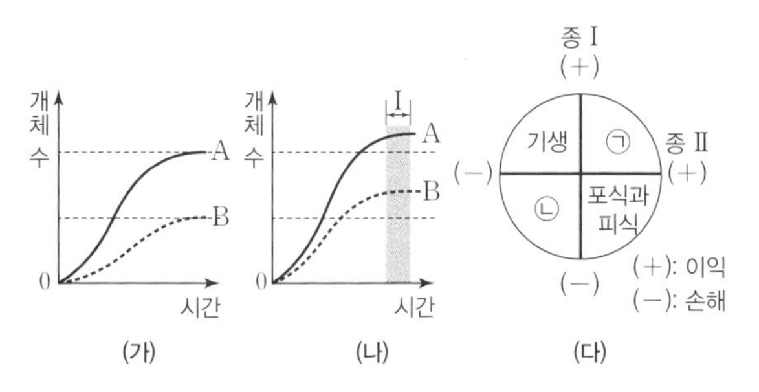

이에 대한 설명으로 옳은 것만을 〈보기〉에서 있는 대로 고른 것은?

> 보기
> ㄱ. A와 B 사이의 상호 작용은 ㉠에 해당한다.
> ㄴ. (나)의 구간 Ⅰ에서 A는 환경 저항을 받지 않는다.
> ㄷ. ㉡은 생태적 지위가 서로 겹치지 않게 서식지 분리나 먹이 분리를 하는 개체군 사이의 상호 작용이다.

① ㄱ ② ㄴ ③ ㄱ, ㄴ
④ ㄱ, ㄷ ⑤ ㄴ, ㄷ

10 그림은 포식과 피식 관계에 있는 개체군 A와 B의 개체 수 변화를 나타낸 것이다.

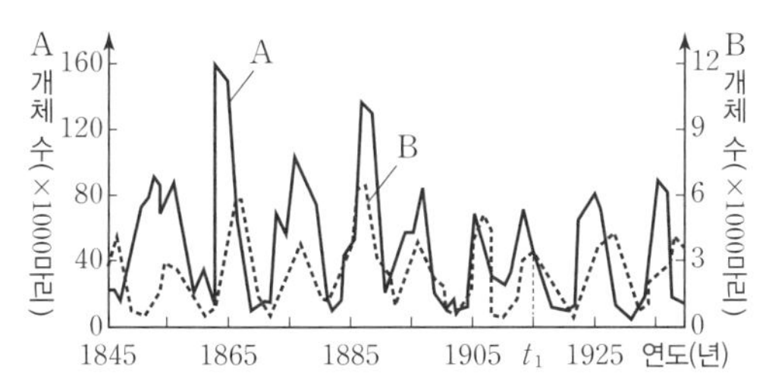

이에 대한 설명으로 옳은 것만을 〈보기〉에서 있는 대로 고른 것은?

> 보기
> ㄱ. 포식과 피식은 군집 내 상호 작용이다.
> ㄴ. t_1일 때의 개체 수는 A가 B보다 많다.
> ㄷ. 생태계 내에서 A와 B가 차지하는 먹이 지위가 많이 겹친다.

① ㄱ ② ㄴ ③ ㄷ
④ ㄱ, ㄴ ⑤ ㄱ, ㄴ, ㄷ

수능 기출

11 그림은 어떤 식물 군집의 시간에 따른 총생산량과 호흡량을 나타낸 것이다. A와 B는 각각 총생산량과 호흡량 중 하나이다.

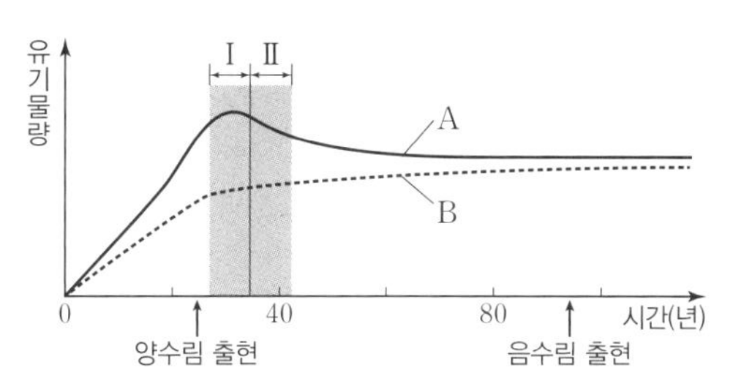

이에 대한 설명으로 옳은 것만을 〈보기〉에서 있는 대로 고른 것은?

> 보기
> ㄱ. A는 총생산량이다.
> ㄴ. 구간 Ⅰ에서 이 식물 군집은 극상을 이룬다.
> ㄷ. 구간 Ⅱ에서 $\frac{\text{B}}{\text{순생산량}}$는 시간에 따라 증가한다.

① ㄱ ② ㄴ ③ ㄱ, ㄷ
④ ㄴ, ㄷ ⑤ ㄱ, ㄴ, ㄷ

12 그림 (가)는 어떤 식물 군집에서 물질의 생산량과 소비량을, (나)는 이 식물 군집에서 시간에 따른 두 종의 생산량을 나타낸 것이다. ⓐ와 ⓑ는 각각 순생산량과 총생산량 중 하나이다.

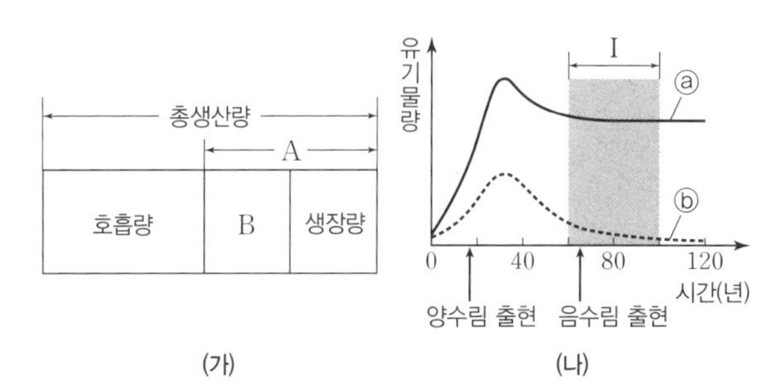

이에 대한 설명으로 옳은 것만을 〈보기〉에서 있는 대로 고른 것은?

> 보기
> ㄱ. (가)의 A는 (나)의 ⓐ에 해당한다.
> ㄴ. 1차 소비자의 호흡량은 B에 포함되어 있다.
> ㄷ. 시기 Ⅰ이 진행되면서 지표면에 도달하는 빛의 세기는 점점 증가한다.

① ㄱ ② ㄴ ③ ㄱ, ㄴ
④ ㄱ, ㄷ ⑤ ㄱ, ㄴ, ㄷ

정답과 해설 86쪽

13 그림은 어떤 지역에 산불이 난 후 식물 군집의 천이가 일어날 때 군집 높이의 변화를 나타낸 것이다. A~C는 각각 양수림, 음수림, 초원 중 하나이다.

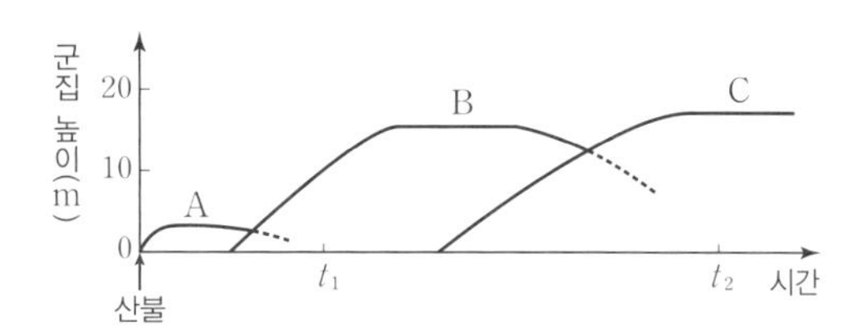

이에 대한 설명으로 옳은 것만을 〈보기〉에서 있는 대로 고른 것은?

보기
ㄱ. 1차 천이에 비해 천이의 진행 속도가 느리다.
ㄴ. 개척자는 초본으로 C가 우점종인 군집이 되면 극상에 도달한 것이다.
ㄷ. t_1에서보다 t_2에서가 지표면에 도달하는 빛의 양과 토양 속 영양염류의 양이 감소한다.

① ㄱ ② ㄷ ③ ㄱ, ㄴ
④ ㄱ, ㄷ ⑤ ㄴ, ㄷ

14 그림은 서로 다른 지역에 동일한 크기의 방형구 (가)와 (나)를 설치하여 조사한 식물 종의 분포를 나타낸 것이다.

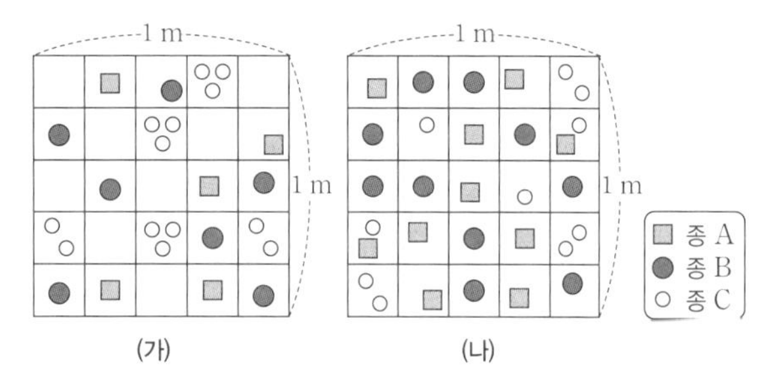

이에 대한 설명으로 옳은 것만을 〈보기〉에서 있는 대로 고른 것은? (단, 종 A, B, C의 각 개체가 차지하는 면적은 4 cm^2, 2 cm^2, 1 cm^2로 간주한다.)

보기
ㄱ. A의 상대 피도는 (가)에서보다 (나)에서가 낮다.
ㄴ. (가)에서 상대 밀도가 가장 큰 종은 B이고, (나)에서 상대 밀도가 가장 큰 종은 C이다.
ㄷ. (가)에서의 우점종은 C이고, (나)에서의 우점종은 A이다.

① ㄱ ② ㄴ ③ ㄷ
④ ㄱ, ㄷ ⑤ ㄴ, ㄷ

수능 기출

15 그림은 생태계에서 일어나는 질소 순환 과정의 일부를 나타낸 것이다. A와 B는 분해자와 생산자를 순서 없이 나타낸 것이다.

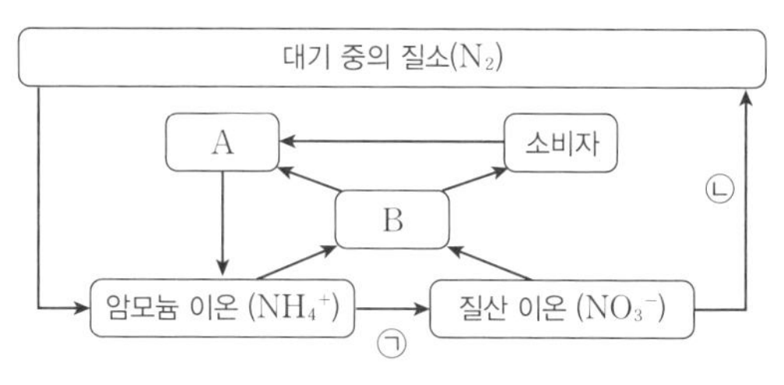

이에 대한 설명으로 옳은 것만을 〈보기〉에서 있는 대로 고른 것은?

보기
ㄱ. A는 생산자이다.
ㄴ. 질산균(질화 세균)은 과정 ㉠에 관여한다.
ㄷ. 탈질소 세균(질산 분해 세균)은 과정 ㉡에 관여한다.

① ㄱ ② ㄴ ③ ㄱ, ㄷ
④ ㄴ, ㄷ ⑤ ㄱ, ㄴ, ㄷ

16 그림은 물질 순환 과정을 나타낸 것이다. A, B, C는 군집을 구성하는 생물 요인이다.

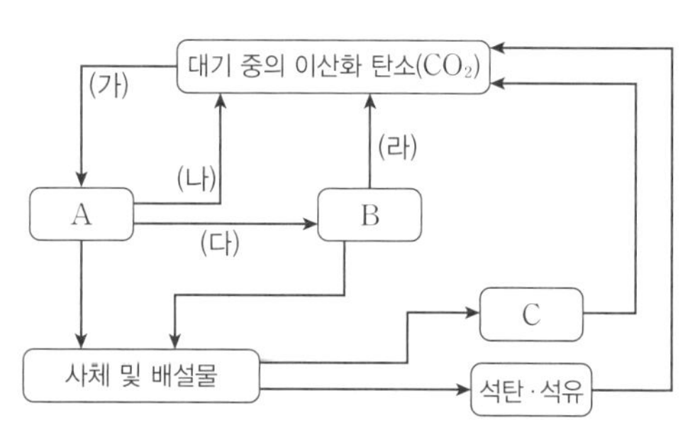

이에 대한 설명으로 옳은 것만을 〈보기〉에서 있는 대로 고른 것은?

보기
ㄱ. 총생산량은 대기 중의 이산화 탄소가 A에서 (가)를 통해 유기물로 전환된 총량이다.
ㄴ. (나)와 (다)를 통해 이동하는 유기물을 모두 합한 양은 (가)에서 합성된 유기물의 양과 같다.
ㄷ. (나)와 (라)는 유기물을 분해하여 생활 에너지를 생산하는 데 이용된 탄소가 배출되는 과정이다.

① ㄱ ② ㄴ ③ ㄱ, ㄴ
④ ㄱ, ㄷ ⑤ ㄱ, ㄴ, ㄷ

2 생물 다양성과 보전

배울 내용 살펴보기

01 생물 다양성

A 생물 다양성의 의미

B 생물 다양성의 중요성

생물 다양성의 3가지 의미에는 유전적 다양성, 종 다양성, 생태계 다양성이 있어.

02 생물 다양성 보전

A 생물 다양성 감소

B 생물 다양성 보전 방안과 노력

서식지 단편화와 외래 생물의 도입, 남획과 불법 포획, 환경 오염에 의해 생물 다양성이 감소하고 있어. 생물 다양성 보전을 위해 많은 노력이 필요해.

01 생물 다양성

A 생물 다양성의 의미

|출·제·단·서| 시험에는 생물 다양성의 종류와 각각의 사례를 찾는 문제와 종 다양성의 의미를 묻는 문제가 나와.

핵심 키워드로 흐름잡기

- A 생물 다양성, 유전적 다양성, 종 다양성, 생태계 다양성
- B 생태계 평형, 생물 자원

1. 생물 다양성 생태계에 존재하는 생물의 다양한 정도를 말하며, 생물 다양성의 3가지 의미에는 유전적 다양성, 종 다양성, 생태계 다양성이 있다.

암기TiP 생물 다양성은 유전자, 개체군 종류와 분포, 생태계의 측면에서 파악한다.

▲ 넓은 지역에 분포하는 생태계 다양성 ▲ 삼림 생태계에서의 종 다양성 ▲ 개구리 개체군에서의 유전적 다양성

2. 생물 다양성의 의미

(1) **유전적 다양성❶** 개체 사이에 존재하는 유전자의 •변이가 다양한 정도를 의미하며, 같은 생물종이라도 각 개체가 서로 다른 대립유전자를 갖고 있어 무늬, 색 등의 형질이 다양하게 나타난다.

① **유전적 다양성이 높아지는 경우**
- 한 개체군 내에 대립유전자의 종류가 다양할수록 생물종의 유전적 다양성이 높다.
- 한 개체군 내에 개체 수가 많을수록 변이가 나타날 확률이 높아져 유전적 다양성이 높다.

② **유전적 다양성이 높은 개체군:** 유전적 다양성이 높을수록 주변 환경의 변화나 질병 등에 대한 저항력이 생겨 생존할 가능성이 크다.

▲ 붉은점알락독나비 개체군의 유전적 다양성

❶ **유전적 다양성의 중요성**
유전적 다양성은 한 개체군이 오랜 시간에 걸친 진화 과정에서 출현한 다양한 유전 정보를 보유할 수 있도록 하며, 새로운 자손이 다양하게 태어나는 것을 가능하게 한다. 생산량을 늘리기 위해 단일 품종만을 재배하는 경작지는 유전적 다양성이 매우 낮기 때문에 전염병의 유행으로 전멸할 수 있다. 이처럼 유전적 다양성은 급격한 환경 변화에서 개체군이나 종의 생존 가능성을 높이는 데 중요하다.

(2) **종 다양성❷** 한 지역에 사는 생물종의 다양한 정도(종 풍부도)와 각 생물종의 개체 수가 균등한 정도(종 균등도)를 모두 포함한다.

① **종 다양성이 높아지는 경우**
- 각 생물종이 차지하는 비율이 균등할수록 종 다양성이 높다.
- 생물종의 수가 많을수록 종 다양성이 높다.

② **종 다양성이 높은 생태계:** 종 다양성이 높을수록 먹이 그물이 복잡해지기 때문에 생태계가 안정적으로 유지된다.

➡ 안정된 생태계는 소수의 생물종이 멸종하더라도 다른 생물종들이 먹이 그물 내에서 멸종된 생물종의 역할을 대신할 수 있다.

▲ 다양한 종의 시클리드

❷ **종 다양성의 중요성**
종 다양성이 높으면 생물 자원으로 식량뿐만 아니라 약품 생산에도 유용하게 활용할 수 있다.

용어 알기

•변이(변할 變, 다를 異) (variation) 같은 종의 생물 개체에서 나타나는 서로 다른 특성

빈출 탐구 종 다양성 비교

종 다양성의 의미를 파악할 수 있다.

과정

그림은 서로 다른 식물 군집의 종 구성을 나타낸 것이다.

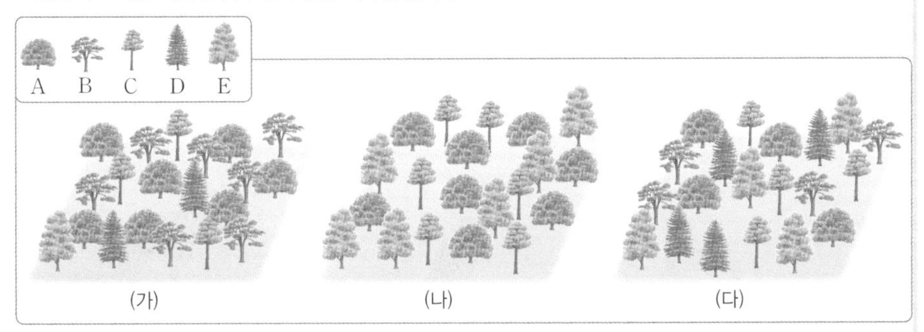

정리

❶ 각 군집의 종별 개체 수 분석

구분	종별 개체 수					전체 개체 수	종 수
	A	B	C	D	E		
(가)	7	7	3	2	1	20	5
(나)	8	0	6	0	6	20	3
(다)	4	4	4	4	4	20	5

❷ 종 다양성이 가장 높은 군집은 (다)이다. 종의 수가 많고 모든 종이 고르게 분포할수록 종 다양성이 높다.

→ (다)는 종의 수가 5종으로 풍부하고, 식물종의 분포 비율이 가장 고르다.

(3) 생태계 다양성❸ 일반적으로 생물종이 살아가는 서식지의 다양한 정도를 의미한다.

① **생태계의 종류:** 사막, 초원, 삼림, 습지, 호수, 강, 바다 등

② **생태계 다양성과 종 다양성의 연관성**

- 생태계의 특성에 따라 그곳에 적응하여 서식하는 생물의 종이 달라진다.
  - 예 갯벌에는 염분에 강하고 침수와 건조가 반복되는 환경에 적응한 염생 식물이 산다. 사막에서는 건조한 환경에 적응한 선인장 등의 식물이 자란다.
- 한 생태계에는 고유한 생물종이 존재하므로 생태계가 다양할수록 종 다양성도 높다.
- 두 생태계의 •접경 지대에는 두 생태계의 자원을 모두 이용하여 살아가는 생물종들이 서식하여 종 다양성이 높다. 예 갯벌과 습지는 육상 생태계와 수생태계를 잇는 완충 지역으로 독특한 특성을 나타내며 종 다양성이 매우 높다.

초원

사막

열대우림

바다

갯벌

툰드라

▲ 생태계 다양성

❸ 생태계 다양성의 구분

생태계는 크게 육상 생태계와 수생태계로 나뉜다.

- 육상 생태계: 숲, 초원, 사막, 툰드라 등
- 수생태계: 담수 생태계, 해양 생태계

? 습지를 보전해야 하는 까닭은 무엇일까?

습지는 홍수 조절, 해안선의 안정화 및 폭풍 방지, 영양분과 먹이 공급, 기후 조절, 수질 정화, 생물 서식지로써 생물 다양성 유지, 관광지, 문화적 가치 등 다양한 기능을 지니고 있다.

용어 알기

• 접경(**사귈 接, 지경 境**) 경계가 서로 맞닿아 있음 또는 그 경계를 의미함

B 생물 다양성의 중요성

|출·제·단·서| 시험에는 생물 다양성이 생태계 평형에 미치는 영향을 묻는 문제가 시험에 나와.

1. 생태계 평형

암기TiP 유전적 다양성 → 개체군 생존, 종 다양성 → 생태계 평형

(1) 유전적 다양성, 종 다양성, 생태계 다양성은 모두 생태계 유지에 중요한 역할을 한다.

(2) 개체들 사이의 유전적 다양성은 군집의 종 다양성을 유지하는 데 중요한 역할을 하고, 군집의 종 다양성은 전체 생태계의 안정과 다양성을 유지하는 원천이 된다.

(3) 먹이 그물을 구성하는 생물종이 다양하면 복잡한 먹이 관계가 형성되어 한 종이 사라지더라도 전체 먹이 그물은 안정하게 유지될 수 있어 생태계가 안정적으로 유지된다.

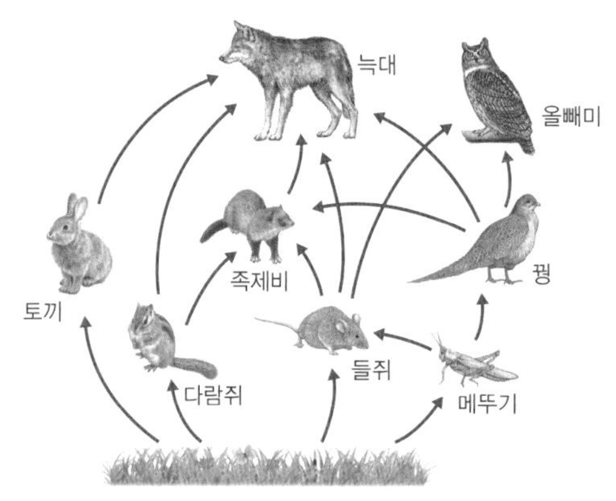

▲ **종 다양성이 높은 생태계** 갑작스러운 환경 변화나 전염병 발생 시 생태계 평형이 쉽게 깨지지 않는다.

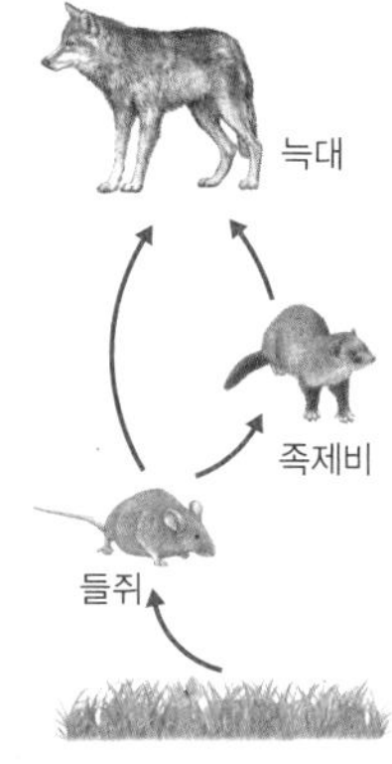

▲ **종 다양성이 낮은 생태계** 갑작스러운 환경 변화나 전염병 발생 시 생태계 평형이 쉽게 깨진다.

❹ 생물 자원의 의약품 이용
항생제인 페니실린은 푸른곰팡이로부터 만들어졌고, 최근에는 바다달팽이의 일종인 청자고둥의 독소를 이용하여 강력한 진통제를 생산하고 있다. 또한 향신료로 사용되던 팔각회향은 기생충 치료제로 개발되었다.

2. 생물 자원의 이용

의식주	• 인간은 생태계에서 의식주에 필요한 각종 자원을 얻으며 살아왔다. → 식량: 쌀, 콩, 어류, 해조류 등 숲과 바다에서 식량을 얻는다. → 의복 재료: 동물의 털과 누에고치, 목화 등으로 의복을 만든다. → 주택 재료: 숲에서 목재를 얻어 집과 가구, 배 등을 만든다.
의약품❹	• 생물은 의약품의 원료로 이용된다. → 일일초의 추출물은 혈액암 치료제의 원료로 쓰인다. → 주목의 추출물은 탁솔이라는 항암제의 원료로 쓰인다. → 버드나무 껍데기에서 얻은 살리실산은 아스피린의 주성분이다.
•생명 공학 기술에 이용❺	• 생명 공학 기술을 이용하여 생물의 유용한 유전자를 활용한다. → 야생의 벼에서 바이러스 저항성 유전자를 발견하고 이를 이용하여 바이러스 저항성을 지닌 벼 품종을 개발하여 벼의 생산성을 높였다.
자연 정화 및 보존	• 숲이나 산림은 태풍이나 홍수, 가뭄의 피해를 줄인다. • 식물은 이산화 탄소를 흡수함으로써 온실 효과를 감소시킨다. • 습지와 해안 생태계는 육지로부터 흘러나오는 오염 물질을 정화한다. • 미생물은 질소 고정이나 다양한 오염원을 흡수하고 정화하는 역할을 한다.
윤리적·심미적 가치	• 생물종 자체로 생존할 권리를 가지며, 지구 생태계의 온전함을 유지하는 본질적인 가치가 있다. • 사람의 휴식과 관광, 교육 활동을 위한 장소로 이용된다.

❺ 생명 공학 기술에 이용
한 생명체의 유용한 유전자를 다른 생물체의 유전자에 결합시키는 DNA 재조합 기술이 개발되면서 사람에게 필요한 의약품이나 산업적으로 이용할 수 있는 물질을 생산할 수 있게 되었다.
예 • 덜 무르는 토마토: 토마토가 무르는 것을 억제하는 유전자 삽입
• 해충에 강한 옥수수: 나른 농물에는 해가 없고 해충에는 치명적인 독성 물질을 만드는 유전자 삽입

용어 알기
• 생명 공학 기술(Biotechnology)
생물학(Biology)과 기술(Technology)의 합성어로, 생물이 지니고 있는 여러 가지 기능을 인간의 생활에 도움이 될 수 있도록 이용하는 기술

▲ **생물 다양성과 생물 자원** 주목은 항암제의 원료로 쓰이고, 누에고치는 의복의 재료가 되며, 숲, 호수, 강, 습지 등은 인간에게 휴식 공간과 문화 공간을 제공한다.

콕콕! 개념 확인하기

정답과 해설 88쪽

✔ 잠깐 확인!

1. ☐☐ 다양성
유전적 다양성, 종 다양성, 생태계 다양성을 다 포함하는 개념

2. ☐☐☐ 다양성
한 개체군 내에 존재하는 유전자의 변이가 다양한 정도

3. ☐ 다양성
한 지역에 사는 생물종의 다양한 정도와 각 종의 개체 수가 균등한 정도

4. ☐☐☐ 다양성
생물종이 살아가는 서식지의 다양한 정도

5. ☐☐
같은 종의 생물 개체에서 나타나는 서로 다른 특성

6. 종의 수가 많을수록, 각 종이 차지하는 비율이 균등할수록 종 다양성은 ☐아진다.

7. ☐☐ 생태계에는 숲, 초원, 사막, 툰드라 등이 포함되고, ☐생태계에는 담수 생태계, 해양 생태계가 포함된다.

A 생물 다양성의 의미

01 각각에 제시된 사례에 해당하는 생물 다양성을 옳게 연결하시오.

(1) 삼림, 사막, 초원, 사바나, 습지 • 　　　　• ㉠ 유전적 다양성

(2) 호랑이, 멧돼지, 다람쥐, 여우 • 　　　　• ㉡ 종 다양성

(3) 말티즈, 치와와, 푸들, 진돗개 • 　　　　• ㉢ 생태계 다양성

02 생물 다양성에 대한 설명으로 옳은 것은 ○, 옳지 않은 것은 ×로 표시하시오.

(1) 개체군 내 유전자의 변이가 적고 개체군의 크기는 클수록 유전적 다양성이 풍부해진다. (　　)

(2) 개체군 내 유전적 변이는 개체군의 생존율과는 관계없고 생태계 평형에만 영향을 미친다. (　　)

(3) 종의 수가 많을수록, 각 종이 차지하는 비율이 균등할수록 종 다양성은 높아진다. (　　)

(4) 서로 다른 생태계의 접경 지대에는 생태계 자원이 한정되어 있어 종 다양성이 상대적으로 낮다. (　　)

B 생물 다양성의 중요성

03 다음은 생태계 평형에 대한 설명이다. (　) 안에 알맞은 말을 쓰시오.

> 생태계 내 먹이 그물을 구성하는 생물들의 (　　) 다양성이 증가하면 복잡한 먹이 관계가 형성되어 한 종이 사라지더라도 전체 먹이 그물은 안정하게 유지될 수 있어 생태계가 안정적으로 유지된다.

04 다음은 갯벌 간척에 대한 설명이다.

> 갯벌을 간척하여 농경지를 만들거나 레저·산업 시설을 유치하면 지역 경제가 활성화될 수 있다. 그러나 많은 생물이 서식지를 잃게 되고, ㉠ 해산물 채취업에 종사하던 사람들의 소득이 줄어들게 된다. 그뿐만 아니라 ㉡ 갯벌의 정화 기능이 사라져 환경 오염이 발생하기 쉽다.

㉠과 ㉡은 <보기>의 생물 다양성의 가치에 대한 설명 중 어느 것에 해당하는지 쓰시오.

> 보기
> (가) 생물종은 그 자체로서 생존할 권리를 가지며, 지구 생태계의 온전함을 유지하는 본질적인 가치가 있다.
> (나) 사람의 생활과 생산 활동에 이용되는 모든 생물을 생물 자원이라고 하며 생물 자원은 다양한 분야에 도움을 준다.

탄탄! 내신 다지기

A 생물 다양성의 의미

01 생물 다양성에 대한 설명으로 옳지 않은 것은?

① 생물 다양성은 서식지의 다양성도 포함한다.
② 생태계의 건강한 정도를 판단하는 지표가 된다.
③ 한 개체군에 포함된 종의 수가 많을수록 종 다양성이 높다고 할 수 있다.
④ 생물 다양성이란 유전적 다양성, 종 다양성, 생태계 다양성을 모두 포괄하는 개념이다.
⑤ 유전적 다양성, 종 다양성, 생태계 다양성은 서로 유기적으로 연결되어 영향을 주고받는다.

02 다음은 무당벌레 개체의 차이점에 대한 내용이다.

생태계를 구성하는 생물은 같은 종이라도 색, 크기, 모양 등이 각각 다르게 나타난다. 무당벌레는 개체마다 다양한 색과 반점 무늬를 가지고 있다.

▲ 여러 가지 무늬의 무당벌레

이에 관한 설명으로 옳은 것은?

① 종 다양성에 관한 내용이다.
② 무당벌레는 색과 반점 무늬에 따라 다양한 종으로 구분할 수 있다.
③ 무당벌레의 색과 반점 무늬가 다양할수록 환경이 급작스럽게 변할 때 개체군이 멸종될 위험이 증가한다.
④ 무당벌레 개체 사이에 차이가 나타나는 까닭은 특정 형질을 결정하는 유전자에 다양한 변이가 존재하기 때문이다.
⑤ 무당벌레의 다양한 색과 반점 무늬에 대한 유전자는 동일하나 각 개체가 섭취한 먹이와 생장할 때의 온도에 따라 달라진다.

03 다음은 어느 물고기의 특성을 설명한 것이다.

송사리과의 어느 한 종에 속하는 물고기는 넓은 온도 범위에서 서식하는데 추운 지역에 사는 개체군 (가)는 따뜻한 지역에 사는 개체군 (나)와는 달리 낮은 온도에서 활성화되는 효소 유전자를 가진다.

이에 대한 설명으로 옳은 것은?

① (가)와 (나)는 서로 교배가 불가능하다.
② 멀리 떨어져 있는 같은 종의 개체군 사이에서도 다양한 유전적 차이가 나타난다.
③ 같은 종의 생물은 유전자가 동일하므로 색, 모양, 크기 등의 차이가 존재하지 않는다.
④ 유전적 변이가 많을수록 다양한 형질의 자손이 만들어져 개체군 자체의 생존에 불리하다.
⑤ 한 개체군의 유전적 변이는 유전적 다양성에 해당되나, 같은 종에 속하는 여러 개체군 사이에서의 유전적 변이는 유전적 다양성에 해당되지 않는다.

04 그림은 아프리카의 말라위 호수에 서식하는 다양한 종의 시클리드를 나타낸 것이다.

이에 대한 설명으로 옳은 것을 〈보기〉에서 있는 대로 고른 것은?

보기
ㄱ. 종 다양성을 의미한다.
ㄴ. 다양한 종으로 이루어진 하나의 개체군으로 같은 생태계에 서식한다.
ㄷ. 다양한 종으로 이루어진 군집보다 몇 개의 우수한 종으로 이루어진 군집이 더 안정적으로 유지된다.

① ㄱ　② ㄴ　③ ㄷ
④ ㄱ, ㄷ　⑤ ㄴ, ㄷ

05 그림은 (가)와 (나) 지역의 식물 분포를 나타낸 것이다.

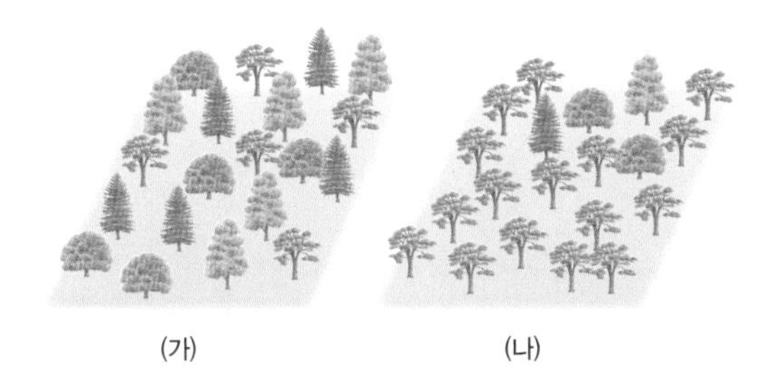

이에 대한 설명으로 옳은 것을 〈보기〉에서 있는 대로 고른 것은?

〈보기〉
ㄱ. (가)와 (나)의 전체 종수는 4종으로 같아 종 다양성이 동일하다.
ㄴ. (가)와 (나)에 존재하는 개체 수는 모두 20개로 동일하므로 종 다양성이 동일하다.
ㄷ. 종 다양성은 한 지역에 사는 생물종의 다양한 정도와 각 종의 개체 수가 균등한 정도를 모두 포함하므로 (나)에 비해 (가)가 종 다양성이 더 높다.

① ㄱ ② ㄴ ③ ㄷ
④ ㄱ, ㄴ ⑤ ㄴ, ㄷ

06 그림은 다양한 생태계를 나타낸 것이다.

이에 대한 설명으로 옳지 않은 것은?

① 생태계 다양성은 생물 서식지의 다양한 정도이다.
② 사막, 툰드라는 육상 생태계이고 바다 생태계는 수생태계이다.
③ 기온이나 강수량 등과 같은 환경의 차이로 생태계의 종류나 그 특성이 달라진다.
④ 생태계 다양성은 한 서식지에 살고 있는 모든 생물은 포함하나 비생물의 상호 작용의 다양성은 포함하지 않는다.
⑤ 한 생태계에는 다른 생태계에서는 볼 수 없는 고유한 생물종이 존재하기 때문에 생태계가 다양할수록 종 다양성도 증가한다.

B 생물 다양성의 중요성

07 다음은 생물 다양성의 가치에 대한 설명이다.

(가) 의약품의 원료 (나) 의식주 자원
(다) 생명 공학 기술에 이용 (라) 자연 정화 및 보존
(마) 윤리적·심미적 가치

(가)~(마)에 해당하는 사례로 옳은 것은?

① (가): 일일초의 추출물은 혈액암 치료제의 원료로 쓰인다.
② (나): 습지와 해안 생태계는 육지로부터 흘러나오는 오염 물질을 정화한다.
③ (다): 숲과 바다에서 식량을 얻고, 동물의 털과 목화 등으로 의복을 만든다.
④ (라): 자연은 사람의 휴식과 관광 등을 위한 장소가 되며, 예술 작품 중에는 자연으로부터 영감을 얻는 경우가 많다.
⑤ (마): 야생의 벼에서 찾은 바이러스 저항성 유전자를 이용하여 바이러스 저항성을 지닌 벼 품종을 개발하여 벼의 생산성을 높였다.

08 그림은 생태계 (가)와 (나) 내에서의 먹이 관계를 나타낸 것이다.

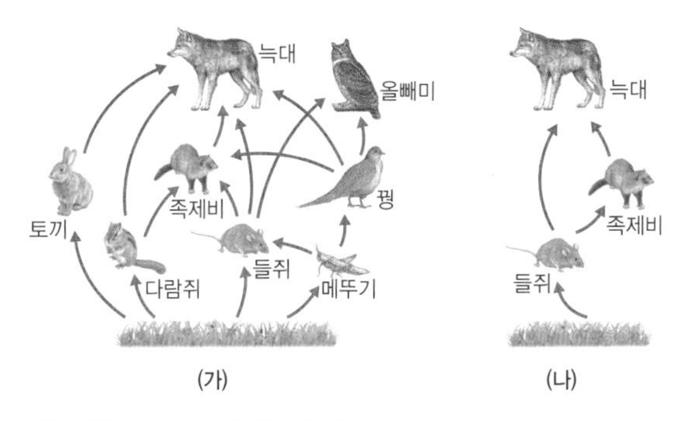

이에 대한 설명으로 옳은 것은?

① (가)는 (나)보다 생태계 다양성이 크다.
② (가)에 비해 (나)의 먹이 관계가 복잡하다.
③ (가)와 (나) 중 한 종이 사라지더라도 안정적으로 생태계가 유지되는 것은 (가)이다.
④ 외래 생물이 침입했을 때 이용 가능한 자원이 부족하여 외래 생물이 잘 정착하지 못하는 생태계는 (나)이다.
⑤ (가)와 (나)에서 만약 들쥐가 사라지면 (가)의 늑대는 생존할 수 없지만, (나)의 늑대는 생존이 가능하다.

도전! 실력 올리기

01 그림은 서로 다른 경작지 A와 B에 감자마름병이 유행한 후 나타난 변화를 보여 준 것이다.

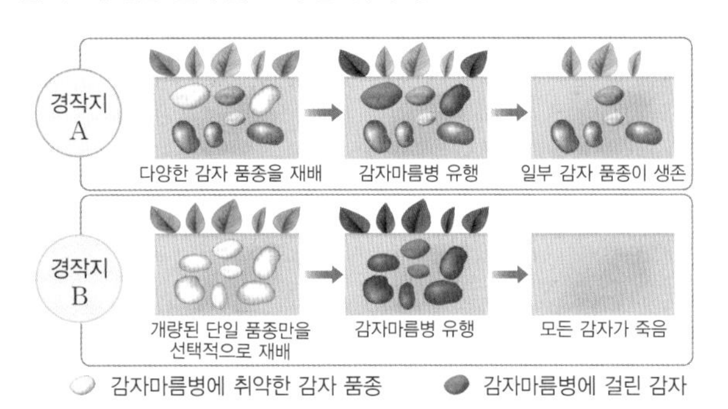

이에 대한 설명으로 옳은 것만을 〈보기〉에서 있는 대로 고른 것은?

〈보기〉
ㄱ. A의 감자는 B의 감자보다 종 다양성이 높다.
ㄴ. A의 감자는 B의 감자에 비해 유전적 차이가 거의 없어 유전적 다양성이 매우 낮다.
ㄷ. A와 B 중에서 급격한 환경 변화에서 개체군이나 종의 생존 가능성이 높은 곳은 A이다.

① ㄱ ② ㄴ ③ ㄷ ④ ㄱ, ㄴ ⑤ ㄱ, ㄷ

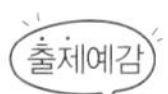

02 다음은 종 다양성에 대한 설명이다.

- 종 다양성은 특정 지역 내에 있는 생물의 종 수인 (가)와 각 종의 출현 비율의 정도인 (나)를 고려하여 나타낸다.
- 표는 군집 A와 B의 종 별 개체 수를 비교한 것이다.

군집의 종류	종 별 개체 수		
	㉠	㉡	㉢
A	30	30	30
B	10	20	60

이에 대한 설명으로 옳은 것만을 〈보기〉에서 있는 대로 고른 것은?

〈보기〉
ㄱ. (가)는 종 균등도, (나)는 종 풍부도이다.
ㄴ. 군집 A가 군집 B에 비해 종 다양성이 풍부하다.
ㄷ. 생태계가 안정적으로 유지될 가능성은 군집 A와 B가 동일하다.

① ㄱ ② ㄴ ③ ㄷ
④ ㄴ, ㄷ ⑤ ㄱ, ㄴ, ㄷ

03 그림은 어떤 생태계를 관찰하여 식물의 종 풍부도에 따른 식물의 피도, 질병 발병도, 외부에서 유입된 종 수의 변화를 나타낸 것이다.

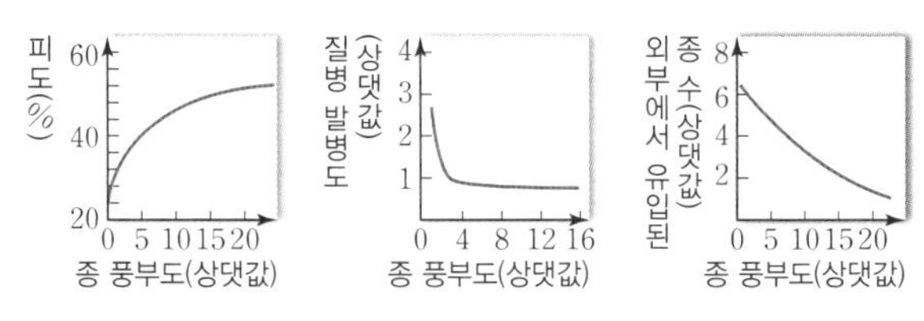

이에 대한 설명으로 옳은 것만을 〈보기〉에서 있는 대로 고른 것은?

〈보기〉
ㄱ. 종 풍부도가 클수록 지표면에 도달하는 빛의 양은 감소하는 경향이 있다.
ㄴ. 종 풍부도가 커질수록 개체군의 종류는 적어지고 군집의 크기는 커진다.
ㄷ. 종 풍부도가 커질수록 다양한 생물들이 살고 있으므로 외래 생물의 유입이 증가한다.

① ㄱ ② ㄴ ③ ㄷ
④ ㄱ, ㄷ ⑤ ㄴ, ㄷ

출제예감

04 그림은 세 종류의 다양성을 나타낸 것이다.

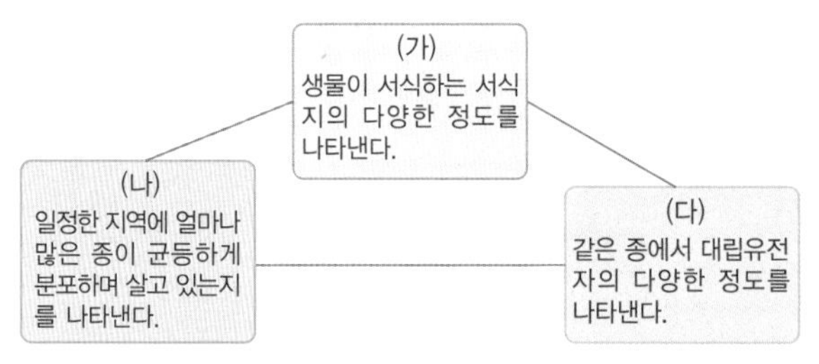

이에 대한 설명으로 옳은 것만을 〈보기〉에서 있는 대로 고른 것은?

〈보기〉
ㄱ. (가)는 생물적 요인과 비생물적 요인 사이의 상호 작용까지 모두 포함한다.
ㄴ. (나)가 높으면 갑작스러운 환경 변화가 나타났을 때 대응할 수 있는 개체가 살아남아 개체군을 유지할 수 있다.
ㄷ. (다)가 높으면 한 종이 사라지더라도 전체 먹이 그물은 안정하게 유지될 수 있어 생태계가 안정적으로 유지된다.

① ㄱ ② ㄴ ③ ㄷ
④ ㄱ, ㄴ ⑤ ㄴ, ㄷ

정답과 해설 90쪽

출제예감

05 다음은 생태계에 대한 설명이다.

> 생태계는 각기 다른 특성을 가지고 있으므로 그곳에 적응하여 서식하는 생물의 종은 생태계마다 다르다. 두 생태계가 인접한 지역 A에는 두 생태계의 특징을 모두 가지는 독특한 생태계가 형성되어 모든 생태계의 자원을 이용하여 살아가는 생물종들이 출현한다.

이에 대한 설명으로 옳은 것만을 〈보기〉에서 있는 대로 고른 것은?

〈보기〉
ㄱ. 생태계가 다양할수록 특징적인 종은 증가하나 전체적인 종 다양성은 감소한다.
ㄴ. A에 해당하는 생태계로 갯벌, 습지, 강가, 산과 평지가 만나는 곳 등이 있다.
ㄷ. A에서는 하나의 생태계에서보다 종 다양성과 유전적 다양성이 상대적으로 높다.

① ㄱ ② ㄴ ③ ㄷ
④ ㄱ, ㄴ ⑤ ㄴ, ㄷ

06 다음은 조류 독감에 관한 설명이다.

> 조류 독감(Avian Influenza, AI)은 조류 독감 바이러스 감염 때문에 발생하는 조류의 급성 전염병으로 호흡기 증상을 보이면서 100 %에 가까운 치사율을 나타낸다. 우리나라 농가에서는 ㉠ 알을 잘 낳는 닭만 선택하여 번식시키기 때문에 조류 독감에 감염된 닭이 발견될 때마다 수만 마리의 닭을 도살 처분해야 했다.

이에 대한 설명으로 옳은 것만을 〈보기〉에서 있는 대로 고른 것은?

〈보기〉
ㄱ. ㉠의 닭은 유전적 다양성이 낮다.
ㄴ. 종 다양성이 낮은 개체군은 전염병으로 한순간에 전멸할 수 있다.
ㄷ. 생산량을 늘리기 위해 특정 단일 품종만을 집중 재배하는 경작지의 경우도 비슷한 예에 해당한다.

① ㄱ ② ㄴ ③ ㄷ
④ ㄱ, ㄷ ⑤ ㄴ, ㄷ

서술형

07 그림은 어떤 종의 개체군 크기에 따른 유전자 변이의 수를 나타낸 것이다.

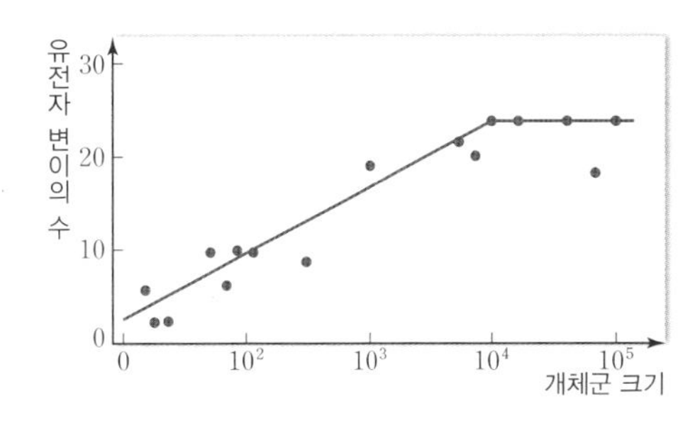

이 그림에 나타난 개체군의 크기와 유전적 다양성의 관계에 대하여 서술하시오.

서술형

08 다음은 동일한 생태적 환경을 갖춘 두 지역을 선정하고, 외래 생물 A를 도입한 지역 (가)와 도입하지 않은 지역 (나)로 나누어 2년마다 각 지역에 서식하는 생물종의 수를 조사한 결과이다.

지역	처음	2년 후	4년 후	6년 후	8년 후
(가)	16	13	8	5	4
(나)	16	17	15	15	15

(가)와 (나) 중 생태계가 더 안정적으로 유지되는 지역은 어디이며, 그렇게 생각하는 까닭을 서술하시오.

서술형

09 사막과 갯벌 중 종 다양성이 더 높은 곳을 쓰고, 그렇게 생각하는 까닭을 서술하시오.

02 생물 다양성 보전

핵심 키워드로 흐름잡기

A 서식지 파괴, 서식지 단편화, 외래 생물, 남획, 포획, 환경 오염

B 서식지 보전, 생태 통로, 보호 구역

A 생물 다양성 감소

|출·제·단·서| 시험에는 서식지 단편화의 개념과 그로 인한 문제점을 묻는 문제가 나와.

1. 생물 다양성 감소 생태계에서 생물의 멸종은 오래전부터 지속적으로 일어난 과정으로, 기후 변화나 화산 폭발 등의 자연재해로 발생하기도 하며, 최근에는 산업의 발달과 같은 사람의 활동으로 생물의 멸종 속도가 점점 빨라지고 있다.

암기TiP 서식지 단편화 → 유전적 다양성과 개체군 크기 감소

2. 생물 다양성 감소의 원인

(1) 서식지 파괴와 단편화 (단편화: 큰 덩어리가 작은 덩어리로 조각 나는 것)

① **서식지 파괴**[1]: 무분별한 개발과 벌목, 습지의 매립 등으로 생물의 서식지가 훼손되어 종 다양성이 감소한다.

② **서식지 단편화**[2]: 철도, 도로 건설 등으로 대규모의 서식지가 소규모로 나누어져 생물 다양성이 감소한다.

- 종 다양성 감소: 서식지 면적이 줄어 개체군의 크기가 작아진다.
- 유전적 다양성 감소: 생물은 이동할 수 있는 범위가 좁아져 단편화된 서식지에서만 교배가 일어난다. 서식지 단편화는 서식지 면적이 감소할 뿐만 아니라 전체 서식지에서 가장자리의 비율이 급격히 늘어나고, 서식지 중심부에서 가장자리까지의 거리가 짧아지는 문제점을 가지고 있다.

▲ **도로 건설로 인한 서식지 단편화** 서식지 파괴로 인한 단편화로 도마뱀의 서식 면적이 감소한다.

(2) 외래 생물의 도입 외래 생물은 원래의 서식지에서 새로운 서식지로 이주한 생물종이다. 외래 생물은 운송 수단의 발달로 도입이 증가하여 이미 서식하던 고유종과 경쟁하거나 고유종을 포식하여 먹이 사슬을 변화시키고, 생물 다양성을 위협한다. 외래 생물은 원래 서식지에 있던 포식자, 기생 생물, 질병 등으로부터 자유로워져 새로운 지역에서 활발히 번식할 수 있다.

예 뉴트리아, 큰입배스, 꽃매미, 가시박 등

뉴트리아

큰입배스

꽃매미

가시박

▲ 외래 생물

(3) 남획과 불법 포획[3] 인위적인 목적을 위해 특정 종을 과도하게 남획하거나 불법 포획하는 것은 생물 다양성을 위협한다.

예 물고기의 남획, 코끼리와 고래의 불법 포획

(4) 환경 오염 인간의 활동으로 생긴 쓰레기와 폐수 증가, 비료와 농약의 남용 등의 환경 오염에 의해 생태계가 파괴되고 생물 다양성이 감소하게 되었다.

---

❶ 서식지 파괴
서식지가 파괴되면 그 지역에 서식하던 생물은 먹이를 구하기가 힘들고 생식을 할 수 없게 되므로, 멸종될 가능성이 커진다. 특히 지구 생물종의 반 이상이 살고 있는 열대 우림에서는 과도한 개발로 생물의 서식지가 파괴되면서 종 다양성이 급격히 줄고 있다.

❷ 서식지 단편화
바다 매립, 간척 산업, 항만이나 방파제 건설로 인한 해양 환경의 서식지 단편화도 종 다양성을 감소시킨다. 예를 들면 바다 생태계의 단편화 정도가 클수록 포식자에게 잡아먹히는 어린 가리비의 피식률이 높아져 가리비의 생존율이 낮아진다.

❸ 남획과 불법 포획의 예
저인망 어업 등의 어획 기술의 발달로 인한 불고기의 남획, 코끼리와 고래, 코뿔소와 같이 자손을 적게 낳는 생물의 불법 포획 등이 있다.

용어 알기

- 남획(넘칠 濫, 잡을 獲) 개체군의 크기가 회복되지 못할 정도로 과도하게 생물을 포획하는 것
- 저인망(밑 底, 끌 引, 그물 網) 바다 밑바닥으로 끌고 다니면서 깊은 바닷속 물고기를 잡는 그물

B 생물 다양성 보전 방안과 노력

|출·제·단·서| 시험에는 생물 다양성의 보전 방안을 찾는 문제가 나와.

1. 생물 다양성 보전의 필요성

암기TiP 유전적 다양성 감소 → 멸종 가능, 종 다양성 감소 → 생태계 평형 파괴, 생태계 다양성 감소 → 특정 생태계에 서식하는 생물종 멸종

(1) 유전적 다양성이 감소하면 갑작스러운 환경의 변화에 생존할 수 있는 개체가 적어 개체군을 유지하기 어렵다.

(2) 종 다양성이 감소하면 먹이 그물이 단순해져 생태계 평형이 깨지기 쉽다.

(3) 생태계 다양성이 감소하면 특정 생태계에만 서식하는 생물종이 사라진다.

(4) 생물 다양성의 감소는 생태계 평형에 영향을 미치고 인류가 이용할 수 있는 자원의 종류를 감소시켜 사람의 생존에도 큰 영향을 미친다.

2. 생물 다양성의 보전 방안

암기TiP 서식지 단편화 → 생태 통로 설치

(1) **서식지 보전** 생물의 서식지 파괴는 생물 다양성의 매우 큰 위협 요인이므로 서식지를 보전하는 것이 가장 중요하다. 이때 한 종의 특정 서식지보다는 군집에 초점을 맞추어 보다 큰 서식지를 보전하는 것이 바람직하다.

(2) **단편화된 서식지 연결** 단편화가 심하게 진행된 곳에 •생태 통로 등을 설치하여 동물이 사고로 죽는 것을 예방한다.

(3) **보호 구역 설정** 인구가 증가함에 따라 토지의 이용 면적이 넓어지면서 원래 지역의 생물종이 위협을 받기 때문에 법적으로 보장된 보호 구역을 지정하여 생물 다양성을 보전한다.
└ 국립 공원을 지정하거나 일정 기간 사람의 출입을 금지하는 안식년을 두기도 한다.

(4) **이주와 재도입** 어떤 이유로 개체군의 크기가 급감하여 멸종 위기에 처하면 한 지역에서 다른 지역으로 개체들을 이주시키기도 하고, 희귀종과 멸종 위기종을 번식시켜 이들이 사라졌던 원래의 서식지로 돌려보내기도 한다.

(5) **법령 제정** 야생 생물 보호 및 관리에 관한 법률 등과 같이 생물종의 보호를 위한 법령을 제정하여 시행한다.

(6) 야생 생물의 불법 포획이나 남획을 금지하고, 환경 오염 방지 대책을 마련하여 지속적으로 관리한다.

3. 생물 다양성 보전을 위한 노력

생물 다양성을 보전하는 것은 인류의 생존을 위해 절대적으로 필요하며, 모든 생물은 생명권을 가지는 생태계의 동등한 구성원으로서 생존할 권리를 가지며 보호되어야 할 필요가 있다.

구분	내용
개인적 차원	• 쓰레기를 분리 배출한다. • 자원 절약 및 에너지 절약을 실천한다.
사회적 차원	• 서식지를 보호한다. • 생태 통로를 설치한다. • 생물 다양성 보전에 대한 홍보 활동을 꾸준히 한다.
국가적 차원	• 생물 보호 구역 및 서식지를 국립 공원으로 지정한다. • 보전 가치가 있는 종을 천연기념물로 지정하여 보호한다. • 환경 영향 평가를 통해 생태계에 미칠 수 있는 영향을 면밀히 검토한다. • •종자 은행 설치로 여러 식물의 종자를 장기간 보존하여 품종의 멸종을 방지하고, 유용한 유전자를 보존한다.
국제적 차원	• 종 다양성의 보전을 위해 국제 협약을 체결한다. 예 생물 다양성 협약❹, 람사르 협약❺ 등

▲ 생태 통로

▲ 한라산 국립 공원

▲ 천연기념물(반달 가슴곰)

❹ 생물 다양성 협약
생물종의 보전과 생물 자원의 지속 가능한 이용을 목적으로 한 협약이다. 국가 차원의 멸종 위기 동물 감시와 보호 지역 설정, 법적 규제 마련, 종자 은행 설치 등을 권고하는 내용을 담고 있다.

❺ 람사르 협약
물새 서식지로 중요한 습지를 보호하기 위한 협약으로, 습지 자원의 이용과 보전의 기본 방향을 제시하고 있으며, 이 협약에 가입한 국가는 1개 이상의 습지를 람사르 습지로 지정하여 지속적으로 관리해야 한다. 우리 나라는 1997년에 가입하였으며 우포늪, 순천만을 비롯한 22개의 습지를 등록해 보전 중이다.

용어 알기

•생태 통로(날 生, 모양 態, 통할 通, 길 路)(Eco-corridor) 야생 동물의 이동 통로

•종자 은행(씨 種, 아들 子, 화폐 銀, 갈 行)(seed bank) 식물의 유전 자원을 전문적으로 저장, 보존하는 연구 시설

콕콕!
개념 확인하기

정답과 해설 91쪽

✔ 잠깐 확인!

1. ☐☐☐ ☐☐
무분별한 개발과 벌목, 습지의 매립 등으로 생물의 서식지가 훼손되는 현상

2. ☐☐☐ ☐☐☐
철도, 도로 건설 등으로 대규모의 서식지가 소규모로 나누어지는 현상

3. ☐☐ ☐☐
원래의 서식지에서 새로운 서식지로 이주한 생물종

4. ☐☐
개체군의 크기가 회복되지 못할 정도로 과도하게 생물을 포획하는 것

5. 단편화가 심하게 진행된 지역에 ☐☐ ☐☐를 설치하면 동물들이 사고로 죽는 것을 예방할 수 있다.

6. ☐☐ ☐☐을 통해 여러 식물의 종자를 장기간 보존하여 품종의 멸종을 방지하고, 유용한 유전자를 보존할 수 있다.

7. ☐☐☐ 협약
물새 서식지로 중요한 습지를 보호하기 위한 협약

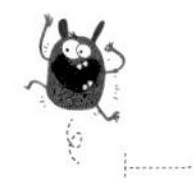

A 생물 다양성 감소

01 생물 다양성 감소에 대한 설명으로 옳은 것은 ○, 옳지 않은 것은 ×로 표시하시오.

(1) 생태계에서의 생물종의 멸종은 산업화에 따른 사람의 활동이 원인으로 최근에 생겨난 현상이다. ( )

(2) 지구 규모의 기후 변화나 지진, 화산 폭발 등의 자연재해는 생물종의 멸종과 관계없다. ( )

(3) 무분별한 개발과 벌목, 습지의 매립 등으로 생물의 서식지가 훼손되는 서식지 파괴는 생물종 다양성이 감소되는 가장 큰 원인이다. ( )

(4) 인간의 활동으로 인한 환경 오염에 의해 생태계가 파괴되고 생물 다양성이 감소한다. ( )

02 생물의 서식지가 기존보다 더 작은 크기로 나누어져 생물의 이동이 제한되고 제한된 서식지에서만 교배가 일어나 개체군의 크기가 작아지게 되는 생물 다양성의 감소 원인은 무엇인지 쓰시오.

03 다음은 생물 다양성 감소의 원인 중 하나에 대한 설명이다. ㉠~㉡에 들어갈 알맞은 말을 쓰시오.

> 원래 서식지에 있던 포식자, 기생 생물, 질병 등으로부터 벗어나 새로운 지역으로 이주한 (㉠)은 이미 서식하던 (㉡)과 경쟁하거나 (㉡)을 포식하여 생물 다양성을 위협한다.

B 생물 다양성 보전 방안과 노력

04 생물 다양성의 보전 방안과 관계있는 말을 옳게 연결하시오.

(1) 한 개체군보다 군집에 초점을 맞추어 서식지를 보전하는 것이 바람직하다. •   • ㉠ 서식지 보전

(2) 인구의 증가로 토지의 이용 면적이 넓어지면서 원래 지역의 생물종이 위협을 받기 때문에 법적으로 구역을 지정하여 생물 다양성을 보전한다. •   • ㉡ 생물 다양성 협약

(3) 국가 차원의 멸종 위기 동물 감시와 보호 지역 설정, 법적 규제 마련, 종자 은행 설치 등을 통해 생물 종의 보전과 생물 자원의 지속 가능한 이용을 추구한다. •   • ㉢ 보호 구역 설정

탄탄! 내신 다지기

정답과 해설 91쪽

A 생물 다양성 감소

01 생물 다양성 감소에 대한 설명으로 옳지 않은 것은?

① 생태계에서 생물의 멸종은 오래전부터 지속적으로 일어난 과정이다.
② 기후 변화나 화산 폭발 등의 자연재해로 생물 다양성이 감소되기도 한다.
③ 최근에는 산업의 발달과 같은 사람의 활동으로 생물의 멸종 속도가 점점 빨라지고 있다.
④ 생물종 다양성이 감소되는 가장 큰 원인은 저인망 어업 등의 기술을 이용한 남획 때문이다.
⑤ 외래 생물의 도입으로 이미 서식하고 있던 고유종과 경쟁하거나 고유종을 포식함으로써 생물 다양성이 감소된다.

02 다음은 아마존 밀림의 모습을 설명한 내용이다.

그림은 미국 항공 우주국(NASA)이 공개한 2000년과 2007년의 아마존 밀림의 모습을 담은 인공위성 사진이다.

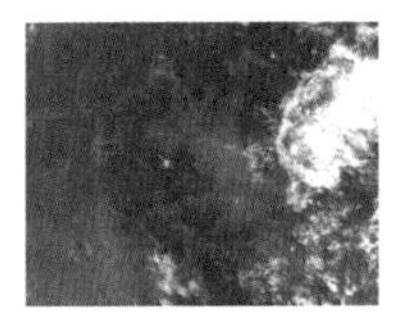
▲ 2000년

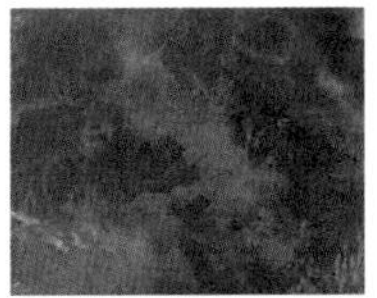
▲ 2007년

위성 사진에서 짙은 녹색 부분은 파괴되지 않은 밀림이고, 황토색 부분은 벌목되어 흙이 드러난 지역이다. 또, 옅은 녹색 부분은 벌목 후 농경지나 목초지로 사용되거나 조림된 지역이다.

이에 대한 설명으로 옳지 않은 것은?

① 종 다양성이 감소하는 가장 큰 원인은 서식지 파괴이다.
② 벌목 지역이 점차 넓어지면 숲은 거대한 목초지로 바뀌게 된다.
③ 숲이 벌목되어 흙이 드러난다는 것은 생물의 서식지가 파괴되었음을 의미한다.
④ 인공위성 사진을 보면 아마존의 밀림이 급격히 파괴되고 있다는 사실을 알 수 있다.
⑤ 밀림을 농경지나 목초지로 바꾸면 그곳에도 생물들이 살 수 있어 생물 다양성이 크게 감소되지는 않는다.

03 그림 (가)는 요리의 재료로 사용되기 위해 잡힌 상어의 모습을, (나)는 해양 선박의 기름 유출로 오염된 새의 모습을 나타낸 것이다.

(가)

(나)

이에 대한 설명으로 옳은 것만을 〈보기〉에서 있는 대로 고른 것은?

〈보기〉
ㄱ. (가)는 특정 종을 과도하게 사냥한 것이다.
ㄴ. (나)는 서식지 단편화로 인해 생물 다양성이 영향을 받은 것이다.
ㄷ. (가)와 (나) 모두 환경 오염으로 인한 생물 다양성 감소의 예이다.

① ㄱ ② ㄴ ③ ㄷ
④ ㄱ, ㄷ ⑤ ㄴ, ㄷ

04 그림은 도마뱀의 서식지가 변화된 모습을 나타낸 것이다.

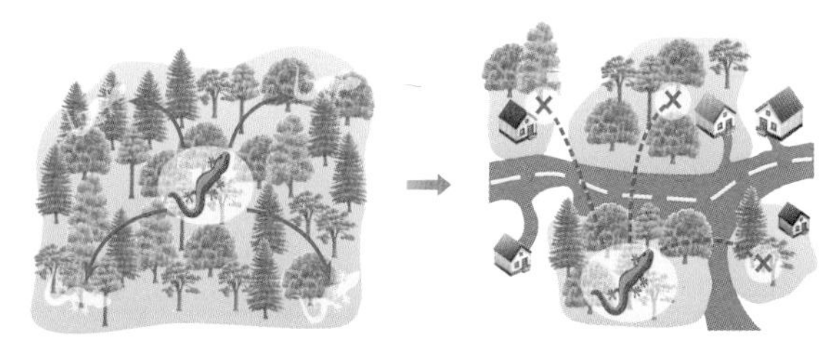

이에 대한 설명으로 옳은 것은?

① 서식지 변화 이후 도마뱀의 활동 범위가 넓어졌다.
② 외래 생물로 인한 서식지 변화에 해당하며 도마뱀의 멸종이 뒤따를 것으로 예상된다.
③ 도마뱀이 이동할 수 있는 범위가 좁아지므로 도마뱀의 유전적 다양성이 감소된다.
④ 도마뱀 서식지의 단편화이며, 서식지 단편화는 종 다양성이 감소되는 가장 큰 원인이다.
⑤ 도마뱀은 생존에 필요한 자원을 얻기가 수월해지므로 개체군의 크기가 빠르게 커질 것으로 예상된다.

단답형

05 다음은 뉴트리아에 대한 설명이다.

뉴트리아는 수초를 갉아먹어 습지를 초토화해 고유종의 서식지를 차지하며 먹이 사슬에 변화를 일으켜 생태계 평형을 파괴한다.

뉴트리아처럼 본래 살고 있던 지역을 벗어나 다른 지역으로 옮겨 서식하게 된 생물을 통틀어 무엇이라고 하는지 쓰시오.

B 생물 다양성 보전 방안과 노력

06 생물 다양성 감소가 미치는 영향에 대한 설명으로 옳지 않은 것은?

① 종 다양성이 감소하면 먹이 그물이 단순해져 생태계 평형이 깨지기 쉽다.
② 생태계 다양성이 감소하면 특정 생태계에만 서식하는 생물종은 사라진다.
③ 유전적 다양성이 감소하면 갑작스러운 환경의 변화에 생존할 수 있는 개체가 적어 개체군을 유지하기 어렵다.
④ 종 다양성은 생태계 평형을 유지하는 데에는 가장 중요한 요소로 작용하지만 물질 순환이나 에너지 흐름과는 무관하다.
⑤ 생물 다양성의 감소는 생태계 평형에 영향을 미치고 인류가 이용할 수 있는 자원의 종류를 감소시키고, 사람의 생존에도 큰 영향을 미친다.

단답형

07 다음은 생물 다양성 보전에 대한 설명이다. ( ) 안에 들어갈 알맞은 말을 쓰시오.

소비하는 사람이 없다면 채취하거나 사냥하는 사람도 없을 것이다. 따라서 (   )과 거래를 함께 제한해야 할 필요가 있다. 실제로 코끼리 상아의 국제 거래를 단속한 이후에 코끼리의 개체 수가 크게 늘었다.

08 다음은 외래 생물의 종류와 각 외래 생물이 생태계에 미치는 영향을 설명한 것이다.

(가)

(나)

(가)는 화물을 통해 중국에서 도입된 꽃매미로 나무의 수액을 빨아먹어 과수원에 피해를 준다.
(나)는 미국에서 도입된 가시박으로 다른 식물을 감고 올라가 덮으므로 아래쪽 식물이 자라지 못하게 된다.

이에 대한 생물 다양성의 보전 방안으로 옳은 것은?

① 외래 생물을 번식시켜 이들이 살던 원래의 서식지로 모두 돌려보내야 한다.
② 인위적인 목적에 의해 허가받지 않고 생물종을 도입하는 경우가 없도록 해야 한다.
③ 외래 생물의 국제 교역에 대한 협약을 체결하고 보호종으로 지정하며 국제 거래를 금지해야 한다.
④ 한 종의 특정 서식지보다는 군집에 초점을 맞추어 보다 큰 서식지를 보전하는 것이 바람직하다.
⑤ 외래 생물을 지속적으로 관찰하고 특히 보전 가치가 있는 종은 천연기념물로 지정하여 보호해야 한다.

09 다음은 서식지 단편화에 대한 설명이다.

도로 건설 등으로 큰 서식지가 여러 개의 작은 서식지로 단편화되면 생물 다양성이 크게 감소하고, 도로를 기로질러 서식지 사이를 이동하던 야생 동물이 차에 치여 죽는 사고가 자주 발생한다.

이에 대한 해결 방안으로 옳은 것만을 〈보기〉에서 있는 대로 고른 것은?

〈보기〉
ㄱ. 생물의 서식지에 사람의 출입을 일시적으로 금지하는 안식년을 실시해야 한다.
ㄴ. 고가 도로나 터널을 이용하여 도로를 건설하거나 도로 위에 생태 통로를 설치해야 한다.
ㄷ. 국제적으로는 생물 다양성 협약에 가입하여 생물 다양성 보전 활동을 펼치는 것이 바람직하다.

① ㄱ ② ㄴ ③ ㄷ ④ ㄱ, ㄴ ⑤ ㄴ, ㄷ

도전! 실력 올리기

정답과 해설 92쪽

01 그림은 보존되는 면적에 따라 주어진 면적에서 원래 발견되었던 종의 비율을 나타낸 것이다.

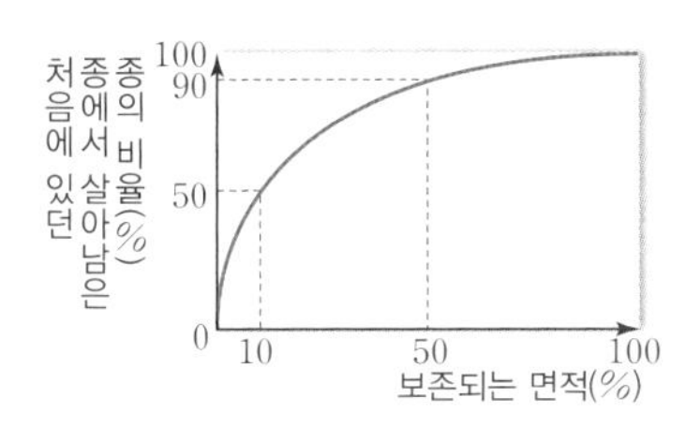

이에 대한 설명으로 옳은 것만을 〈보기〉에서 있는 대로 고른 것은?

보기
ㄱ. 서식지 파괴가 생물 다양성 감소에 미치는 영향을 보여주는 자료이다.
ㄴ. 보존되는 면적이 50 %로 감소하면 원래 발견되었던 종의 90 %가 감소한다.
ㄷ. 서식지 보전은 생물 다양성을 보전하는 가장 중요한 수단이며, 군집에 초점을 맞추어 큰 서식지를 보전하는 것이 바람직하다.

① ㄱ ② ㄴ ③ ㄷ ④ ㄱ, ㄷ ⑤ ㄴ, ㄷ

출제예감

02 그림은 도로 건설로 서식지가 변화되었을 때 나타나는 생물종 A~E의 분포를, 표는 변화 전과 후 A~E의 총 개체 수를 나타낸 것이다.

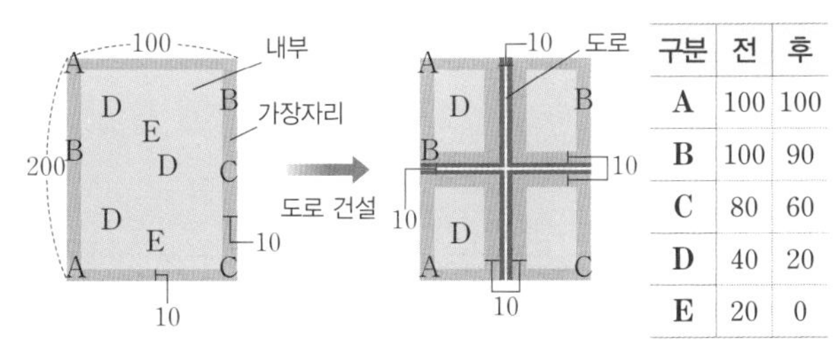

구분	전	후
A	100	100
B	100	90
C	80	60
D	40	20
E	20	0

이에 대한 설명으로 옳은 것만을 〈보기〉에서 있는 대로 고른 것은? (단, 서식지에 관한 길이나 면적의 단위는 생략한다.)

보기
ㄱ. 서식지의 단편화로 인해 생물 다양성이 영향을 받은 것이다.
ㄴ. 서식지의 변화 후에 가장자리의 크기와 내부 서식지의 크기는 모두 작아졌다.
ㄷ. 가장자리에 서식하는 생물종이 내부에 서식하는 생물종에 비해 더 많이 감소되었다.

① ㄱ ② ㄴ ③ ㄷ ④ ㄱ, ㄴ ⑤ ㄴ, ㄷ

서술형

03 다음은 가시박에 대한 설명이다.

가시박은 북아메리카 원산의 덩굴성 식물로 1990년대 말부터 전국으로 확산되기 시작했다. 가시박은 6~8월 왕성하게 자라 하루에 30 cm 이상 자라는 것으로 알려져 있으며, 나무를 감싸 죽이기도 한다.

국외에서 국내로 유입된 종이 새로운 서식지에서 번성할 수 있는 까닭을 2가지만 서술하시오.

서술형

04 그림은 이끼의 분포 면적을 달리하면서 단위 면적당 이끼 밑에 서식하는 소형 동물의 종 생존율을 조사하여 나타낸 것이다.

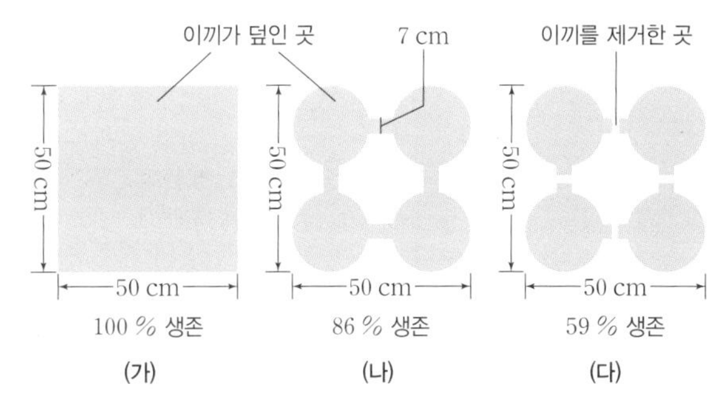

(가)~(다)를 비교하였을 때 (다)에 서식하는 소형 동물의 생존율이 가장 낮은 까닭을 서술하시오.

서술형

05 종자 은행은 식물의 종자를 장기간 보존하는 곳이다. 생물 다양성을 보전하기 위해 종자 은행이 필요한 까닭을 2가지만 서술하시오.

생물 다양성

대표 유형

출제 의도

생물 다양성의 3가지 의미를 파악하는 문제이다.

표는 면적이 같은 서로 다른 지역 ㉠과 ㉡에 서식하고 있는 모든 식물 종 A~F의 개체 수를 나타낸 것이다. 그림은 어떤 지역에 살고 있는 뒤쥐의 대립유전자 Q와 q, R와 r의 구성을 나타낸 것이다.

개체군의 밀도는 단위 면적당 개체 수이다.

종은 자연 상태에서 교배하여 생식 능력이 있는 자손을 낳을 수 있는 무리 전체를 의미하며, 개체군은 일정한 지역에 무리지어 모여 사는 같은 종으로 이루어진 집단을 의미한다.

개체 사이에 존재하는 유전자 변이의 다양함은 유전적 다양성에 해당한다.

지역 \ 식물 종	A	B	C	D	E	F
㉠	50	30	28	33	51	60
㉡	110	29	7	0	30	0

㉠은 6종의 식물, ㉡은 4종의 식물이 서식하며, ㉠에 있는 식물 종은 ㉡에 있는 식물 종보다 균일한 비율로 분포한다. → 종 다양성은 한 지역에 사는 생물종의 다양한 정도와 각 종의 개체 수가 균등한 정도를 모두 포함하므로 ㉠이 ㉡에 비해 종 다양성이 더 풍부하다.

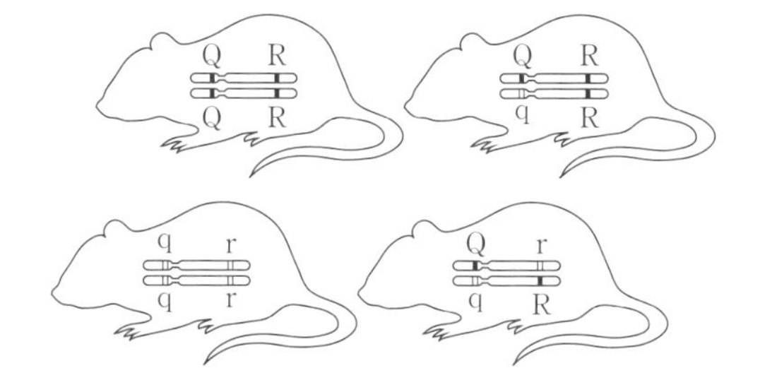

유전적 다양성은 한 생물종에 얼마나 다양한 대립유전자가 존재하는가를 뜻하므로 대립유전자의 종류가 다양할수록 생물종의 유전적 다양성이 높다.

이것이 함정

종 다양성은 종의 수와 분포 비율을 모두 고려해야 한다.

이에 대한 설명으로 옳은 것만을 〈보기〉에서 있는 대로 고른 것은?

〈보기〉

ㄱ. 식물의 종 다양성은 ㉠에서가 ㉡에서보다 높다.
└ 식물 종의 수와 분포 비율을 살펴보면 ㉠이 ㉡보다 종 다양성이 더 풍부하다.

ㄴ. ㉠에서 B의 개체군 밀도는 ㉡에서 E의 개체군 밀도와 같다.
→ 개체군의 밀도는 단위 면적당 개체 수이다. ㉠과 ㉡의 면적이 같고 B와 E의 개체 수도 같으므로 개체군의 밀도 역시 동일하다.

ㄷ. 뒤쥐의 대립유전자 구성이 다른 것은 생물 다양성 중 생태계 다양성에 해당한다.
└ 대립유전자 구성이 다른 것은 유전적 다양성에 해당한다.
└ 생태계 다양성은 생물종이 살아가는 서식지의 다양한 정도를 의미한다.

① ㄱ ② ㄴ ③ ㄷ ④ ㄱ, ㄴ ⑤ ㄴ, ㄷ

표의 내용을 분석하고, 그림을 해석하여 개념을 통합적으로 이해하기

생물 다양성은 유전적 다양성, 종 다양성, 생태계 다양성으로 구분됨을 생각한다. >>> ㉠과 ㉡ 지역에서 식물 종의 수와 분포 비율을 고려하여 종 다양성을 판단한다. >>> 개체군의 밀도는 단위 면적당 개체 수임을 알고 B와 E의 개체군 밀도를 파악한다. >>> 뒤쥐의 대립유전자의 다양한 구성은 유전적 다양성을 나타내는 것임을 생각한다.

추가 선택지

- ㉠보다 ㉡의 생태계가 더 안정적으로 유지될 가능성이 크다. (×)
  ⋯ 종의 수가 많고 각 종의 분포가 균등할수록 종 다양성은 높아지며 종 다양성이 높을수록 생태계가 안정적으로 유지된다.
- 유전적 다양성이 높을수록 개체군의 생존 가능성이 증가한다. (○)
  ⋯ 유전적 변이가 많을수록 주변 환경의 변화, 질병 등에 대한 저항력이 생겨 결국 개체군의 생존율을 높인다.

실전! 수능 도전하기

정답과 해설 93쪽

01 그림은 생물 다양성의 3가지 의미를 나타낸 것이다.

(가)

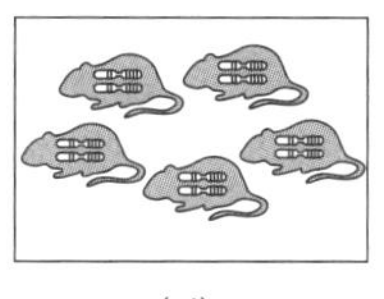
(나)

(다)

이에 대한 설명으로 옳은 것만을 〈보기〉에서 있는 대로 고른 것은?

보기
ㄱ. (가)는 생물적 요인과 비생물적 요인을 모두 포함한다.
ㄴ. (나)는 군집 내에 존재하는 개체군의 종류가 다양함을 의미한다.
ㄷ. (다)는 생물이 서식하는 사막, 초원, 삼림, 습지, 바다 등 생태계의 다양함을 의미한다.

① ㄱ ② ㄴ ③ ㄱ, ㄷ
④ ㄴ, ㄷ ⑤ ㄱ, ㄴ, ㄷ

02 그림은 서로 다른 생태계의 먹이 관계를 나타낸 것이다.

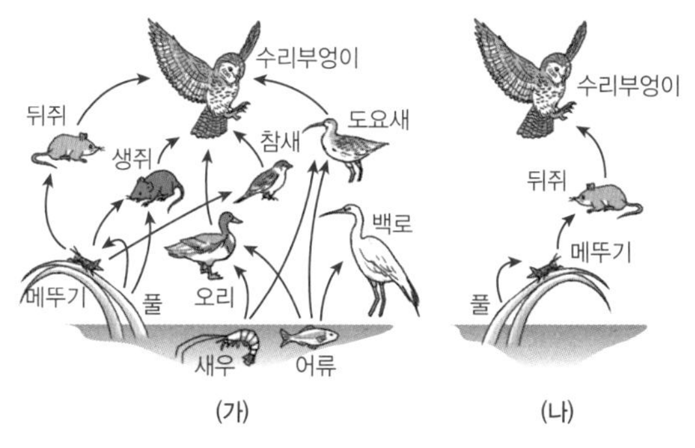

(가) (나)

이에 대한 설명으로 옳은 것만을 〈보기〉에서 있는 대로 고른 것은?

보기
ㄱ. (가)는 (나)보다 종 다양성이 높기 때문에 생태계가 안정적으로 유지된다.
ㄴ. (나)는 어떤 요인에 의해 한 종의 개체 수에 변동이 생기면 그 역할을 다른 종이 대신할 수 없다.
ㄷ. 생태계 유지에 매우 중요한 역할을 하는 것은 유전적 다양성이므로 생물종의 수가 많은 것은 크게 중요하지 않다.

① ㄱ ② ㄷ ③ ㄱ, ㄴ
④ ㄱ, ㄷ ⑤ ㄴ, ㄷ

수능 기출

03 다음은 생물 다양성의 3가지 의미 중 종 다양성에 대한 자료이다.

- 어떤 지역의 종 다양성은 종의 수가 많을수록, 전체 개체 수에서 각 종이 차지하는 비율이 균등할수록 높아진다.
- 그림은 면적이 같은 서로 다른 지역 (가)와 (나)에 서식하는 식물 종 A~D를 나타낸 것이다.

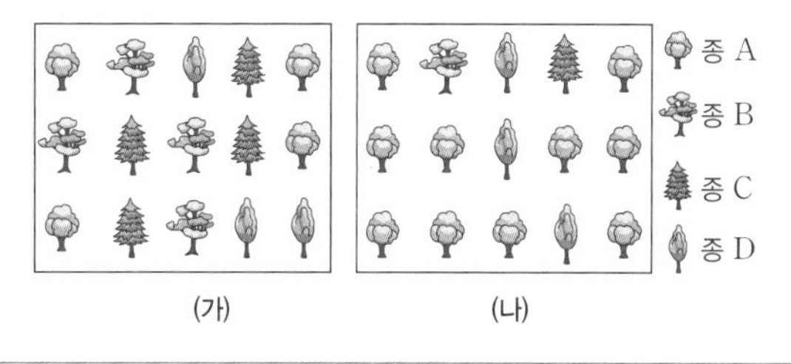

이에 대한 설명으로 옳은 것만을 〈보기〉에서 있는 대로 고른 것은? (단, A~D 이외의 종은 고려하지 않는다.)

보기
ㄱ. 식물의 종 다양성은 (나)에서보다 (가)에서 높다.
ㄴ. D의 개체군 밀도는 (가)와 (나)에서 같다.
ㄷ. 같은 종의 달팽이에서 껍데기의 무늬와 색깔이 다양하게 나타나는 것도 종 다양성의 예이다.

① ㄱ ② ㄴ ③ ㄷ
④ ㄱ, ㄴ ⑤ ㄴ, ㄷ

04 표는 생물 다양성의 3가지 의미에 관한 예이다.

구분	예
(가)	갯벌에는 염분에 강한 염생 식물이, 사막에는 건조한 환경에 적응한 선인장이 자란다.
(나)	무당벌레는 개체마다 다양한 색과 반점 무늬를 가지고 있다.
(다)	최근 4년간 아마존 열대우림에서는 441종의 새로운 생물이 발견되었다.

이에 대한 설명으로 옳은 것만을 〈보기〉에서 있는 대로 고른 것은?

보기
ㄱ. (가)는 복잡한 먹이 그물을 형성하여 생태계를 안정적으로 유지하는 데 큰 역할을 한다.
ㄴ. (나)는 환경이 급격히 변하거나 전염병이 발생했을 때 개체군이 살아남을 수 있게 한다.
ㄷ. (다)는 종의 수가 많을수록, 또 특정 종의 분포 비율이 높을수록 다양성이 높은 것이다.

① ㄱ ② ㄴ ③ ㄷ
④ ㄴ, ㄷ ⑤ ㄱ, ㄴ, ㄷ

실전! 수능 도전하기

수능 기출

05 표는 생물 다양성의 3가지 의미를 설명한 것이다. (가)~(다)는 각각 유전적 다양성, 종 다양성, 생태계 다양성 중 하나이다.

구분	의미
(가)	사막, 초원, 삼림, 강, 습지 등 생태계가 다양하게 형성되는 것을 의미한다.
(나)	어떤 생태계에 존재하는 생물종의 다양한 정도를 의미한다.
(다)	동일한 생물종이라도 형질이 각 개체 간에 다르게 나타나는 것을 의미한다.

이에 대한 설명으로 옳은 것만을 〈보기〉에서 있는 대로 고른 것은?

보기
ㄱ. (가)는 생태계 다양성이다.
ㄴ. (나)는 지구상의 모든 지역에서 동일하다.
ㄷ. 사람에 따라 눈동자 색이 다른 것은 (다)에 해당한다.

① ㄱ ② ㄷ ③ ㄱ, ㄴ
④ ㄱ, ㄷ ⑤ ㄴ, ㄷ

06 다음은 생태계 다양성에 대한 설명이다.

생태계는 고산대, 늪, 사막, 초원, 숲, 툰드라, 해양, 호수, 갯벌 등 여러 종류로 나뉘며, 생태계의 종류에 따라 환경 요인과 서식하는 생물종이 다르다. 생태계는 시간이 지남에 따라 끊임없이 변화하며, 특히 두 생태계가 인접한 지역 (가)에서는 종 다양성과 유전적 다양성이 더욱 높다.

이에 대한 설명으로 옳은 것만을 〈보기〉에서 있는 대로 고른 것은?

보기
ㄱ. 생태계 구성 요소들 사이의 상호 작용도 생태계 다양성에 해당한다.
ㄴ. 생태계 다양성이 높을수록 환경이 급격히 변하거나 전염병이 발생했을 때 생태계를 구성하는 생물종이 멸종될 확률이 높다.
ㄷ. (가)에는 각각의 생태계에 서식하는 생물종과 두 생태계의 자원을 모두 이용하는 생물종이 서식하므로 종 다양성이 높다.

① ㄱ ② ㄴ ③ ㄷ
④ ㄱ, ㄴ ⑤ ㄱ, ㄷ

07 다음은 생물 다양성 감소의 원인 중 하나인 서식지 단편화에 대한 설명이다.

도로 건설 등으로 큰 서식지가 여러 개의 작은 서식지로 단편화되면 서식지 가장자리에서 살아가는 종과 서식지 가운데에서 살아가는 종이 모두 영향을 받아 생물 다양성이 크게 감소한다.

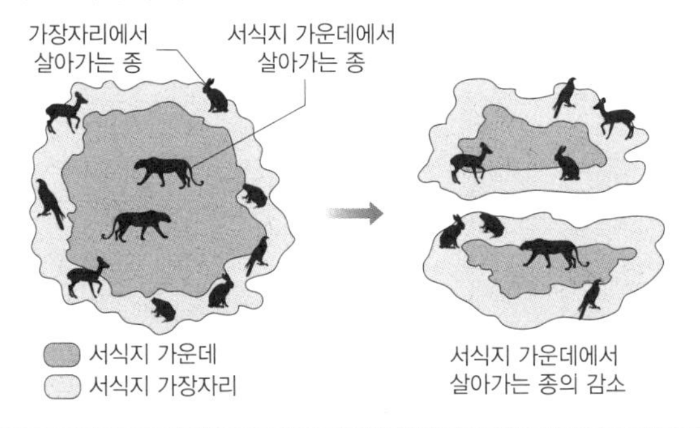

이에 대한 설명으로 옳은 것만을 〈보기〉에서 있는 대로 고른 것은?

보기
ㄱ. 단편화된 서식지에서만 교배가 일어나 유전적 다양성이 증가한다.
ㄴ. 고가 도로나 터널을 건설하거나 도로 위에 생태 통로를 설치하면 서식지 단편화의 피해를 최소화할 수 있다.
ㄷ. 서식지 단편화로 인해 생물 다양성이 감소되므로 다양한 외래 생물을 많이 도입하여 종 다양성을 증가시켜야 한다.

① ㄱ ② ㄴ ③ ㄱ, ㄴ
④ ㄱ, ㄷ ⑤ ㄴ, ㄷ

08 다음은 생물 다양성에 관한 설명이다.

(가) 해저의 진흙에는 기존에 알려진 것보다 다양한 미생물이 살고 있다.
(나) 같은 종의 고양이라도 개체에 따라 털색이 다양하게 나타난다.

이에 대한 설명으로 옳은 것만을 〈보기〉에서 있는 대로 고른 것은?

보기
ㄱ. 호수에 조류, 플랑크톤, 어류 등이 함께 사는 것은 (가)와 같은 다양성의 예이다.
ㄴ. (나)는 유전적 다양성의 예이다.
ㄷ. (나)와 같은 다양성은 동물 종에서만 나타난다.

① ㄱ ② ㄴ ③ ㄱ, ㄴ
④ ㄱ, ㄷ ⑤ ㄴ, ㄷ

09 그림은 생물 다양성의 3가지 의미 중 유전적 다양성과 종 다양성을 순서 없이 나타낸 것이다.

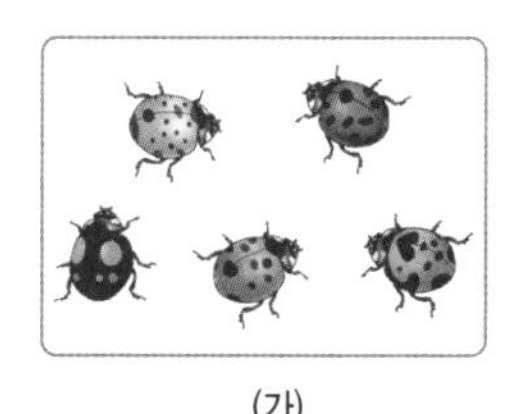
(가)

(나)

이에 대한 설명으로 옳은 것만을 〈보기〉에서 있는 대로 고른 것은?

보기
ㄱ. (가)의 무당벌레는 같은 종에 속하므로 크기, 모양 등의 형질이 각 개체마다 같게 나타난다.
ㄴ. (나)는 강수량, 기온, 토양 등과 같은 요인에 의해 달라져 사막, 초원, 삼림, 강, 습지 등으로 다양하게 형성된다.
ㄷ. 같은 부모에게서 태어난 자녀의 얼굴 모습이 서로 다른 것은 (가), 군집을 구성하는 개체군들이 다양한 것은 (나)와 관계있다.

① ㄱ ② ㄴ ③ ㄷ
④ ㄱ, ㄴ ⑤ ㄱ, ㄷ

수능 기출

10 표 (가)는 서로 다른 지역 ㉠~㉢에 서식하는 식물 종 A~E의 개체 수를 나타낸 것이며, (나)는 종 다양성과 상대 밀도에 대한 자료이다. ㉠의 면적은 ㉢과 같고, ㉡의 면적은 ㉠의 2배이다.

(가)

지역 \ 식물 종	A	B	C	D	E
㉠	10	0	9	12	9
㉡	17	0	18	12	13
㉢	19	9	0	12	0

(나)

- 어떤 지역의 종 다양성은 종 수가 많을수록, 전체 개체 수에서 각 종이 차지하는 비율이 균등할수록 높아진다.
- 상대 밀도는 어떤 지역에서 조사한 모든 종의 개체 수에 대한 특정 종의 개체 수를 백분율로 나타낸 것이다.

이에 대한 설명으로 옳은 것만을 〈보기〉에서 있는 대로 고른 것은? (단, A~E 이외의 종은 고려하지 않는다.)

보기
ㄱ. 식물 종 다양성은 ㉠에서가 ㉢에서보다 높다.
ㄴ. C의 개체군 밀도는 ㉠에서가 ㉡에서보다 낮다.
ㄷ. D의 상대 밀도는 ㉡과 ㉢에서 같다.

① ㄱ ② ㄴ ③ ㄱ, ㄴ
④ ㄱ, ㄷ ⑤ ㄴ, ㄷ

한눈에 보는 대단원 정리

1 생태계의 구성과 기능

01 생태계의 구성

1. 개체, 개체군, 군집, 생태계

개체	생존에 필요한 구조적, 기능적 특징을 갖춘 독립된 하나하나의 생물체
개체군	일정한 지역에서 생활하는 같은 종에 속하는 개체들의 집단
군집	일정한 지역에서 생활하는 모든 개체군들의 집합
생태계	일정한 지역에 포함된 모든 생물들이 빛, 공기 등의 환경 요인과 조화를 이루며 살아가는 체계

2. 생태계 구성 요소

① **비생물적 요인:** 빛, 공기, 온도, 물, 토양 등이 있다.

② **생물적 요인**

생산자	광합성으로 유기물을 합성하는 독립 영양 생물 예 식물이나 조류 등
소비자	생산자나 다른 동물을 먹이로 하는 종속 영양 생물 예 초식 동물과 육식 동물
분해자	사체나 배설물을 무기물로 분해하는 생물 예 세균이나 곰팡이 등

3. 생태계 구성 요소 간의 관계

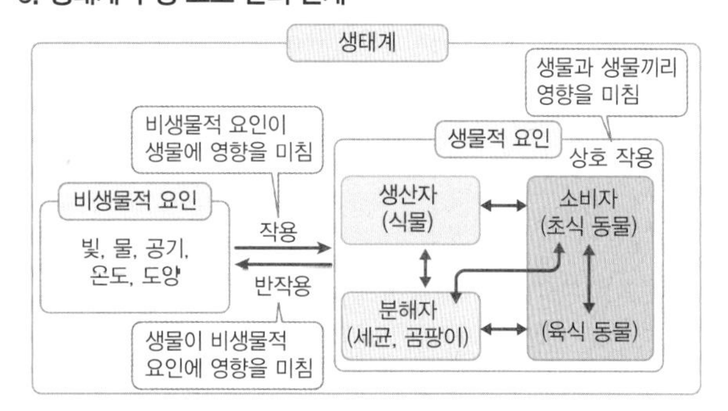

4. 생물과 환경의 상호 작용

빛과 생물	• 양지 식물은 음지 식물에 비해 보상점과 광포화점이 높고, 양엽은 음엽보다 울타리 조직이 더 발달하였다. • 빛의 파장에 따른 해조류의 분포: 녹조류(적색광), 갈조류(황색광), 홍조류(청색광) • 장일 식물은 암기 지속 시간이 임계 시간보다 짧을 때 개화하고, 단일 식물은 암기 지속 시간이 임계 시간보다 길 때 개화한다.
온도와 생물	• 더운 지방의 사막여우는 추운 지방의 북극여우보다 몸집이 작고, 말단부가 크다. • 낙엽수는 겨울 동안 잎을 떨어뜨려 추위에 적응한다.

02 개체군

1. 개체군의 밀도

$$\text{개체군의 밀도}(D) = \frac{\text{개체군을 구성하는 개체 수}(N)}{\text{개체군의 서식 공간의 면적}(S)}$$

2. 개체군의 생장 곡선

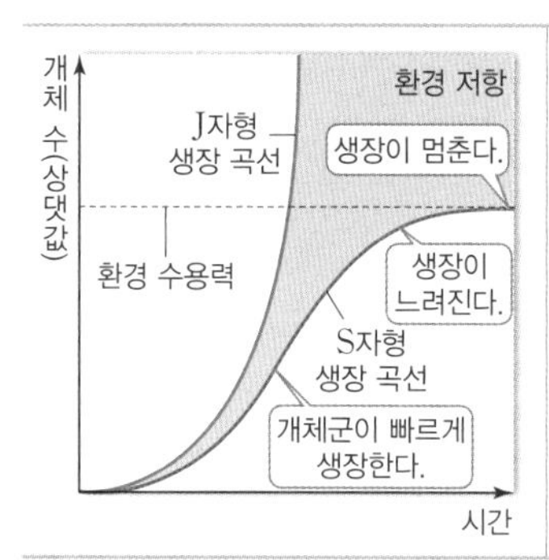

• **환경 저항**
서식 공간과 먹이 부족, 노폐물, 질병, 경쟁, 천적 등 개체군의 생장을 억제하는 환경 요인

• **환경 수용력**
서식지에서 증가할 수 있는 개체군의 최대 크기

3. 개체군의 생존 곡선

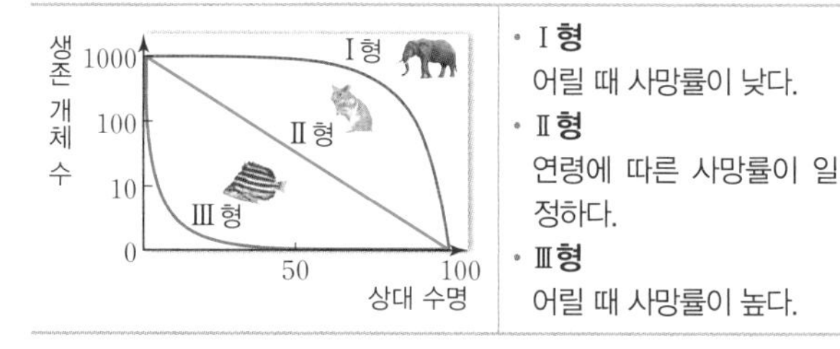

• **Ⅰ형**
어릴 때 사망률이 낮다.

• **Ⅱ형**
연령에 따른 사망률이 일정하다.

• **Ⅲ형**
어릴 때 사망률이 높다.

4. 개체군의 연령 피라미드

① **발전형:** 개체군이 점점 커진다.

② **안정형:** 개체군의 크기가 거의 일정하다.

③ **쇠퇴형:** 개체군이 점점 작아진다.

5. 개체군의 주기적 변동

① **계절에 따른 돌말 개체군의 주기적 변동:** 단기적 변동

② **포식과 피식에 따른 개체군의 주기적 변동:** 장기적 변동

6. 개체군 내 상호 작용

종류	특징
텃세	특정 생활 공간을 차지하고 다른 개체의 접근을 막는다.
순위제	개체 사이에서 힘의 서열에 따라 순위가 정해진다.
리더제	리더가 나머지 개체들을 지휘한다.
사회생활	개체들의 역할이 분업화되어 개체군이 유지된다.
가족생활	혈연관계로 묶인 개체들이 함께 살아간다.

03 군집

1. 군집의 천이

1차 천이	생물이 살지 않는 곳에서 시작되는 천이 • 건성 천이: 맨땅 → 지의류(개척자) → 초원 → 관목림 → 양수림 → 혼합림 → 음수림(극상) • 습성 천이: 빈영양호 → 부영양호 → 습원 → 초원 → 관목림 → 양수림 → 혼합림 → 음수림(극상)
2차 천이	초원(개척자) → 관목림 → 양수림 → 혼합림 → 음수림(극상)

2. 군집 내 상호 작용

종간 경쟁	• 생태적 지위가 비슷한 개체군끼리 먹이와 서식 공간 등을 차지하기 위해 싸우는 것 • 경쟁·배타 원리: 두 개체군 사이에서 심한 경쟁이 발생하여 한 개의 개체군이 도태되어 완전히 사라지는 현상
분서	생태적 지위가 비슷한 개체군들이 먹이, 서식지 등을 달리하여 경쟁을 피하는 관계
공생	• 상리 공생: 서로 이익을 얻는 관계 • 편리 공생: 한쪽은 이익을 얻지만 다른 쪽은 이익도 손해도 없는 관계
기생	한쪽 생물이 다른 생물에 붙어살며 해를 주는 관계
포식과 피식	개체군 사이에 먹고 먹히는 관계

04 에너지 흐름과 물질 순환

1. 에너지 흐름

생태계 내에서 에너지는 한쪽 방향으로만 흐르며, 상위 영양 단계로 갈수록 에너지의 효율은 증가하고, 에너지의 양은 감소한다.

2. 탄소의 순환

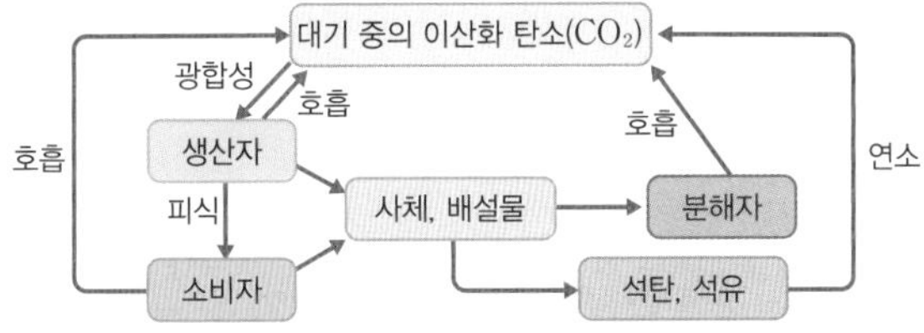

3. 질소의 순환

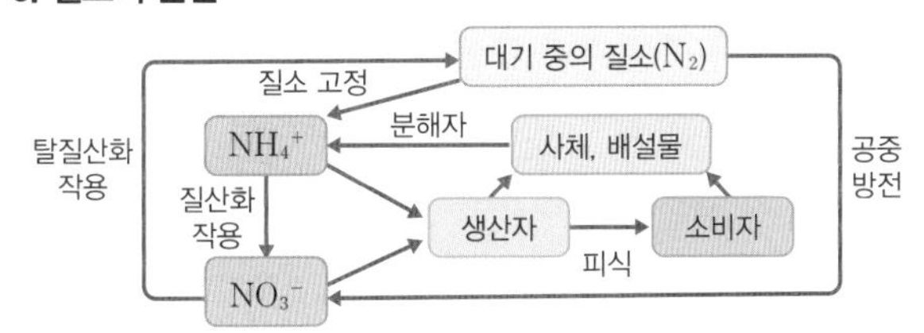

2 생물 다양성과 보전

01 생물 다양성

1. **유전적 다양성:** 개체들 사이에 나타나는 유전자 변이의 다양한 정도로, 유전적 변이가 많을수록 개체군의 생존율이 높아진다.
2. **종 다양성:** 생태계 내에 존재하는 생물의 다양한 정도로, 종의 수가 많고 종의 비율이 고를수록 종 다양성이 높다. 종 다양성이 높을수록 생태계 평형이 잘 유지된다.
3. **생태계 다양성:** 사막, 초원, 삼림, 습지, 바다 등 생태계의 다양한 정도로, 생물과 비생물의 상호 작용도 포함한다.

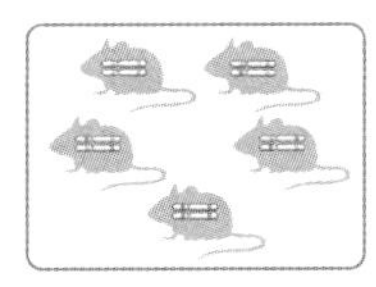
▲ 유전적 다양성

▲ 종 다양성

▲ 생태계 다양성

02 생물 다양성 보전

1. 생물 다양성 감소의 원인

서식지 파괴	무분별한 개발과 벌목, 습지의 매립 등으로 생물의 서식지가 훼손되는 현상으로 종 다양성이 감소되는 가장 큰 원인이다.
서식지 단편화	철도, 도로 건설 등으로 대규모의 서식지가 소규모로 나누어지는 현상으로, 생물의 이동 범위가 좁아져 유전적 다양성이 감소한다.
외래 생물의 도입	원래의 서식지에서 새로운 서식지로 이주한 생물종으로, 이미 서식하던 고유종과 경쟁하거나 고유종을 포식하여 생물 다양성을 위협한다.
남획과 불법 포획	과도하게 물고기나 짐승을 잡으면 생물이 멸종되거나 개체 수가 감소한다.
환경 오염	유해 물질의 생물 농축과 산성비로 인한 토양의 산성화로 인해 생태계가 파괴된다.

2. 생물 다양성의 보전 방안

① 군집 단위의 서식지 보호 구역 설정
② 야생 생물의 불법 포획이나 남획 금지
③ 환경 오염에 대한 법적 규제 및 환경 교육 시행
④ 생태 통로 등을 설치하여 단편화된 서식지 연결
⑤ 종자 은행 설립, 멸종 위기종 등록, 법적 규제 강화 등의 방법으로 생물 종 보전
⑥ 생물 다양성 협약, 람사르 협약 등에 가입하여 국제적인 차원에서 종 다양성의 보전을 위해 노력

한번에 끝내는 대단원 문제

정답과 해설 94쪽

01 그림은 어느 한 지역의 생물과 생물, 생물과 비생물 사이의 상호 관계를 나타낸 것이다.

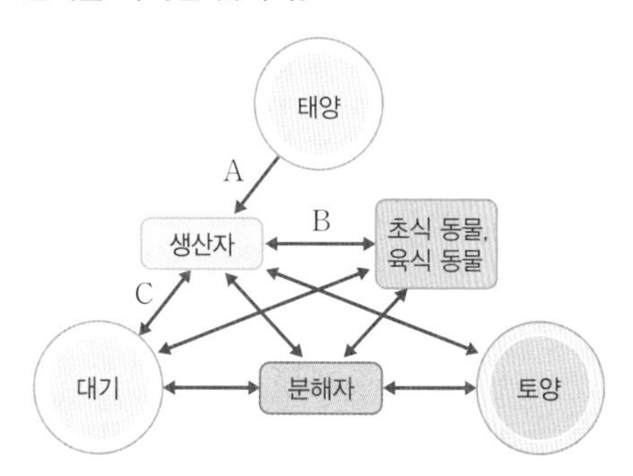

이에 대한 설명으로 옳은 것은?

① 유기물에서 무기물로의 전환은 A에 포함된다.
② B에는 피식과 포식의 관계가 포함되어 있다.
③ 태양, 대기, 토양은 생태계를 구성하는 요소가 아니다.
④ C는 상호 작용으로 이에 해당하는 예로 '바람에 의해 꽃가루나 씨앗이 널리 퍼진다.'를 들 수 있다.
⑤ 생산자에 해당하는 생물은 한 종류의 개체군이며, 생산자를 포함하여, 초식 동물, 육식 동물, 분해자 모두 하나의 군집을 형성한다.

02 다음은 환경과 생물과의 관계를 설명한 것이다.

(가) 양지 식물은 음지 식물에 비해 보상점과 광포화점이 높다.
(나) 지렁이나 두더지가 흙 속을 파헤치면 토양의 통기성이 높아진다.
(다) 더운 지방에 사는 사막여우는 몸집이 작고 몸의 말단부가 크게 발달하였다.

이에 대한 설명으로 옳은 것만을 〈보기〉에서 있는 대로 고른 것은?

보기
ㄱ. (가)는 일조 시간, (다)는 온도와 관계가 있다.
ㄴ. (가)와 (다)는 작용이고, (나)는 반작용이다.
ㄷ. '낙엽이 쌓이면 토양이 비옥해진다.'는 (나)와 같은 예에 해당한다.

① ㄱ ② ㄴ ③ ㄱ, ㄴ
④ ㄴ, ㄷ ⑤ ㄱ, ㄴ, ㄷ

03 그림은 어떤 개체군의 생장 곡선을 나타낸 것이다.

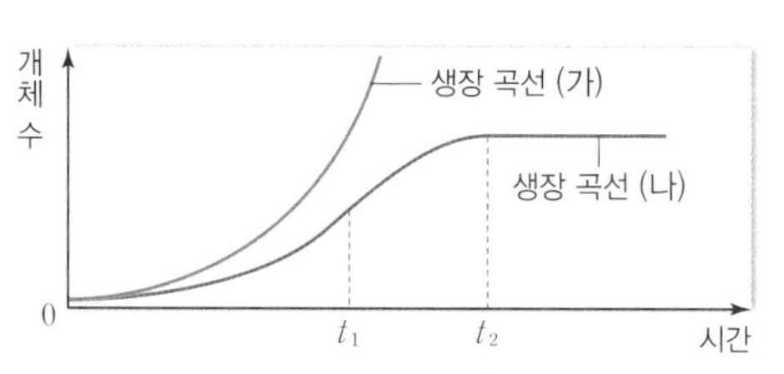

이에 대한 설명으로 옳은 것만을 〈보기〉에서 있는 대로 고른 것은? (단, 이 개체군에서 이입과 이출은 없다.)

보기
ㄱ. t_1에서는 안정형의 연령 피라미드가, t_2에서는 발전형의 연령 피라미드가 나타난다.
ㄴ. t_1에서 (가), (나) 사이의 개체 수 차이는 공간과 먹이 부족, 노폐물 축적 등 개체군 생장을 억제하는 환경 수용력 때문이다.
ㄷ. 개체군은 한 종의 생물로 이루어진 집단이며, 개체군이 서식하는 단위 면적당 개체 수는 t_1에 비해 t_2일 때가 더 많다.

① ㄱ ② ㄴ ③ ㄷ
④ ㄱ, ㄷ ⑤ ㄴ, ㄷ

04 그림은 극상에 도달한 어느 식물 군집의 A, B, C 각 층에서 받는 빛의 양을 나타낸 것이다.

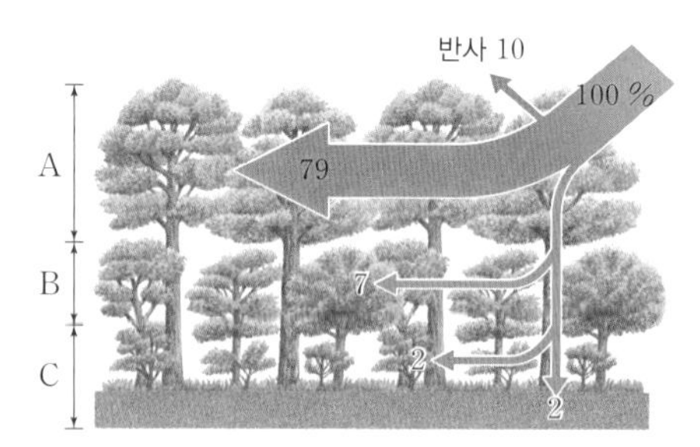

이에 대한 설명으로 옳은 것만을 〈보기〉에서 있는 대로 고른 것은?

보기
ㄱ. A 층은 가장 광합성이 활발하며 교목층, 아교목층, 초본층이 포함된다.
ㄴ. C에는 생태계에서 분해자에 해당하는 균류와 소비자인 일부 곤충류가 서식한다.
ㄷ. A, B, C 중에서 가장 산소가 풍부한 층은 A이며, 이 식물 군집의 우점종은 음수림이다.

① ㄱ ② ㄴ ③ ㄷ
④ ㄱ, ㄷ ⑤ ㄴ, ㄷ

05 그림은 어떤 삼림에 산불이 난 후 극상에 도달할 때까지 우점종의 개체 수를 나타낸 것이다.

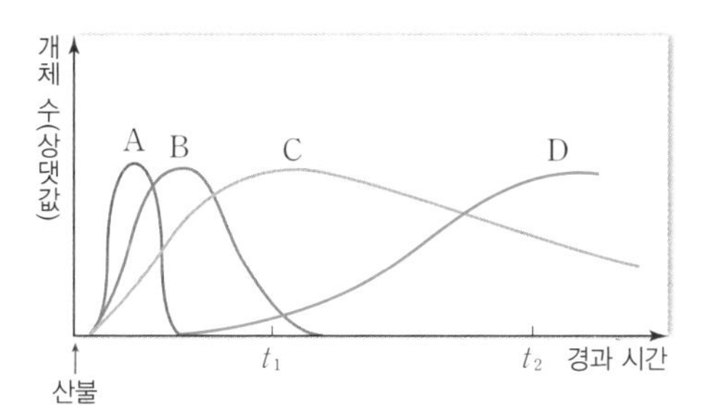

이에 대한 설명으로 옳은 것만을 〈보기〉에서 있는 대로 고른 것은? (단, C와 D는 음수림과 양수림 중 하나이다.)

〈보기〉
ㄱ. 1차 천이에 해당하며 A는 개척자인 균류와 조류의 공생체이다.
ㄴ. t_1에 비해 t_2로 갈수록 지표면에 도달하는 빛의 양은 점점 감소한다.
ㄷ. C와 D 중에서 빛의 세기가 약한 곳에서의 생존 가능성이 큰 종은 C이다.

① ㄱ ② ㄴ ③ ㄷ
④ ㄱ, ㄷ ⑤ ㄴ, ㄷ

06 그림 (가)와 (나)는 방형구를 이용하여 서로 다른 두 지역의 식물 분포를 조사한 결과를 나타낸 것이다.

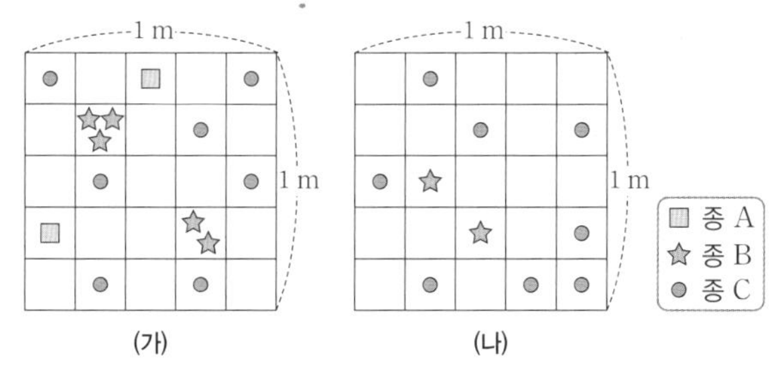

이에 대한 설명으로 옳은 것만을 〈보기〉에서 있는 대로 고른 것은? (단, 종 A, B, C의 각 개체가 차지하는 면적은 모두 $1\ cm^2$로 간주하며, 제시된 종 이외의 다른 종은 고려하지 않는다.)

〈보기〉
ㄱ. (가)에서 상대 밀도가 가장 높은 종은 C이다.
ㄴ. (가)와 (나)에서 B의 상대 빈도는 서로 같다.
ㄷ. (가)와 (나)의 우점종은 모두 C이며, C의 중요도는 (나)가 (가)의 2배가 넘는다.

① ㄱ ② ㄴ ③ ㄷ
④ ㄱ, ㄷ ⑤ ㄴ, ㄷ

07 다음은 어떤 해안가에 서식하는 두 종의 따개비 종 A와 종 B의 특성과 분포를 나타낸 것이다.

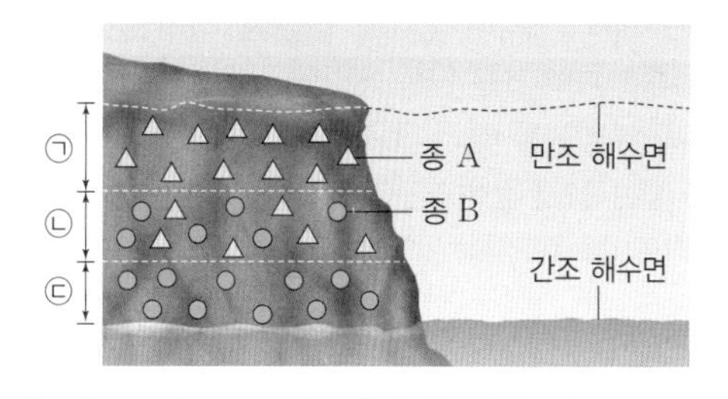

- 종 A는 종 B보다 건조에 강하다.
- 종 A를 제거하여도 종 B의 서식 범위는 변하지 않는다.
- 종 B를 제거하면 종 A는 ㉢에도 서식한다.

이에 대한 설명으로 옳은 것만을 〈보기〉에서 있는 대로 고른 것은?

〈보기〉
ㄱ. ㉠ 지역에 경쟁·배타 원리가 적용되었다.
ㄴ. ㉡ 지역에서는 종 A와 종 B의 공생 관계가 형성된다.
ㄷ. ㉢ 지역에 종 A를 단독 배양하면 종 A의 개체군 밀도가 증가한다.

① ㄱ ② ㄴ ③ ㄷ
④ ㄴ, ㄷ ⑤ ㄱ, ㄴ, ㄷ

08 그림은 안정된 생태계에서 각 영양 단계에 따른 에너지의 이동량을 상댓값으로 나타낸 것이다.

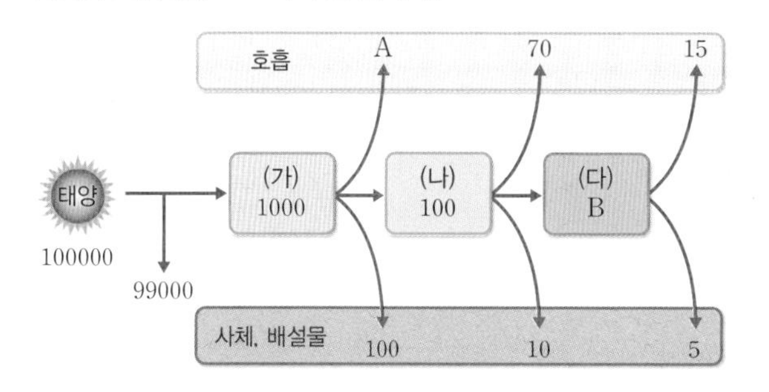

이에 대한 설명으로 옳은 것은?

① (가)는 생산자, (나)는 소비자, (다)는 분해자이다.
② A는 (가)의 생활에 필요한 에너지로 소모된 양으로 900이다.
③ (가), (나), (다)로 갈수록 각 단계의 에너지 효율은 점점 낮아진다.
④ 분해자가 이용 가능한 에너지 총량은 생산자가 호흡으로 소비한 에너지 총량보다 적다.
⑤ 이 생태계의 에너지 근원은 태양의 빛에너지이며 빛에너지는 영양 단계를 거쳐 다시 순환이 된다.

서술형

09 표는 개체군 사이의 상호 작용을 나타낸 것이며 그림 (가)는 개체군 A와 B를 단독 배양했을 때의 개체 수를, (나)와 (다)는 혼합 배양했을 때의 개체 수를 가정하여 나타낸 것이다. (단, Ⅰ과 Ⅱ는 상리 공생과 편리 공생 중 하나이고, ㉠은 '이익, 손해, 이익도 손해도 없음' 중 하나이다.)

상호 작용	개체군 A	개체군 B
Ⅰ	㉠	이익
Ⅱ	이익	이익

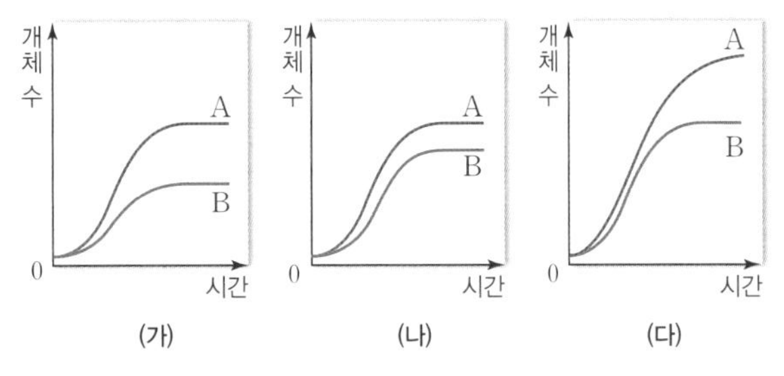

(1) Ⅰ과 Ⅱ에 해당하는 상호 작용의 명칭을 쓰시오.

(2) ㉠에 들어갈 알맞은 말을 쓰시오.

(3) 개체군 A와 B가 Ⅰ과 Ⅱ의 상호 작용을 각각 한다고 가정하고, 이들을 혼합 배양하였을 때 나타나는 개체 수 변화 그림을 (나)와 (다)에서 찾아 쓰고 그렇게 생각하는 까닭을 서술하시오.

서술형

10 그림은 어떤 식물 군집의 시간에 따른 유기물량을 나타낸 것이다. (단, ㉠~㉢은 각각 순생산량, 총생산량, 생장량 중 하나이다.)

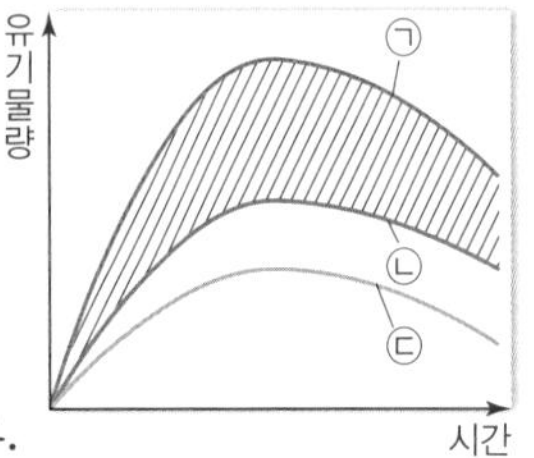

(1) ㉠~㉢의 명칭을 각각 쓰시오.

(2) ㉠과 ㉡의 차이(빗금 친 부분)가 의미하는 것이 무엇인지 명칭을 포함하여 서술하시오.

서술형

11 그림 (가)와 (나)는 식물 군집의 생태 분포의 두 종류를 나타낸 것이다. (가)와 (나)는 각각 수직 분포와 수평 분포 중 하나이다.

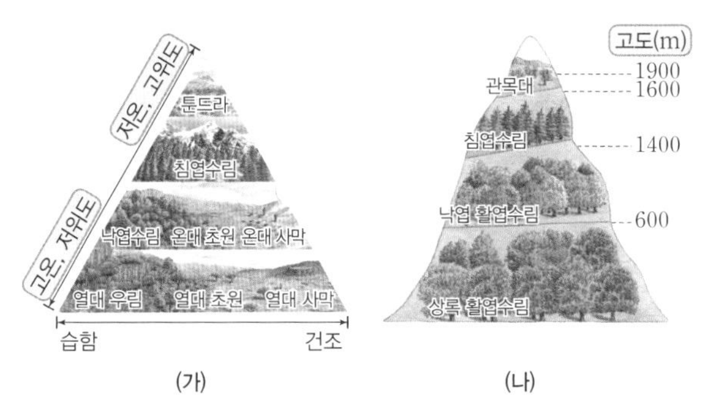

(1) (가)와 (나)는 생태 분포 중 어느 것에 해당하는지 쓰시오.

(2) (가)와 (나)에서 식물 군집의 분포에 가장 큰 영향을 미치는 요인을 각각 서술하시오.

서술형

12 다음은 생물 사이의 상호 작용에 관한 내용이다.

> (가) 은어는 수심이 얕은 곳에서 서식하며 제각각 서식하는 범위인 세력권이 정해져 있다. 은어는 세력권 내에서 다른 개체의 침입을 막고 서식지 확보, 먹이 획득, 배우자 독점 등을 하게 된다.
> (나) 피라미는 은어가 없을 때에는 하천의 중앙에서 녹조류를 먹으며 살지만 은어가 있으면 피라미는 하천의 가장자리로 이동하여 수서 곤충을 먹고 은어는 중앙에서 녹조류를 먹는다.

(1) (가)와 (나)의 상호 작용 명칭을 쓰시오.

(2) (가)와 (나) 두 상호 작용이 이루어지는 생물 집단의 범위를 각각 서술하시오.

하이라이트 지학사

개념 학습과 정리가 한번에 끝나는 기본서

개념풀

생명과학 I

정답과 해설

개념과 정리가 한번에 끝나는 기본서

개념풀

생명과학 Ⅰ

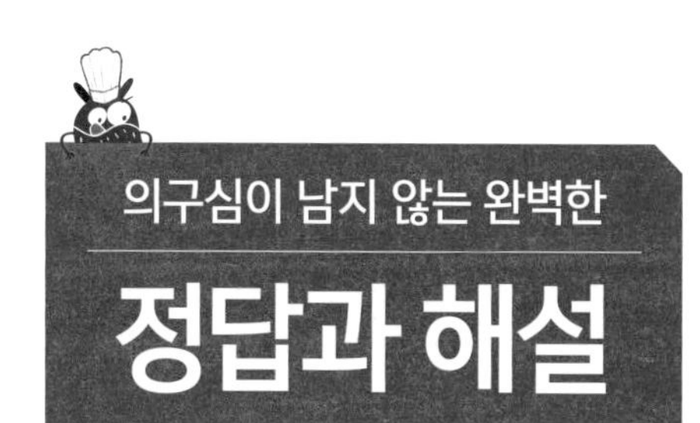

1 »» 생명 과학의 이해

01 ~ 생물의 특성과 생명 과학의 특성

콕콕! 개념 확인하기 013쪽

✔ 잠깐 확인!
1 물질대사 2 항상성 3 발생 4 생식 5 유전 6 진화 7 생명 과학

01 (1) ○ (2) ○ (3) × 02 (1) ○ (2) × (3) ○ 03 체온, 체내 수분량, 혈당량 04 진화 05 (1) – ㉠ (2) – ㉡ (3) – ㉡ (4) – ㉠ 06 생명 현상

01 강아지와 강아지 로봇은 모두 에너지를 이용하여 움직이고 자극에 반응한다. 강아지는 살아 있는 생물로, 세포로 구성되어 있으며 생장하고 생식을 한다. 반면 강아지 로봇은 생물이 아니므로 효소를 가지고 있지 않다.

02 물질대사는 에너지 출입이 동반되며, 효소가 있어야 하고, 동화 작용(저분자 물질이 고분자 물질로 합성됨)과 이화 작용(고분자 물질이 저분자 물질로 분해됨)으로 구분한다.

04 갈라파고스 군도의 핀치는 섬의 환경에 적응하면서 각 섬에 따라 핀치 집단의 유전적 구성이 변하여 그 환경에 적합한 부리 모양을 가지게 되어 진화가 일어난 것이다.

탄탄! 내신 다지기 014쪽~015쪽

01 ⑤ 02 ① 03 ② 04 ③ 05 ④ 06 ㉠ 동화 작용 ㉡ 광합성 07 ⑤ 08 ② 09 ④
10 A: 유전 물질(핵산 또는 DNA) B: 단백질 껍질(단백질)
11 ③ 12 ⑤ 13 물리학

01 강아지 로봇은 비생물이다.

(가) 전원을 켜면 돌아다니고, 사람 발밑에 앉거나 사람에게 몸을 비빈다. (다) 전원을 끄면 더 이상 움직이지 않는다.
➡ 강아지 로봇은 배터리를 통해 에너지를 공급받기 때문에 효소가 관여하는 물질대사에 의한 에너지 출입에 해당하지 않는다.

(나) 안아 주면 꼬리를 흔든다.
➡ 강아지 로봇을 안아 주면 꼬리를 흔드는 것은 자극에 대한 반응에 속한다.

02 | 선택지 분석 |

① 기본 구성단위는 ~~조직~~(세포)이다.
➡ 생물체의 기본 구성단위는 세포이다.

② 자신과 닮은 자손을 만든다.
➡ 생물체는 생식을 통해 자손을 만든다.

③ 효소에 의한 물질대사가 일어난다.
➡ 생물체 내의 물질대사는 효소에 의해 수행된다.

④ 환경에 적합하게 몸의 구조와 기능을 변화시킨다.
➡ 생물체는 주변 환경에 적합하게 적응과 진화를 한다.

⑤ 외부 환경과 무관하게 체내 환경을 일정하게 유지한다.
➡ 생물체는 외부 환경의 변화와 무관하게 체내 환경을 일정하게 유지하는 항상성을 나타낸다.

03 파리지옥이 곤충을 소화시켜 에너지를 얻는 것은 생물의 특성 중 물질대사에 해당한다.

| 선택지 분석 |

① 아메바는 분열법으로 증식한다.
➡ 생식의 예이다.

② 참나무는 빛을 흡수하여 양분을 합성한다.
➡ 참나무가 광합성을 통해 양분을 합성하는 것은 물질대사의 예이다.

③ 미모사는 잎에 물체가 닿으면 잎을 접는다.
➡ 자극에 대한 반응의 예이다.

④ 사막에 사는 선인장은 가시 형태의 잎을 가진다.
➡ 적응의 예이다.

⑤ 적록 색맹인 어머니로부터 태어난 아들은 적록 색맹이다.
➡ 유전의 예이다.

04 이 실험은 화성 토양에 광합성을 하는 생물이 있는지를 알아보기 위한 실험이므로 생물의 특성 중 물질대사를 이용한 것이다.

05 사람의 체온이 크게 변화하지 않고 일정하게 유지되고 있다. 이는 외부 환경의 변화와 무관하게 내부를 일정하게 유지하는 항상성에 해당한다.

06 저분자 물질이 고분자 물질로 합성되면서 에너지를 흡수하는 것을 동화 작용이라고 하며, 동화 작용의 예로는 빛에너지를 흡수하여 이산화 탄소와 물로부터 포도당을 합성하는 광합성이 있다.

더 알아보기 **동화 작용과 이화 작용**

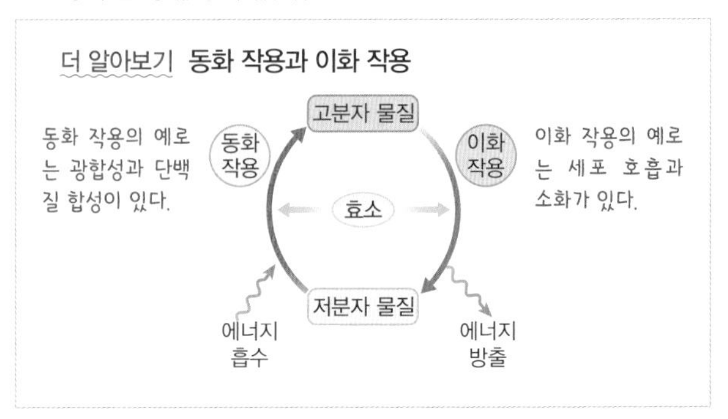

07 | 선택지 분석 |

① 세포막이 없다.
➡ 바이러스는 핵산과 단백질 껍질로 구성되어 있다.

② 핵산을 가지고 있다.
➡ 바이러스는 핵산과 단백질 껍질로 구성되어 있다.

③ 독립적으로 물질대사를 하지 못한다.
➡ 바이러스는 효소가 없으므로 독립적인 물질대사를 하지 못한다.

④ 증식 과정에서 돌연변이가 일어난다.
➡ 바이러스가 숙주 세포 내에서 증식할 경우에는 유전 현상이 나타나며 이때 돌연변이도 함께 나타난다.

⑤ 숙주 ~~안에서~~ 밖에서 단백질 결정체로 존재한다.
➡ 바이러스는 세포 밖에서 단백질 결정체로 존재하며 숙주 안에서는 생물체처럼 살아간다.

08 | 선택지 분석 |

ㄱ. 세포 구조를 가지지 않는다.
➡ 세포 구조를 가지지 않는 것은 비생물적 특성이다.

ㄴ. 유전 물질인 핵산이 존재한다.
➡ 핵산이 존재하는 것은 생물적 특성이며, 핵산에는 DNA와 RNA가 있다.

ㄷ. 숙주 세포 밖에서는 독립적으로 물질대사를 하지 못한다.
➡ 바이러스는 효소를 갖고 있지 않고 숙주 세포의 효소를 이용하여 숙주 세포 내에서만 물질대사가 일어난다.

09 | 선택지 분석 |

ㄱ. (가)는 세포막이 ~~있다~~ 없다.
➡ (가)는 바이러스이므로 세포막이 없다.

ㄴ. (나)는 이분법으로 생식을 한다.
➡ (나)는 원생생물이며 단세포이므로 이분법으로 생식을 한다.

ㄷ. (가)와 (나)는 모두 유전 물질이 있다.
➡ 박테리오파지(가)와 짚신벌레(나)는 모두 유전 물질을 가지고 있다.

10 바이러스는 유전 물질인 핵산이 단백질 껍질에 싸여 있는 단순한 구조이다.

11 조류 독감 바이러스가 사람에게 전염되는 것과 바이러스 치료제에 저항성을 가진 바이러스가 나타나는 것은 유전자 돌연변이에 의한 것이다.

12 군집과 상호 작용하는 환경도 함께 연구한다. 군집과 상호 작용하는 환경을 모두 포함하는 것을 생태계라고 한다.

13 전자 현미경은 생명 과학과 물리학이 통합된 것이다.

도전! 실력 올리기

016쪽~017쪽

01 ⑤ **02** ④ **03** ⑤ **04** ⑤ **05** ③ **06** ② **07** ②
08 물질대사

09 | **모범 답안** | 죽순의 생장은 세포 분열로 세포 수가 증가하지만, 석순은 외부로부터 물질이 첨가되어 물질의 양이 증가하면서 크기가 커지는 것이다. 따라서 죽순은 생물이며 석순은 생물이 아니다.

10 | **모범 답안** | 바이러스는 다른 생물체 내에서 증식하면서 생물의 특성을 나타내고 살아갈 수 있기 때문에 최초의 생물체는 아니다. 따라서 바이러스는 다른 생물체가 먼저 있어야 한다.

01 | 선택지 분석 |

ㄱ. '생식을 한다.'는 ㉠에 포함된다.
➡ 강아지는 생물이므로 생식을 한다.

ㄴ. '에너지로 움직인다.'는 ㉡에 포함된다.
➡ 강아지는 세포 호흡 결과 얻은 에너지를 이용해 움직이고, 강아지 로봇은 전지에서 제공받는 에너지를 이용하여 움직인다.

ㄷ. '생장하지 못한다.'는 ㉢에 포함된다.
➡ 강아지 로봇은 세포로 구성되지 않았기 때문에 생장하지 못한다.

02 | 선택지 분석 |

① ~~발생~~ 자극에 대한 반응 – 식물은 빛이 비치는 쪽으로 자란다.

② ~~생장~~ 생식 – 짚신벌레는 이분법으로 수를 늘린다.

③ ~~유전~~ 적응 – 북극토끼는 겨울에 털색이 흰색이다.

④ 항상성 – 더우면 땀을 흘려 체온을 유지한다.
➡ 땀을 흘려 체온을 일정하게 유지하는 것은 생물의 특성 중 항상성이다.

⑤ ~~생식~~ 유전 – 적록 색맹인 어머니에게서 적록 색맹인 아들이 태어난다.

03 가랑잎벌레의 형태가 나뭇잎과 유사한 점과 선인장의 잎이 가시로 변한 것은 환경에 적합하게 적응한 예이다.

04 미모사 잎의 변화는 자극에 대한 반응을 나타낸다.

| 선택지 분석 |

① 양파는 세포로 구성되어 있다.
➡ 세포로 구성되어 있음에 해당한다.

② 히드라는 출아법으로 생식을 한다.
➡ 생식에 해당한다.

③ 개구리는 수정란에서 올챙이를 거쳐 개구리가 된다.
➡ 발생에 해당한다.

④ 갈라파고스 군도 핀치의 부리 모양이 섬마다 다르다.
➡ 진화에 해당한다.

⑤ 밝은 곳에서 어두운 곳으로 들어가면 동공의 크기가 커진다.
➡ 자극에 대한 반응에 해당한다.

05 (가)는 물질대사, (나)는 자극에 대한 반응, (다)는 유전이다.

| 선택지 분석 |

ㄱ. (가)에는 효소가 필요하다.
➡ (가)는 물질대사로 물질대사가 일어나려면 반드시 효소가 필요하다.

✕ (나)의 예로 체온 유지가 있다.
➡ 체온 유지는 항상성에 해당하며, (나)는 자극에 대한 반응이다.

ㄷ. (다)는 어버이 형질이 자손에게 전달되는 것이다.
➡ 어버이 형질이 자손에게 전달되는 것을 유전이라고 한다.

06 (가)는 동화 작용인 광합성이고 (나)는 이화 작용인 세포 호흡이다.

| 선택지 분석 |

✕ (가)에서 ~~이화~~ 동화 작용이 일어난다.
➡ 광합성에서는 물과 이산화 탄소를 이용해 빛에너지를 흡수하여 동화 작용이 일어난다.

ㄴ. (나)에서 ATP가 합성된다.
➡ 세포 호흡에서는 포도당과 산소를 이용하여 ATP를 만든다.

✕ (나)는 ~~동물에서만~~ 동물과 식물 모두에서 일어난다.
➡ 세포 호흡은 동물과 식물 모두에서 일어난다.

07 | 선택지 분석 |

✕ A는 대장균 없이도 독립적으로 생활할 수 있다.
➡ 바이러스인 박테리오파지는 대장균 없이 독립적으로 생활할 수 없다.

ㄴ. A는 대장균의 효소를 사용하여 B를 만들었다.
➡ 박테리오파지는 대장균의 효소를 사용하여 새로운 박테리오파지를 만든다.

✕ 대장균은 A, B가 없으면 생존할 수 없다.
➡ 대장균은 단세포 생물로 A, B가 없어도 생존할 수 있다.

08 공기 중의 질소를 질소 화합물로 합성하는 것은 물질대사이며, 그중 동화 작용에 해당한다.

09 죽순은 세포로 이루어진 생물이며 석순은 물질의 양이 늘어나서 크기가 커지는 비생물이다.

채점 기준	배점
세포 분열과 물질의 양을 모두 언급하여 옳게 서술한 경우	100 %
세포 분열과 물질의 양 중 1가지만 언급하여 옳게 서술한 경우	50 %

10 바이러스는 숙주 세포 내에서는 물질대사를 하고 증식할 수 있지만 숙주 세포 밖에서는 단백질 결정체로 존재한다.

채점 기준	배점
최초의 생물체가 아님을 서술하고, 다른 생물체 내에서 생물의 특성을 나타내기 때문이라고 까닭을 서술한 경우	100 %
최초의 생물체가 아님을 서술했으나 까닭을 서술하지 못한 경우	50 %

02 생명 과학의 탐구 방법

개념 POOL 020쪽

01 실험 1: 동화 작용(광합성), 실험 2: 이화 작용(호흡)
02 연역적 탐구 방법

01 바이킹호의 화성 생물 탐사 실험은 화성에 생물체가 존재하는지 알아보기 위한 실험이다.

콕콕! 개념 확인하기 021쪽

✔ 잠깐 확인!

1 귀납적 **2** 연역적 **3** 가설 **4** 독립변인, 조작 변인, 통제 변인 **5** 실험군, 대조군

01 (가) 자연 현상 관찰 (나) 관찰 방법과 절차 고안 (다) 관찰 결과 해석 및 결론 도출
02 (1) 자연 현상 관찰 (2) 관찰 수행 (3) 관찰 결과 해석 및 결론 도출 (4) 관찰 주제 선정 (5) 관찰 방법과 절차 고안
03 (가) 가설 설정 (나) 결과 정리 및 분석 (다) 일반화
04 (1) – ㉠ (2) – ㉡ (3) – ㉡ (4) – ㉠ (5) – ㉠
05 (1) ○ (2) × (3) ○ (4) ○

01 귀납적 탐구 과정은 자연 현상 관찰 → 관찰 주제 선정 → 관찰 방법과 절차 고안 → 관찰 수행 → 관찰 결과 해석 및 결론 도출의 단계를 거친다.

03 연역적 탐구 과정은 관찰 및 문제 인식 → 가설 설정 → 탐구 설계 및 수행 → 결과 정리 및 분석 → 결론 도출 → 일반화의 과정을 거치며 결론 도출에서 가설이 잘못되었다고 판단된 경우 가설을 수정하여 다시 탐구 설계 및 수행 과정으로 되돌아간다.

탄탄! 내신 다지기 022쪽~023쪽

01 ⑤ **02** ③ **03** 귀납적 탐구 방법 **04** ⑤ **05** ④ **06** ② **07** ④ **08** ④ **09** 탐구 설계 **10** 대조군과 실험군의 비교

01 가설과 탐구 결과가 일치하지 않으면 실험 과정의 오류를 찾거나, 가설을 수정하여 새로운 탐구를 수행한다.

02 | 선택지 분석 |

✕ ㉠은 관찰 주제를 선정하는 과정이다.
➡ ㉠은 자연 현상을 관찰하는 단계이다.

✕ ㉡은 이 탐구의 결론이다.
➡ ㉡은 이 탐구의 다양한 상황에서 관찰한 결과이다.

ㄷ 카로 박사의 탐구는 귀납적 탐구 방법이다.
➡ 카로 박사의 탐구는 가설을 설정하지 않고 관찰 사실을 종합하여 결론을 내리는 것이므로 귀납적 탐구 방법에 해당한다.

03 세포가 발견된 이후, 다양한 동물과 식물을 관찰한 결과, 모든 동물과 식물은 세포로 구성되었다는 세포설을 주장하였다. 특히, 가설을 설정하지 않고 관찰 결과를 종합하여 결론을 도출하였으므로 귀납적 탐구에 해당한다.

04 문제에 대한 잠정적인 답을 가설이라고 하고, (가)는 가설 설정 단계이다. 연역적 탐구에서 탐구 설계 시 대조군과 실험군을 비교하는 실험을 설계해야 한다.

05 대조 실험은 실험군과 대조군을 비교하여 실험 결과의 타당성과 객관성을 확보하기 위해 실시한다.

06 의문에 대한 잠정적인 답은 가설이다. 실험의 타당성을 높이기 위해 실험군과 대조군을 비교한다. 가설을 검증하기 위해 의도적으로 변화시킨 변인을 조작 변인이라고 한다.

07 두 시험관 모두 온도를 37 ℃로 일정하게 유지하였으므로 온도가 통제 변인이다. 시험관 (가)에는 아밀레이스가 첨가되었고, (나)에는 아밀레이스가 첨가되지 않았으므로 조작 변인은 아밀레이스 첨가 여부이다.

08 (가) 실험 설계, (나) 가설 설정, (다) 실험 결과, (라) 문제 인식, (마) 결론 도출이다. 따라서 올바른 탐구 순서는 (라) → (나) → (가) → (다) → (마)이다.

09 플레밍의 페니실린 발견 실험 내용은 가설을 검증하기 위해 탐구를 설계한 것이다.

10 대조군과 실험군의 비교를 통해 조작 변인에 의한 종속변인인 결과를 객관적으로 확인할 수 있다.

도전! 실력 올리기

024쪽~025쪽

01 ② **02** ⑤ **03** ⑤ **04** ④ **05** ③ **06** ③

07 (가) 귀납적 탐구 방법 (나) 연역적 탐구 방법
08 ㉠ 대조군 ㉡ 실험군
09 | **모범 답안** | 대조군과 실험군을 설정하지 않았다. 세균 A를 접종한 생쥐는 실험군이다. 여기에 세균 A를 접종하지 않은 생쥐인 대조군을 추가해서 실험해야 한다. 그 까닭은 실험 결과의 타당성을 높이기 위해서이다.

01 | **선택지 분석** |

✕ (가)는 ~~연역적~~ 탐구이다. (귀납적)

ㄴ (나)에서 독립변인은 푸른곰팡이 접종 여부이다.
➡ (나)에서 두 배양 접시의 차이는 푸른곰팡이 접종 여부이므로 푸른곰팡이 접종 여부가 독립변인이다.

✕ (나)의 가설은 '~~세균이 푸른곰팡이~~ 증식을 억제한다.'이다. (푸른곰팡이가 세균의)
➡ (나) 실험 과정이 푸른곰팡이 여부에 따른 세균 증식 여부를 알아보는 것이므로 가설은 '푸른곰팡이가 세균의 증식을 억제한다.'이다.

02 ㉠은 가설 설정 단계, ㉡은 결론 도출에 해당한다.

| **선택지 분석** |

✕ ㉠은 ~~귀납적 탐구에서도~~ 나오는 단계이다. (연역적 탐구에서만)

ㄴ ㉠은 문제에 대한 잠정적인 답을 제시하는 단계이다.
➡ 가설은 문제에 대한 잠정적인 답이다.

ㄷ ㉠과 ㉡이 일치하지 않으면 ㉠ 단계로 되돌아간다.
➡ 가설과 결론 도출이 일치하지 않으면 새로운 가설을 설정한다.

03 | **선택지 분석** |

ㄱ ㉠은 건강, ㉢은 주사함이다.
➡ 두 집단에서 조작 변인인 탄저병 백신 주사 여부만 다르고, 양의 건강 상태나 탄저균 주사 여부는 동일하게 통제되어야 한다. 따라서 B 집단의 경우에는 탄저병 백신 주사 외에 나머지 조건은 A 집단과 동일해야 한다.

ㄴ ㉡은 주사하지 않음이다.
➡ 집단 A와 비교해서 집단 B가 다른 것이 탄저병 백신을 주사하지 않음에 해당한다.

ㄷ 이 실험 설계에서 실험군은 A 집단이다.
➡ 두 집단 중에서 탄저병 백신을 주사한 집단이 A이므로 실험군은 A이다.

04 (가) 결론 도출, (나) 결과 정리 및 분석, (다) 가설 설정, (라) 관찰 및 문제 인식, (마) 실험 설계 및 수행이다. 따라서 올바른 순서는 (라) → (다) → (마) → (나) → (가)이다.

05 | **선택지 분석** |

ㄱ 빛의 유무와 물 주는 횟수는 통제 변인이다.
➡ 빛의 유무와 물 주는 횟수는 세 집단 모두 동일하므로 통제 변인이다.

ㄴ 이 실험은 온도에 따른 콩의 발아 여부를 알아보려는 탐구이다.
➡ 실험에서 조작 변인은 온도이므로 이 실험은 온도에 따른 콩의 발아 여부를 알아보려는 것이다.

✕ 온도의 변화는 ~~종속~~변인이다. (독립(조작))

06 | 선택지 분석 |

ㄱ. A는 대조군이다.
➡ A는 실험군이고 B는 대조군이다.

ㄴ. 아메바의 배양 조건을 달리해야 한다.
➡ 핵을 제거하는 것 이외에 다른 조건은 모두 동일해야 한다. 따라서 아메바 배양 조건은 동일하게 유지해야 한다.

ㄷ. 핵의 유무가 아메바의 생존에 주는 영향을 조사하는 탐구이다.
➡ 핵의 유무에 따른 아메바의 생존 여부를 조사한 실험이다.

07 (가)는 관찰 결과를 축적하여 종합한 결과이므로 귀납적 탐구이고, (나)는 가설을 설정하고 그에 따라 실험군과 대조군을 설정하여 실험하였으므로 연역적 탐구이다.

08 입구를 막지 않은 것은 파리가 들어갈 수 있도록 한 것이고, 입구를 막은 것은 파리가 들어가지 못하게 한 것이다.

09 탐구 설계의 타당성을 높이기 위해서는 변인을 잘 선정하고, 그에 따라 실험군을 설정하여 대조군과 비교하는 실험을 설계해야 한다.

채점 기준	배점
대조군 설정과 그 까닭을 옳게 서술한 경우	100 %
대조군 설정과 그 까닭 중 1가지만 옳게 서술한 경우	50 %

실전! 수능 도전하기

027쪽~029쪽

01 ⑤ **02** ⑤ **03** ② **04** ③ **05** ② **06** ① **07** ③ **08** ③
09 ① **10** ③ **11** ⑤ **12** ③

01 자료에 나타난 생물의 특성은 진화이다.

| 선택지 분석 |

① 대장균은 분열하여 대장균 수가 늘어난다.
➡ 생물의 특성 중 생식에 해당한다.

② 옥수수는 광합성으로 유기 양분을 합성한다.
➡ 생물의 특성 중 물질대사에 해당한다.

③ 파리지옥은 잎에 작은 곤충이 닿으면 잎을 닫는다.
➡ 생물의 특성 중 자극에 대한 반응에 해당한다.

④ 개구리 수정란은 세포 분열과 분화를 통해 올챙이가 된다.
➡ 생물의 특성 중 발생과 생장에 해당한다.

⑤ 갈라파고스 군도의 각 섬에는 부리 모양이 다른 핀치들이 산다.
➡ 생물의 특성 중 진화에 해당한다.

02 (가)는 수정란인 알이 애벌레와 번데기를 거쳐 성체 초파리로 되는 것이므로 발생과 생장에 해당한다. (나)는 어버이 초파리의 짝짓기 결과 태어난 자손이 어버이의 유전 형질을 물려받은 것이므로 생식과 유전에 해당한다.

03 | 선택지 분석 |

등산 후에 땀이 난 후 물을 마시는 것은 체내 삼투압을 일정하게 유지하려는 것이다. 이러한 현상은 환경 변화에 대해 체내의 상태를 일정하게 유지하려는 항상성이다.

① 짚신벌레는 이분법으로 번식한다.
➡ 생물의 특성 중 생식에 해당한다.

② 식사 후에는 혈액의 인슐린 농도가 증가한다.
➡ 인슐린 농도의 증가는 높아진 혈당을 낮추어 혈당량을 일정하게 하려는 것으로 생물의 특성 중 항상성에 해당한다.

③ 아밀레이스에 의해 녹말이 엿당으로 분해된다.
➡ 생물의 특성 중 물질대사에 해당한다.

④ 수정란이 세포 분열을 거쳐 완전한 개체가 된다.
➡ 생물의 특성 중 발생과 생장에 해당한다.

⑤ 북극여우는 사막여우보다 몸집이 크고, 몸집에 비해 말단부는 작다.
➡ 생물의 특성 중 적응에 해당한다.

04 독립적으로 물질대사를 하려면 자체 효소를 가지고 있어야 하는데, 짚신벌레는 효소를 가지고 있지만 바이러스는 효소가 없어 숙주 세포 밖에서는 물질대사가 불가능하다. 따라서 '독립적으로 물질대사를 한다.'는 ㉢이 아니라 ㉠에 해당된다.

05 (가)에서 가열 장치는 토양에 있는 유기물을 연소시키기 위한 것이다. (나)는 토양에 호흡하는 생물이 있는지 알아보려는 실험이므로 이화 작용을 알아보려는 실험이다. 이 실험은 '생물체는 물질대사를 한다.'는 가정에서 실시하는 것이다.

06 (가)는 동화 작용, (나)는 이화 작용이다.

| 선택지 분석 |

ㄱ. 두 반응 모두 효소가 필요하다.
➡ 물질대사에는 반드시 효소가 필요하다.

ㄴ. (가)는 발열 반응, (나)는 흡열 반응이다.
(가)는 흡열 반응, (나)는 발열 반응이다.

ㄷ. (가)는 식물에서만, (나)는 동물에서만 일어나는 작용이다.
(가)와 (나)는 식물과 동물 모두에서 일어나는 작용이다.

07 (가)는 짚신벌레, (나)는 바이러스, (다)는 석순이다.

| 선택지 분석 |

ㄱ. (가)는 세포 구조를 가지고 있다.
➡ 짚신벌레는 세포 구조를 가지고 있다.

ㄴ. (나)는 증식 과정에서 돌연변이가 나타난다.
➡ 바이러스는 생물체 내에서 증식할 때 돌연변이가 나타난다.

ㄷ. (다)는 발생과 생장이 가능하다. → 불가능하다.
➡ 석순은 생물이 아니므로 발생과 생장이 불가능하다.

08 (가)는 결핵균이므로 세포 구조를 가지고 있으며, (나)는 바이러스이므로 독립적인 물질대사가 불가능하다.

세포는 단백질이 포함되어 있으며, 바이러스도 핵산과 단백질로 구성되어 있으므로 (가)와 (나) 모두 단백질을 가지고 있다.

09 (가)는 귀납적 탐구 방법이고, (나)는 연역적 탐구 방법이다.

| **선택지 분석** |

ㄱ. A는 ~~일반적인 원리나 법칙을 이끌어 내는~~ (인식한 문제에 대한 잠정적인 답을 설정하는) 단계이다.
➡ A는 가설 설정 단계이다. 이 단계는 인식한 문제에 대한 잠정적인 답을 설정하는 단계이다.

ㄴ. (가)는 귀납적, (나)는 연역적 탐구 방법이다.
➡ (가)는 귀납적 탐구 방법이고, (나)는 연역적 탐구 방법이다.

ㄷ. (가)의 관찰 수행은 감각 기관으로만 해야 한다.
➡ 관찰 수행은 감각 기관뿐 아니라 현미경이나 망원경 같은 보조 기구를 활용한다.

10 | **선택지 분석** |

ㄱ. (가)는 가설 설정 단계이다.
➡ 물질 A에 대한 잠정적인 결론이므로 가설 설정 단계이다.

ㄴ. (나)에서는 대조 실험이 이루어지지 않은 상태이다.
➡ (나)는 실험군에 대한 설명만 있을 뿐 대조군에 대한 언급이 없다. 따라서 대조 실험은 이루어지지 않았다.

ㄷ. (다)에서 '잎의 해충 피해 정도'는 ~~독립~~(종속)변인이다.
➡ 잎의 해충 피해 정도는 물질 A에 의한 결과이므로 종속변인에 해당한다.

11 | **선택지 분석** |

학생 A: 자연 현상은 시각, 청각 등의 감각 기관으로 관찰하고, 이때 자, 저울 같은 기구를 ~~사용해서는 안돼~~ (사용해도 돼)
➡ 관찰은 감각 기관뿐 아니라 현미경, 망원경 등과 같은 보조 기구를 활용한다.

학생 B: 실험에서 의도적으로 변화시키는 독립변인을 조작 변인이라고 해.
➡ 가설 검증을 위해 실험에서 의도적으로 변화시키는 독립변인을 조작 변인이라고 한다.

학생 C: 인식된 문제에 대해 잠정적인 결론을 제시하는 과정이 포함되어야 해.
➡ 잠정적인 결론을 제시하는 것은 가설 설정 단계인데, 연역적 탐구 과정에는 꼭 필요한 단계이다.

12 | **선택지 분석** |

ㄱ. 이 실험은 연역적 탐구에 해당한다.
➡ 가설을 설정하고 검증하는 과정이 있으므로 연역적 탐구에 해당한다.

ㄴ. (가)는 가설을 설정하는 단계이다.
➡ (가)는 생물 발생 여부에 대한 잠정적인 결론이므로 가설 설정 단계이다.

ㄷ. (나)에서 구더기의 생성 여부는 ~~조작~~(종속) 변인이다.
➡ 독립변인은 입구를 천으로 막았는지 여부이고 종속변인은 구더기 발생 여부이므로 구더기 생성 여부는 실험 결과에 해당한다.

한번에 끝내는 대단원 문제 032쪽~035쪽

01 ④ 02 ⑤ 03 ④ 04 ② 05 ④ 06 ③ 07 ④ 08 ④ 09 ③ 10 ① 11 ③ 12 ④ 13 ⑤

14 | **모범 답안** | 항생제를 투여하면, 대부분의 세균은 죽지만 항생제에 대해 내성을 가지고 있는 세균은 살아남게 된다. 이는 항생제라는 환경에 대해 적응하고 살아남는 것이므로 적응 또는 진화에 해당된다.

15 | **모범 답안** | 생명 과학을 탐구하는 2가지 탐구 방법은 귀납적 탐구 방법과 연역적 탐구 방법이다. 2가지 방법을 구분하는 차이는 가설 설정 여부이다. 연역적 탐구는 가설을 설정하고 이를 검증하는 탐구이며, 귀납적 탐구는 가설 없이 관찰 결과만을 가지고 결론을 도출하는 것이다.

16 (1) (다) → (라) → (나) → (가) (2) 실험군: 물질 A가 있는 용액, 대조군: 물질 A가 없는 용액, 서로 달리 해야 할 변인(조작 변인): 물질 A의 유무, 동일하게 유지해야 할 변인(통제 변인): 온도, 배지의 종류

17 | **모범 답안** | 물리학은 전자 현미경을 만들 수 있게 하여 세포의 구조를 밝히는 데 큰 공헌을 했고, 화학은 효소, 호르몬, 비타민 등 생체 구성 물질의 기능을 밝히는 데 도움을 주었다.

18 | **모범 답안** | 개미를 제거하지 않은 집단 B에서보다 개미를 제거한 집단 A에서 아까시나무의 생존율이 낮고 생장량이 적었다. 이를 통해 개미는 아까시나무의 생존과 생장에 도움을 준다는 것을 알 수 있다.

01 | **선택지 분석** |

① 세포로 구성되어 있다.
➡ 생물은 세포로 구성되어 있다.

② 생식세포를 형성한다.
➡ 생물의 특성인 생식을 위해 생식세포를 형성한다.

③ 자극에 대한 반응을 보인다.
➡ 생물은 외부 자극에 대한 반응을 보인다.

④ 외부 변화에 따라 내부도 변화한다.
➡ 생물은 외부 환경이 변화해도 내부는 일정하게 유지하는 항상성이 나타난다.

⑤ 부모의 형질이 자손에게 전달되어 나타난다.
➡ 생물의 특성인 유전 현상이다.

02 | **선택지 분석** |

ㄱ. ㉠은 자극에 대한 반응을 나타낸다.
➡ 곤충의 자극에 대해 잎이 반응한 것이다.

ㄴ. ㉡은 식물이 광합성을 하는 것과 동일한 생물의 특성의 예에 해당한다.
➡ 소화액이 곤충을 소화시키는 것은 물질대사에 속한다. 광합성도 물질대사에 해당한다.

ㄷ. 파리지옥은 세포로 구성되어 있다.
➡ 파리지옥은 식물이므로 세포로 구성되어 있다.

03 사막여우와 북극여우는 사는 지역에 적응한 모습을 보여 주고 있다.

| 선택지 분석 |

① 히드라는 출아법으로 증식한다.

➡ 히드라가 증식하는 것이므로 생식을 나타낸다.

② 입에서 녹말이 소화되어 엿당이 된다.

➡ 녹말이 소화되어 엿당이 되는 과정은 물질대사를 나타낸다.

③ 어두운 곳에서 고양이 동공이 확장된다.

➡ 어두워진 것으로 인해 고양이 동공이 확장되므로 자극에 대한 반응을 나타낸다.

④ 북극토끼의 털색은 겨울에 흰색으로 변한다.

➡ 북극토끼의 겨울 털색의 변화는 환경에 따른 적응을 나타낸다.

⑤ 올챙이는 꼬리가 없어지고 다리가 생겨 어린 개구리가 된다.

➡ 올챙이 꼬리가 없어지고 다리가 생기는 것은 발생을 나타낸다.

04 A는 바이러스이고, B는 짚신벌레이다.

| 선택지 분석 |

ㄱ. '세포로 구성되어 있다.'는 ㉠에 해당한다.

➡ ㉠은 바이러스만 나타내는 특성이므로 '세포로 구성되어 있다.'는 해당하지 않는다.

ㄴ. '유전 물질을 갖는다.'는 ㉡에 해당한다.

➡ ㉡은 바이러스와 짚신벌레의 공통점에 해당하는 것으로 '유전 물질을 가지고 있다.'는 ㉡에 해당한다.

ㄷ. '세균 여과기를 빠져나온다.'는 ㉢에 해당한다.

➡ ㉢은 세균에만 해당하는 특징이며 짚신벌레는 세균의 일종이 아니므로 세균 여과기를 빠져나오지 못하고 걸러진다. 바이러스는 세균 여과기를 빠져나온다.

05 | 선택지 분석 |

ㄱ. 생물체는 물질대사를 한다는 것을 전제로 실시한 실험이다.

➡ 이 실험은 화성의 생물체가 물질대사(호흡)를 한다는 전제로 실험을 실시한 것이다.

ㄴ. 방사능 계측기는 O_2 발생을 알아보기 위한 것이다.

ㄷ. 호흡을 통해 ^{14}C로 표지된 영양소를 분해하여 에너지를 얻는 생물체가 있는지를 알아보는 실험이다.

➡ 방사능 계측기는 생물이 있다면 ^{14}C로 표지된 영양소를 이용하고 그 결과 $^{14}CO_2$가 생성되는 경우에 이를 확인하기 위해 사용하는 것이다.

06 | 선택지 분석 |

ㄱ. (가)는 종족 유지 현상이다.

➡ 생식, 유전, 적응과 진화는 종족을 유지하기 위한 것이다.

ㄴ. (다)는 '세포로 구성'에 해당된다.

➡ '세포로 구성'은 개체 유지 특성에 해당되며 따라서 (나)가 '세포로 구성'에 해당된다. (다)는 종족 유지의 특징인 유전에 해당된다.

ㄷ. ㉠의 예로는 소화가 있다.

➡ ㉠은 이화 작용이다. 소화는 영양소를 흡수하기 위해 고분자 물질을 저분자 물질로 분해시키는 것이며 따라서 소화는 이화 작용에 해당된다.

07 거미가 진동을 감지하여 먹이를 향해 다가가는 것은 자극에 대한 반응에 해당한다. 장구벌레가 자라서 모기가 되는 것은 발생에 해당된다.

08 | 선택지 분석 |

ㄱ. 호기성 세균은 이산화 탄소가 많은 곳에 모여든다.

➡ 호기성 세균은 산소가 많은 곳에 모여든다.

ㄴ. 엽록체에서 광합성이 일어난 것은 물질대사에 해당한다.

➡ 광합성은 이산화 탄소와 물로부터 포도당을 합성하는 물질대사이다.

ㄷ. 호기성 세균이 엽록체 부위로 모여든 것은 자극에 대한 반응에 해당한다.

➡ 호기성 세균이 엽록체 부위로 모여드는 것은 엽록체에서 광합성을 하고 그 결과 산소가 발생하기 때문에 모여드는 것이다. 즉, 산소 발생이라는 자극에 대한 반응에 해당한다.

09 | 선택지 분석 |

ㄱ. (가)는 세포로 구성되어 있다.

➡ (가)는 대장균으로 생물체이고 따라서 세포로 구성되어 있다.

ㄴ. (나)는 독립적으로 물질대사를 한다.

➡ (나)는 바이러스이므로 독립적으로 물질대사를 할 수 없다.

ㄷ. (가)와 (나)는 모두 유전 물질을 가지고 있다.

➡ 대장균과 바이러스는 유전 물질을 가지고 있으므로 (가)와 (나) 모두 유전 물질을 가지고 있다.

10 | 선택지 분석 |

ㄱ. (가)는 잠정적인 답을 설정하는 단계이다.

➡ (가)는 가설 설정 단계로 잠정적인 답을 설정하는 단계이다.

ㄴ. ㉠은 가설과 결론이 일치하는 경우에 수행한다.

➡ ㉠은 가설과 결론이 일치하지 않는 경우에 새로운 가설을 설정하는 단계이다

ㄷ. 이 탐구 방법은 귀납적 탐구 방법이다.

➡ 가설을 설정하고 그 가설을 검증하는 탐구 방법이므로 이 탐구 방법은 연역적 탐구 방법이다.

11 | 선택지 분석 |

ㄱ. 이 실험의 조작 변인은 푸른곰팡이의 유무이다.

➡ 이 탐구 과정에서 푸른곰팡이의 유무로 실험을 진행하므로, 이 실험의 조작 변인은 푸른곰팡이의 유무이다.

ㄴ. (나) 단계는 문제 인식 단계이다.

➡ (나) 단계에서는 '푸른곰팡이는 세균의 증식을 억제하는 물질을 만들 것이다.'라는 가설 설정 단계가 포함되어야 한다.

ㄷ (다)에서는 대조군과 실험군이 모두 설정되었다.
➡ (다)에서는 푸른곰팡이를 접종한 배양 접시(실험군)와 푸른곰팡이를 접종하지 않은 배양 접시(대조군)가 함께 설정되어 있다.

12 | 선택지 분석 |

① (가)는 귀납적 탐구 방법이다.
➡ 다윈의 진화론은 귀납적 탐구 방법이다.

② (나)는 연역적 탐구 방법이다.
➡ 파스퇴르의 탄저병 백신 효과에 대한 실험은 연역적 탐구 방법이다.

③ (나)에서는 실험군과 대조군을 설정하여 가설을 검증하였다.
➡ (나)는 대조 실험을 통해 가설을 검증하였으므로, 실험군과 대조군을 설정하여 실험을 한 것이다.

④ (다)에서는 '모든 생물은 세포로 이루어졌을 것이다.'~~라는 가설을 검증하였다.~~
라는 결론을 내렸다.
➡ (다)는 가설을 검증한 것이 아니고 여러 과학자들의 관찰 결과를 종합하여 결론을 내린 귀납적 탐구 방법이다.

⑤ (다)는 (가)와 같은 탐구 방법을 사용하였다.
➡ 세포설에 대한 연구는 다윈의 진화론과 같이 귀납적 탐구 방법을 사용한 것이다.

13 ㉠은 연역적 탐구만의 특징, ㉡은 연역적 탐구와 귀납적 탐구의 공통점, ㉢은 귀납적 탐구만의 특징을 나타낸다.

| 선택지 분석 |

ㄱ '대조 실험'은 ㉠에 해당한다.
➡ 대조 실험은 연역적 탐구 과정에서 가설을 검증하기 위해 실시하는 것이다.

ㄴ '결론 도출'은 ㉡에 해당한다.
➡ 결론 도출은 귀납적 탐구와 연역적 탐구 모두에서 나타나는 단계이다.

ㄷ B 특징을 갖는 사례로 세포설이 있다.
➡ 귀납적 탐구의 사례로는 다윈의 진화설, 세포설, DNA 구조 발견 등이 있다.

14 항생제에 내성이 생긴 내성 세균이 항생제라는 환경에 대해 적응하고 살아남는 것이므로 적응 또는 진화에 해당된다.

채점 기준	배점
항생제 내성 세균이 살아남는 원인과 생물의 특성을 모두 서술한 경우	100 %
생물의 특성만을 서술한 경우	50 %

15 연역적 탐구는 가설 설정 단계가 있어 가설을 설정하고 이를 검증하는 탐구이며, 귀납적 탐구는 가설 없이 관찰 결과만을 가지고 결론을 도출하는 것이다.

채점 기준	배점
2가지 탐구 방법과 그 차이를 옳게 서술한 경우	100 %
2가지 탐구 방법과 그 차이 중 1가지만 옳게 서술한 경우	50 %

16 (1) (다) 가설 설정 → (라) 실험 설계 및 수행 → (나) 실험 결과 → (가) 결론 도출

(2) 물질 A가 세균을 죽일 것이라고 가정하였으므로 물질 A가 있는 용액이 실험군, 물질 A가 없는 용액이 대조군이 된다. 서로 달리해야 할 변인(조작 변인)은 물질 A의 유무이고, 동일하게 유지해야 할 변인(통제 변인)은 온도와 배지의 종류이다.

17 물리학의 추가적인 사례로는 DNA의 X선 회절 사진으로 DNA의 구조를 밝히는 데 도움을 준 사례가 있으며, 화학의 추가적인 사례로는 항생제의 발견과 개발에 도움을 준 사례가 있다.

채점 기준	배점
물리학과 화학의 사례를 모두 옳게 서술한 경우	100 %
2가지 분야 중 1가지 분야만 옳게 서술한 경우	50 %

18 아까시나무와 개미의 상호 작용을 알아보기 위한 과학자의 탐구는 연역적 탐구 방법이다. 개미를 제거하지 않은 집단 B에서보다 개미를 제거한 집단 A에서 아까시나무의 생존율이 낮고 생장량이 적었다. 이를 통해 개미는 아까시나무의 생존과 생장에 도움을 준다는 것을 알 수 있다.

채점 기준	배점
실험군과 대조군을 비교하여 탐구의 타당한 결론을 내린 경우	100 %
실험군과 대조군의 비교 없이 탐구의 결론을 내린 경우	50 %

1 »» 사람의 물질대사

01 ~ 생명 활동과 에너지

탐구 POOL 042쪽

01 대조군 02 C>B>A>D

01 음료수를 넣은 발효관에서 발생하는 기체가 효모에 의해 당이 분해된 것인지 확인하기 위한 대조군이다.

02 이산화 탄소 발생량에 따라 포함된 당의 양을 비교할 수 있다.

콕콕! 개념 확인하기 043쪽

✓ 잠깐 확인!

1 물질대사 2 이화 작용 3 세포 호흡 4 ATP 5 융털 6 폐포 7 순환계

01 ㉠ 고분자 물질 ㉡ 에너지 흡수 ㉢ 저분자 물질 ㉣ 에너지 방출 02 (1) ○ (2) ○ (3) ○ 03 생장, 근육 운동, 체온 유지, 정신 활동, 발성 등 04 (1) ○ (2) ○ (3) ○ (4) × (5) ×

01 동화 작용은 저분자 물질이 에너지를 흡수하여 고분자 물질로 합성되는 과정이며, 이화 작용은 고분자 물질이 에너지를 방출하면서 저분자 물질로 분해되는 과정이다.

02 세포 호흡은 미토콘드리아를 중심으로 일어나며, 영양소를 분해하여 생명 활동에 필요한 에너지를 ATP에 저장한다.

04 수용성 영양소는 소장 융털의 모세 혈관에서 흡수되며, 지용성 영양소는 소장 융털의 암죽관으로 흡수된다. 폐포와 모세 혈관 사이에서 기체는 확산에 의해 이동한다. 조직 세포의 모세 혈관은 세포에 산소를 공급해 주며, 순환계에서 영양소는 혈장에 의해, 산소는 적혈구에 의해 운반된다.

탄탄! 내신 다지기 044쪽~045쪽

01 ④ 02 ② 03 ⑤ 04 ① 05 ④ 06 ④ 07 ⑤ 08 이산화 탄소 09 ⑤ 10 ② 11 포도당, 아미노산: A 지방산, 모노글리세리드: B

1 | 선택지 분석 |

㉠ 효소가 관여한다.
➡ 물질대사에는 효소가 관여한다.

㉡ 에너지 출입이 함께 일어난다.
➡ 물질대사에는 반드시 에너지가 들어가거나 나온다.

~~㉢~~ 반응이 한 번에 빠르게 일어난다.
➡ 물질대사는 반응이 단계적으로 일어난다.

02 | 선택지 분석 |

㉠ (가)는 이화 작용이다.
➡ (가)는 고분자 물질을 저분자 물질로 분해하는 이화 작용이다.

㉡ (가)는 발열 반응, (나)는 흡열 반응이다.
➡ 이화 작용인 (가)는 발열 반응이고, 동화 작용인 (나)는 흡열 반응이다.

~~㉢~~ ~~(나)~~(가)의 예로 세포 호흡이 있다.
➡ 세포 호흡은 포도당을 물과 이산화 탄소로 분해하는 이화 작용이므로 (가)의 예이다.

03 | 선택지 분석 |

① 이 반응은 ~~동화 작용~~(이화 작용)이다.
➡ 에너지 크기가 반응물이 생성물보다 크므로 발열 반응에 해당하고 이화 작용을 나타낸다.

② 효소가 ~~없어도~~(있어야) 일어나는 반응이다.
➡ 물질대사이므로 효소가 있어야 일어난다.

③ 생물체의 구성 물질을 ~~합성할~~(분해할) 때 나타난다.
➡ 생물체의 구성 물질을 분해할 때 나타나는 반응이다.

④ 분자량은 생성 물질이 반응 물질보다 ~~크다~~(작다).
➡ 이화 작용은 생성물의 분자량이 반응물보다 작다.

⑤ 녹말이 소화되는 과정에서 이와 같은 반응이 동일하게 나타난다.
➡ 녹말이 분해되는 반응은 이화 작용이며 에너지 출입이 그림과 같이 나타난다.

04 | 선택지 분석 |

㉠ (가)는 동화 작용이다.
➡ (가)는 단백질이 합성되는 동화 작용이다.

~~㉡~~ (나)는 효소 ~~없이 일어난다~~(가 있어야 한다).
➡ (나)는 세포에서 일어나므로 효소가 있어야 한다.

~~㉢~~ ~~두 반응 모두~~(가)에서 에너지가 흡수된다.
➡ (가)는 동화 작용이므로 에너지가 흡수되고, (나)는 이화 작용이므로 에너지가 방출된다.

05 | 선택지 분석 |

① A는 미토콘드리아이다.
➡ 포도당이 산소와 결합해 이산화 탄소와 물로 분해되는 세포 호흡은 미토콘드리아를 중심으로 일어난다.

② B는 ATP이다.
➡ 미토콘드리아에서 세포 호흡으로 만들어 내는 에너지 형태는 ATP이다.

③ B는 생명 활동에 이용된다.
➡ ATP는 다양한 생명 활동에 이용된다.

✓ 세포 호흡에서 방출된 ~~에너지는 모두~~ B로 간다.
에너지 중 일부는

➡ 세포 호흡으로 방출된 에너지 중 일부가 ATP를 만드는 데(B) 이용되고 나머지는 열에너지로 방출된다.

⑤ 포도당이 산소와 결합하여 이산화 탄소와 물로 분해된다.

➡ 세포 호흡에서는 포도당이 산소와 결합하여 이산화 탄소와 물로 분해된다.

06 | **선택지 분석** |

① 아데노신에 인산이 3개 결합된 것이다.

➡ ATP는 아데노신(아데닌+리보스)에 인산이 3개 결합된 것이다.

② 생명 활동에 필요한 에너지를 직접 공급한다.

➡ ATP는 생명 활동에 필요한 에너지를 공급하는 역할을 한다.

③ ADP에 인산이 하나 결합되면 ATP가 된다.

➡ $ADP + P_i \rightarrow ATP$

✓ 인산기 사이의 결합은 ~~저에너지~~ 인산 결합이다.
고에너지

➡ ATP에서 인산기와 인산기 사이의 결합은 고에너지 인산 결합이다.

⑤ 세포 호흡에서 나오는 에너지를 저장하는 물질이다.

➡ 세포 호흡에서 나오는 에너지의 일부가 ATP에 저장된다.

07 (가)는 ADP가 ATP로 합성되는 반응이고, (나)는 ATP가 ADP로 분해되는 반응이다.

| **선택지 분석** |

✗ (가)는 ~~발열~~ 반응이다.
흡열

➡ (가)는 ATP가 합성되는 반응이므로 에너지가 흡수되는 흡열 반응이다.

ⓛ A가 B보다 저장된 에너지양이 더 많다.

➡ A는 ATP이고 B는 ADP이다. 따라서 저장 에너지양은 A가 B보다 더 많다.

ⓒ 생명 활동에 에너지를 공급할 때는 (나)가 일어난다.

➡ ATP가 ADP로 분해되면서 나오는 에너지가 생명 활동에 공급된다.

08 효모가 포도당을 이용하여 발효를 하는 과정에서 이산화 탄소가 방출되기 때문에 맹관부(가)에 모인 기체는 이산화 탄소이다.

09 | **선택지 분석** |

ⓖ 산소는 폐포에서 모세 혈관으로 이동한다.

➡ 폐동맥의 산소 분압은 40 mmHg이고 폐포는 100 mmHg이므로, 산소는 폐포에서 모세 혈관으로 확산된다.

ⓛ 이산화 탄소는 모세 혈관에서 폐포로 이동한다.

➡ 폐동맥의 이산화 탄소 분압은 50 mmHg, 폐포는 40 mmHg이므로 이산화 탄소는 모세 혈관에서 폐포로 확산된다.

ⓒ 산소와 이산화 탄소는 확산에 의해 이동한다.

➡ 모세 혈관과 폐포 사이에서 산소와 이산화 탄소는 확산에 의해 이동한다.

10 | **선택지 분석** |

① 폐와 기관지는 (가)에 포함된다.

➡ (가)는 산소를 흡수하는 기관계인 호흡계이다. 호흡계에는 폐와 기관지가 포함된다.

✓ (가)에서 산소를 흡수할 때 에너지를 ~~사용한다.~~
사용하지 않는다

➡ 호흡계에서 산소를 흡수할 때는 확산에 의해 이루어지므로 에너지를 사용하지 않는다.

③ (나)는 산소와 노폐물을 운반한다.

➡ (나)는 영양 물질과 산소를 조직 세포로 운반하는 순환계이다. 순환계는 노폐물도 배설계로 운반한다.

④ 세포 호흡은 조직 세포에서 일어난다.

➡ 세포 호흡은 조직 세포의 미토콘드리아를 중심으로 일어난다.

⑤ ㉠이 분해되면 소장 융털에서 흡수된다.

➡ 소화계에서 분해된 물질은 소장 융털의 모세 혈관과 암죽관에서 흡수된다.

11 A는 모세 혈관으로 수용성 영양소인 포도당, 아미노산이 흡수된다. B는 암죽관으로 지용성 영양소인 지방산, 모노글리세리드가 흡수된다.

도전! 실력 올리기

046쪽~047쪽

01 ④ **02** ⑤ **03** ⑤ **04** ④ **05** ⑤ **06** ②

07 | **모범 답안** | 생명 활동에 필요한 에너지는 ATP에서 공급받는다. ATP는 세포 호흡을 통해 만들어지며, 세포 호흡에 필요한 영양소는 음식물에서 얻는다. 따라서 생명 활동이 일어나려면 반드시 에너지 공급원인 음식물을 섭취해야 한다.

08 | **모범 답안** | 발효관 A이다. 발효관 A에는 효모와 효모가 발효에 사용할 수 있는 포도당이 존재하므로 기체가 발생한다.

01 | **선택지 분석** |

✗ B는 ~~동화~~ 작용이다.
이화

➡ B는 고분자 물질을 저분자 물질로 분해하므로 이화 작용이다.

ⓛ B의 예로 세포 호흡이 있다.

➡ 세포 호흡은 이화 작용이므로 B의 예이다.

ⓒ (나)는 (가)의 A에 해당한다.

➡ (나)는 동화 작용에서 나타나는 에너지 변화이므로 (가)의 A에 해당한다.

02 ㉠은 포도당이고, ㉡은 ATP이다.

| **선택지 분석** |

ⓖ ㉠은 소화계에서 소화, 흡수된 영양소이다.

➡ 포도당은 탄수화물이 소화계에서 분해되어 흡수된 것으로, 세포 호흡에 이용된다.

ⓛ ㉠이 분해될 때 나온 에너지 중 일부는 체온 유지에 이용된다.

➡ 포도당이 분해되어 나온 에너지 중 일부는 ATP 합성에 쓰이고, 나머지는 열에너지로 방출되어 체온 유지에 이용된다.

ⓒ ㉡은 생물체 내에서 에너지를 전달한다.

➡ ATP는 생물체 내에서 에너지를 전달하는 물질이다.

03 ㉠은 포도당, ㉡은 아미노산, ㉢은 모노글리세리드, 지방산이다. A는 간, B는 위, C는 이자, D는 소장이다.

| 선택지 분석 |

✕ 녹말은 ~~A~~(D)에서 ㉠으로 분해된다.
➡ 녹말이 최종적으로 포도당으로 분해되는 곳은 소장이다.

㉡ 단백질은 B에서 분해되기 시작한다.
➡ 단백질은 위에서 분해되기 시작한다.

㉢ ㉢은 D에서 융털로 흡수된다.
➡ 모노글리세리드와 지방산은 융털의 암죽관으로 흡수된다.

04 | 선택지 분석 |

㉠ (가)는 외호흡, (나)는 내호흡을 나타낸다.
➡ (가)는 폐포에서 일어나므로 외호흡, (나)는 조직 세포에서 일어나므로 내호흡이다.

㉡ A는 이산화 탄소, B는 산소를 나타낸다.
➡ A는 조직 세포에서 모세 혈관으로, 모세 혈관에서 폐포로 이동하므로 이산화 탄소이고, B는 폐포에서 모세 혈관으로, 모세 혈관에서 조직 세포로 이동하므로 산소이다.

✕ B는 주로 혈액의 ~~백혈구~~(적혈구)에 의해 운반된다.
➡ 산소는 주로 적혈구에 의해 운반된다.

05 ㉠은 호흡계이고, ㉡은 소화계이다. ⓐ는 호흡계에서 조직 세포로 이동하는 것이므로 산소이고, ⓑ는 세포 호흡 결과 나오는 이산화 탄소이다.

| 선택지 분석 |

㉠ ㉡은 소화계이다.
➡ ㉡은 포도당을 제공해 주는 기관계이므로 소화계이다.

㉡ 포도당을 분해한 결과 ⓑ가 나온다.
➡ 포도당이 산소와 결합하여 미토콘드리아에서 물과 이산화 탄소로 분해되면서 에너지(열과 ATP)가 생성된다.

㉢ ⓑ는 ㉠을 통해 몸 밖으로 나간다.
➡ 이산화 탄소는 폐를 통해 몸 밖으로 나간다.

06 | 선택지 분석 |

✕ 혈관에 있는 산소의 양은 ~~A가 B보다 많다.~~(B가 A보다 많다.)
➡ A는 폐동맥으로 산소가 적고, B는 폐정맥으로 산소가 풍부하다.

㉡ 혈관에 있는 포도당의 양은 C가 D보다 많다.
➡ C는 소장에서 흡수된 포도당이 간으로 이동하는 혈관이므로 포도당의 양이 많고, D는 간에서 나오는 혈관으로 간에서 포도당이 저장되기 때문에 포도당의 양이 적다.

✕ 지용성 영양소는 C를 ~~거쳐 심장으로 간다.~~(거치지 않는다)
➡ 지용성 영양소는 소장 융털의 암죽관으로 흡수되어 림프관을 통해 심장으로 이동하므로 C를 거치지 않는다.

07 세포 호흡에서 포도당은 산소와 반응하여 물과 이산화 탄소로 분해되며 그 과정에서 포도당에 저장되었던 에너지가 방출된다. 세포 호흡에서 방출된 에너지의 일부는 ATP에 저장되고 나머지는 열로 방출된다.

채점 기준	배점
생명 활동을 위해 음식물을 섭취해야 하는 까닭을 세포 호흡, ATP와 관련지어 옳게 서술한 경우	100 %
음식물을 섭취해야 하는 까닭을 1가지만 관련지어 옳게 서술한 경우	50 %

08 빵이나 술을 만들 때 사용하는 효모는 당을 분해하여 에너지를 얻는데, 이 과정에서 이산화 탄소가 발생한다.

채점 기준	배점
기체가 가장 많이 모이는 발효관으로 발효관 A를 쓰고, 그 까닭을 서술한 경우	100 %
기체가 가장 많이 모이는 발효관으로 발효관 A만 서술한 경우	50 %

02 노폐물의 배설과 기관계의 통합적 작용

개념 POOL 050쪽

01 (가) 소화계 (나) 순환계 (다) 호흡계 (라) 배설계
02 (1) ○ (2) × (3) ○ (4) ○

콕콕! 개념 확인하기 051쪽

✓ 잠깐 확인!
1 노폐물 **2** 암모니아, 요소 **3** 유레이스 **4** 소화계 **5** 순환계 **6** 호흡계 **7** 배설계

01 (1) ○ (2) × (3) ○ **02** (1) – ㉠ (2) – ㉠, ㉡ (3) – ㉡
03 (1) (가) 소화계 (나) 호흡계 (다) 순환계 (라) 배설계
(2) ㉠ 영양소, 산소 ㉡ 물, 이산화 탄소, 암모니아
04 (1) – ㉠ (2) – ㉠, ㉡, ㉢ (3) – ㉠, ㉡ (4) – ㉣

01 탄수화물, 단백질, 지방이 세포 호흡으로 분해될 때 물과 이산화 탄소가 공통적으로 생성되며, 단백질이 분해될 때에는 암모니아가 추가로 생성된다. 암모니아는 간에서 요소로 바뀌어 콩팥에서 배설된다. 노폐물은 호흡계와 배설계를 통해 몸 밖으로 배출된다.

02 암모니아는 간에서 요소로 전환된 후 콩팥으로 배설된다.

탄탄! 내신 다지기 052쪽~053쪽

01 ① **02** ② **03** ② **04** ③ **05** 유레이스 **06** 용액 B
07 ⑤ **08** ⑤ **09** ③ **10** ④ **11** 소변 검사

01 | 선택지 분석 |

① 요소는 ~~콩팥~~(간)에서 생성된다.
➡ 요소는 간에서 암모니아가 전환된 것이다.

② 오줌이 만들어지는 곳은 콩팥이다.
➡ 오줌은 콩팥에서 만들어진다.

③ 암모니아는 단백질 분해 과정에서 생성된다.
➡ 단백질이 분해되면 물과 이산화 탄소 외에 암모니아가 생긴다.

④ 세포 호흡으로 영양소가 분해되면 노폐물이 생성된다.
➡ 세포 호흡으로 영양소가 분해되면 물과 이산화 탄소, 질소 노폐물이 생성된다.

⑤ 물과 이산화 탄소는 모든 영양소의 분해 과정에서 생성된다.
➡ 탄수화물, 단백질, 지방의 분해 과정에서 물과 이산화 탄소가 나온다.

02 | 선택지 분석 |

① 오줌의 주성분은 ~~암모니아~~(물)이다.
➡ 오줌의 주성분은 물이다.

② 물은 주로 콩팥에서 오줌으로 배설된다.
➡ 물은 콩팥과 폐로 배설되는데, 주로 콩팥에서 오줌으로 배설되며 오줌의 대부분을 구성한다.

③ 요소는 간에서 합성되어 ~~폐에서~~(콩팥에서) 배설된다.
➡ 요소는 간에서 합성되어 콩팥에서 배설된다.

④ 이산화 탄소는 ~~콩팥을~~(폐를) 통해 몸 밖으로 나간다.
➡ 이산화 탄소는 폐를 통해 몸 밖으로 나간다.

⑤ 세포 호흡 결과 만들어진 노폐물의 배설은 ~~배설계에서만 이루어진다.~~(호흡계와 배설계에서 이루어진다.)
➡ 노폐물의 배설은 호흡계와 배설계에서 이루어진다.

03 (가)는 폐로만 나가므로 이산화 탄소이다. (나)는 폐와 콩팥에서 나가므로 물이다. (다)는 암모니아가 간에서 전환된 요소이며 콩팥으로만 나간다.

04 | 선택지 분석 |

① (가)는 모세 혈관이다.
➡ (가)로 포도당이 흡수되므로 모세 혈관이다.

② (나)로 지용성 영양소가 흡수된다.
➡ (가)로 포도당이 흡수되므로 (나)는 암죽관이며, 지용성 영양소가 흡수된다.

③ ㉠은 ~~지방~~(아미노산), ㉡은 ~~아미노산~~(지방)이다.
➡ ㉠은 암모니아가 발생하므로 아미노산이고, ㉡은 (나)(암죽관)로 흡수되어 이산화 탄소와 물이 나오므로 지방이다.

④ A는 간, B는 콩팥이다.
➡ 암모니아가 요소로 전환되는 곳은 간(A)이며, 요소가 배설되는 곳은 콩팥(B)이다.

⑤ C는 호흡계에 해당한다.
➡ 물과 이산화 탄소가 배출되는 곳은 호흡계이다.

05 생콩즙에는 요소를 암모니아와 이산화 탄소로 분해하는 유레이스가 들어 있다.

06 요소가 들어 있는 용액에 생콩즙을 넣으면 콩즙 속에 들어 있는 유레이스가 요소를 암모니아와 이산화 탄소로 분해한다. 이때 암모니아가 물에 녹으면 수산화 이온(OH^-)이 발생하여 pH가 증가하게 된다. 따라서 pH가 증가한 용액 B에 요소가 들어 있다.

07 (가)는 호흡계, (나)는 순환계, (다)는 소화계, (라)는 배설계이다.

| 선택지 분석 |

① (가)는 산소를 흡수한다.
➡ 호흡계는 산소를 흡수한다.

② (나)는 영양소와 노폐물을 운반한다.
➡ 순환계는 영양소를 조직 세포로 운반하고, 노폐물을 호흡계와 배설계로 운반한다.

③ (다)는 영양소를 소화, 흡수한다.
➡ 소화계는 영양소를 소화, 흡수하는 기능을 수행한다.

④ (라)는 요소와 물을 몸 밖으로 내보낸다.
➡ 배설계는 요소와 물을 몸 밖으로 내보낸다.

⑤ (가)~(라)는 ~~독립적이고 상호 의존하지 않는다.~~(상호 의존적이다.)
➡ 기관계는 서로 상호 의존적이어서 한 기관계에 문제가 발생하면 다른 기관계에 영향을 미쳐 신체 기능이 저하된다.

08 (가)는 호흡계, (나)는 순환계이다.

| 선택지 분석 |

ㄱ. ㉠은 이산화 탄소를 나타낸다.
➡ ㉠은 조직 세포에서 순환계로 나오는 물질이므로 이산화 탄소이다.

ㄴ. (가)는 호흡계이다.
➡ (가)는 산소를 흡수하고 이산화 탄소를 방출하므로 호흡계이다.

ㄷ. (나)는 영양소와 노폐물을 운반한다.
➡ (나)는 순환계로 영양소와 노폐물을 운반한다.

09 A는 간, B는 대장, C는 콩팥이다.

| 선택지 분석 |

① A에서 암모니아가 요소로 전환된다.
➡ 암모니아가 요소로 전환되는 기관은 간이다.

② A와 B는 소화계에 해당된다.
➡ (가)는 소화계이다.

③ B(소장)에서 포도당, 아미노산, 지방산이 흡수된다.
➡ B는 대장으로 수분만 흡수하고, 소화된 영양소는 소장의 융털에서 흡수된다.

④ C에서 오줌이 생성된다.
➡ 콩팥에서 오줌이 생성된다.

⑤ C는 배설계에 해당한다.
➡ 콩팥은 배설계에 해당한다.

10 A는 순환계, B는 소화계, C는 호흡계이다.

| 선택지 분석 |

① A는 흡수한 영양소를 운반한다.

➡ A는 순환계로 소화계에서 흡수한 영양소를 조직 세포로 운반한다.

② A는 조직 세포에서 생성된 노폐물을 운반한다.

➡ A는 순환계로 조직 세포에서 생성된 노폐물을 배설계와 호흡계로 운반한다.

③ B는 영양소를 소화하여 흡수한다.

➡ B는 소화계이며 영양소를 소화하여 흡수한다.

④ ~~C~~는 오줌을 만들어 몸 밖으로 내보낸다. (콩팥)

➡ 오줌을 만들어 배설하는 것은 배설계이다.

⑤ C는 산소를 흡수하고 이산화 탄소를 방출한다.

➡ C는 호흡계로 산소를 흡수하고 이산화 탄소를 방출한다.

11 약물이나 물질대사 결과 만들어진 물질이 순환계를 따라 배설계로 이동하고, 소변으로 나오기 때문에 소변 검사를 하면 불법 약물 복용 여부를 알 수 있다.

도전! 실력 올리기 054쪽~055쪽

01 ④ **02** ③ **03** ② **04** ③ **05** ⑤ **06** ⑤

07 (1) (가) 소화계 (나) 호흡계 (다) 배설계

(2) | **모범 답안** | 영양소 A는 단백질이다. 단백질이 세포 호흡에 사용되면 암모니아와 물, 이산화 탄소가 생성되는데, 암모니아는 간에서 요소로 전환된 후 콩팥에서 오줌에 포함되어 몸 밖으로 나간다. 배설계에서 배출되는 노폐물은 물과 요소이므로 A는 단백질이다.

08 | **모범 답안** | 녹말은 소화계에서 포도당으로 소화되어 소장 융털의 모세 혈관으로 흡수된다. 흡수된 포도당은 순환계를 따라 조직 세포로 이동한다. 포도당과 호흡계에서 흡수한 산소가 조직 세포에서 세포 호흡에 이용되면 이산화 탄소와 물이 생성된다. 생성된 노폐물은 순환계를 거쳐 호흡계와 배설계에서 몸 밖으로 나간다.

01 | 선택지 분석 |

✗ ㉠은 ~~암모니아~~이다. (물)

➡ ㉠은 탄수화물, 지방, 단백질에서 공통적으로 나오는 것이므로 물에 해당된다.

ㄴ ㉡은 혈액에 의해 운반된다.

➡ ㉡은 단백질에서 생성된 노폐물인 암모니아이며 혈액에 의해 간으로 운반되어 요소로 전환된다.

ㄷ ㉢은 콩팥에서 오줌으로 배설된다.

➡ ㉢은 간에서 생성된 요소로 콩팥에서 오줌이 되어 배설된다.

02 | 선택지 분석 |

ㄱ 시험관 A에 요소가 들어 있다.

➡ 시험관 A는 중성에서 염기성으로 변하였다. 이는 생콩즙 속의 유레이스가 요소를 암모니아로 분해시켰기 때문이다.

✗ 시험관 B는 ~~산성에서 중성으로 변하였다.~~ (산성이 유지되었다.)

➡ 시험관 B는 생콩즙을 넣어도 용액의 색이 노란색으로 유지되었으므로 용액의 성질이 변하지 않았다.

ㄷ C가 노란색으로 변한 까닭은 생콩즙 때문이다.

➡ C가 중성에서 산성이 된 까닭은 생콩즙이 약산성을 띠기 때문이다.

03 | 선택지 분석 |

✗ (가) 과정은 ~~콩팥~~에서 일어난다. (간)

➡ X는 암모니아이다. 암모니아가 요소로 전환되는 (가) 과정은 간에서 일어난다.

✗ 물과 이산화 탄소는 ~~탄수화물과 지방에서만~~ 생성된다. (탄수화물, 지방, 단백질에서)

➡ 물과 이산화 탄소는 탄수화물, 지방, 단백질에서 공통으로 생성된다.

ㄷ 요소는 순환계에 의해 콩팥으로 운반되어 오줌으로 배설된다.

➡ 요소는 순환계에 의해 콩팥으로 운반되어 오줌으로 배설된다.

04 (가)는 소화계, (나)는 배설계이다.

| 선택지 분석 |

ㄱ (가)에서 영양소의 소화와 흡수가 일어난다.

➡ 소화계에서는 영양소의 소화와 흡수가 일어난다.

ㄴ (나)에서는 오줌이 생성된다.

➡ 배설계에서는 콩팥에서 오줌이 생성된다.

✗ ㉠은 ~~암모니아~~이다. (요소와 여분의 물)

➡ 순환계에서 배설계로 이동하는 물질인 ㉠은 요소와 물이다.

05 A는 소화계, B는 순환계, C는 호흡계, D는 배설계이다.

| 선택지 분석 |

ㄱ 세포 호흡에 필요한 물질은 A, C에서 흡수한다.

➡ 세포 호흡에 필요한 물질인 산소와 영양소는 각각 소화계와 호흡계에서 흡수한다.

ㄴ 노폐물을 몸 밖으로 내보내는 기관계는 C, D이다.

➡ 노폐물을 몸 밖으로 내보내는 기관계는 배설계와 호흡계이다.

ㄷ (가)에서 세포 호흡이 일어나고 노폐물이 생성된다.

➡ 조직 세포에서는 세포 호흡이 일어나고 노폐물이 생성된다.

06 | 선택지 분석 |

ㄱ (가)는 산소, (나)는 이산화 탄소이다.

➡ 호흡계에서 세포로 오는 것은 산소이고, 세포에서 호흡계로 가는 것은 이산화 탄소이다.

ㄴ (다)는 세포 호흡에 필요한 영양소이다.

➡ 소화계에서 세포로 오는 것은 세포 호흡에 필요한 영양소이다.

ㄷ 세포 호흡에서 발생한 물은 호흡계와 배설계를 통해 몸 밖으로 나간다.

➡ 물이 몸 밖으로 나가는 곳은 폐와 콩팥이다.

07 (가)는 소화되지 않은 찌꺼기가 나가므로 소화계, (나)는 산소가 흡수되고 이산화 탄소가 방출되므로 호흡계, (다)는 요소와 물이 나가므로 배설계이다.

채점 기준	배점
물질을 옳게 제시하고 그 까닭을 옳게 서술한 경우	100 %
물질만 옳게 쓴 경우	50 %

08 소화계에서 작은 크기로 분해되어 흡수된 영양소는 호흡계에서 들어온 산소와 함께 순환계를 따라 온몸의 조직 세포로 운반된다. 조직 세포에서는 운반된 영양소와 산소를 이용하여 세포 호흡으로 생명 활동에 필요한 에너지를 생성한다. 또한, 세포 호흡의 결과로 생겨난 노폐물은 순환계를 따라 호흡계와 배설계로 운반되어 몸 밖으로 나간다.

채점 기준	배점
4가지 기관계의 기능을 모두 포함하여 서술한 경우	100 %
2가지 기관계의 기능만을 포함하여 서술한 경우	50 %

03 물질대사와 질병

콕콕! 개념 확인하기

058쪽

✔ 잠깐 확인!

1 기초 대사량 **2** 활동 대사량 **3** 1일 대사량 **4** 대사성 질환 **5** 대사 증후군 **6** 당뇨병

01 (가) 영양 부족 (나) 영양 균형 (다) 영양 과다 **02** (1) × (2) ○ (3) ○ (4) × (5) × **03** (1) × (2) ○ (3) × (4) ○ **04** 고지혈증

02 기초 대사량은 체중, 키, 성별, 나이에 따라 차이가 난다. 섭취한 에너지양이 소비한 에너지양보다 많으면 남은 에너지는 주로 지방 형태로 저장된다. 1일 대사량 중에서 가장 큰 비율을 차지하는 것은 기초 대사량이다.

03 대사성 질환은 생활 습관뿐 아니라 유전과 스트레스에 의해서도 발생하며, 고혈압, 당뇨병, 지방간 등이 있다. 대사성 질환은 여러 가지 합병증을 일으키며 치료에 많은 시간과 노력이 필요하므로 사전 예방이 중요하다.

탄탄! 내신 다지기

059쪽~060쪽

01 ④ **02** ③ **03** ③ **04** ③ **05** 지방, 단백질 **06** ⑤ **07** ③ **08** ⑤ **09** ⑤ **10** ② **11** 당뇨병

01 사람에게 하루에 필요한 총 에너지양을 1일 대사량이라 한다. 생명을 유지하는 데 필요한 최소한의 에너지양을 기초 대사량이라 하며, 활동하는 데 필요한 에너지양을 활동 대사량이라고 한다.

02 그림은 에너지 섭취량이 소비량보다 많은 것을 나타낸다.

| 선택지 분석 |

① 비만이 될 수 있다.
➡ 에너지 섭취량이 소비량보다 많으면 비만이 될 수 있다.

② 영양 과다 상태이다.
➡ 에너지 소비량보다 섭취량이 많으면 영양 과다 상태이다.

③ 지방을 분해하여 에너지를 얻는다.
➡ 지방을 분해하여 에너지를 얻는 것은 에너지 섭취량보다 에너지 소비량이 더 클 경우이다.

④ 대사성 질환이 걸릴 가능성이 높다.
➡ 에너지 섭취량이 소비량보다 많으면 대사성 질환이 걸릴 가능성이 높다.

⑤ 여분의 에너지를 주로 체지방 형태로 저장한다.
➡ 에너지 섭취량이 소비량보다 많으면 여분의 에너지를 체지방 형태로 저장한다.

03 ㉠은 기초 대사량이고, ㉡은 활동 대사량이다.

| 선택지 분석 |

① ㉠은 ~~활동~~ (기초) 대사량이다.
➡ ㉠은 기초 대사량이다.

② ㉠은 나이나 ~~체중과 무관하게 일정하다.~~ (체중에 따라 차이가 난다)
➡ 기초 대사량은 체중, 키, 성별, 나이에 따라 차이가 난다.

③ ㉡은 신체 활동에 필요한 에너지양이다.
➡ 활동 대사량은 활동하는 데 필요한 에너지양이다.

④ 음식물 소화에 필요한 에너지는 ~~㉡~~ (기타)이다.
➡ 음식물을 소화하는 데 필요한 에너지는 기타에 속한다.

⑤ 1일 대사량은 ~~㉠+㉡~~ (㉠+㉡+기타)으로 계산된다.
➡ 1일 대사량은 기초 대사량과 활동 대사량, 음식물 섭취 시 에너지 소비량을 합한 값이다.

04 | 선택지 분석 |

① 모든 연령의 기초 대사량은 ~~동일하다.~~ (달라진다)
➡ 기초 대사량은 연령에 따라 달라진다.

② 20세 이하 사람의 비만율은 ~~B~~ (A) 지역이 높을 것이다.
➡ 20세 이하의 1일 대사량은 A 지역이 낮기 때문에 비만율은 A 지역이 높을 것이다.

③ 20세~36세 사람의 비만율은 B 지역이 높을 것이다.
➡ 20세~36세에서는 B 지역이 1일 대사량이 낮기 때문에 비만율은 B 지역이 높을 것이다.

④ 36세 이후에는 연령이 증가할수록 에너지 소비량도 ~~증가~~ (감소)한다.
➡ 36세 이후에는 연령이 증가할수록 에너지 소비량이 감소한다.

⑤ 연령이 증가하더라도 사람의 활동 대사량은 ~~일정하게 유지된다.~~
활동에 따라 다르다.
➡ 활동 대사량은 활동의 종류에 따라 달라진다.

05 에너지 섭취량보다 소비량이 많아지면 체내에 저장해 놓은 지방과 근육에 있는 단백질을 에너지원으로 사용한다.

06 고혈압, 당뇨병, 지방간은 대사성 질환이다.

| **선택지 분석** |

① 물질대사에 이상이 생겨 나타난다.
➡ 대사성 질환은 물질대사에 이상이 생겨 나타난다.

② 여러 가지 합병증을 일으킬 수 있다.
➡ 대사성 질환은 여러 가지 합병증을 일으킬 수 있다.

③ 생활 습관, 스트레스, 유전 등에 의해 발생한다.
➡ 대사성 질환은 생활 습관뿐 아니라 스트레스, 유전 등에 의해 발생할 수 있다.

④ 치료에 시간이 많이 걸리므로 사전 예방이 중요하다.
➡ 대사성 질환은 사전 예방이 중요하다.

⑤ ~~성인에게만 발생하고 청소년에게는 발생하지 않는다.~~
성인과 청소년 모두에게서 발생한다.
➡ 대사성 질환은 성인뿐만 아니라 청소년에게도 발생하는 질환이다.

07 콜레스테롤이나 중성 지방이 혈관에 쌓이면 혈관이 좁아져 동맥 경화로 이어지고, 동맥 경화로 인해 혈액의 흐름을 막아 혈압이 높아져 고혈압의 원인이 된다.

08 대사성 질환은 물질대사에 이상이 생겨 나타나는 질환으로 당뇨병과 고지혈증 등이 해당된다. 에너지 섭취량과 소비량이 균형을 이루면 대사성 질환을 예방할 수 있다.

09 A는 고혈압, B는 당뇨병, C는 지방간이다.

| **선택지 분석** |

① A는 고혈압이다.
➡ 혈압이 정상 범위보다 높은 질환은 고혈압이다.

② B는 인슐린의 작용과 관련이 있다.
➡ 당뇨병은 인슐린이 제대로 작용하지 않을 때 발병한다.

③ A, B의 공통 합병증으로 심혈관 질환이 있다.
➡ 고혈압과 당뇨병은 합병증으로 심혈관 질환을 일으킬 수 있다.

④ C는 비만이 영향을 주기도 한다.
➡ 비만은 간에 지방이 축적되는 데 영향을 준다.

⑤ ~~C~~는 두통, 어지럼증, 코피 등의 증상이 나타난다.
A
➡ 두통, 어지럼증, 코피 등의 증상은 고혈압에서 나타날 수 있는 증상이다.

10 고에너지 음식을 꾸준히 섭취하면 에너지 소비량에 비해 에너지 섭취량이 많아 대사성 질환이 발생할 수 있다. 따라서 규칙적이고 균형 잡힌 식사를 하고, 고열량 음식과 음료수 섭취를 절제하며, 규칙적이고 꾸준한 운동을 하고, 일상생활에서 신체 활동량을 늘린다.

11 당뇨병은 인슐린의 분비가 부족하거나 세포가 인슐린에 제대로 반응하지 못해 발생하는 질환이다.

도전! 실력 올리기

061쪽

01 ② **02** ③

03 기초 대사량, 활동 대사량, 음식물 섭취 시 에너지 소비량

04 | **모범 답안** | 이 사람의 에너지 섭취량은 $(300\times4)+(50\times4)+(50\times9)=1850$ kcal이고, 에너지 소비량은 2100 kcal이다. 이 사람은 에너지 섭취량보다 에너지 소비량이 더 많은 상태이므로 이 상태가 지속되면 체중 감소, 영양실조, 면역력 저하 증상이 나타날 수 있다.

05 | **모범 답안** | 당뇨병은 인슐린의 분비가 부족하거나 인슐린이 제대로 작용하지 못했을 때 일어난다. 증상으로는 혈당량이 높고 오줌에 당이 섞여 나온다.

01 | **선택지 분석** |

ㄱ. 휴식에 소비되는 에너지양은 ~~기초 대사량이다.~~
기초 대사량이 아니다
➡ 기초 대사량은 생명을 유지하는 데 기본적으로 필요한 에너지양인데, 휴식에는 기초 대사량 외에 에너지가 추가로 소비된다.

ㄴ. 1시간 활동했을 때 청소보다 빨래에 더 많은 에너지가 소비된다.
➡ 청소는 3.0 kcal/kg·h, 빨래는 3.4 kcal/kg·h의 에너지가 소비되므로 빨래가 더 많은 에너지가 소비된다.

ㄷ. 체중이 50 kg인 남자가 청소를 1시간, 달리기를 1시간 하면, ~~11 kcal~~의 에너지가 소비된다.
550 kcal
➡ 체중이 50 kg인 남자가 청소를 1시간, 달리기를 1시간 하면 $50\times(3+8)=550$ kcal가 소비된다.

02 (가)는 소화계, (나)는 호흡계, (다)는 순환계, (라)는 배설계이다. 고혈압으로 인해 발생하는 합병증은 뇌졸중, 심혈관 질환, 콩팥 질환 등이 있다. 이 중 뇌졸중과 심혈관 질환은 순환계 관련 질환이고, 콩팥 질환은 배설계 관련 질환이다.

03 1일 대사량에는 기초 대사량, 활동 대사량, 음식물 섭취 시 에너지 소비량 등이 포함된다.

04 탄수화물과 단백질은 1 g당 4kcal, 지방은 1 g당 9kcal의 에너지를 낸다. 에너지 섭취량이 에너지 소비량보다 적으면 영양 부족이 되고, 지방이나 단백질을 분해하여 에너지를 얻는다.

채점 기준	배점
에너지 섭취량과 소비량을 비교하고 이후 나타날 수 있는 증상을 모두 옳게 서술한 경우	100 %
에너지 섭취량과 소비량 비교만 서술한 경우	50 %

05 당뇨병은 혈액 속 포도당 농도가 정상 범위보다 높은 질환으로, 인슐린의 분비가 부족하거나 인슐린이 제대로 작용하지 못할 때 나타난다.

채점 기준	배점
당뇨병의 원인과 증상을 옳게 서술한 경우	100 %
당뇨병의 원인과 증상 중 1가지만 옳게 서술한 경우	50 %

실전! 수능 도전하기

063쪽~065쪽

01 ④ 02 ① 03 ④ 04 ④ 05 ⑤ 06 ④ 07 ⑤ 08 ⑤
09 ③ 10 ② 11 ③ 12 ①

01 | 선택지 분석 |

ㄱ ⓒ은 CO_2이다.
➡ 세포 호흡에 포도당과 함께 이용되는 ㉠은 O_2이고, 최종 분해 산물 중 하나인 ⓒ은 CO_2이다.

X 포도당의 에너지~~는 모두~~ 중 일부가 ATP에 저장된다.
➡ 포도당의 에너지는 대부분 열로 방출되고 일부가 ATP에 저장된다.

ㄷ 근육 수축 과정에는 ATP에 저장된 에너지가 이용된다.
➡ ATP에 저장된 에너지가 이용되는 다양한 생명 활동에는 근육 수축 과정이 있다.

02 (가)는 세포 호흡, (나)는 광합성이다.

| 선택지 분석 |

ㄱ (가)에서 이화 작용이 일어난다.
➡ (가)에서는 포도당이 분해되는 이화 작용이 일어난다.

X (나)에서 빛에너지는 ~~O_2에~~ 포도당에 저장된다.
➡ (나)에서 빛에너지는 포도당에 화학 에너지 형태로 저장된다.

X ~~동물과 식물에서 모두~~ 식물에서만 (나)가 일어난다.
➡ (나)는 광합성 과정으로 식물의 엽록체에서 일어난다.

03 | 선택지 분석 |

X (가)와 연소 반응에 모두 ~~CO_2~~ O_2를 필요로 한다.
➡ (가)와 연소 반응 모두 O_2를 필요로 한다.

ㄴ (가)에서 발생한 에너지의 일부는 (나) 과정에 이용된다.
➡ (가)에서 발생하는 에너지 중 일부 에너지가 ATP에 저장되어 생명 활동에 이용되며, 생명 활동에는 (나)와 같이 아미노산을 이용해 단백질을 합성하는 과정이 포함된다.

ㄷ 동물과 식물 모두에서 (나)가 일어난다.
➡ 동물과 식물은 모두 아미노산을 사용하여 생물체에 필요한 단백질을 합성한다.

04 | 선택지 분석 |

X ㉠은 ~~암모니아(NH_3)~~ 이산화 탄소(CO_2)이다.
➡ 포도당이 분해되면 최종 분해 산물은 물과 이산화 탄소이다.

ㄴ 세포 호흡에는 효소가 필요하다.
➡ 세포 호흡은 물질대사이며 물질대사에는 효소가 필요하다.

ㄷ 포도당이 분해되어 생성된 에너지의 일부는 ATP에 저장된다.
➡ 포도당이 분해되어 생성된 에너지의 일부는 ATP에 저장되며 나머지는 열로 방출된다.

05 | 선택지 분석 |

ㄱ A는 이화 작용이다.
➡ A는 복잡한 물질을 단순한 물질로 만드는 이화 작용이다.

ㄴ B에서 ㉠ 과정이 일어난다.
➡ B는 동화 작용으로 에너지가 필요하며, 흡열 반응(㉠)이 일어난다.

ㄷ B를 통해 세포를 구성하는 물질이 합성된다.
➡ 세포는 동화 작용인 B를 통해 세포를 구성하는 물질인 탄수화물, 단백질, 지방을 얻는다.

06 | 선택지 분석 |

X ㉠은 ~~CO_2~~ O_2이다.
➡ ㉠은 O_2이다.

ㄴ 미토콘드리아에서 (나)의 ⓑ 과정이 일어난다.
➡ ⓑ는 ADP가 ATP로 합성되는 과정이며, 이는 미토콘드리아에서 일어난다.

ㄷ (가)에서 생성된 에너지의 일부는 체온 유지에 이용된다.
➡ 포도당이 가지고 있는 에너지는 세포 호흡을 통해 일부는 ATP를 합성하는 데 사용되고 나머지는 열에너지로 방출된다.

07 A는 탄수화물의 최종 분해 산물인 포도당이고, B는 단백질의 최종 분해 산물인 아미노산이다. ㉠은 모세 혈관이고, ⓒ은 암죽관이다.

| 선택지 분석 |

ㄱ A는 ㉠을 통해 흡수된다.
➡ 수용성 영양소인 A는 소장 융털의 모세 혈관으로 흡수된다.

ㄴ ⓒ을 통해 흡수된 양분은 심장을 거쳐 온몸으로 이동한다.
➡ 지용성 영양소는 암죽관에서 흡수되고, 림프관을 따라 심장을 거쳐 온몸으로 이동한다.

ㄷ A와 B가 세포 호흡으로 분해되면 공통적으로 물과 이산화 탄소가 만들어진다.
➡ 포도당과 아미노산은 세포 호흡을 거치면 공통적으로 물과 이산화 탄소가 만들어진다.

08 A는 이산화 탄소, B는 물, C는 요소이다.

| 선택지 분석 |

ㄱ A는 이산화 탄소이다.
➡ A는 노폐물 중 호흡계로만 배출되므로 이산화 탄소이다.

ㄴ B는 호흡계와 배설계로 배출된다.
➡ 물은 순환계를 통해 운반되어 호흡계와 배설계를 통해 몸 밖으로 배출된다.

ㄷ. 쓸개즙이 생성되는 기관에서 C가 생성된다.
➡ 쓸개즙은 간에서 생성되고, 암모니아가 요소로 전환되는 기관도 간이다.

09 A는 간, B는 콩팥, ㉠은 대정맥, ㉡은 폐정맥이다.

| 선택지 분석 |

ㄱ. A는 인슐린의 표적 기관이다.
➡ A는 간인데, 인슐린은 간에 작용하여 포도당을 글리코젠으로 합성하도록 하여 혈당량을 낮춘다.

ㄴ. B에서 수분의 재흡수가 일어난다.
➡ B는 콩팥으로 콩팥에서는 수분이 재흡수된다.

ㄷ. 혈액의 단위 부피당 CO_2의 양은 ~~㉠~~(㉡)보다 ~~㉡~~(㉠)에서 많다.
➡ ㉠은 대정맥, ㉡은 폐정맥이다. 대정맥은 온몸에서 CO_2를 받아온 혈액이 흐르는 반면, 폐정맥은 폐로 CO_2를 내보내고 O_2를 받은 혈액이 흐르므로 CO_2는 ㉠이 더 많다.

10 식품 100 g당 열량이 ⓐ가 ⓑ보다 높으므로, ⓑ보다 ⓐ에 월등히 많은 B가 지방, 체구성 비율이 가장 낮은 C가 탄수화물이고, A는 단백질이다.

| 선택지 분석 |

ㄱ. ⓐ~ⓒ 중 식품 100 g당 열량은 ~~ⓒ~~(ⓑ)가 가장 낮다.
➡ 섬유질은 체내에서 소화되지 않아 에너지원으로 사용되지 못하므로 식품 100 g당 열량의 크기는 ⓑ가 ⓐ와 ⓒ보다 작다.

ㄴ. B는 인체에서 에너지 저장 물질로 이용된다.
➡ 지방은 g당 열량이 가장 높으며, 인체의 에너지 저장 물질이다.

ㄷ. 단식 기간 중에 체내에 저장된 ~~A~~(C)는 ~~C~~(A)보다 더 빨리 소모된다.
➡ 단식 중에는 탄수화물이 가장 먼저 에너지원으로 사용되므로 단백질보다 빨리 소모된다.

11 (가)는 소화계, (나)는 호흡계, (다)는 순환계, (라)는 배설계이다.

| 선택지 분석 |

ㄱ. (가)와 (나)에서 모두 물질대사가 일어난다.
➡ 물질대사는 생물체 내에서 일어나는 모든 화학 반응이다. 따라서 (가)와 (나)에서 모두 물질대사가 일어난다.

ㄴ. (다)를 구성하는 기관에는 심장이 있다.
➡ (다)는 순환계로 심장과 혈관 등으로 구성된다.

ㄷ. 요소는 ~~(라)를 구성하는 기관인 콩팥에서 주로~~(간에서) 생성된다.
➡ 단백질이 분해될 때 생성되는 암모니아는 독성이 강해 간에서 독성이 약한 요소로 전환된 후 배설계인 콩팥을 통해 오줌으로 만들어져 몸 밖으로 내보내진다.

12 ㉠은 산소, ㉡은 이산화 탄소이다.

| 선택지 분석 |

ㄱ. ㉠은 호흡계를 통해 몸속으로 흡수된다.
➡ 산소는 호흡계를 통해 몸속으로 흡수된다.

ㄴ. 혈액의 단위 부피당 ㉡의 양은 ~~A~~(B)에서가 ~~B~~(A)에서보다 많다.
➡ 단위 부피당 이산화 탄소의 양은 폐정맥인 A가 대정맥인 B보다 적다.

ㄷ. 방출되는 에너지~~는 모두~~(일부는) 열에너지 형태로 전환되어 체온 유지에 이용된다.
➡ 세포 호흡으로 생성된 에너지 중 일부는 ATP에 저장되어 생명 활동에 이용된다.

한번에 끝내는 대단원 문제 068쪽~071쪽

01 ④ **02** ③ **03** ④ **04** ③ **05** ③ **06** ⑤ **07** ③ **08** ③
09 ⑤ **10** ⑤ **11** ③ **12** ③

13 | **모범 답안** | 세포 호흡이 일어날 때는 효소가 작용한다. 효소는 활성화 에너지를 낮춰 주는 역할을 하기 때문에 연소 반응과 같이 고온이 아니어도 반응이 일어날 수 있다.

14 (1) 1일 대사량=기초 대사량+활동 대사량+음식물 섭취 시 에너지 소비량
(2) | **모범 답안** | 1일 대사량 중 기초 대사량이 차지하는 비율이 (가)는 75 %이고, (나)는 60 %이다. 따라서 (가)의 기초 대사량은 $1800 \times 0.75 = 1350$ kcal이고, (나)의 기초 대사량은 $2300 \times 0.6 = 1380$ kcal이다.

15 (1) 당뇨병 (2) | **모범 답안** | 이자에서 인슐린을 만들어 내지 못하거나 몸의 세포가 인슐린에 적절하게 반응하지 못해 발생한다.

16 | **모범 답안** | 소화계에서 흡수한 포도당을 조직 세포에서 세포 호흡으로 분해하면 이산화 탄소와 물이 생성된다. 이산화 탄소는 순환계를 따라 호흡계로 운반되어 날숨을 통해 몸 밖으로 나간다. 여분의 물은 순환계를 따라 호흡계로 운반되어 날숨으로 나가거나 배설계로 운반되어 오줌으로 나간다.

01 (가)는 에너지를 흡수하여 저분자 물질을 고분자 물질로 합성하는 동화 작용, (나)는 고분자 물질을 저분자 물질로 분해하는 이화 작용이다.

| 선택지 분석 |

① (가)는 ~~이화~~(동화) 작용이다.
➡ (가)는 저분자 물질을 고분자 물질로 합성하는 동화 작용이다.

② (가)에 해당하는 반응으로 ~~세포 호흡~~(광합성)이 있다.
➡ (가)는 동화 작용이며 이에 해당하는 것으로는 광합성이 있다. 세포 호흡은 이화 작용에 해당한다.

③ (나)는 에너지가 ~~흡수~~(방출)되는 반응이다.
➡ (나)는 에너지가 방출되는 반응이다.

④ (가)와 (나)에는 모두 효소가 관여한다.
➡ 물질대사에는 항상 효소가 관여한다.

⑤ 사람의 간세포에서는 ~~(나)만 일어난다.~~((가)와 (나)가 모두 일어난다.)
➡ 간세포에서는 포도당이 글리코젠으로 합성되기도 한다.

02 포도당 분해에 사용되는 ㉠은 산소, 포도당이 분해되어 나오는 산물인 ㉡은 이산화 탄소, ADP와 P_i가 결합하여 형성되는 ㉢은 ATP 이다.

| 선택지 분석 |

ㄱ. ㉠은 산소, ㉡은 이산화 탄소이다.
➡ ㉠은 산소이고, ㉡은 이산화 탄소이다.

ㄴ. 저장된 에너지는 ~~㉢보다 ADP가~~ 많다.
ADP보다 ㉢이
➡ 저장된 에너지는 ATP가 ADP보다 많다.

ㄷ. ㉢에 저장된 에너지는 소리를 들을 때 사용된다.
➡ ATP 에너지는 생명 활동에 사용된다. 소리를 들을 때에도 ATP 에너지를 사용한다.

03 | 선택지 분석 |

ㄱ. ATP와 ADP가 가진 고에너지 인산 결합의 수는 ~~같다.~~
ATP가 2개, ADP가 1개이다
➡ 고에너지 인산 결합의 수는 ATP가 2개, ADP가 1개로 ATP가 ADP보다 1개 더 많다.

ㄴ. (가)에서 방출된 에너지는 생명 활동에 필요한 에너지로 사용된다.
➡ (가) 과정에서 방출되는 에너지는 세포의 다양한 생활 에너지로 사용된다.

ㄷ. 식물과 동물의 미토콘드리아에서 모두 (나)가 일어난다.
➡ (나) 과정은 ATP가 합성되는 과정으로 식물과 동물의 미토콘드리아에서 모두 볼 수 있다.

04 (가)는 소화 과정을 나타내며, (나)는 암모니아가 요소(㉠)로 전환되는 과정을 나타낸다.

| 선택지 분석 |

ㄱ. (가) 과정이 일어나는 것은 ~~순환계~~이다.
소화계
➡ (가)는 소화 과정이므로 소화계에서 일어난다.

ㄴ. (나) 과정은 ~~배설계~~에서 일어난다.
소화계
➡ (나) 과정은 간에서 일어나며, 간은 소화계에 해당한다.

ㄷ. ㉠은 콩팥을 통해 배출된다.
➡ 간에서 만들어진 요소는 콩팥에서 오줌으로 만들어져 몸 밖으로 배설된다.

05 | 선택지 분석 |

ㄱ. ⓐ는 단백질이다.
➡ ⓐ는 암모니아가 나온 것으로 보아 단백질이다.

ㄴ. B는 호흡계와 배설계에서 나간다.
➡ A와 B는 탄수화물과 지방, 단백질에서 모두 나오는 노폐물이므로 물과 이산화 탄소이다. 그런데 B는 폐와 콩팥 모두에서 배출되므로 B는 물, A는 이산화 탄소이다. C는 암모니아가 간에서 전환된 요소이다.

ㄷ. C는 암모니아보다 독성이 ~~강하다.~~
약하다
➡ 암모니아는 독성이 강하여 간에서 독성이 약한 요소로 전환된다.

06 | 선택지 분석 |

ㄱ. A는 대조군으로 사용되었다.
➡ A는 발효관에서 발생하는 기체가 효모가 당을 분해하여 발생한 것인지를 확인하기 위한 대조군이다.

ㄴ. B에서 발생한 기체는 이산화 탄소이다.
➡ B에는 포도당과 효모가 함께 존재하므로 발효가 일어나 이산화 탄소가 발생한다.

ㄷ. (나)의 수산화 칼륨(KOH) 수용액은 맹관부의 이산화 탄소를 제거하기 위해 넣은 것이다.
➡ KOH는 이산화 탄소를 흡수하여 맹관부에 모인 기체의 부피를 감소시킨다.

07 (가)는 광합성 결과 만들어진 포도당이고, (나)는 세포 호흡 결과 생성된 ATP이다.

| 선택지 분석 |

ㄱ. (가)는 포도당이다.
➡ (가)는 포도당으로 세포 호흡의 재료이다.

ㄴ. (나)는 생명 활동에 필요한 에너지를 전달하는 에너지 전달 물질이다.
➡ ATP는 에너지 전달 물질이다.

ㄷ. 광합성은 ~~이화~~ 작용이다.
동화
➡ 광합성은 물과 이산화 탄소로 포도당을 합성하는 동화 작용이다.

08 | 선택지 분석 |

ㄱ. ㉠은 동화 작용, ㉡은 이화 작용이다.
➡ ㉠은 이산화 탄소와 물로부터 포도당을 합성하는 것으로 동화 작용에 해당한다. ㉡은 포도당이 이산화 탄소와 물로 분해된 것으로 이화 작용에 해당한다.

ㄴ. ㉡에 해당하는 에너지 변화는 반응 Ⅱ이다.
➡ ㉡은 이화 작용이므로 발열 반응이고, 발열 반응은 반응 Ⅱ에 해당한다.

ㄷ. 단백질이 아미노산으로 분해되는 것에 해당하는 것은 반응 ~~Ⅰ~~이다.
Ⅱ
➡ 단백질이 아미노산으로 분해되는 것은 이화 작용이고 반응 Ⅱ에 해당한다.

09 | 선택지 분석 |

ㄱ. (가)는 소화계이다.
➡ (가)는 소화계, (나)는 호흡계, (다)는 순환계, (라)는 배설계에 해당한다.

ㄴ. (라)에서 오줌이 만들어진다.
➡ (라)는 배설계이므로 오줌이 만들어진다.

ㄷ. ㉡은 조직 세포에서 세포 호흡 결과 생성된 것이다.
➡ ㉠은 호흡계에서 흡수되는 산소이고, ㉡은 호흡계에서 배출되는 이산화 탄소이다.

10 동맥혈은 산소가 풍부하고 이산화 탄소가 적으며, 정맥혈은 산소가 적고 이산화 탄소가 많다.

| 선택지 분석 |

㉠ ㉠에서 정맥혈이 동맥혈로 바뀐다.
➡ ㉠은 폐순환으로 폐포에서 산소를 흡수하고 이산화 탄소를 내보내 정맥혈이 동맥혈로 바뀌는 순환이다.

㉡ ㉡에서 동맥혈이 정맥혈로 바뀐다.
➡ ㉡은 체순환으로 온몸에 산소와 영양소를 공급하고 조직 세포에서 나온 이산화 탄소와 노폐물을 받는다. 이 과정에서 동맥혈이 정맥혈로 바뀐다.

㉢ 요소를 콩팥으로 운반하는 과정은 ㉡에 포함된다.
➡ 체순환은 조직 세포에서 나온 이산화 탄소와 노폐물을 운반하는 역할도 한다.

11 | 선택지 분석 |

㉠ (가)가 지속되면 면역력이 저하된다.
➡ (가)는 에너지 섭취량보다 소비량이 많아 영양이 부족한 상태이다. 이 상태가 지속되면 체중 감소, 영양실조, 면역력 저하 등이 나타난다.

㉡ (나)는 에너지 대사가 균형인 상태이다.
➡ (나)는 에너지 섭취량과 소비량이 균형을 이루고 있다.

~~㉢~~ (다)가 지속되면 체중이 ~~감소~~(증가)한다.
➡ (다)는 에너지 섭취량이 소비량보다 많아 영양이 과다한 상태이다. 이 상태가 지속되면 남는 에너지가 지방 형태로 저장되어 체중이 증가하고 비만이 된다.

12 | 선택지 분석 |

㉠ (가)의 오줌은 중성을 띤다.
➡ (가)의 용액이 초록색을 띠므로 중성을 띤다.

㉡ (나)에서는 효소 ⓐ에 의해서 용액이 염기성으로 변하였다.
➡ (나)에서는 유레이스에 의해 요소가 암모니아로 분해되면서 용액이 염기성으로 변하였다.

~~㉢~~ 효소 ⓐ는 ~~암모니아~~(요소)를 ~~요소~~(암모니아)로 전환한다.
➡ 생콩즙에 들어 있는 유레이스는 요소를 암모니아로 분해한다.

13 세포 호흡이 일어날 때는 생체 촉매인 효소가 작용한다. 효소의 작용으로 활성화 에너지를 감소시켜 주고 낮은 온도에서 반응이 여러 단계에 걸쳐 일어날 수 있게 해 준다.

채점 기준	배점
효소의 작용으로 활성화 에너지를 낮추는 점을 옳게 서술한 경우	100 %
효소의 작용만 서술한 경우	50 %

14 1일 대사량=기초 대사량+활동 대사량+음식물 섭취 시 에너지 소비량

채점 기준	배점
1일 대사량에서 기초 대사량이 차지하는 비율을 옳게 계산하고 서술한 경우	100 %
기초 대사량만 서술한 경우	50 %

15 당뇨병은 혈액 속 포도당 농도가 정상 범위보다 높은 질환으로, 인슐린의 분비가 부족하거나 인슐린이 제대로 작용하지 못할 때 나타난다.

채점 기준	배점
당뇨병의 원인을 이자와 인슐린이란 단어를 사용하여 옳게 서술한 경우	100 %
당뇨병의 원인을 인슐린 부족이라고만 서술한 경우	50 %

16 소화계에서 흡수한 포도당을 조직 세포에서 세포 호흡으로 분해하면 이산화 탄소와 물이 생성되고, 순환계를 따라 호흡계와 배설계로 운반되어 몸 밖으로 나간다.

채점 기준	배점
이산화 탄소는 호흡계로, 물은 호흡계와 배설계로 배설된다고 옳게 서술한 경우	100 %
이산화 탄소는 호흡계로, 물은 배설계로 배설된다고만 서술한 경우	50 %

1 »» 신경계

01 흥분의 전도와 전달

개념 POOL 078쪽

01 A: 분극 B: 탈분극 C: 재분극
02 (1) × (2) ○ (3) × (4) ○ (5) ○

02 (1) Na^+의 농도는 분극, 탈분극, 재분극에 관계없이 항상 세포 밖이 세포 안보다 높다.
(3) 탈분극 시기에 Na^+이 Na^+ 통로를 통해 세포 바깥쪽에서 세포 안쪽으로 확산된다.

탐구 POOL 079쪽

01 B 열 **02** (1) ○ (2) × (3) ×

01 B 열은 말이집 신경을 의미하므로 도약전도를 알 수 있다.
02 (2) 나무젓가락은 말이집을 의미한다.
(3) 마지막 도미노는 B 열이 A 열보다 먼저 넘어진다.

콕콕! 개념 확인하기 080쪽

✔ 잠깐 확인!
1 뉴런 **2** 말이집 **3** 랑비에 결절 **4** 분극, 탈분극, 재분극 **5** 휴지 **6** 활동 **7** 도약 **8** 전달 **9** 시냅스 **10** 진정제

01 A: 신경 세포체 B: 가지 돌기 C: 말이집 D: 랑비에 결절 E: 축삭 돌기 **02** (1) ○ (2) ○ (3) ○ (4) × (5) × **03** ㉠ Na^+-K^+ ㉡ Na^+ ㉢ K^+ ㉣ K^+ ㉤ K^+ **04** 말이집의 유무, 축삭 돌기의 지름 **05** B, C

02 (4) D는 랑비에 결절이다. 랑비에 결절에는 Na^+ 통로와 K^+ 통로가 밀집해 있어 활동 전위가 발생한다.
(5) 축삭 돌기(E) 말단에는 시냅스 소포가 있어 시냅스 이후 뉴런으로 흥분을 전달시킨다.

04 말이집이 있는 말이집 신경은 도약전도를 하기 때문에 민말이집 신경보다 흥분 전도 속도가 빠르고, 축삭 돌기의 지름이 클수록 Na^+ 확산에 대한 저항이 작아 흥분 전도 속도가 빠르다.

05 흥분은 시냅스 이전 뉴런의 축삭 돌기 말단에서 시냅스 이후 뉴런의 가지 돌기 쪽으로만 전달된다.

탄탄! 내신 다지기 081쪽~083쪽

01 ③ **02** ⑤ **03** (다) → (나) → (가) **04** 연합 뉴런 **05** ④ **06** ① **07** ⑤ **08** ② **09** ⑤ **10** 재분극 **11** ⑤ **12** ① **13** ② **14** (나) → (라) → (가) → (다) **15** ③ **16** (나), (가), (다) **17** ㄴ, ㄷ

01 선택지 분석

① A는 가지 돌기이다.
➡ A는 자극을 받아들이는 가지 모양의 가지 돌기이다.

② B에는 핵이 있다.
➡ B는 신경 세포체이며, 신경 세포체에는 핵과 미토콘드리아 등의 세포 소기관이 있다.

③ C에서 활동 전위가 ~~나타난다.~~ 나타나지 않는다.
➡ C는 말이집이며, 말이집은 전기적 절연체 역할을 하므로 활동 전위가 나타나지 않는다.

④ D에는 Na^+-K^+ 펌프가 있다.
➡ D는 랑비에 결절이며, 랑비에 결절에는 Na^+-K^+ 펌프가 있어 이온의 이동이 일어난다.

⑤ 이 뉴런은 말이집 신경이다.
➡ 이 뉴런은 말이집이 있는 말이집 신경이다.

02 선택지 분석

① (가)는 민말이집 신경이다.
➡ (가)는 말이집이 없는 민말이집 신경이다.

② (나)에서 도약전도가 일어난다.
➡ (나)는 말이집 신경이므로 도약전도가 일어난다.

③ ㉠은 슈반 세포에 의해 형성된다.
➡ ㉠은 말이집이며, 말이집은 슈반 세포에 의해 형성된다.

④ (나)에 역치 이상의 자극을 주면 ㉡에서 탈분극이 일어난다.
➡ (나)에 역치 이상의 자극을 주면 흥분은 한 뉴런 내에서 양방향으로 이동하므로 랑비에 결절인 ㉡에서 탈분극이 일어난다.

⑤ 흥분 전도 속도는 (가)에서가 (나)에서보다 ~~빠르다.~~ 느리다.
➡ 흥분 전도 속도는 말이집 신경인 (나)에서가 민말이집 신경인 (가)에서보다 빠르다.

03 (가)는 중추 신경에서 내린 명령을 반응기에 전달하는 원심성 뉴런, (다)는 감각 기관으로부터 받은 자극을 중추 신경으로 전달하는 구심성 뉴런이다. 흥분은 (다) → (나) → (가) 순으로 이동한다.

04 뇌와 척수 등의 중추 신경계를 이루고, 구심성 뉴런으로부터 온 정보를 통합하며, 원심성 뉴런으로 반응 명령을 내리는 뉴런은 연합 뉴런이다.

05 선택지 분석

① 활동 전위가 ~~나타난다.~~ 나타나지 않는다.
➡ 활동 전위는 탈분극과 재분극일 때 나타난다.

② K^+ 통로를 통해 K^+이 ~~유입~~ 유출 된다.

➡ 분극 상태일 때는 일부 열려 있는 K^+ 통로를 통해 K^+이 유출된다.

③ Na^+은 세포 안과 밖에 ~~균등하게~~ 불균등하게 분포한다.

➡ 분극 상태에 Na^+의 농도는 세포 밖이 안보다 높다.

④ 세포막을 경계로 안쪽은 음(−)전하, 바깥쪽은 양(+)전하를 띤다.

➡ 분극 시기에는 Na^+-K^+ 펌프에 의한 Na^+과 K^+의 이동과 일부 K^+의 유출로 세포 안쪽은 음(−)전하, 바깥쪽은 양(+)전하를 띤다.

⑤ Na^+-K^+ 펌프는 Na^+을 세포 ~~안~~ 밖 으로, K^+을 세포 ~~밖~~ 안 으로 능동 수송시킨다.

➡ Na^+-K^+ 펌프는 Na^+을 세포 밖으로, K^+을 세포 안으로 능동 수송시킨다. 이때 ATP가 사용된다.

06 | 선택지 분석 |

① 분극 상태일 때 ~~모든~~ 일부 K^+ 통로는 닫혀 있다.

➡ 분극 상태일 때 일부 K^+ 통로가 열려 있어 K^+이 유출된다.

② 세포 밖의 Na^+의 농도는 K^+의 농도보다 높다.

➡ Na^+-K^+ 펌프에 의해 3분자의 Na^+이 세포 밖으로, 2분자의 K^+이 세포 안으로 능동 수송되어 세포 밖의 Na^+의 농도는 K^+의 농도보다 높다.

③ Na^+은 ㉠을 통해 세포 밖에서 안으로 이동된다.

➡ ㉠은 Na^+ 통로이다. Na^+은 Na^+ 통로를 통해 세포 밖에서 안으로 이동된다.

④ K^+은 ㉡을 통해 세포 안에서 밖으로 이동된다.

➡ ㉡은 K^+ 통로이다. K^+은 K^+ 통로를 통해 세포 안에서 밖으로 이동된다.

⑤ Na^+이 ㉢을 통해 이동될 때 에너지가 소비된다.

➡ ㉢은 Na^+-K^+ 펌프이다. Na^+-K^+ 펌프는 에너지를 소비하면서 능동 수송으로 Na^+을 이동시킨다.

07 | 자료 분석 |

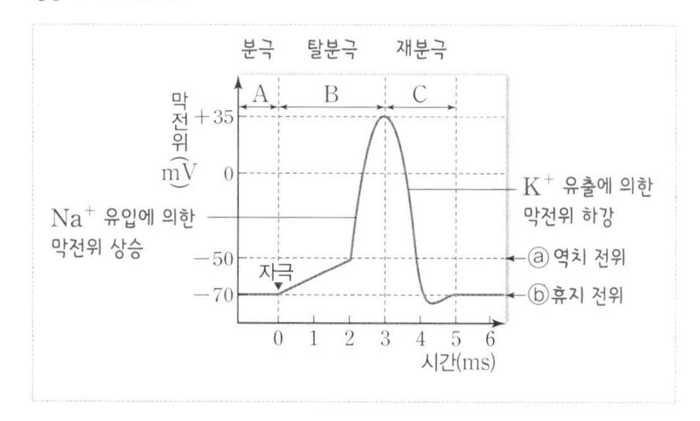

| 선택지 분석 |

① A는 분극 상태이다.

➡ A는 분극 상태로 휴지 전위를 나타낸다.

② ⓐ는 역치 전위, ⓑ는 휴지 전위이다.

➡ ⓐ는 활동 전위가 발생할 수 있는 최저 막전위로 −50 mV인 역치 전위, ⓑ는 자극을 주기 전의 막전위인 휴지 전위이다.

③ B에서 Na^+이 세포 밖에서 안으로 유입된다.

➡ B는 탈분극 시기이며, 탈분극 시기에 Na^+이 세포 밖에서 안으로 유입되어 막전위가 상승한다.

④ C에서 K^+이 세포 안에서 밖으로 유출된다.

➡ C는 재분극 시기이며, 재분극 시기에 K^+이 세포 안에서 밖으로 유출되어 막전위가 하강한다.

⑤ A에서 세포막을 통한 Na^+과 K^+의 이동은 ~~일어나지 않는다.~~ 일어난다.

➡ A는 분극 시기이며, 분극 시기에 Na^+-K^+ 펌프를 통해 Na^+과 K^+의 이동이 일어난다.

08 | 자료 분석 |

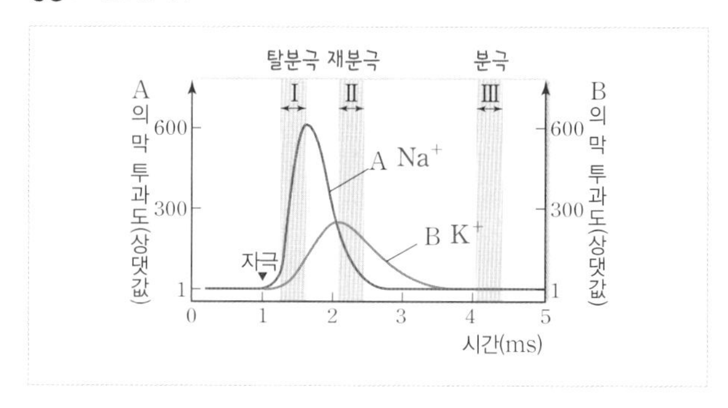

| 선택지 분석 |

① A는 ~~K^+~~ Na^+, B는 ~~Na^+~~ K^+이다.

➡ A는 B보다 막 투과도가 초반에 더 빠르게 상승하므로 A는 Na^+, B는 K^+이다.

② Ⅰ은 탈분극, Ⅱ는 재분극 시기이다.

➡ Ⅰ은 Na^+의 막 투과도가 높은 탈분극, Ⅱ는 K^+의 막 투과도가 높은 재분극 시기이다.

③ Ⅰ에서 Na^+이 Na^+ 통로를 통해 세포 ~~안~~ 밖 에서 세포 ~~밖~~ 안 으로 ~~유출~~ 유입 된다.

➡ Ⅰ은 탈분극 시기로 탈분극 시기에는 Na^+이 Na^+ 통로를 통해 세포 밖에서 세포 안으로 확산 유입된다.

④ Ⅱ에서 자극을 받은 지점 주변의 K^+ 통로는 ~~닫혀 있다.~~ 열려 있다.

➡ Ⅱ는 재분극 시기로 재분극 시기에는 K^+ 통로가 열려 K^+이 확산 유출된다.

⑤ Ⅲ에서 세포막을 통한 Na^+과 K^+의 이동은 ~~일어나지 않는다.~~ 일어난다.

➡ Ⅲ은 분극 시기로 분극 시기에는 Na^+-K^+ 펌프를 통해 Na^+과 K^+의 이동이 일어난다.

09 | 선택지 분석 |

① Ⅰ 지점에 주어진 자극은 역치 이상이다.

➡ Ⅱ 지점에서 탈분극이 일어났으므로 Ⅰ 지점에 주어진 자극은 역치 이상이다.

② Ⅱ 지점에서 활동 전위가 발생했다.

➡ Ⅱ 지점에서 탈분극이 일어났으므로 활동 전위가 발생했다.

③ ㉠ 과정에서 탈분극이 일어났다.

➡ ㉠ 과정에서 세포 안이 음(−)전하에서 양(+)전하로 바뀌었으므로 탈분극이 일어났다.

④ ㉡ 과정에서 재분극이 일어났다.

➡ ㉡ 과정에서 세포 안이 다시 양(+)전하에서 음(−)전하로 바뀌었으므로 재분극이 일어났다.

✔⑤ ㉠에서 Na^+ 통로를 통한 Na^+의 이동에 ATP가 ~~소모된다.~~ 소모되지 않는다.

➡ Na^+ 통로를 통한 Na^+의 이동은 ATP가 소모되지 않는 확산에 의해 일어난다.

10 재분극 시기에는 상승했던 막전위가 하강하며, K^+의 농도는 세포 안에서가 세포 밖에서보다 높아 K^+이 K^+ 통로를 통해 세포 안에서 밖으로 확산 유출된다.

11 | 선택지 분석 |

① (가)일 때 지점 A는 ~~탈분극~~ 재분극 상태이다.

➡ (가)일 때 지점 A는 K^+이 확산 유출되고 있으므로 재분극 상태이다.

② (가)일 때 K^+은 ~~능동 수송~~ 확산에 의해 세포 안에서 밖으로 유출된다.

➡ 재분극(가)일 때 K^+이 K^+ 통로를 통해 세포 안에서 세포 밖으로 유출될 때 확산에 의해 일어난다.

③ (나)일 때 지점 A는 ~~분극~~ 탈분극 상태이다.

➡ (나)일 때 지점 A는 Na^+이 확산 유입되고 있으므로 탈분극 상태이다.

④ (나)일 때 지점 A의 세포 안 막전위는 ~~하강~~ 상승한다.

➡ 탈분극(나)일 때 지점 A의 세포 안 막전위는 상승한다.

✔⑤ 시간 순서에 따라 배열하면 (나) → (가)이다.

➡ 탈분극이 일어난 다음에 재분극이 일어나므로 시간 순서에 따라 배열하면 탈분극(나) → 재분극(가)이다.

12 흥분의 전도 속도는 말이집 신경이 민말이집 신경보다 빠르며, 축삭 돌기의 지름이 클수록 빠르다. 따라서 흥분의 전도 속도는 A, B, C 순으로 빠르다.

13 | 선택지 분석 |

① 흥분은 B에서 A로 이동한다.

➡ 흥분은 시냅스 이전 뉴런인 B에서 시냅스 이후 뉴런인 A로 이동한다.

✔② 신경 전달 물질은 A의 세포 안으로 ~~유입된다.~~ 유입되지 않는다.

➡ 신경 전달 물질은 세포 내로 유입되지 않는다. 세포 내로 유입되는 것은 Na^+이다.

③ 신경 전달 물질은 A에서 Na^+의 유입을 촉진한다.

➡ 신경 전달 물질이 시냅스 이후 뉴런(A)의 수용체와 결합하면 Na^+ 통로가 열려 Na^+이 유입된다.

④ 신경 전달 물질은 시냅스 틈에서 확산에 의해 이동한다.

➡ 신경 전달 물질은 시냅스 틈에서 확산에 의해 시냅스 이전 뉴런에서 시냅스 이후 뉴런으로 이동한다.

⑤ 신경 전달 물질의 분비량이 증가하면 A의 활동 전위 발생 빈도가 증가한다.

➡ 신경 전달 물질의 분비량이 증가하면 시냅스 이후 뉴런(A)으로 Na^+의 유입이 촉진되어 활동 전위 발생 빈도가 증가한다.

14 시냅스 이전 뉴런에서 신경 전달 물질이 시냅스 틈으로 분비되면(나) 신경 전달 물질은 확산에 의해 시냅스 이후 뉴런으로 이동하여(라) 시냅스 이후 뉴런의 세포막에 있는 수용체와 결합한다(가). 이에 따라 시냅스 이후 뉴런은 탈분극되어(다) 흥분이 전달된다.

15 | 선택지 분석 |

① 지점 ㉠에 역치 이상의 자극을 주면 지점 ㉡과 ㉢에서 활동 전위가 나타난다.

➡ 시냅스 이전 뉴런인 (가)의 지점 ㉠에 역치 이상의 자극을 주면 같은 뉴런의 한 지점인 ㉡과 시냅스 이후 뉴런인 (나)의 지점 ㉢에서 활동 전위가 나타난다.

② 지점 ㉡에 역치 이상의 자극을 주면 지점 ㉠과 ㉢에서 활동 전위가 나타난다.

➡ 시냅스 이전 뉴런인 (가)의 지점 ㉡에 역치 이상의 자극을 주면 같은 뉴런의 한 지점인 ㉠과 시냅스 이후 뉴런인 (나)의 지점 ㉢에서 활동 전위가 나타난다.

✔③ 지점 ㉢에 역치 이상의 자극을 주면 지점 ㉠과 ㉡에서 활동 전위가 ~~나타난다.~~ 나타나지 않는다.

➡ 시냅스 이후 뉴런의 지점 ㉢에 역치 이상의 자극을 주면 시냅스 이전 뉴런으로 흥분 전달이 일어나지 않아 지점 ㉠과 ㉡에서 활동 전위가 나타나지 않는다.

④ 지점 ㉠에 역치 이상의 자극을 주면 (가)와 (나)의 축삭 돌기 말단에서 신경 전달 물질이 분비된다.

➡ 지점 ㉠에 역치 이상의 자극을 주면 (가)에서 흥분 전도가 일어나 (가)의 축삭 돌기 말단에서 신경 전달 물질이 분비되며, 흥분이 전달되어 (나)로 이동하고, (나)에서 흥분 전도가 일어나 (나)의 축삭 돌기 말단에서 신경 전달 물질이 분비된다.

⑤ 지점 ㉢에 역치 이상의 자극을 주어도 (가)의 축삭 돌기 말단에서 신경 전달 물질이 분비되지 않는다.

➡ 지점 ㉢에 역치 이상의 자극을 주어도 시냅스 이전 뉴런인 (가)로 흥분 전달이 일어나지 않으므로 (가)의 축삭 돌기 말단에서 신경 전달 물질이 분비되지 않는다.

16 흥분 전도는 흥분 전달보다 빠르고, 말이집 신경에서의 흥분 전도는 민말이집 신경에서의 흥분 전도보다 빠르다. (가)~(다)에서 (나)는 말이집이 있고, 시냅스가 없으므로 가장 빠르고, (가)는 말이집과 시냅스가 없으므로 두 번째로 빠르며, (다)는 말이집이 없고, 시냅스가 있으므로 가장 느리다.

17 카페인, 니코틴은 각성제이고, 알코올, 진통제는 진정제이며, 대마초, 마리화나는 환각제이다.

도전! 실력 올리기

084쪽~085쪽

01 ① 02 ⑤ 03 ③ 04 ② 05 ④ 06 ③

07 | 모범 답안 | (가), 말이집 신경은 말이집이 절연체 역할을 하여 랑비에 결절에서만 활동 전위가 발생하는 도약전도가 일어나기 때문이다.

08 | 모범 답안 | K^+ 통로, (가)에 비해 (나)에서 상승했던 막전위의 하강이 지체되고 있기 때문이다.

09 | 모범 답안 | (가)에는 신경 전달 물질 수용체가 없고, (나)에는 시냅스 소포가 없기 때문이다.

01 | 선택지 분석 |

(ㄱ) 흥분 전도 속도는 (가)에서가 (나)에서보다 빠르다.

➡ 흥분 전도 속도는 말이집 신경인 (가)에서가 민말이집 신경인 (나)에서보다 빠르다.

✗ ㉠과 ㉡에서 ~~모두~~ ㉡만 활동 전위가 나타난다.

➡ ㉠은 말이집, ㉡은 랑비에 결절이다. 활동 전위는 말이집에서는 나타나지 않는다.

✗ ㉠은 ~~축삭 돌기의 막이 변형되어~~ 슈반 세포가 둘러싸서 생성된다.

➡ 말이집(㉠)은 슈반 세포가 늘어져 축삭 돌기를 여러 겹 둘러싸서 생성된 것이다.

02 | 선택지 분석 |

(ㄱ) ㉠은 감각 기관, ㉡은 반응 기관이다.

➡ ㉠은 구심성 뉴런과 연결되어 있으므로 감각 기관이고, ㉡은 원심성 뉴런과 연결되어 있으므로 반응 기관이다.

(ㄴ) (가)는 구심성 뉴런, (다)는 원심성 뉴런이다.

➡ (가)는 감각 기관과 연결되어 있고, 신경 세포체가 축삭 돌기의 한쪽에 있으므로 구심성 뉴런이고, (다)는 반응 기관과 연결되어 있으므로 원심성 뉴런이다.

(ㄷ) (나)에 역치 이상의 자극을 주면 (다)에서 활동 전위가 발생한다.

➡ 흥분의 전달은 시냅스 이전 뉴런의 축삭 돌기 말단에서 시냅스 이후 뉴런의 가지 돌기 쪽으로만 일어나므로 (나)에 역치 이상의 자극을 주면 (가)로는 흥분이 전달되지 않고, (다)로는 흥분이 전달되어 (다)에서 활동 전위가 발생한다.

03

t_1 시점은 탈분극, t_2 시점은 재분극이 일어난다. ㉠은 Na^+, ㉡은 K^+이다.

| 선택지 분석 |

(ㄱ) t_1일 때 X에서 ㉠은 세포 안으로 유입된다.

➡ ㉠은 Na^+이고, ㉡은 K^+이다. t_1일 때는 막전위가 상승하므로 Na^+이 세포 안으로 유입된다.

(ㄴ) t_2일 때 X에서 ㉡의 농도는 세포 안이 세포 밖보다 높다.

➡ t_2일 때 막전위가 하강하므로 K^+이 농도가 높은 세포 안에서 농도가 낮은 세포 밖으로 확산된다.

✗ Ⅰ에서 세포막을 통한 ㉠과 ㉡의 이동은 ~~없다~~ 있다.

➡ Ⅰ은 분극 상태이다. 분극 상태에 Na^+-K^+ 펌프를 통해 Na^+과 K^+이 이동한다.

04 | 자료 분석 |

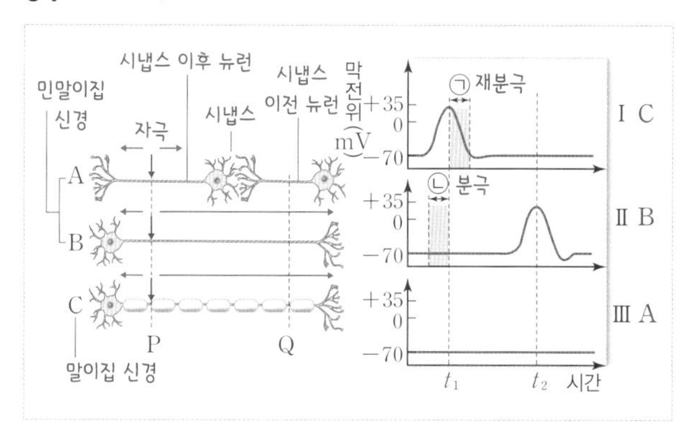

| 선택지 분석 |

✗ ㉠에서 K^+이 K^+ 통로를 통해 ~~유입~~ 유출된다.

➡ ㉠은 막전위가 하강하는 구간이므로 K^+이 K^+ 통로를 통해 유출된다.

(ㄴ) Ⅰ은 C에서의, Ⅱ는 B에서의 막전위이다.

➡ Ⅰ은 활동 전위가 가장 먼저 발생하므로 C에서의 막전위, Ⅱ는 활동 전위가 늦게 발생하므로 B에서의 막전위, Ⅲ은 활동 전위가 발생하지 않으므로 A에서의 막전위이다.

✗ ㉡에서 Na^+은 Na^+-K^+ 펌프를 통해 세포 안에서 밖으로 ~~확산~~ 능동 수송된다.

➡ ㉡은 분극 상태이므로 Na^+-K^+ 펌프를 통해 Na^+이 세포 안에서 밖으로 능동 수송된다.

05 | 자료 분석 |

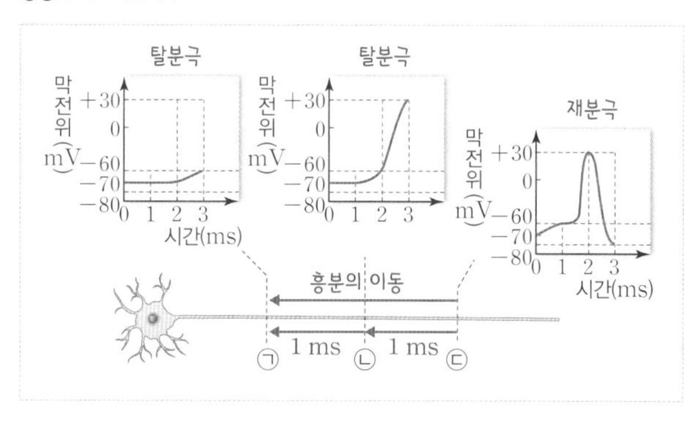

| 선택지 분석 |

(ㄱ) 흥분은 ㉢에서 ㉠ 방향으로 이동한다.

➡ ㉢은 상승했던 막전위가 하강하고, ㉡과 ㉠은 막전위가 상승하고 있으므로 흥분은 ㉢에서 ㉠ 방향으로 이동한다.

✗ 3 ms일 때 ㉡에서 ~~재분극~~ 탈분극이 일어났다.

➡ 3 ms일 때 ㉡에서 막전위가 상승하므로 탈분극이 일어났다.

(ㄷ) 흥분이 ㉠과 ㉡ 사이를 이동하는 데 1 ms가 걸린다.

➡ ㉠에서 3 ms일 때 막전위는 −60 mV이며, ㉡에서 2 ms일 때 막전위는 −60 mV, 3 ms일 때 막전위는 +30 mV이므로 흥분이 ㉠과 ㉡ 사이를 이동하는 데 걸리는 시간은 1 ms이다.

06 | 선택지 분석 |

(ㄱ) 흥분은 A에서 B로 이동한다.

➡ 흥분은 시냅스 이전 뉴런인 A에서 시냅스 이후 뉴런인 B로

이동한다.

ㄴ. 시냅스에 ㉠을 처리하면 B에서 흥분의 지속 시간이 증가한다.

➡ 시냅스에 신경 전달 물질의 재흡수를 억제하는 ㉠을 처리하면 시냅스 틈에 신경 전달 물질이 있는 시간이 늘어나므로 B에서 흥분의 지속 시간이 증가한다.

ㄷ. 시냅스에 ㉡을 처리하면 B에서 탈분극이 촉진된다. (억제)

➡ 시냅스에 신경 전달 물질과 수용체의 결합을 억제하는 ㉡을 처리하면 B의 세포막에 있는 수용체와 신경 전달 물질의 결합을 억제하므로 B에서 탈분극이 억제된다.

07 말이집 신경은 랑비에 결절에서만 활동 전위가 발생하는 도약전도가 일어나기 때문에 말이집 신경이 민말이집 신경보다 흥분 전도 속도가 빠르다.

채점 기준	배점
(가)가 더 빠르다는 것을 언급하고, 그 까닭을 도약전도의 개념을 넣어 옳게 서술한 경우	100 %
(가)가 더 빠르다는 것을 언급했지만, 그 까닭을 옳게 서술하지 못한 경우	40 %

08 K^+ 통로가 열리는 것이 억제되면 K^+이 세포 밖으로 유출되는 것이 억제되어 상승했던 막전위가 하강하는 속도가 지체된다.

채점 기준	배점
K^+ 통로라는 것을 쓰고, 그 까닭을 막전위 하강이 지체된다는 것을 언급하면서 옳게 서술한 경우	100 %
K^+ 통로라는 것을 썼지만, 그 까닭을 옳게 서술하지 못한 경우	40 %

09 축삭 돌기 말단에는 신경 전달 물질에 대한 수용체가 없고, 가지 돌기에는 시냅스 소포가 없다.

채점 기준	배점
(가)에는 신경 전달 물질 수용체가 없고, (나)에는 시냅스 소포가 없다는 것을 모두 언급하여 서술한 경우	100 %
(가)에는 신경 전달 물질 수용체가 없고, (나)에는 시냅스 소포가 없다는 것 중 1가지만 언급하여 서술한 경우	50 %

02 신경계의 구조와 기능

개념 POOL 090쪽

01 (가) 전두엽 (나) 두정엽 (다) 측두엽 (라) 후두엽
02 (1) ○ (2) × (3) × (4) ○ (5) ×

02 (2) 시각 중추는 대뇌 겉질 후두엽에 있다.
(3) 대뇌는 각 부위별로 기능이 분업화되어 있다.
(5) 대뇌의 전두엽, 두정엽, 측두엽에 언어의 중추가 있으므로 대뇌가 손상될 때 언어에 이상이 생긴다.

개념 POOL 091쪽

01 A 속질 B 겉질 C 후근 D 전근
02 (1) B (2) A (3) D (4) C

콕콕! 개념 확인하기 092쪽

✓ 잠깐 확인!

1 뇌, 척수, 말초 **2** 겉질, 속질 **3** 소뇌 **4** 간뇌 **5** 중간뇌 **6** 연수 **7** 척수 **8** 체성 운동 **9** 교감, 부교감 **10** 파킨슨

01 (1) ○ (2) × (3) ○
02 A: 대뇌 B: 중간뇌 C: 간뇌 D: 소뇌 E: 연수
03 (1) A (2) D (3) C (4) B (5) E
04 척수 **05** (1) ㉠, ㉡, ㉣ (2) ㉢, ㉤, ㉥ **06** ㄱ, ㄷ

01 (2) 뇌신경과 척수 신경은 말초 신경계에 속한다. 중추 신경계에는 뇌와 척수가 속한다.

탄탄! 내신 다지기 093쪽~095쪽

01 ⑤ **02** ㉠ 중추 신경계 ㉡ 말초 신경계 ㉢ 체성 신경계 ㉣ 자율 신경계 **03** ⑤ **04** ③ **05** ⑤ **06** 시각 중추: 후두엽, 청각 중추: 측두엽 **07** ④ **08** ② **09** ⑤ **10** ② **11** ④ **12** ④ **13** A: 아세틸콜린 B: 아세틸콜린 C: 아세틸콜린 D: 노르에피네프린 **14** ⑤ **15** ⑤ **16** ① **17** ⑤ **18** 근위축성 측삭 경화증

01 | 선택지 분석 |

① 몸의 내·외부로부터 정보를 받아들인다.

➡ 감각 기관과 연결되어 있는 구심성 뉴런을 통해 몸의 내·외부로부터 정보를 받아들인다.

② 중추 신경계와 말초 신경계로 구성된다.

➡ 뇌와 척수로 구성된 중추 신경계와 중추 신경계에서 온몸으로 뻗어 있는 말초 신경계로 구성된다.

③ 중추 신경계는 뇌와 척수로 구성된다.

➡ 뇌와 척수는 중추 신경계를 구성한다.

④ 말초 신경계는 온몸에 퍼져 있다.

➡ 말초 신경계는 중추 신경계에서 뻗어 나와 온몸에 퍼져 있다.

⑤ 말초 신경계는 반응 기관에 명령을 내린다. (중추)

➡ 명령을 내리는 것은 중추 신경계이다.

02 뇌와 척수를 포함하는 ㉠은 중추 신경계이다. 따라서 ㉡은 말초 신경계이고, 교감 신경과 부교감 신경을 포함하는 ㉣은 자율 신경계이므로 ㉢은 체성 신경계이다.

03 | 선택지 분석 |

① (가)는 말초 신경계, (나)는 중추 신경계이다.

➡ 뇌와 척수를 포함하는 (나)는 중추 신경계이다. 따라서 (가)는 말초 신경계이다.

② ㉠은 뇌신경, ㉡은 척수 신경이다.
➡ ㉠은 뇌에서 뻗어 나오는 뇌신경, ㉡은 척수에서 뻗어 나오는 척수 신경이다.

③ ㉠은 뇌에서 뻗어 나온다.
➡ ㉠은 뇌에서 뻗어 나오는 뇌신경이다.

④ ㉡은 척수에서 뻗어 나온다.
➡ ㉡은 척수에서 뻗어 나오는 척수 신경이다.

⑤ 구심성 뉴런은 ㉠을 ~~구성하지 않는다.~~ 구성한다.
➡ ㉠에는 구심성 뉴런(감각 뉴런)과 원심성 뉴런(운동 뉴런)이 모두 존재한다.

04 | 자료 분석 |

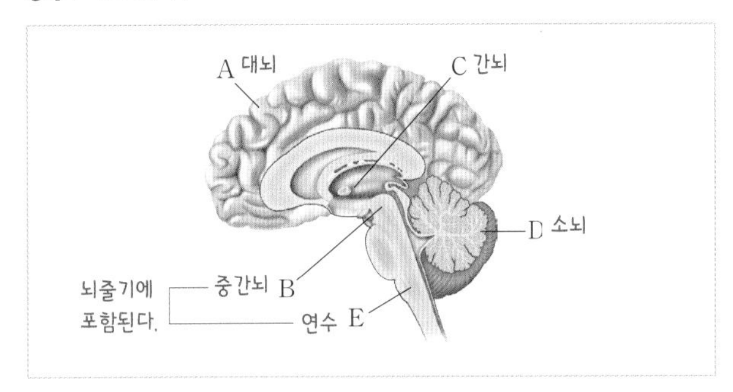

| 선택지 분석 |

① A의 속질은 ~~회색질~~ 백색질이다.
➡ A는 대뇌이며, 대뇌의 속질은 백색질이다.

② B는 ~~연수~~ 중간뇌이다.
➡ B는 중간뇌이다.

③ C는 시상과 시상 하부로 구성된다.
➡ C는 간뇌이며, 시상과 시상 하부로 구성된다.

④ D는 ~~3개~~ 2개의 반구로 나누어져 있다.
➡ D는 소뇌이며, 좌우 2개의 반구로 나누어져 있다.

⑤ E는 뇌줄기에 ~~포함되지 않는다.~~ 포함된다.
➡ E는 연수이며, 뇌줄기에는 중간뇌, 뇌교, 연수가 포함된다.

05 | 선택지 분석 |

① A: 주의력 결핍과 언어 능력에 이상이 나타난다.
➡ 대뇌(A)는 고등 정신 활동 중추로 손상이 생기면 주의력 결핍과 언어 능력에 이상이 나타난다.

② B: 빛을 비추어도 동공이 작아지지 않는다.
➡ 중간뇌(B)는 동공 반사 중추로 손상이 생기면 빛을 비추어도 동공이 작아지지 않는다.

③ C: 삼투압 조절에 이상이 생긴다.
➡ 간뇌(C)는 항상성 조절 중추로 손상이 생기면 삼투압 조절에 이상이 생긴다.

④ D: 몸의 균형을 제대로 잡을 수 없다.
➡ 소뇌(D)는 평형 유지 중추로 손상이 생기면 몸의 균형을 제대로 잡을 수 없다.

⑤ E: 무릎 반사가 일어나지 않는다. (척수)
➡ E는 연수이며, 무릎 반사의 중추는 척수이다.

06 (나)에서 단어를 보고 읽을 때 후두엽이 활발하게 반응하고, 단어를 들을 때 측두엽이 활발하게 반응한다.

07 | 선택지 분석 |

㉠ 속질은 회색질, 겉질은 백색질이다.
➡ 척수의 속질은 신경 세포체가 모여 있는 회색질이고, 겉질은 축삭 돌기가 모여 있는 백색질이다.

✕ 배 쪽에는 ~~후근~~ 전근이, 등 쪽에는 ~~전근~~ 후근이 뻗어 나온다.
➡ 척수의 배 쪽에는 전근이, 등 쪽에는 후근이 뻗어 나온다.

㉢ 무릎 반사의 중추이다.
➡ 무릎을 치면 척수가 중추가 되어 빠른 시간에 무릎이 올라가는 무릎 반사가 일어난다.

08 | 선택지 분석 |

① A는 구심성 뉴런이다.
➡ A는 감각 기관에서 받은 자극을 중추로 전달하는 구심성 뉴런(감각 뉴런)이다.

② A는 척수의 ~~전근~~ 후근을 이룬다.
➡ 구심성 뉴런(A)은 척수의 등 쪽으로 들어오므로 후근을 이룬다.

③ B는 운동 뉴런이다.
➡ B는 원심성 뉴런으로 운동 뉴런이다.

④ D에는 신경 세포체가 모여 있다.
➡ 척수의 속질(D)에는 신경 세포체가 모여 있어 회색질이다.

⑤ 회피 반사가 일어나는 경로는 A → C → B이다.
➡ 회피 반사가 일어나는 경로는 구심성 뉴런(A) → 연합 뉴런(C) → 원심성 뉴런(B)이다.

09 | 선택지 분석 |

① B는 연합 뉴런이다.
➡ B는 A와 C 사이에 있으므로 연합 뉴런이다.

② C는 척수의 전근을 이룬다.
➡ C는 원심성 뉴런으로 척수의 배 쪽으로 나오므로 전근을 이룬다.

③ 무릎 반사의 중추는 척수이다.
➡ 무릎 반사의 중추는 척수로, 무릎을 치면 즉각적으로 다리가 올라간다.

④ 무릎 반사가 일어나는 경로는 A → B → C이다.
➡ 무릎 반사가 일어나는 경로는 구심성 뉴런(A) → 연합 뉴런(B) → 원심성 뉴런(C)이다.

⑤ 무릎에 가해진 자극에 의한 흥분은 D로 ~~전달되지 않는다.~~ 전달된다.
➡ 무릎에 가해진 자극에 의한 흥분은 대뇌의 뉴런(D)으로 전달되기 때문에 아픔을 느낄 수 있다.

10 | 선택지 분석 |

① 감각 신경계는 구심성 경로에 포함된다.
➡ 감각 신경계는 감각 기관으로부터 받은 자극을 중추 신경계로 전달하는 구심성 경로에 포함된다.

자율 신경계는 골격근과 연결되어 있다.
➡ 골격근과 연결되어 있는 말초 신경계는 체성 신경계이다.

③ 체성 운동 신경계는 주로 대뇌의 지배를 받는다.
➡ 체성 운동 신경계는 주로 대뇌의 지배를 받아 의지적인 운동을 수행하도록 도와준다.

④ 감각 신경계는 감각 기관과 중추 신경계 사이가 1개의 뉴런으로 연결되어 있다.
➡ 감각 신경계는 감각 기관과 중추 신경계 사이가 1개의 긴 뉴런으로 연결되어 있다.

⑤ 자율 신경계는 중추 신경계와 반응 기관 사이가 2개의 뉴런으로 연결되어 있다.
➡ 자율 신경계는 중추 신경계와 반응 기관 사이가 신경절 이전 뉴런과 신경절 이후 뉴런으로 연결되어 있다.

11 | 선택지 분석 |

ㄱ. 원심성 경로에 포함된다.
➡ 자율 신경계는 운동 뉴런으로 구성되어 있으므로 원심성 경로에 포함된다.

ㄴ. 대뇌의 직접적인 지배를 받는다.
➡ 자율 신경계는 대뇌의 직접적인 지배를 받지 않고, 연수, 척수 등의 지배를 받는다.

ㄷ. 교감 신경과 부교감 신경이 포함된다.
➡ 교감 신경과 부교감 신경이 자율 신경계를 구성한다.

12 | 선택지 분석 |

A는 신경절 이전 뉴런이 길고, 신경절 이후 뉴런이 짧으므로 부교감 신경, B는 신경절 이전 뉴런이 짧고, 신경절 이후 뉴런이 길므로 교감 신경, C는 1개의 뉴런으로 되어 있고 골격근과 연결되어 있으므로 체성 운동 신경, D는 감각 기관인 피부와 연결되어 있으므로 감각 신경이다.

13 부교감 신경의 신경절 이전 뉴런 말단에서는 아세틸콜린(A)이, 부교감 신경의 신경절 이후 뉴런 말단에서는 아세틸콜린(B)이, 교감 신경의 신경절 이전 뉴런 말단에서는 아세틸콜린(C)이, 교감 신경의 신경절 이후 뉴런 말단에서는 노르에피네프린(D)이 분비된다.

더 알아보기 **체성 운동 신경과 자율 신경의 신경 전달 물질**

체성 운동 신경
아세틸콜린
교감 신경
노르에피네프린
신경절
신경절 이전 뉴런
아세틸콜린
신경절 이후 뉴런
부교감 신경
아세틸콜린
말초 신경계에 속한다.

14 | 선택지 분석 |

① A는 감각 신경이다.
➡ A는 감각 기관에서 받아들인 자극을 중추 신경계에 연결하는 감각 신경이다.

② B는 말초 신경계에 속한다.
➡ B는 내장 기관에 연결되어 있으므로 자율 신경이며, 말초 신경계에 속한다.

③ C는 체성 신경계에 속한다.
➡ C는 골격근과 연결되어 있으므로 체성 운동 신경이다.

④ C는 대뇌의 직접적인 지배를 받는다.
➡ 체성 운동 신경(C)은 대뇌의 직접적인 지배를 받아 골격근의 의지적인 운동에 관여한다.

A와 B는 모두 2개의 뉴런으로 이루어져 있다.
➡ A는 1개의 뉴런, B는 2개의 뉴런으로 이루어져 있다.

15 | 선택지 분석 |

① (가)는 부교감 신경이다.
➡ (가)는 혈압을 상승시키고, 소화액 분비를 억제하므로 교감 신경이다.

② (나)는 신경절 이전 뉴런이 신경절 이후 뉴런보다 짧다.
➡ (나)는 부교감 신경이며, 부교감 신경은 신경절 이전 뉴런이 신경절 이후 뉴런보다 길다.

③ ㉠은 억제이다.
➡ 교감 신경은 심장 박동을 촉진한다.

④ ㉡은 확장이다.
➡ 부교감 신경은 기관지를 수축시킨다.

교감 신경이 흥분할 때보다 부교감 신경이 흥분할 때 소화가 더 잘 된다.
➡ 교감 신경이 흥분하면 소화를 억제하고, 부교감 신경이 흥분하면 소화를 촉진한다.

16 | 선택지 분석 |

말초 신경계 질환이다.
➡ 파킨슨병은 중추 신경계 질환이다.

② 도파민이 부족하면 나타날 수 있다.
➡ 파킨슨병은 도파민의 분비하는 중간뇌의 이상으로 발생하므로 도파민이 부족하면 나타날 수 있다.

③ 중간뇌의 신경 세포 소실로 발생한다.
➡ 파킨슨병은 신경 전달 물질인 도파민을 분비하는 중간뇌의 신경 세포 소실로 발생한다.

④ 도파민의 전구 물질을 투여하는 치료법이 있다.
➡ 파킨슨병은 도파민의 부족으로 나타나는 질환이므로 도파민의 전구 물질을 투여하는 치료법이 있으나 근본적인 치료법은 없다.

⑤ 손과 팔의 떨림과 온몸의 경직 증상이 나타난다.
➡ 파킨슨병의 증상으로는 손과 팔의 떨림, 온몸의 경직 증상, 자세 불안정, 운동 장애 등이 있다.

17 | 선택지 분석 |

ㄱ 대뇌 측두엽의 기능이 저하되어 발생한다.

➡ 알츠하이머병은 아밀로이드와 같은 신경 독성 물질의 축적으로 인해 대뇌 양측에 위치한 측두엽의 기능이 저하되어 발생한다.

ㄴ 인지 장애, 기억 상실 등의 증상이 나타난다.

➡ 알츠하이머병은 인지 장애, 기억 상실, 우울증, 사고 능력 저하, 운동 능력 상실 등이 나타난다.

ㄷ 심리 요법, 항우울제 등의 약물을 투여하는 치료법이 있다.

➡ 심리 요법, 항우울제, 진정 수면제 등의 약물을 투여할 수 있지만 근본적인 치료법이 없다.

18 근위축성 측삭 경화증은 운동 신경이 선택적으로 파괴되면서 발생한다. 초기에는 손의 사용이 서툴고 다리가 약해지며, 음식을 삼키는 데 어려움을 겪고 말이 느려진다. 질환이 진행되면서 기침, 호흡 곤란, 점진적인 근육 위축과 약화, 근육 강직이 나타난다.

도전! 실력 올리기 096쪽~097쪽

01 ② **02** ⑤ **03** ④ **04** ③ **05** ③ **06** ③

07 G → D → B → E → F

08 | 모범 답안 | A는 교감 신경, B는 부교감 신경이다. 교감 신경의 신경절 이후 뉴런 말단에서는 노르에피네프린이, 부교감 신경의 신경절 이후 뉴런 말단에서는 아세틸콜린이 분비되기 때문이다.

09 | 모범 답안 | A가 흥분할 때 동공의 크기는 커지고, B가 흥분할 때 동공의 크기는 작아진다.

01 | 선택지 분석 |

✗ (가)는 ~~뇌사~~ 상태이다. (식물인간)

➡ (가)는 대뇌의 기능이 상실된 경우로 식물인간 상태이다.

ㄴ (가)의 눈에 빛을 비추면 동공 반사가 일어난다.

➡ (가)는 동공 반사가 일어나는 중간뇌는 기능이 상실되지 않았으므로 눈에 빛을 비추면 동공 반사가 일어난다.

✗ (나)는 자율적으로 호흡 운동을 조절할 수 ~~있다.~~ (없다.)

➡ (나)는 호흡 운동 조절 중추인 연수의 기능이 상실되었으므로 자율적으로 호흡 운동을 조절할 수 없다.

02 | 선택지 분석 |

ㄱ ㉠이 손상되면 촉각을 느끼지 못한다.

➡ 촉각에 의한 흥분을 대뇌로 전달하는 ㉠이 손상되면 촉각을 느끼지 못한다.

ㄴ 연수에서 신경이 좌우 교차된다.

➡ 연수는 신경이 좌우 교차되는 장소이다.

ㄷ 대뇌 우반구에 이상이 생기면 왼쪽 다리를 의지대로 움직이지 못한다.

➡ 대뇌 우반구에서 내린 명령이 왼쪽의 다리 근육으로 전달되므로 대뇌 우반구에 이상이 생기면 왼쪽 다리를 의지대로 움직이지 못한다.

03 | 선택지 분석 |

ㄱ A와 E는 모두 말초 신경계에 속한다.

➡ A는 구심성 뉴런, E는 원심성 뉴런으로 모두 말초 신경계에 속한다.

✗ A를 통해 들어온 감각 정보는 B를 통해 C로 ~~전달되지 않는다.~~ (전달된다.)

➡ A를 통해 들어온 감각 정보는 B를 통해 C로 전달되어 대뇌의 감각령에서 감각을 느낄 수 있다.

ㄷ 자신도 모르게 뜨거운 물체에서 손을 떼는 과정에 A, D, E가 모두 관여한다.

➡ 자신도 모르게 뜨거운 물체에서 손을 떼는 과정은 회피 반사로 구심성 뉴런(A) → 연합 뉴런(D) → 원심성 뉴런(E)의 경로를 거친다.

04 | 선택지 분석 |

✗ ~~(가)~~는 골격근이다. ((나))

➡ A는 부교감 신경이고, 골격근에 연결되어 있는 신경은 체성 운동 신경이다.

✗ ~~A~C~~는 모두 자율 신경계에 속한다. (A와 B)

➡ A는 부교감 신경, B는 교감 신경으로 자율 신경계에 속하지만, C는 체성 운동 신경으로 체성 신경계에 속한다.

ㄷ A와 C에서 각각 반응 기관으로 분비되는 신경 전달 물질의 종류는 같다.

➡ A와 C에서 각각 반응 기관으로 분비되는 신경 전달 물질은 아세틸콜린으로 같다.

05 | 자료 분석 |

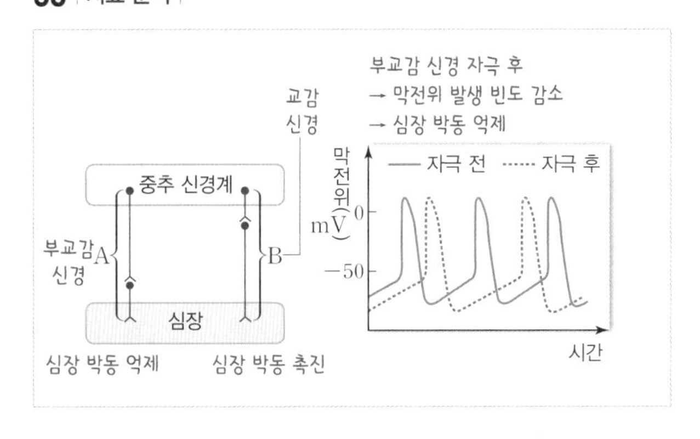

| 선택지 분석 |

✗ A와 B의 신경절 이후 뉴런의 축삭 돌기 말단에서 분비되는 신경 전달 물질은 ~~같다.~~ (다르다.)

➡ A는 부교감 신경으로 신경절 이후 뉴런의 축삭 돌기 말단에서 분비되는 신경 전달 물질은 아세틸콜린이고, B는 교감 신경으로 신경절 이후 뉴런의 축삭 돌기 말단에서 분비되는 신경 전달 물질은 노르에피네프린이다.

✗ B의 신경 세포체는 ~~연수~~에 있다. (척수)

➡ 교감 신경(B)의 신경 세포체는 척수에 있다.

ㄷ. (나)는 A를 자극했을 때의 변화를 나타낸 것이다.
➡ (나)는 자극 후가 자극 전보다 활동 전위 발생이 느려졌으므로 부교감 신경(A)을 자극했을 때의 변화를 나타낸 것이다.

06 선택지 분석

ㄱ. (가) 환자에게서 치매 증상이 나타날 수 있다.
➡ (가)는 알츠하이머병으로 신경 세포가 사멸되어 이 환자에게서 치매 증상이 나타날 수 있다.

ㄴ. 대뇌는 ㉠에 해당한다.
➡ 알츠하이머병은 아밀로이드와 같은 신경 독성 물질의 축적으로 인해 대뇌 양측에 위치한 측두엽의 기능이 저하되어 발생한다.

~~ㄷ.~~ (나)의 치료에 도파민 수용체를 차단하는 약물을 사용하면 ~~효과적이다.~~ 효과적이지 않다.
➡ (나)는 파킨슨병으로 치료에 도파민 수용체를 차단하는 약물을 사용하면 증상이 더 악화된다.

07 깜깜한 현관에서 손으로 더듬어 현관문 손잡이를 찾을 때는 척수로 들어오는 구심성 뉴런에서 자극을 받아들여 대뇌에서 명령을 내려 척수에서 나가는 원심성 뉴런을 거쳐 반응한다.

08 교감 신경의 신경절 이후 뉴런 말단에서는 노르에피네프린이, 부교감 신경의 신경절 이후 뉴런 말단에서는 아세틸콜린이 분비된다.

채점 기준	배점
A는 교감 신경, B는 부교감 신경이라고 쓰고, 그 까닭을 옳게 서술한 경우	100 %
A는 교감 신경, B는 부교감 신경이라고 썼지만, 그 까닭을 옳게 서술하지 못한 경우	50 %

09 교감 신경(A)이 흥분할 때 동공의 크기는 커지고, 부교감 신경(B)이 흥분할 때 동공의 크기는 작아진다.

채점 기준	배점
A와 B의 상황을 모두 옳게 서술한 경우	100 %
A와 B의 상황 중 1가지만 옳게 서술한 경우	50 %

3 근육의 구조와 수축 원리

개념 POOL 100쪽

01 ㉠ 액틴 필라멘트 ㉡ 마이오신 필라멘트 ㉢ H대 ㉣ A대 ㉤ I대 **02** (1) × (2) ○ (3) ○ (4) × (5) ○

02 (1) 액틴 필라멘트(㉠)는 마이오신 필라멘트(㉡)에 비해 가늘다.
(4) 근육이 수축할 때 A대의 길이는 변하지 않는다.

콕콕! 개념 확인하기 101쪽

✓ 잠깐 확인!

1 골격근 **2** 심장근 **3** 내장근 **4** 근육 섬유 **5** 근육 원섬유 마디 **6** 액틴 필라멘트 **7** 마이오신 필라멘트 **8** A대 **9** I대 **10** 활주설

01 ㉠ 골격근 ㉡ 심장근 ㉢ 내장근 **02** ㉠ I대 ㉡ A대 ㉢ H대 ㉣ 액틴 필라멘트 ㉤ 마이오신 필라멘트 ㉥ M선 ㉦ Z선 **03** (1) ○ (2) ○ (3) × **04** (1) 아세틸콜린 (2) 활동 전위 (3) 마이오신 머리 **05** (1) 근육 원섬유 마디, H대, I대 (2) 액틴 필라멘트, 마이오신 필라멘트, A대

03 (3) 근육 원섬유 마디는 Z선에서 그 다음 Z선까지의 부분이다.

탄탄! 내신 다지기 102쪽~103쪽

01 ④ **02** ① **03** ④ **04** ⑤ **05** (가), (나) **06** ⑤ **07** ③ **08** ② **09** ③ **10** ⑤ **11** ④

01 선택지 분석

① (가)는 ~~골격근~~ 심장근이다.
➡ (가)는 심장근이다.

② (가)에는 가로무늬가 ~~없다.~~ 있다.
➡ (가)는 가로무늬가 있는 가로무늬근이다.

③ (나)는 ~~불수의근~~ 수의근이다.
➡ (나)는 골격근으로 수의근이다.

④ (나)는 체성 신경의 지배를 받는다.
➡ 골격근(나)은 체성 신경의 지배를 받는다.

⑤ ~~(다)~~ (가)는 심장 박동을 일으킨다.
➡ (다)는 내장근이며, 심장 박동을 일으키는 근육은 (가)이다.

02 선택지 분석

① 수의근이다.
➡ 골격근은 대뇌의 지배를 받아 의지에 따라 움직일 수 있는 수의근이다.

② 가로무늬가 ~~없다.~~ 있다.
➡ 골격근은 가로무늬가 있다.

③ ~~내장 기관을 구성한다.~~ 뼈에 붙어 몸을 움직이게 한다.
➡ 골격근은 뼈에 붙어 몸을 움직이게 한다.

④ ~~심장 박동을 일으킨다.~~ 뼈에 붙어 몸을 움직이게 한다.
➡ 심장 박동을 일으키는 근육은 심장근이다.

⑤ ~~자율~~ 체성 신경의 지배를 받는다.
➡ 골격근은 체성 신경의 지배를 받는다.

03 | 선택지 분석 |

① ㉠은 근육 섬유 다발이다.
➡ ㉠은 여러 개의 근육 섬유로 구성된 근육 섬유 다발이다.

② ㉠은 여러 개의 근육 섬유로 이루어져 있다.
➡ ㉠은 여러 개의 근육 섬유로 구성된 근육 섬유 다발이다.

③ ㉡은 여러 개의 핵이 있는 세포이다.
➡ ㉡은 근육 섬유로 여러 개의 핵이 있는 다핵 세포이다.

④ ㉢은 한 종류의 단백질로 이루어져 ~~있다.~~ 있지 않다.
➡ ㉢은 근육 원섬유로 액틴 필라멘트와 마이오신 필라멘트로 이루어져 있으므로 한 종류의 단백질로 이루어진 것이 아니다.

⑤ ㉢은 I대와 A대가 반복되어 가로무늬가 나타난다.
➡ 근육 원섬유(㉢)는 밝은 I대와 어두운 A대가 반복되어 가로무늬가 나타난다.

04 | 자료 분석 |

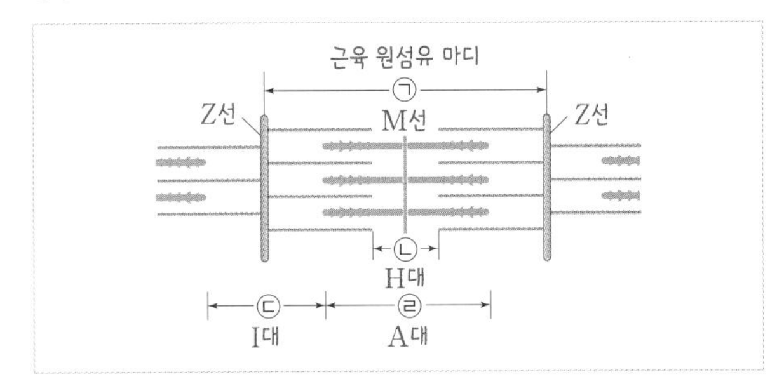

| 선택지 분석 |

① ㉠은 Z선과 Z선 사이의 부분이다.
➡ ㉠은 근육 원섬유 마디로 Z선과 Z선 사이의 부분이다.

② ㉡은 H대이다.
➡ ㉡은 마이오신 필라멘트로만 이루어진 H대이다.

③ ㉢은 액틴 필라멘트만 있는 부분이다.
➡ ㉢은 액틴 필라멘트만 있는 부분인 I대이다.

④ ㉣의 중앙에는 M선이 있다.
➡ ㉣은 A대이며, 중앙에는 M선이 있다.

⑤ 전자 현미경으로 관찰했을 때, ㉢은 ㉣보다 ~~어둡게~~ 밝게 보인다.
➡ 전자 현미경으로 관찰했을 때, I대(㉢)는 A대(㉣)보다 밝게 보인다.

05 (가)는 (다)보다 굵은 마이오신 필라멘트만 보이므로 A대 중 H대이고, (나)는 가는 액틴 필라멘트와 굵은 마이오신 필라멘트가 보이므로 A대의 일부이다.

06 | 선택지 분석 |

① (가)는 근육 원섬유 마디를 구분하는 경계선이다.
➡ (가)는 Z선으로 근육 원섬유 마디를 구분하는 경계선이다.

② (나)는 A대이다.
➡ (나)는 마이오신 필라멘트가 있어서 전자 현미경으로 관찰 시 어둡게 보이는 부분인 A대이다.

③ (다)에는 Z선이 포함되어 있다.
➡ (다)는 전자 현미경으로 관찰 시 밝게 보이는 부분인 I대이며, I대에는 Z선이 포함되어 있다.

④ (라)는 H대이다.
➡ (라)는 A대 중 마이오신 필라멘트만 있는 부분인 H대이다.

⑤ ㉠은 ㉡보다 굵기가 ~~가늘다.~~ 굵다.
➡ ㉠은 마이오신 필라멘트, ㉡은 액틴 필라멘트이다. 마이오신 필라멘트는 액틴 필라멘트보다 굵기가 굵다.

07 | 선택지 분석 |

① ㉠은 ~~감각 뉴런~~ 체성 운동 뉴런이다.
➡ ㉠은 체성 운동 뉴런이다.

② ㉠은 ~~자율 신경계~~ 체성 신경계에 속한다.
➡ ㉠은 체성 신경계에 속한다.

③ ㉡은 아세틸콜린이다.
➡ 체성 운동 뉴런에서 분비되는 ㉡은 아세틸콜린이다.

④ ㉡의 분비량이 증가하면 근육이 ~~이완~~ 수축한다.
➡ 아세틸콜린의 분비량이 증가하면 근육이 수축한다.

⑤ ㉡에 의해 근육 섬유의 ~~재분극~~ 탈분극이 일어난다.
➡ 아세틸콜린에 의해 근육 섬유의 탈분극이 일어난다.

08 근육 섬유의 세포막과 접해 있는 체성 운동 신경의 축삭 돌기 말단에 활동 전위가 도달하면(나) 축삭 돌기 말단에서 아세틸콜린이 분비된다(라). 아세틸콜린이 축삭 돌기 말단에서 근육 섬유로 확산되고(마), 아세틸콜린에 의해 근육 섬유의 세포막이 탈분극되어 활동 전위가 발생하면 (가) 액틴 필라멘트가 근육 원섬유 마디 가운데 방향으로 미끄러져 들어간다(다).

09 | 선택지 분석 |

① ATP가 소모된다.
➡ 근육 수축 시 ATP가 소모된다.

② H대의 길이가 짧아진다.
➡ A대 중 마이오신 필라멘트만 있는 부분이므로 활주설에 따라 길이가 짧아진다.

③ A대의 길이가 ~~짧아진다.~~ 변하지 않는다.
➡ A대는 마이오신 필라멘트의 길이와 같다. 골격근이 수축해도 마이오신 필라멘트의 길이는 변하지 않으므로 A대의 길이도 변하지 않는다.

④ 근육 원섬유 마디의 길이가 짧아진다.
➡ 액틴 필라멘트가 마이오신 필라멘트 사이로 미끄러져 들어가므로 근육 원섬유 마디의 길이가 짧아진다.

⑤ 액틴 필라멘트가 마이오신 필라멘트 사이로 미끄러져 들어간다.
➡ 골격근의 수축 원리로, 활주설이라고 한다.

10 | 선택지 분석 |

① ㉠은 근육이 ~~이완~~하는 과정이다.
수축

② ㉠일 때 (가)와 (나)의 길이가 모두 ~~짧아진다~~.
변하지 않는다.

➡ (가)는 액틴 필라멘트, (나)는 마이오신 필라멘트이다. 근육이 수축할 때 액틴 필라멘트와 마이오신 필라멘트의 길이는 모두 변하지 않는다.

③ ㉠일 때 A대의 길이가 ~~길어진다~~.
변하지 않는다.

④ ㉡일 때 H대의 길이가 ~~짧아진다~~.
길어진다.

⑤ ㉡일 때 (가)와 (나)가 겹치는 부분의 길이가 짧아진다.

➡ 근육이 이완될 때 액틴 필라멘트(가)가 마이오신 필라멘트(나) 사이를 미끄러져 나가므로 액틴 필라멘트와 마이오신 필라멘트가 겹치는 부분의 길이가 짧아진다.

더 알아보기 **골격근 수축 시 근육 원섬유 마디의 길이 변화**

근육 원섬유는 액틴 플라멘트와 마이오신 필라멘트로 구성되어 있고, 근육 원섬유 마디가 반복적으로 나타난다.

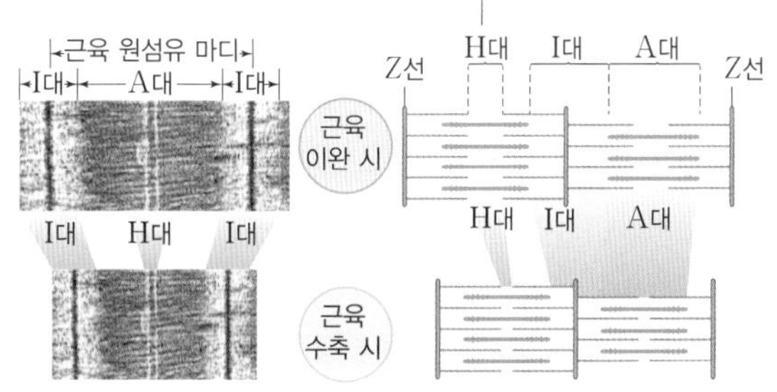

- **골격근의 수축 시 길이의 변화가 없는 것:** 액틴 필라멘트, 마이오신 필라멘트, A대
- **골격근의 수축 시 길이가 짧아지는 것:** 근육 원섬유 마디, H대, I대

11 | 선택지 분석 |

① ㉠에서 ATP가 소모된다.

➡ ATP가 ADP와 무기 인산으로 전환될 때 생성되는 에너지를 이용해 근수축이 일어난다.

② ㉠에서 근육 원섬유 마디의 길이가 짧아진다.

➡ ㉠은 근육이 수축된 상태이므로 근육 원섬유 마디의 길이가 짧아진다.

③ ㉠에서 I대의 길이가 짧아진다.

➡ ㉠은 근육 수축 상태이므로 I대의 길이가 짧아진다.

④ ㉡에서 H대의 길이가 ~~짧아진다~~.
길어진다.

➡ 과정 (가)에서 ㉡은 이완하므로 H대의 길이가 길어진다.

⑤ ㉡에서 A대의 길이가 변하지 않는다.

➡ A대의 길이는 마이오신 필라멘트 길이와 같다. 근육이 수축하거나 이완되어도 A대의 길이는 변하지 않는다.

도전! 실력 올리기 104쪽~105쪽

01 ④ **02** ① **03** ⑤ **04** ⑤ **05** ② **06** ③

07 | **모범 답안** | 액틴 필라멘트에 붙어 있는 마이오신 머리가 뒤로 젖혀지는 구조 변화를 통해 액틴 필라멘트가 마이오신 필라멘트 사이로 미끄러져 들어가면서 근육이 수축한다.

08 | **모범 답안** | ㉠의 길이는 감소, ㉡의 길이는 증가, ㉢의 길이는 감소한다.

09 | **모범 답안** | ㉠에는 액틴 필라멘트만 있지만, ㉡에는 액틴 필라멘트와 마이오신 필라멘트가 모두 있기 때문이다.

01 | 선택지 분석 |

ㄱ. (가)는 ~~내장근~~이다.
골격근

➡ (가)는 체성 신경이 연결되어 있으므로 골격근이다. (나)는 심장근, (다)는 내장근이다.

ㄴ. ㉠과 ㉡은 모두 '있음'이다.

➡ 골격근(가)과 심장근(나)은 모두 가로무늬가 있는 가로무늬근이고, 내장근(다)은 민무늬근이다.

ㄷ. ㉢은 자율 신경이다.

➡ 내장근은 자율 신경이 연결되어 있어 의지대로 조절되지 않는 불수의근이다.

02 | 선택지 분석 |

ㄱ. (가)에는 여러 개의 핵이 있다.

➡ (가)는 근육 섬유로 여러 개의 핵이 있는 다핵 세포이다.

ㄴ. ㉠에는 마이오신 필라멘트가 ~~있다~~.
없다.

➡ ㉠은 I대이며, 액틴 필라멘트만 있는 부분이다.

ㄷ. A대는 ~~㉡+㉢~~이다.
㉡+㉢+H대

➡ A대는 ㉡+㉢+H대이다.

03 | 자료 분석 |

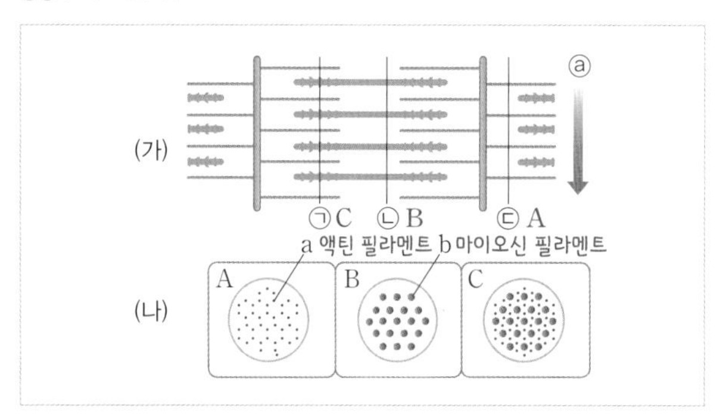

| 선택지 분석 |

ㄱ. A는 ~~㉡~~을 자른 단면이다.
㉢

➡ A는 액틴 필라멘트만 있으므로 ㉢을 자른 단면이다.

ㄴ. a는 액틴 필라멘트, b는 마이오신 필라멘트이다.

➡ a는 b보다 굵기가 얇으므로 액틴 필라멘트, b는 마이오신 필라멘트이다.

ㄷ. X의 길이가 짧아질 때 B와 같은 단면을 갖는 부분의 길이는 짧아진다.

➡ X의 길이가 짧아질 때 B와 같은 단면을 갖는 부분인 H대의 길이는 짧아진다.

04 | 선택지 분석 |

ㄱ. A는 체성 운동 신경이다.
➡ A는 골격근에 연결되어 있으므로 체성 운동 신경이다.

ㄴ. A가 흥분하면 근육 섬유의 세포막이 탈분극된다.
➡ A가 흥분하면 아세틸콜린이 분비되어 근육 섬유의 세포막이 탈분극된다.

ㄷ. A의 말단에서 분비되는 신경 전달 물질에 의해 B의 길이가 짧아진다.
➡ A의 말단에서 분비되는 신경 전달 물질인 아세틸콜린에 의해 Na^+이 유입되어 근육 섬유의 탈분극이 일어난다. 따라서 근육 원섬유 마디인 B의 길이가 짧아진다.

05 | 선택지 분석 |

ㄱ. ㄱ에는 Z선이 있다.
➡ ㉠에는 M선이 있고, Z선은 ㉡에 있다.

ㄴ. 팔을 구부릴 때 ㉠+㉡의 길이는 줄어든다.
➡ 팔을 구부릴 때 A대(㉠)의 길이는 변하지 않지만 I대(㉡)의 길이는 줄어든다.

ㄷ. 팔을 펼 때 ㉠의 길이는 증가한다.
➡ 팔을 펼 때 A대(㉠)의 길이는 변하지 않는다.

06 | 선택지 분석 |

ㄱ. t_1에서 t_2가 될 때 ATP가 소모된다.
➡ t_1에서 t_2가 될 때 H대(㉢)의 길이가 감소하므로 골격근이 수축하였다. 골격근이 수축할 때 ATP가 소모된다.

ㄴ. t_2일 때 ㉠의 길이는 1.6 μm이다.
➡ 근육이 수축할 때 A대(㉠)의 길이는 변하지 않으므로 t_2일 때 ㉠의 길이는 1.6 μm이다.

ㄷ. X의 길이는 t_1일 때가 t_2일 때보다 짧다.
➡ t_1에서 t_2가 될 때 골격근이 수축하므로 근육 원섬유 마디(X)의 길이는 t_1일 때가 t_2일 때보다 길다.

07 액틴 필라멘트에 붙어 있는 마이오신 머리가 뒤로 젖혀지는 구조 변화를 통해 액틴 필라멘트가 마이오신 필라멘트 사이로 미끄러져 들어가면서 근육이 수축한다.

채점 기준	배점
마이오신 머리의 구조 변화와 액틴 필라멘트가 마이오신 필라멘트 사이로 미끄러져 들어간다는 것을 모두 옳게 서술한 경우	100 %
마이오신 머리의 구조 변화와 액틴 필라멘트가 마이오신 필라멘트 사이로 미끄러져 들어간다는 것 중 1가지만 옳게 서술한 경우	50 %

08 근육이 수축할 때 액틴 필라멘트만 있는 부분(㉠)의 길이는 감소하고, 액틴 필라멘트와 마이오신 필라멘트가 겹치는 부분(㉡)의 길이는 증가하며, 마이오신 필라멘트만 있는 부분(㉢)의 길이는 감소한다.

채점 기준	배점
㉠~㉢의 길이 변화를 모두 옳게 서술한 경우	100 %
㉠~㉢의 길이 변화 중 2가지만 옳게 서술한 경우	60 %
㉠~㉢의 길이 변화 중 1가지만 옳게 서술한 경우	30 %

09 마이오신 필라멘트는 액틴 필라멘트보다 굵기가 굵어 마이오신 필라멘트가 있는 부분은 액틴 필라멘트만 있는 부분보다 어둡게 보인다.

채점 기준	배점
㉠에는 액틴 필라멘트만 있고, ㉡에는 액틴 필라멘트와 마이오신 필라멘트가 모두 있다는 것을 옳게 서술한 경우	100 %
㉠에는 액틴 필라멘트만 있고, ㉡에는 액틴 필라멘트와 마이오신 필라멘트가 모두 있다는 것 중 1가지만 옳게 서술한 경우	40 %

실전! 수능 도전하기

107쪽~110쪽

01 ⑤ **02** ③ **03** ⑤ **04** ③ **05** ⑤ **06** ① **07** ④ **08** ⑤
09 ④ **10** ④ **11** ① **12** ② **13** ⑤

01 자료에서 Ⅳ는 d_4에서 측정한 막전위임을 알 수 있다. 막전위가 −80 mV인 경우는 막전위 변화 중 막전위가 가장 낮을 때인데 신경 A와 B의 막전위 Ⅱ가 모두 −80 mV이므로 Ⅱ는 A와 B에서 동시에 활동 전위가 발생한 지점인 지점 d_1에서 측정한 막전위라는 것을 알 수 있다. 흥분의 전도 속도가 A에서보다 B에서 빠르므로 만약 A의 d_2에서 측정한 막전위가 Ⅰ(−55 mV)이라면 t_1에서 A의 d_2는 탈분극 중이어야 하며 이에 따라 A의 d_3에서 측정한 막전위는 −55 mV보다 낮으면서 탈분극 중이어야 하는데 +30 mV이므로 조건에 맞지 않다. 따라서 A의 d_2에서 측정한 막전위는 Ⅰ(−55 mV)이 아니라 Ⅲ(+30 mV)이므로 d_1에서 측정한 막전위는 Ⅱ, d_2에서 측정한 막전위는 Ⅲ, d_3에서 측정한 막전위는 Ⅰ, d_4에서 측정한 막전위는 Ⅳ이다.

| 선택지 분석 |

ㄱ. Ⅲ은 d_2에서 측정한 막전위이다.

ㄴ. t_1일 때, A의 d_3에서의 막전위와 ㉠은 같다.
➡ 자극을 주고 3 ms가 지났을 때, B의 d_4와 A의 d_3에서 활동 전위가 발생하기 시작하므로 t_1일 때 A의 d_3에서의 막전위와 ㉠은 서로 같다.

ㄷ. t_1일 때, B의 d_3에서 Na^+이 세포 안으로 유입된다.
➡ t_1일 때, B의 d_3의 막전위는 −20 mV이고, 탈분극 중이다. 탈분극이 일어날 때 Na^+이 세포 밖에서 세포 안으로 유입된다.

02 | 선택지 분석 |

ㄱ. X는 도약전도를 한다.
➡ X는 말이집이 있는 말이집 신경이므로 도약전도를 한다.

ㄴ. K^+의 막 투과도는 t_1일 때보다 t_2일 때가 크다.

➡ t_1은 탈분극 시기이고, t_2는 재분극 시기이다. K^+의 막 투과도는 탈분극일 때보다 재분극일 때가 크다.

ㄷ. Ⅰ은 ~~말이집으로 싸여 있는~~ (말이집으로 싸여 있지 않은) 부분이다.

➡ Ⅰ은 짧은 거리를 가는 데 긴 시간이 걸리므로 말이집으로 싸여 있지 않은 랑비에 결절 부분이고, Ⅱ는 긴 거리를 가는 데 짧은 시간이 걸리므로 말이집으로 싸여 있는 부분이다.

03 | 선택지 분석 |

ㄱ. X는 Na^+의 이동을 억제한다.

➡ (나)의 막전위는 (가)에서보다 상승하지 않으므로 X는 Na^+의 이동을 억제하여 Na^+의 세포 내 유입을 억제한다.

ㄴ. Na^+의 막 투과도는 t_1일 때가 t_2일 때보다 크다.

➡ t_1은 탈분극 시기이고, t_2는 재분극 시기이다. Na^+의 막 투과도는 탈분극일 때가 재분극일 때보다 더 크다.

ㄷ. t_3일 때 K^+의 농도는 세포 안이 세포 밖보다 높다.

➡ (나)는 Na^+ 통로를 통한 Na^+의 이동을 억제한 것이므로 K^+의 이동에는 영향이 없다. K^+의 농도는 시기에 상관없이 세포 안이 세포 밖보다 높다.

04 자극을 주었을 때 ㉠이 ㉡보다 빠르게 막 투과도가 증가하므로 ㉠은 Na^+이고, ㉡은 K^+이다. K^+이 K^+ 통로를 통해 ⓐ에서 ⓑ로 이동하므로 ⓐ는 세포 안이고, ⓑ는 세포 밖이다.

| 선택지 분석 |

ㄱ. t_1일 때 Na^+은 Na^+ 통로를 통해 ⓑ에서 ⓐ로 이동한다.

➡ t_1일 때 Na^+의 막 투과도가 최댓값이므로 Na^+은 세포 밖(ⓑ)에서 세포 안(ⓐ)으로 이동한다.

ㄴ. t_2일 때 K^+의 농도는 ⓐ에서가 ⓑ에서보다 높다.

➡ 시기에 상관없이 K^+의 농도는 세포 안(ⓐ)에서가 세포 밖(ⓑ)에서보다 높다.

ㄷ. $\frac{Na^+\text{의 막 투과도}}{K^+\text{의 막 투과도}}$는 t_1일 때보다 t_2일 때가 ~~크다~~ (작다).

➡ ㉠이 Na^+, ㉡이 K^+이므로 $\frac{Na^+\text{의 막 투과도}}{K^+\text{의 막 투과도}}$는 t_1일 때보다 t_2일 때가 작다.

05 신경 B의 막전위 Ⅱ는 −80 mV이므로 활동 전위가 끝나고 과분극 지점이다. 그러므로 Ⅱ가 측정된 지점 이전(왼쪽)의 축삭 돌기의 막전위는 대부분 휴지 전위인 −70 mV이고 일부 구간에서는 −70 mV~−80 mV이다. 신경 B의 Ⅰ과 Ⅲ은 모두 −70 mV~−80 mV를 벗어난 범위의 막전위이므로 Ⅱ가 측정된 지점보다 오른쪽에서 측정된 막전위임을 알 수 있다. 그러므로 Ⅱ가 측정된 지점은 가장 왼쪽인 Q_1이다. 신경 A의 Q_1에서 측정된 막전위 Ⅱ(−54 mV)는 활동 전위가 가장 오래 지속된 지점이므로 탈분극에서의 막전위가 아니라 재분극에서의 막전위이다. Ⅲ(−60 mV)은 Ⅱ(−54 mV)보다 활동 전위 지속 시간이 짧았을 때의 막전위이므로 재분극에서의 막전위가 아니라 탈분극에서의 막전위이다. 활동 전위의 지속 시간이 상대적으로 길어 높게 측정된 Ⅰ(+30 mV)은 Q_2에서, 상대적으로 짧아 낮게 측정된 Ⅲ은 Q_3(−60 mV)에서 측정된 막전위이다.

| 선택지 분석 |

ㄱ. Ⅰ은 ~~Q_1~~ (Q_2)에서 측정한 막전위이다.

ㄴ. t_1일 때 B의 Q_2에서 재분극이 일어나고 있다.

➡ B의 Q_2(Ⅰ)는 A보다 먼저 탈분극되었으며, 막전위가 −44 mV이므로 재분극 중인 지점이다.

ㄷ. t_1일 때 A의 Q_3에서 Na^+이 Na^+ 통로를 통해 확산된다.

➡ A의 Q_3(Ⅲ)는 탈분극 중인 시점이다. 따라서 Na^+이 Na^+ 통로를 통해 확산된다.

06 | 선택지 분석 |

ㄱ. Ⅰ은 C의 막전위, Ⅱ는 B의 막전위이다.

➡ Ⅰ은 활동 전위가 가장 먼저 발생하였으므로 C의 막전위, Ⅱ는 활동 전위가 늦게 발생하였으므로 B에서의 막전위, Ⅲ은 활동 전위가 발생하지 않았으므로 A에서의 막전위이다.

ㄴ. ㉠에서 $\frac{K^+\text{의 막 투과도}}{Na^+\text{의 막 투과도}}$는 1보다 ~~크다~~ (작다).

➡ ㉠은 탈분극 시기이다. 탈분극일 때 Na^+의 막 투과도가 K^+의 막 투과도보다 증가하므로 ㉠에서 $\frac{K^+\text{의 막 투과도}}{Na^+\text{의 막 투과도}}$는 1보다 작다.

ㄷ. ㉡에서 K^+은 K^+ 통로를 통해 세포 밖으로 ~~능동 수송~~ (확산)된다.

➡ ㉡은 재분극 시기이다. 재분극일 때 K^+은 K^+ 통로를 통해 세포 안에서 밖으로 확산된다.

07 중추 신경계를 이루는 A는 간뇌, B는 중간뇌, C는 연수, D는 척수, E는 대뇌이다.

| 선택지 분석 |

① A에는 시상이 존재한다.

➡ 간뇌(A)에는 시상과 시상 하부가 존재한다.

② B는 동공 반사의 중추이다.

➡ 중간뇌(B)는 동공 반사의 중추이다.

③ C는 뇌줄기에 속한다.

➡ 뇌줄기는 중간뇌(B), 뇌교, 연수(C)로 구성된다.

④ D에서 나온 운동 신경 다발이 ~~후근~~ (전근)을 이룬다.

➡ 척수(D)에서 나온 운동 신경 다발은 전근을, 척수로 들어가는 감각 신경 다발은 후근을 이룬다.

⑤ E의 겉질에 신경 세포체가 존재한다.

➡ 대뇌의 겉질은 신경 세포체가 존재하는 회색질이다.

08 | 자료 분석 |

구분	㉠ 뇌줄기를 구성한다.	㉡ 심장 박동 조절 중추이다.	㉢ 무릎 반사의 중추이다.
A 연수	○	○	×
B 척수	×	×	○
C 중간뇌	○	ⓐ ×	×

(○: 있음, ×: 없음)

'심장 박동 조절 중추이다.'는 연수만 해당되고, '뇌줄기를 구성한다.'는 중간뇌, 연수가 해당되며, '무릎 반사의 중추이다.'는 척수만 해당된다. 따라서 ㉠은 '뇌줄기를 구성한다.'이고, ㉡은 '심장 박동 조절 중추이다.'이며, ㉢은 '무릎 반사의 중추이다.'이다. A는 연수, B는 척수, C는 중간뇌이다.

| 선택지 분석 |

✕. ㉠은 '~~심장 박동 조절 중추이다.~~'이다. ('뇌줄기를 구성한다.')

ㄴ. A는 침 분비 반사 중추이다.
➡ 연수(A)는 침 분비, 하품, 재채기 등의 반사 중추이다.

ㄷ. ⓐ는 '×'이다.
➡ 중간뇌는 심장 박동 조절 중추가 아니므로 ⓐ는 '×'이다.

09 | 선택지 분석 |

ㄱ. ㉠의 신경 세포체는 연수에 있다.
➡ 부교감 신경의 신경절 이전 뉴런(㉠)의 신경 세포체는 심장 박동 조절 중추인 연수에 있다.

ㄴ. ㉡과 ㉢의 말단에서 분비되는 신경 전달 물질은 같다.
➡ 부교감 신경의 신경절 이후 뉴런(㉡)과 교감 신경의 신경절 이전 뉴런(㉢)의 말단에서는 모두 신경 전달 물질로 아세틸콜린이 분비된다.

✕. ㉤은 ~~후근~~을 통해 나온다. (전근)
➡ 체성 운동 신경(㉤)은 전근을 구성하고, 감각 신경은 후근을 구성한다.

10 | 선택지 분석 |

✕. ㉠은 ~~중추 신경계~~를 이룬다. (말초 신경계)
➡ ㉠은 감각 신경으로 말초 신경계를 이룬다.

ㄴ. ㉡은 체성 신경계에 속한다.
➡ ㉡은 골격근과 연결되어 있으므로 체성 운동 신경이다.

ㄷ. ⓐ의 근육 원섬유 마디에서 $\frac{\text{H대의 길이}}{\text{A대의 길이}}$는 작아진다.
➡ ⓐ의 근육 원섬유 마디의 길이가 감소할 때 A대의 길이는 변함이 없고, H대의 길이는 감소한다.

11 | 선택지 분석 |

ㄱ. ㉡은 마이오신 필라멘트이다.
➡ ㉠은 ㉡보다 굵기가 가늘므로 ㉠은 액틴 필라멘트이고, ㉡은 마이오신 필라멘트이다.

✕. A는 ~~H대~~의 단면이다. (I대)
➡ A는 액틴 필라멘트만 있는 부분의 단면이므로 밝게 보이는 I대의 단면이다.

✕. X의 $\frac{\text{마이오신 필라멘트의 길이}}{\text{액틴 필라멘트의 길이}}$는 (가)에서보다 X가 수축된 상태에서 ~~작다.~~ (같다.)
➡ X가 수축해도 마이오신 필라멘트의 길이와 액틴 필라멘트의 길이는 변함이 없다.

12

ⓐ는 골격근이 상대적으로 수축되었을 때 X의 길이, ⓑ는 골격근이 상대적으로 이완되었을 때 X의 길이이다. ⓑ일 때 X의 길이는 3.2 μm이고, X는 좌우 대칭이므로 ㉠+㉡=1.0 μm이며, ㉢은 1.2 μm이다. ⓑ일 때 A대의 길이는 1.6 μm이므로 ㉡이 0.2 μm이고, ㉠이 0.8 μm이다.

| 선택지 분석 |

✕. ~~근육 원섬유~~는 동물의 구성 단계 중 세포 단계이다. (근육 섬유)
➡ 근육에서 동물의 구성 단계 중 세포 단계에 해당하는 것은 근육 섬유이다. 근육 원섬유는 근육 섬유 내에 존재하는 섬유성 단백질 구조이다

ㄴ. ⓐ일 때 H대의 길이는 0.4 μm이다.
➡ ⓐ일 때 X의 길이는 2.4 μm이고 A대의 길이는 1.6 μm이므로 액틴 필라멘트만 있는 부분의 길이는 X의 좌우 각각 0.4 μm이고, 액틴 필라멘트와 마이오신 필라멘트가 겹치는 부분은 좌우 각각 0.6 μm이다. 그러므로 H대의 길이는 0.4 μm이다.

✕. $\frac{\text{㉡의 길이}}{\text{㉠의 길이}+\text{㉢의 길이}}$는 ⓑ일 때보다 ⓐ일 때가 ~~작다.~~ (크다.)
➡ 근육 원섬유는 수축할수록 ㉠과 ㉢의 길이는 짧아지고 ㉡의 길이는 길어진다. ⓐ일 때는 ⓑ일 때보다 수축한 때이므로 상대적으로 ㉠과 ㉢의 길이는 짧고 ㉡의 길이는 길다. 그러므로 $\frac{\text{㉡의 길이}}{\text{㉠의 길이}+\text{㉢의 길이}}$는 ⓑ일 때보다 ⓐ일 때가 크다.

13 | 선택지 분석 |

ㄱ. t_2에서 t_1으로 될 때 ATP가 소모된다.
➡ t_2에서 t_1으로 될 때 X의 길이가 감소하므로 골격근은 수축한 것이다. 골격근이 수축할 때 ATP가 소모된다.

ㄴ. t_1일 때 ㉡의 길이는 0.7 μm이다.
➡ t_1일 때 X의 길이가 2.2 μm, A대의 길이가 1.6 μm이므로, ㉠의 길이는 0.2 μm, ㉡의 길이는 0.7 μm이다.

ㄷ. t_2일 때 $\frac{\text{㉠의 길이}+\text{㉡의 길이}}{\text{A대의 길이}}$는 $\frac{1}{2}$보다 크다.
➡ t_2일 때는 t_1일 때보다 X의 길이가 0.2 μm 늘어났으므로 t_2일 때 ㉠의 길이는 0.4 μm, ㉡의 길이는 0.6 μm이다. 또한 A대의 길이는 변하지 않으므로 1.6 μm이다. 따라서 $\frac{\text{㉠의 길이}+\text{㉡의 길이}}{\text{A대의 길이}}=\frac{0.4+0.6}{1.6}=\frac{5}{8}$이므로 $\frac{1}{2}$보다 크다.

2 ›› 호르몬과 항상성

01 호르몬

콕콕! 개념 확인하기 114쪽

✔ 잠깐 확인!

1 내분비샘, 혈액 **2** 표적 기관 **3** 시상 하부 **4** 후엽
5 갑상샘 **6** 이자 **7** 테스토스테론 **8** 에스트로젠
9 생장 호르몬 **10** 인슐린

01 (1) × (2) ○ (3) ○ (4) × (5) ○ (6) ○ (7) ×
02 ㉠ 느리다 ㉡ 빠르다 ㉢ 넓다 ㉣ 좁다 ㉤ 지속적이다 ㉥ 일시적이다
03 A – ㉡ B – ㉠ C – ㉣ D – ㉤ E – ㉢
04 A 생장 호르몬, 항이뇨 호르몬 B 티록신 C 글루카곤, 인슐린 D 에피네프린 E 에스트로젠, 프로게스테론
05 (가) 생장 호르몬 (나) 티록신 (다) 인슐린 (라) 항이뇨 호르몬

01 (1) 호르몬은 내분비샘에서 생성된다.
(4) 호르몬은 체내외의 환경 변화에 따라 분비량이 변화하여 체내 항상성을 조절한다.
(7) 호르몬은 대부분 척추동물 사이에서 종 특이성이 없다.

탄탄! 내신 다지기 115쪽~116쪽

01 ④ **02** ④ **03** (가) **04** (가) 내분비샘 (나) 외분비샘
05 ③ **06** ③ **07** ④ **08** ④ **09** 항이뇨 호르몬(ADH), 옥시토신 **10** ⑤ **11** ③ **12** ② **13** 생장 호르몬

01 | 선택지 분석 |

① 내분비샘에서 분비된다.
➡ 내분비샘으로는 부신, 갑상샘, 뇌하수체, 이자 등이 있다.

② 미량으로 생리 작용을 조절한다.
➡ 호르몬이 많을 때는 과다증, 호르몬이 부족할 때는 결핍증이 나타난다.

③ 혈액을 통해 표적 기관에 작용한다.
➡ 내분비샘은 분비관이 따로 없어 호르몬이 혈액으로 분비된다.

④ 신경에 비해 ~~일시적인~~ 지속적인 조절 작용이 일어난다.
➡ 호르몬은 신경에 비해 조절 작용이 지속적이고, 느리게 일어난다.

⑤ 특정 조직이나 기관의 생리 작용을 조절한다.
➡ 호르몬 수용체가 있는 조직이나 기관에만 호르몬이 작용할 수 있다.

02 | 선택지 분석 |

① 기관 A는 내분비샘이다.
➡ 기관 A는 호르몬을 분비하는 내분비샘이다.

② 호르몬 X는 혈관을 통해 운반된다.
➡ 호르몬은 혈관을 통해 표적 세포까지 운반된다.

③ 호르몬 X는 세포 ㉠에 작용하지 않는다.
➡ 호르몬 X는 X에 대한 수용체가 있는 세포 ㉡에만 작용하고 ㉠에는 작용하지 않는다.

④ 기관 A가 이자라면 호르몬 X는 ~~티록신~~ 인슐린, 글루카곤이다.
➡ 티록신은 갑상샘에서 분비된다. 이자에서는 인슐린과 글루카곤이 분비된다.

⑤ 세포 ㉡에는 호르몬 X에 대한 수용체가 있다.
➡ 세포 ㉡에는 호르몬 X에 대한 수용체가 있으므로 X의 표적 세포이다.

03 호르몬은 화학 신호에 의해, 신경은 전기 신호에 의해 정보를 전달한다. 효과의 지속 시간은 호르몬에 의한 작용 방식(가)이 신경에 의한 작용 방식(나)보다 길다.

04 (가)는 분비물을 혈관으로 직접 분비하는 내분비샘이고, (나)는 분비물을 분비관을 통해 분비하는 외분비샘이다.

05 | 선택지 분석 |

㉠ 갑상샘은 (가)에 해당한다.
➡ 갑상샘은 내분비샘이므로 (가)에 해당한다.

㉡ 땀샘은 (나)에 해당한다.
➡ 땀샘은 외분비샘이므로 (나)에 해당한다.

✕. ~~(나)~~ (가)에서 호르몬이 분비된다.
➡ 호르몬은 내분비샘(가)에서 분비된다.

06 | 선택지 분석 |

A는 뇌하수체 전엽, B는 갑상샘, C는 이자이다.
③ 뇌하수체 전엽(A)에서는 생장 호르몬이, 갑상샘(B)에서는 티록신이, 이자(C)에서는 인슐린이 분비된다.

07 | 선택지 분석 |

✕. 분비관이 ~~있다.~~ 없다.
➡ 분비관은 외분비샘에 있고, 내분비샘에는 없다.

㉡ 내분비샘의 호르몬 분비를 조절하는 중추는 간뇌의 시상 하부이다.
➡ 간뇌는 시상과 시상 하부로 이루어져 있다. 간뇌의 시상 하부는 항상성 유지의 최고 조절 중추이다.

㉢ 뇌하수체 전엽에서는 다른 내분비샘의 분비를 조절하는 호르몬이 분비된다.
➡ 뇌하수체 전엽에서 분비되는 갑상샘 자극 호르몬(TSH)이나 부신 겉질 자극 호르몬(ACTH) 등은 각각 갑상샘, 부신 겉질의 호르몬 분비를 조절한다.

08 | 선택지 분석 |

ㄱ. 티록신 (✗)
➡ 갑상샘에서 분비된다.

ㄴ. 생장 호르몬 (○)
➡ 뇌하수체 전엽(가)에서 분비된다.

ㄷ. 당질 코르티코이드 (✗)
➡ 부신 겉질에서 분비된다.

ㄹ. 갑상샘 자극 호르몬(TSH) (○)
➡ 뇌하수체 전엽(가)에서 분비된다.

09 (나)는 뇌하수체 후엽이며, 뇌하수체 후엽에서는 항이뇨 호르몬(ADH)과 옥시토신이 분비된다.

10 | 선택지 분석 |

ㄱ. 시상 하부는 뇌하수체를 조절한다. (○)
➡ 시상 하부는 항상성 조절 중추로 뇌하수체를 조절하여 내분비샘에서의 호르몬 분비를 조절한다.

ㄴ. (가)에서 분비되는 호르몬 중에는 당질 코르티코이드의 분비를 조절하는 호르몬이 있다. (○)
➡ 뇌하수체 전엽(가)에서 분비되는 호르몬 중 부신 겉질 자극 호르몬(ACTH)은 부신 겉질을 자극하여 당질 코르티코이드의 분비를 조절한다.

ㄷ. (나)는 뇌하수체 후엽이다. (○)
➡ 뇌하수체 전엽(가)은 뇌하수체 후엽(나)보다 많은 종류의 호르몬을 분비한다.

11 | 선택지 분석 |

ⓐ 티록신, 옥시토신, 에피네프린 중 분만 시 자궁 수축을 촉진하는 호르몬은 옥시토신이고, 세포 호흡을 촉진하는 호르몬은 티록신이다. 혈당량을 증가시키는 호르몬은 에피네프린이다.

12 | 선택지 분석 |

ㄱ. (가)와 당질 코르티코이드는 ~~같은~~ 다른 내분비샘에서 분비된다. (✗)
➡ 옥시토신(가)은 뇌하수체 후엽에서, 당질 코르티코이드는 부신 겉질에서 분비된다.

ㄴ. (나)는 갑상샘 자극 호르몬(TSH)에 의해 분비가 조절된다. (○)
➡ 갑상샘에서 분비되는 티록신은 갑상샘 자극 호르몬(TSH)에 의해 분비가 조절된다.

ㄷ. (다)와 인슐린은 ~~같은~~ 다른 내분비샘에서 분비된다. (✗)
➡ 에피네프린(다)은 부신 속질에서 분비되고, 인슐린은 이자에서 분비된다.

13 성장판이 닫히기 전에 생장 호르몬이 과다하게 분비되면 비정상적으로 키가 커지는 거인증이 나타나고, 성장판이 닫힌 후 생장 호르몬이 과다하게 분비되면 손, 발, 턱 등 몸의 말단 부위가 비정상적으로 커지는 말단 비대증이 나타난다. 한편 생장 호르몬이 결핍되면 발육이 지체되어 표준보다 키가 훨씬 작아지는 소인증이 나타난다.

도전! 실력 올리기

117쪽

01 ② **02** ③ **03** ④

04 | 모범 답안 | 이 호르몬은 티록신이다. 티록신의 분비량이 증가하면 갑상샘 비대, 더위에 약함, 땀이 많이 남, 체온 상승, 체중 감소, 안구 돌출 등의 증상이 나타나고, 분비량이 감소하면 갑상샘 비대, 추위에 약함, 체중 증가 등의 증상이 나타난다.

05 | 모범 답안 | 요붕증은 항이뇨 호르몬의 결핍에 의해 나타나며, 오줌의 양이 증가하고, 탈수 증세가 나타난다.

01 | 선택지 분석 |

ㄱ. A는 ~~호르몬~~ 신경 전달 물질이다. (✗)
➡ A는 뉴런에서 분비되므로 신경 전달 물질이다.

ㄴ. (나)의 표적 세포에는 B에 대한 수용체가 있다. (○)
➡ (나)의 표적 세포에는 호르몬인 B에 대한 수용체가 있어 B가 작용할 수 있다.

ㄷ. 외부 환경 변화에 의한 자극 신호가 표적 세포로 전달되기까지의 속도는 (가)가 (나)보다 ~~느리다~~ 빠르다. (✗)
➡ 외부 환경 변화에 의한 자극 신호가 표적 세포로 전달되기까지의 속도는 신경에 의한 작용 방식(가)이 호르몬에 의한 작용 방식(나)보다 빠르다.

02 | 자료 분석 |

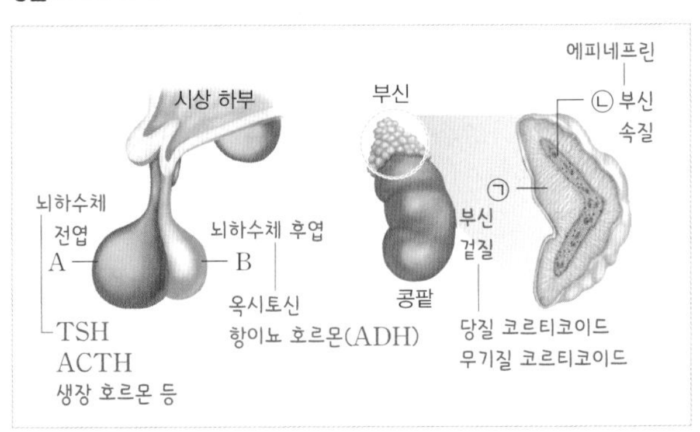

| 선택지 분석 |

ㄱ. A에서는 ㉠에서 분비되는 호르몬의 분비량을 조절하는 호르몬이 분비된다. (○)
➡ B에서 옥시토신이 분비되므로 B는 뇌하수체 후엽이다. 따라서 A는 뇌하수체 전엽이다. 뇌하수체 전엽(A)에서는 부신 겉질(㉠)에서 분비되는 호르몬의 분비량을 조절하는 부신 겉질 자극 호르몬(ACTH)이 분비된다.

ㄴ. B에서 콩팥이 표적 기관인 호르몬이 분비된다. (○)
➡ 뇌하수체 후엽(B)에서는 항이뇨 호르몬(ADH)이 분비되어 콩팥에 작용한다.

✕ ㉡에서 당질 코르티코이드가 분비된다.
㉠
➡ 부신 속질(㉡)에서는 에피네프린이 분비된다. 당질 코르티코이드는 부신 겉질(㉠)에서 분비된다.

03 | 선택지 분석 |

㉠ (가)는 티록신이 과다하게 분비된다.
➡ (가)는 갑상샘 기능 항진증 환자로 티록신이 과다하게 분비된다.

✕ (다)는 인슐린이 ~~과다하게 분비된다~~.
결핍에 의해 나타난다.
➡ (다)는 당뇨병 환자로 당뇨병은 인슐린의 결핍에 의해 나타난다.

㉢ (나)와 (라)는 모두 생장 호르몬 분비에 이상이 있다.
➡ (나)는 말단 비대증, (라)는 소인증 환자로 말단 비대증은 생장 호르몬 과다에 의해, 소인증은 생장 호르몬 결핍에 의해 나타난다.

04 갑상샘에서 분비되는 티록신은 갑상샘 자극 호르몬에 의해 분비가 촉진된다.

채점 기준	배점
이 호르몬은 티록신이라고 쓰고, 분비량이 증가했을 때와 감소했을 때 나타나는 증상을 모두 옳게 서술한 경우	100 %
이 호르몬은 티록신이라고 쓰고, 분비량이 증가했을 때와 감소했을 때 나타나는 증상 중 1가지만 옳게 서술한 경우	60 %

05 항이뇨 호르몬은 콩팥에서 수분을 재흡수한다. 항이뇨 호르몬이 결핍되면 수분이 재흡수되지 않아 오줌양이 많아진다.

채점 기준	배점
요붕증이 나타나는 원인과 증상을 모두 옳게 서술한 경우	100 %
요붕증이 나타나는 원인과 증상 중 1가지만 옳게 서술한 경우	40 %

02 항상성 유지

콕콕! 개념 확인하기 122쪽

✓ 잠깐 확인!

1 항상성 **2** 피드백 **3** 시상 하부 **4** 발생량, 발산량 **5** 발산량, 발생량 **6** 인슐린 **7** 글루카곤 **8** 항이뇨 호르몬 **9** 감소 **10** 감소

01 (1) ㉠ 시상 하부 ㉡ 뇌하수체 전엽 ㉢ 갑상샘 (2) 음성 피드백 **02** 길항 작용 **03** (1) × (2) ○ (3) × (4) ○ **04** (1) β, 인슐린 (2) 글리코젠 (3) α, 글루카곤 (4) 교감, 에피네프린 **05** A: 뇌하수체 후엽 X: 항이뇨 호르몬(ADH)

03 (1) 저온 자극을 받으면 티록신의 분비량이 증가해 물질대사가 촉진된다.
(3) 추울 때 교감 신경이 흥분하여 피부 근처 혈관이 수축한다.

탄탄! 내신 다지기 123쪽~125쪽

01 ⑤ **02** ① **03** ⑤ **04** ② **05** ① **06** ④ **07** ④ **08** ④ **09** 고혈당일 때 **10** ② **11** ④ **12** A: 글루카곤 B: 에피네프린 **13** ④ **14** ④ **15** ② **16** ②

01 | 선택지 분석 |

㉠ 최고 조절 중추는 간뇌의 시상 하부이다.
➡ 간뇌를 이루는 시상 하부는 체내외의 자극을 감지하여 신경계와 내분비샘으로 신호를 보낸다.

㉡ 자율 신경계와 내분비계에 의해 조절된다.
➡ 항상성은 교감 신경, 부교감 신경과 같은 자율 신경계와 호르몬과 같은 내분비계에 의해 조절된다.

㉢ 환경 변화에 반응하여 체내 환경을 유지하려는 성질이다.
➡ 항상성은 체내외의 환경 변화에 관계없이 체내 상태를 일정하게 유지하려고 하는 성질이다.

02 | 선택지 분석 |

✓① A와 B는 서로 길항 ~~작용을 한다~~.
하지 않는다.
➡ A는 내분비샘 (가)를 자극하여 B의 분비를 촉진하므로 A와 B는 서로 길항 작용을 하지 않는다.

② B가 TSH라면 (가)는 뇌하수체 전엽이다.
➡ TSH는 뇌하수체 전엽에서 분비된다.

③ C가 티록신이라면 (나)는 갑상샘이다.
➡ 티록신은 갑상샘에서 분비된다.

④ C의 농도는 음성 피드백에 의해 조절된다.
➡ C의 농도가 증가하면 C는 시상 하부와 내분비샘 (가)의 호르몬 분비를 억제하는 음성 피드백에 의해 조절된다.

⑤ 혈액 내 C의 농도가 증가하면 A의 분비량이 감소한다.
➡ C의 농도가 증가하면 C는 시상 하부에서 분비되는 A의 분비를 억제하여 분비량이 감소한다.

03 | 선택지 분석 |

① 열 발산량이 ~~증가한다~~.
감소한다.

② 피부 근처 혈관이 ~~이완~~된다.
수축

③ 티록신의 분비량이 ~~감소~~한다.
증가

④ ~~부교감 신경~~의 흥분이 촉진된다.
교감 신경

✓⑤ 에피네프린에 의한 물질대사가 촉진된다.
➡ 교감 신경의 자극으로 에피네프린이 분비되어 물질대사가 촉진된다.

04 추울 때 티록신의 농도는 증가하고, 피부 근처 혈관이 수축한다. 이에 따라 열 발산량은 감소하고, 열 발생량은 증가한다. 더울 때 티록신의 농도는 감소하고, 피부 근처 혈관이 확장된다. 이에 따라 열 발산량은 증가하고, 열 발생량은 감소한다.

05 | 선택지 분석 |

ㄱ. 땀 분비가 증가한다.

➡ 기화열에 의해 피부의 열이 손실되어 열 발산량이 증가한다.

ㄴ. 교감 신경의 흥분이 ~~촉진~~(완화)된다.

➡ 더울 때는 교감 신경의 작용이 완화되어 피부 근처 혈관이 확장된다.

ㄷ. 체표면을 통한 열 발산량이 ~~감소~~(증가)한다.

➡ 더울 때는 피부 근처 혈관이 확장되어 체표면을 통한 열 발산량이 증가한다.

06 | 선택지 분석 |

① ㉠의 결과 피부 근처 혈관이 ~~수축~~(확장)된다.

② ㉡의 결과 땀 분비가 ~~증가~~(감소)한다.

③ 열 발산량은 (가)일 때가 (나)일 때보다 ~~많다~~(적다).

④ 교감 신경의 작용으로 피부 근처 혈관이 수축된다.

➡ 교감 신경이 작용하면 피부 근처 혈관이 수축되어 열 발산량을 줄인다.

⑤ 추운 곳에서 따뜻한 곳으로 이동하면 ~~㉡~~(㉠)이 일어난다.

➡ 추운 곳에서 따뜻한 곳으로 이동하면 교감 신경의 작용이 완화되어 피부 근처 혈관이 확장된다.

07 | 선택지 분석 |

① ㉠은 ~~피부 근처 혈관 수축~~(물질대사 촉진)이다.

➡ ㉠은 갑상샘에서 분비되는 티록신과 부신 속질에서 분비되는 에피네프린에 의한 물질대사 촉진이다.

② A에 ~~에피네프린~~(티록신)이 관여한다.

➡ A는 갑상샘에서 분비되는 경로이므로 티록신이 관여한다.

③ B에 ~~티록신~~(에피네프린)이 관여한다.

➡ B는 부신 속질에서 분비되므로 에피네프린이 관여한다.

④ C에 교감 신경이 관여한다.

➡ 교감 신경은 부신 속질을 자극하여 에피네프린의 분비를 촉진한다.

⑤ D에 ~~부교감~~(교감) 신경이 관여한다.

➡ D에 교감 신경이 관여하여 피부 근처 혈관이 수축된다.

더 알아보기 **저온 자극 시 체온 조절**

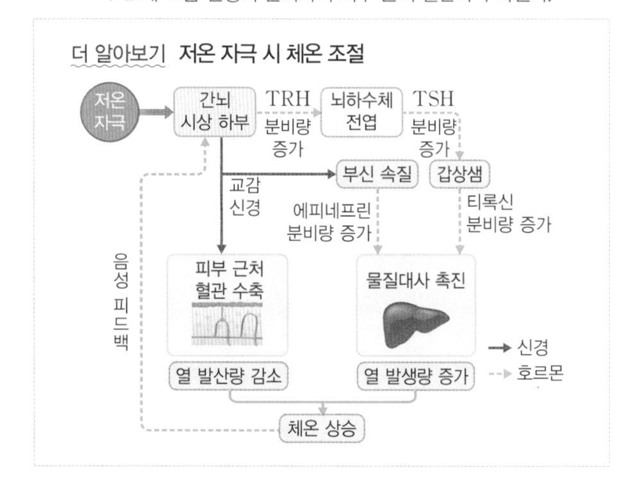

08 | 선택지 분석 |

① 체온 조절 중추는 간뇌의 시상 하부이다.

➡ 체온 조절, 삼투압, 혈당량 등의 항상성 조절 중추는 간뇌의 시상 하부이다.

② 간은 갑상샘에서 분비되는 호르몬의 표적 기관이다.

➡ 간은 갑상샘에서 분비되는 티록신의 표적 기관이다.

③ ㉠과 ㉡은 모두 호르몬에 의한 신호 전달 과정이다.

➡ ㉠은 TRH, ㉡은 TSH에 의한 신호 전달 과정이다.

④ ㉢을 통한 신호 전달 과정은 ㉣을 통한 신호 전달 과정보다 ~~빠르다~~(느리다).

➡ ㉢을 통한 신호 전달 과정은 티록신에 의한 신호 전달 과정이고, ㉣을 통한 신호 전달 과정은 교감 신경에 의한 신호 전달 과정이다. 호르몬을 통한 신호 전달 과정은 신경을 통한 신호 전달 과정보다 느리다.

⑤ ㉤ 과정에서 열 발산량이 증가한다.

➡ 고온 자극 시 피부 근처 혈관이 확장되어 열 발산량이 증가한다.

09 고혈당일 때 이자에서 글루카곤의 분비량이 감소하고, 인슐린의 분비량이 증가하여 인슐린에 의해 간에서 글리코젠의 합성이 촉진된다. 또한 고혈당일 때 인슐린에 의해 혈액에서 조직 세포로의 포도당 흡수가 촉진된다.

10 | 선택지 분석 |

① A는 ~~글루카곤~~(인슐린)이다.

➡ A는 고혈당일 때 분비되므로 인슐린이다.

② A와 B는 서로 길항 작용을 한다.

➡ 인슐린(A)과 글루카곤(B)은 서로 길항 작용을 한다.

③ A는 이자의 ~~α~~(β)세포에서 분비된다.

➡ 인슐린(A)은 이자의 β세포에서 분비된다.

④ B의 농도가 증가하면 혈당량이 ~~감소~~(증가)한다.

➡ 글루카곤(B)의 농도가 증가하면 글리코젠이 포도당으로 분해되는 것이 촉진되어 혈당량이 증가한다.

⑤ B는 ~~부교감~~(교감) 신경에 의해 분비가 촉진된다.

➡ 글루카곤(B)은 교감 신경에 의해 분비가 촉진된다.

더 알아보기 **혈당량 조절**

• 고혈당일 때

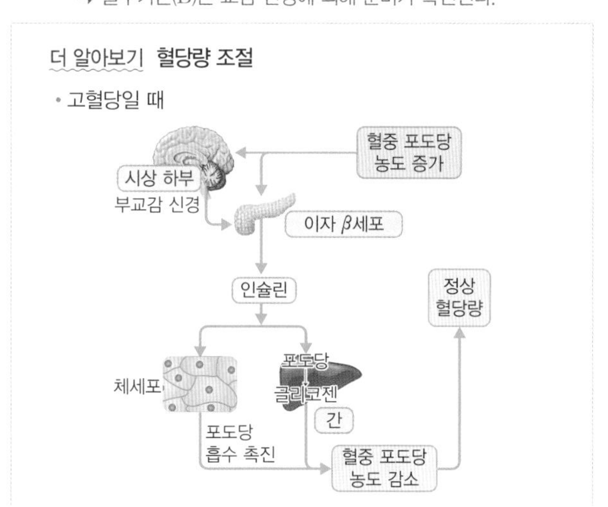

• 저혈당일 때

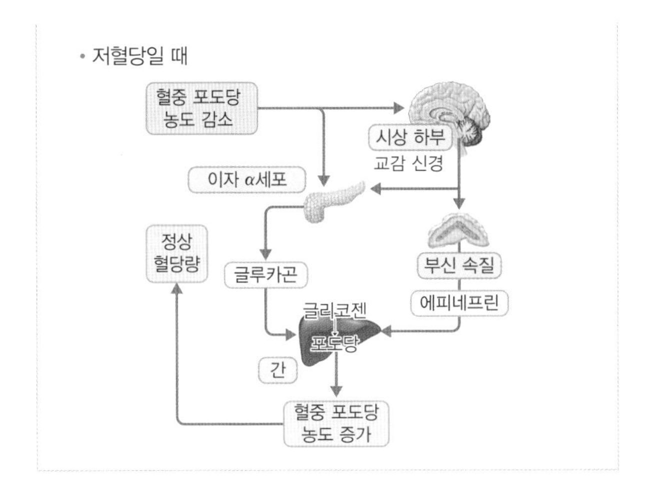

11 | 선택지 분석 |

① X는 인슐린이다.

➡ X는 식사 후 농도가 증가하므로 인슐린이다.

② X는 혈액으로부터 조직 세포로의 포도당 흡수를 촉진한다.

➡ 혈액 속 포도당의 농도가 높으므로 체세포로의 흡수를 촉진하여 물질대사를 촉진한다.

③ Y는 이자의 α세포에서 분비된다.

➡ Y는 식사 후 농도가 감소하므로 글루카곤이다. 글루카곤은 이자의 α세포에서 분비된다.

④ Y는 간에서 글리코젠의 합성을 촉진한다.

➡ 글루카곤(Y)은 간에서 글리코젠의 분해를 촉진하여 혈당량을 증가시킨다.

⑤ 체내 혈당량이 증가하면 혈중 X의 농도는 혈중 Y의 농도보다 증가한다.

➡ 체내 혈당량이 증가하면 인슐린(X)의 농도는 증가하고 길항 작용에 의해 글루카곤(Y)의 농도는 감소한다.

12 인슐린을 주사하면 혈당량이 감소한다. 혈당량이 감소한 후 증가하는 이자 호르몬 A는 글루카곤이고, 부신 속질 호르몬 B는 에피네프린이다.

13 | 선택지 분석 |

ㄱ. A와 B는 길항 작용을 한다.

➡ 혈당량이 감소했을 때 A와 B의 농도가 모두 증가하므로 A와 B는 길항 작용을 하지 않는다.

ㄴ. 간은 A와 B의 표적 기관이다.

➡ 글루카곤(A)과 에피네프린(B)은 모두 간에 작용하여 혈당량을 증가시킨다.

ㄷ. 교감 신경에 의해 A와 B의 분비가 촉진된다.

➡ 교감 신경은 이자의 α세포를 자극하여 글루카곤(A)의 분비를 촉진시키고, 부신 속질을 자극하여 에피네프린(B)의 분비를 촉진시킨다.

14 | 선택지 분석 |

① A는 인슐린이다.

➡ 표적 기관이 콩팥이고, 혈장 삼투압을 조절하는 호르몬은 항이뇨 호르몬(ADH)이다.

② (가)는 뇌하수체 전엽이다.

➡ 항이뇨 호르몬은 뇌하수체 후엽에서 분비된다.

③ 혈장 삼투압이 높아지면 A의 분비가 억제된다.

➡ 혈장 삼투압이 높아지면 항이뇨 호르몬의 분비가 촉진되어 수분 재흡수가 촉진된다.

④ A의 분비가 촉진되면 오줌의 농도가 진해진다.

➡ 항이뇨 호르몬(A)의 분비가 촉진되면 콩팥에서 수분 재흡수가 촉진되어 오줌의 농도가 진해진다.

⑤ A의 분비가 촉진되면 혈장 삼투압이 증가한다.

➡ 항이뇨 호르몬(A)의 분비가 촉진되면 콩팥에서 수분 재흡수가 촉진되어 혈장 삼투압이 감소한다.

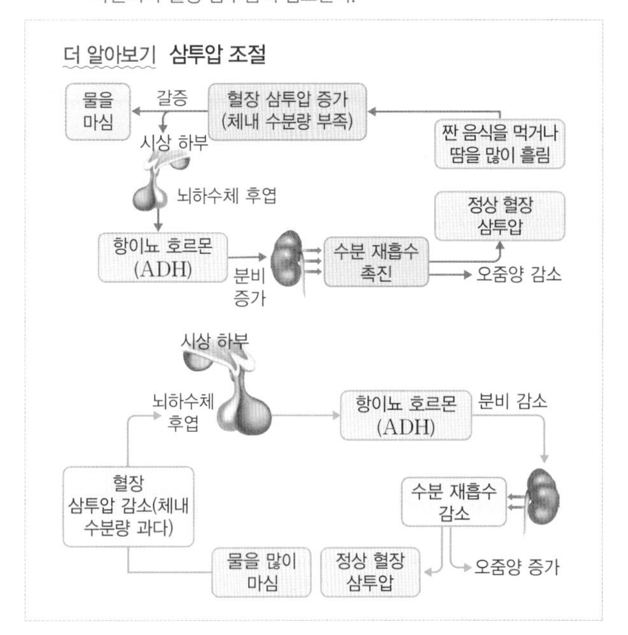

15 | 자료 분석 |

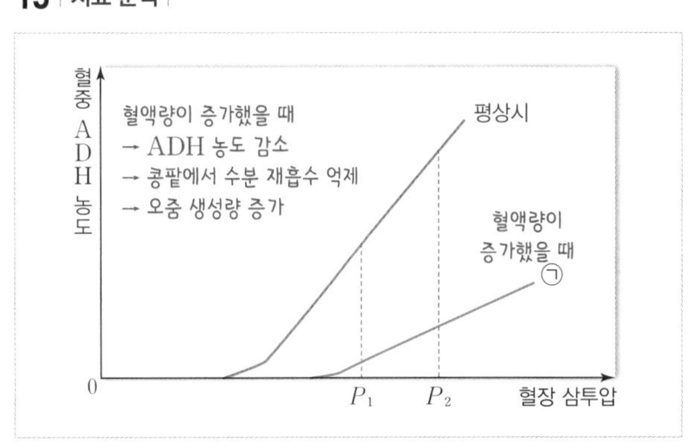

| 선택지 분석 |

① 콩팥은 ADH의 표적 기관이다.

➡ 항이뇨 호르몬은 콩팥에 작용하여 수분의 재흡수를 촉진한다.

② ㉠은 평상시에 비해 혈액량이 감소했을 때이다.

➡ ㉠은 평상시보다 혈중 ADH의 농도가 감소하였으므로 평상시에 비해 혈액량이 증가했을 때이다.

③ 혈장 삼투압의 조절 중추는 간뇌의 시상 하부이다.

➡ 혈장 삼투압 변화는 간뇌의 시상 하부에서 감지한다.

④ 평상시에서의 오줌 생성량은 P_1일 때가 P_2일 때보다 많다.

➡ 평상시 혈중 ADH의 농도는 P_1일 때가 P_2일 때보다 낮으므로 오줌 생성량은 P_1일 때가 P_2일 때보다 많다.

⑤ P_1일 때 수분 재흡수량은 평상시일 때가 ㉠일 때보다 많다.

➡ P_1일 때 혈중 ADH의 농도는 평상시일 때가 ㉠일 때보다 높으므로 수분 재흡수량은 평상시일 때가 ㉠일 때보다 많다.

16 | 선택지 분석 |

① ㉠은 오줌 생성량이다.

➡ 물 섭취 후 ㉠은 증가하고, ㉡은 감소하므로, ㉠은 오줌 생성량, ㉡은 혈장 삼투압이다.

② 전체 혈액량은 물 섭취 시점보다 t_1일 때가 ~~적다.~~ 많다.

➡ 혈장 삼투압이 물 섭취 시점보다 t_1일 때가 낮으므로 전체 혈액량은 물 섭취 시점보다 t_1일 때가 많다.

③ 오줌의 삼투압은 물 섭취 시점보다 t_1일 때가 낮다.

➡ 오줌 생성량이 물 섭취 시점보다 t_1일 때가 많으므로 오줌의 삼투압은 물 섭취 시점보다 t_1일 때가 낮다.

④ 뇌하수체 후엽에서 ADH의 분비량은 물 섭취 시점보다 t_1일 때가 적다.

➡ 혈장 삼투압이 물 섭취 시점보다 t_1일 때가 낮으므로 ADH의 분비량은 물 섭취 시점보다 t_1일 때가 적다.

⑤ 콩팥에서 단위 시간당 수분 재흡수량은 물 섭취 시점보다 t_1일 때가 적다.

➡ ADH의 분비량이 물 섭취 시점보다 t_1일 때가 적으므로 콩팥에서 단위 시간당 수분 재흡수량은 물 섭취 시점보다 t_1일 때가 적다.

도전! 실력 올리기 126쪽~127쪽

01 ① **02** ① **03** ① **04** ③ **05** ③ **06** ⑤

07 | 모범 답안 | TRH와 TSH의 농도는 증가하고, 티록신의 농도는 감소한다.

08 X: 인슐린 Y: 글루카곤

09 | 모범 답안 | ㉠은 전체 혈액량, ㉡은 혈장 삼투압이다. X의 표적 기관은 콩팥이며, X는 콩팥에서 수분의 재흡수를 촉진한다.

01 | 선택지 분석 |

ㄱ. ㉠은 TSH, ㉡은 TRH이다.

➡ 뇌하수체 전엽에 이상이 생기면 TSH, 티록신이 과다 분비되고, TRH 분비는 억제된다. 따라서 A는 뇌하수체 전엽에 이상이 생긴 사람이며 ㉠은 TSH, ㉡은 TRH이다.

✕. B는 ~~뇌하수체 전엽~~ 갑상샘에 이상이 생긴 사람이다.

➡ 갑상샘에 이상이 생기면 티록신은 과다 분비되고, TRH, TSH 분비는 억제된다. 따라서 B는 갑상샘에 이상이 생긴 사람이다.

✕. C는 ~~갑상샘~~ 시상 하부에 이상이 생긴 사람이다.

➡ 시상 하부에 이상이 생기면 TRH, TSH, 티록신이 모두 과다 분비된다. 따라서 C는 시상 하부에 이상이 생긴 사람이다.

02 | 자료 분석 |

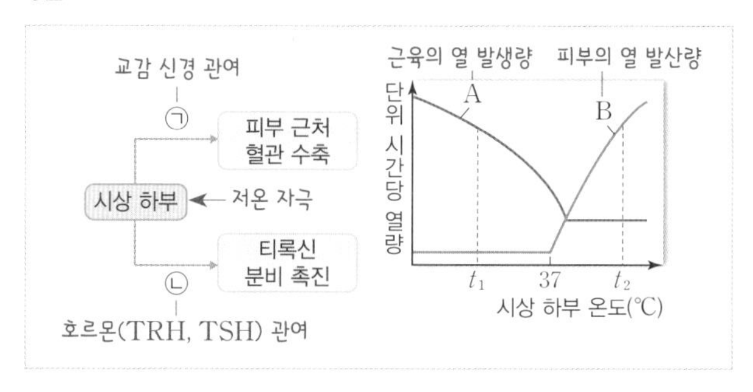

| 선택지 분석 |

✕. A는 ~~피부의 열 발산량~~ 근육의 열 발생량이다.

➡ A는 시상 하부 온도가 낮을수록 증가하므로 근육의 열 발생량이다.

ㄴ. ㉠ 과정은 t_1일 때가 t_2일 때보다 활발하다.

➡ 피부 근처 혈관 수축은 온도가 낮을 때 일어나므로 시상 하부의 온도가 낮은 t_1일 때가 온도가 높은 t_2일 때보다 활발하다.

✕. 티록신 분비 촉진에 의해 ~~B~~ A가 증가한다.

➡ 티록신 분비 촉진에 의해 근육의 열 발생량이 증가한다.

03 | 선택지 분석 |

ㄱ. A는 이자의 α세포에서 분비된다.

➡ A는 글루카곤이다. 글루카곤은 이자의 α세포에서 분비된다.

✕. B는 간에서 글리코젠의 ~~분해~~ 합성를 촉진한다.

➡ B는 인슐린이다. 인슐린은 간에서 포도당으로부터 글리코젠 합성을 촉진한다.

✕. A와 C는 길항 작용을 ~~한다.~~ 하지 않는다.

➡ A는 글루카곤, C는 에피네프린이다. 글루카곤과 에피네프린은 모두 혈당량을 증가시키는 호르몬이므로 길항 작용을 하지 않는다.

04 | 선택지 분석 |

ㄱ. 혈당량이 증가하면 인슐린의 분비가 촉진된다.

➡ 식사 후 혈당량이 증가하면 (나)에서 혈중 인슐린 농도가 증가하므로 인슐린의 분비가 촉진된다.

ㄴ. 환자 A는 건강한 사람보다 인슐린 분비량이 적다.

➡ (나)에서 A는 식사 후 건강한 사람보다 혈중 인슐린의 농도가 적으므로 인슐린의 분비량이 적다.

✕. 건강한 사람에서 혈중 글루카곤의 농도는 식사 시점보다 식사 후 1시간이 지났을 때가 더 ~~높다.~~ 낮다.

➡ 건강한 사람에서 혈중 인슐린의 농도는 식사 시점보다 식사 후 1시간이 지났을 때가 더 높으므로 혈중 글루카곤의 농도는 식사 시점보다 식사 후 1시간이 지났을 때가 더 낮다.

05 | 선택지 분석 |

ㄱ ㉠은 ADH이다.
➡ ㉠은 콩팥에 작용하므로 ADH이고, ㉡은 갑상샘에 작용하므로 TSH이다.

ㄴ 오줌의 삼투압은 S_1에서가 S_2에서보다 낮다.
➡ 혈중 ADH의 농도는 S_1에서가 S_2에서보다 낮으므로 오줌의 삼투압은 S_1에서가 S_2에서보다 낮다.

ㄷ 혈중 티록신의 농도가 증가하면 ㉡의 분비량이 ~~증가~~(감소)한다.
➡ 혈중 티록신의 농도가 증가하면 티록신에 의해 뇌하수체 전엽에서 분비되는 TSH의 분비가 억제되어 TSH(㉡)의 분비량이 감소한다.

06 | 선택지 분석 |

ㄱ 소금물을 섭취한 후는 물을 섭취한 후보다 ADH의 분비량이 증가한다.
➡ 물을 섭취한 후에 오줌 생성량이 증가하고, 소금물을 섭취한 후에 오줌 생성량이 감소하므로 소금물을 섭취한 후는 물을 섭취한 후보다 ADH의 분비량이 증가한다.

ㄴ 콩팥에서 단위 시간당 수분 재흡수량은 t_1일 때가 t_2일 때보다 적다.
➡ 오줌 생성량이 t_1일 때가 t_2일 때보다 많으므로 콩팥에서 단위 시간당 수분 재흡수량은 t_1일 때가 t_2일 때보다 적다.

ㄷ 오줌의 삼투압은 t_1일 때가 t_2일 때보다 낮다.
➡ 오줌 생성량이 t_1일 때가 t_2일 때보다 많으므로 오줌의 삼투압은 t_1일 때가 t_2일 때보다 낮다.

07 갑상샘이 제거되면 티록신이 분비되지 않아 음성 피드백이 되지 않는다. 따라서 TRH와 TSH의 농도는 증가하고, 티록신의 농도는 감소한다.

채점 기준	배점
TRH, TSH, 티록신의 농도 변화를 모두 옳게 서술한 경우	100 %
TRH, TSH, 티록신의 농도 변화 중 2가지만 옳게 서술한 경우	60 %
TRH, TSH, 티록신의 농도 변화 중 1가지만 옳게 서술한 경우	30 %

08 운동을 시작하면 혈당량이 감소한다. 혈당량이 감소한 후 X는 농도가 감소하므로 인슐린이고, Y는 농도가 증가하므로 글루카곤이다.

09 ㉠이 증가할수록 ADH의 농도가 감소하므로 ㉠은 전체 혈액량이고, ㉡이 증가할수록 ADH의 농도가 증가하므로 ㉡은 혈장 삼투압이다. X는 뇌하수체 후엽에서 분비되고 혈장 삼투압과 전체 혈액량에 의해 농도가 변화되므로 ADH이다. ADH의 표적 기관은 콩팥이며, ADH는 콩팥에서 수분의 재흡수를 촉진한다.

채점 기준	배점
㉠, ㉡이 무엇인지 쓰고, X의 표적 기관과 기능을 모두 옳게 서술한 경우	100 %
㉠, ㉡이 무엇인지 쓰고, X의 표적 기관과 기능 중 1가지만 옳게 서술한 경우	60 %

실전! 수능 도전하기

129쪽~130쪽

01 ⑤ **02** ④ **03** ⑤ **04** ⑤ **05** ③ **06** ⑤ **07** ① **08** ④

01 '부신에서 분비된다.'는 에피네프린만 해당하고, '혈당량을 증가시킨다.'는 글루카곤과 에피네프린만 해당하며, '순환계를 통해 표적 기관으로 운반된다.'는 인슐린, 글루카곤, 에피네프린이 모두 해당하므로 A는 인슐린, B는 글루카곤, C는 에피네프린이다.

| 선택지 분석 |

ㄱ ㉠은 '혈당량을 증가시킨다.'이다.
➡글루카곤과 에피네프린이 가진 특징에 해당하는 ㉠은 '혈당량을 증가시킨다.'이다.

ㄴ B는 간에서 글리코젠 분해를 촉진한다.
➡글루카곤(B)은 간에서 글리코젠을 포도당으로 분해하는 과정을 촉진하여 혈당량을 증가시킨다.

ㄷ C는 에피네프린이다.
➡ C는 부신에서 분비되고, 혈당량을 증가시키며, 순환계를 통해 이동하는 에피네프린이다.

02 | 선택지 분석 |

ㄱ (가)는 부신 속질이다.
➡ 에피네프린은 교감 신경에 의해 분비가 촉진되므로 A는 에피네프린이다. 따라서 A를 분비하는 (가)는 부신 속질이다.

ㄴ B가 과다 분비되면 ㉡ 과정이 ~~촉진~~(억제)된다.
➡ B는 티록신이다. 티록신이 과다 분비되면 음성 피드백에 의해 ㉡ 과정은 억제된다.

ㄷ ㉠에 의한 신호 전달은 ㉢에 의한 신호 전달보다 빠르다.
➡ ㉠에 의한 신호 전달은 신경에 의한 신호 전달이고, ㉢에 의한 신호 전달은 호르몬에 의한 신호 전달이다. 신경에 의한 신호 전달은 호르몬에 의한 신호 전달보다 빠르다.

03 | 선택지 분석 |

ㄱ (가)와 (나)는 모두 ~~부교감~~(교감) 신경에 의한 자극 전달 경로이다.
➡ 추울 때에는 교감 신경의 흥분이 촉진된다.

ㄴ 피부 근처 혈관이 수축되어 열 발산량이 억제된다.
➡ 교감 신경의 작용으로 피부 근처 혈관이 수축되면 열 발산량이 억제된다.

ㄷ 간에서 물질대사가 촉진되어 열 발생량이 증가된다.
➡ 티록신 농도가 증가하여 물질대사가 촉진된다. 이에 따라 열 발생량이 증가된다.

04 | 선택지 분석 |

ㄱ. 열 발산량은 구간 Ⅰ에서보다 구간 Ⅲ에서 ~~적다~~. (많다.)

➡ Ⅱ는 추울 때, Ⅲ은 더울 때 일어나는 작용이다. 열 발산량은 더울 때 증가하므로 구간 Ⅰ에서보다 구간 Ⅲ에서 많다.

ㄴ. 과정 A는 구간 Ⅲ에서보다 구간 Ⅱ에서가 활발하다.

➡ 과정 A는 추울 때 일어나는 과정이다. 따라서 과정 A는 구간 Ⅲ에서보다 구간 Ⅱ에서가 활발하다.

ㄷ. 과정 B는 호르몬에 의해 일어난다.

➡ 과정 B는 호르몬인 TRH와 TSH에 의해 일어난다.

05 | 선택지 분석 |

ㄱ. X는 간에서 ㉠ 과정을 촉진한다.

➡ X는 포도당 투여 후 농도가 증가하므로 인슐린이다. 인슐린은 간에서 글리코젠의 합성을 촉진한다.

ㄴ. X는 ~~교감 신경~~(부교감 신경)에 의해 분비가 촉진된다.

ㄷ. 혈중 글루카곤 농도는 t_2일 때가 t_3일 때보다 낮다.

➡ 혈중 글루카곤의 농도는 인슐린의 농도와 반비례한다. 혈중 인슐린의 농도는 t_2일 때가 t_3일 때보다 높으므로 혈중 글루카곤 농도는 t_2일 때가 t_3일 때보다 낮다.

06 | 선택지 분석 |

ㄱ. X는 ㉠이다.

➡ X는 식사 후 혈당량이 증가했을 때 혈중 농도가 증가하므로 인슐린이다. 인슐린은 이자의 β세포에서 분비되는 ㉡이다.

ㄴ. X는 간에서 글리코젠의 합성을 촉진한다.

➡ 인슐린(X)은 간에서 포도당이 글리코젠으로 합성되는 반응을 촉진한다.

ㄷ. ㉠과 ㉡은 서로 길항 작용을 한다.

➡ 글루카곤(㉠)과 인슐린(㉡)은 서로 길항 작용을 한다.

07 | 자료 분석 |

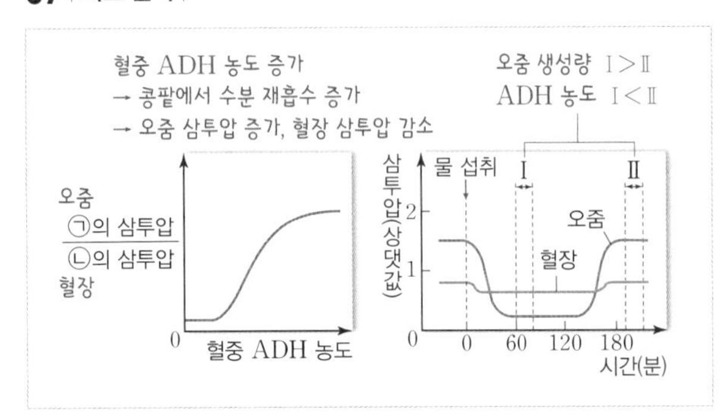

㉠은 오줌이고, ㉡은 혈장이다. 정상인이 1 L의 물을 섭취하면 혈장 삼투압이 낮아져 혈중 ADH 농도도 낮아진다.

| 선택지 분석 |

ㄱ. 시상 하부는 ADH의 분비를 조절한다.

➡ 혈장 삼투압에 대한 정보를 받아들여 ADH의 분비를 조절하는 부위는 간뇌의 시상 하부이다

ㄴ. ㉡은 ~~오줌~~(혈장)이다.

➡ ㉡은 혈장이다.

ㄷ. $\frac{\text{혈중 ADH 농도}}{\text{오줌 생성량}}$는 구간 Ⅰ에서가 구간 Ⅱ에서보다 ~~크다~~. (작다.)

➡ 오줌 생성량은 구간 Ⅰ에서보다 구간 Ⅱ에서가 적고, 혈중 ADH 농도는 구간 Ⅰ에서보다 구간 Ⅱ에서가 높다.

08 | 선택지 분석 |

ㄱ. 콩팥은 X의 표적 기관이다.

➡ X는 ADH이다. ADH는 콩팥에 작용하여 수분의 재흡수를 촉진한다.

ㄴ. ㉠은 ~~혈장 삼투압~~(전체 혈액량)이다.

➡ ㉠의 변화량이 증가할 때 ADH의 농도가 감소하므로 ㉠은 전체 혈액량이고, ㉡의 변화량이 증가할 때 ADH의 농도가 증가하므로 ㉡은 혈장 삼투압이다.

ㄷ. (가)에서 단위 시간당 오줌 생성량은 t_1일 때가 안정 상태일 때보다 적다.

➡ (가)에서 혈중 ADH의 농도는 t_1일 때가 안정 상태일 때보다 높으므로 단위 시간당 오줌 생성량은 t_1일 때가 안정 상태일 때보다 적다.

3 » 방어 작용

01 질병과 병원체

콕콕! 개념 확인하기 134쪽

✔ 잠깐 확인!

1 병원체 2 감염성 3 비감염성 4 호흡기 5 신체 접촉 6 소화기 7 매개 곤충 8 효소 9 숙주 10 핵산

01 (1) ○ (2) × (3) × (4) ○ (5) × 02 암, 비만, 고혈압, 당뇨병 03 (1) 결핵, 무좀 (2) 콜레라, 말라리아 04 (1) – ㉣ (2) – ㉢ (3) – ㉠ (4) – ㉡ 05 바이러스

01 (2) 감염성 질병은 다른 사람에게 전염된다.
(3) 감기, 독감은 감염성 질병의 예이다.
(5) 비감염성 질병은 다른 사람에게 전염되지 않는다.

탄탄! 내신 다지기 135쪽~136쪽

01 ④ 02 ① 03 ② 04 ⑤ 05 ④ 06 ③ 07 ③ 08 ② 09 (가)와 (나)를 일으키는 병원체의 종류 10 ⑤ 11 ④ 12 ⑤ 13 ⑤

01 | 선택지 분석 |

① 감기는 감염성 질병에 해당한다.
➡ 감기는 바이러스에 의해 감염된다.

② 감염성 질병은 병원체에 의해 나타난다.
➡ 세균, 바이러스 등 병원체에 의해 나타난다.

③ 비감염성 질병은 병원체 없이 나타난다.
➡ 비감염성 질병은 병원체 없이 생활 방식, 유전, 환경 등의 여러 가지 원인에 의해 나타난다.

④ 감염성 질병과 비감염성 질병은 ~~모두~~ 다른 사람에게 전염된다. (감염성 질병은)
➡ 감염성 질병은 다른 사람에게 전염되지만, 비감염성 질병은 다른 사람에게 전염되지 않는다.

⑤ 유전적 원인에 의해 나타나는 질병은 비감염성 질병에 해당한다.
➡ 유전적 원인에 의해 나타나는 질병은 병원체가 없이 나타나는 질병이므로 비감염성 질병이다.

02 | 자료 분석 |

구분	질병
A 감염성 질병	독감, 콜레라 병원체
B 비감염성 질병	고혈압, 당뇨병 유전적, 환경적 요인

| 선택지 분석 |

㉠ A는 감염성 질병이다.
➡ 독감과 콜레라는 다른 사람에게 전염되는 감염성 질병이다.

✕ B는 병원체에 의해 ~~나타난다.~~ (나타나지 않는다.)
➡ B는 비감염성 질병으로 생활 방식, 유전, 환경 등의 여러 가지 원인에 의해 나타난다.

✕ 기침을 할 때 손수건으로 입을 가리면 B(A)를 예방할 수 있다.
➡ B는 비감염성 질병으로 기침을 할 때 손수건으로 입을 가리면 감염성 질병을 예방할 수 있다.

03 감기는 환자가 기침이나 재채기를 할 때 방출된 병원체가 호흡기를 통해 감염될 수 있다. 무좀은 환자와 신체적으로 접촉하거나 피부의 상처 난 부위를 통해 병원체에 감염될 수 있다. 콜레라는 세균에 감염된 물이나 식품 등을 섭취하면 소화기를 통해 병원체에 감염될 수 있다. 말라리아는 파리, 모기 등과 같은 곤충을 통해서 병원체에 감염될 수 있다.

04 | 선택지 분석 |

① 손을 자주 흐르는 물에 깨끗이 씻는다.
➡ 손을 씻으면 손을 통해 감염되는 병원체를 제거할 수 있다.

② 매개 곤충이 번식하지 않도록 관리한다.
➡ 매개 곤충이 번식하지 못하면 매개 곤충에 의해 감염되는 질병이 나타나지 않는다.

③ 음식을 익혀서 먹고 물은 끓여서 먹는다.
➡ 음식이나 물을 익히거나 끓이면 병원체를 사멸시킬 수 있다.

④ 휴식을 충분히 취하고 적당한 운동을 한다.
➡ 휴식과 적당한 운동은 우리 몸의 면역력을 높인다.

⑤ 항생제를 자주 사용하여 병원체에 대한 면역력을 키운다.
➡ 항생제의 오·남용은 항생제 내성 세균의 출현을 증가시킬 수 있으므로 꼭 필요한 경우에만 항생제를 사용한다.

05 세균에 의해 결핵, 폐렴, 파상풍, 세균성 식중독, 탄저병, 콜레라 등이 유발되고, 바이러스에 의해 감기, 독감, 홍역, 소아마비, 후천성 면역 결핍증(AIDS) 등이 유발된다. 원생생물에 의해 말라리아, 아메바성 이질, 수면병 등이 유발되고, 곰팡이에 의해 무좀, 만성 폐질환, 알레르기, 칸디다증 등이 유발된다.

06 | 선택지 분석 |

① 효소가 ~~없다.~~ (있다.)

② ~~다세포~~ (단세포) 생물이다.

③ 분열법으로 번식한다.
➡ 세균은 단세포 생물로 분열법으로 빠르게 번식하며, 돌연변이와 유전이 일어난다.

④ ~~항진균제~~ (항생제)를 이용하여 치료한다.

⑤ 핵과 막으로 둘러싸인 세포 소기관이 ~~있다.~~ (없다.)
➡ 세균은 세포 구조를 가지지만 핵과 막으로 둘러싸인 세포 소기관이 없는 원핵생물이다.

07 | 선택지 분석 |

① 바이러스이다.
➡ 바이러스는 단백질과 핵산으로 이루어진 비세포 구조이다.

② 세균보다 크기가 작다.
➡ 세균보다 크기가 작아 세균 여과기를 통과한다.

③ 스스로 물질대사를 ~~한다.~~ (할 수 없다.)
➡ 바이러스는 효소가 없어 숙주 밖에서 스스로 물질대사를 할 수 없다.

④ 항바이러스제를 이용하여 치료한다.
➡ 바이러스이므로 치료 시 항바이러스제를 이용한다.

⑤ 단백질 껍질과 핵산으로 구성되어 있다.
➡ 바이러스는 비세포 구조이며, 바이러스에 따라 DNA나 RNA로 구성되어 있다.

08 | 선택지 분석 |

✕ 폐렴
➡ 세균에 의해 유발된다.

㉡ 감기
➡ 바이러스에 의해 유발된다.

ㄷ. 홍역

➡ 바이러스에 의해 유발된다.

ㄹ. 말라리아

➡ 원생생물에 의해 유발된다.

09 (가)는 세균에 의해, (나)는 바이러스에 의해 유발된다. 따라서 (가)와 (나)를 구분하는 기준은 (가)와 (나)를 일으키는 병원체의 종류이다.

10 | **선택지 분석** |

ㄱ. (가)를 일으키는 병원체는 핵막이 없다.

➡ (가)를 일으키는 병원체는 세균이며, 세균은 핵막이 없는 원핵생물이다.

ㄴ. (나)를 일으키는 병원체는 효소가 없다.

➡ (나)를 일으키는 병원체는 바이러스이며, 바이러스는 비세포 구조로 효소가 없다.

ㄷ. (가)와 (나)는 모두 감염성 질병이다.

➡ 파상풍, 콜레라, 독감, AIDS는 모두 다른 사람에게 전염되는 감염성 질병이다.

11 | **선택지 분석** |

ㄱ. 바이러스는 (가)이다.

➡ (가)는 결핵을 일으키므로 세균, (나)는 독감을 일으키므로 바이러스이다.

ㄴ. (가)는 스스로 물질대사를 한다.

➡ 세균(가)은 효소가 있어 스스로 물질대사를 한다.

ㄷ. (나)는 살아 있는 숙주 세포 내에서 증식한다.

➡ 바이러스(나)는 살아 있는 숙주 세포 내에서 기생 생활을 한다.

12 말라리아 원충(가)은 원생생물, 무좀균(나)은 곰팡이에 속한다.

| **선택지 분석** |

① (가)는 원생생물이다.

➡ (가)는 단세포 생물이며, 핵을 가진 진핵생물이다.

② (가)는 매개 곤충을 통하여 몸속에 침입한다.

➡ (가)는 매개 곤충을 통해 몸속으로 들어와 증식하면서 질병을 일으킨다.

③ (나)는 균사로 이루어져 있다.

➡ (나)는 실 모양의 균사로 이루어진 다세포 생물이다.

④ (가)와 (나)는 모두 핵을 가지고 있다.

➡ (가)와 (나)는 모두 핵을 가진 진핵생물이다.

⑤ (가)와 (나)는 모두 항생제를 이용하여 치료한다.

➡ (가)는 약물을 이용하여, (나)는 항진균제를 이용하여 치료한다.

13 이 병원체는 곰팡이이다. 곰팡이에 의해 무좀, 만성 폐질환, 칸디다증, 알레르기 등의 질병이 발생할 수 있다.

| **선택지 분석** |

⑤ 후천성 면역 결핍증(AIDS)

➡ 바이러스에 의해 발생한다.

도전! 실력 올리기 137쪽

01 ③ **02** ③ **03** ④

04 | **모범 답안** | ㉠에는 '효소가 있다.', '세포 구조이다.' 등이 있고, ㉡에는 '유전 물질을 가지고 있다.', '감염성 질병을 일으킨다.' 등이 있으며, ㉢에는 '항바이러스제를 이용하여 치료한다.', '스스로 물질대사를 하지 못한다.' 등이 있다.

05 | **모범 답안** | 항생제를 남용하면 항생제 내성 세균의 출현이 증가되어 항생제를 처리하여도 항생제 내성 세균이 살아남기 때문이다.

01 | **자료 분석** |

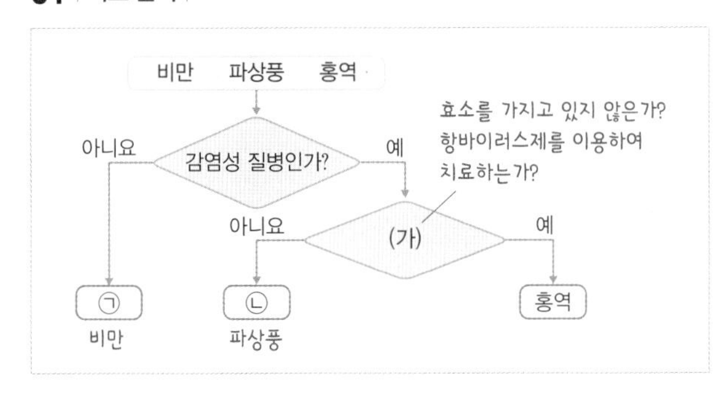

| **선택지 분석** |

ㄱ. ㉠은 비만이다.

➡ ㉠은 감염성 질병이 아니므로 비만이다.

ㄴ. ㉡을 일으키는 병원체는 항생제를 이용하여 치료한다.

➡ ㉡은 감염성 질병이며, 홍역이 아니므로 파상풍이다. 파상풍을 일으키는 병원체는 세균이며, 세균은 항생제를 이용하여 치료한다.

ㄷ. '핵이 있는가?'는 (가)에 해당한다.

➡ 홍역을 일으키는 병원체는 바이러스이다. 바이러스는 핵이 없으므로 '핵이 있는가?'는 (가)에 해당하지 않는다.

02 | **자료 분석** |

특징 \ 질병	A 감기	B 결핵	C 당뇨병
㉠ 병원체가 유전 물질을 가지고 있다.	○	○	×
㉡ 병원체가 효소를 가지고 있다.	×	○	×
㉢ 비감염성 질병이다.	×	×	○

(○: 있음, ×: 없음)

결핵, 감기, 당뇨병 중 '병원체가 효소를 가지고 있다.'는 결핵만 해당되고, '병원체가 유전 물질을 가지고 있다.'는 결핵과 감기만 해당되며, '비감염성 질병이다.'는 당뇨병만 해당된다. 따라서 A는 감기, B는 결핵, C는 당뇨병이며, ㉠은 '병원체가 유전 물질을 가지고 있다.', ㉡은 '병원체가 효소를 가지고 있다.', ㉢은 '비감염성 질병이다.'이다.

| 선택지 분석 |

ㄱ. A의 병원체는 살아 있는 숙주 세포에서 기생 생활을 한다.

➡ A의 병원체는 바이러스이며, 바이러스는 살아 있는 숙주 세포에서 기생 생활을 한다.

ㄴ. B의 병원체는 분열법을 통해 번식한다.

➡ B의 병원체는 세균이며, 세균은 분열법을 통해 번식한다.

✕. ㉢은 '병원체가 효소를 가지고 있다.'이다. (㉡)

➡ ㉢은 '비감염성 질병이다.'이다.

03 | 선택지 분석 |

ㄱ. A~C는 모두 감염성 질병이다.

➡ A~C는 세균, 바이러스, 원생생물 등의 병원체에 의해 발병하는 감염성 질병이다.

✕. ~~A와 B를~~ (A를) 일으키는 병원체는 모두 원핵생물이다.

➡ A를 일으키는 병원체는 세균으로 원핵생물이며, B를 일으키는 병원체는 원생생물로 진핵생물이다.

ㄷ. C를 일으키는 병원체는 단백질을 가지고 있다.

➡ C를 일으키는 병원체는 바이러스이며, 바이러스는 핵산과 단백질로 구성되어 있다.

04 ㉠은 세균만 가지는 특성, ㉡은 세균과 바이러스가 공통으로 가지는 특성, ㉢은 바이러스만 가지는 특성이다.

채점 기준	배점
㉠~㉢에 해당하는 것을 모두 옳게 서술한 경우	100 %
㉠~㉢에 해당하는 것을 2가지만 옳게 서술한 경우	60 %
㉠~㉢에 해당하는 것을 1가지만 옳게 서술한 경우	30 %

05 항생제를 남용하면 항생제 내성 세균의 출현이 증가된다.

채점 기준	배점
항생제 내성 세균의 출현이 증가된다는 것과 항생제를 처리하여도 항생제 내성 세균은 죽지 않는다는 것을 모두 옳게 서술한 경우	100 %
항생제 내성 세균의 출현이 증가된다는 것과 항생제를 처리하여도 항생제 내성 세균은 죽지 않는다는 것 중 1가지만 옳게 서술한 경우	50 %

02 우리 몸의 방어 작용

개념 POOL 142쪽

01 ㉠ B 림프구 ㉡ 형질 세포 ㉢ 기억 세포
02 (1) × (2) ○ (3) × (4) ○

02 (1) 2차 면역 반응은 잠복기가 없이 즉시 일어난다.
(3) 항체 생성 속도는 1차 면역 반응에서가 2차 면역 반응에서보다 느리다.

탐구 POOL 143쪽

01 (가) AB형 (나) B형 **02** | **모범 답안** | 특정 응집원은 특정 응집소하고만 항원 항체 반응을 하여 응집 반응이 일어나기 때문에 이를 이용하여 혈액형을 판정할 수 있다.

콕콕! 개념 확인하기 144쪽

✔ 잠깐 확인!

1 방어 작용 **2** 라이소자임 **3** 염증 반응 **4** 항원 **5** 항체 **6** 세포성 **7** 체액성 **8** 백신 **9** 알레르기 **10** 응집 반응

01 (1) ○ (2) × (3) ○ **02** (다) → (가) → (나) **03** (1) 골수, 가슴샘 (2) 대식 세포 (3) 세포성 (4) 형질 세포 (5) 많은, 빠르게 **04** 후천성 면역 결핍증(AIDS) **05** ㉠ B ㉡ A, B ㉢ β ㉣ 없음 ㉤ α, β

01 (2) 비특이적 방어 작용에는 피부, 점막, 분비물과 같은 표면의 방어와 식균 작용, 염증 반응과 같은 내부 방어가 있다.

탄탄! 내신 다지기 145쪽~147쪽

01 ③ **02** ③ **03** ② **04** ② **05** ⑤ **06** A: 히스타민 B: 백혈구 **07** ② **08** ④ **09** ① **10** ㉠ 대식 세포 ㉡ 보조 T 림프구 ㉢ B 림프구 ㉣ 형질 세포 ㉤ 기억 세포 **11** ① **12** ③ **13** ① **14** ① **15** ② **16** (나) B (다) A와 B **17** ① **18** ⑤

01 | 선택지 분석 |

① 병원체로부터 우리 몸을 보호한다.

➡ 비특이적 방어 작용과 특이적 방어 작용을 통해 병원체로부터 우리 몸을 보호한다.

② 피부는 병원체를 가장 먼저 방어하는 방어벽이다.

➡ 피부의 각질화된 세포층은 병원체의 침입을 막는 물리적 장벽 역할을 한다.

③ ~~특이적~~ (비특이적) 방어 작용 이후에 ~~비특이적~~ (특이적) 방어 작용이 일어난다.

➡ 방어 작용은 표면의 방어, 내부 방어 등의 비특이적 방어 작용 이후에 체액성 면역, 세포성 면역 등의 특이적 방어 작용이 일어난다.

④ 비특이적 방어 작용은 감염 즉시 작동하여 신속하게 일어난다.

➡ 비특이적 방어 작용은 선천적 면역으로 감염 즉시 작용하여 신속하게 일어난다.

⑤ 특이적 방어 작용은 병원체의 종류를 인식하여 병원체마다 각각 다르게 반응한다.

➡ 병원체에 노출되면 병원체의 종류를 인식하여 특이적 방어 작용이 일어난다.

02 | 선택지 분석 |

① ~~후천적~~ 선천적 면역이다.
➡ 태어날 때부터 갖고 있는 면역 방식이다.

② 병원체에 따라 ~~다르게~~ 관계없이 동일하게 일어난다.
➡ 병원체의 종류나 감염의 유무에 관계없이 동일한 방식으로 일어난다.

✓③ 염증 반응은 비특이적 방어 작용에 해당한다.
➡ 염증 반응에 의해 열, 부어오름, 붉어짐, 통증이 일어나며 비특이적 방어 작용이다.

④ 세포성 면역은 ~~비특이적~~ 특이적 방어 작용에 해당한다.
➡ 특이적 방어 작용에는 세포성 면역과 체액성 면역이 있다.

⑤ 반응이 일어나기까지 특이적 방어 작용보다 시간이 더 ~~오래~~ 짧게 걸린다.
➡ 비특이적 방어 작용은 감염 즉시 작동하여 신속하게 일어난다.

03 | 선택지 분석 |

✗ㄱ. (가)는 ~~특이적~~ 비특이적 방어 작용이다.
➡ 외부 방어벽을 포함하는 (가)는 비특이적 방어 작용이다.

ㄴ. 식균 작용은 ㉠에 해당한다.
➡ 식균 작용은 비특이적 방어 작용에 포함되므로 ㉠에 해당한다.

✗ㄷ. 염증 반응은 ~~㉡~~ ㉠에 해당한다.
➡ 염증 반응은 비특이적 방어 작용에 포함되므로 ㉠에 해당한다.

04 비특이적 방어 작용에서 방어벽에 해당하는 것은 피부, 점막, 분비물 등이 있고, 내부 방어에 해당하는 것은 식균 작용과 염증 반응이 있다.

05 | 선택지 분석 |

ㄱ. ㉠은 호흡 기관, 소화 기관 등의 내벽을 덮고 있는 세포층이다.
➡ 점막은 호흡 기관, 소화 기관 등의 내벽을 덮고 있는 세포층이다.

ㄴ. 섬모는 ㉡에 해당한다.
➡ 기관지 내벽의 점막 주변에 분포하며, 점액에 붙잡힌 병원체를 밖으로 내보내는 것은 섬모이다.

ㄷ. ㉢은 점액에도 존재한다.
➡ ㉢은 라이소자임이며, 라이소자임은 눈물, 침, 땀 등의 분비액 이외에 점액에도 포함되어 있다.

06 염증 반응은 비특이적 방어 작용 중 내부 방어에 해당한다. A는 비만 세포가 분비하는 히스타민으로 혈관 확장을 촉진하여 모세 혈관을 확장시킨다. 백혈구는 확장된 모세 혈관을 빠져나와 병원체를 제거한다. 즉, B는 백혈구로 식균 작용을 한다.

더 알아보기 비특이적 방어 작용

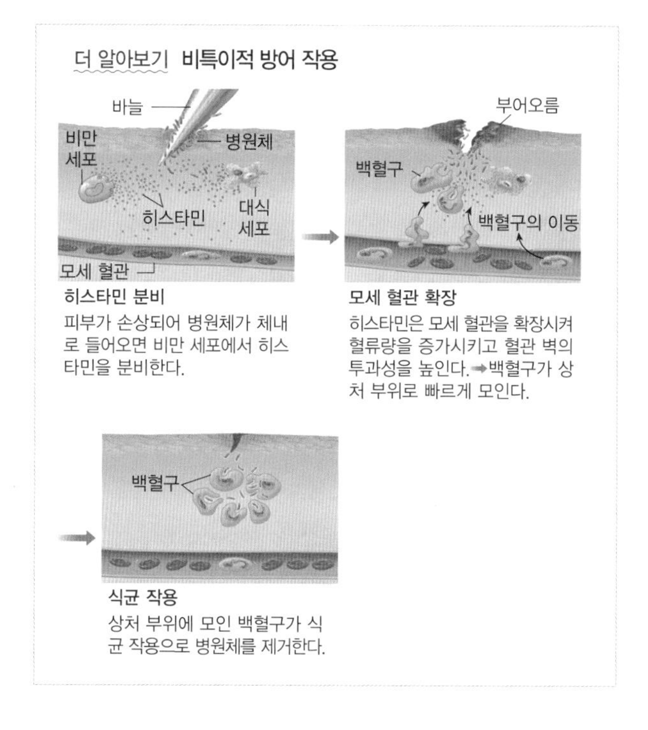

히스타민 분비
피부가 손상되어 병원체가 체내로 들어오면 비만 세포에서 히스타민을 분비한다.

모세 혈관 확장
히스타민은 모세 혈관을 확장시켜 혈류량을 증가시키고 혈관 벽의 투과성을 높인다. ➡ 백혈구가 상처 부위로 빠르게 모인다.

식균 작용
상처 부위에 모인 백혈구가 식균 작용으로 병원체를 제거한다.

07 | 선택지 분석 |

✗ㄱ. 항체를 ~~분비한다.~~ 분비하지 않는다.
➡ 항체는 B 림프구에서 분화된 형질 세포에서 분비된다.

ㄴ. 세포성 면역에 관여한다.
➡ 세포독성 T림프구는 병원체에 감염된 세포를 직접 공격하여 파괴한다. 이 과정이 세포성 면역이다.

✗ㄷ. 골수에서 생성되고, ~~골수~~ 가슴샘에서 성숙한다.
➡ T 림프구는 골수에서 생성되고, 가슴샘에서 성숙한다.

08 | 선택지 분석 |

① (가)는 ~~가슴샘~~ 골수이다.
➡ (가)는 B 림프구와 T 림프구가 생성되는 골수이다.

② ㉠은 ~~세포성~~ 체액성 면역에 관여한다.
➡ ㉠은 B 림프구이므로 체액성 면역에 관여한다.

③ 세포독성 T림프구는 ~~㉠~~ ㉡에 해당한다.
➡ ㉠은 B 림프구, ㉡은 T 림프구이다. 세포독성 T림프구는 ㉡에 해당한다.

✓④ ㉠과 ㉡은 모두 특이적 방어 작용에 관여한다.
➡ B 림프구(㉠)와 T 림프구(㉡)는 모두 특이적 방어 작용에 관여한다.

⑤ 항원이 체내로 침입하면 ~~㉡~~ ㉠은 형질 세포와 기억 세포로 분화한다.
➡ 항원이 체내로 침입하면 B 림프구(㉠)는 보조 T 림프구의 도움을 받아 형질 세포와 기억 세포로 분화한다.

09 침입한 항원에 따라 특정 항체가 생성된다. 특정 항체는 특정 모양이 맞는 특정 항원하고만 결합하는 항원 항체 특이성을 나타낸다. 따라서 A는 A와 모양이 맞는 항체

ㄱ과, B는 B와 모양이 맞는 항체 ㄴ과, C는 C와 모양이 맞는 항체 ㄷ과 결합한다.

10 세균 X를 식균 작용에 의해 분해하는 ㉠은 대식 세포이고, 대식 세포 표면에 표출된 항원 조각을 인식하는 ㉡은 보조 T 림프구이다. ㉡에 의해 분화가 촉진되는 ㉢은 B 림프구이고, 항체를 분비하는 ㉣은 형질 세포이며, ㉣과 동시에 분화되는 ㉤은 기억 세포이다.

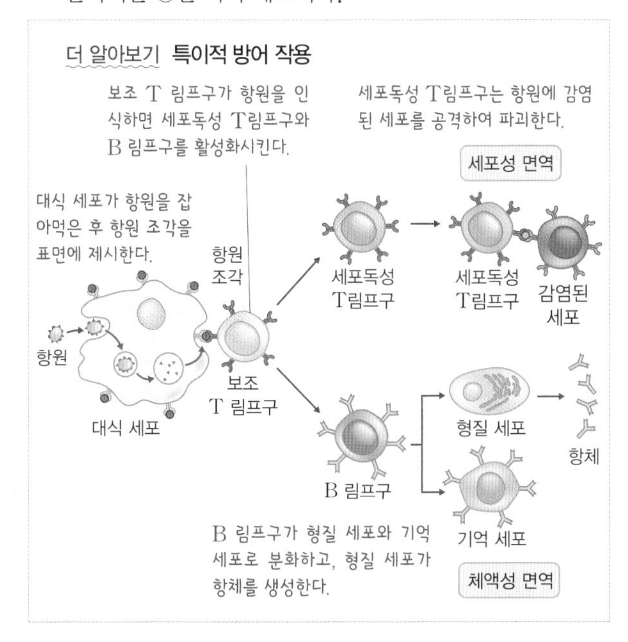

11 | 선택지 분석 |

㉠ ㉣이 생성한 항체는 세균 X와 결합한다.
➡ ㉣이 생성한 항체는 세균 X에 의해 생성된 것이므로 X와 항원 항체 특이성을 나타내어 X와 결합한다.

✕. ㉣은 ㉤보다 수명이 ~~길다.~~ 짧다.
➡ 형질 세포(㉣)는 기억 세포(㉤)보다 수명이 짧다.

✕. 세균 X의 2차 침입 시 ㉣은 ㉤으로 ~~분화한다.~~ 분화하지 않는다.
➡ 세균 X의 2차 침입 시 기억 세포(㉤)는 형질 세포와 기억 세포로 분화한다.

12 | 선택지 분석 |

① 특이적 방어 작용이다.
➡ 세포성 면역은 특이적 방어 작용에 포함된다.

② ㉠은 대식 세포 표면의 항원 조각을 인식한다.
➡ ㉠은 보조 T 림프구이며, 보조 T 림프구는 대식 세포 표면의 항원 조각을 인식한다.

❸ ㉡은 ~~체액성~~ 세포성 면역에 관여한다.
➡ ㉡은 세포독성 T림프구이며, 세포독성 T림프구는 세포성 면역에 관여한다.

④ ㉠과 ㉡은 모두 가슴샘에서 성숙한다.
➡ T 림프구는 골수에서 생성되어 가슴샘에서 성숙한다.

⑤ ㉡은 항원에 감염된 세포를 직접 공격하여 파괴한다.
➡ 세포독성 T림프구(㉡)는 항원에 감염된 세포를 직접 공격하여 발병하지 못하게 한다.

13 | 자료 분석 |

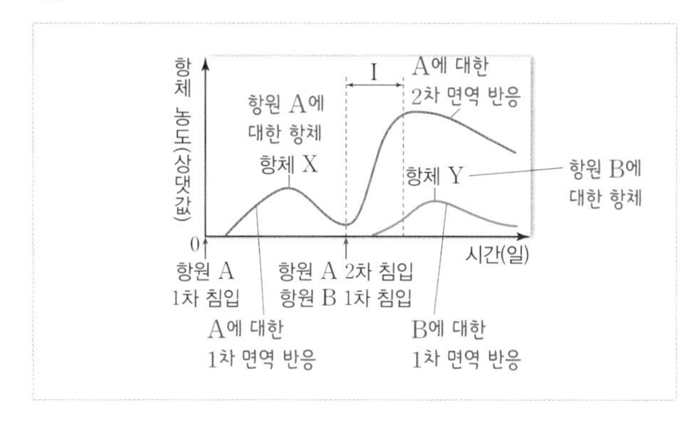

| 선택지 분석 |

❶ 항체 X는 ~~항원 A와 B에~~ 항원 A에만 모두 반응한다.
➡ 항원 항체 반응 특이성에 의해서 X는 A에만 반응한다.

② 항체 Y는 형질 세포에서 분비되었다.
➡ 항체는 형질 세포에서 분비된다.

③ Ⅰ에서 항원 A에 대한 2차 면역 반응이 일어났다.
➡ Ⅰ에서 A의 2차 침입에 의해 기억 세포가 형질 세포로 분화되는 A에 대한 2차 면역 반응이 일어났다.

④ Ⅰ에서 항원 B에 대한 1차 면역 반응이 일어났다.
➡ Ⅰ에서 항원 B는 1차 침입했으므로 B에 대한 1차 면역 반응이 일어났다.

⑤ Ⅰ에서 이 사람의 체내에 항원 A에 대한 기억 세포가 존재한다.
➡ Ⅰ에서 항원 A에 대한 2차 면역 반응이 일어났으므로 이 사람의 체내에 항원 A에 대한 기억 세포가 존재한다.

14 | 선택지 분석 |

㉠ 류머티스 관절염
➡ 면역계가 자기 몸을 구성하는 세포나 조직을 항원으로 인식하여 공격함으로써 발생하는 자가 면역 질환이다. 류머티스 관절염은 항체가 관절을 싸고 있는 막을 공격하여 심한 염증을 일으켜 관절이 굳고 변형되는 질환이다.

✕. 아토피성 피부염
➡ 알레르기에 의해 나타난다.

✕. 후천성 면역 결핍증(AIDS)
➡ HIV 바이러스에 의해 나타난다.

15 기관지 천식, 아토피성 피부염, 알레르기성 비염은 모두 알레르기에 의한 질환이다.

| 선택지 분석 |

✕. HIV가 보조 T 림프구를 파괴하여 발생한다.
➡ 후천성 면역 결핍증(AIDS)에 해당한다.

㉡ 특정 항원에 면역계가 과민하게 반응하여 발생한다.
➡ 기관지 천식, 아토피성 피부염, 알레르기성 비염은 특정 항원에 면역계가 과민하게 반응하여 두드러기, 가려움, 콧물, 눈물 등 불필요한 면역 반응을 나타내는 알레르기이다.

면역계가 자기 몸을 구성하는 세포를 공격하여 발생한다.
➡ 자가 면역 질환에 해당한다.

16 (가)는 A형, (나)는 B형, (다)는 AB형이다. 따라서 (가)의 혈액에는 응집원 A가, (나)의 혈액에는 응집원 B가, (다)의 혈액에는 응집원 A와 응집원 B가 모두 있다.

17 | 선택지 분석 |

① 이 사람은 A형이다.
➡ 이 사람은 항 A 혈청에는 응집하고, 항 B 혈청에는 응집되지 않으므로 A형이다.

② ㉠은 응집원 B이다.

③ ㉡은 응집소 α이다.

④ 이 사람은 O형인 사람에게 수혈해 줄 수 있다.
➡ O형인 사람은 응집소 α와 β를 모두 가지므로 A형으로부터 수혈을 받을 수 없다.

⑤ 이 사람은 AB형인 사람에게 수혈을 받을 수 있다.
➡ AB형인 사람은 응집원 A와 B가 모두 있으므로 A형인 사람에게 수혈해 줄 수 없다.

18 | 선택지 분석 |

① 아버지는 O형이다.
➡ 아버지의 혈액은 항 A 혈청과 항 B 혈청에 모두 응집되지 않으므로 O형이다.

② 항 A 혈청에는 응집소 α가 있다.
➡ 항 A 혈청에는 응집소 α가, 항 B 혈청에는 응집소 β가 있다.

③ 철수의 혈액에는 응집원 A가 있다.
➡ 철수는 A형이므로 혈액에는 응집원 A가 있다.

④ 여동생의 혈액에는 응집소 α가 있다.
➡ 여동생은 B형으로 혈액에는 응집소 α가 있다.

⑤ 철수는 아버지에게 수혈해 줄 수 있다.
➡ 철수는 A형, 아버지는 O형이므로 철수는 아버지에게 수혈해 줄 수 없다.

도전! 실력 올리기 148쪽~149쪽

01 ① **02** ④ **03** ② **04** ③ **05** ⑤ **06** ②

07 | 모범 답안 | 세균의 2차 침입 시에는 기억 세포가 형질 세포로 즉각적으로 분화하기 때문에 잠복기가 없다.

08 | 모범 답안 | 백신을 주사하면 병원체에 대한 기억 세포가 형성되어 실제로 동일한 병원체가 들어왔을 때 2차 면역 반응이 일어나 다량의 항체가 빠르게 생성되어 질병에 걸리지 않는다.

09 | 모범 답안 | O형은 항원으로 작용하는 응집원이 없고, AB형은 항체로 작용하는 응집소가 없기 때문이다.

01 | 선택지 분석 |

ㄱ. X에 감염된 후 Ⅰ에서 비특이적 방어 작용이 일어난다.
➡ X에 감염된 후 Ⅰ에서 염증 반응과 식균 작용이 일어난다.

ㄴ. Ⅱ의 세포는 모두 T 림프구이다.
➡ Ⅱ에는 대식 세포, 보조 T 림프구, B 림프구, 형질 세포가 모두 포함되어 있다.

ㄷ. 구간 a에서 기억 세포가 X에 대한 항체를 분비한다.
➡ X에 대한 항체는 형질 세포가 분비한다.

02 | 선택지 분석 |

ㄱ. 방어 작용은 (다) → (나) → (가) → (라) 순으로 진행된다.
➡ 세균이 들어오면 가장 먼저 대식 세포(㉢)가 세균을 분해하여 조각을 세포 표면에 제시한다.

ㄴ. ㉠은 골수에서, ㉡은 가슴샘에서 성숙한다.
➡ ㉠은 보조 T 림프구, ㉡은 B 림프구, ㉢은 대식 세포이다. 보조 T 림프구는 가슴샘에서, B 림프구는 골수에서 성숙한다.

ㄷ. ㉢은 A를 분해하여 세포의 표면에 제시한다.
➡ 대식 세포(㉢)는 항원을 분해하여 세포 표면에 제시하고, 제시한 항원 조각을 보조 T 림프구가 인식한다.

03 | 선택지 분석 |

ㄱ. (가)에서 백혈구는 히스타민을 분비한다.
➡ 히스타민을 분비하는 세포는 비만 세포이다.

ㄴ. 구간 Ⅰ에서 X에 대한 체액성 면역이 일어난다.
➡ 구간 Ⅰ에서 항체의 농도가 증가하므로 체액성 면역이 일어난다.

ㄷ. 구간 Ⅱ에서 형질 세포가 기억 세포로 분화한다.
➡ 형질 세포는 기억 세포로 분화하지 않는다. 기억 세포는 B 림프구가 분화해서 생성되며 구간 Ⅱ에서는 기억 세포가 형질 세포로 빠르게 분화한다.

04 | 자료 분석 |

항원 항체 반응의 특이성이 있어 항체가 각각 형성된다.
A에 대한 2차 면역 반응
→ 기억 세포가 존재함
→ X를 주사하기 전 A에 노출된 적 있음
A
B
C
항체의 농도
Ⅰ
Ⅱ
항체 a
항체 b
항체 c
0
백신 X 주사
B와 C에 대한 1차 면역 반응
시간

| 선택지 분석 |

ㄱ. Ⅰ에서 항원 A에 대한 2차 면역 반응이 일어난다.
➡ Ⅰ에서 항체 a가 다른 항체보다 농도가 높으므로 항원 A에 대한 2차 면역 반응이 일어난다.

ㄴ. Ⅱ에서 이 사람의 혈액에는 항원 B에 대한 기억 세포가 있다.
➡ Ⅱ는 B에 대해 1차 면역 반응이 일어난 후이기 때문에 B에 대한 기억 세포가 있다.

✕. 이 사람은 X를 주사하기 전 항원 C에 ~~노출된 적이 있다.~~ 노출된 적이 없다.
➡ X 주사 후 항체 C에 대한 1차 면역 반응이 일어나므로 이 사람은 X를 주사하기 전 항원 C에 노출된 적이 없다.

05 | 선택지 분석 |

ㄱ. 영희는 B형, 철수는 O형이다.
➡ 영희는 항 B 혈청에만 응집하므로 B형이다. 철수의 적혈구에는 응집원이 없기 때문에 철수는 O형이다.

ㄴ. ㉠은 응집소 β, ㉡은 응집소 α이다.
➡ 영희의 적혈구에는 응집원 B가 있는데 ㉠은 응집원 B와 결합하므로 응집소 β이다. 따라서 ㉡은 응집소 α이다.

ㄷ. 영희 혈액의 응집원과 ㉠의 반응은 항원 항체 반응이다.
➡ 영희 혈액의 응집원은 항원으로, ㉠은 항체로 작용하여 항원 항체 반응을 한다.

06 | 자료 분석 |

구분	항 A 혈청 응집소 α	(가)의 혈청 응집소 α	(나)의 혈청 응집소 α, β	(다)의 혈청 응집소 없음
(가)의 적혈구 응집원 B	−	−	+	−
(나)의 적혈구 응집원 없음	㉠ −	−	−	−
(다)의 적혈구 응집원 A, B	+	+	㉡ +	−

(+: 응집됨, −: 응집 안 됨)

(가)의 적혈구는 항 A 혈청에 응집하지 않으므로 응집원 A가 없다. 따라서 B형 또는 O형인데, (나)의 혈청과 응집하므로 B형이라는 것을 알 수 있다. 또한 (나)에는 응집소 β가 있다는 것을 알 수 있으므로 (나)의 혈액은 A형 또는 O형인데 (가)의 혈청과 응집하지 않으므로 O형이라는 것을 알 수 있다. (다)의 적혈구는 항 A 혈청에 응집하므로 응집원 A가 있어 A형 또는 AB형인데 (가)의 적혈구와 응집하지 않으므로 AB형이라는 것을 알 수 있다.

| 선택지 분석 |

✕. ㉠과 ㉡은 ~~모두~~ ㉡만 '+'이다.
➡ (나)의 적혈구에는 응집원이 없으므로 ㉠은 '−'이고, (다)의 적혈구에는 응집원 A와 B가 모두 있고, (나)의 혈청에는 응집소 α와 β가 있으므로 ㉡은 '+'이다.

ㄴ. (다)의 혈액형은 AB형이다.
➡ (다)의 혈청에 (가)의 적혈구가 응집 반응을 하지 않았으므로 AB형이다.

✕. (가)는 (나)에게 수혈해 줄 수 ~~있다.~~ 없다.
➡ B형인 (가)는 O형인 (나)에게 수혈해 주면 응집 반응이 일어나므로 수혈해 줄 수 없다.

07 세균이 처음 침입하면 대식 세포의 식균 작용, 보조 T 림프구의 활성화, B 림프구의 형질 세포로의 분화 과정을 거치기 때문에 항체가 만들어지기까지 시간이 걸리지만 세균의 2차 침입 시에는 기억 세포가 형질 세포로 즉각적으로 분화하기 때문에 잠복기가 없다.

채점 기준	배점
기억 세포가 형질 세포로 즉각 분화된다는 것을 옳게 서술한 경우	100 %

08 백신을 주사하는 목적은 병원체에 대한 기억 세포를 만들기 위해서이다.

채점 기준	배점
백신으로 질병을 예방할 수 있는 원리를 기억 세포와 2차 면역 반응을 모두 언급하여 옳게 서술한 경우	100 %
백신으로 질병을 예방할 수 있는 원리를 기억 세포와 2차 면역 반응 중 1가지만 언급하여 옳게 서술한 경우	40 %

09 O형은 항체로 작용하는 응집소 α와 응집소 β가 있다. AB형은 항원으로 작용하는 응집원 A와 응집원 B가 있다.

채점 기준	배점
O형은 나머지 ABO식 혈액형에게 모두 소량 수혈해 줄 수 있고, AB형은 나머지 ABO식 혈액형에게 모두 소량 수혈을 받을 수 있는 까닭을 모두 옳게 서술한 경우	100 %
O형은 나머지 ABO식 혈액형에게 모두 소량 수혈해 줄 수 있고, AB형은 나머지 ABO식 혈액형에게 모두 소량 수혈을 받을 수 있는 까닭 중 1가지만 옳게 서술한 경우	40 %

실전! 수능 도전하기

151쪽~153쪽

01 ② **02** ③ **03** ① **04** ① **05** ① **06** ④ **07** ② **08** ③ **09** ④ **10** ③

01 | 선택지 분석 |

✕. A의 병원체는 ~~바이러스~~ 세균이다.
➡ A의 병원체는 세균, B의 병원체는 바이러스이다.

✕. B의 병원체는 ~~세포 분열을 통하여 스스로 증식한다.~~ 스스로 증식하지 못한다.
➡ B의 병원체인 바이러스는 세포 구조가 아니므로 세포 분열도 하지 못하고 스스로 증식하지 못한다.

ㄷ. A의 병원체와 B의 병원체는 모두 유전 물질을 가진다.
➡ A의 병원체인 세균과 B의 병원체인 바이러스는 모두 유전 물질인 핵산을 가진다.

02 | 자료 분석 |

특징 \ 질병	A 독감	B 결핵	C 말라리아
㉠ 병원체가 핵을 가지고 있다.	×	×	ⓐ ○
㉡ 병원체가 유전 물질을 가지고 있다.	○	ⓑ ○	○
㉢ 병원체가 스스로 물질대사를 한다.	×	○	○

(○: 있음, ×: 없음)

'병원체가 유전 물질을 가지고 있다.'는 결핵, 독감, 말라리아가 해당하고, '병원체가 핵을 가지고 있다.'는 말라리아만 해당하며, '병원체가 스스로 물질대사를 한다.'는 결핵, 말라리아만 해당하므로 ㉠은 '병원체가 핵을 가지고 있다.', ㉡은 '병원체가 유전 물질을 가지고 있다.', ㉢은 '병원체가 스스로 물질대사를 한다.'이다. A는 독감, B는 결핵, C는 말라리아이다.

| 선택지 분석 |

ㄱ. ⓐ와 ⓑ는 모두 '○'이다.

➡ 말라리아의 병원체인 원생생물은 핵을 가지고 있고, 결핵의 병원체인 세균은 유전 물질을 가지고 있으므로 ⓐ와 ⓑ는 모두 '○'이다.

ㄴ. ㉠은 '병원체가 핵을 가지고 있다.'이다.

➡ ㉠은 C만의 특징이므로 '병원체가 핵을 가지고 있다.'가 해당된다.

✕. C는 ~~결핵~~이다.
말라리아

➡ C는 3가지 특성을 모두 가지고 있으므로 말라리아이다.

03 | 선택지 분석 |

(가)는 세균, (나)는 바이러스이다.

ㄱ. 결핵은 감염성 질병이다.

➡ 결핵은 다른 사람에게 전염되는 감염성 질병이다.

✕. ~~(가)와 (나)는 모두~~ 세포로 되어 있다.
(가)는

➡ 세균(가)은 세포 구조이지만, 바이러스(나)는 핵산과 단백질로 이루어진 것으로 세포 구조가 아니다.

✕. (나)는 숙주 세포 ~~밖~~에서 물질대사를 할 수 있다.
안

➡ 바이러스(나)는 살아 있는 숙주 세포 안에서만 물질대사를 할 수 있다.

04 | 선택지 분석 |

ㄱ. 이 방어 작용에서 체액성 면역 반응이 일어난다.

➡ 제시된 면역 반응은 형질 세포가 항체를 만들어 체액으로 내보내 항원을 제거하는 체액성 면역 반응이다.

✕. ㉠은 ~~가슴샘~~에서 성숙된다.
골수

➡ ㉠은 B 림프구이다. B 림프구는 골수에서 성숙된다.

✕. X가 2차 침입할 때 보조 T 림프구에서 항체가 ~~생성된다.~~
생성되지 않는다.

➡ 동일한 병원체인 X가 2차 침입할 때는 1차 침입 시 T 림프구의 도움을 받은 B 림프구가 일부 기억 세포로 분화되어 있으므로 그 기억 세포가 다시 분화하여 기억 세포와 형질 세포를 만들고, 형질 세포로부터 항체가 빠르게 생성된다. 보조 T 림프구는 항체를 생성하지 못한다.

05 | 선택지 분석 |

ㄱ. ㉠은 A의 병원성을 약화시켜 만들었다.

➡ 병원체만을 생쥐에 주사하면 생쥐가 죽지만 병원체와 항체를 모두 주사하면 생쥐는 산다. 그러므로 혈청 ⓐ에 포함된 항체는 세균 A에 대한 항체이며, 백신 ㉠은 세균 A의 병원성을 약화시켜 만든 것이다.

✕. ⓐ에는 기억 세포가 ~~들어 있다.~~
들어 있지 않다.

➡ 혈청은 혈액에서 혈구를 제외한 부분이다. 그러므로 ⓐ에는 기억 세포가 없다.

✕. (마)의 Ⅳ에서 A에 대한 2차 면역 반응이 ~~일어났다.~~
일어나지 않았다.

➡ A에 대한 2차 면역 반응이 일어나기 위해서는 A에 대한 기억 세포가 존재해야 하지만 A를 주사하기 전 생쥐 Ⅳ에 A에 대한 기억 세포가 없으므로 (마)의 Ⅳ에서 A에 대한 2차 면역 반응은 일어나지 않았다.

06 | 선택지 분석 |

ㄱ. A에 대한 형질 세포 수는 구간 Ⅰ에서보다 구간 Ⅱ에서가 많다.

➡ A에 대한 형질 세포 수는 혈중 항체 농도에 비례한다. A에 대한 혈중 항체 농도는 구간 Ⅰ에서보다 구간 Ⅱ에서가 높으므로 A에 대한 형질 세포 수는 구간 Ⅰ에서보다 구간 Ⅱ에서가 많다.

✕. 구간 Ⅱ에서 B에 대한 2차 면역 반응이 ~~일어난다.~~
일어나지 않았다.

➡ 구간 Ⅱ에서 B에 대해서는 1차 주사 때와 2차 주사 때를 비교할 때 혈중 항체 농도의 변화가 없으므로 2차 면역 반응이 일어나지 않았다.

ㄷ. 구간 Ⅲ에서 A와 B에 대한 체액성 면역 반응이 모두 일어난다.

➡ 구간 Ⅲ에서 A에 대한 항체와 B에 대한 항체가 모두 생성되었으므로 A와 B에 대한 체액성 면역 반응이 모두 일어난다.

07 ㉠은 T 림프구, ㉡은 B 림프구, ㉢은 형질 세포, ㉣은 기억 세포이다.

| 선택지 분석 |

✕. ㉠은 ~~B~~ 림프구이다.
T

➡ ㉠은 세포성 면역을 하는 세포독성 T림프구이다.

ㄴ. ㉠과 ㉡은 모두 골수에서 생성된다.

➡ T 림프구(㉠)와 B 림프구(㉡)는 모두 골수에서 생성되며, 성숙되는 장소는 서로 다르다.

✕. X가 다시 침입했을 때 ~~㉢은 ㉣로~~ 분화한다.
㉣은 ㉢으로

➡ X가 다시 침입했을 때 기억 세포(㉣)가 형질 세포(㉢)로 빠르게 분화한다.

08 | 선택지 분석 |

ㄱ. (나)의 X에 감염된 A에게서 체액성 면역 반응이 일어났다.

➡ (나)에서 A에게 X를 감염시키면 A에게서 기억 세포가 생성되었으므로 동시에 형질 세포도 생성되었다. 형질 세포는 항체를 생성하므로 A에게서 체액성 면역 반응이 일어났다.

ㄴ. (라)에서 C와 D에게 감염시킨 병원체는 ~~Y~~ X이다.

➡ ㉠을 주사한 C에서는 2차 면역 반응이 일어났고, ㉡을 주사한 D에서는 2차 면역 반응이 일어나지 않았으므로 C와 D에게 감염시킨 병원체는 X이다.

ㄷ. (라)의 병원체에 감염된 C에서 2차 면역 반응이 일어났다.

➡ (라)에서 C는 X에 대한 기억 세포가 있으므로 병원체 X에 감염된 X에서 2차 면역 반응이 일어났다.

09 응집원 ㉠과 응집소 ㉡이 모두 있는 사람이 존재하므로 ㉠과 ㉡은 응집 반응을 할 수 없는 응집원과 응집소이다.

(1) 응집원 ㉠이 A일 경우 응집소 ㉡은 β이다.

• 응집원 A가 있는 사람은 A형+AB형=79명이고, 응집소 β가 있는 사람은 A형+O형=111명이다.

• 응집원 A와 응집소 β가 모두 있는 사람은 A형이고 57명이다.

(2) 응집원 ㉠이 B일 경우 응집소 ㉡은 α이다.

• 응집원 B가 있는 사람은 B형+AB형=79명이고, 응집소 α가 있는 사람은 B형+O형=111명이다.

• 응집원 B와 응집소 α가 모두 있는 사람은 B형이고 57명이다.

각각의 경우에서 AB형은 모두 22명이다.

| 선택지 분석 |

ㄱ. 철수는 ~~O형~~ AB형이다.

➡ 항 A 혈청에는 응집소 α가 있고, 항 B 혈청에는 응집소 β가 있으므로 항 A 혈청과 항 B 혈청에 모두 응집 반응이 일어난 철수는 AB형이다.

ㄴ. 이 집단에서 응집원 A와 B를 모두 갖는 사람의 수는 22명이다.

➡ 응집원 A와 B를 모두 갖는 사람의 혈액형은 AB형이다. AB형은 22명이다.

ㄷ. 이 집단에서 응집소 α와 β를 모두 갖는 사람의 수는 54명이다.

➡ 응집소 α와 β를 모두 갖는 사람의 혈액형은 O형이다. O형은 111명−57명=54명이다.

10 | 선택지 분석 |

ㄱ. ㉠은 ⓑ이다.

➡ ㉠은 사람의 응집원과 응집하는 혈청이다.

ㄴ. Ⅰ은 Rh^+형이다.

➡ Ⅰ은 Rh 응집소가 들어 있는 ⓑ와 응집하므로 Rh^+형이다.

ㄷ. Ⅰ은 Ⅱ에게 수혈해 줄 수 ~~있다~~ 없다.

➡ Rh^+형인 Ⅰ은 Rh^-형인 Ⅱ에게 수혈해 줄 수 없다.

한번에 끝내는 대단원 문제 156쪽~159쪽

01 ③ **02** ② **03** ④ **04** ② **05** ③ **06** ③ **07** ⑤ **08** ⑤ **09** ② **10** ⑤ **11** ③ **12** ⑤

13 | **모범 답안** | 호르몬은 혈액을 따라 이동하므로 전기 신호에 의한 신경보다 전달 속도가 느리지만, 작용 범위는 넓고, 효과가 지속적으로 나타난다.

14 | **모범 답안** | 아이오딘(I)이 부족하면 티록신의 분비량이 줄어들어 음성 피드백이 진행되지 않는다. 따라서 TRH와 TSH가 과다 분비되어 TSH가 갑상샘을 지속적으로 자극하기 때문에 갑상샘이 비대해진다.

15 (가) 감염성 질병인가? (나) 병원체에 효소가 있는가? (다) 병원체에 핵이 있는가? **16** A 감기 B 결핵 C 고혈압

17 | **모범 답안** | 대식 세포는 식균 작용을 통해 항원을 섭취한 후 분해 효소로 항원을 분해한다. 그 후 분해된 항원 조각을 세포 표면에 표출하여 항원을 제시한다.

18 | **모범 답안** | 보조 T 림프구는 과정 (가)에서 대식 세포 표면에 제시된 항원 조각을 인식하여 활성화된 후 과정 (나)에서 B 림프구가 형질 세포와 기억 세포로 분화되는 것을 촉진한다.

01 | 선택지 분석 |

ㄱ. A를 통해 ~~K^+~~ Na^+이 세포 밖에서 세포 안으로 유입된다.

➡ A는 Na^+ 통로이다. Na^+ 통로를 통해 Na^+이 세포 밖에서 세포 안으로 유입된다.

ㄴ. A와 B를 통한 이온의 이동에 에너지가 ~~소모된다~~ 소모되지 않는다.

➡ Na^+ 통로(A)와 K^+ 통로(B)를 통한 이온의 이동은 확산에 의해 일어나므로 에너지가 소모되지 않는다.

ㄷ. t_1과 t_2일 때 모두 Na^+의 농도는 세포 밖이 세포 안보다 높다.

➡ 시기와 상관없이 Na^+의 농도는 세포 밖이 세포 안보다 높다.

02 | 자료 분석 |

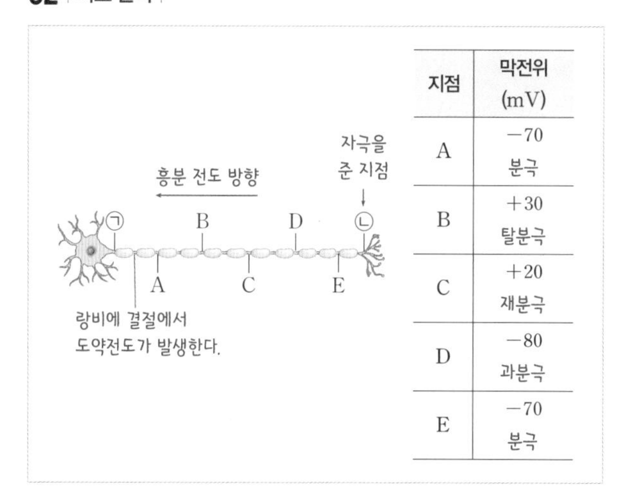

지점	막전위 (mV)
A	−70 분극
B	+30 탈분극
C	+20 재분극
D	−80 과분극
E	−70 분극

| 선택지 분석 |

ㄱ. 자극을 준 지점은 ㉠이다.

➡ D의 막전위가 -80 mV이므로 재분극이 끝나는 지점이다. C와 B는 막전위가 -80 mV보다 높으므로 아직 D와 같이 막전위가 떨어지지 않은 시점이다. 시간상 D가 C보다 먼저 일어났다는 것을 알 수 있다. 따라서 자극을 준 지점은 ㉡이다.

ㄴ. t_1일 때 A에서 Na^+이 세포 안에서 세포 밖으로 유출될 때 에너지가 소비된다.

➡ t_1일 때 A의 막전위가 -70 mV이므로 분극 상태이다. 분극 상태에서 Na^+은 Na^+-K^+ 펌프를 통해 세포 밖으로 유출되므로 이때 에너지가 소비된다.

ㄷ. t_1일 때 C에서 탈분극이 일어나고 있다.

➡ ㉡에서 ㉠으로 흥분이 이동하고 t_1일 때 B에서의 막전위가 $+30$ mV이므로 C에서는 상승했던 막전위가 하강하고 있는 시점이다. 따라서 C에서 재분극이 일어나고 있다.

03 | 자료 분석 |

구분	㉠ 뇌줄기를 구성한다.	㉡ 동공 반사의 중추이다.
A	×	×
B	○	ⓑ
C	○	×
D	ⓐ	?

(○: 있음, ×: 없음)

A는 간뇌, B는 중간뇌, C는 연수, D는 대뇌이다. '뇌줄기를 구성한다.'는 중간뇌, 연수만 해당하고, '동공 반사의 중추이다.'는 중간뇌만 해당하므로 ㉠은 '뇌줄기를 구성한다.', ㉡은 '동공 반사의 중추이다.'이다.

| 선택지 분석 |

ㄱ. ⓐ와 ⓑ는 모두 '○'이다.

➡ 대뇌는 뇌줄기를 구성하지 않으므로 '×'이고, 중간뇌는 동공 반사의 중추이므로 '○'이다.

ㄴ. ㉠은 '뇌줄기를 구성한다.'이다.

➡ 뇌줄기는 중간뇌, 뇌교, 연수로 이루어진다. 따라서 '뇌줄기를 구성한다.'는 특징 ㉠이다.

ㄷ. D의 겉질에는 신경 세포체가 존재한다.

➡ 대뇌의 겉질은 신경 세포체가 존재하는 회색질이다.

04 | 선택지 분석 |

ㄱ. A는 척수의 전근을 구성한다.

➡ A는 감각 뉴런으로 척수의 후근을 구성한다.

ㄴ. B의 신경 세포체는 척수의 속질에 존재한다.

➡ B는 체성 운동 뉴런으로 신경 세포체는 척수의 속질에 존재한다.

ㄷ. ⓐ가 일어나는 동안 ㉠의 근육 원섬유 마디에서 I대의 길이는 짧아진다.

➡ ⓐ가 일어나는 동안 ㉠의 근육은 이완된다. 근육이 이완되는 동안 I대의 길이는 길어진다.

05 | 선택지 분석 |

ㄱ. ⓐ는 다핵 세포이다.

➡ ⓐ는 근육 섬유로 다핵 세포이다.

ㄴ. ㉠은 마이오신 필라멘트이다.

➡ ㉠은 ㉡보다 굵기가 얇으므로 액틴 필라멘트이다.

ㄷ. 근육이 수축할 때 근육 원섬유에서 B와 같은 단면을 갖는 부분의 길이는 길어진다.

➡ 근육 원섬유에서 B와 같은 단면을 갖는 액틴 필라멘트와 마이오신 필라멘트가 겹치는 부분은 근육이 수축할 때 길어진다.

06 | 선택지 분석 |

ㄱ. (나)는 ⓐ의 근육 원섬유 마디이다.

➡ ⓐ는 민무늬근이므로 내장근, ⓑ는 가로무늬근이므로 골격근이다. (나)는 체성 운동 신경이 연결되어 있으므로 골격근이며, ⓑ의 근육 원섬유 마디이다.

ㄴ. ⓑ는 불수의근이다.

➡ 골격근은 의지대로 움직일 수 있는 수의근이다.

ㄷ. (나)에서 근육이 수축할 때 $\frac{㉠}{㉡}$의 길이는 증가한다.

➡ (나)에서 근육이 수축할 때 ㉠의 길이는 변함이 없고, ㉡의 길이는 감소한다. 따라서 $\frac{㉠}{㉡}$의 길이는 증가한다.

07 | 선택지 분석 |

ㄱ. 티록신의 분비는 음성 피드백에 의해 조절된다.

➡ 티록신의 분비량이 증가하면 티록신은 시상 하부와 뇌하수체 전엽의 호르몬 분비를 억제하여 티록신의 분비량을 조절한다.

ㄴ. 혈관에 X를 주사하면 TRH의 분비가 억제된다.

➡ 혈관에 X를 주사하면 과다 분비된 티록신이 시상 하부를 억제하여 TRH의 분비가 억제된다.

ㄷ. 혈관에 Y를 주사하면 갑상샘이 비대해질 수 있다.

➡ 혈관에 Y를 주사하면 음성 피드백이 제대로 되지 않아 TSH가 과다 분비되어 갑상샘이 비대해질 수 있다.

08 | 선택지 분석 |

ㄱ. X는 이자의 α세포에서 분비된다.

➡ X는 혈당량이 높아질 때 농도가 증가하므로 인슐린이다. 인슐린은 이자의 β세포에서 분비된다.

ㄴ. 조직 세포로 흡수되는 포도당의 양은 t_1에서가 t_2에서보다 낮다.

➡ 인슐린은 조직 세포로의 포도당 흡수를 촉진한다. t_1에서가 t_2에서보다 인슐린의 농도가 낮으므로 조직 세포로 흡수되는 포도당의 양은 t_1에서가 t_2에서보다 낮다.

ㄷ. 혈중 글루카곤의 농도는 t_1에서가 t_2에서보다 높다.
➡ 인슐린의 농도와 글루카곤의 농도는 반비례한다. t_1에서가 t_2에서보다 인슐린의 농도가 낮으므로 혈중 글루카곤의 농도는 t_1에서가 t_2에서보다 높다.

09 A는 세균, B는 바이러스이다.

선택지 분석

ㄱ. '단백질을 가진다.'는 ~~㉠~~ ㉡에 해당한다.
➡ '단백질을 가진다.'는 세균과 바이러스에 모두 해당하므로 ㉡에 해당한다.

ㄴ. '핵산을 가진다.'는 ㉡에 해당한다.
➡ '핵산을 가진다.'는 세균과 바이러스에 모두 해당하므로 ㉡에 해당한다.

ㄷ. '세포 구조이다.'는 ~~㉢~~ ㉠에 해당한다.
➡ '세포 구조이다.'는 세균에만 해당하므로 ㉠에 해당한다.

10 **선택지 분석**

ㄱ. ㉠은 ~~A~~ B이다.
➡ ㉠은 2차 면역 반응이 일어났으므로 X^*를 주사한 B이다.

ㄴ. X^*는 X에 대한 백신으로 이용할 수 있다.
➡ X^*를 주사한 B에서 X 주사 후 2차 면역 반응이 일어났으므로 X^*는 X에 대한 백신으로 이용할 수 있다.

ㄷ. 구간 Ⅰ에서 A와 B는 모두 체액성 면역 반응이 일어났다.
➡ 구간 Ⅰ에서 A(㉡)와 B(㉠) 모두 항체가 생성되었으므로 체액성 면역 반응이 일어났다.

11 **선택지 분석**

ㄱ. ㉠은 가슴샘에서 성숙한다.
➡ ㉠은 보조 T 림프구로 가슴샘에서 성숙한다.

ㄴ. ㉠은 대식 세포 표면의 X의 조각을 인식한다.
➡ ㉠은 대식 세포가 식균 작용을 통해 분해한 후 세포 표면에 제시한 X 조각을 인식하여 활성화된다.

ㄷ. ㉡에서 분비된 항체는 ~~다양한 병원체~~ 병원체 X와 반응할 수 있다.
➡ 항체는 항원 항체 반응의 특이성이 있어 특정 병원체에만 반응한다. ㉡에서 분비된 항체는 병원체 X하고만 반응한다.

12 **선택지 분석**

ㄱ. ㉡은 ~~A형~~ B형이다.
➡ A형, B형, AB형 중 항 A 혈청과 섞으면 응집되는 혈액형은 A형과 AB형이다. 따라서 ㉠은 A형이고, ㉡은 B형이다.

ㄴ. '응집소 β가 있는가?'는 (가)에 해당한다.
➡ A형, AB형 중 응집소 β가 있는 혈액형은 A형이다. 따라서 '응집소 β가 있는가?'는 (가)에 해당한다.

ㄷ. ㉠은 AB형에게 소량 수혈해 줄 수 있다.
➡ A형(㉠)은 AB형에게 소량 수혈해 줄 수 있다.

13 신경은 신경 전달 물질을 통해 흥분이 다른 신경 세포에 전달되고, 호르몬은 혈액을 통해 운반된다.

채점 기준	배점
신경과 호르몬을 전달 속도, 작용 범위, 효과의 지속성을 모두 옳게 비교하여 서술한 경우	100 %
신경과 호르몬을 전달 속도, 작용 범위, 효과의 지속성 중 2가지만 옳게 비교하여 서술한 경우	60 %
신경과 호르몬을 전달 속도, 작용 범위, 효과의 지속성 중 1가지만 옳게 비교하여 서술한 경우	30 %

14 티록신의 구성 성분은 아이오딘(I)이다. 따라서 아이오딘이 부족하면 티록신의 분비량이 줄어든다.

채점 기준	배점
아이오딘(I)이 부족하면 갑상샘이 비대해지는 까닭을 티록신과 TSH의 분비량을 모두 언급하여 옳게 서술한 경우	100 %
아이오딘(I)이 부족하면 갑상샘이 비대해지는 까닭을 티록신, TSH의 분비량 중 1가지만 언급하여 옳게 서술한 경우	40 %

15 '감염성 질병인가?'는 결핵, 감기가 해당하므로 C는 고혈압이다. 결핵, 감기, 말라리아 중 '병원체에 효소가 있는가?'는 결핵, 말라리아만 해당하므로 A는 감기이다. 결핵, 말라리아 중 '병원체에 핵이 있는가?'는 말라리아만 해당하므로 B는 결핵이다. 따라서 (가)는 '감염성 질병인가?', (나)는 '병원체에 효소가 있는가?', (다)는 '병원체에 핵이 있는가?'이다.

16 '감염성 질병인가?는 결핵, 감기가 해당하므로 C는 고혈압이다. 결핵, 감기, 말라리아 중 '병원체에 효소가 있는가?'는 결핵, 말라리아만 해당하므로 A는 감기이다. 결핵, 말라리아 중 '병원체에 핵이 있는가?'는 말라리아만 해당하므로 B는 결핵이다.

17 대식 세포의 식균 작용은 비특이적 방어 작용이다.

채점 기준	배점
대식 세포의 식균 작용과 항원 제시를 모두 옳게 서술한 경우	100 %
대식 세포의 식균 작용과 항원 제시 중 1가지만 옳게 서술한 경우	40 %

18 보조 T 림프구는 특이적 방어 작용에 큰 역할을 한다.

채점 기준	배점
과정 (가)와 과정 (나)에서 보조 T 림프구가 하는 일을 모두 옳게 서술한 경우	100 %
과정 (가)와 과정 (나)에서 보조 T 림프구가 하는 일을 1가지만 옳게 서술한 경우	40 %

1 »» 유전의 원리

01 염색체와 유전 물질

개념 POOL 166쪽

01 ① 염색체 ② 동원체 ③ 염색 분체 ④ 뉴클레오솜 ⑤ 히스톤 단백질 ⑥ 유전자 ⑦ DNA
02 (1) ○ (2) ○ (3) × (4) ○

02 (3) 유전 정보는 DNA에 저장되어 있다.

콕콕! 개념 확인하기 167쪽

✔ 잠깐 확인!
1 유전자 2 유전체 3 상염색체 4 핵형 분석 5 상동 염색체 6 대립유전자 7 세포 주기 8 S기

01 (1) – ㉢ (2) – ㉠ (3) – ㉡ 02 ㉠ 22 ㉡ 2 03 중기
04 (1) ○ (2) × 05 ㉠ 상동 염색체 ㉡ 대립유전자
06 (1) ○ (2) × (3) ○

02 사람의 체세포 1개에는 상염색체가 1번부터 22번까지 22쌍(44개), 성염색체가 2개(1쌍) 들어 있다.

03 핵형 분석은 염색체 수, 모양, 크기 등을 분석하는 것이므로 염색체가 뚜렷하게 보이는 중기의 세포를 이용한다.

04 (2) 하나의 염색체를 구성하는 두 염색 분체는 DNA 복제로 형성된 것으로 유전자 구성이 동일하다. 부모로부터 하나씩 물려받은 것은 상동 염색체이다.

05 대립유전자는 상동 염색체의 같은 위치에 있으며 1가지 형질을 결정하는 1쌍의 유전자로, 부모에게서 하나씩 물려받는다.

06 (2) 체세포 분열 후기에는 염색체를 이루고 있던 염색 분체가 방추사에 의해 분리된다.

탄탄! 내신 다지기 168쪽~169쪽

01 ④ 02 ③ 03 ① 04 ③ 05 ⑤ 06 ④ 07 ⑤ 08 ③
09 ④ 10 ㉠ 전기 ㉡ 중기 ㉢ 염색 분체 11 ③

01 염색체는 수많은 뉴클레오솜이 연결되어 형성되며, 뉴클레오솜은 DNA가 히스톤 단백질을 감고 있는 구조이다.

02 | 선택지 분석 |

㉠ A는 뉴클레오솜으로 구성되어 있다.
➡ 염색체는 수많은 뉴클레오솜으로 구성된다.

㉡ A는 세포 분열이 일어날 때 주로 관찰된다.
➡ A는 응축된 염색체이며, 세포 분열 시 주로 관찰된다.

~~㉢~~ B는 단백질 없이 DNA만으로 구성된다.
➡ 풀어진 염색체에도 DNA와 히스톤 단백질이 결합한 뉴클레오솜이 존재한다.

03 | 선택지 분석 |

~~㉠~~ 상염색체는 총 22개이다.
➡ 상염색체는 총 44개(22쌍)이다.

㉡ 23쌍의 상동 염색체가 있다.
➡ 상동 염색체는 상염색체 22쌍과 성염색체 1쌍으로 총 23쌍이 있다.

~~㉢~~ 성염색체 2개는 모두 어머니로부터 물려받은 것이다.
➡ 2개의 성염색체 중 하나는 아버지, 다른 하나는 어머니로부터 물려받은 것이다.

04 | 선택지 분석 |

① 침팬지와 감자의 핵형은 ~~동일하다~~ 서로 다르다.
➡ 침팬지와 감자는 염색체 수는 같지만 모양, 크기 등이 다르므로 핵형은 다르다.

② 식물보다 동물의 염색체 수가 더 많다.
➡ 염색체 수는 생물종 고유의 특징으로, 종마다 다르다.

✔③ 침팬지의 생식세포 1개는 24개의 염색체를 갖는다.
➡ 체세포 1개에 들어 있는 염색체 수는 48개이므로 생식세포에는 그 절반인 24개가 들어 있다.

④ 감자와 벼는 모두 세포 1개당 ~~24개의 유전자~~ 24개 이상의 유전자를 갖는다.
➡ 하나의 염색체에는 수많은 유전자가 들어 있다.

⑤ 침팬지와 감자는 감자와 벼보다 동일한 유전자를 더 많이 갖는다.
➡ 염색체 수와 유전자의 유사성은 상관 관계가 없다.

05 | 자료 분석 |

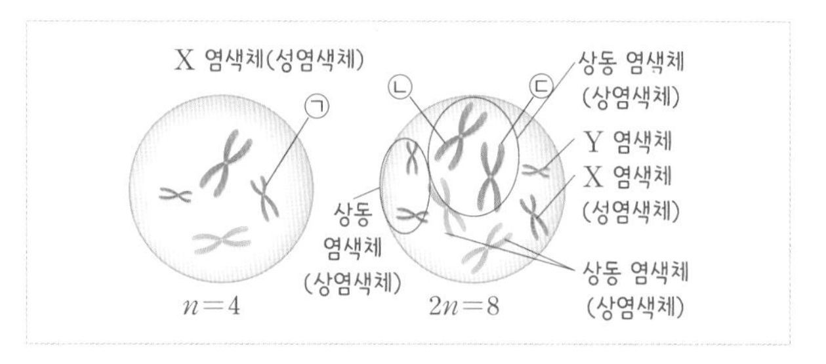

| 선택지 분석 |

㉠ ㉠은 성염색체이다.
➡ ㉠은 성염색체인 X 염색체이다.

㉡ (가)와 (나)의 핵상은 다르다.
➡ (가)의 핵상은 n이고 (나)의 핵상은 $2n$이다.

㉢ ㉡과 ㉢은 상동 염색체이다.
➡ ㉡과 ㉢은 크기와 모양이 같은 상동 염색체이다.

06 | 선택지 분석 |

① ㉠과 ㉡은 염색 분체이다.
➡ 하나의 염색체를 구성하는 두 가닥을 염색 분체라고 한다.

② A와 a는 같은 형질에 관여하는 대립유전자이다.
➡ 대립유전자는 상동 염색체의 같은 자리에 있다.

③ 이 동물의 생식세포는 모두 유전자 b를 갖는다.
➡ 생식세포에 두 대립유전자 중 하나가 들어가는데 b가 동형 접합성이므로 생식세포는 모두 유전자 b를 갖는다.

④ ㉠과 ㉡의 유전자 구성은 서로 ~~같을 수도 있고 다를 수도 있다.~~ 같다.
➡ ㉠과 ㉡은 DNA 복제로 형성된 염색 분체이므로 유전자 구성이 동일하다.

⑤ (가)가 부계로부터 물려받은 것이라면, (나)는 모계로부터 물려받은 것이다.
➡ (가)와 (나)는 상동 염색체이며, 상동 염색체는 부계와 모계로부터 각각 하나씩 물려받는다.

07 | 선택지 분석 |

㉠ 상동 염색체의 같은 위치에 있는 유전자이다.
➡ 대립유전자에 관한 설명이다.

~~㉡~~ 체세포에 들어 있는 모양과 크기가 같은 1쌍의 염색체이다.
➡ 상동 염색체에 관한 설명이다.

㉢ 생식세포 형성 시 분리되어 서로 다른 생식세포로 들어간다.
➡ 대립유전자와 상동 염색체의 공통점이다.

08 염색 분체의 유전자 구성은 동일하므로 ㉠에는 A가 있고 대립유전자 B와 b, D와 d는 상동 염색체의 같은 위치에 있으므로 ㉡에는 B, ㉢에는 d가 있다.

| 선택지 분석 |

㉠ (가)와 (나)는 상동 염색체이다.
➡ 크기와 모양이 같은 1쌍의 염색체는 상동 염색체이다.

~~㉡~~ (가)가 복제되어 (나)가 형성되었다.
➡ 상동 염색체는 부모로부터 각각 하나씩 물려 받은 것이다. DNA 복제로 두 가닥의 염색 분체가 형성된다.

㉢ b와 ㉡은 부모로부터 각각 물려받은 것이다.
➡ b와 ㉡은 대립유전자이므로 부모로부터 각각 물려받은 것이다.

09 | 선택지 분석 |

~~㉠~~ 간기의 소요 시간은 (가)가 (다)보다 ~~길다.~~ 짧다.
➡ 간기는 G_1기, S기, G_2기를 모두 포함하는 기간이므로 간기의 총 소요 시간은 (가)가 14시간, (다)가 19시간으로 (다)가 (가)보다 길다.

㉡ DNA가 복제되는 시기의 소요 시간은 (가)가 (나)보다 길다.
➡ DNA가 복제되는 시기는 S기이며, S기 소요 시간은 10.5시간인 (가)가 6시간인 (나)보다 길다.

㉢ 세포 주기는 (가)~(다) 중 (나)가 가장 길다.
➡ 세포 주기는 간기와 분열기를 모두 포함한 기간으로, (가)는 17시간, (나)는 28시간, (다)는 20시간이다.

10 전기에 핵막이 사라지고 염색체가 형성되며, 중기는 염색체를 관찰하기에 가장 좋은 시기이다. 후기에 염색 분체가 분리되므로 딸세포의 유전자 구성은 서로 동일하다.

11 | 선택지 분석 |

㉠ ㉠은 G_1기이다.
➡ ㉠은 G_1기, ㉡은 S기이다.

~~㉡~~ ㉡ 시기에 핵막이 사라진다.
➡ 핵막은 분열기의 전기에 사라진다.

㉢ 분열기에 응축된 염색체가 관찰된다.
➡ 분열기에는 유전 물질을 딸세포에 정확하게 나뉘어 들어가는 데 유리하도록 염색체가 응축된다.

도전! 실력 올리기 170쪽~171쪽

01 ② **02** ⑤ **03** ③ **04** ⑤ **05** ② **06** ③

07 Tt, T: 1, t: 1

08 | 모범 답안 | 세포 분열 과정에서 DNA의 손상을 막고, 유전 물질이 딸세포에 정확하게 나뉘어 들어가는 데 유리하다.

09 | 모범 답안 | G_1기에 세포의 생장이 가장 활발하게 일어나는데, (나)는 (가)에 비해 G_1기의 길이가 짧아 $\frac{\text{딸세포 1개의 크기}}{\text{모세포 1개의 크기}}$는 (가)보다 (나)에서 더 작다.

01 | 선택지 분석 |

~~㉠~~ A에는 ㉠이 존재~~하지 않는다.~~ 한다.
➡ A는 간기의 세포이며, 뉴클레오솜은 간기에도 존재한다.

~~㉡~~ 핵형 분석에는 A의 세포를 이용한다.
➡ 핵형 분석에는 염색체가 뚜렷하게 관찰되는 분열기 중기의 세포를 이용한다.

㉢ B에는 ㉡이 복제된 상태의 염색체가 들어 있다.
➡ B는 분열기 전기의 세포이며, 전기에는 DNA가 복제되어 2개의 염색 분체로 이루어진 염색체가 형성된다.

02 | 선택지 분석 |

㉠ ㉠과 ㉡은 상동 염색체이다.
➡ 상동 염색체에는 같은 번호를 부여하며, 크기와 모양이 같다.

㉡ ㉢과 ㉣의 유전자 구성은 동일하다.
➡ ㉢과 ㉣은 염색 분체이고 염색 분체의 유전자 구성은 동일하다.

㉢ (가)와 (나)의 1번 염색체 수는 같다.
➡ (가)와 (나) 모두 1번 염색체가 2개 들어 있다.

03 | 선택지 분석 |

ㄱ. 철수의 아버지는 P를 가지고 있다.

➡ 대립유전자 쌍 중 하나는 어머니에게서, 다른 하나는 아버지에게서 물려받은 것인데, 어머니는 P*만 가지고 있고 누나의 유전자형이 PP*이므로 철수 아버지는 P를 가지고 있다.

~~ㄴ~~. T는 성염색체에 존재한다.

➡ T와 T*의 DNA 상대량 합이 남자와 여자에서 모두 2이므로 T와 T*는 상염색체에 존재한다.

ㄷ. 철수 아버지의 체세포 1개당 T의 DNA 상대량은 1이다.

➡ 누나는 T의 DNA 상대량이 2이고, 철수와 여동생은 T와 T*의 DNA 상대량이 각각 1이므로 아버지는 T와 T*를 하나씩 가지고 있다.

04 | 선택지 분석 |

ㄱ. ⓐ와 ⓑ는 상동 염색체이다.

➡ 체세포에 들어 있는 모양과 크기가 같은 1쌍의 염색체를 상동 염색체라고 한다.

ㄴ. 핵형 분석에 사용한 세포는 체세포이다.

➡ 제시된 세포는 핵상이 $2n$이므로 체세포이다.

ㄷ. 이 핵형 분석 결과에서 관찰되는 염색 분체 수는 94개이다.

➡ 21번 염색체가 3개이므로 총 염색체 수는 47개이며, 염색 분체 수는 94개이다.

05 | 선택지 분석 |

~~ㄱ~~. (나)가 관찰되는 시기는 ~~Ⅰ~~ Ⅱ에 있다.

➡ Ⅰ은 S기, Ⅱ는 G_2기와 분열기, Ⅲ은 G_1기이며 (나)는 분열기의 중기이다.

ㄴ. Ⅱ에서 핵막의 소실과 형성이 관찰된다.

➡ 핵막은 분열기 전기에 사라졌다가 말기에 다시 나타난다.

~~ㄷ~~. 방추사의 길이는 Ⅲ 시기에 가장 길다.

➡ 방추사의 길이는 분열기 중기에서 가장 길다.

06 | 선택지 분석 |

ㄱ. A와 ㉠ 시기 세포 1개의 DNA 상대량은 같다.

➡ A는 분열기 전기, ㉠은 중기, ㉡은 말기이며 S기에 DNA 복제가 일어난 이후 G_2기부터 분열기 후기까지의 세포 1개당의 DNA양은 일정하게 유지된다.

~~ㄴ~~. B의 핵상은 ~~n~~ $2n$이다.

➡ A와 B의 핵상은 모두 $2n$이다.

ㄷ. ㉡에서 세포질 분열이 일어난다.

➡ 분열기는 핵분열과 세포질 분열의 순서로 진행된다.

07 | 자료 분석 |

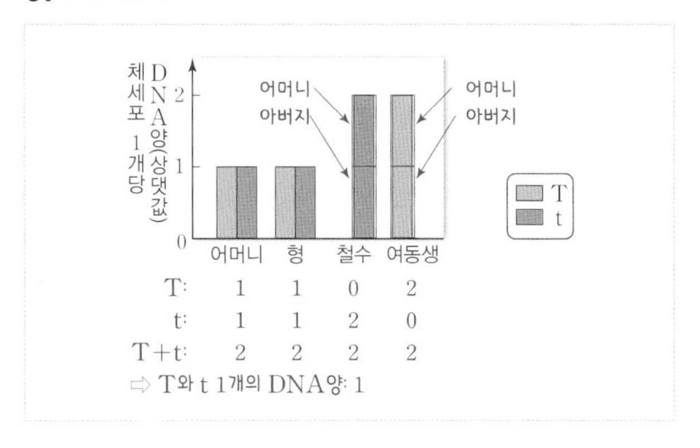

가족 구성원들의 T와 t의 DNA 상대량의 합이 모두 2이므로 T와 t의 DNA양은 각각 1이다. 대립유전자는 부모로부터 각각 1개씩 물려받는다. 철수와 여동생이 각각 T를 2개, t를 2개씩 가지고 있는데 이는 어머니와 아버지로부터 각각 1개씩 물려 받은 것이므로 어머니와 아버지는 모두 T와 t를 1개씩 가지고 있다.

08 세포 분열 시 DNA는 이동이 많아지고 두 딸세포에 그 양이 정확하게 나뉘어 들어가야 하는데, 풀어진 상태보다 응축된 상태가 DNA의 손상을 막고 유전 물질을 딸세포에 정확하게 분배하는 데 유리하다.

채점 기준	배점
DNA의 손상 방지와 유전 물질의 정확한 분배를 모두 옳게 서술한 경우	100 %
DNA의 손상 방지와 유전 물질의 정확한 분배 중 1가지만 옳게 서술한 경우	50 %

09 수정란의 초기 발생 과정은 간기 중 G_1기가 매우 짧아 세포 분열 속도가 매우 빠르고 분열이 거듭될수록 세포의 크기가 점점 작아진다. G_1기에 세포의 생장이 가장 활발하게 일어나는데 (가)에 비해 (나)에서 G_1기의 길이가 짧아 $\frac{\text{딸세포 1개의 크기}}{\text{모세포 1개의 크기}}$는 (가)보다 (나)에서 더 작다.

채점 기준	배점
G_1기의 특징과 $\frac{\text{딸세포 1개의 크기}}{\text{모세포 1개의 크기}}$를 모두 옳게 서술한 경우	100 %
G_1기의 특징과 $\frac{\text{딸세포 1개의 크기}}{\text{모세포 1개의 크기}}$ 중 1가지만 옳게 서술한 경우	50 %

02 생식세포 분열

개념 POOL 176쪽

01 사람 **02** $\frac{1}{16}$ **03** (1) ○ (2) ○ (3) ×

02 생식 세포의 유전자형은 감수 1분열 시 상동 염색체 쌍의 배열에 따라 $2\times2\times2\times2=16$(가지)이다.

콕콕! 개념 확인하기

177쪽

✔ 잠깐 확인!

1 감수 분열 **2** 2가 염색체 **3** 후기 **4** 4 **5** 염색 분체 **6** 4 **7** 수정

01 (1) ○ (2) ○ (3) × (4) × **02** ㉠ 상동 염색체 ㉡ 염색 분체 **03** 체세포 분열: 모세포 $2n$, 딸세포 $2n$ / 감수 분열: 모세포 $2n$, 딸세포 n **04** ㉠ 1 ㉡ 1 ㉢ 1 ㉣ 2 **05** ㉠ 1 ㉡ 부계(혹은 모계) ㉢ 모계(혹은 부계)

01 (3) 감수 1분열에서는 염색체 수가 반감하고, 감수 2분열에서는 염색체 수의 변화가 없다.
(4) 감수 1분열 전에는 DNA 복제가 일어나고, 감수 2분열 전에는 DNA이 복제가 일어나지 않는다.

02 감수 1분열 중기에 상동 염색체가 접합하여 형성된 2가 염색체가 세포 중앙에 배열되었다가 후기에 분리되고, 감수 2분열 후기에는 염색 분체가 분리된다.

03 체세포 분열은 $2n$인 모세포로부터 염색 분체가 분리되어 $2n$인 딸세포가 2개 형성되고, 감수 분열에서는 $2n$인 모세포로부터 감수 1분열을 통해 상동 염색체가 분리되어 n인 딸세포가 형성된 후 감수 2분열을 통해 염색 분체가 분리되어 n인 딸세포 4개가 형성된다.

04 체세포 분열에서는 DNA 복제 1회, 분열 1회가 일어나고, 감수 분열에서는 DNA 복제 1회, 분열 2회가 일어난다.

05 상동 염색체 중 부계 염색체와 모계 염색체의 대립유전자 구성은 서로 다르므로 염색체 조합이 다른 생식세포는 유전적으로도 다르다.

탄탄! 내신 다지기

178쪽~179쪽

01 ③ **02** ③ **03** ① **04** 92개, 46개 **05** ② **06** ④ **07** ② **08** ④ **09** ④ **10** A=B=C **11** ④ **12** 16가지

01 | 선택지 분석 |

① 유전적으로 ~~동일한~~ 다양한 생식세포를 형성한다.

② 2회 분열 중 DNA 복제가 ~~2회~~ 1회 일어난다.

③ ✔ 염색체 수가 모세포에 비해 반감된 생식세포를 형성한다.
➡ 생식세포 분열 결과 염색체 수가 모세포의 절반인 딸세포가 형성된다.

④ 체세포 분열에 비해 세포 분열 과정이 ~~단순하고 속도가 빠르다.~~ 복잡하고 시간이 오래 걸린다.

⑤ ~~무성~~ 유성 생식을 하는 생물~~이나~~ 에서 개체의 ~~생장을~~ 생식세포 형성을 위해 일어나는 세포 분열이다.

02 (가)는 후기, (나)는 중기, (다)는 전기, (라)는 말기이며, 분열은 전기 – 중기 – 후기 – 말기의 순으로 진행된다.

03 2가 염색체는 감수 1분열 전기에 형성되어 중기에 세포 중앙에 배열된다.

04 감수 1분열 중기에는 상동 염색체 23쌍(46개)이 모두 염색 분체 2개인 상태로 세포 중앙에 배열되어 있으므로 염색 분체 수는 $46\times2=92$개이고, 감수 2분열 중기에는 염색체 23개가 염색 분체 2개인 상태로 세포 중앙에 배열되어 있으므로 염색 분체 수는 $23\times2=46$개이다.

05 | 자료 분석 |

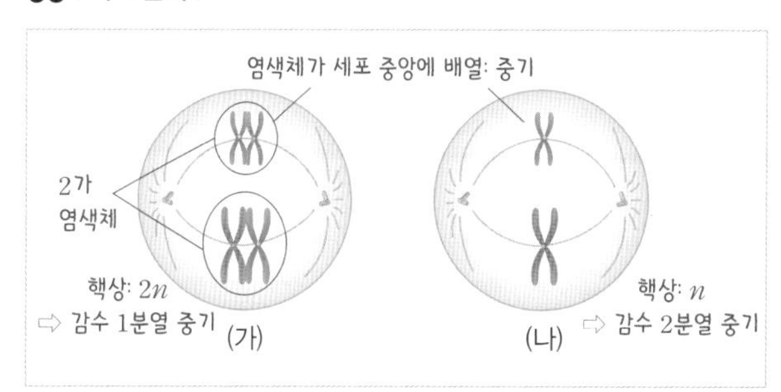

감수 1분열 중기에는 2가 염색체가 세포의 중앙에 배열되고, 감수 2분열 중기에는 2개의 염색 분체로 된 염색체가 세포 중앙에 배열된다.

06 | 선택지 분석 |

	구분	감수 1분열	감수 2분열
①	분열 전 DNA 복제	있음	없음

➡ 감수 1분열 전 간기의 S기에 DNA가 복제된다.

②	후기	상동 염색체 분리	염색 분체 분리

➡ 접합하여 2가 염색체를 이루고 있던 상동 염색체가 감수 1분열 후기에 분리되어 양극으로 이동하고, 감수 2분열 후기에 염색 분체가 분리된다.

③	핵상 변화	$2n \rightarrow n$	$n \rightarrow n$

➡ 감수 1분열 결과 염색체 수가 반감된 딸세포 2개가 형성되고, 감수 2분열은 염색 분체가 분리되므로 염색체 수에 변화가 없다.

④ ✔	DNA양	반감	~~변화 없음~~ 반감

➡ 감수 1분열에서는 상동 염색체가 분리되면서 DNA양이 반으로 감소하고, 감수 2분열에서는 염색 분체가 분리되면서 DNA양이 반감한다.

⑤	모세포와 딸세포의 유전자 구성	다름	같음

➡ 감수 1분열에서는 상동 염색체가 분리되므로 모세포와 딸세포의 유전자 구성이 다르고, 감수 2분열에서는 염색 분체가 분리되므로 모세포와 딸세포의 유전자 구성이 동일하다.

07 | 선택지 분석 |

✕ ~~구간 Ⅰ에서~~ (분열기에서) 세포에 방추사가 나타난다.
➡ Ⅰ은 간기 중 G_1기이며, 방추사는 분열기에 나타난다.

✕ 구간 Ⅱ에서 ~~염색 분체~~ (상동 염색체)가 분리된다.
➡ Ⅱ는 G_2기와 감수 1분열이며, 감수 1분열에서는 상동 염색체가 분리된다.

㉢ 구간 Ⅱ에서 2가 염색체가 관찰된다.
➡ 감수 1분열 전기에 2가 염색체가 형성되고 중기에 세포 중앙에 배열된다.

08 | 선택지 분석 |

✕ (가)와 (나)의 핵상은 ~~다르다.~~ (같다.)
➡ (가)는 감수 1분열 중기이고 (나)는 체세포 분열 중기이며, 모두 핵상이 $2n$이다.

㉡ (가)는 감수 1분열 중기 세포이다.
➡ 감수 1분열 중기에 2가 염색체가 세포 중앙에 배열된다.

㉢ (나)의 분열 과정에서 염색 분체가 분리된다.
➡ 체세포 분열 후기에 염색 분체가 분리된다.

09 | 선택지 분석 |

✕ (가)의 세포는 ~~S기에 해당한다.~~ (감수 분열이 끝난 딸세포이다.)
➡ (가)는 감수 분열이 끝난 딸세포이며, 더 이상 세포 주기가 진행되지 않는다.

㉡ (나) 세포의 핵상은 $2n$이다.
➡ (나)는 체세포 분열 중기 세포이므로 핵상이 $2n$이다.

㉢ (나)는 양파의 뿌리에서 관찰된 것이다.
➡ 양파의 뿌리에 있는 생장점은 분열 조직으로, 체세포 분열이 활발하게 일어난다.

10 | 자료 분석 |

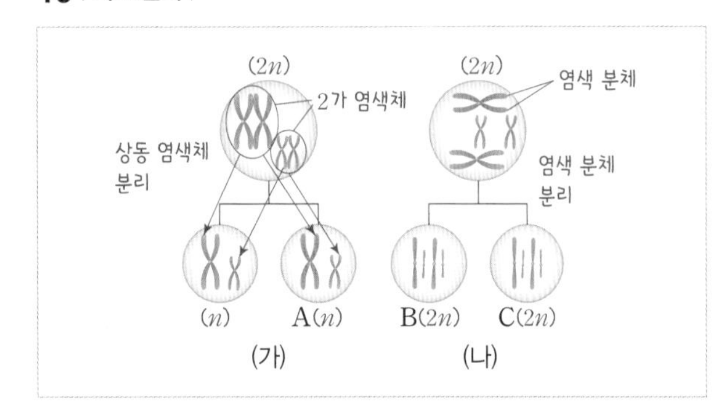

DNA양은 A가 DNA 복제 상태인 모세포의 절반인데, B와 C도 DNA 복제 상태인 모세포의 절반이므로 DNA양은 모두 동일하다.

11 | 선택지 분석 |

✕ 정자와 난자 형성 과정 중 감수 2분열에서 염색 분체가 분리된다.
➡ 감수 2분열에서 염색 분체가 분리되는 것은 맞지만, 두 염색 분체의 유전자 구성은 동일하기 때문에 감수 2분열에서 염색 분체의 분리로 형성된 딸세포의 유전적 구성은 같다. 따라서 유전적 다양성의 요인이 될 수 없다.

㉡ 유전적 구성이 서로 다른 많은 수의 정자와 난자가 무작위로 수정되어 수정란이 형성된다.
➡ 사람의 생식 과정에 정자와 난자가 수정되는 단계가 있고, 이 과정에서 무작위 수정으로 인해 유전적 다양성을 획득한다.

㉢ 정자와 난자 형성 과정 중 감수 1분열 중기에 상동 염색체 쌍이 무작위로 배열된 후 분리된다.
➡ 상동 염색체 쌍의 무작위 배열과 분리에 의해 n쌍의 상동 염색체당 2^n의 염색체 조합이 형성된다.

12 상동 염색체가 4쌍이므로 서로 다른 염색체 조합을 가진 생식세포의 종류는 $2\times2\times2\times2=16$가지이다.

도전! 실력 올리기 180쪽~181쪽

01 ① **02** ③ **03** ② **04** ④ **05** ④ **06** ①

07 A → D → B → C, A와 D

08 | **모범 답안** | 8, 제시된 세포는 핵상이 n이며, 염색체 수는 4이다. 감수 1분열 중기 세포의 핵상은 $2n$이므로 염색체 수는 8이다.

09 (가)와 (나), (다)와 (라), At, at, Ag, ag

01 | 선택지 분석 |

㉠ A의 DNA양은 B의 2배이다.
➡ A에서 B로 되는 과정에서 염색 분체가 분리되었으므로 DNA양이 반으로 감소한다.

✕ (가)에서 염색체 수가 ~~2배로 증가한다.~~ (변하지 않는다.)
➡ (가)에서 DNA양은 2배로 증가하고, 염색체 수는 변하지 않는다.

✕ (나)~~와 (다)~~에서 ~~모두~~ 염색체 수가 반감한다.
➡ 염색체 수가 (나)에서는 반감되지만 (다)에서는 변하지 않는다.

02 | 선택지 분석 |

㉠ G_1기 세포의 핵 1개당 DNA 상대량은 1이다.
➡ G_1기 세포의 핵 1개당 DNA 상대량은 감수 2분열 중기 세포와 같다.

✕ 생식세포의 염색체 수는 ~~2개~~ (4개)이다.
➡ A의 핵상은 n이고 B의 핵상은 $2n$이며, 생식세포의 핵상은 n이므로 생식세포의 염색체 수는 A와 같이 4개이다.

㉢ B에 2가 염색체가 있다.
➡ B는 감수 1분열 중기 세포이며, 2가 염색체는 감수 1분열 중기에 세포 중앙에 배열된다.

03 | 선택지 분석 |

✕ 세포당 DNA양은 ㉠이 ㉡의 ~~2배~~ (절반)이다.
➡ DNA양은 ㉡이 ㉠의 2배이다.

✕ (나)는 ~~㉡~~ (㉢)을 나타낸 것이다.

➡ (나)는 감수 2분열 중기의 세포이므로 ⓒ을 나타낸 것이다.

ⓒ ⓒ과 ⓓ의 염색체 수는 같다.

➡ ⓒ과 ⓓ의 핵상은 모두 n이므로 염색체 수가 같다.

04 | 자료 분석 |

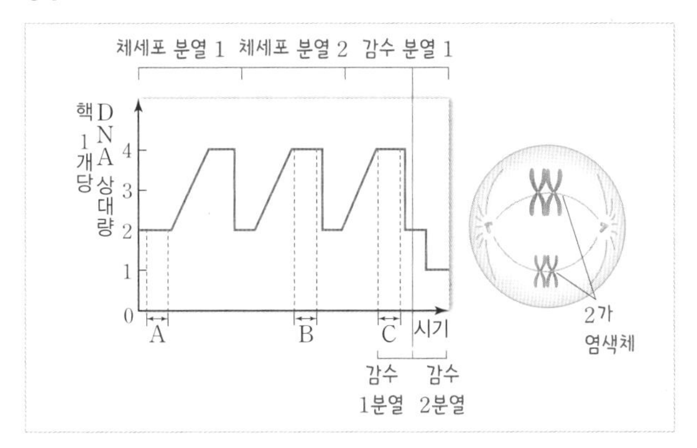

| 선택지 분석 |

✕ (가)에서 체세포 분열이 3회(→2) 일어났다.

➡ (가)에서 2회의 체세포 분열과 1회의 감수 분열이 일어났다.

ⓛ (나)는 구간 C에서 관찰된다.

➡ (나)는 감수 1분열 중기의 세포이므로 구간 C에서 관찰된다.

ⓒ 구간 A와 B에 있는 세포의 핵상은 모두 $2n$이다.

➡ 구간 A와 B는 체세포 분열 과정이므로 핵상은 모두 $2n$이다.

05 | 선택지 분석 |

✕ ㉠은 2가 염색체이다.

➡ ㉠은 1개의 염색체이다. 2가 염색체는 상동 염색체가 접합한 상태이다.

ⓛ B와 C의 핵상은 같다.

➡ B와 C의 핵상은 모두 $2n$이다.

ⓒ $\frac{\text{DNA양}}{\text{염색체 수}}$은 A와 D에서 같다.

➡ A의 염색체 수는 4, D는 2이고, DNA양은 A가 D의 2배이므로 $\frac{\text{DNA양}}{\text{염색체 수}}$은 A와 D에서 같다.

06 | 선택지 분석 |

㉠ 이 암컷에서 형성되는 생식세포의 유전자형은 4가지이다.

➡ 암컷에서 형성되는 생식세포의 유전자형은 ABD, ABd, AbD, Abd의 4가지이다.

✕ 이 수컷에서 형성되는 생식세포 중 유전자형이 ABD일 확률은 aBD일 ~~확률보다 높다~~(→확률과 같다).

➡ 수컷에서 형성되는 생식세포 유전자형이 ABD와 aBD일 확률은 같다.

✕ 이들로부터 태어날 수 있는 자손의 유전자형은 8가지(→16가지)이다.

➡ 자손의 유전자형은 (AA, Aa), (BB, Bb), (DD, D, Dd, d)이므로 2×2×4=16가지이다.

07 A는 감수 1분열 전기($2n$), B는 감수 2분열 중기(n), C는 감수 2분열이 모두 끝난 딸세포(n), D는 감수 1분열 후기($2n$)의 세포이다.

08 제시된 세포는 핵상이 n이므로 이 동물의 체세포 염색체 수는 8이다.

채점 기준	배점
감수 1분열 중기의 세포 1개당 염색체 수를 구하고 그렇게 생각한 까닭을 옳게 서술한 경우	100 %
감수 1분열 중기의 세포 1개당 염색체 수만 구한 경우	50 %

09 (다)와 (라)의 모양이 서로 다르므로 X 염색체와 Y 염색체이고, 이들도 감수 1분열 시 접합하였다가 생식세포 형성 시 분리된다. 생식세포에는 대립유전자 쌍 중 1개씩만 들어 있다.

실전! 수능 도전하기

183쪽~184쪽

01 ② 02 ② 03 ⑤ 04 ③ 05 ③ 06 ⑤ 07 ①

01 | 선택지 분석 |

✕ 이 동물의 S기 세포에는 ㉠이 ~~없다~~(→있다).

➡ ㉠은 뉴클레오솜으로 세포 주기의 모든 시기의 세포에 존재한다.

✕ ⓒ에 대립유전자 a(→A)가 있다.

➡ ⓛ과 ⓒ은 염색 분체이므로 동일한 유전자가 있다. ⓛ에 A가 있으므로 ⓒ에도 A가 있다.

ⓒ 이 동물의 감수 1분열 중기 세포에는 ⓛ과 ⓒ이 모두 있다.

➡ 감수 1분열 중기 세포에는 염색 분체가 2개인 염색체가 2가 염색체를 이루고 있다.

02 | 선택지 분석 |

✕ ⓐ는 ~~㉠ 시기~~(→분열기)의 세포에 해당한다.

➡ ㉠은 G_1기, ⓛ은 G_2기이다. ⓐ는 체세포 분열 중기의 세포이므로 분열기 세포에 해당한다.

✕ ⓑ는 ~~세포질 분열기~~(→후기)의 세포이다.

➡ ⓑ는 핵분열 후기의 세포이다.

ⓒ 세포 1개당 T의 수는 ⓛ 시기의 세포와 ⓐ가 같다.

➡ G_2기 세포의 DNA양은 분열기와 같으므로 세포 1개당 T의 수는 G_2기인 ⓛ과 분열기인 ⓐ에서 같다.

03 | 자료 분석 |

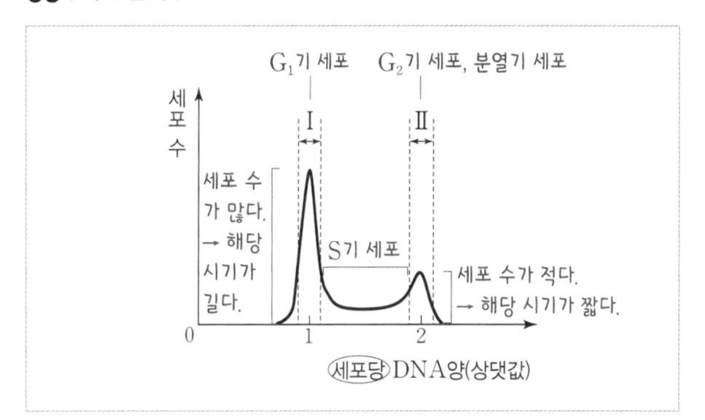

| 선택지 분석 |

ㄱ 구간 Ⅰ에는 G_1기의 세포가 있다.

➡ 구간 Ⅰ은 세포당 DNA 상대량이 1이므로 DNA 복제가 일어나기 전 G_1기의 세포가 있다.

ㄴ 구간 Ⅱ에는 핵막을 가진 세포가 있다.

➡ 핵막은 전기에 사라진 후 말기에 다시 형성되며, 구간 Ⅱ에는 G_2기의 세포와 분열기의 세포가 있다. 그러므로 구간 Ⅱ에는 핵막을 가진 G_2기의 세포가 있다.

ㄷ 구간 Ⅱ에는 염색 분체의 분리가 일어나는 시기의 세포가 있다.

➡ 염색 분체의 분리는 후기에 일어난다. 구간 Ⅱ에는 분열기의 세포가 존재하므로 염색 분체의 분리가 일어나는 시기의 세포가 있다.

04 | 선택지 분석 |

ㄱ Ⅰ에서 형성될 수 있는 생식세포의 유전자형은 8가지이다.

➡ Ⅰ에서 형성될 수 있는 생식세포의 유전자형은 (A, a)(B, b)(D, d)$=2\times2\times2=$8가지이다.

ㄴ Ⅰ과 X에서 유전자형이 abd인 생식세포가 형성된다.

➡ Ⅱ는 Ⅰ과 X에서 형성된 유전자형이 abd인 생식세포의 수정으로 태어난 개체이다.

✕ Ⅱ와 유전자형이 AABBDD인 개체 사이에서 자손이 형성될 때 자손의 유전자형이 Ⅰ과 같을 확률은 $\frac{1}{2}$이다.

1

➡ Ⅱ에서 형성되는 생식세포 유전자형은 abd이고 AABBDD인 개체로부터 형성되는 생식세포 유전자형은 ABD이므로 이들의 수정으로 태어나는 자손의 유전자형은 모두 Ⅰ의 유전자형과 같은 AaBbDd이다.

05 | 선택지 분석 |

ㄱ t_1~ t_2에서 체세포 분열이 2회 일어났다.

➡ DNA 복제 후 반감이 1회씩 진행되는 것으로 보아 체세포 분열이 2회 일어난 것이다.

✕ 세포 1개당 H의 수는 t_1일 때와 t_2일 때가 서로 같다.

➡ t_1은 G_1기이므로 H와 h는 각 1개이고, t_2는 감수 2분열 중기이므로 H만 2개이거나 h만 2개인 상태이다.

ㄷ 세포 1개당 염색체 수는 t_3일 때가 t_2일 때의 2배이다.

➡ t_3일 때의 세포는 수정란이므로 핵상이 $2n$이고 t_2일 때의 세포는 핵상이 n이다.

06 | 자료 분석 |

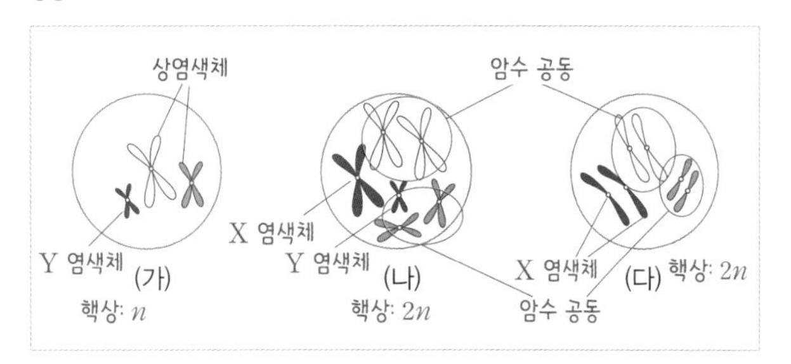

| 선택지 분석 |

ㄱ (가)와 (나)는 A의 세포이다.

➡ (나)와 (다)를 비교했을 때 (나)에 X 염색체와 Y 염색체가 있으며, Y 염색체는 (가)에도 있다. 따라서 (가)와 (나)는 수컷 A의 세포이다.

ㄴ (나)와 (다)의 핵상은 같다.

➡ (나)와 (다)에는 상동 염색체가 쌍으로 들어 있으므로 핵상이 $2n$이다.

ㄷ (다)에 성염색체가 2개 있다.

➡ (다)에는 (가), (나)와 달리 모양과 크기가 같은 성염색체인 X 염색체가 2개 있다.

07 | 자료 분석 |

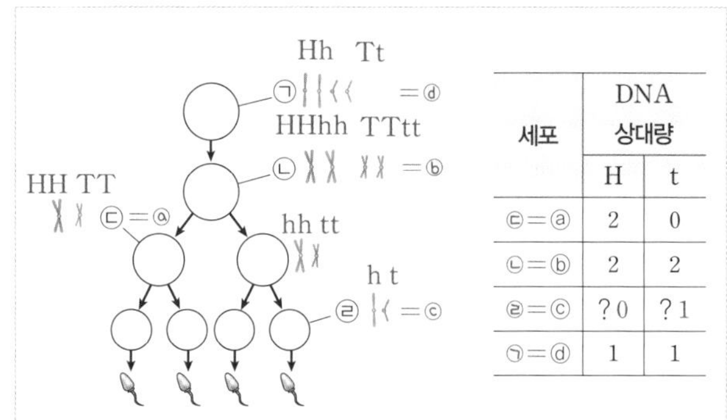

세포	DNA 상대량	
	H	t
㉢=ⓐ	2	0
㉡=ⓑ	2	2
㉣=ⓒ	?0	?1
㉠=ⓓ	1	1

- ⓑ와 ⓓ에 H와 t가 모두 존재하므로 이 동물의 유전자형은 HHtt, HHTt, HhTt, Hhtt 중 하나이다. 두 유전자 중 어느 한 유전자가 동형 접합성(HH, hh, TT, tt)이라면 ㉠~㉣의 한 대립유전자의 DNA 상대량은 ㉠이 2, ㉡이 4, ㉢은 2이고 ㉣이 1이다.
- ⓐ~ⓓ에서 H와 t 모두 위와 같은 DNA 상대량 조합이 아니므로 이 동물의 유전자형은 HhTt이다.
- ㉠의 유전자형은 HhTt이고, ㉡의 유전자형은 HHhhTTtt이며 ㉢은 HHTT이고, ㉣은 ht이다.
- ⓐ는 ㉢, ⓑ는 ㉡, ⓓ는 ㉠이므로 ⓒ는 ㉣이다. ⓒ에는 H는 없고 t만 있다.

| 선택지 분석 |

ㄱ ㉡은 ⓑ이다.

➡ ⓑ와 ⓓ에 H와 t가 모두 있으며 두 유전자 중 한 가지가 동형 접합성(HH, hh, TT, tt)이라면 DNA 상대량은 ㉠이 2, ㉡이 4, ㉢이 2, ㉣이 1이어야 한다. 그러나 ⓐ~ⓓ에서 모두 이러한 조합이 아니므로 유전자형은 HhTt이다.

✕ 세포의 핵상은 ㉢과 ⓑ에서 같다.

➡ ㉡은 ㉠에서 DNA 복제가 된 상태이므로 H와 t의 존재가 같고 DNA 상대량이 2배이다. 따라서 ⓑ는 ㉡, ⓓ는 ㉠이다. ㉢은 감수 1분열이 끝난 상태이므로 핵상이 n이고 ⓑ는 ㉡이므로 핵상이 $2n$이다.

✕ ⓒ에 들어 있는 H의 DNA 상대량은 1이다.

➡ ㉢은 ㉡(ⓑ)에서 상동 염색체가 분리되어 대립유전자 중 한 가지만 있는 상태이므로 ⓐ이다. 따라서 ⓒ는 ㉣인데 ⓒ에는 ⓐ(㉢)와 다른 대립유전자가 있고 DNA 상대량은 절반이므로 H는 없고 t의 DNA 상대량은 1이다.

2 »» 사람의 유전과 유전병

01 사람의 유전

개념 POOL 190쪽

01 (1) $\frac{1}{2}$ (2) $\frac{3}{8}$ **02** (1) × (2) ○

01 (1) (가)에 대한 6의 유전자형이 aa이고 7의 유전자형이 Aa이므로 자손의 유전자형은 Aa(정상) : aa((가) 발현)가 1 : 1로 나타난다.
(2) (나)에 대한 6의 유전자형이 X^BX^b이고 7의 유전자형이 X^BY이므로 자손의 유전자형은 X^BX^B((나) 발현) : X^BX^b((나) 발현) : X^BY((나) 발현) : X^bY(정상)가 1 : 1 : 1 : 1로 나타난다. 따라서 (가)와 (나)를 모두 나타낼 확률은 $\frac{1}{2}\times\frac{3}{4}=\frac{3}{8}$이다.

02 (1) (가)는 대립유전자가 2종류이므로 복대립 유전이 아니다.

탐구 POOL 191쪽

01 EeHhRrI^Ai(혹은 I^Bi)X^AX^a **02** 810가지

01 부모가 모두 이형 접합성일 때 자손에서 가장 다양한 유전자형이 나온다.

02 귓불 모양 유전자형 3가지(EE, Ee, ee)×보조개 유전자형 3가지(HH, Hh, hh)×이마선 모양 유전자형 3가지(RR, Rr, rr)×ABO식 혈액형 유전자형 6가지(I^AI^A, I^Ai, I^BI^B, I^Bi, ii, I^AI^B)×적록 색맹 유전자형 5가지(X^AX^A, X^aX^a, X^AX^a, X^AY, X^aY)=810가지이다.

콕콕! 개념 확인하기 192쪽

✔ 잠깐 확인!
1 표현형 2 가계도 3 단일 인자 유전 4 이형 접합성 5 복대립 유전 6 적록 색맹

01 (1) – ㉢ (2) – ㉠ (3) – ㉡ **02** (1) × (2) ○ **03** ㉠ 2 ㉡ 6 **04** ㉠ 반성유전 ㉡ 열성 **05** 모두 적록 색맹 **06** (1) ○ (2) × (3) ○

03 대립유전자가 2종류이며 우열이 뚜렷한 상염색체 유전 형질의 유전자형은 3가지이고 표현형은 2가지이다. ABO식 혈액형의 유전자형은 6가지이고 표현형은 4가지이다.

04 형질을 결정하는 유전자가 성염색체에 있는 경우를 반성유전이라고 하며, 적록 색맹 대립유전자는 정상 대립유전자에 대해 열성이다.

05 아들의 X 염색체는 어머니로부터 유래되고 유전자형이 열성 동형 접합성인 적록 색맹 어머니로부터 적록 색맹 대립유전자를 받는 아들은 모두 적록 색맹이다.

06 (2) 다인자 유전의 표현형은 정규 분포 곡선과 같은 연속 변이로 나타난다.

탄탄! 내신 다지기 193쪽~195쪽

01 ⑤ **02** ㉠ 우성 ㉡ 분리의 법칙 **03** ② **04** ③ **05** ③ **06** ⑤ **07** ③ **08** ⑤ **09** $\frac{1}{4}$ **10** ⑤ **11** $\frac{1}{2}$ **12** ③ **13** ⑤ **14** ③ **15** ⑤ **16** ③ **17** ③ **18** $\frac{20}{64}$($\frac{5}{16}$)

01 | 선택지 분석 |
① 두 대립유전자가 같은 경우를 동형 접합성이라고 한다.
➡ 대립유전자의 구성이 동일하면 동형 접합성, 서로 다르면 이형 접합성이다.
② 대립유전자는 하나의 유전 형질에 관여하는 유전자 쌍이다.
➡ 부모에게서 각각 하나씩 물려받는다.
③ 1가지 형질에 대해 대립 관계에 있는 형질을 대립 형질이라고 한다.
➡ 눈꺼풀에 대해 쌍꺼풀과 외까풀, 귓불 모양에 대해 분리형과 부착형 등을 대립 형질이라고 한다.
④ 생물이 지닌 고유한 특징 중 부모에게서 자손으로 전달되는 것을 유전 형질이라고 한다.
➡ 유전 형질을 결정하는 유전 물질을 유전자라고 한다.
✔⑤ 어떤 형질이 나타나게 하는 대립유전자의 구성을 기호로 표시한 것을 ~~표현형~~ 유전자형이라고 한다.

02 유전자형이 이형 접합성일 때, 우성인 유전자는 표현형으로 나타나고, 열성인 유전자는 나타나지 않는다. 대립유전자 쌍이 생식세포 형성 시 나누어져 서로 다른 생식세포로 들어가는 것을 분리의 법칙이라고 한다.

03 형질을 결정하는 유전자가 상염색체에 있으면 상염색체 유전, 성염색체에 있으면 성염색체 유전이고, 1쌍의 대립유전자가 하나의 형질을 결정하면 단일 인자 유전, 여러 쌍의 대립유전자가 하나의 형질을 결정하면 다인자 유전이라고 한다.

04 | 선택지 분석 |

ㄱ 대립 형질이 뚜렷하게 구분된다.
➡ 상염색체 단일 대립 유전은 대립 형질이 뚜렷하게 구분된다.

ㄴ 형질이 성별에 관계 없이 유전된다.
➡ 상염색체 유전은 형질이 성별에 관계 없이 유전된다.

~~ㄷ~~ 표현형이 ~~연속적인~~ 불연속적인 변이로 나타난다.
➡ 표현형이 연속적인 변이로 나타나는 유전은 다인자 유전이다.

05 | 자료 분석 |

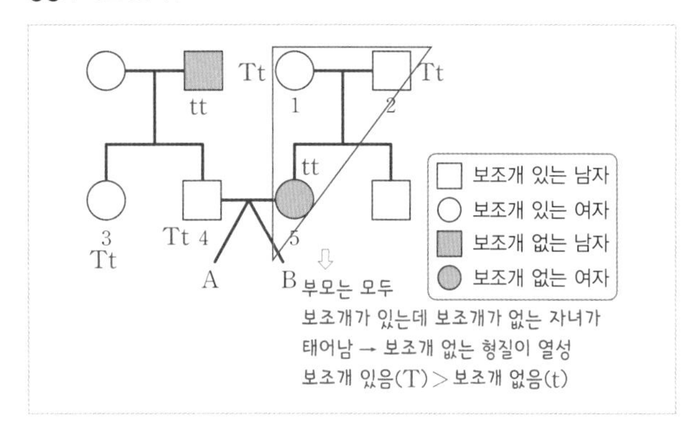

| 선택지 분석 |

ㄱ 보조개가 있는 것이 없는 것에 대해 우성이다.
➡ 보조개가 있는 1과 2에게서 보조개가 없는 자녀(5)가 태어났으므로 보조개가 없는 형질이 열성, 보조개가 있는 형질이 우성이다.

ㄴ 보조개 유전은 분리의 법칙에 따라 유전된다.
➡ 상염색체 단일 인자 유전에는 멘델의 유전 법칙이 적용된다.

~~ㄷ~~ A와 B는 1란성 쌍둥이로서 보조개 유전자형은 항상 동일하다.
➡ A와 B는 2란성 쌍둥이로, 보조개 유전자형은 서로 같을 수도 있고 다를 수도 있다.

06

정자와 난자의 귓불 모양 유전자형은 각각 E : e=1 : 1이고, 이들이 무작위 수정을 하여 태어난 아이의 유전자형은 EE : Ee : ee=1 : 2 : 1이다. 이 중 EE와 Ee는 표현형이 분리형이다.

07 | 선택지 분석 |

ㄱ (가)는 열성으로 유전되는 형질이다.
➡ 부모에게 없는 형질이 자손에게 나타난 경우 자손의 형질이 열성이므로, (가)는 열성이다.

ㄴ (가)는 상염색체 유전이다.
➡ (가)를 나타내는 남녀의 비율이 비슷하다는 것은 상염색체 유전임을 의미한다.

~~ㄷ~~ (가)를 나타내는 부모로부터 태어난 자녀가 (가)를 나타낼 확률은 $\frac{1}{2}$이다.
➡ (가)는 열성이므로 (가)를 나타내는 부모로부터 태어난 자녀는 모두 (가)를 나타낸다.

08 | 선택지 분석 |

① 복대립 유전에 해당한다.
➡ 대립유전자의 종류가 3가지인 복대립 유전에 해당한다.

② 상염색체 유전에 해당한다.
➡ ABO식 혈액형 유전자는 상염색체에 있어 남녀에서 발현 빈도가 비슷하다.

③ 단일 인자 유전에 해당한다.
➡ 대립유전자 1쌍에 의해 ABO식 혈액형이 결정된다.

④ O형의 유전자형은 동형 접합성이다.
➡ O형을 나타내는 유전자는 열성이므로 동형 접합성일 때 표현된다.

✓⑤ AB형은 ~~응집원 A와 응집원 B의 중간 형태의 응집원을 갖는다.~~ 응집원 A와 응집원 B를 모두 갖는다.

09

1과 2는 모두 유전자형이 이형 접합성이므로 자손의 혈액형은 A형, B형, AB형, O형이 모두 같은 확률로 나타날 수 있다.

10 | 선택지 분석 |

ㄱ X는 반성유전이다.
➡ X는 남녀에게 발현되는 빈도가 다른 반성유전이다.

ㄴ 적록 색맹은 X와 같은 유전적 특성을 나타낸다.
➡ 적록 색맹도 X 염색체 유전이며 정상에 대해 열성이다.

ㄷ X를 나타내는 어머니의 X에 대한 유전자형은 동형 접합성이다.
➡ X를 나타내는 어머니의 아들이 모두 X가 나타난다고 했으므로 어머니의 유전자형은 동형 접합성이다.

11

어머니가 보인자이므로 아들이 적록 색맹 대립유전자를 가질 확률은 $\frac{1}{2}$이다.

12 | 선택지 분석 |

ㄱ 적록 색맹 대립유전자는 정상에 대해 열성이다.
➡ 적록 색맹 대립유전자는 X 염색체에 있고, 정상인 어머니로부터 색맹인 철수가 태어났으므로 정상 대립유전자에 대해 열성이다.

ㄴ 철수의 어머니가 보인자일 확률은 1이다.
➡ 철수의 어머니는 정상인데 철수가 적록 색맹이므로 철수의 어머니는 적록 색맹 보인자이다.

~~ㄷ~~ 철수의 적록 색맹 대립유전자는 ~~외할아버지~~ 외할머니로부터 어머니를 거쳐 전달된 것이다.
➡ 철수의 적록 색맹 대립유전자는 철수의 외할머니로부터 어머니를 거쳐 전달되었다.

13 | 선택지 분석 |

ㄱ 이 유전병은 정상에 대해 열성이다.
➡ 이형 접합성인 어머니가 정상이므로 정상에 대해 열성이다.

ㄴ 이 유전병은 반성유전에 해당한다.
➡ 형질을 결정하는 유전자가 X 염색체 있으므로 반성유전이다.

ㄷ 철수의 여동생이 태어났을 때, 유전병일 확률은 $\frac{1}{2}$이다.
➡ 아버지가 유전병 유전자를 가지고 있고, 어머니가 보인자이므로 철수의 여동생은 보인자이거나 유전병이다.

14 | 선택지 분석 |

ㄱ. 유전병 (가)의 대립유전자는 X 염색체에 있다.

➡ 유전병 (가)의 대립유전자가 성염색체에 있는데 남녀 모두 발현되므로 X 염색체에 있다.

ㄴ. 어머니의 유전병 (가)의 유전자형은 이형 접합성이다.

➡ 어머니가 유전병 (가)인데 형은 정상이므로 어머니의 유전자형은 이형 접합성이다.

ㄷ. 유전병 (가)는 여자보다 남자에게서 많이 나타난다. (×)

➡ X 염색체 유전이면서 어머니가 유전병 (가)인데 그 아들인 형이 정상이므로 유전병 (가)는 정상에 대해 우성이고, 남자보다 여자에게서 더 많이 나타난다.

15 유전병 (가)의 대립유전자를 X^A, 정상 대립유전자를 X^a라고 한다면 철수는 X^AY, 정상인 여자는 X^aX^a이므로 태어나는 딸은 모두 X^AX^a로 유전병 (가)이다.

16 | 선택지 분석 |

ㄱ. 여러 쌍의 대립유전자가 관여한다.

➡ 다인자 유전은 하나의 형질을 결정하는 데 여러 쌍의 대립유전자가 관여하는 경우이다.

ㄴ. ~~다인자~~ 유전의 예로 ABO식 혈액형 유전이 있다. (×) 단일 인자

➡ ABO식 혈액형 유전은 단일 인자 유전에 해당한다.

ㄷ. 표현형에 따른 개체 수를 조사하면 중간값이 가장 큰 정규 분포 곡선을 나타낸다.

➡ 다인자 유전은 표현형이 매우 다양하여 정규 분포 곡선 형태의 연속 변이로 나타난다.

17 | 선택지 분석 |

ㄱ. 미맹은 우열 관계가 뚜렷하다.

➡ 미맹은 우열 관계가 뚜렷하므로 표현형이 뚜렷하게 구분된다.

ㄴ. 키의 표현형은 연속 변이로 나타난다.

➡ 키는 다인자 유전으로 표현형이 연속적 변이로 나타난다.

ㄷ. 미맹과 키는 모두 다인자 유전이다. (×)

➡ 미맹은 단일 인자 유전이고 키는 다인자 유전이다.

18 유전자형의 경우의 수는 총 64가지이며, 이 중 피부색을 검게 만드는 유전자의 수가 3개일 확률은 $\frac{6\times5\times4}{3\times2\times1}=20$으로 $\frac{20}{64}$이다.

도전! 실력 올리기 196쪽~197쪽

01 ④ 02 ② 03 ⑤ 04 ⑤ 05 ③ 06 ⑤

07 $\frac{1}{4}$

08 | 모범 답안 | 유전병 A의 대립유전자는 X 염색체에, 유전병 B의 대립유전자는 Y 염색체에 존재한다. (가)에서 아버지가 유전병 A인데 아들은 정상인 경우가 있으므로 Y 염색체 유전이 아니고 X 염색체 열성 유전에 해당한다. (나)에서는 아버지와 아들 간에 유전형질이 일치하므로 Y 염색체 유전에 해당한다.

01 | 선택지 분석 |

ㄱ. 이 유전병 대립유전자는 X 염색체에 있다. (×)

➡ 유전병인 A의 부모가 정상이므로 유전병은 열성으로 유전되는 형질이다. X 염색체 유전이라면 A의 아버지도 열성 표현형을 나타내야 하므로 상염색체 유전에 해당한다.

ㄴ. B는 어머니와 아버지로부터 유전병 대립유전자를 하나씩 물려받았다.

➡ B는 부모로부터 각각 유전병 대립유전자를 물려받은 것이다.

ㄷ. C의 유전자형이 이형 접합성일 확률은 $\frac{2}{3}$이다.

➡ 이형 접합성 부모로부터 태어나 정상으로 표현된 C의 유전자형은 동형 접합성 : 이형 접합성 = 1 : 2이므로 이형 접합성일 확률은 $\frac{2}{3}$이다.

02 | 자료 분석 |

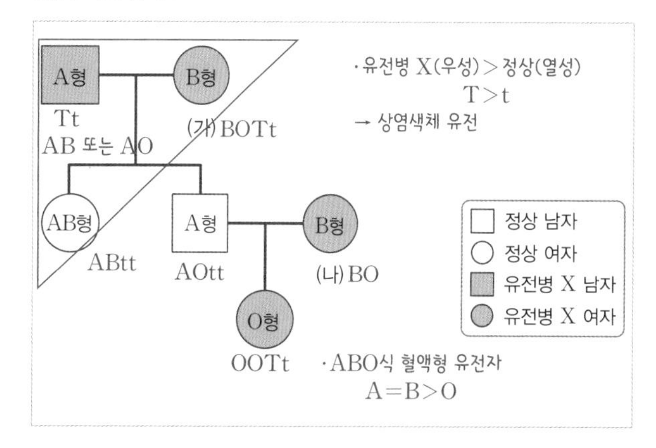

| 선택지 분석 |

ㄱ. 유전병 X는 정상에 대해 열성이다. (×)

➡ 유전병 X인 부모에게서 정상인 자손이 나왔기 때문에 유전병 X는 우성이다.

ㄴ. 유전병 X는 반성유전에 해당한다. (×)

➡ 우성인 아버지로부터 정상인 딸이 나왔기 때문에 상염색체 유전이다.

ㄷ. (가)와 (나)의 ABO식 혈액형의 유전자형은 같다.

➡ (가)에서 A형 자손이, (나)에서 O형 자손이 나왔으므로 (가)와 (나)의 혈액형 유전자형은 이형 접합성이다.

03 | 자료 분석 |

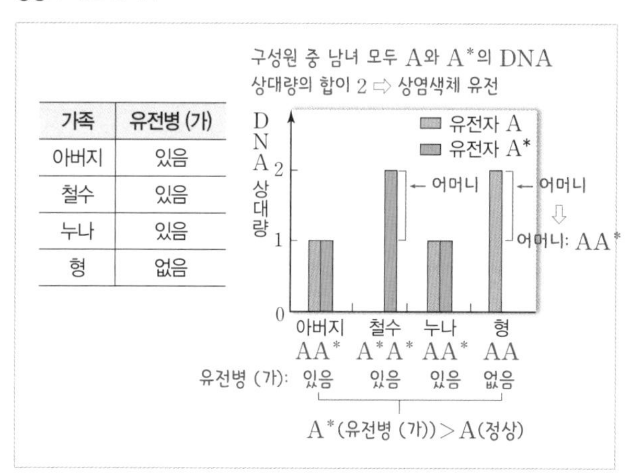

가족	유전병 (가)
아버지	있음
철수	있음
누나	있음
형	없음

| 선택지 분석 |

㉠ 유전병 (가)는 정상에 대해 우성이다.

➡ 유전병인 철수가 A*만 갖고 있으므로 A*가 유전병 대립유전자이다. 아버지와 누나의 유전자형이 이형 접합성인데 (가)가 나타났으므로 (가)는 정상에 대해 우성이다.

㉡ A와 A*는 상염색체에 있다.

➡ A와 A* DNA 상대량의 합이 남녀에서 동일하므로 (가)는 상염색체 유전이다.

㉢ 어머니는 A와 A*를 모두 가지고 있다.

➡ 철수와 형이 각각 우성 동형 접합성, 열성 동형 접합성이므로 어머니는 A와 A*를 모두 가지고 있다.

04 | 선택지 분석 |

㉠ 유전병은 정상에 대해 열성이다.

➡ 어머니가 유전병 대립유전자를 가지고 있음에도 정상으로 나타났으므로 유전병은 정상에 대해 열성이다.

㉡ 유전병 대립유전자는 X 염색체에 있다.

➡ 어머니와 철수가 가진 유전병 대립유전자의 DNA 상대량이 동일한데 표현형이 다르므로 유전병 대립유전자는 X 염색체에 있다.

㉢ 여동생은 보인자이다.

➡ 정상인 여동생은 아버지로부터 유전병 대립유전자를 받았으므로 보인자이다.

05 | 선택지 분석 |

㉠ 1과 4의 유전병 A에 대한 유전자형은 이형 접합성이다.

➡ A는 상염색체 유전으로 정상에 대해 우성이다. 1과 4는 각각 정상인 자손 5와 7이 있으므로 유전자형이 이형 접합성이다.

㉡ 8의 유전병 B 대립유전자는 2에서부터 4를 통해 전달되었다.

➡ B는 X 염색체 유전으로 정상에 대해 열성이다.

✕ 9가 유전병 A를 가진 남자일 확률은 $\frac{1}{2}$이다. ($\frac{1}{4}$)

➡ 9가 유전병 A를 가진 남자일 확률은 $\frac{1}{4}$이다.

06 | 선택지 분석 |

✕ 피부색 유전은 ~~복대립~~ 유전이다. (다인자)

➡ 피부색 유전은 다인자 유전이다.

㉡ 유전자형이 AaBbDd인 사람이 생성할 수 있는 생식세포의 유전자형은 8가지이다.

➡ 3쌍의 대립유전자가 모두 서로 다른 염색체에 있으므로 AaBbDd에서 형성되는 생식세포의 유전자형은 $2\times2\times2=8$가지이다.

㉢ ㉠에서 AaBbDD의 피부색과 동일한 피부색을 가진 자손이 태어날 확률은 $\frac{15}{64}$이다.

➡ 피부색을 밝게 하는 대립유전자의 수가 2개인 경우이므로 총 64가지 유전자형 중 $\frac{6\times5}{2\times1}=15$의 값에 해당된다.

07 ABO식 혈액형에 대한 2의 유전자형은 I^BI^B이고 1의 유전자형은 I^Ai이므로 4의 유전자형은 I^Bi이다. I^Bi와 I^AI^B 사이에서 태어나는 자손이 B형일 확률은 $\frac{1}{2}$이고 딸일 확률은 $\frac{1}{2}$이므로 B형 딸일 확률은 $\frac{1}{4}$이다.

08 | 자료 분석 |

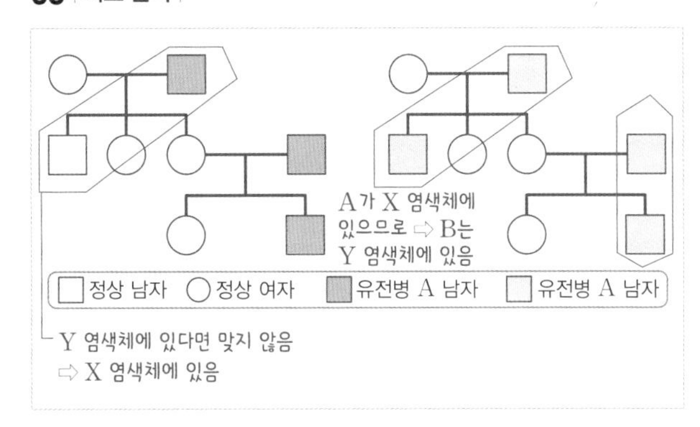

(가)에서 아버지가 유전병 A인데 아들이 정상인 경우가 있으므로 Y 염색체 유전이 아니고 X 염색체 열성 유전에 해당한다. (나)에서는 아버지와 아들 간에 유전형질이 일치하므로 Y 염색체 유전에 해당한다.

채점 기준	배점
유전병 A와 B의 대립유전자가 있는 염색체와 까닭을 모두 옳게 서술한 경우	100 %
유전병 A와 B의 대립유전자가 있는 염색체만 옳게 쓴 경우	50 %

02 유전자 이상과 염색체 이상

개념 POOL 202쪽

01 | **모범 답안** | 감수 1분열에서 성염색체가 비분리된 정자(XY)와 정상 난자(X)가 수정된 경우, 감수 1분열에서 성염색체가 비분리된 난자(XX)와 정상 정자(Y)가 수정된 경우, 감수 2분열에서 성염색체가 비분리된 난자(XX)와 정상 정자(Y)가 수정된 경우 **02** (1) × (2) ○

01 클라인펠터 증후군은 성염색체 구성이 XXY이므로 정자 형성 과정 중 X 염색체와 Y 염색체가 비분리되어 정상 난자와 수정하거나, 난자 형성 과정 중 X 염색체가 비분리된 난자가 정상 정자와 수정하여 나타날 수 있다.

02 (1) 감수 분열에서 상염색체가 비분리되어 나타나는 유전병이 있다. 다운 증후군은 상염색체인 21번 염색체의 비분리로 나타난다.

탐구 POOL 203쪽

01 (가) 돌연변이 헤모글로빈 (나) 산소가 부족할 때의 돌연변이 헤모글로빈 **02** | **모범 답안** | 산소 운반이 잘 안 되고, 모세 혈관에서 혈액의 흐름에 문제가 생긴다.

01 유전자 이상으로 정상 헤모글로빈과 구조가 다른 돌연변이 헤모글로빈이 생성되고, 산소가 부족할 때 여러 분자가 결합하여 사슬 모양의 단백질을 형성한다.

02 산소가 부족할 때 헤모글로빈이 서로 결합하여 산소와 결합하기 어려운 구조가 되며, 모세 혈관을 막는 등의 문제가 발생한다.

콕콕! 개념 확인하기 204쪽

✔ 잠깐 확인!

1 유전자 **2** 유전병 **3** 헤모글로빈 **4** 중복 **5** 결실 **6** 다운 증후군 **7** XXY **8** 상

01 (1) × (2) × (3) ○ (4) ○ **02** 낫 모양 적혈구 빈혈증 **03** (1) – ㉢ (2) – ㉠ (3) – ㉡ **04** 터너 증후군 **05** 다운 증후군: 47개, 터너 증후군: 45개, 클라인펠터 증후군: 47개 **06** ㉠ 감수 분열 ㉡ 염색체 비분리

01 (1) 유전병 중에는 염색체의 구조나 수에 이상이 있는 경우도 있다.
(2) 핵형 분석은 염색체의 수, 모양, 크기 등을 분석하는 것이며, 유전자 이상은 염색체에 나타나지 않아 핵형 분석으로 확인할 수 없다.

02 헤모글로빈 유전자의 돌연변이로 인해 산소가 부족할 때 헤모글로빈 분자가 길게 결합하여 낫 모양 적혈구가 형성되는 낫 모양 적혈구 빈혈증은 산소 운반 능력이 떨어지고 모세 혈관에서 혈액이 잘 통과하지 못하여 악성 빈혈 증상이 나타난다.

05 다운 증후군은 상염색체인 21번 염색체가 3개인 경우이고, 터너 증후군은 X 염색체가 1개인 여자, 클라인펠터 증후군은 성염색체가 XXY인 남자이다.

06 감수 분열 중 염색체 비분리 현상에 의해 염색체 수에 이상이 생긴 생식세포의 수정으로 염색체 수 돌연변이가 나타난다.

탄탄! 내신 다지기 205쪽~207쪽

01 ③ **02** ② **03** ④ **04** ④ **05** ② **06** 역위 **07** ② **08** ③ **09** ③ **10** ④ **11** 감수 2분열 **12** ④ **13** ⑤ **14** ③ **15** ① **16** ④ **17** ② **18** ㉠, ㉤, ㉥

01 | 선택지 분석 |

㉠ DNA 염기 서열의 변화에 의해 일어날 수 있다.
➡ DNA 염기 서열에 유전 정보가 저장되어 있으므로 DNA 염기 서열 변화로 인해 유전자 돌연변이가 발생한다.

㉡ 염색체 수와 구조의 변화에 의해 일어날 수 있다.
➡ 생식세포 분열 과정에서 염색체가 비분리되어 염색체 수에 이상이 생기거나, 염색체의 구조에 결실, 중복, 전좌, 역위 등의 돌연변이가 발생하는 경우가 있다.

~~㉢~~ 유전적인 요인에 의해 일어나며, 환경의 영향은 없다.
➡ 화학적, 물리적 요인 등 환경 요인에 의해 돌연변이가 발생할 수 있다.

02 | 선택지 분석 |

① DNA 염기 서열에 이상이 생긴 경우이다.
➡ 유전 정보는 DNA 염기 서열 형태로 저장되어 있다. 따라서 DNA 염기 서열에 이상이 생기면 유전 정보에 변화가 생기는 돌연변이가 일어난다.

② 유전자 돌연변이는 핵형 분석으로 확인할 수 ~~있다~~ 없다.
➡ 핵형 분석은 염색체의 구조와 수를 확인할 수 있으므로 유전자 이상은 확인할 수 없다.

③ 페닐케톤뇨증은 유전자 돌연변이에 의한 유전병이다.
➡ 페닐알라닌 대사에 관여하는 효소 유전자에 이상이 생긴 유전병이 페닐케톤뇨증이다.

④ 유전자 이상으로 단백질이 생성되지 않거나 정상적인 기능을 하지 못하는 단백질을 생성한다.
➡ 유전자 돌연변이가 일어나면 유전자 이상으로 비정상적인 단백질이 생성된다.

⑤ 열성으로 유전되는 유전병은 돌연변이가 일어난 유전자가 있는 사람이라도 발병하지 않을 수 있다.
➡ 열성 유전자의 경우 유전병 유전자가 있더라도 발병하지 않을 수 있다.

03 헌팅턴 무도병은 유전자 이상으로 뇌세포 손상 단백질을 합성하는 유전병이고, 낭성 섬유증은 상피 세포의 물질 수송 단백질 합성에 이상이 생긴 유전병이다. 다운 증후군은 염색체 수 이상, 고양이 울음 증후군은 염색체 구조 이상에 의한 유전병이다.

04 | 선택지 분석 |

㉠ 유전자 이상으로 인한 유전병이다.
➡ 헤모글로빈 단백질 유전자의 염기 서열에 이상이 생긴 경우이다.

~~㉡~~ 5번 염색체의 결실로 인해 발생한다.
➡ 5번 염색체의 결실로 발생하는 유전병은 고양이 울음 증후군이다.

㉢ 낫 모양 적혈구는 정상 적혈구에 비해 모세 혈관을 통과하기 어렵다.
➡ 낫 모양 적혈구는 헤모글로빈이 사슬 모양으로 연결되어 있어 좁은 모세 혈관을 자유롭게 통과하기 어렵다.

05 결실은 염색체의 일부가 떨어져 나간 경우이고, 역위는 염색체의 일부가 끊어진 다음 반대 방향으로 다시 붙은 것이다.

06 염색체의 일부가 끊어진 다음 반대 방향으로 다시 붙어 유전자의 배열이 달라지는 경우를 역위라고 한다.

07 | 선택지 분석 |

ㄱ. 염색체 수가 정상과 ~~다르다.~~ 같다.

➡ 염색체 수는 정상과 같이 46개이다.

ㄴ. 성염색체에 돌연변이가 일어났다.

➡ 고양이 울음 증후군은 상염색체인 5번 염색체에 결실이 일어난 경우이다.

ㄷ. 결실이 일어난 염색체가 있음을 알 수 있다.

➡ 5번 염색체의 일부가 잘려 나간 경우이다.

08 | 선택지 분석 |

① 상염색체의 구조에 이상이 있을 경우 남녀에게 모두 나타날 수 있다.

➡ 상염색체는 남녀 공통으로 갖는 염색체이므로 남녀에게 모두 나타날 수 있다.

② 염색체의 일부가 잘려 나가는 현상에 의해 염색체 구조에 이상이 생긴다.

➡ 염색체의 일부가 잘려 나간 경우를 결실이라고 한다.

③ 염색체의 일부가 복제되어 반복되는 현상인 중복에 의해 염색체 ~~수가 증가한다.~~ 수에는 변화가 없다.

➡ 염색체 구조 이상은 염색체 수에는 직접적인 영향을 주지 않는다.

④ 상동이 아닌 두 염색체 사이에서 염색체의 일부가 교환되는 현상에 의해 염색체 구조에 이상이 생긴다.

➡ 상동이 아닌 두 염색체 사이에서 염색체 일부가 이동하는 구조 이상을 전좌라고 한다.

⑤ 하나의 염색체가 꼬인 상태에서 잘리고 다시 붙는 과정에서 염색체 구조에 이상이 생긴다.

➡ 하나의 염색체가 꼬인 상태에서 잘리고 다시 거꾸로 붙은 경우를 역위라고 한다.

09 | 선택지 분석 |

ㄱ. 상염색체의 구조에 이상이 있다.

➡ 9번과 22번 염색체는 상염색체이다.

ㄴ. 전좌가 일어난 염색체가 있음을 알 수 있다.

➡ 만성 골수성 백혈병은 9번과 22번 염색체 사이의 전좌로 발생한다.

ㄷ. ~~상동~~ 비상동 염색체 사이에서 염색체 일부가 교환되었다.

➡ 전좌는 상동 염색체가 아닌 염색체 사이에서 염색체의 일부가 이동하는 현상이다.

10 | 선택지 분석 |

ㄱ. 염색체 비분리는 성염색체에서만 일어난다.

➡ 감수 분열 중 염색체 비분리는 상염색체와 성염색체 모두에서든 일어날 수 있다.

ㄴ. 전체 염색체들이 분리되지 않고 하나의 딸세포에 함께 들어가는 경우도 있다.

➡ 생식세포 분열 중 염색체 비분리 현상이 일어나면 염색체가 분리되지 않고 하나의 딸세포에 함께 들어간다.

ㄷ. 염색체 비분리가 일어난 생식세포의 수정으로 염색체 수에 이상이 있는 돌연변이가 나타날 수 있다.

➡ 감수 분열 중 염색체 비분리 현상에 의해 염색체 수가 많거나 적은 생식세포가 수정되어 염색체 수에 이상이 있는 돌연변이가 발생한다.

11 | 자료 분석 |

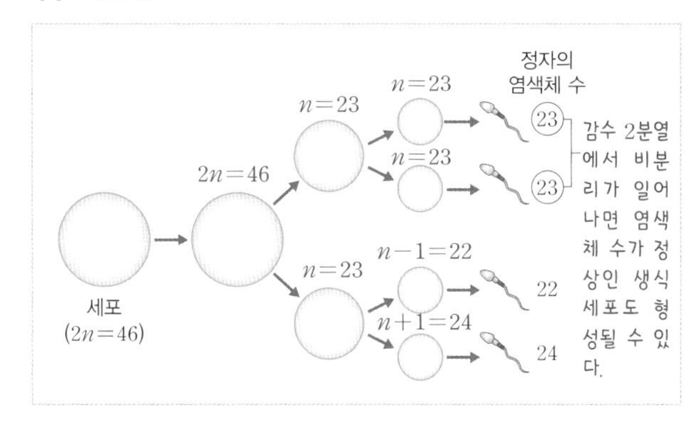

감수 2분열에서 염색체 비분리가 일어날 경우 정상적인 염색체 수를 갖는 생식세포도 형성될 수 있다.

12 21번 염색체가 3개인 경우를 다운 증후군이라고 한다.

13 터너 증후군은 X 염색체가 1개인 여자이고, 클라인펠터 증후군은 성염색체 구성이 XXY인 남자이다.

14 | 선택지 분석 |

ㄱ. 핵형 분석으로 확인할 수 있다.

➡ 상염색체 수 이상은 모두 정상인의 핵형과 비교하여 확인할 수 있다.

ㄴ. 성염색체에 이상이 생긴 돌연변이이다.

➡ 다운 증후군은 상염색체에 이상이 생긴 돌연변이이다.

ㄷ. 감수 분열 중 염색체 비분리 현상에 의해 나타난다.

➡ 감수 1분열에서 상동 염색체가 비분리되거나, 감수 2분열에서 염색 분체가 비분리될 경우 염색체 수에 이상이 있는 생식세포가 형성되고, 이것이 수정되어 염색체 수에 이상이 있는 유전병이 생길 수 있다.

15 | 선택지 분석 |

ㄱ. (가)의 상염색체 수는 44이다.

➡ 상염색체는 정상적으로 분리되었으므로 상염색체 수는 정상이다.

ㄴ. (나)의 정자는 감수 ~~1~~ 2분열에서 비분리가 일어나 형성되었다.

➡ (나)의 정자는 감수 2분열에서 비분리가 일어난 경우이다.

ㄷ. (다)는 남자와 여자에게서 공통적으로 나타날 수 있다.

➡ (다)는 터너 증후군으로, 여자에게서만 나타난다.

16 감수 2분열에서 비분리가 일어날 경우 정상적인 염색체 수를 갖는 생식세포도 형성될 수 있다. ㄱ, ㄷ, ㄹ 외에도 성염색체가 없는 22나 22+YY 등의 염색체 구성을 갖는 생식세포가 생길 수 있다.

17 | 선택지 분석 |

① (가)와 ㉠의 핵상은 서로 다르다.
➡ (가)의 핵상은 $2n$이고 ㉠은 n이다.

② ㉠이 정상 난자와 수정하면 터너 증후군인 아이가 태어난다.
➡ ㉠은 정상적으로 X 염색체가 1개 들어 있는 생식세포이고, 이것이 X 염색체가 들어 있는 정상 난자와 수정하면 정상인 여자가 태어난다.

③ ㉡은 감수 1분열 과정에서 염색체 비분리 현상이 일어난 경우 관찰된다.
➡ ㉡은 감수 1분열에서 비분리가 일어나 X 염색체와 Y 염색체가 하나의 딸세포에 있는 경우이다.

④ ㉢은 ㉡의 딸세포 중 하나이다.
➡ ㉢은 감수 1분열에서 비분리가 일어난 상태의 ㉡이 정상 분열해서 생긴 세포이다.

⑤ ㉢이 정상 난자와 수정하면 염색체 수에 이상이 있는 수정란이 만들어진다.
➡ ㉢은 X 염색체와 Y 염색체가 모두 있는 $n+1$ 상태의 생식세포로, 정상 난자(n)와 수정하면 $2n+1$ 상태인 수정란(클라인펠터 증후군)이 만들어진다.

18 정상 난자에는 21번 염색체가 1개 있으므로 21번 염색체가 2개 있는 정자와 수정하면 다운 증후군이 나타날 수 있다.

도전! 실력 올리기 208쪽~209쪽

01 ⑤ **02** ③ **03** ③ **04** ④ **05** ④ **06** ①

07 | 모범 답안 | 만성 골수성 백혈병 환자는 백혈구 세포에서 9번과 22번 염색체 사이에 전좌가 일어났으며, 체세포에 돌연변이가 일어났기 때문에 자손에게 유전되지 않는다.

08 ㉠ 22+XY ㉡ 22

09 | 모범 답안 | 자손을 남긴 이후의 연령에서 발현되기 때문에 자손에게 유전병 유전자가 전달된다.

01 | 선택지 분석 |

ㄱ. 페닐케톤뇨증은 유전자 돌연변이이다.
➡ 유전자 돌연변이가 일어난 사람의 핵형은 정상인과 같아 핵형 분석으로는 확인할 수 없다.

ㄴ. (나)의 체세포 1개당 상염색체 수는 44개이다.
➡ (나)와 같은 염색체 구조 이상 돌연변이가 일어난 사람의 염색체 수는 정상인과 같다.

ㄷ. ㉠은 성염색체이다.
➡ 터너 증후군은 성염색체가 X 염색체 1개인 경우이다.

02 | 선택지 분석 |

ㄱ. X는 낫 모양 적혈구 빈혈증이다.
➡ 헤모글로빈 단백질 유전자의 이상으로 아미노산 서열이 달라져 낫 모양 적혈구가 형성되는 유전 질환은 낫 모양 적혈구 빈혈증이다.

ㄴ. 아미노산 서열의 변화는 DNA 염기 서열의 변화로 인해 나타난다.
➡ DNA 염기 서열에는 아미노산 서열에 대한 정보가 들어 있어 DNA 염기 서열의 변화로 인해 아미노산 서열의 변화가 생긴다.

ㄷ. 낫 모양 적혈구는 정상 적혈구보다 산소와의 결합력이 더 뛰어나다.
➡ 낫 모양 적혈구는 정상 적혈구에 비해 산소와의 결합력이 떨어진다.

03 | 자료 분석 |

염색체	유전자 배열
정상	a b c d e
㉠	a b c c d e
㉡	a e d c b
㉢	a b c d m n

| 선택지 분석 |

ㄱ. (가)와 ㉢에서는 전좌가 일어났다.
➡ (가)와 ㉢은 상동이 아닌 염색체와 유전자 일부가 교환된 전좌를 나타낸다.

ㄴ. ㉠은 중복이 일어난 염색체이다.
➡ ㉠은 염색체의 유전자 일부가 복제되어 중복이 일어났다.

ㄷ. ㉡은 상동이 아닌 염색체와 유전자 일부가 교환된 염색체이다.
➡ ㉡은 역위가 일어난 염색체이다.

04 | 선택지 분석 |

ㄱ. ㉠은 결실이 일어난 염색 분체이다.
➡ ㉠은 정상적인 염색 분체이며, 염색 분체의 다른 가닥에서 중복이 일어났다

ㄴ. (나)와 (다)에서 염색체 돌연변이가 일어났다.
➡ (나)에서 염색체 구조 이상이, (다)에서 염색체 수 이상이 일어났다.

ㄷ. (다)는 감수 1분열에서 염색체 비분리가 일어나 형성되었다.
➡ (다)의 두 염색체는 상동 염색체이므로 감수 1분열에서 염색체 비분리가 일어난 것이다.

05 | 선택지 분석 |

ㄱ. (나)는 남녀 구분 없이 나타난다.
➡ (나)는 다운 증후군, (다)는 터너 증후군, (라)는 클라인펠터 증후군인 사람의 염색체이다. 다운 증후군은 상염색체 비분리로 일어나므로 남녀 구분 없이 나타난다.

ㄴ. (나)와 (라) 염색체를 가진 사람의 체세포 염색체 수는 서로 다르다.
➡ 다운 증후군과 클라인펠터 증후군인 사람의 체세포 염색체 수는 47개이다.

ㄷ. (다)와 (라)는 성염색체 비분리 현상 때문에 나타났다.
➡ 터너 증후군과 클라인펠터 증후군은 성염색체 비분리에 의해 일어난다.

06 | 자료 분석 |

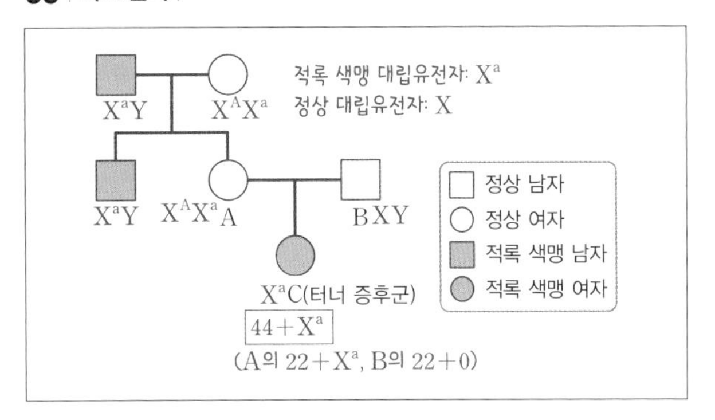

| 선택지 분석 |

ㄱ. A는 적록 색맹 보인자이다.

➡ C는 A로부터 적록 색맹 대립유전자를 받은 것이므로 정상인 A는 보인자이다.

~~ㄴ.~~ C의 적록 색맹 대립유전자는 B에게서 받은 것이다.

➡ C의 적록 색맹 대립유전자는 A로부터 받은 것이다.

~~ㄷ.~~ 감수 2분열에서 비분리가 일어나 형성된 난자가 정상 정자와 수정되어 C가 태어났다.

➡ 염색체 비분리에 의해 성염색체가 없는 정자와 정상 난자가 수정되어 C가 태어났다.

07 상동 염색체가 아닌 두 염색체 사이에서 염색체 일부가 이동하는 것이 전좌이다. 체세포는 자손에게 전달되지 않으므로 체세포에 일어난 돌연변이는 자손에게 유전되지 않는다.

채점 기준	배점
전좌의 특성과 유전되지 않는 까닭을 모두 옳게 서술한 경우	100 %
전좌의 특성과 유전되지 않는 까닭 중 1가지만 옳게 서술한 경우	50 %

08 | 자료 분석 |

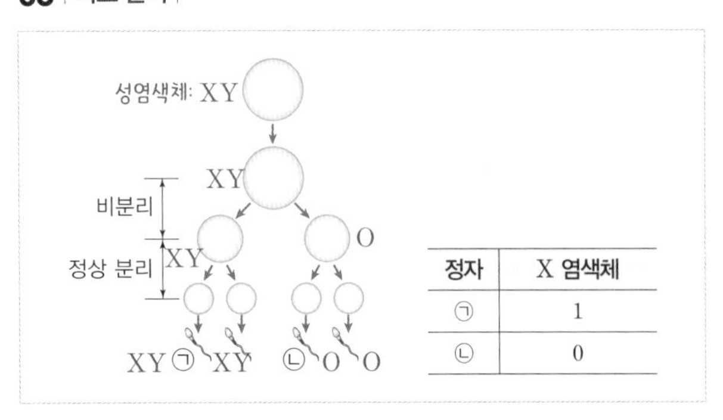

정자	X 염색체
㉠	1
㉡	0

감수 1분열에서 X와 Y 염색체가 분리되지 않고 한쪽으로 이동한 후 감수 2분열이 일어나 ㉠이 되었고, 성염색체가 없는 상태에서 감수 2분열이 일어나 ㉡이 되었다.

09 헌팅턴 무도병은 대부분 중년 이후 자손을 남긴 이후의 연령에서 발병한다.

채점 기준	배점
발병 연령과 관련지어 서술한 경우	100 %
발병 연령을 언급하지 않고 서술한 경우	50 %

실전! 수능 도전하기 211쪽~213쪽

01 ④ 02 ④ 03 ⑤ 04 ④ 05 ④ 06 ③ 07 ② 08 ④ 09 ③ 10 ②

01 | 선택지 분석 |

~~ㄱ.~~ 유전병 유전자는 ~~성~~(상)염색체에 있다.

➡ 정상인 3과 4로부터 유전병인 8이 태어났으므로 유전병은 열성이다. 유전병 딸인 8의 아버지 4가 정상이므로 유전병 유전자는 성염색체에 있는 것이 아니다.

ㄴ. 1, 3, 4, 6, 9는 모두 유전병 보인자이다.

➡ 5는 1로부터, 8은 3과 4로부터, 10은 6으로부터, 9는 5로부터 유전병 대립유전자를 받았으므로 정상인 1, 3, 4, 6, 9는 모두 유전병 보인자이다.

ㄷ. 8의 동생이 태어날 때, 이 아이가 유전병인 아들일 확률은 $\frac{1}{8}$이다.

➡ 정상 대립유전자를 A, 유전병 대립유전자를 a라고 한다면 3과 4의 유전자형은 Aa이고, 이들로부터 유전병인 자손(aa)이 나올 확률은 $\frac{1}{4}$이다. 아들일 확률은 $\frac{1}{2}$이므로 $\frac{1}{4} \times \frac{1}{2} = \frac{1}{8}$이다.

02 | 자료 분석 |

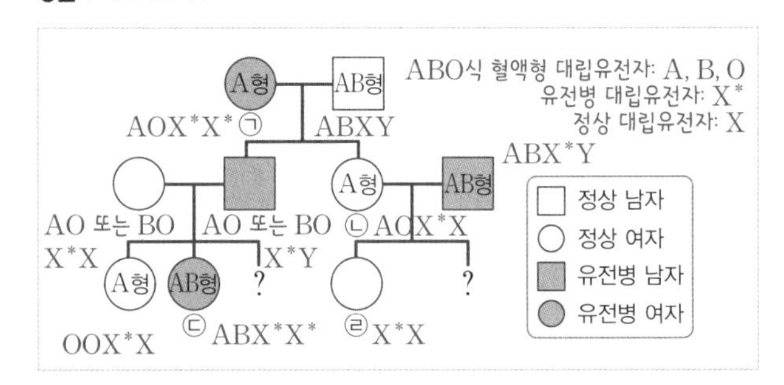

| 선택지 분석 |

~~ㄱ.~~ ㉠과 ㉡의 혈액형 유전자형은 ~~동형~~(이형) 접합성이다.

➡ ABO식 혈액형 대립유전자를 각각 A, B, O라고 했을 때 ㉠의 아들이 O형인 딸을 낳았으므로 ㉠의 아들은 대립유전자 O를 가지고 있으며, 이는 ㉠으로부터 받은 것이다. 따라서 ㉠과 ㉡의 유전자형은 AO이다.

ㄴ. ㉢의 동생이 태어날 때 이 아이의 혈액형이 B형일 확률은 $\frac{1}{4}$이다.

➡ ㉢의 부모는 혈액형 유전자형이 AO와 BO이다. 이들로부터 B형이 나올 확률은 $\frac{1}{4}$이다.

ㄷ. ㉣의 동생이 태어날 때, 이 아이가 A형이면서 유전병인 딸일 확률은 $\frac{1}{8}$이다.

➡ 유전병 대립유전자는 X 염색체에 있고 정상에 대해 열성이므로 ㉡은 보인자이고 ㉣의 동생이 유전병인 딸일 확률은 $\frac{1}{4}$이다. 또한, A형일 확률은 $\frac{1}{2}$이다. 따라서 A형이면서 유전병인 딸일 확률은 $\frac{1}{8}$이다.

03 | 선택지 분석 |

ㄱ. 복대립 유전에 해당한다.

➡ 대립유전자의 종류가 3가지이므로 복대립 유전에 해당한다.

ㄴ. (가)에서 단일 인자 유전임을 알 수 있다.

➡ 형질을 결정하는 데 1쌍의 대립유전자가 관여하는 것을 단일 인자 유전이라고 한다.

ㄷ. 유전자형은 6가지, 표현형은 4가지가 있다.

➡ 유전자형은 AA, BB, CC, AB, BC, AC의 6가지이고 표현형은 A, B, C, BB의 4가지가 있다.

04 | 선택지 분석 |

X. 깃털 색 유전은 ~~다인자~~ 단일 인자 유전이다.

➡ 깃털 색에서 갈색과 붉은색 사이에서 회색 자손이 나왔으므로 회색은 갈색과 붉은색 각각에 대해 열성이다. 붉은색 부모 사이에서 갈색이 나왔으므로 갈색은 붉은색에 대해 열성이다. 따라서 깃털 색 대립유전자는 붉은색이 B, 갈색이 C, 회색이 D이다. 깃털 색 유전은 단일 인자 유전이고, 복대립 유전이다.

ㄴ. 유전자형이 BC인 개체의 깃털 색은 붉은색이다.

➡ 유전자형이 BC일 때 B가 C에 대해 우성이므로 깃털 색은 붉은색이다.

ㄷ. ㉠의 깃털 색 유전자형은 BD이다.

➡ ㉠은 붉은색이므로 B를 갖고 있으며, 자손 중 회색(DD)이 있으므로 D를 갖는다. 따라서 ㉠의 깃털 색 유전자형은 BD이다.

05 | 선택지 분석 |

ㄱ. A는 정상에 대해 우성이다.

➡ A인 부모로부터 정상인 자녀가 나왔으므로 A는 정상에 대해 우성이다.

X. A를 결정하는 유전자는 B를 결정하는 유전자와 같은 염색체에 있다.

➡ 만일 우성인 A 유전자가 X 염색체에 있다면 A를 나타내는 남자의 딸은 A를 나타내야 하는데 그렇지 않으므로 유전자는 상염색체에 있다.

ㄷ. 1과 2는 B의 보인자이다.

➡ 1과 2는 각각 B인 아들이 있으므로 유전병 보인자이다.

06 | 선택지 분석 |

ㄱ. 피부색 유전은 다인자 유전이다.

➡ 세 쌍의 대립유전자에 의해 결정되므로 다인자 유전이다.

ㄴ. P를 유전자형이 aabbdd인 개체와 교배하였을 때 태어나는 자손의 피부색 표현형은 최대 4가지이다.

➡ 유전자형이 aabbdd인 개체로부터 형성되는 생식세포의 유전자형은 abd뿐이므로 P의 생식세포와 수정되었을 때 자손의 유전자형은 ( )a( )b( )d가 된다. ( )의 자리에 대문자로 표시되는 대립유전자는 0~3개 들어갈 수 있으므로 표현형은 최대 4가지이다.

X. P를 유전자형이 AaBbDd인 개체와 교배하였을 때 태어나는 자손의 피부색 유전자형은 최대 7가지이다.

➡ P를 유전자형이 AaBbDd인 개체와 교배하면 자손의 피부색 유전자형은 최대 27가지이다.

07 | 선택지 분석 |

X. 유전자형이 AaBbDdEe인 개체에서 형성될 수 있는 생식세포의 유전자형은 최대 ~~14~~ 16가지이다.

➡ 유전자가 각각 서로 다른 상염색체에 존재하므로 형성될 수 있는 생식세포의 유전자형은 최대 16가지이다.

ㄴ. 유전자형이 AaBbDdEe인 개체와 aabbddee인 개체 사이에서 자손(F_1)이 태어날 때, 이 자손에게서 나타날 수 있는 표현형은 최대 8가지이다.

➡ 자손에서 나타날 수 있는 표현형은 ㉠에서 대문자로 표시되는 대립유전자 수가 0개~3개로 4가지, ㉡에서 2가지이므로 최대 8가지이다.

X. 유전자형이 AaBbDdEe인 암수를 교배하여 자손(F_1)이 태어날 때, 이 자손의 표현형이 부모와 같을 확률은 $\frac{5}{32}$이다.

➡ 유전자형이 AaBbDd인 암수를 교배하여 얻은 자손의 표현형이 부모와 같을 확률은 $\frac{20}{64}$이다. 유전자형이 Ee인 암수를 교배하여 얻은 자손의 표현형이 부모와 같을 확률은 $\frac{3}{4}$이다. 그러므로 자손의 표현형이 부모와 같을 확률은 $\frac{15}{64}$이다.

08 | 선택지 분석 |

ㄱ. A는 터너 증후군이다.

➡ (가)는 성염색체를 X 하나만 갖는 터너 증후군 환자 A의 핵형이고, (나)는 21번 염색체를 3개 갖는 다운 증후군 환자 B의 핵형이다.

X. (나)에서 적록 색맹 여부를 알 수 있다.

➡ 적록 색맹은 유전자 돌연변이이므로 핵형 분석을 통해서 알 수 없다.

ㄷ. $\frac{\text{(가)의 염색 분체 수}}{\text{(나)의 성염색체 수}}=45$이다.

➡ (나)의 성염색체 수는 2이고, (가)의 염색 분체 수는 90이다.

09 | 선택지 분석 |

ㄱ. (가)에서 상동 염색체가 비분리되었다.

➡ (가)는 감수 1분열에서 상동 염색체가 비분리된 경우이다.

X. B의 총염색체 수−A의 상염색체 수=1이다.

➡ B의 총염색체는 23개이고 A의 상염색체는 21개이므로 23−21=2이다.

ㄷ. ㉠과 정상 난자가 수정되어 아이가 태어날 때, 이 아이는 터너 증후군이다.

➡ ㉠에는 성염색체가 들어 있지 않으므로 X 염색체가 1개인 정상 난자와 수정하면 터너 증후군이 된다.

10 | 자료 분석 |

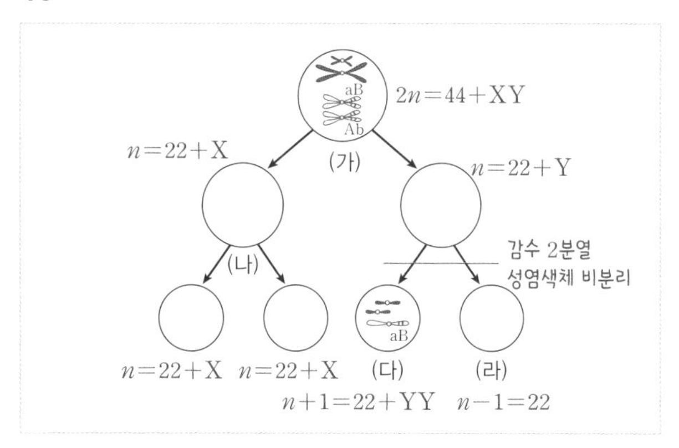

| 선택지 분석 |

~~ㄱ.~~ $\dfrac{\text{(가)의 염색 분체 수}}{\text{(다)의 염색체 수}}=4$이다.

➡ (가)의 염색 분체 수는 92이고 (다)의 염색체 수는 24이다.

~~ㄴ.~~ (나)가 형성될 때 성염색체가 비분리되었다.

➡ (다)가 형성되는 감수 2분열에서 Y 염색체가 비분리되었다.

ⓒ (라)에는 대립유전자 a와 B가 있다.

➡ (다)와 (라)의 상염색체 구성은 동일하기 때문에 a와 B가 있다.

한번에 끝내는 대단원 문제 216쪽~219쪽

01 ⑤ **02** ② **03** ④ **04** ② **05** ② **06** ④ **07** ③ **08** ④ **09** ③ **10** ④ **11** ⑤ **12** ② **13** ②

14 (1) A (2) | **모범 답안** | ⓐ는 0이고 ⓑ는 2이다. (나)와 (다)는 각각 감수 2분열 중기의 세포로, (나)에는 그림에 제시된 염색체가 들어 있으므로 A, b, D가 각각 2인 상태이다. (다)에는 그림에서 제시된 염색체와 상동인 염색체가 있으며, 이 사람의 유전자형이 AaBbDD라고 했으므로 a, B, D가 각각 2인 상태이다.

15 | **모범 답안** | 16가지이다. 염색체 수가 총 4개이며, 2쌍의 상동 염색체로 되어 있는 모세포로부터 생길 수 있는 생식세포의 염색체 조합의 수는 총 4가지이다. 따라서 암수 생식세포의 수정 과정을 통해 $4\times4=16$가지의 염색체 조합이 나타날 수 있다.

16 | **모범 답안** | $\frac{1}{3}$이다. 아버지(AA 혹은AA^*)와 어머니(A^*A^*)로부터 태어난 철수가 유전병 ㉠을 가질 확률은 '아버지가 AA^*일 확률×아버지(AA^*)와 어머니(A^*A^*) 사이에서 유전병 ㉠(A^*A^*)이 태어날 확률'이다. 할아버지(AA^*)와 할머니(AA^*)로부터 태어난 철수의 아버지가 정상이면서 A^*A일 확률은 $\frac{2}{3}$이다. 또, 아버지(AA^*)와 어머니(A^*A^*) 사이에서 A^*A^*인 철수가 태어날 확률은 $\frac{1}{2}$이다. 따라서 철수가 유전병 ㉠을 가질 확률은 $\frac{2}{3}\times\frac{1}{2}=\frac{1}{3}$이다.

17 ㉠ 상염색체 23개, 성염색체 1개 ㉡ 상염색체 22개, 성염색체 1개 ㉢ 상염색체 21개, 성염색체 1개 ㉣ 상염색체 23개, 성염색체 1개

01 | 선택지 분석 |

~~ㄱ.~~ (가)는 ~~상동 염색체~~이다. (수정: 염색 분체)

➡ (가)는 염색 분체이다.

ⓛ (나)는 뉴클레오솜이다.

➡ (나)는 DNA와 히스톤 단백질로 이루어진 뉴클레오솜이다.

ⓒ (다)의 특정 부위에 유전 정보가 저장되어 있다.

➡ (다)는 DNA이고 특정 염기 서열이 유전자이다.

02

크기와 모양이 같은 상동 염색체의 같은 자리에 대립유전자가 위치하는데, 대립유전자는 하나의 형질 발현에 관여하는 1쌍의 유전자이다. DNA가 복제되어 각각 응축되면 하나의 염색체에 2개의 염색 분체가 있는 상태가 된다.

03 | 선택지 분석 |

ⓖ 아버지의 형질 P에 대한 유전자형은 이형 접합성이다.

➡ 동형 접합성인 누나와 철수의 A와 A^* 유전자를 아버지가 모두 가지고 있어야 하므로 아버지의 유전자형은 이형 접합성이다.

~~ㄴ.~~ 어머니의 체세포에는 ㉠에 A, ㉡에 A^*를 가진 염색체가 존재한다.

➡ 염색 분체의 ㉠과 ㉡에는 같은 유전자가 있다.

ⓒ 철수의 동생이 태어날 경우 형질 P에 대한 유전자형이 동형 접합성일 확률은 $\frac{1}{2}$이다.

➡ 철수의 동생이 가질 수 있는 유전자형은 AA, $2AA^*$, A^*A^*이므로 이 중 동형 접합성인 AA, A^*A^*는 $\frac{1}{2}$이다.

04 | 선택지 분석 |

~~ㄱ.~~ ㉠은 상염색체이다.

➡ (가)는 $2n=6$인 세포로, ㉠은 크기와 모양이 같은 염색체가 없으므로 성염색체이며, X 염색체이다.

~~ㄴ.~~ ㉡은 ㉢의 상동 염색체이다.

➡ (나)는 $n=4$인 세포로 상동 염색체가 없다.

ⓒ $\dfrac{\text{A의 생식세포에 들어 있는 염색체의 총 수}}{\text{B의 체세포에 들어 있는 상염색체 수}}=\dfrac{1}{2}$이다.

➡ B의 체세포에 들어 있는 상염색체는 6개이고, A의 생식세포에 들어 있는 염색체는 총 3개이다.

05 | 자료 분석 |

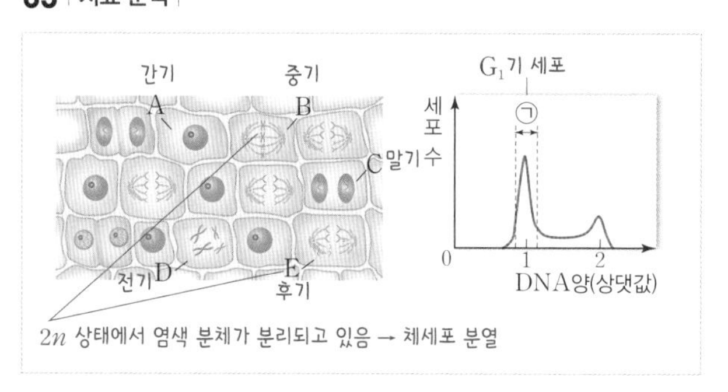

| 선택지 분석 |

✗ 관찰한 세포에서는 감수 분열이 일어난다.
➡ $2n$의 세포에서 염색 분체가 분리되고 있으므로 체세포 분열 과정이다.

✗ B, C, D, E는 ㉠ 구간에 존재하는 세포들이다.
➡ ㉠ 구간에 해당되는 세포들은 G_1기의 세포들이다.

ㄷ. (가)의 세포들을 간기부터 세포 주기의 순서대로 나열하면 A−D−B−E−C이다.
➡ A는 간기, B~E는 분열기의 세포들이다.

06 | 자료 분석 |

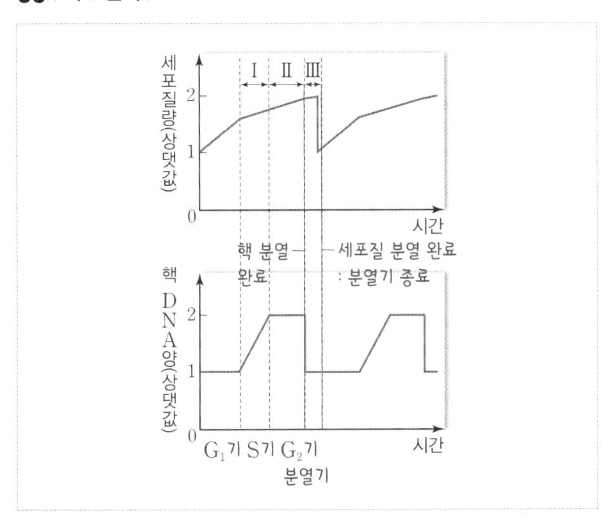

| 선택지 분석 |

✗ 구간 Ⅰ에서 방추사가 형성된다.
➡ 구간 Ⅰ은 S기로, DNA가 복제되는 시기이며, 방추사는 분열기에 형성된다.

ㄴ. 구간 Ⅱ에 핵상이 $2n$인 세포가 있다.
➡ 구간 Ⅱ는 G_2기와 분열기가 포함된 시기로, 체세포 분열 과정에 있는 세포의 핵상은 모두 $2n$이다.

ㄷ. 구간 Ⅲ에서 세포질 분열이 일어난다.
➡ 구간 Ⅲ의 핵분열 말기에 딸핵 2개가 형성된 상태에서 세포질 분열이 시작되며, 세포질 분열이 끝나면 세포질량이 반으로 감소한다.

07 | 선택지 분석 |

ㄱ. ㉠에서 ㉡이 될 때 DNA가 복제된다.
➡ ㉠에서 ㉡이 되는 과정이 S기이다.

ㄴ. ㉢의 염색 분체 수는 92개이다.
➡ ㉢은 $2n=46$이며, 각 염색체가 2개의 염색 분체로 된 상태이다.

✗ ㉣의 DNA양은 ㉠의 2배이다.
➡ ㉣의 DNA양은 ㉠과 같다.

08 | 선택지 분석 |

✗ 정상에 대해 열성이다.
➡ X는 정상에 대해 우성이다.

ㄴ. 반성유전에 해당한다.
➡ 성염색체 유전이므로 반성유전에 해당한다.

ㄷ. 정상인 부모 사이에서 태어난 자녀는 모두 정상이다.
➡ 정상인 경우 열성 대립유전자만 가지고 있으므로 열성인 자녀만 태어난다.

09 | 선택지 분석 |

ㄱ. 2와 4의 ABO식 혈액형 유전자형은 서로 같다.
➡ 혈액형 대립유전자를 A, B, O라고 한다면 2의 유전자형이 BB일 경우 A형 자녀가 나올 수 없고 4에게 O형 딸이 나왔으므로 2와 4의 유전자형은 모두 BO이다.

ㄴ. 5의 ABO식 혈액형 유전자형은 이형 접합성이다.
➡ 5는 1에게서 A를, 2에게서 O를 받았으므로 이형 접합성이다.

✗ 5와 6 사이에서 자녀가 태어날 때, 이 자녀가 A형 딸일 확률은 $\frac{1}{2}$이다.
➡ 유전자형이 5는 AO, 6은 OO이므로 자녀가 A형일 확률 $\frac{1}{2}$ × 딸일 확률 $\frac{1}{2}=\frac{1}{4}$이다.

10

유전자형이 모두 AaBb인 부모 사이에서 아이가 태어날 때, 아이에게서 나타날 수 있는 유전자형 조합은 16가지이다. 이 조합 중 대문자로 표시되는 대문자가 3개 이상인 경우는 AABB, 2AABb, 2AaBB의 5가지이므로, 부모보다 눈 색이 더 짙은 아이가 태어날 확률은 $\frac{5}{16}$이다.

11 | 선택지 분석 |

학생 A: 다운 증후군은 체세포의 21번 염색체가 3개일 때 나타나는 유전병이야.
➡ 다운 증후군은 감수 분열 시 상염색체인 21번 염색체의 비분리로 인해 발생한다.

학생 B: 고양이 울음 증후군인 사람의 핵형은 정상인과 달라.
➡ 고양이 울음 증후군은 5번 염색체의 결실인 경우이므로 정상인의 핵형과 다르다.

학생 C: 낫 모양 적혈구 빈혈증은 유전자 돌연변이에 의한 유전병이야.
➡ 낫 모양 적혈구 빈혈증은 헤모글로빈 유전자에 이상이 있는 유전자 돌연변이이다.

12 | 선택지 분석 |

✗ ㉠과 ㉡은 상동 염색체이다.
➡ ㉠은 상염색체이고 ㉡은 X 염색체이다.

ㄴ. (나)에는 전좌가 일어난 염색체가 있다.
➡ (나)에서 X 염색체의 대립유전자 a가 있는 부분과 상염색체 사이에서 전좌가 일어났다.

✗ (나)는 감수 분열 과정에서 성염색체 비분리가 일어난 세포이다.
➡ (나)에서는 염색체 구조 이상이 일어났으며, 염색체 비분리로 인한 수 이상은 나타나지 않았다.

13 | 자료 분석 |

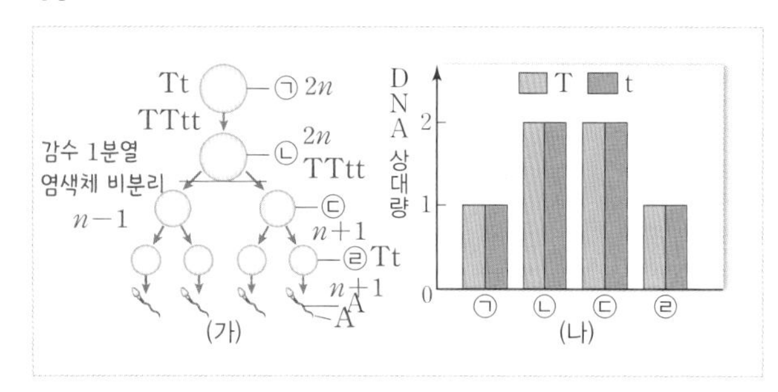

| 선택지 분석 |

~~ㄱ.~~ ㉡의 상염색체 수는 ㉣의 2배이다.

➡ 감수 1분열에서 염색체 비분리가 일어났으므로 ㉡의 상염색체 수는 44개이고 ㉣은 T와 t가 모두 존재하므로 23개이다.

(ㄴ) ㉡에서 ㉢이 생성되는 과정에서 염색체 비분리가 일어났다.

➡ ㉡에서 ㉢이 되는 과정은 감수 1분열로, 정상 분열 시 대립유전자가 분리되어 ㉢에 T 혹은 t만 존재한다. 그런데 T와 t가 모두 존재하는 것으로 보아 감수 1분열에서 비분리가 일어났다.

~~ㄷ.~~ A가 정상 난자와 수정되어 태어난 아이는 다운 증후군이다.

➡ 다운 증후군은 21번 염색체가 비분리되어 염색체가 3개 존재하는 유전병이다.

14

(1) 하나의 염색체를 구성하는 두 염색 분체의 유전자 구성은 동일하다.

(2) (나)와 (다)는 각각 감수 2분열 중기의 세포로, (나)에 그림에 제시된 염색체가 들어 있으므로 A, b, D가 각각 2인 상태이다. (다)에는 그림에서 제시된 염색체와 상동인 염색체가 있으며, 이 사람의 유전자형이 AaBbDD라고 했으므로 a, B, D가 각각 2인 상태이다.

채점 기준	배점
ⓐ, ⓑ의 값과 구하는 과정을 모두 옳게 서술한 경우	100 %
ⓐ, ⓑ의 값과 구하는 과정 중 1가지만 옳게 서술한 경우	40 %

15

제시된 동물의 세포는 염색체 수가 총 4개이며, 2쌍의 상동 염색체로 되어 있는 모세포로부터 생길 수 있는 생식세포의 염색체 조합의 수는 총 4가지이다. 따라서 암수 생식세포의 수정 과정을 통해 4×4=16가지의 염색체 조합이 나타날 수 있다.

채점 기준	배점
염색체 조합의 수와 이를 구하는 과정에서 생식세포 염색체 조합의 수와 수정 과정에 대해 정확하게 서술한 경우	100 %
염색체 조합의 수는 서술했으나 이를 구하는 과정에서 생식세포 염색체 조합의 수와 수정 과정을 정확하게 서술하지 못한 경우	50 %

16 | 자료 분석 |

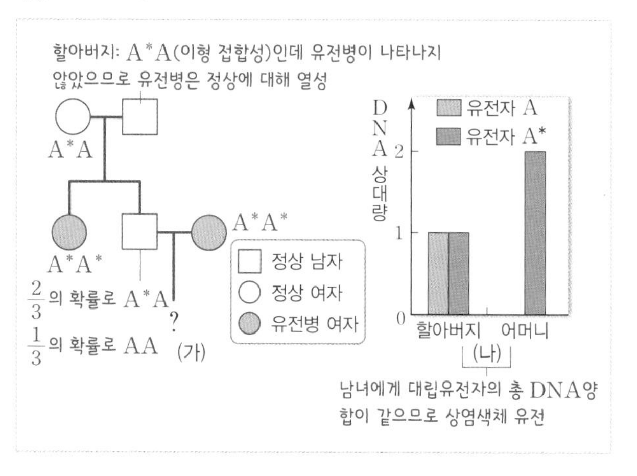

아버지(AA 혹은 AA*)와 어머니(A*A*)로부터 태어난 철수가 유전병 ㉠을 가질 확률은 '아버지가 AA*일 확률×아버지(AA*)와 어머니(A*A*) 사이에서 유전병 ㉠(A*A*)이 태어날 확률'이다. 할아버지(AA*)와 할머니(AA*)로부터 태어난 철수의 아버지가 정상이면서 AA*일 확률은 $\frac{2}{3}$이다. 또, 아버지(AA*)와 어머니(A*A*) 사이에서 A*A*인 철수가 태어날 확률은 $\frac{1}{2}$이다. 따라서 철수가 유전병 ㉠을 가질 확률은 $\frac{2}{3}\times\frac{1}{2}=\frac{1}{3}$이다.

채점 기준	배점
확률과 함께 아버지가 AA*일 확률과, 아버지(AA*)와 어머니(A*A*) 사이에서 A*A*인 철수가 태어날 확률을 구하는 과정을 모두 서술한 경우	100 %
확률은 서술했으나 아버지가 AA*일 확률과, 아버지(AA*)와 어머니(A*A*) 사이에서 A*A*인 철수가 태어날 확률을 구하는 과정에 대해 정확하게 서술하지 못한 경우	50 %

17

왼쪽 정자 형성 과정 중 감수 1분열에서 상동 염색체의 비분리가 일어나 ㉠은 상염색체가 23개, 성염색체는 1개이다. ㉢은 상염색체 1개가 없으므로 상염색체가 21개, 성염색체는 1개이다. 오른쪽 정자 형성 과정 중 감수 2분열에서 ㉣이 형성될 때 염색 분체의 비분리가 일어나 ㉡은 정상으로 상염색체는 22개, 성염색체는 1개이다. ㉣은 상염색체가 1개 더 많으므로 상염색체는 23개, 성염색체는 1개이다.

1 »» 생태계의 구성과 기능

01 ~ 생태계의 구성

콕콕! 개념 확인하기 225쪽

✔ 잠깐 확인!
1 개체 2 개체군 3 군집 4 생태계 5 생산자 6 소비자 7 분해자 8 작용

01 (1) × (2) ○ (3) ○ (4) × 02 (1) – ㉠ (2) – ㉢ (3) – ㉡
03 ㉠ 작용 ㉡ 반작용 ㉢ 상호 작용 04 (가) 빛의 파장 (나) 일조 시간 (다) 물

02 생산자는 광합성을 하는 생물로 보리 같은 식물이나 갈조류 같은 조류 등이 해당한다. 소비자는 생산자를 먹는 1차 소비자, 1차 소비자를 먹는 2차 소비자 등이 있으며, 버섯과 곰팡이는 분해자로 유기물을 무기물로 분해한다.

03 생태계 내에서의 구성 요소 간의 관계에는 작용, 반작용, 상호 작용이 있다.

04 (가)는 빛의 파장에 따라 바다에 서식하는 해조류의 분포가 달라지는 것이고, (나)는 조류 등의 산란에 일조 시간이 영향을 미친 것이며, (다)에서 선인장과 바오바브나무는 물이 부족한 환경, 연과 부레옥잠은 물이 풍부한 환경에 각각 적응한 것이다.

탄탄! 내신 다지기 226쪽~227쪽

01 ⑤ 02 (가) 소비자 (나) 생산자 03 ② 04 (가) 작용 (나) 반작용 (다) 상호 작용 05 ③ 06 ④ 07 ⑤ 08 ⑤ 09 ③ 10 (가) 공기 또는 산소의 양 (나) 토양 11 ④

01 | 선택지 분석 |

① 일정한 지역에서 함께 생활하는 같은 종의 개체들을 ~~군집~~(개체군)이라고 한다.
➡ 군집은 여러 종의 생물들로 구성된다.

② ~~개체군~~(군집)은 생산자, 소비자, 분해자로 구분되는 생물로 구성되는 집단이다.
➡ 생산자, 소비자, 분해자는 서로 다른 종의 생물이므로 개체군이 아니다.

③ 생태계를 구성하는 생물 집단은 ~~모두~~(생산자만) 독립 영양 생물로 스스로 양분을 합성할 수 있다.
➡ 생산자는 독립 영양 생물, 소비자와 분해자는 종속 영양 생물이다.

④ 일정한 지역에서 여러 종의 생물들이 서로 상호 작용하며 살아가는 집단을 ~~개체군~~(군집)이라고 한다.
➡ 개체군은 같은 종에 속하는 개체들의 집단이다.

⑤ 생태계는 생물적 요인만이 아니라 온도, 물, 공기, 토양과 같은 비생물적 요인도 포함한다.
➡ 생태계는 생물적 요인과 비생물적 요인으로 구성된다.

02 식물을 먹이로 하는 생물은 1차 소비자, 다른 동물을 먹이로 하는 생물은 2차 소비자이다. 빛에너지를 이용하여 무기물로부터 유기물을 합성하여 스스로 양분을 만드는 생물은 생산자, 사체나 배설물에 포함된 유기물을 무기물로 분해하여 환경으로 되돌려 보내는 작용을 하는 생물은 분해자이다.

03 생물 하나하나는 개체이고, 같은 종에 속하는 개체들의 집단은 개체군, 일정 지역에서 생활하는 모든 개체군들의 집합은 군집이다.

04 비생물적 요인이 생물적 요인에게 영향을 미치는 것은 작용, 생물적 요인이 비생물적 요인에게 영향을 주는 것은 반작용, 생물끼리 영향을 주고받는 것은 상호 작용이다.

05 | 선택지 분석 |

ㄱ. 지렁이나 두더지가 흙 속을 파헤치면 토양의 통기성이 높아진다.
➡ 반작용의 예이다.

ㄴ. 버섯과 미생물이 토양 속 유기물을 분해하면 토양 속 무기물의 양이 증가한다.
➡ 반작용의 예이다.

ㄷ. 선인장은 건조한 사막에서 살아남을 수 있는 특별한 구조가 발달해 있다.
➡ 사막에 사는 식물이 환경의 영향을 받은 작용의 예이다.

06 (가)는 음엽, (나)는 양엽이다. 양엽은 음엽에 비해 강한 빛에 적응하여 울타리 조직이 발달하였고, 광합성이 더 활발하게 일어난다.

| 선택지 분석 |

① (가)는 ~~양엽~~(음엽), (나)는 ~~음엽~~(양엽)이다.

② ~~(가)~~((나))는 ~~(나)~~((가))에 비해 울타리 조직이 발달하였다.

③ (가), (나) 중 광합성 작용이 더 활발한 것은 ~~(가)~~((나))이다.
➡ 양엽이 음엽에 비해 울타리 조직이 발달하여 광합성량이 더 많다.

④ (가)보다 (나)가 더 강한 빛에 적응한 식물의 잎이다.
➡ 양엽이 음엽에 비해 더 강한 빛의 세기에 적응한 것이다.

⑤ (가)와 (나)는 서로 다른 빛의 ~~파장~~(세기)에 적응한 식물들이다.

07 | 자료 분석 |

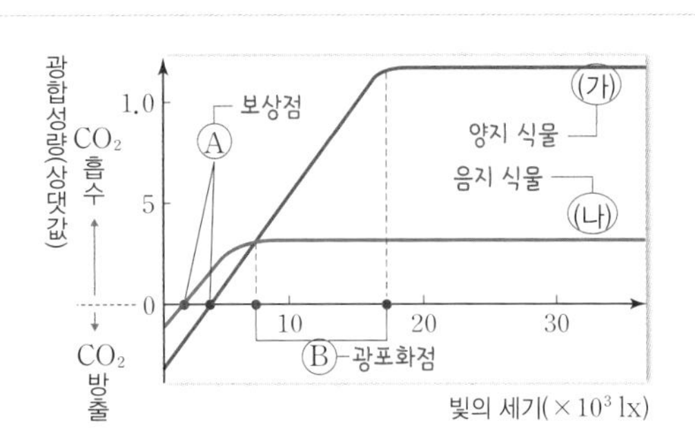

- A: 보상점(광합성량과 호흡량이 같을 때의 빛의 세기)
- B: 광포화점(더 이상 광합성량이 증가하지 않는 최소한의 빛의 세기)
- 양지 식물은 음지 식물에 비해 보상점이 높다.
- 양지 식물은 음지 식물에 비해 광포화점이 높다.
- 음지 식물과 양지 식물의 보상점과 광포화점이 차이가 나는 까닭은 양지 식물이 음지 식물에 비해 강한 빛의 세기에 적응하였기 때문이다.

| 선택지 분석 |

① (가)는 음지 식물, (나)는 양지 식물이다.

② 순 이산화 탄소의 흡수량이 증가할수록 광합성량은 감소한다.

➡ 순 이산화 탄소의 흡수량은 광합성에 모두 사용되므로 순 이산화 탄소의 흡수량이 증가하면 광합성량도 증가한다.

③ A는 광포화점으로 광합성량과 호흡량이 같을 때의 빛의 세기이다.

➡ 보상점에서는 광합성량과 호흡량이 같아 이산화 탄소의 출입양이 0이다.

④ (가)와 (나)는 광합성량이 더 이상 증가하지 않는 최소한의 빛의 세기가 동일하다.

➡ 광합성량이 더 이상 증가하지 않는 최소한의 빛의 세기는 광포화점으로 양지 식물의 광포화점이 음지 식물에 비해 높다.

⑤ (가)는 (나)에 비해 B의 크기가 큰 것으로 보아 더 강한 빛의 세기에 적응한 식물이다.

➡ B는 광포화점이며, 양지 식물이 음지 식물에 비해 더 강한 빛의 세기에 적응한 식물이다.

08 (가)는 녹조류, (나)는 갈조류, (다)는 홍조류이며, 해조류의 분포는 빛의 파장에 따라 달라진다.

| 선택지 분석 |

① (가)는 적색광을 주로 이용하는 갈조류이다.

② (나)에 해당하는 생물에는 김, 우뭇가사리 등이 있다.

③ (다)는 가장 깊은 바다에 서식하는 생물이므로 광합성을 하지 못한다.

➡ 가장 깊은 바다에는 청색광이 주로 도달하므로 이를 이용하여 광합성을 하는 홍조류가 분포한다.

④ (가)~(다) 모두 바다에 서식하며 광합성을 할 수 있는 식물이다.

➡ 녹조류, 갈조류, 홍조류는 식물이 아니라 조류에 속한다.

⑤ (가)~(다)의 서식 분포가 다른 까닭은 빛의 파장에 생물이 적응한 결과이다.

➡ 청색광이 주로 도달하는 깊은 바다에는 홍조류가 분포하고 적색광이 주로 도달하는 얕은 바다에는 녹조류가 분포한다.

09 | 선택지 분석 |

ㄱ. 장일 식물은 봄과 초여름에 꽃을 피우고, 단일 식물은 가을에 꽃을 피운다.

➡ 일조 시간은 식물의 꽃눈 형성과 관계가 있다.

ㄴ. 더운 지방에 사는 사막여우는 몸집이 작고 몸의 말단부가 크게 발달하였지만, 추운 지방에 사는 북극여우는 몸집이 크고 몸의 말단부가 작다.

➡ 온도에 적응한 생물의 사례이다.

ㄷ. 동물성 플랑크톤이나 크릴새우는 낮에는 수면 아래로 내려가고 밤에는 수면으로 올라오는 일주 현상을 나타낸다.

➡ 동물성 플랑크톤이나 크릴새우의 일주 현상은 일조 시간에 따른 광주기성이다.

10 (가)는 산소가 부족한 고산 지대에 사는 사람들의 적응 사례이고, (나)는 토양의 특성에 따라 생물들이 영향을 받는 사례이다.

11 선인장은 물이 부족한 환경에서 적응한 생물이다.

| 선택지 분석 |

ㄱ. 낙엽수는 겨울 동안 잎을 떨어뜨린다.

➡ 추운 온도에 적응한 생물의 사례이다.

ㄴ. 연잎은 물에 젖지 않는 구조가 발달하였다.

➡ 물에 적응한 식물의 사례이다.

ㄷ. 조류의 알에는 단단한 껍질이 있어 수분 증발을 막는다.

➡ 건조한 육지 환경에 적응한 조류의 적응 사례로 영향을 미친 환경 요인은 물이다.

도전! 실력 올리기 228쪽~229쪽

01 ② **02** ④ **03** ① **04** ⑤ **05** ② **06** ②

07 | 모범 답안 | (가)는 ㉠에 해당한다. 온도가 낮아져 생물적 요인인 식물이 영향을 받은 것이기 때문이다. (나)는 ㉡에 해당한다. 숲에 있는 식물들로 인하여 비생물적 요인인 빛의 양이 변하였기 때문이다. **08** 작용, 온도

01 ㉠은 작용, ㉡은 반작용이다.

| 선택지 분석 |

✗ A는 군집으로 ~~생물적 요인과 비생물적 요인을 모두~~ 생물적 요인을 포함한다.

➡ A는 군집으로 여러 생물들의 개체군으로 이루어진다.

ㄴ ㉠은 작용으로 '비옥한 토양에서 식물이 잘 자라는 것'을 예로 들 수 있다.

➡ 작용은 비생물적 요인이 생물적 요인에게 영향을 미치는 것으로 토양에 의해 식물이 영향을 받는 것은 작용에 해당한다.

✗ ㉡은 ~~상호 작용~~ 반작용으로 '낙엽이 쌓이면 토양이 비옥해지는 현상'을 예로 들 수 있다.

➡ ㉡은 생물적 요인이 비생물적 요인에게 영향을 미치는 반작용이며, 낙엽이 토양에 영향을 미치는 것은 반작용의 예이다.

02 A, B, C는 모두 작용의 예이며, A는 빛의 세기, B는 물, C는 일조 시간에 적응한 생물들의 특징이다.

| 선택지 분석 |

✗ A는 작용, B는 ~~반작용~~ 작용의 예이다.

➡ 작용은 비생물적 요인이 생물적 요인에게 영향을 미치는 현상이다.

ㄴ A와 C는 모두 빛에 적응한 생물의 예이다.

➡ A는 빛의 세기, C는 일조 시간에 의해 생물이 영향을 받은 것이다.

ㄷ B는 물에 적응한 생물의 예이고, C는 빛이 생식 시기에 영향을 미친 것이다.

➡ 일조 시간은 빛이 내리 쬐는 시간이다.

03 | 선택지 분석 |

ㄱ A, B, C는 서로 다른 종의 생물들이다.

➡ 같은 종의 개체들이 모여 개체군을 형성하므로 개체군이 다르면 서로 다른 종에 속하는 생물이다.

✗ 동일한 지역에서 생활하는 A, B, C 개체군들의 집합을 ~~생태계~~ 군집라고 한다.

✗ 빛의 세기에 따라 식물 잎의 두께가 달라지는 것은 ~~(가)~~ 작용의 예이며, 숲이 우거질수록 지표면에 도달하는 빛의 세기가 약해지는 것은 ~~(나)~~ 반작용의 예이다.

➡ (가)와 (나)는 모두 상호 작용의 예이다.

04 | 선택지 분석 |

✗ 몸집이 작고 몸의 말단부가 크게 발달할수록 몸의 열이 쉽게 빠져 ~~나가지 못한다.~~ 나간다.

➡ 몸의 말단부가 크면 열을 빠르게 방출하기에 적합하다.

ㄴ 추운 지방에 사는 동물일수록 몸통은 점점 커지고 말단부는 점점 작아지는 경향이 있다.

➡ 베르그만의 법칙은 추운 지방일수록 동물의 몸통이 커지는 경향이 있다는 것이고, 알렌의 법칙은 추운 지방일수록 동물의 말단부가 작아진다는 것이다.

ㄷ 낙엽수가 가을이 오면 잎을 떨어뜨리는 현상도 위와 같은 환경 요인에 적응한 사례이다.

➡ 기온이 내려감에 따른 식물의 적응 사례이다.

05 ㉠은 양지 식물, ㉡은 음지 식물, A와 B는 보상점, C와 D는 광포화점이다.

| 선택지 분석 |

✗ 빛의 세기가 A, B일 때 ㉠과 ㉡ 식물 모두 광합성을 ~~하지 않는다.~~ 한다.

➡ A와 B는 호흡량과 광합성량이 동일한 빛의 세기이므로 두 식물 모두 광합성을 한다.

ㄴ 빛의 세기가 C와 D일 때 ㉡ 식물의 광합성량은 모두 동일한 값을 나타낸다.

➡ C와 D는 광포화점으로 광포화점은 광합성량이 더 이상 증가하지 않는 최소한의 빛의 세기이다.

✗ 식물 ㉠과 ㉡이 빛의 ~~파장~~ 세기에 적응한 결과이다.

➡ 양지 식물은 강한 빛의 세기에, 음지 식물은 약한 빛의 세기에 각각 적응한 것이다.

06 | 선택지 분석 |

✗ 호랑나비의 계절형으로 (가)는 ~~여름형~~ 봄형, (나)는 ~~봄형~~ 여름형이다.

ㄴ (가)와 (나)의 크기와 색깔에 차이가 나는 주된 까닭은 번데기 시절의 온도 때문이다.

➡ 번데기 시절의 온도는 봄에 태어난 호랑나비보다 여름에 태어난 호랑나비가 높아 여름형의 호랑나비는 봄형보다 진한 색을 띠고 크기도 크다.

✗ 위와 같은 환경 요인의 영향을 받은 생물의 예는 '바다 깊이에 따라 해조류의 분포가 다른 것'을 들 수 있다.

➡ 바다 깊이에 따른 해조류의 분포에 영향을 미친 환경 요인은 빛의 파장이고, 호랑나비의 계절형은 온도의 영향을 받은 것이다.

07 환경이 생물에 영향을 미치는 것은 작용, 생물이 환경에 영향을 미치는 것은 반작용, 생물끼리 영향을 미치는 것은 상호 작용이다.

채점 기준	배점
(가)는 ㉠에 해당하며 온도의 영향을 받은 것이고, (나)는 ㉡에 해당하며 생물에 의해 환경 요인인 빛의 양이 영향을 받은 것이라는 내용을 모두 옳게 서술한 경우	100 %
(가)는 ㉠에 해당하며 온도의 영향을 받은 것과 (나)는 ㉡에 해당하며 생물에 의해 환경 요인인 빛의 양이 영향을 받은 것 둘 중 1가지만을 옳게 서술한 경우	60 %
(가)는 ㉠에 해당하며, (나)는 ㉡에 해당한다는 것만 옳게 쓴 경우	30 %

08 비생물적 요소인 온도가 생물인 뽕나무에게 영향을 미친 것으로 뽕나무가 추운 겨울에 살아 남기 위해 삼투압을 높이는 적응을 한 것이다.

02 개체군

탐구 POOL 234쪽

01 생장 곡선 02 환경 저항

01 개체군에 속하는 개체 수가 시간이 지날수록 증가하는 것을 개체군의 생장이라고 한다.

02 환경 저항이 클수록 개체군의 크기가 작아진다.

콕콕! 개념 확인하기 235쪽

✔ 잠깐 확인!

1 밀도 2 생장 곡선 3 생존 곡선 4 연령 5 텃세 6 순위제 7 리더제

01 (1) ○ (2) × (3) ○ (4) × 02 환경 수용력 03 ㉠ 증가 ㉡ 감소 ㉢ 감소 04 (1) – ㉡ (2) – ㉠

02 실제의 생장 곡선에서 개체군의 크기는 환경 수용력까지 증가하는데, 이는 환경 저항 때문이다.

03 돌말은 개체군의 크기가 1년을 주기로 변하는데, 봄과 가을에는 개체 수가 늘어나고 여름과 겨울에는 개체 수가 줄어든다.

탄탄! 내신 다지기 236쪽~237쪽

01 ① 02 ⑤ 03 ② 04 ③ 05 ④ 06 ③ 07 ② 08 ⑤ 09 가족생활

01 | 선택지 분석 |

① 일정 지역에서 함께 생활하는 같은 종에 속하는 개체들의 집단이다.
➡ 개체는 생물 하나하나를 말하며, 이들이 모인 개체들의 집단은 동일한 종으로 구성되며 개체군에 해당한다.

② 한 서식지에서 생활하며 역할에 따라 생산자, 소비자, 분해자로 구분된다.
➡ 한 서식지에서 생활하며 역할에 따라 생산자, 소비자, 분해자로 구분되는 것은 군집이다.

③ 개체군에 속하는 개체 수의 시간에 따른 크기를 그래프로 나타낸 것을 ~~생존 곡선~~(생장 곡선)이라고 한다.

④ 개체군의 단위 면적당 개체 수를 개체군의 밀도라 하며 개체군의 밀도는 이입에 의해 ~~감소~~(증가)하고 이출에 의해 ~~증가~~(감소)한다.

⑤ 같은 시기에 태어난 개체들이 시간이 지남에 따라 얼마나 살아남았는지를 그래프로 나타낸 것이 개체군의 ~~생태 곡선~~(생존 곡선)이다.

02 | 선택지 분석 |

① 개체군 밀도가 낮아지면 개체 사이에 먹이나 서식지에 대한 종내 경쟁이 ~~증가~~(감소)한다.

② 개체군의 크기가 정상적으로 유지되기 위해서는 개체군의 밀도가 낮을수록 더 유리하다.
➡ 개체군의 밀도가 너무 높거나 낮아서는 개체군의 크기가 정상적으로 유지되기 어려우므로 개체군의 밀도는 적정선을 유지해야 한다.

③ 개체군의 밀도는 출생과 사망에 의해서만 영향을 받고 환경 요인은 개체군의 밀도 변화에 영향을 주지 않는다.
➡ 개체군의 밀도는 출생, 사망, 환경 요인 등의 영향을 받는다.

④ 개체군 내 환경 저항이 커지게 되면 생장 곡선에는 영향을 미치지만 개체군의 밀도에는 영향을 미치지 않는다.
➡ 개체군 내 환경 저항이 커지면 개체군의 밀도가 감소한다.

⑤ 개체군 밀도에 가장 큰 영향을 미치는 요인은 개체군의 출생률과 사망률이며, 출생률이 클수록 개체군의 밀도가 증가한다.
➡ 개체군의 밀도는 단위 면적당의 개체 수이므로, 출생률이 클수록 개체 수가 증가한다.

03 | 자료 분석 |

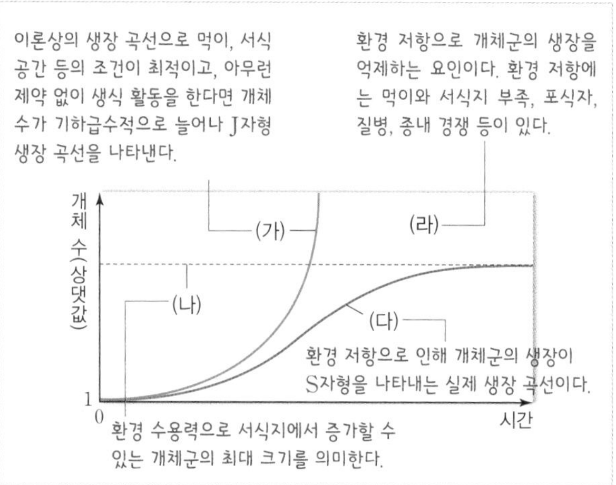

이론상의 생장 곡선으로 먹이, 서식 공간 등의 조건이 최적이고, 아무런 제약 없이 생식 활동을 한다면 개체 수가 기하급수적으로 늘어나 J자형 생장 곡선을 나타낸다.

환경 저항으로 개체군의 생장을 억제하는 요인이다. 환경 저항에는 먹이와 서식지 부족, 포식자, 질병, 종내 경쟁 등이 있다.

개체 수(상댓값)
(가)
(라)
(나)
(다)
1
0
시간

환경 저항으로 인해 개체군의 생장이 S자형을 나타내는 실제 생장 곡선이다.

환경 수용력으로 서식지에서 증가할 수 있는 개체군의 최대 크기를 의미한다.

| 선택지 분석 |

① 이 그래프는 개체군의 ~~생존 곡선~~(생장 곡선)이다.

② (가)는 환경 저항이 없을 경우에 나타나는 개체군의 크기 변화이다.
➡ (가)는 이론상의 생장 곡선으로 환경 저항이 없는 경우에 나타나는 생장 곡선이다.

③ (나)는 ~~이론상의 생장 곡선~~(환경 수용력)으로 한 서식지에서 나타나는 개체군의 최대 크기이다.

④ (다)를 통해 연령에 따른 개체군의 사망률의 변화를 전체적으로 파악할 수 있다.

➡ 연령에 따른 개체군의 사망률의 변화는 생존 곡선을 통해 파악할 수 있다.

⑤ (라)는 ~~환경 수용력~~(환경 저항)으로 개체군의 생장을 억제시키는 요인에 해당한다.

04 그림은 Ⅲ형의 생존 곡선으로 초기에는 사망률이 높지만 그 후에는 살아남은 적은 수의 개체들이 수명을 다하는 개체군에서 나타난다.

| 선택지 분석 |

✗ㄱ. 동시에 출생한 개체들이 얼마나 많은 자손을 낳았는지를 알려준다.

➡ 생존 곡선을 통해 연령에 따른 개체군의 사망률의 변화를 파악할 수 있다.

✗ㄴ. 이 개체군에 속하는 개체들은 어릴 때부터 많은 보살핌을 받았다.

➡ 많은 수의 자손을 낳지만 자손을 잘 돌보지 않는 개체군에서 나타나는 생존 곡선이다.

ⓒ 이 개체군이 유지되기 위해서는 많은 수의 자손을 낳아야 함을 알 수 있다.

➡ 초기 사망률이 높은 개체군이므로 많은 수의 자손을 낳아야 개체군이 유지된다.

05 **| 자료 분석 |**

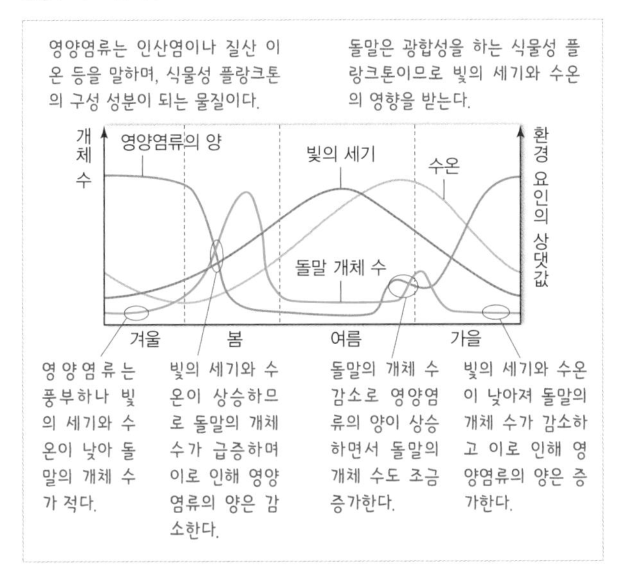

돌말 개체 수의 단기적 변동으로 영양염류, 수온, 빛의 세기 등의 영향을 받는다.

| 선택지 분석 |

① 돌말 개체 수의 ~~장기적~~(단기적) 변동을 나타낸 것이다.

② 돌말 개체 수에 영향을 미치는 요인은 영양염류의 양뿐이다.

➡ 돌말 개체 수는 영양염류, 수온, 빛의 세기 등의 영향을 받는다.

③ 빛의 세기와 수온이 감소되면 돌말 개체군의 크기는 점점 ~~증가~~(감소)한다.

✓④ 봄과 가을에는 돌말의 개체 수가 늘어나고 여름과 겨울에는 개체 수가 줄어드는 경향을 나타낸다.

➡ 봄에는 빛의 세기와 수온의 증가로 돌말 개체군의 크기가 크게 증가하고, 가을에는 영양염류에 의해 돌말 개체군의 크기가 약간 증가한다. 여름에는 영양염류의 감소, 가을 이후에는 빛의 세기와 수온의 감소로 돌말 개체군의 크기가 감소한다.

⑤ 봄에 돌말 개체군의 크기가 크게 증가하는 까닭은 영양염류가 ~~부족~~(풍부)한 상태에서 빛의 세기와 수온이 증가하기 때문이다.

06 **| 선택지 분석 |**

✗ㄱ. 눈신토끼는 ~~포식자~~(피식자)에, 스라소니는 ~~피식자~~(포식자)에 해당한다.

✗ㄴ. 스라소니의 개체 수가 눈신토끼의 개체 수보다 항상 많다.

➡ 항상 눈신토끼의 개체 수가 스라소니의 개체 수보다 많다.

ⓒ 스라소니의 개체 수가 너무 많아지면 눈신토끼의 개체 수가 감소하고 곧이어 스라소니의 개체 수도 감소하는 주기적인 변동이 나타난다.

➡ 스라소니는 포식자이므로 포식자의 개체 수가 많아지면 먹이가 되는 피식자의 개체 수는 감소한다.

07 **| 선택지 분석 |**

ⓖ 개체군 내 경쟁이 심할수록 개체군 유지가 어려워지고 다른 개체군과의 경쟁에서도 불리해진다.

➡ 종내 경쟁이 심해지면 천적의 공격을 받거나 질병에 걸릴 위험성이 증가한다.

ⓛ 개체군 내에서는 불필요한 경쟁을 피하고 질서를 유지하기 위해 사회생활 등 다양한 상호 작용이 일어난다.

➡ 종내 경쟁이 심해지면 개체군의 유지가 어려워지기 때문에 이를 피하기 위해 다양한 상호 작용이 일어난다.

✗ㄷ. 개체군의 밀도가 증가함에 따라 개체들은 먹이, 서식지 공간, 배우자 등을 차지하기 위한 ~~종간~~(종내) 경쟁이 치열해진다.

➡ 종내 경쟁은 개체군 내에서 먹이, 배우자, 공간 등을 차지하려는 경쟁이고, 종간 경쟁은 군집 내 서로 다른 종들 사이에서 생태적 지위가 겹칠 때 나타나는 경쟁이다.

08 **| 선택지 분석 |**

① (가)는 ~~가족생활~~(사회생활), (나)는 텃세이다.

② (가)의 개체군 사이에 힘의 서열에 따른 순위가 ~~있다~~(없다).

➡ 순위제에 대한 설명이다.

③ (나)의 개체군 중에서 가장 영리한 개체가 리더가 된다.

➡ 리더제에 대한 설명이다.

④ (가)와 (나)는 동일한 개체군 내에서 동시에 ~~일어나기도 한다.~~ 일어나지 않는다.

➡ (가)와 (나)는 서로 다른 개체군 내에서 일어난다.

⑤ (가)의 개체군에 속한 개체의 경우 개체군에서 벗어나면 독자적인 생존이 어렵다.

➡ 사회생활을 하는 개체들의 몸 구조나 습성은 자신이 맡은 일만 수행할 수 있도록 분화되어 있어 개체군에서 벗어나면 독자적인 생존이 어렵다.

09 가족생활은 먹이를 공유하고 어린 개체를 효과적으로 키울 수 있어 개체군을 유지하는 데 도움이 된다.

도전! 실력 올리기

238쪽~239쪽

01 ③ **02** ② **03** ② **04** ③ **05** ① **06** ⑤

07 | **모범 답안** | 영양염류가 충분하고 빛의 세기와 수온이 증가하므로 돌말 개체군의 크기가 크게 증가할 것이다.

08 텃세 **09** (1) 환경 수용력 (2) | **모범 답안** | t_1 이후 개체 수의 증가로 서식 공간과 먹이 등의 자원에 대한 경쟁이 심해지고, 노폐물이 축적되는 등 환경 저항이 심해지기 때문이다.

01 먹이의 양이 달라 환경 저항의 크기에 차이가 나는 경우 개체군의 생장 곡선을 구분할 수 있어야 한다.

| 선택지 분석 |

✕ ㉠은 ~~B~~ A, ㉡은 ~~A~~ B의 효모 배양액의 결과이다.

✕ ㉠은 ~~이론적~~ 실제 생장 곡선, ㉡은 실제 생장 곡선이다.

㉢ A보다 B의 효모 배양액에 있는 개체군에서 환경 저항이 더 크다.

➡ 환경 저항이 클수록 개체군의 생장이 억제된다.

02 | 선택지 분석 |

✕ A는 환경 저항으로 t_1보다 t_2일 때가 ~~작다.~~ 크다.

➡ 이론상의 생장 곡선과 실제의 생장 곡선의 차이가 심할수록 환경 저항은 크다.

㉡ 개체군의 실제 크기 변화량은 t_1보다 t_2일 때가 작다.

➡ t_1에서는 개체 수가 계속하여 증가하지만 t_2에서는 개체 수의 증가가 거의 없다.

✕ A는 서식지에서 증가할 수 있는 개체군의 최대 크기이다.

➡ A는 환경 저항이며, 서식지에서 증가할 수 있는 개체군의 최대 크기는 환경 수용력이다.

03 생존 곡선은 같은 시기에 태어난 개체들이 시간이 지남에 따라 얼마나 살아남았는지를 나타낸 것으로 A의 생존 곡선은 Ⅱ형에 해당하며 일정한 사망률을 나타낸다.

04 (가)는 발전형, (나)는 안정형, (다)는 쇠퇴형이다.

| 선택지 분석 |

✕ ~~A~~ C는 생식 전 연령층, B는 생식 연령층, ~~C~~ A는 생식 후 연령층이다.

✕ (가)와 (나)는 앞으로 개체군의 크기가 점점 커질 것으로 예상된다.

➡ (나)는 안정형으로 개체군의 크기 변화가 거의 없다.

㉢ (다)는 쇠퇴형으로 생식 전 연령층의 개체 수가 생식 연령층의 개체 수보다 적다.

➡ (다)는 생식 전 연령층의 개체 수가 생식 연령층의 개체 수보다 적어 개체군의 크기가 점점 작아진다.

05 클레오메 개체군은 초기에 사망률이 높아 생존 개체 수가 급격히 하강하는 Ⅲ형의 생존 곡선을 나타낸다.

| 선택지 분석 |

㉠ 어류, 굴 등과 같이 Ⅲ형의 생존 곡선을 나타내는 개체군이다.

➡ 어류나 굴도 초기 사망률이 높은 Ⅲ형의 생존 곡선을 나타낸다.

✕ 연령대별 사망률이 일정한 개체군으로 앞으로 개체군의 크기는 점점 커질 것이다.

➡ 개체군의 크기 변화는 연령 피라미드를 통해 파악할 수 있다.

✕ 비교적 적은 수의 자손을 낳아 양육을 잘 하며 생리적인 수명을 다하는 개체군이다.

➡ Ⅰ형의 생존 곡선을 나타내는 개체군의 특징이다.

06 그림은 은어의 텃세와 각 개체의 세력권을 나타낸 것이다. 정해진 순위에 따라 먹이나 서식 장소가 정해지는 것은 순위제이다.

07 영양염류의 양이 풍부하고 빛의 세기와 수온이 증가하면 돌말의 개체 수는 증가한다.

채점 기준	배점
개체군 크기 변화와 까닭을 모두 옳게 서술한 경우	100 %
개체군 크기 변화나 까닭 중 1가지만 옳게 서술한 경우	50 %

08 텃세는 개체를 분산시켜 개체군 밀도를 조절하고 불필요한 경쟁을 피하게 한다.

09 (1) 개체군의 크기는 환경 수용력 이상으로는 증가하지 않는다.

(2) 환경 저항은 개체군의 생장을 억제하는 요인들이다.

채점 기준	배점
환경 저항을 구체적으로 옳게 서술한 경우	100 %
환경 저항이라고만 간단하게 서술한 경우	30 %

03 군집

탐구 POOL 244쪽

01 우점종 **02** 중요치

01 우점종은 특정 개체군의 상대 밀도, 상대 빈도, 상대 피도를 더한 값인 중요치가 가장 크다.

콕콕! 개념 확인하기 245쪽

✔ 잠깐 확인!

1 군집 **2** 먹이 사슬 **3** 우점종 **4** 층상 구조 **5** 천이
6 극상 **7** 분서

01 (1) ○ (2) ○ (3) × **02** ㉠ 먹이 ㉡ 공간 ㉢ 생태적
03 교목층, 아교목층, 관목층, 초본층, 선태층, 지중층
04 생태 분포 **05** ㉠ 지의류 ㉡ 양수림 ㉢ 음수림
06 (1) – ㉡ (2) – ㉠ (3) – ㉢

03 많은 식물 개체군으로 구성된 군집은 수직적인 몇 개의 층으로 구분되는데 이를 층상 구조라고 한다.

04 지역에 따라 온도나 강수량이 거의 정해져 있어 각 지역에는 이러한 환경 조건에 알맞은 식물이나 동물이 분포하고 있는데 이를 생태 분포라고 한다.

05 건성 천이의 개척자는 지의류이며, 천이가 진행하여 극상에 이르면 음수림이 우점종이다.

탄탄! 내신 다지기 246쪽~247쪽

01 ② **02** ④ **03** ② **04** ③ **05** ⑤ **06** ④ **07** ①
08 ㉠ 건성 ㉡ 습성 ㉢ 지의류 ㉣ 이끼류 **09** ㄱ, ㄷ **10** ③
11 ②

01 | 선택지 분석 |

① 군집은 한 지역에 서식하며, 한 종으로만 이루어진 생물들의 집합이다.
➡ 군집은 여러 개체군들의 집합이다.

② 군집을 이루는 개체군들은 역할에 따라 생산자, 소비자, 분해자로 구성된다.
➡ 광합성으로 유기물을 합성하는 생물은 생산자, 식물이나 동물을 먹이로 하는 생물은 소비자, 유기물을 분해하는 생물은 분해자이다.

③ 군집을 구성하는 개체군이 먹이 사슬에서 차지하는 위치를 공간 지위라고 한다.

④ 군집 내 먹이 그물에서 1차 소비자이면서 2차 소비자가 되는 경우는 절대 없다.
➡ 사람은 식물을 먹는 1차 소비자이면서 동시에 소를 먹는 2차 소비자이다.

⑤ 군집 내 생물들 사이에 먹고 먹히는 관계가 나타나는데 이 관계가 단순할수록 생태계가 잘 유지된다.

02 A와 B는 다른 개체군이므로 다른 종으로, 생태적 지위가 일부 겹친다.

| 선택지 분석 |

① A와 B는 같은 종의 생물들이다.

② A의 공간 지위는 ⓐ~ⓑ이고, B의 공간 지위는 ⓒ~ⓓ이다.

③ A의 먹이 지위는 ㉠~㉡이고, B의 먹이 지위는 ㉢~㉣이다.

④ 먹이 범위와 서식하는 공간 범위는 각각 먹이 지위와 공간 지위를 의미하며 이 둘을 합쳐 생태적 지위라고 한다.
➡ 개체군이 먹이 사슬에서 차지하는 위치는 먹이 지위이고, 어떤 공간을 점유하고 있는가는 공간 지위에 해당한다.

⑤ A와 B는 서로 영향을 미치지 않는 개체군으로 한 지역에서 함께 서식하여도 각자의 개체군은 단독으로 서식할 때와 동일하게 개체군의 크기가 증가한다.
➡ A와 B는 생태적 지위가 일부 겹치므로 단독으로 서식할 때보다 함께 서식할 때 경쟁에 의해 개체군의 크기가 다소 감소한다.

03 | 선택지 분석 |

① 개체 수가 가장 적은 개체군을 우점종이라고 한다.

② 떡갈나무 숲에서 환경에 가장 큰 영향을 미치며 중요치가 가장 높은 종은 떡갈나무이다.
➡ 중요치가 가장 높은 종은 군집을 대표하는 개체군으로, 환경에 가장 큰 영향을 미치며 군집의 겉모습을 결정하는 경우가 많다.

③ 군집에서 가장 개체 수가 많고, 차지하는 공간이 커서 가장 큰 비중을 차지하는 개체군을 지표종이라고 한다.

④ 개체 수는 적지만 군집의 구조에 큰 영향을 미치는 개체군을 희귀종이라고 하며 주로 상위 포식자가 이에 해당한다.

⑤ 이산화 황의 오염 정도를 예측할 수 있는 지의류나 고산 지대에 서식하여 고도 등을 예측할 수 있는 에델바이스는 대표적인 핵심종이다.

04 | 선택지 분석 |

ㄱ. 상록 활엽수림 ➡ 아열대와 난대 지방의 삼림
ㄴ. 열대 우림 ➡ 열대 지방의 삼림
ㄷ. 침엽수림 ➡ 한대 지방의 삼림
ㄹ. 툰드라 ➡ 한대에 발달하는 사막

05 많은 식물 개체군으로 구성된 군집은 수직적인 몇 개의 층으로 구성되는데, 이를 층상 구조라고 한다. 층상 구조에서는 각 층마다 빛의 세기와 양, 온도, 습도 등의 환경이 서로 다르다.

선택지 분석

① 군집에서 수평적인 몇 개의 층을 층상 구조라고 한다.

② 층상 구조 중 지중층에서 광합성 작용이 가장 활발하게 일어난다.

➡ 교목층에 도달하는 빛의 세기가 가장 강하므로 교목층의 광합성 작용이 가장 활발하다.

③ 층상 구조가 잘 발달된 군집일수록 특정 생물만 서식할 수 있어 생태계 유지가 더 어렵다.

➡ 층상 구조는 다양한 동물에게 서식지를 제공하므로 층상 구조가 발달한 군집일수록 다양한 종의 생물들이 서식하여 생태계가 안정적으로 유지된다.

④ 층상 구조는 각 층에 주로 서식하는 생물의 종만 다를 뿐 빛의 세기와 양, 온도 등의 환경은 동일하다.

➡ 층상 구조는 식물이 햇빛을 최대한 활용할 수 있도록 구성되어 있으며 각 층의 환경 요인이 서로 달라 층마다 다른 종의 생물들이 서식할 수 있다.

⑤ 층상 구조의 발달은 동물에게 다양한 서식 환경을 제공하며 한정된 공간에 많은 개체군을 수용할 수 있다.

➡ 층상 구조의 위쪽에는 주로 조류와 곤충류가, 아래쪽으로 갈수록 이끼류와 균류, 일부 곤충류가 주로 서식한다.

06 생태 분포는 수평 분포와 수직 분포가 있는데 그림은 수평 분포의 모습이다.

선택지 분석

① 고도에 따른 식물 종의 분포이다.

➡ 수직 분포에 해당한다.

② 위도가 낮을수록 온도가 낮아 식물 종이 단순하다.

➡ 위도가 낮을수록 온도가 높고 식물 종이 다양하다.

③ 강수량의 영향만을 받아 구성된 식물 종의 분포이다.

➡ 수평 분포는 기온과 강수량의 영향을 받는다.

④ 위도에 따라 기온과 강수량이 달라져 특성이 다른 군집이 분포한다.

➡ 저위도에는 열대 우림, 열대 초원, 열대 사막이, 중위도에는 낙엽수림, 온대 초원, 온대 사막이, 고위도에는 침엽수림, 극지방에는 툰드라가 분포한다.

⑤ 주로 온도의 영향을 받은 식물 군집의 분포로 가장 위쪽은 바람의 영향이 가장 크다.

➡ 수직 분포의 특성이다.

07 **선택지 분석**

① 생명체가 없고, 토양이 발달되지 않은 곳에서 시작하는 천이는 2차 천이이다.

② 지의류는 건성 천이의 개척자로 바위 표면을 부식시켜 풍화 작용을 촉진시킨다.

➡ 지의류는 조류와 균류의 공생체로 1차 천이 중 건성 천이의 개척자이다.

③ 식물 생장에 필요한 토양의 형성은 천이의 속도를 결정하는 데 매우 중요한 요소가 된다.

➡ 토양은 암석의 풍화 산물에 유기물이 섞인 것을 말하며, 식물 생장에 꼭 필요하다.

④ 오랜 세월에 걸쳐 생물 군집의 종 구성이나 특성이 서서히 달라지는 현상을 천이라고 한다.

➡ 천이는 토양의 성질, 기후 등과 같은 환경에 따라 다르게 진행된다.

⑤ 습성 천이는 빈영양호에 유기물과 퇴적물이 쌓여 형성된 습지에 이끼류가 들어오면서 시작된다.

➡ 습성 천이 과정: 빈영양호 → 부영양호 → 습원 형성 → 초원 → 관목림 → 양수림 → 혼합림 → 음수림(극상)

08 천이에는 1차 천이와 2차 천이가 있으며, 1차 천이는 건성 천이와 습성 천이로 구분된다.

09 **선택지 분석**

ㄱ. 기존에 남아 있던 토양에서 시작하는 천이이다.

➡ 2차 천이의 특성이다.

ㄴ. 대부분 초본이 개척자가 되며, 1차 천이에 비해 천이의 진행 속도가 느리다.

➡ 토양이 이미 형성되어 있는 곳에서 살아남은 종자와 식물의 뿌리 부분 등이 다시 번성하므로 1차 천이에 비해 천이의 진행 속도가 빠르다.

ㄷ. 화재, 홍수, 벌목, 산사태 등으로 생물 군집이 파괴된 후 다시 시작하는 천이이다.

➡ 2차 천이는 화재, 홍수, 벌목, 산사태 등으로 생물 군집이 파괴된 후 기존에 남아 있던 토양에서 시작하는 천이이다.

10 군집 내 상호 작용은 개체군 간의 상호 작용으로 종간 경쟁, 분서, 공생, 기생, 포식과 피식이 있다.

11 A와 B는 생태적 지위가 많이 겹쳐 경쟁이 심하게 일어나 한 종이 도태된 것이다.

선택지 분석

① A와 B는 공생 관계이다.

➡ A와 B는 경쟁 관계이다.

② 경쟁·배타 원리가 적용되었다.

➡ 경쟁·배타 원리는 두 개체군 사이에서 심한 경쟁이 발생하여 한 개의 개체군이 도태되어 완전히 사라지는 현상이다.

③ A와 B는 상리 공생 관계이다.

➡ 상리 공생은 두 개체군 모두가 이익을 얻는 경우에 해당한다.

④ A는 포식자, B는 피식자의 관계이다.

➡ 포식과 피식은 먹고 먹히는 관계이다.

⑤ A는 B를 피해 먹이를 다른 것으로 바꾸었다.

➡ 먹이를 달리하는 것은 분서 중 먹이 분리에 해당한다.

도전! 실력 올리기 248쪽~249쪽

01 ② 02 ④ 03 ③ 04 ① 05 ② 06 ⑤

07 | 모범 답안 | 종 A의 상대 밀도 $= \frac{10}{27} \times 100 = 37(\%)$

종 A의 상대 피도 $= \frac{40}{66} \times 100 = 61(\%)$

종 B의 상대 밀도 $= \frac{9}{27} \times 100 = 33(\%)$

종 B의 상대 피도 $= \frac{18}{66} \times 100 = 27(\%)$

08 | 모범 답안 | (1) A와 B의 생태적 지위가 겹쳐 심한 경쟁으로 인한 경쟁·배타 원리가 적용되었기 때문이다.
(2) A와 C가 상리 공생 관계이므로 C로 인해 A의 개체 수가 빠르게 많이 증가하였기 때문이다.

09 | 모범 답안 | 빛의 세기는 점점 감소하고 토양의 수분 함량은 점점 증가한다.

01 | 선택지 분석 |

ㄱ. 먹이 그물로 생산자, 소비자, 분해자를 포함한다.
➡ 먹이 그물에 분해자는 포함되지 않는다.

ㄴ. 도마뱀은 2차 소비자이면서 동시에 3차 소비자이기도 하다.
➡ 도마뱀은 송충이를 먹는 2차 소비자인 동시에 거미를 먹는 3차 소비자이다.

ㄷ. 매의 먹이 지위는 최종 소비자이며, 가장 개체 수가 많아 군집을 대표하는 우점종이다.
➡ 안정된 생태계는 상위 영양 단계로 갈수록 개체 수가 적기 때문에 최종 소비자인 매는 개체 수가 가장 적어 우점종이 될 수 없다.

02 먹이 범위는 먹이 지위에 해당하고 공간 범위는 공간 지위에 해당하며, 먹이 지위와 공간 지위를 합쳐 생태적 지위라고 한다.

| 선택지 분석 |

ㄱ. A, B는 포식과 피식의 관계로 A는 포식자, B는 피식자이다.
➡ A와 B는 생태적 지위가 겹치므로 피식과 포식이 아닌 경쟁 관계에 있다.

ㄴ. A와 C는 생태적 지위가 중복되므로 먹이와 서식지에 관한 경쟁 관계에 있다.
➡ 생태적 지위가 많이 겹칠수록 두 종 사이의 경쟁이 치열하다.

ㄷ. 자연 상태에서 A와 D는 생태적 지위가 중복되지 않으므로 서로 경쟁하지 않는다.
➡ A와 D는 서식지가 분리되어 있어 경쟁이 일어나지 않는다.

03 (가)는 교목층, (나)는 아교목층, (다)는 관목층, (라)는 초본층, (마)는 선태층, (바)는 지중층이다.

| 선택지 분석 |

ㄱ. 빛의 세기는 지표로 갈수록 줄어들어 (라)와 (마)에서는 광합성이 일어나지 않는다.
➡ (라)는 초본층, (마)는 선태층이므로 광합성이 일어난다.

ㄴ. (바)는 부식질이 풍부한 지중층에 해당하며, 생물이 전혀 살고 있지 않은 층이다.
➡ (바)에는 지렁이와 세균을 포함한 미생물들이 많이 서식하고 있다.

ㄷ. (가)~(다) 중에서 광합성이 가장 활발하게 일어나는 곳은 빛의 세기가 가장 강한 (가)이다.
➡ 교목층에 가장 강한 빛이 도달하므로 광합성이 가장 활발하게 일어난다.

04 | 선택지 분석 |

ㄱ. (가)는 생태적 지위가 많이 겹치는 개체군 사이에서 일어나는 상호 작용이다.
➡ (가)는 경쟁이므로 생태적 지위가 많이 겹치는 개체군 사이에서 일어난다.

ㄴ. (나)는 피식과 포식의 관계로 A는 ~~피식자~~(포식자), B는 ~~포식자~~(피식자)에 각각 해당한다.

ㄷ. (다)는 A와 B가 함께 서식하는 공간에서 개체군 B가 완전히 도태되어 사라지는 관계이다.
➡ (다)는 편리 공생이며, 두 개체군이 함께 서식하다 한 개체군이 완전히 도태되어 사라지는 것은 경쟁·배타 원리이다.

더 알아보기 개체군 간의 상호 작용

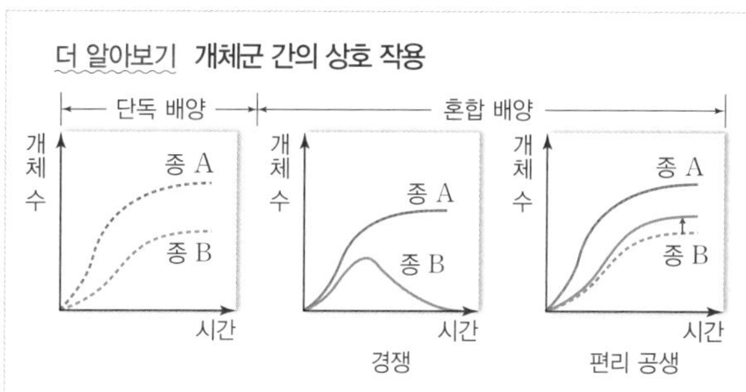

• **경쟁:** 먹이나 서식지 등을 차지하기 위한 상호 작용
• **편리 공생:** 한 쪽은 이익, 다른 쪽은 이익도 손해도 없는 경우

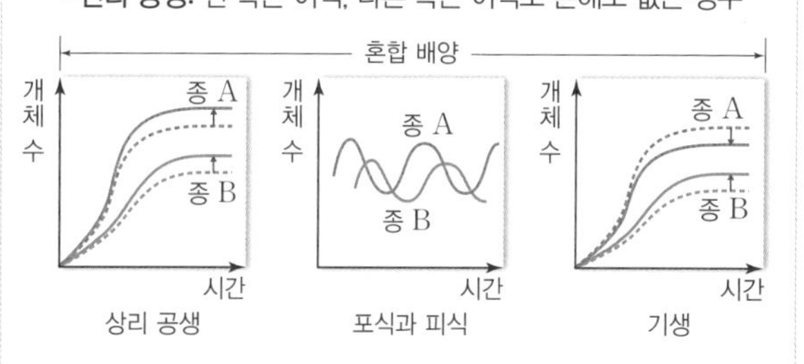

• **상리 공생:** 두 개체군 모두 이익인 경우
• **포식과 피식:** 먹고 먹히는 관계
• **기생:** 한쪽 생물이 다른 생물에 붙어살며 해를 주는 관계

05 A는 우점종으로 중요치가 가장 높은 종이다.

| 선택지 분석 |

ㄱ. A는 특정 군집에서만 발견되어 그 군집의 특성을 보여 주는 종이다.
➡ 지표종에 대한 설명이다.

ㄴ. A의 중요치를 파악하기 위해 방형구법으로 식물 군집을 조사해야 한다.
➡ 방형구는 군집 조사에 이용하는 정사각형이나 직사각형 모양의 표본을 말한다.

~~ㄷ~~. 방형구 안에 나타나는 밀도, 빈도, 피도를 모두 합한 것이 중요치이다.
➡ 중요치는 상대 밀도, 상대 빈도, 상대 피도를 모두 합한 것이다.

06 그림은 1차 천이 중 습성 천이에 해당한다.

| 선택지 분석 |

~~ㄱ~~. 습성 천이에 해당하며 개척자는 ~~지의류~~(이끼류)이고 음수림에서 극상을 이룬다.

ㄴ. 초원 이후의 천이 과정은 관목림 → 양수림 → 혼합림 → 음수림으로 진행된다.
➡ 초원 이후의 천이 과정은 건성 천이 과정과 동일하다.

ㄷ. 호수는 영양염류가 적어 플랑크톤이 적은 빈영양호에서 영양염류가 많아 플랑크톤이 많은 부영양호로 진행된다.
➡ 습성 천이 과정은 빈영양호 → 부영양호 → 습원 형성 → 초원 → 관목림 → 양수림 → 혼합림 → 음수림이다.

07 밀도$=\dfrac{\text{특정 종의 수}}{\text{전체 방형구의 면적}}$

상대 밀도(%)$=\dfrac{\text{특정 종의 밀도}}{\text{모든 종의 밀도 합}}\times100$

피도$=\dfrac{\text{특정 종이 차지한 면적}}{\text{전체 방형구의 면적}}$

상대 피도(%)$=\dfrac{\text{특정 종의 피도}}{\text{모든 종의 피도 합}}\times100$

종	A	B	C
밀도	$\frac{10}{1}=10$	$\frac{9}{1}=9$	$\frac{8}{1}=8$
상대 밀도(%)	37	33	30
피도	$\frac{10\times4}{1}=40$	$\frac{9\times2}{1}=18$	$\frac{8\times1}{1}=8$
상대 피도(%)	61	27	12

채점 기준	배점
종 A, B의 상대 밀도와 상대 피도를 계산식을 포함하여 모두 옳게 쓴 경우	100 %
종 A, B의 상대 밀도 또는 상대 피도만 계산식을 포함하여 옳게 쓴 경우	50 %
한 종의 상대 밀도 또는 상대 피도만 계산식을 포함하여 옳게 쓴 경우	30 %

08 (1) 생태적 지위가 비슷한 개체군 사이에서는 경쟁이 일어나며, 특히 심한 경쟁으로 한 개체군이 도태되어 완전히 사라지는 현상을 경쟁·배타 원리라고 한다.
(2) 상리 공생은 두 개체군 모두 이익인 경우의 상호 작용이다.

	채점 기준	배점
(1)	경쟁·배타 원리를 언급하며 옳게 서술한 경우	100 %
	단순히 경쟁에서 졌기 때문이라고만 서술한 경우	50 %
(2)	상리 공생 용어를 언급하며 내용을 옳게 서술한 경우	100 %
	상리 공생을 언급하지 않고 내용을 옳게 서술한 경우	50 %

09 천이가 진행될수록 식물 종 수와 개체 수가 점점 많아지게 되고 음수림에서 극상을 이루게 된다.

채점 기준	배점
빛의 세기는 감소하고, 토양의 수분 함량은 증가한다는 내용을 모두 옳게 서술한 경우	100 %
빛의 세기는 감소하고, 토양의 수분 함량은 증가한다는 내용 중 1가지만 옳게 서술한 경우	50 %

04 에너지 흐름과 물질 순환

개념 POOL 254쪽

01 ㉠ 광합성 ㉡ 열 ㉢ 먹이 사슬 ㉣ 빛 또는 태양
02 (1) ○ (2) × (3) × (4) ○ (5) ×

02 탄소는 대기 중의 이산화 탄소의 형태로 바로 생산자에게 흡수되지만, 질소는 질소 고정 작용이나 공중 방전을 거치고 난 뒤 생산자 내로 흡수될 수 있다.

콕콕! 개념 확인하기 255쪽

✔ 잠깐 확인!
1 태양 **2** 에너지 효율 **3** 순생산량 **4** 탄소 **5** 질소 고정 **6** 탈질산화 **7** 평형

01 (1) ○ (2) × (3) ○ **02** ㉠ 에너지 ㉡ 생체량 또는 생물량 또는 현존량 **03** (1) – ㉢ (2) – ㉠ (3) – ㉡ **04** 광합성 **05** 물질 순환 **06** 복잡

02 생태계에서 각 영양 단계의 상대적인 값을 피라미드 모양으로 차례로 쌓아 올린 것이 생태 피라미드이다.

04 생산자의 광합성 과정을 통해 탄소가 무기물에서 유기물로 전환된다.

05 물질은 생산자에 의해 유기물의 형태로 생물체로 유입되어 먹이 사슬을 따라 이동하다가 분해자에 의해 토양이나 대기 중으로 돌아가는 순환이 이루어진다.

06 생태계 평형은 생태계 내 생물 군집의 구성, 개체 수, 물질의 양, 에너지 흐름이 안정된 상태를 유지하는 것으로 주로 먹이 관계에 의해 유지된다.

탄탄! 내신 다지기

256쪽~257쪽

01 ② **02** ① **03** ④ **04** 2200 **05** ① **06** ㉠ 이산화 탄소 ㉡ 광합성 ㉢ 호흡 **07** ③ **08** ⑤ **09** ② **10** ⑤

01 (가)는 빛에너지, (나)는 열에너지, A는 생산자, B는 소비자, C는 분해자이다.

| 선택지 분석 |

① (가)는 태양으로부터 오는 ~~열에너지~~(빛에너지)로 이 생태계가 유지되려면 끊임없이 공급되어야 한다.

② (나)는 여러 생물들의 호흡에 의해 생활 에너지로 쓰인 후에 방출되는 열에너지이다.
➡ 세포 호흡을 통해 유기물을 분해하면 생활에 필요한 에너지와 열에너지가 방출된다.

③ A는 (가)로부터 방출된 에너지의 일부를 유기물의 형태로 합성하는 ~~분해자~~(생산자)이다.
➡ 생산자는 광합성을 통해 무기물로부터 유기물을 합성한다.

④ B는 A로부터 전달받은 에너지를 ~~모두~~(일부) 먹이 사슬을 따라 이동시킴으로써 먹이 사슬을 유지시킨다.
➡ B는 소비자이며, 생산자로부터 받은 에너지 일부는 자신이 생활에 필요한 에너지로 사용하고, 일부만 포식자에게로 전달된다.

⑤ C는 A와 B로부터 사체나 배설물 형태로 에너지를 전달받은 후 다시 A로 전달하여 에너지를 순환시킨다.
➡ 분해자는 사체나 배설물에 포함된 유기물을 분해하여 열에너지 형태로 방출하며 방출된 열에너지는 생태계 밖으로 빠져나가 생태계 내에서는 순환되지 않는다.

02 (가)는 생산자, (나)는 1차 소비자, (다)는 2차 소비자, (라)는 최종 소비자이다.

| 선택지 분석 |

ㄱ. 생체량은 한 지역에 존재하는 개체군이나 군집의 양을 무게로 나타낸 것이다.
➡ 생체량은 생물량, 현존량과 같은 뜻으로, 생장의 결과 현재 한 군집이 가지고 있는 유기물의 총량이다.

ㄴ. 상위 영양 단계로 갈수록 에너지양이 감소하므로 각 영양 단계의 에너지 효율은 ~~감소~~(증가)한다.
➡ 먹이 사슬을 거치면서 상위 영양 단계의 생물들이 사용할 수 있는 에너지양은 점점 감소하지만 에너지 효율은 증가한다.

ㄷ. 생태 피라미드에서 가장 아래에 있는 (가)는 생산자이고, 가장 위쪽에 있는 (라)는 ~~분해자~~(최종 소비자 또는 3차 소비자)이다.

03 | 선택지 분석 |

① 생산자가 일정 기간 동안 광합성으로 생산한 유기물의 총량은 ~~순생산량~~(총생산량)이다.

② 생산자가 ~~순생산량~~(총생산량)의 일부를 호흡으로 소비하는데 그 양을 호흡량이라고 한다.
➡ 생산자의 호흡량은 총생산량의 일부를 생산자가 자신의 생활에 필요한 에너지를 얻기 위해 호흡에 소비한 양이다.

③ 식물 군집의 총생산량에서 호흡량을 제외한 나머지 유기물량을 ~~생장량~~(순생산량)이라고 한다.

④ 순생산량은 생태계에서 소비자나 분해자가 사용할 수 있는 화학 에너지의 양에 해당한다.
➡ 순생산량은 소비자로 전달되는 피식량과 분해자로 전달되는 고사량과 생장량을 모두 합한 값이다.

⑤ 식물 군집의 피식량, 고사·낙엽량, 생장량을 모두 더한 값은 총생산량에서 생산자의 호흡량을 뺀 ~~값보다 항상 크다~~(값과 같다).
➡ 순생산량 = 피식량 + 고사·낙엽량 + 생장량
= 총생산량 − 호흡량

04 호흡량 = 총생산량 − (피식량 + 고사량, 낙엽량 + 생장량)이다.
5000 − (1200 + 100 + 1500) = 2200이 호흡량이다.

05 (가)는 동화량, (나)는 섭식량이다.

| 선택지 분석 |

① (나)는 생산자의 피식량에 해당한다.
➡ 1차 소비자는 생산자를 먹이로 하므로, 생산자의 피식량은 1차 소비자의 섭식량에 해당한다.

② ~~피식량~~(호흡량)은 생활에 필요한 에너지를 얻기 위해 호흡에 소비한 유기물의 양이다.

③ 1차 소비자의 생장에 사용되는 유기물의 양은 생장량과 배출량을 합한 값이다.
➡ 1차 소비자의 생장에 사용되는 유기물의 양은 생장량이다.

④ (가)는 ~~섭식량~~(동화량)으로 (나)에서 소화되지 않고 체외로 배출되는 양을 제외한 양이다.
➡ 소화되지 않고 체외로 배출되는 양은 배출량이며, 섭식량에서 배출량을 제외한 유기물의 양은 동화량이다.

⑤ (가)의 크기는 1차 소비자보다 2차 소비자, 3차 소비자로 영양 단계가 올라갈수록 점점 ~~커진다~~(작아진다).

06 탄소는 이산화 탄소의 형태로 대기 중에 있다가 생산자에 의해 유기물로 전환된 후 먹이 사슬을 따라 이동하다가 생물들의 호흡에 의해 다시 이산화 탄소의 형태로 대기로 돌아간다.

07 | 자료 분석 |

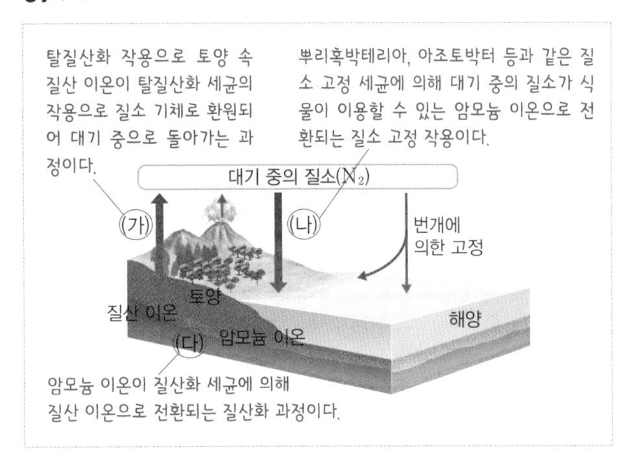

(가)는 탈질산화 과정, (나)는 질소 고정, (다)는 질산화 작용

| 선택지 분석 |

① 대기 중의 질소는 번개에 의한 공중 방전으로만 토양에 공급된다.
➡ 질소 고정과 공중 방전을 통해서 대기 중의 질소가 식물이 이용할 수 있는 질소 화합물로 전환된다.

② (가)는 토양 속 질소 화합물이 질소가 되어 대기 중으로 돌아가는 ~~질산화 과정~~(탈질산화 과정)이다.

③ (나)의 과정에는 뿌리혹박테리아, 아조토박터 등과 같은 미생물들이 작용한다.
➡ 뿌리혹박테리아, 아조토박터 등과 같은 질소 고정 세균은 대기 중의 질소를 식물이 이용할 수 있는 암모늄 이온으로 전환한다.

④ (다)는 토양 속의 질소 화합물이 식물이 쉽게 이용할 수 있는 형태로 변형되는 ~~질소 동화 작용~~(질산화 작용)이다.
➡ (다)는 질산화 작용으로 암모늄 이온이 질산화 세균에 의해 질산 이온으로 전환된다.

⑤ 식물체 내로 흡수된 질소는 ~~광합성~~(질소 동화 작용) 과정에 의해 유기물의 형태로 전환된 후 먹이 사슬을 따라 이동한다.
➡ 암모늄 이온이나 질산 이온은 질소 동화 작용을 통해 핵산, 단백질 등의 질소 화합물 합성에 이용된다.

08 질소 동화 작용은 질소를 무기물인 질소 화합물 형태에서 유기물인 핵산, 단백질 등으로 전환하는 과정이다.

| 선택지 분석 |

① 질소의 순환
➡ 생태계 내에서 질소가 생물과 비생물 사이를 순환하는 과정

② 질산화 작용
➡ 암모늄 이온이 질산화 세균에 의해 질산 이온으로 전환되는 작용

③ 탈질산화 작용
➡ 토양 속 질소 화합물이 탈질산화 세균의 작용으로 질소 기체로 환원되어 대기 중으로 돌아가는 작용

④ 질소 고정 작용
➡ 대기 중의 질소가 식물이 이용할 수 있는 암모늄 이온으로 전환되는 작용

⑤ 질소 동화 작용
➡ 질소를 무기물 형태에서 유기물 형태로 전환하는 작용

09 1차 소비자의 수가 증가하면 1차 소비자의 피식자인 생산자는 감소하고, 포식자인 2차 소비자는 증가한다.

10 사슴의 천적 개체 수가 감소하면 사슴의 개체 수는 급증하지만 생산자인 초원의 생산량이 급감하게 된다.

| 선택지 분석 |

ㄱ. 사슴과 늑대의 개체 수는 피식과 포식의 관계로 인하여 장기적으로 주기적 변동이 나타났다.
➡ 위의 자료는 인간의 개입으로 인해 피식과 포식의 장기적인 관계에 의한 주기적 변동이 나타나지 않았다.

ㄴ. 처음에는 사슴의 개체 수가 급증하다가 초원의 생산량이 줄면서 사슴의 개체 수가 줄어들었다.
➡ 처음에는 사슴의 개체 수 증가, 초원의 생산량 감소인 상태였으나 시간이 흐르면서 사슴의 개체 수 감소, 초원의 생산량 증가의 추세로 돌아섰다.

ㄷ. 초원의 생산량이 계속 감소하다가 사슴의 개체 수 감소로 회복되기 시작했다.
➡ 초원이 황폐해지면서 굶어 죽는 사슴의 개체 수가 증가하게 되어 초원의 생산량이 증가했다.

도전! 실력 올리기 258쪽~259쪽

01 ② **02** ③ **03** ④ **04** ① **05** ③ **06** ①

07 (1) (가) 에너지 (나) 물질 | **모범 답안** | (2) (가)는 태양 에너지로부터 출발하여 생태계 밖으로 빠져 나가며 한 방향으로만 흐르는데, (나)는 생태계 내에서 순환된다.

08 (1) A: 생산자 B: 분해자 ㉠: 질소 고정 ㉡: 탈질산화 작용 (2) | **모범 답안** | 질소 동화 작용을 통해 핵산, 단백질 등의 질소 화합물을 합성한다.

01 | 자료 분석 |

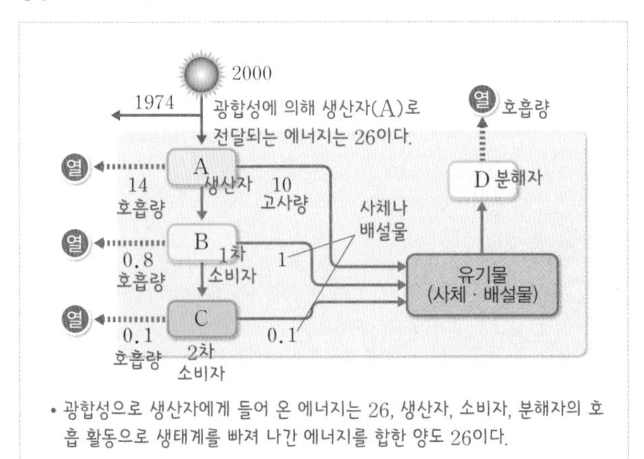

• 광합성으로 생산자에게 들어 온 에너지는 26, 생산자, 소비자, 분해자의 호흡 활동으로 생태계를 빠져 나간 에너지를 합한 양도 26이다.

| 선택지 분석 |

ㄱ. A에서 B로 전달되는 에너지양은 2이고, A의 총광합성량에 소모된 에너지양은 ~~1974~~(26)이다.
➡ A의 총광합성량에 소모된 에너지양은 태양으로부터 생산자에게로 흡수된 에너지양(2000−1974=26)이다.

ⓛ A에서 B로, B에서 C로 전달되는 에너지는 먹이 사슬을 따라 유기물의 형태로 이동한다.
➡ A에서 광합성에 의해 유기물이 합성되고, 합성된 유기물의 일부는 먹이 사슬을 따라 B와 C에게로 이동한다.

✕ 생물의 사체나 배설물 속의 에너지가 D의 호흡을 통해 최종적으로 열에너지 형태로 전환되어 생태계 밖으로 빠져나가는 양은 0.1 미만이다.
➡ 생물의 사체나 배설물 속의 에너지는 $10+1+0.1=11.1$이므로 분해자의 호흡으로 생태계 밖을 빠져 나가는 에너지양은 11.1이다.

02 | 선택지 분석 |

✕ 사람의 에너지 효율은 (가)에서보다 (나)에서 ~~작다.~~ 크다.
➡ 사람의 에너지 효율은 (가)는 10 %이고, (나)는 20 %이다.

✕ (가)와 (나)에서 사람의 영양 단계는 모두 동일하다.
➡ (가)에서 사람은 1차 소비자, (나)에서 사람은 2차 소비자이다.

ⓒ (가)와 (나)에 포함된 에너지는 모두 태양의 빛에너지를 근원으로 한다.
➡ 생태계가 유지되려면 외부에서 에너지가 끊임없이 유입되어야 한다.

03

(가)는 생산자, (나)는 1차 소비자, A는 총생산량, B는 호흡량, C는 배출량, D는 섭식량이다.

| 선택지 분석 |

ⓖ A는 광합성으로 만들어진 유기물의 총량이다.
➡ A는 총생산량이다.

✕ ~~B와 C는~~ B는 생활에 필요한 에너지를 얻기 위해 소비한 양이다.
➡ B는 호흡량으로 생활에 필요한 에너지를 얻기 위해 소비한 양이고, C는 배출량으로 체외로 배출되는 유기물의 양이다.

ⓒ D는 (나)의 섭식량에 해당하며 (가)의 피식량과 동일한 양이다.
➡ (가)는 생산자, (나)는 1차 소비자로 1차 소비자는 생산자를 먹이로 하므로 생산자의 피식량은 1차 소비자의 섭식량에 해당한다.

04

㉠은 광합성, ㉡과 ㉢은 호흡, A는 생산자, B는 소비자, C는 분해자이다.

| 선택지 분석 |

ⓖ ㉠ 과정을 통해 무기물이 유기물로 전환되며, ㉠ 과정에서 전환된 총 유기물의 양은 생태계의 총생산량이다.
➡ ㉠은 광합성으로 이산화 탄소와 물로부터 포도당을 합성하는 과정이며, 총생산량은 생산자가 일정 기간 동안 광합성으로 생산한 유기물의 총량을 말한다.

✕ ㉡ 과정은 호흡이며 ㉢ 과정은 ~~탈질산화~~ 호흡 과정으로 ㉡과 ㉢ 과정을 통해 물질이 대기 중으로 되돌아가 순환을 한다.

✕ A에서 합성한 유기물은 먹이 사슬을 따라 B로 이동하는데 그 양을 A의 피식량이라고 하며, 이는 B의 ~~섭식량보다 조금 더 크다.~~ 섭식량과 같다.

05 | 자료 분석 |

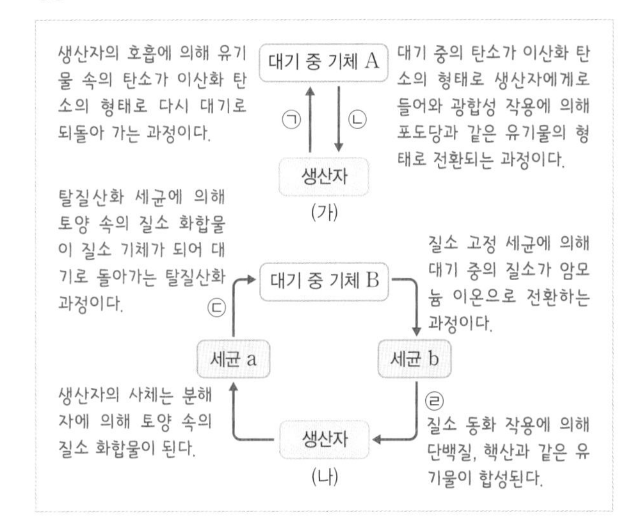

(가)는 탄소 순환 과정, (나)는 질소 순환 과정이다.

| 선택지 분석 |

✕ A는 ~~탄소~~ 이산화 탄소, B는 질소이다.

✕ 과정 ㉠은 호흡, 과정 ㉡과 ㉣은 광합성, 과정 ㉢은 탈질산화 작용을 의미한다.
➡ ㉠은 호흡, ㉡은 광합성, ㉢은 탈질산화 작용, ㉣은 질소 동화 작용이다.

ⓒ 세균 a는 탈질산화 세균이고, 세균 b에는 뿌리혹박테리아, 아조토박터 등이 속한다.
➡ 세균 a는 탈질산화 세균이고, 세균 b는 질소 고정 세균으로 뿌리혹박테리아, 아조토박터 등이 속한다.

06 | 선택지 분석 |

ⓖ A는 생산자이고, B와 C는 소비자이다.
➡ A는 생산자, B는 1차 소비자, C는 2차 소비자이다.

✕ (나)의 과정을 순서대로 하면 ㉢, ㉡, ㉣, ㉠이다.
➡ (나)의 과정을 순서대로 하면 ㉡, ㉣, ㉢, ㉠이다.

✕ 생태계 평형은 주로 먹이 그물을 기초로 하여 유지되며 환경 요인의 ~~영향은 전혀 받지 않는다.~~ 영향도 받는다.

07

(1) 생태계 내에서 에너지는 한 방향으로 흐르고, 물질은 순환한다.

(2) 태양의 빛에너지는 생산자에 의해 유기물의 형태로 전환된 후 소비자와 분해자로 전달되고, 생물들의 호흡 활동에 의해 유기물에 포함된 에너지는 열에너지로 전환되어 생태계 밖으로 빠져 나간다. 대기나 물속에 존재하는 물질은 생산자에 의해 유기물의 형태로 전환된 후 소비자와 분해자로 전달되고, 생산자와 소비자, 분해자 등을 통해 다시 대기나 물속으로 되돌아간다.

채점 기준	배점
에너지의 일방적인 흐름과 물질 순환의 차이점을 모두 언급하며 옳게 서술한 경우	100 %
에너지의 일방적인 흐름과 물질 순환의 차이점 중 1가지의 특징만 옳게 서술한 경우	50 %

08 | 자료 분석 |

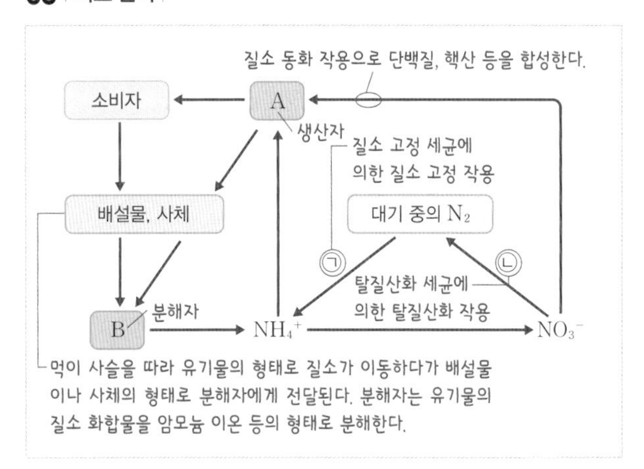

채점 기준	배점
핵산과 단백질을 합성하는 질소 동화 작용을 구체적으로 옳게 서술한 경우	100 %
질소 동화 작용 또는 핵산과 단백질 합성이라고만 간단하게 서술한 경우	50 %

실전! 수능 도전하기

261쪽~264쪽

01 ① **02** ② **03** ③ **04** ④ **05** ② **06** ④ **07** ① **08** ①
09 ① **10** ④ **11** ③ **12** ② **13** ⑤ **14** ③ **15** ④ **16** ④

01 ㉠은 작용, ㉡은 반작용이다.

| 선택지 분석 |

㉠ 일조 시간이 식물의 개화에 영향을 주는 것은 ㉠에 해당한다.
➡ 비생물적 환경 요인이 생물에 영향을 미친 작용의 예이다.

✕ 분해자는 ~~비생물적 환경 요인~~(생물)에 해당한다.

✕ 개체군 A는 ~~여러 종~~(한 종)으로 구성되어 있다.

02 | 선택지 분석 |

✕ ~~A~~(B)는 환경 저항이 있는 경우, ~~B~~(A)는 환경 저항이 없는 경우의 생장 곡선이다.
➡ 먹이, 서식 공간 등의 조건이 최적이고, 아무런 제약 없이 생식 활동을 할 수 있다면 J자형 생장 곡선을 나타낸다.

㉡ (가)는 환경 수용력으로 이 서식지에서 증가할 수 있는 개체군의 최대 크기이다.
➡ 서식 공간과 먹이 부족, 노폐물 축적, 개체 간의 경쟁 등의 환경 저항으로 인해 개체의 크기는 환경 수용력 이상으로 크지 못한다.

✕ B에서 개체 수 증가율은 구간 Ⅰ에서보다 구간 Ⅱ에서 ~~크다.~~(작다.)
➡ 구간 Ⅰ에서는 개체 수가 증가하나, 구간 Ⅱ에서는 개체 수가 일정하다.

03 A 종의 식물은 단일 식물이고, ⓐ는 식물의 꽃눈을 형성시키는 임계 시간이다.

| 선택지 분석 |

㉠ A 종의 식물은 '연속적인 빛 없음' 기간이 ⓐ보다 길 때 개화한다.
➡ A 종의 식물은 단일 식물로 연속된 암기가 임계 시간보다 길어야 꽃을 피운다.

✕ Ⅲ에서 '연속적인 빛 없음' 기간은 ⓐ보다 ~~길다.~~(짧다.)
➡ 빛이 없는 중간에 빛을 잠깐 쬐였기 때문에 '연속적인 빛 없음' 기간은 ⓐ보다 짧다.

㉢ 비생물적 환경 요인이 생물에 영향을 주는 예이다.
➡ 일조 시간이 식물의 개화에 영향을 미친 작용의 예이다.

04 | 선택지 분석 |

㉠ A는 무기물을 유기물로 전환하는 생물이다.
➡ A는 생산자로 광합성에 의해 유기물을 합성한다.

✕ B와 C는 ~~같은~~(다른) 개체군으로 피식과 포식 관계에 있다.
➡ B는 1차 소비자, C는 2차 소비자로 서로 다른 개체군이다.

㉢ 세균이나 곰팡이는 유기물을 무기물로 전환하는 생물이다.
➡ 세균과 곰팡이는 유기물을 분해하는 역할을 담당한다.

05 생존 곡선의 유형으로 보면 (가)는 Ⅲ형, (나)는 Ⅱ형, (다)는 Ⅰ형이다.

| 선택지 분석 |

✕ ~~(가)~~((다))는 적은 수의 자손을 낳아 양육을 잘 하며 생리적인 수명을 다하는 개체군이다.

㉡ (나)는 전 연령대가 일정하게 위험에 노출되어 있어 전 생애를 거쳐 일정한 비율로 죽는다.
➡ (나)는 사망률이 일정하므로 Ⅱ형의 생존 곡선을 나타낸다.

✕ ~~(다)~~((가))는 많은 수의 자손을 낳지만, 그 자손을 잘 돌보지 않는 생물들에서 나타난다.

06 A와 B는 생산자, C는 1차 소비자, D는 2차 소비자이다.

| 선택지 분석 |

✕ A와 B는 ~~유기물~~(무기물)을 ~~무기물~~(유기물)로 전환시키는 생물로 생산자에 해당한다.

㉡ 에너지량은 C에 비해 D가 적고, 에너지 효율은 C에 비해 D가 크다.
➡ C의 에너지양은 10이고, 에너지 효율은 10 %이며, D의 에너지양은 2이고, 에너지 효율은 20 %이다.

ⓒ (나)에서 B의 순생산량 중 일부가 C에게로 이동하는데 이를 C의 섭식량이라고 한다.
➡ C의 섭식량은 B의 피식량으로 순생산량의 일부이다.

07 A는 순위제, B는 사회생활, C와 D는 분서와 포식과 피식 중 하나이다.

| 선택지 분석 |

ⓐ A는 구성원들 사이에 먹이나 배우자를 얻을 때 일정한 순위가 정해지는 상호 작용이다.
➡ 순위제는 구성원들 사이에 먹이나 배우자를 얻을 때 일정한 순위가 정해지는 상호 작용이다.

✕ B는 경쟁·배타 원리가 적용되어 경쟁하는 두 종 중 한 종이 도태되는 상호 작용이다.
➡ B는 사회생활로 개체들의 역할이 먹이 수집, 방어, 생식 등으로 분업화된 체제이다.

✕ '같은 장소에 살며, 생태적 지위가 비슷한가?'는 ㉠에 해당한다.
➡ 같은 장소에 살며, 생태적 지위가 비슷한 경우에 종간 경쟁이 일어난다.

08 | 선택지 분석 |

ⓐ B가 서식하는 수심의 범위는 (가)에서가 (나)에서보다 넓다.
➡ B는 단독 배양일 때보다 혼합 배양일 때 서식지의 범위가 축소되었다.

✕ Ⅰ에서 A가 생존하지 못한 것은 경쟁·배타의 결과이다.
➡ Ⅰ의 구역에서는 단독 배양일 때도 A가 서식하지 못하였으므로 경쟁·배타 원리의 결과가 아니다.

✕ (나)에서 A는 B와 한 개체군을 이룬다.
➡ A와 B가 함께 서식하여도 서로 다른 종이므로 한 개체군을 이루지는 않는다.

09 | 선택지 분석 |

ⓐ A와 B 사이의 상호 작용은 ㉠에 해당한다.
➡ A와 B 사이의 상호 작용은 상리 공생(㉠)이다.

✕ (나)의 구간 Ⅰ에서 A는 환경 저항을 ~~받지 않는다.~~ 받는다.
➡ A는 실제 생장 곡선을 나타내므로 환경 저항을 받는다.

✕ ㉡은 생태적 지위가 서로 겹치지 않게 서식지 분리나 먹이 분리를 하는 개체군 사이의 상호 작용이다.
➡ ㉡은 경쟁이며, 서식지 분리나 먹이 분리를 하는 개체군 사이의 상호 작용은 분서이다.

10 A는 피식자, B는 포식자이다.

| 선택지 분석 |

ⓐ 포식과 피식은 군집 내 상호 작용이다.
➡ 피식과 포식은 서로 다른 개체군 사이의 상호 작용이므로 군집 내 상호 작용이다.

ⓑ t_1일 때의 개체 수는 A가 B보다 많다.
➡ 모든 시기에 A의 개체 수가 B의 개체 수보다 많다.

✕ 생태계 내에서 A와 B가 차지하는 먹이 지위가 ~~많이 겹친다.~~ 겹치지 않는다.

11 A는 총생산량, B는 호흡량이다.

| 선택지 분석 |

ⓐ A는 총생산량이다.
➡ 일반적으로 총생산량은 호흡량보다 크다.

✕ 구간 Ⅰ에서 이 식물 군집은 극상을 ~~이룬다.~~ 이루지 못한다.
➡ 극상은 음수림에서 이루어지므로 구간 Ⅰ은 극상이 아니다.

ⓒ 구간 Ⅱ에서 $\frac{B}{\text{순생산량}}$는 시간에 따라 증가한다.
➡ 구간 Ⅱ에서 A와 B의 차이에 해당하는 순생산량은 점점 감소하고, 호흡량인 B는 약간 증가하므로 $\frac{B}{\text{순생산량}}$는 증가한다.

12 A와 ⓑ는 순생산량, B는 피식량과 고사·낙엽량의 합, ⓐ는 총생산량이다.

| 선택지 분석 |

✕ (가)의 A는 (나)의 ~~ⓐ~~ⓑ에 해당한다.
➡ A는 순생산량, ⓐ는 총생산량이다.

ⓑ 1차 소비자의 호흡량은 B에 포함되어 있다.
➡ B에는 피식량이 포함되어 있으므로 1차 소비자에게 전달되면 1차 소비자의 호흡에 이용된다.

✕ 시기 Ⅰ이 진행되면서 지표면에 도달하는 빛의 세기는 점점 증가한다.
➡ 시기 Ⅰ이 진행되면서 음수림의 개체 수가 점점 증가하므로 지표면에 도달하는 빛의 세기는 점점 감소한다.

13 A는 초원, B는 양수림, C는 음수림이다.

| 선택지 분석 |

✕ 1차 천이에 비해 천이의 진행 속도가 ~~느리다.~~ 빠르다.

ⓑ 개척자는 초본으로 C가 우점종인 군집이 되면 극상에 도달한 것이다.
➡ 개척자는 초본이고 음수림일 때 극상에 도달한다.

ⓒ t_1에서보다 t_2에서가 지표면에 도달하는 빛의 양과 토양 속 영양염류의 양이 감소한다.
➡ 극상에 도달할수록 음수림이 많아지고, 식물체 내로 흡수되는 영양염류의 양이 많아지므로 지표면에 도달하는 빛의 양과 토양 속 영양염류의 양은 감소한다.

14 우점종은 상대 밀도, 상대 빈도, 상대 피도를 모두 합한 중요도가 가장 높은 종으로 생물량과 개체 수가 많으며 넓은 공간을 차지한다.

| 자료 분석 |

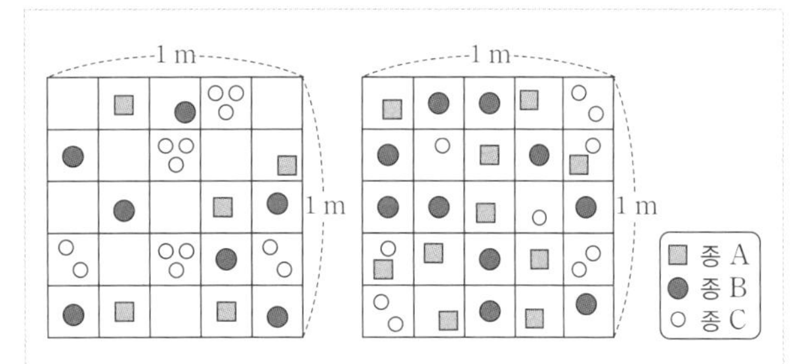

		상대 밀도	상대 빈도	상대 피도	중요도
(가)	A	20	29.4	42.6	92
	B	28	41.2	29.8	99
	C	52	29.4	27.7	109.1
(나)	A	33.3	37	57.1	127.5
	B	33.3	37	28.6	98.9
	C	33.3	25.9	14.3	73.5

| 선택지 분석 |

✕ A의 상대 피도는 (가)에서보다 (나)에서가 ~~낮다.~~ 높다.

➡ A의 상대 피도는 (가)에서 42.6, (나)에서 57.1이다.

✕ (가)에서 상대 밀도가 가장 큰 종은 ~~B~~ C이고, (나)에서 상대 밀도가 ~~가장 큰 종은 C이다.~~ A, B, C 모두 같다.

㉢ (가)에서의 우점종은 C이고, (나)에서의 우점종은 A이다.

➡ (가)에서 C의 중요도는 109.1로 가장 높고, (나)에서는 A의 중요도가 127.5로 가장 높다.

15 | 선택지 분석 |

✕ A는 ~~생산자~~ 분해자이다.

㉡ 질산균(질화 세균)은 과정 ㉠에 관여한다.

➡ ㉠은 질산화 작용으로 질산균, 아질산균 등의 질산화 세균에 의해 진행된다.

㉢ 탈질소 세균(질산 분해 세균)은 과정 ㉡에 관여한다.

➡ ㉡은 탈질산화 작용으로 탈질산화 세균에 의해 질산 이온에서 질소가 분리되는 과정이다.

16 | 선택지 분석 |

㉠ 총생산량은 대기 중의 이산화 탄소가 (가)를 통해 A에서 유기물로 전환된 총량이다.

➡ 총생산량은 생산자가 일정 기간 동안 광합성으로 생산한 유기물의 총량이다.

✕ (나)와 (다)를 통해 이동하는 유기물을 모두 합한 양은 (가)에서 합성된 유기물의 양과 ~~같다.~~ 다르다.

➡ (가)에서 합성된 유기물은 (나)와 (다)를 통해 이동하고 일부는 생장에 이용되고 고사되기도 하므로, (나)와 (다)를 통해 이동하는 유기물을 모두 합한 양은 (가)에서 합성된 유기물의 양보다 적다.

㉢ (나)와 (라)는 유기물을 분해하여 생활 에너지를 생산하는 데 이용된 탄소가 배출되는 과정이다.

➡ 생물은 모두 호흡을 통해 유기물을 분해하여 생활에 필요한 에너지를 만들고 그 결과 이산화 탄소가 대기 중으로 방출된다.

2 »» 생물 다양성과 보전

01 ~ 생물 다양성

콕콕! 개념 확인하기 269쪽

✔ 잠깐 확인!

1 생물 **2** 유전적 **3** 종 **4** 생태계 **5** 변이 **6** 높 **7** 육상, 수

01 (1) – ㉢ (2) – ㉡ (3) – ㉠ **02** (1) × (2) × (3) ○ (4) × **03** 종 **04** ㉠: (나) ㉡: (가)

03 다양한 종이 먹이 그물을 구성할 경우 소수의 종이 멸종하더라도 다른 종들이 먹이 그물 내에서 멸종된 종의 역할을 대신할 수 있다.

04 생물 자원은 의식주에 도움이 되거나, 의약품의 원료로 이용되거나, 자연 정화의 기능 등이 있다.

탄탄! 내신 다지기 270쪽~271쪽

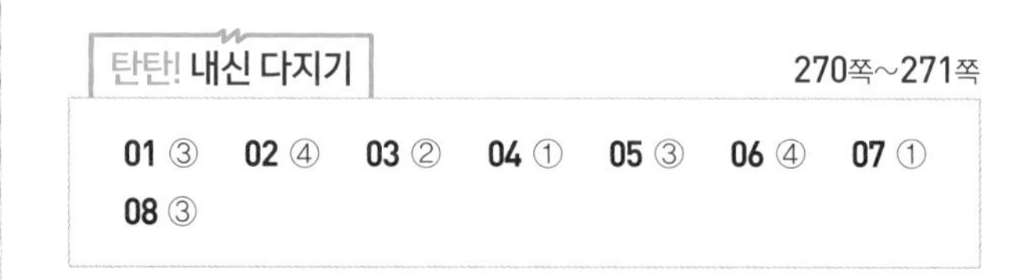

01 ③ **02** ④ **03** ② **04** ① **05** ③ **06** ④ **07** ① **08** ③

01 | 선택지 분석 |

① 생물 다양성은 서식지의 다양성도 포함한다.

➡ 생물 다양성이란 다양한 생물과 생물이 살아가는 서식지의 다양성을 총칭하는 것이다.

② 생태계의 건강한 정도를 판단하는 지표가 된다.

➡ 생물 다양성이 높을수록 건강한 생태계이다.

③ ~~한 개체군~~ 군집에 포함된 종의 수가 많을수록 종 다양성이 높다고 할 수 있다.

➡ 한 개체군은 하나의 종으로 이루어진다.

④ 생물 다양성이란 유전적 다양성, 종 다양성, 생태계 다양성을 모두 포괄하는 개념이다.

➡ 생물 다양성은 생물종의 수, 생물의 개체 수, 서식지까지 생물이 나타내는 모든 다양성을 의미한다.

⑤ 유전적 다양성, 종 다양성, 생태계 다양성은 서로 유기적으로 연결되어 영향을 주고받는다.

➡ 유전적 다양성이 감소하면 생물의 멸종 가능성이 커져 종 다양성이 감소되고, 종 다양성이 감소하면 생태계 평형을 깨트려 생태계 다양성이 감소한다.

02 유전적 다양성에 관한 내용으로 무당벌레는 색과 반점 무늬가 달라도 하나의 종이다. 무당벌레의 다양한 색과 반점 무늬는 유전자가 다르기 때문이며 무당벌레의 색과 반점 무늬가 다양할수록 환경이 급변할 때 개체군의 멸종 위험이 줄어든다.

03 (가)와 (나)는 같은 종에 속하지만 서식하는 장소가 다르며 유전자의 차이가 존재한다.

선택지 분석

① (가)와 (나)는 서로 교배가 불가능하다.

② 멀리 떨어져 있는 같은 종의 개체군 사이에서도 다양한 유전적 차이가 나타난다.
➡ 개체군 사이의 유전적 변이는 종분화와 같은 진화의 원동력으로 작용한다.

③ 같은 종의 생물은 유전자가 동일하므로 색, 모양, 크기 등의 차이가 존재하지 않는다.
➡ 같은 종의 생물이라도 유전자는 동일하지 않으므로 형질에 차이가 생긴다.

④ 유전적 변이가 많을수록 다양한 형질의 자손이 만들어져 개체군 자체의 생존에 불리하다.

⑤ 한 개체군의 유전적 변이는 유전적 다양성에 해당되나, 같은 종에 속하는 여러 개체군 사이에서의 유전적 변이는 유전적 다양성에 해당되지 않는다.
➡ 한 개체군에서 개체 사이의 유전적 변이와 동일한 종에 속하는 여러 개체군 사이에서의 유전적 변이를 모두 포함하여 유전적 다양성이라고 한다.

04 **선택지 분석**

ㄱ. 종 다양성을 의미한다.
➡ 여러 종의 시클리드를 나타낸 것이므로 종 다양성을 나타낸다.

ㄴ. 다양한 종으로 이루어진 하나의 개체군으로 같은 생태계에 서식한다.

ㄷ. 다양한 종으로 이루어진 군집보다 몇 개의 우수한 종으로 이루어진 군집이 더 안정적으로 유지된다.
➡ 다양한 종으로 이루어진 군집이 몇 개의 우수한 종으로 이루어진 군집보다 더 안정적으로 유지된다.

05 (가)와 (나)는 모두 4종의 식물이 총 20개가 있으며, 종 다양성에는 생물종의 수와 분포 비율을 모두 포함한다. 종 다양성이 높다는 것은 그 지역에 사는 생물의 종 수가 많을 뿐만 아니라 그 지역의 전체 생물 개체 수에 대한 각 종의 개체 수 비율이 균등하다는 것을 뜻한다. 식물의 종 수는 종 풍부도, 식물의 종 개체 수가 균일한 정도는 종 균등도이다.

06 **선택지 분석**

① 생태계 다양성은 생물 서식지의 다양한 정도이다.
➡ 사막, 초원, 삼림, 습지, 호수, 강, 바다 등의 다양한 생태계에 생물이 서식한다.

② 사막, 툰드라는 육상 생태계이고 바다 생태계는 수생태계이다.
➡ 생태계는 크게 육상 생태계와 수생태계로 구분되며, 육상 생태계는 숲, 초원, 사막, 툰드라 등으로 구분되고, 수생태계는 담수 생태계와 해양 생태계로 구분된다.

③ 기온이나 강수량 등과 같은 환경의 차이로 생태계의 종류나 그 특성이 달라진다.
➡ 강수량, 기온, 토양과 같은 비생물적인 요소들에 의해 환경이 달라지고 그 안에 살고 있는 생물종들의 상호 작용이 다양해진다.

④ 생태계 다양성은 한 서식지에 살고 있는 모든 생물은 포함하나 비생물의 상호 작용의 다양성은 포함하지 않는다.

⑤ 한 생태계에는 다른 생태계에서는 볼 수 없는 고유한 생물종이 존재하기 때문에 생태계가 다양할수록 종 다양성도 증가한다.
➡ 생태계의 특성에 따라 그곳에 적응하여 서식하는 생물의 종이 달라진다.

07 **선택지 분석**

① (가): 일일초의 추출물은 혈액암 치료제의 원료로 쓰인다.
➡ 의약품의 원료

② (나): 습지와 해안 생태계는 육지로부터 흘러나오는 오염 물질을 정화한다.

③ (다): 숲과 바다에서 식량을 얻고, 동물의 털과 목화 등으로 의복을 만든다.

④ (라): 자연은 사람의 휴식과 관광 등을 위한 장소가 되며, 예술 작품 중에는 자연으로부터 영감을 얻는 경우가 많다.

⑤ (마): 야생의 벼에서 찾은 바이러스 저항성 유전자를 이용하여 바이러스 저항성을 지닌 벼 품종을 개발하여 벼의 생산성을 높였다.

08 (가)는 복잡한 먹이 그물, (나)는 단순한 먹이 사슬을 나타낸다.

선택지 분석

① (가)는 (나)보다 생태계 다양성이 크다.

② (가)에 비해 (나)의 먹이 관계가 복잡하다.

③ (가)와 (나) 중 한 종이 사라지더라도 안정적으로 생태계가 유지되는 것은 (가)이다.
➡ 종 다양성이 높을수록 생태계가 안정적으로 유지된다.

④ 외래 생물이 침입했을 때 이용 가능한 자원이 부족하여 외래 생물이 잘 정착하지 못하는 생태계는 (나)이다.
➡ 먹이 관계가 복잡하며, 안정된 생태계일수록 외래 생물이 잘 정착하지 못한다.

⑤ (가)와 (나)에서 만약 들쥐가 사라지면 (가)의 늑대는 생존할 수 없지만, (나)의 늑대는 생존이 가능하다.
➡ (가)의 늑대는 다른 종류의 먹이가 있어 생존이 가능하다.

도전! 실력 올리기 272쪽~273쪽

01 ③ **02** ② **03** ① **04** ① **05** ⑤ **06** ④

07 | **모범 답안** | 개체군 내에 개체 수가 어느 한계까지 증가할수록 변이가 많이 나타나 유전적 다양성이 증가한다.

08 | **모범 답안** | (나)이다. 다양한 생물종이 먹이 그물을 구성할 경우 한 종이 멸종하더라도 다른 종들이 먹이 그물 내에서 멸종된 종의 역할을 대신할 수 있어서 생태계가 안정적으로 유지될 수 있기 때문이다.

09 | **모범 답안** | 갯벌이다. 왜냐하면 서로 다른 생태계의 접경지대에는 인접한 모든 생태계의 자원을 이용하여 살아가는 생물종들이 출현하므로 종 다양성이 상대적으로 높기 때문이다.

01 경작지 A의 다양한 감자 품종은 유전적 변이가 다양한 개체군에 해당한다.

| **선택지 분석** |

✗ A의 감자는 B의 감자~~보다~~(와) 종 다양성이 ~~높다~~(같다).

✗ ~~A~~(B)의 감자는 ~~B~~(A)의 감자에 비해 유전적 차이가 거의 없어 유전적 다양성이 매우 낮다.

ㄷ A와 B 중에서 급격한 환경 변화에서 개체군이나 종의 생존 가능성이 높은 곳은 A이다.
➡ 유전적 변이가 많을수록 우수한 자손을 다양하게 만들어 환경의 변화에 대한 저항력을 높여 개체군의 생존율을 높인다.

02 종 다양성이 높을수록 생태계가 안정적으로 유지될 가능성이 크다.

| **선택지 분석** |

✗ ~~(가)~~((나))는 종 균등도, ~~(나)~~((가))는 종 풍부도이다.

ㄴ 군집 A가 군집 B에 비해 종 다양성이 풍부하다.
➡ 군집 A가 군집 B에 비해 종 균등도가 높아 종 다양성이 풍부하다.

✗ 생태계가 안정적으로 유지될 가능성은 군집 A와 B가 동일하다.
➡ 종 다양성이 풍부한 A가 생태계의 평형을 유지할 가능성이 더 높다.

03 | **선택지 분석** |

ㄱ 종 풍부도가 클수록 지표면에 도달하는 빛의 양은 감소하는 경향이 있다.
➡ 종 풍부도가 클수록 피도가 커져 지표면에 도달하는 빛의 양은 감소한다.

✗ 종 풍부도가 커질수록 개체군의 종류는 ~~적어지고~~(많아지고) 군집의 크기는 커진다.
➡ 종 풍부도가 커질수록 다양한 종류의 개체군이 서식하게 된다.

✗ 종 풍부도가 커질수록 다양한 생물들이 살고 있으므로 외래 생물의 유입이 ~~증가~~(감소)한다.
➡ 종 풍부도가 커질수록 외래 생물이 이용할 수 있는 자원이 적어지므로 외래 생물 유입이 어려워진다.

04 (가)는 생태계 다양성, (나)는 종 다양성, (다)는 유전적 다양성이다.

| **선택지 분석** |

ㄱ (가)는 생물적 요인과 비생물적 요인 사이의 상호 작용까지 모두 포함한다.
➡ 생태계 다양성은 한 서식지에 살고 있는 모든 생물과 비생물의 상호 작용의 다양성까지 모두 포함한다.

✗ ~~(나)~~((다))가 높으면 갑작스러운 환경 변화가 나타났을 때 대응할 수 있는 개체가 살아남아 개체군을 유지할 수 있다.

✗ ~~(다)~~((나))가 높으면 한 종이 사라지더라도 전체 먹이 그물은 안정하게 유지될 수 있어 생태계가 안정적으로 유지된다.
➡ 종 다양성이 높을수록 생태계가 안정적으로 유지된다.

05 | **선택지 분석** |

✗ 생태계가 다양할수록 특징적인 종은 증가하나 전체적인 종 다양성은 ~~감소~~(증가)한다.

ㄴ A에 해당하는 생태계로 갯벌, 습지, 강가, 산과 평지가 만나는 곳 등이 있다.
➡ 갯벌, 습지, 강가는 육상 생태계와 수생태계를 잇는 완충 지역이다.

ㄷ A에서는 하나의 생태계에서보다 종 다양성과 유전적 다양성이 상대적으로 높다.
➡ 서로 다른 생태계의 접경 지대에는 모든 생태계의 자원을 이용하여 살아가는 생물종들이 출현하기 때문에 종 다양성과 유전적 다양성이 높다.

06 | **선택지 분석** |

ㄱ ㉠의 닭은 유전적 다양성이 낮다.
➡ 생산성이 높은 품종만 선택적으로 번식시키므로 유전적 다양성이 낮다.

✗ ~~종~~(유전적) 다양성이 낮은 개체군은 전염병으로 한순간에 전멸할 수 있다.

ㄷ 생산량을 늘리기 위해 특정 단일 품종만을 집중 재배하는 경작지의 경우도 비슷한 예에 해당한다.
➡ 두 경우 모두 유전적 다양성이 낮아 급격한 환경 변화가 나타났을 때 개체군의 생존 가능성이 감소되는 예이다.

07 그림은 개체군의 크기가 어느 정도까지 커질수록 유전자의 변이가 증가한다는 것을 나타낸다.

채점 기준	배점
개체군의 크기가 어느 정도까지 커질수록 변이가 많아져 유전적 다양성이 증가한다는 사실을 모두 언급하며 옳게 서술한 경우	100 %
변이에 대한 언급 없이 유전자 다양성이 증가한다고만 간단하게 서술한 경우	50 %

08 (가)에서 외래 생물의 도입 후 종 다양성이 매우 낮아졌음을 알 수 있다.

채점 기준	배점
종 다양성과 생태계 평형의 관계를 옳게 서술한 경우	100 %
(나)만 쓰거나 까닭을 종 다양성이 높기 때문이라고만 서술한 경우	50 %

09 갯벌은 육상 생태계와 수생태계를 잇는 완충 지역이다.

채점 기준	배점
갯벌과 두 생태계의 접경 지대에서 종 다양성이 높은 까닭을 모두 옳게 서술한 경우	100 %
갯벌만 옳게 쓴 경우	50 %

02 생물 다양성 보전

콕콕! 개념 확인하기 276쪽

✔ 잠깐 확인!

1 서식지 파괴 **2** 서식지 단편화 **3** 외래 생물 **4** 남획
5 생태 통로 **6** 종자 은행 **7** 람사르

01 (1) × (2) × (3) ○ (4) ○ **02** 서식지 단편화
03 ㉠ 외래 생물 ㉡ 고유종 **04** (1) – ㉠ (2) – ㉢ (3) – ㉡

02 철도, 도로 건설 등으로 대규모의 서식지가 소규모로 나누어지는 것을 서식지 단편화라고 한다.

03 원래의 서식지에서 새로운 서식지로 이주한 생물종은 외래 생물, 동일한 서식지에서 계속하여 살아온 생물종은 고유종이다.

탄탄! 내신 다지기 277쪽~278쪽

01 ④ **02** ⑤ **03** ① **04** ③ **05** 외래 생물 **06** ④
07 불법 포획 **08** ② **09** ②

01 | 선택지 분석 |

① 생태계에서 생물의 멸종은 오래전부터 지속적으로 일어난 과정이다.
➡ 과거 생물의 멸종은 화산 폭발이나 기후 변화 등으로 인해 일어났다.

② 기후 변화나 화산 폭발 등의 자연재해로 생물 다양성이 감소되기도 한다.
➡ 기후 변화나 화산 폭발 등으로 인해 오래전부터 생물의 멸종은 일어났다.

③ 최근에는 산업의 발달과 같은 사람의 활동으로 생물의 멸종 속도가 점점 빨라지고 있다.
➡ 최근 단기간에 일어나는 생물의 멸종은 대부분 인간의 활동과 관련이 있다.

④ 생물종 다양성이 감소되는 가장 큰 원인은 ~~저인망 어업 등의 기술을 이용한 남획~~ 서식지 파괴 때문이다.

⑤ 외래 생물의 도입으로 이미 서식하고 있던 고유종과 경쟁하거나 고유종을 포식함으로써 생물 다양성이 감소된다.
➡ 외래 생물은 원래 서식지에 있던 포식자, 기생 생물, 질병 등으로부터 자유로워져 새로운 지역에서 활발히 번식함으로써 생태계를 교란시킨다.

02 | 선택지 분석 |

① 종 다양성이 감소하는 가장 큰 원인은 서식지 파괴이다.
➡ 서식지는 생물이 생존에 필요한 먹이를 얻고 살아가는 공간이므로 서식지 파괴는 생물종 다양성에 가장 큰 영향을 미친다.

② 벌목 지역이 점차 넓어지면 숲은 거대한 목초지로 바뀌게 된다.
➡ 벌목으로 인해 숲이 파괴되면 초본이 우점종인 목초지가 형성된다.

③ 숲이 벌목되어 흙이 드러난다는 것은 생물의 서식지가 파괴되었음을 의미한다.
➡ 숲이 파괴되면 다양한 생물의 서식지가 사라진다.

④ 인공위성 사진을 보면 아마존의 밀림이 급격히 파괴되고 있다는 사실을 알 수 있다.
➡ 짙은 녹색 부분이 황토색 부분으로 많이 바뀌었다.

⑤ 밀림을 농경지나 목초지로 바꾸면 그곳에도 생물들이 살 수 있어 생물 다양성이 크게 감소되지는 않는다.
➡ 밀림을 농경지나 목초지로 바꾸면 다양한 생물들이 서식할 수가 없어 생물 다양성이 크게 감소한다.

03 | 선택지 분석 |

㉠ (가)는 특정 종을 과도하게 사냥한 것이다.
➡ 남획에 의한 종 다양성의 감소 사례이다.

✕ (나)는 ~~서식지 단편화~~ 환경 오염로 인해 생물 다양성이 영향을 받은 것이다.

✕ ~~(가)와 (나) 모두~~ (나)만 환경 오염으로 인한 생물 다양성 감소의 예이다.

04 그림은 서식지가 단편화된 모습이다.

| 선택지 분석 |

① 서식지 변화 이후 도마뱀의 활동 범위가 ~~넓어졌다.~~ 좁아졌다.

② ~~외래 생물으로 인한 서식지 변화~~ 서식지 단편화에 해당하며 도마뱀의 멸종이 뒤따를 것으로 예상된다.

③ 도마뱀이 이동할 수 있는 범위가 좁아지므로 도마뱀의 유전적 다양성이 감소된다.
➡ 단편화된 서식지에서만 교배가 일어나 유전적 다양성이 감소한다.

④ 도마뱀 서식지의 단편화이며, ~~서식지 단편화~~ 서식지 파괴는 종 다양성이 감소되는 가장 큰 원인이다.

⑤ 도마뱀은 생존에 필요한 자원을 얻기가 수월해지므로 개체군의 크기가 빠르게 커질 것으로 예상된다.
➡ 서식지 단편화로 이동 범위가 좁아져 자원을 얻기 어려워 개체군의 크기가 작아지고 이는 생물의 멸종으로 이어질 수도 있다.

05 외래 생물은 원래의 서식지에서 새로운 서식지로 이주한 생물종으로 이미 서식하던 고유종과 경쟁하거나 고유종을 포식하여 생물 다양성을 위협한다.

06 생물종은 생태계에서 물질 순환의 매개체가 되어 대기, 수질, 토양의 보전에 기여한다.

07 고래, 코끼리처럼 자손을 적게 낳는 생물은 불법 포획으로 개체군이 급격히 감소한다.

08 | 선택지 분석 |

① 외래 생물을 번식시켜 이들이 살던 원래의 서식지로 모두 돌려보내야 한다.
➡ 외래 생물이 번식하게 되면 고유종이 위협을 받게 된다.

② 인위적인 목적에 의해 허가받지 않고 생물종을 도입하는 경우가 없도록 해야 한다.
➡ 외래 생물을 유입할 때에는 먼저 외래 생물이 생태계에 미칠 영향을 철저히 검증하는 노력이 필요하다.

③ 외래 생물의 국제 교역에 대한 협약을 체결하고 보호종으로 지정하며 국제 거래를 금지해야 한다.
➡ 멸종 가능성이 큰 종의 경우에 해당한다.

④ 한 종의 특정 서식지보다는 군집에 초점을 맞추어 보다 큰 서식지를 보전하는 것이 바람직하다.
➡ 서식지를 보전하는 방안이다.

⑤ 외래 생물을 지속적으로 관찰하고 특히 보전 가치가 있는 종은 천연기념물로 지정하여 보호해야 한다.
➡ 천연기념물 지정은 멸종 가능성이 큰 종의 경우에 해당한다.

09 | 선택지 분석 |

~~ㄱ~~. 생물의 서식지에 사람의 출입을 일시적으로 금지하는 안식년을 실시해야 한다.
➡ 서식지를 보전하는 방안이다.

ㄴ. 고가 도로나 터널을 이용하여 도로를 건설하거나 도로 위에 생태 통로를 설치해야 한다.
➡ 서식지 단편화에 대한 방안이다.

~~ㄷ~~. 국제적으로는 생물 다양성 협약에 가입하여 생물 다양성 보전 활동을 펼치는 것이 바람직하다.
➡ 생물종 보전을 위한 방안이다.

도전! 실력 올리기

279쪽

01 ④ **02** ①

03 | 모범 답안 | 외래 생물이 살던 원래 서식지에 있던 포식자, 기생 생물, 질병 등이 없으므로 새로운 지역에서 활발히 번식할 수 있기 때문이다.

04 | 모범 답안 | (가), (나)보다 (다)의 서식지가 작아지고, 서식지가 단편화되었기 때문이다.

05 | 모범 답안 | 품종의 멸종을 방지하고, 유용한 유전자를 보존하기 위해 종자 은행이 필요하다.

01 | 선택지 분석 |

ㄱ. 서식지 파괴가 생물 다양성 감소에 미치는 영향을 보여주는 자료이다.
➡ 서식지가 파괴되면 종 다양성이 매우 감소한다.

~~ㄴ~~. 보존되는 면적이 50 %로 감소하면 원래 발견되었던 종의 ~~90~~ 10 %가 감소한다.

ㄷ. 서식지 보전은 생물 다양성을 보전하는 가장 중요한 수단이며, 군집에 초점을 맞추어 큰 서식지를 보전하는 것이 바람직하다.
➡ 서식지 보전 방안이다.

02 | 선택지 분석 |

ㄱ. 서식지의 단편화로 인해 생물 다양성이 영향을 받은 것이다.
➡ 서식지의 단편화로 생물종이 크게 감소하였다.

~~ㄴ~~. 서식지의 변화 후에 가장자리의 크기와 내부 서식지의 크기는 모두 작아졌다.
➡ 서식지 단편화 이후 가장자리 면적은 5600에서 9600으로 증가하였고, 내부 서식지는 14400에서 7500으로 감소하였다.

~~ㄷ~~. 가장자리에 서식하는 생물종이 내부에 서식하는 생물종에 비해 더 ~~많이~~ 적게 감소되었다.

03 외래 생물은 환경 저항이 줄어들어 고유종을 위협할 정도로 번식하게 된다.

채점 기준	배점
새로운 서식지에 포식자, 질병, 기생 생물 등의 부재 중 2가지를 옳게 서술한 경우	100 %
새로운 서식지에 포식자, 질병, 기생 생물 등의 부재 중 1가지만 옳게 서술한 경우	50 %

04 (다)는 (가), (나)에 비해 서식지가 감소되고 서식지가 단편화된 것이다.

채점 기준	배점
서식지 감소와 단편화를 옳게 서술한 경우	100 %
서식지가 연결되지 않았다고 간단히 서술한 경우	50 %

05 식물의 종자로 식물이 자라고, 그 속에 많은 유전자가 들어 있다.

채점 기준	배점
멸종 방지와 유전자 보존을 2가지 모두 옳게 서술한 경우	100 %
멸종 방지와 유전자 보존을 1가지만 옳게 서술한 경우	50 %

실전! 수능 도전하기

281쪽~283쪽

01 ① **02** ③ **03** ④ **04** ② **05** ④ **06** ⑤ **07** ② **08** ③ **09** ③ **10** ①

01 (가)는 생태계 다양성, (나)는 유전적 다양성, (다)는 종 다양성이다.

| 선택지 분석 |

ㄱ. (가)는 생물적 요인과 비생물적 요인을 모두 포함한다.
➡ 생태계 다양성은 한 서식지에 살고 있는 모든 생물과 비생물의 상호 작용에 대한 다양성까지 포함한다.

✕. ~~(나)~~(다)는 군집 내에 존재하는 개체군의 종류가 다양함을 의미한다.

✕. ~~(다)~~(가)는 생물이 서식하는 사막, 초원, 삼림, 습지, 바다 등 생태계의 다양함을 의미한다.

02 | 선택지 분석 |

ㄱ. (가)는 (나)보다 종 다양성이 높기 때문에 생태계가 안정적으로 유지된다.
➡ 생물종이 다양할수록 먹이 그물이 복잡해지기 때문에 생물 군집이 안정하게 유지된다.

ㄴ. (나)는 어떤 요인에 의해 한 종의 개체 수에 변동이 생기면 그 역할을 다른 종이 대신할 수 없다.
➡ (나) 생태계는 먹이 사슬이 단순하기 때문이다.

✕. 생태계 유지에 매우 중요한 역할을 하는 것은 유전적 다양성이므로 생물종의 수가 많은 것은 크게 중요하지 않다.
➡ 생태계 유지에 종 다양성이 큰 영향을 미치므로 생물종의 수는 매우 중요하다.

03 (가)와 (나)는 식물종의 수와 전체 식물의 개체 수는 동일하나 종 균등도가 다르다. 종 다양성은 종 풍부도와 종 균등도를 모두 고려해야 한다.

| 선택지 분석 |

ㄱ. 식물의 종 다양성은 (나)에서보다 (가)에서 높다.
➡ 종 풍부도는 (가)와 (나)가 동일하나 (가)는 각 식물종이 고르게 분포한 반면, (나)는 종 A가 대부분을 차지하므로 종 다양성은 (가)가 높다.

ㄴ. D의 개체군 밀도는 (가)와 (나)에서 같다.
➡ (가)와 (나)에서 면적과 D의 개체 수가 서로 동일하므로 단위 면적당 개체 수에 해당하는 개체군 밀도는 같다.

✕. 같은 종의 달팽이에서 껍데기의 무늬와 색깔이 다양하게 나타나는 것도 ~~종~~유전적 다양성의 예이다.

04 (가)는 생태계 다양성, (나)는 유전적 다양성, (다)는 종 다양성이다.

| 선택지 분석 |

✕. ~~(가)~~(다)는 복잡한 먹이 그물을 형성하여 생태계를 안정적으로 유지하는 데 큰 역할을 한다.
➡ 다양한 종이 먹이 그물을 구성할 경우 소수의 종이 멸종하더라도 다른 종들이 먹이 그물 내에서 멸종된 종의 역할을 대신할 수 있어 생태계가 안정적으로 유지된다.

ㄴ. (나)는 환경이 급격히 변하거나 전염병이 발생했을 때 개체군이 살아남을 수 있게 한다.
➡ 유전적 변이가 많을수록 우수한 자손을 다양하게 만들 수 있어 환경 변화에 개체군의 생존율을 높이게 된다.

✕. (다)는 종의 수가 많을수록, 또 특정 종의 분포 비율이 높을수록 다양성이 높은 것이다.
➡ 종의 수가 많을수록, 각 종이 차지하는 비율이 균등할수록 종 다양성은 높아진다.

05 (가)는 생태계 다양성, (나)는 종 다양성, (다)는 유전적 다양성이다.

| 선택지 분석 |

ㄱ. (가)는 생태계 다양성이다.
➡ 생물종이 살아가는 서식지의 다양한 정도는 생태계 다양성에 해당한다.

✕. (나)는 지구상의 모든 지역에서 ~~동일하다.~~ 다르다.
➡ 생태계마다 환경이 다르고 그 안에 적응하여 살고 있는 생물종들도 생태계마다 다르다.

ㄷ. 사람에 따라 눈동자 색이 다른 것은 (다)에 해당한다.
➡ 눈동자 색이 다른 것은 대립유전자가 다르기 때문이며 이는 유전적 다양성의 예에 해당한다.

06 (가)에 해당하는 지역으로 갯벌이나 강가 등이 있으며, 이곳에서는 종 다양성이 높게 나타난다.

| 선택지 분석 |

ㄱ. 생태계 구성 요소들 사이의 상호 작용도 생태계 다양성에 해당한다.
➡ 생태계 다양성은 서식지의 다양성뿐만 아니라 한 서식지에 살고 있는 모든 생물과 비생물의 상호 작용에 대한 다양성도 포함한다.

✕. ~~생태계~~유전적 다양성이 높을수록 환경이 급격히 변하거나 전염병이 발생했을 때 생태계를 구성하는 생물종이 멸종될 확률이 ~~높다.~~ 낮다.

ㄷ. (가)에는 각각의 생태계에 서식하는 생물종과 두 생태계의 자원을 모두 이용하는 생물종이 서식하므로 종 다양성이 높다.
➡ 서로 다른 생태계의 접경 지대에는 각 생태계에 서식하는 생물종들이 출현하기 때문에 종 다양성이 상대적으로 높다.

07 | 선택지 분석 |

ㄱ. 단편화된 서식지에서만 교배가 일어나 유전적 다양성이 ~~증가~~한다. (감소)

ㄴ. 고가 도로나 터널을 건설하거나 도로 위에 생태 통로를 설치하면 서식지 단편화의 피해를 최소화할 수 있다.
➡ 고가 도로, 터널, 생태 통로는 단편화된 서식지를 연결하는 역할을 한다.

ㄷ. 서식지 단편화로 인해 생물 다양성이 감소되므로 다양한 외래 생물을 많이 도입하여 종 다양성을 증가시켜야 한다.
➡ 외래 생물의 도입은 종 다양성을 감소시키는 요인이다.

08 | 선택지 분석 |

ㄱ. 호수에 조류, 플랑크톤, 어류 등이 함께 사는 것은 (가)와 같은 다양성의 예이다.
➡ (가)는 종 다양성에 대한 설명으로, 호수에 여러 종이 함께 사는 것은 종 다양성과 관계가 있다.

ㄴ. (나)는 유전적 다양성의 예이다.
➡ 털색이 다양한 고양이는 유전적 다양성의 예이다.

ㄷ. (나)에 해당하는 다양성은 ~~동물 종에서만~~ 나타난다. (모든 생물에서)
➡ 유전적 다양성은 모든 생물에서 나타난다.

09 (가)는 유전적 다양성, (나)는 종 다양성이다.

| 선택지 분석 |

ㄱ. (가)의 무당벌레는 같은 종에 속하므로 크기, 모양 등의 형질이 각 개체마다 ~~같게~~ 나타난다. (다르게)

ㄴ. (나)는 강수량, 기온, 토양 등과 같은 요인에 의해 달라져 사막, 초원, 삼림, 강, 습지 등으로 다양하게 형성된다.
➡ 생태계 다양성에 관한 설명이다.

ㄷ. 같은 부모에게서 태어난 자녀의 얼굴 모습이 서로 다른 것은 (가), 군집을 구성하는 개체군들이 다양한 것은 (나)와 관계있다.
➡ 같은 부모에게서 태어난 자녀의 얼굴 모습이 서로 다른 것은 유전자의 변이 때문이며 군집을 구성하는 개체군들이 다양한 것은 종 다양성과 관계있는 것이다.

10 | 선택지 분석 |

ㄱ. 식물 종 다양성은 ㉠에서가 ㉢에서보다 높다.
➡ ㉠에서가 ㉢에서보다 식물 종의 수가 많고 고르게 분포하므로 종 다양성은 ㉠에서 높다.

ㄴ. C의 개체군 밀도는 ㉠에서가 ㉡에서보다 ~~낮다~~. (같다.)

➡ 개체군의 밀도는 $\frac{\text{개체 수}}{\text{개체군의 서식 면적}}$이다. C의 개체 수는 ㉡이 ㉠의 2배, 서식 면적도 ㉡이 ㉠의 2배이므로 결국 C의 개체군 밀도는 ㉠과 ㉡이 같다.

ㄷ. D의 상대 밀도는 ㉡과 ㉢에서 ~~같다~~. (다르다.)

➡ D의 상대 밀도는 ㉡이 $\frac{12}{60}\times100$이고, ㉢이 $\frac{12}{40}\times100$이므로 서로 다르다.

한번에 끝내는 대단원 문제 286쪽~288쪽

01 ② **02** ④ **03** ③ **04** ⑤ **05** ② **06** ① **07** ③ **08** ④

09 (1) Ⅰ: 편리 공생, Ⅱ: 상리 공생
(2) 이익도 손해도 없음
(3) | **모범 답안** | Ⅰ의 상호 작용을 할 때: (나), 혼합 배양했을 때 두 개체군 중에서 A의 개체 수는 변화가 없고, B의 개체 수만 증가하였으므로 (나)이다. Ⅱ의 상호 작용을 할 때: (다), 혼합 배양했을 때 두 개체군 모두 개체 수가 증가하였으므로 (다)이다.

10 (1) ㉠ 총생산량 ㉡ 순생산량 ㉢ 생장량
(2) | **모범 답안** | ㉠과 ㉡의 차이는 호흡량으로 생산자의 생활에 필요한 에너지로 사용한 유기물의 양이다.

11 (1) (가) 수평 분포 (나) 수직 분포
(2) | **모범 답안** | (가)는 위도에 따른 기온과 강수량의 차이로 군집의 분포가 형성되고, (나)는 고도에 따른 기온의 차이로 군집의 분포가 형성된다.

12 (1) (가) 텃세 (나) 분서
(2) | **모범 답안** | (가)는 개체군 내 상호 작용이고, (나)는 개체군 간의 또는 군집 내 상호 작용이다.

01 A는 빛에너지가 생산자에 미치는 영향이나 광합성이며, B는 상호 작용이고, C는 작용과 반작용이다.

| 선택지 분석 |

① ~~유기물~~에서 ~~무기물~~로의 전환은 A에 포함된다. (무기물, 유기물)

② B에는 피식과 포식의 관계가 포함되어 있다.
➡ 초식 동물은 생산자를 먹이로 하므로 피식과 포식의 관계이다.

③ 태양, 대기, 토양은 생태계를 구성하는 요소가 ~~아니다~~. (이다.)

④ C는 상호 작용으로 이에 해당하는 예로 '바람에 의해 꽃가루나 씨앗이 널리 퍼진다.'를 들 수 있다.
➡ C는 작용과 반작용이며, '바람에 의해 꽃가루나 씨앗이 널리 퍼진다.'는 작용의 예이다.

⑤ 생산자에 해당하는 생물은 ~~한 종류~~의 개체군이며, 생산자를 포함하여, 초식 동물, 육식 동물, 분해자 모두 하나의 군집을 형성한다. (많은 종류)

02 | 선택지 분석 |

ㄱ. (가)는 ~~일조 시간~~, (다)는 온도와 관계가 있다. (빛의 세기)

ㄴ. (가)와 (다)는 작용이고, (나)는 반작용이다.
➡ (가)와 (다)는 환경이 생물에, (나)는 생물이 환경에 영향을 미치는 것이다.

ㄷ. '낙엽이 쌓이면 토양이 비옥해진다.'는 (나)와 같은 예에 해당한다.
➡ 생물이 환경에 영향을 미친 반작용의 예이다.

03 개체군의 개체 수가 시간이 지날수록 증가하는 것을 그래프로 나타낸 것을 생장 곡선이라고 한다.

| 선택지 분석 |

✗ ㄱ. t_1에서는 ~~안정형~~(발전형)의 연령 피라미드가, t_2에서는 ~~발전형~~(안정형)의 연령 피라미드가 나타난다.

✗ ㄴ. t_1에서 (가), (나) 사이의 개체 수 차이는 공간과 먹이 부족, 노폐물 축적 등 개체군 생장을 억제하는 ~~환경 수용력~~(환경 저항) 때문이다.

ⓒ 개체군은 한 종의 생물로 이루어진 집단이며, 개체군이 서식하는 단위 면적당 개체 수는 t_1에 비해 t_2일 때가 더 많다.

➡ 개체군이 서식하는 단위 면적당 개체 수는 개체군의 밀도로 t_1보다 t_2가 더 크다.

04 A는 교목층, B는 아교목층, C는 관목층, 초본층, 선태층, 지중층을 포함한다.

| 선택지 분석 |

✗ ㄱ. A층은 가장 광합성이 활발하며 교목층, 아교목층, 초본층이 포함된다.

➡ 아교목층은 B, 초본층은 C에 해당한다.

ⓛ C에는 생태계에서 분해자에 해당하는 균류와 소비자인 일부 곤충류가 서식한다.

➡ 균류와 소비자인 일부 곤충류가 서식하는 곳은 선태층이나 지중층이다.

ⓒ A, B, C 중에서 가장 산소가 풍부한 층은 A이며, 이 식물 군집의 우점종은 음수림이다.

➡ 산소가 가장 풍부한 곳은 광합성이 가장 활발한 A 층이며, 극상에 도달한 식물 군집이므로 우점종은 음수림이다.

05 A는 초본, B는 관목림, C는 양수림, D는 음수림이며, 산불이 난 후 시작되는 천이는 2차 천이이다.

| 선택지 분석 |

✗ ㄱ. ~~1차 천이~~(2차 천이)에 해당하며 A는 개척자인 ~~균류와 조류의 공생체~~(초본)이다.

ⓛ t_1에 비해 t_2로 갈수록 지표면에 도달하는 빛의 양은 점점 감소한다.

➡ 천이가 진행될수록 지표면에 도달하는 빛의 세기와 양은 점점 감소한다.

✗ ㄷ. C와 D 중에서 빛의 세기가 약한 곳에서의 생존 가능성이 큰 종은 ~~C~~(D)이다.

06 각 종의 상대 밀도, 상대 빈도, 상대 피도를 합한 값을 중요치라고 하며, 중요치가 가장 큰 종이 그 군집의 우점종이 된다.

| 자료 분석 |

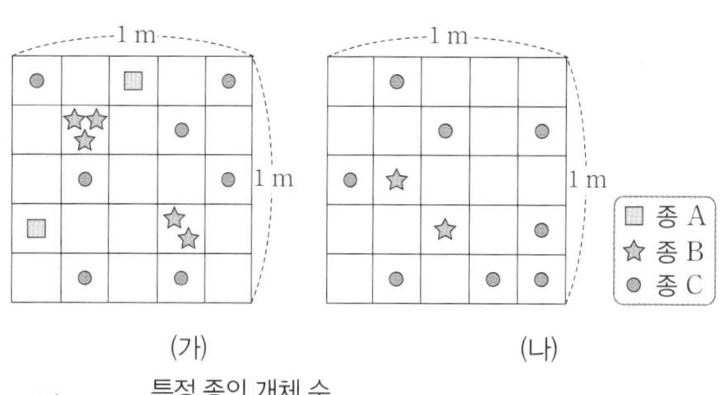

(가) (나)

- 밀도 $= \dfrac{\text{특정 종의 개체 수}}{\text{전체 방형구의 면적}(m^2)}$
- 상대 밀도(%) $= \dfrac{\text{특정 종의 밀도}}{\text{모든 종의 밀도 합}} \times 100$
- 빈도 $= \dfrac{\text{특정 종이 출현한 방형구의 수}}{\text{전체 방형구의 수}}$
- 상대 빈도(%) $= \dfrac{\text{특정 종의 빈도}}{\text{모든 종의 빈도 합}} \times 100$
- 피도 $= \dfrac{\text{특정 종의 점유 면적}(m^2)}{\text{전체 방형구의 면적}(m^2)}$
- 상대 피도(%) $= \dfrac{\text{특정 종의 피도}}{\text{모든 종의 피도 합}} \times 100$

		밀도	빈도	피도	상대 밀도	상대 빈도	상대 피도	중요치
(가)	A	2	2	2	14.3	18.2	14.3	46.8
	B	5	2	5	35.7	18.2	35.7	89.6
	C	7	7	7	50	63.6	50	163.6
(나)	B	2	2	2	20	20	20	60
	C	8	8	8	80	80	80	240

| 선택지 분석 |

ⓖ (가)에서 상대 밀도가 가장 높은 종은 C이다.

➡ (가)에서 가장 개체 수가 많은 종은 C이다.

✗ ㄴ. (가)와 (나)에서 B의 상대 빈도는 서로 같다.

➡ (가)와 (나)에서 B의 상대 빈도는 각각 18.2와 20이다.

✗ ㄷ. (가)와 (나)의 우점종은 모두 C이며, C의 중요도는 (나)가 (가)의 2배가 ~~넘는다~~(넘지 않는다).

➡ C의 중요도는 (가)의 경우 163.6이고 (나)의 경우 240이다.

07 종 A를 제거하여도 종 B의 서식 범위가 변하지 않는 것은 종 B가 건조에 약하다는 의미이며, 종 B를 제거하면 종 A가 ㉢에도 서식한다는 것은 ㉢에서 종 A가 종 B에게 경쟁에서 밀려났다는 것을 의미한다.

| 선택지 분석 |

✗ ㄱ. ㉠ 지역에 경쟁·배타의 원리가 적용되었다.

➡ 종 B는 ㉠ 지역에서 경쟁에 밀려난 것이 아니라 건조한 환경에서 서식하지 못한 것이다.

✗ ㄴ. ㉡ 지역에서는 종 A와 종 B의 공생 관계가 형성된다.

➡ 종 A와 종 B는 생태적 지위가 비슷하여 경쟁 관계에 있다.

ⓒ ㉢ 지역에 종 A를 단독 배양하면 종 A의 개체군 밀도가 증가한다.

➡ 종 A는 ㉢ 지역에도 서식할 수 있으므로 단독 배양하면 개체 수가 증가한다.

08 A는 800, B는 20이다. 에너지 효율은 (나)는 10 %, (다)는 20 %이다.

| 선택지 분석 |

① (가)는 생산자, (나)는 소비자, (다)는 ~~분해자~~이다.
2차 소비자

② A는 (가)의 생활에 필요한 에너지로 소모된 양으로 ~~900~~ 이다.
800

③ (가), (나), (다)로 갈수록 각 단계의 에너지 효율은 점점 ~~낮아진다.~~
높아진다.

✔④ 분해자가 이용 가능한 에너지 총량은 생산자가 호흡으로 소비한 에너지 총량보다 적다.

➡ 분해자가 이용 가능한 에너지 총량은 115이고, 생산자가 호흡으로 소비한 에너지 총량은 800이다.

⑤ 이 생태계의 에너지 근원은 태양의 빛에너지이며 빛에너지는 영양 단계를 거쳐 다시 ~~순환이 된다.~~
순환되지 않는다.

09 (1) 두 개체군이 함께 서식할 때 서로에게 이익이 되는 상호 작용은 상리 공생이며, 한 쪽은 이익, 다른 쪽은 이익도 손해도 없는 상호 작용은 편리 공생이다.

(3) 개체군에게 이익이 되는 경우 개체군의 크기는 증가하게 된다.

채점 기준	배점
두 종류의 상호 작용 그래프와 까닭을 모두 옳게 서술한 경우	100 %
두 종류의 상호 작용 그래프와 까닭 중 1가지만 옳게 서술한 경우	50 %

10 (1) 순생산량에는 피식량, 고사량, 생장량이 포함된다.

(2) 식물 군집의 총생산량에서 호흡량을 제외한 것은 순생산량이다.

채점 기준	배점
생활에 필요한 에너지로 소모한다는 내용과 함께 호흡량을 언급하면서 서술한 경우	100 %
호흡량을 언급하지 않고 생활에 필요한 에너지로 소모한다는 내용만 서술한 경우	50 %

11 (1) 생태 분포에는 수직 분포와 수평 분포가 있다.

(2) 수직 분포는 특정 지역에서의 고도에 따른 분포이고, 수평 분포는 위도에 따른 분포이다.

채점 기준	배점
(가)와 (나)에서 식물 군집의 분포에 영향을 미치는 요인을 옳게 서술한 경우	100 %
(가)와 (나) 중 1가지만 옳게 서술한 경우	50 %

12 (1) 생물들 사이의 상호 작용에는 개체군 내, 군집 내 상호 작용이 있다.

(2) 개체군 내 상호 작용에는 텃세, 순위제, 리더제, 사회생활, 가족생활이 있고, 군집 내 상호 작용에는 종간 경쟁, 공생, 포식과 피식, 기생, 분서가 있다.

채점 기준	배점
(가)는 개체군 내, (나)는 개체군 간의 또는 군집 내 상호 작용임을 모두 옳게 서술한 경우	100 %
(가)는 개체군 내, (나)는 개체군 간의 또는 군집 내 상호 작용이라는 것 중 1가지만 옳게 서술한 경우	50 %

개념 학습과 정리가 한번에 끝나는 기본서
개념풀
생명과학 I

발 행 인 권준구
발 행 처 (주)지학사 (등록번호 : 1957.3.18 제 13-11호) 04056 서울시 마포구 신촌로6길 5
발 행 일 2018년 9월 30일 [초판 1쇄] 2023년 9월 30일 [2판 3쇄]
구입 문의 TEL 02-330-5300 | FAX 02-325-8010 구입 후에는 철회되지 않으며, 잘못된 제품은 구입처에서 교환해 드립니다.
내용 문의 www.jihak.co.kr 전화번호는 홈페이지 〈고객센터 → 담당자 안내〉에 있습니다.

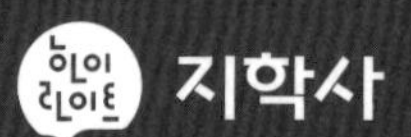

학습한 개념을
스스로 정리해 보는
개념책 1:1 맞춤

정리 노트

개념풀 생명과학 I

의 노트

개념과 정리가 한번에 끝나는 기본서

개념풀

생명과학 I

개념책 1:1 맞춤

정리노트

contents

학습한 개념을 단권화 할 수 있는

개념풀 정리노트 사용법

정리노트를 작성하기 전 중단원의 흐름을 살펴보면서 워밍업을 해 보세요.

❶ 노트 정리 전에 공부할 마음을 다잡아 보아요.

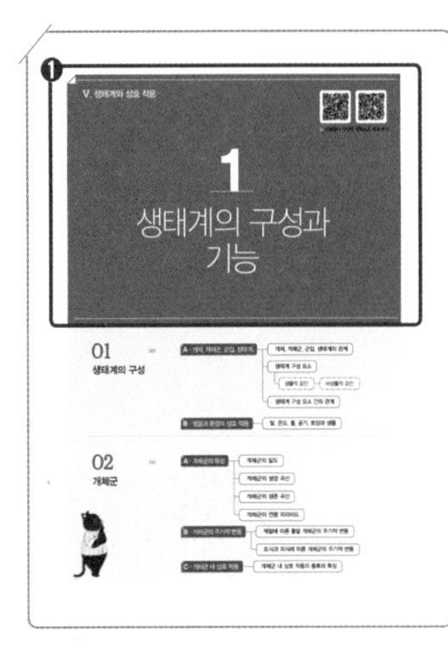

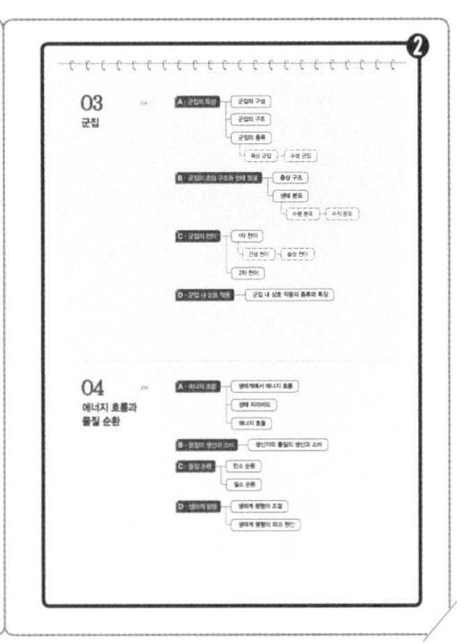

❷ 중단원의 흐름을 한번에 훑어 보세요. 공부했던 내용들의 흐름이 기억날 거예요.

기억이 잘 안난다구요?
기억이 나지 않아도
걱정 마세요.
이제부터 시작이니까요.

소단원별 중요 내용의 구조를 보고, 개념을 정리하세요.

❶ 선배들이 개념책을 보고 소단원 전체의 소제목과 내용 구조를 정리했어요.

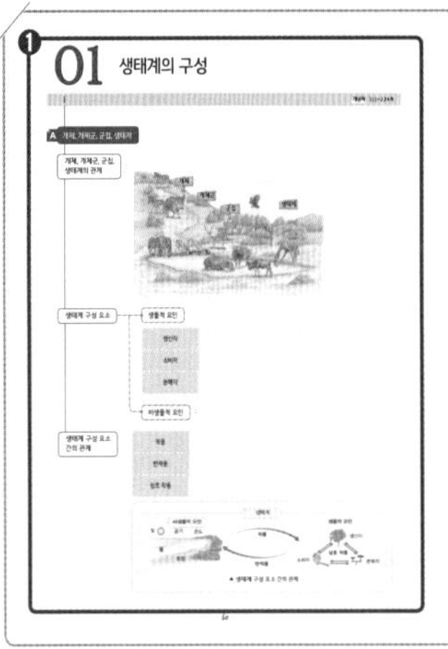

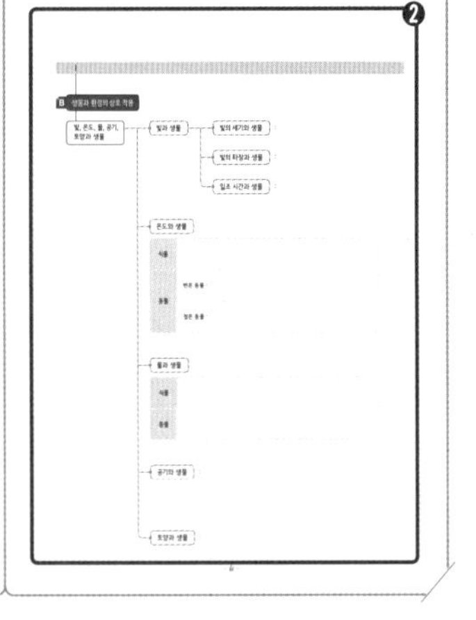

❷ 어디서부터 어떻게 정리해야 할지 모른다구요? 개념책을 펴 보세요. 흐름이 같지요? 개념책의 내용을 나만의 스타일로 정리해 보세요.

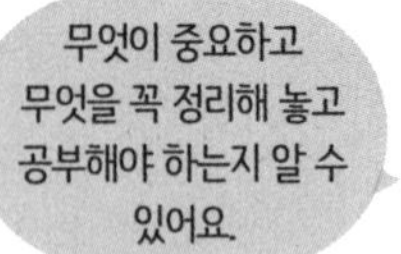

무엇이 중요하고
무엇을 꼭 정리해 놓고
공부해야 하는지 알 수
있어요.

대단원별 중요 그림 다시 보기와 마인드맵으로 단원 내용을 확실하게 정리하세요.

❶ 대단원별 중요한 그림에 자신만의 설명을 적어 보세요. 단원의 핵심 자료를 확실하게 정리할 수 있어요.

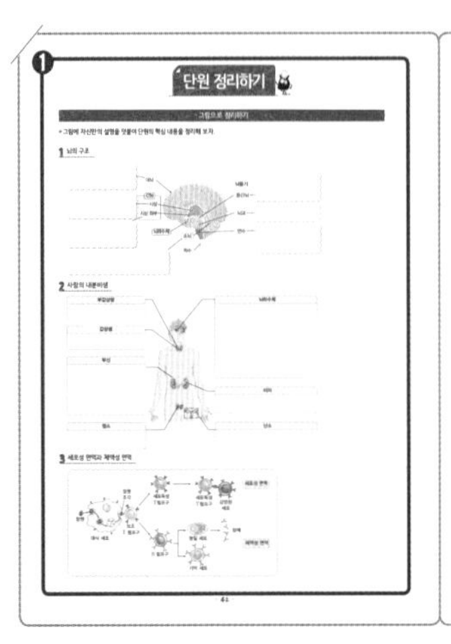

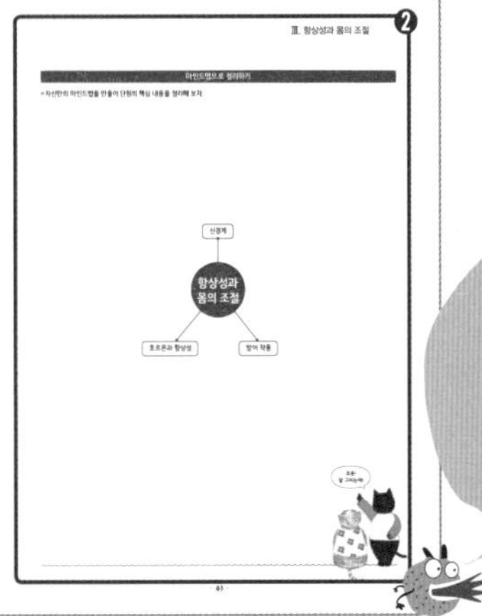

❷ 자신만의 마인드맵을 만들어 보아요. 단원의 핵심 내용이 머릿속에 쏙!

정리노트 사용하는 2가지 방법

1. 개념책이나 교과서를 펴놓고 중요 개념을 보면서 써 보기!
2. 외웠던 것을 스스로 확인하는 차원에서 정리해 보기!

수능 1등급 받은

선배들의 정리노트 이야기

정리노트를 작성하기가 막막해?
정리노트를 다시 쓰고 싶다고?
지학사 홈페이지(www.jihak.co.kr)에 들어오면,
빈노트와 선배들의 정리노트를 다운받을 수 있어!

선배들이 직접 들려주는 정리노트 노하우!

"노트 정리를 하며 공부하려고 하면 무엇부터 써야하는지 막막하잖아. 노트 정리법을 직접 알려주려고 동영상을 만들었어. 어떤 노하우가 있는지 궁금하지 않아?"

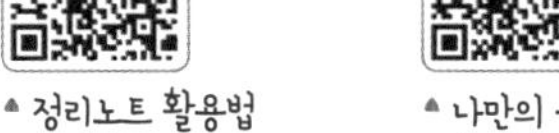

▲ 정리노트 활용법
동영상 바로보기

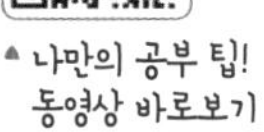

▲ 나만의 공부 팁!
동영상 바로보기

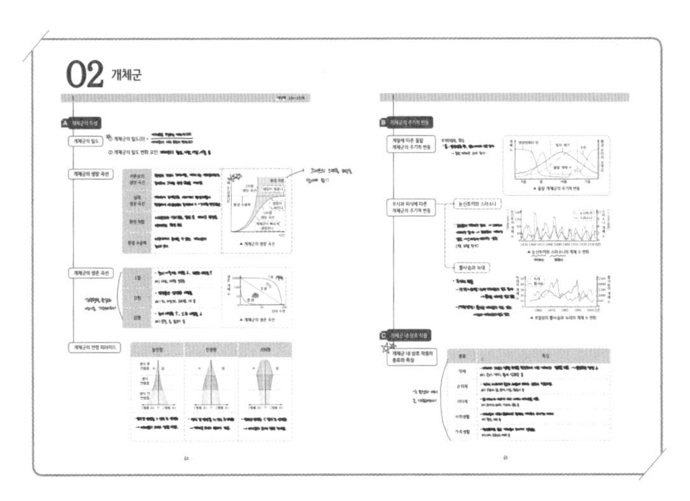

김선욱 고려대 재학생

"개념풀 정리노트는 단원의 전체 흐름을 한 눈에 파악할 수 있어서 정리노트를 쓰다보면 어떤 개념이 중요한지 머리에 쏙! 저장되는 느낌이야"

◀ 김선욱 학생의 노트 바로가기

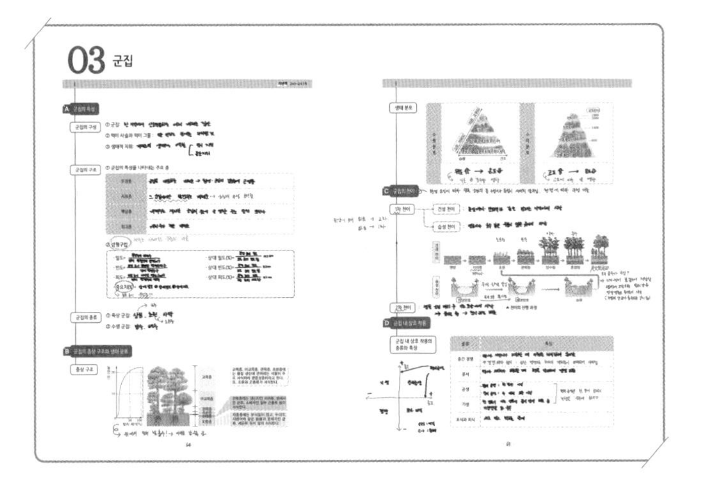

이가현 고려대 재학생

"개념풀 정리노트에는 중요 그림이 제시되어 있어서 그림을 직접 그릴 필요도 없고 중요 그림에 관련된 핵심 내용만 추가하며 정리하면 되니까 너무 편해."

◀ 이가현 학생의 노트 바로가기

» 선배들이 작성한 정리노트 바로가기

1

생명 과학의 이해

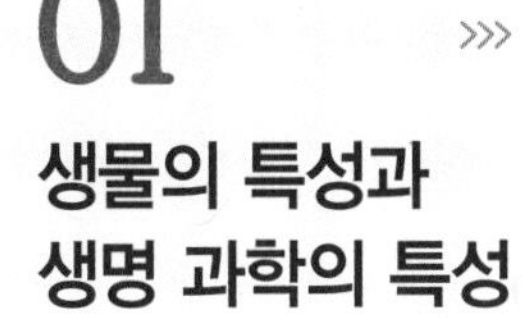

01 생물의 특성과 생명 과학의 특성

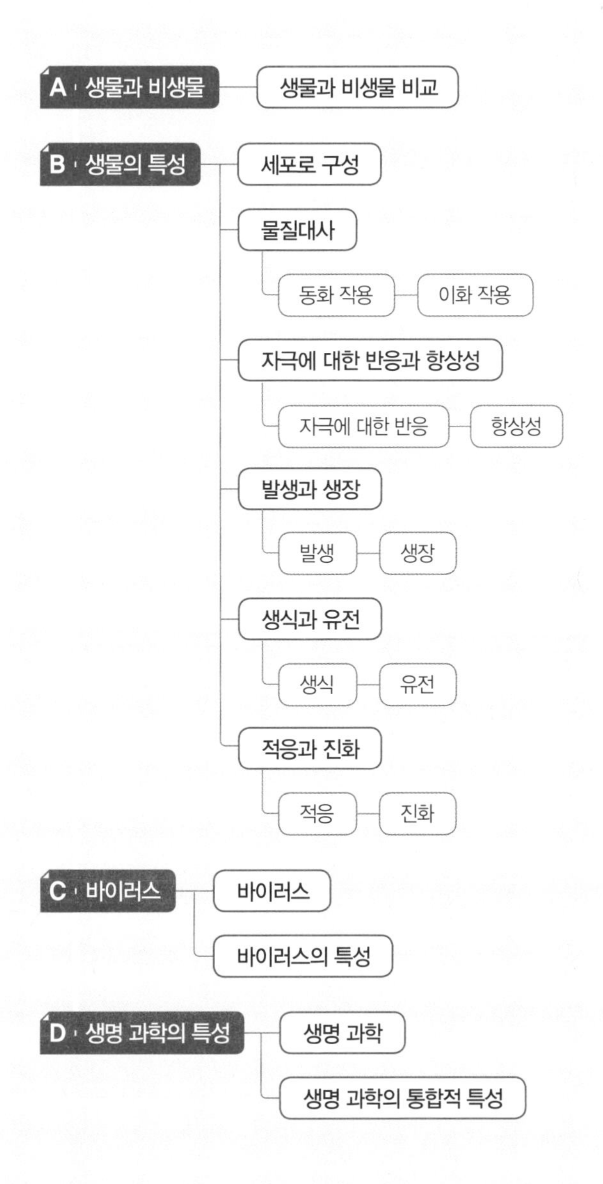

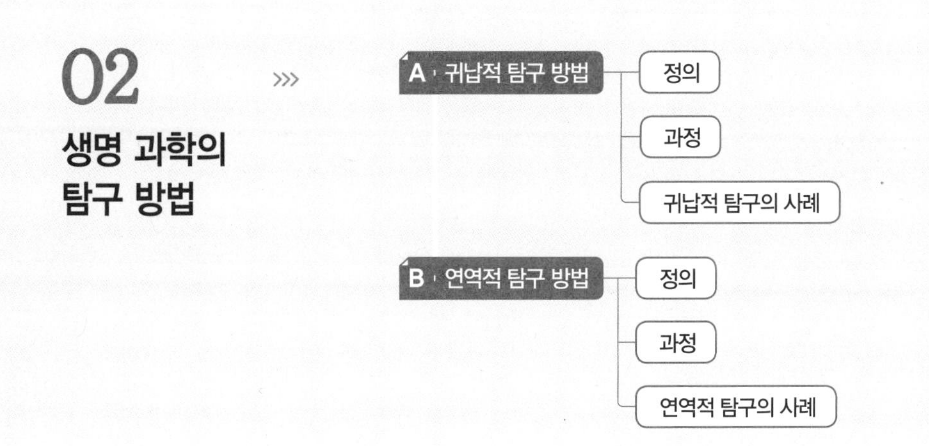

01 생물의 특성과 생명 과학의 특성

개념책 010~012쪽

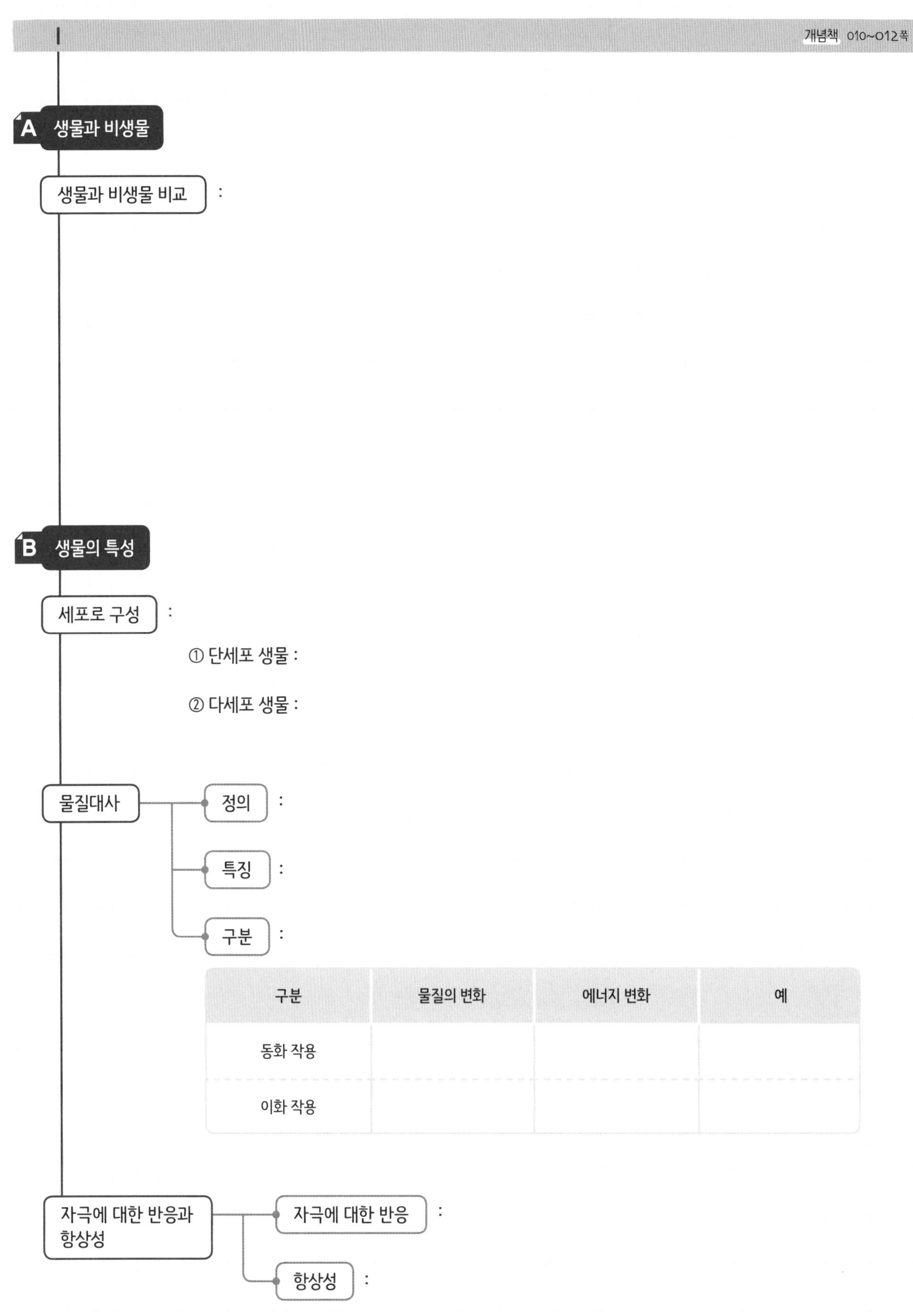

A 생물과 비생물

생물과 비생물 비교 :

B 생물의 특성

세포로 구성 :

① 단세포 생물 :

② 다세포 생물 :

물질대사

- 정의 :
- 특징 :
- 구분 :

구분	물질의 변화	에너지 변화	예
동화 작용			
이화 작용			

자극에 대한 반응과 항상성

- 자극에 대한 반응 :
- 항상성 :

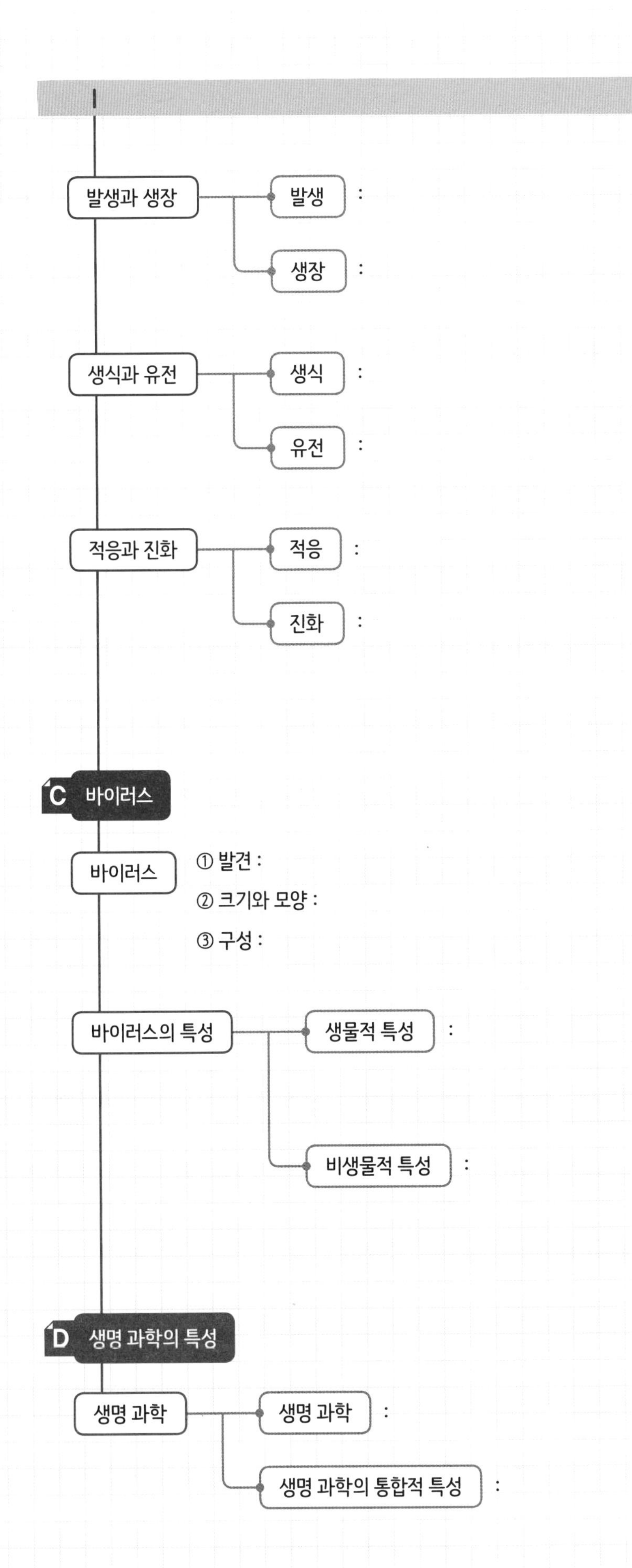

발생과 생장
발생 :
생장 :
생식과 유전
생식 :
유전 :
적응과 진화
적응 :
진화 :
C 바이러스
바이러스
① 발견 :
② 크기와 모양 :
③ 구성 :
바이러스의 특성
생물적 특성 :
비생물적 특성 :
D 생명 과학의 특성
생명 과학
생명 과학 :
생명 과학의 통합적 특성 :

02 생명 과학의 탐구 방법

개념책 018~019쪽

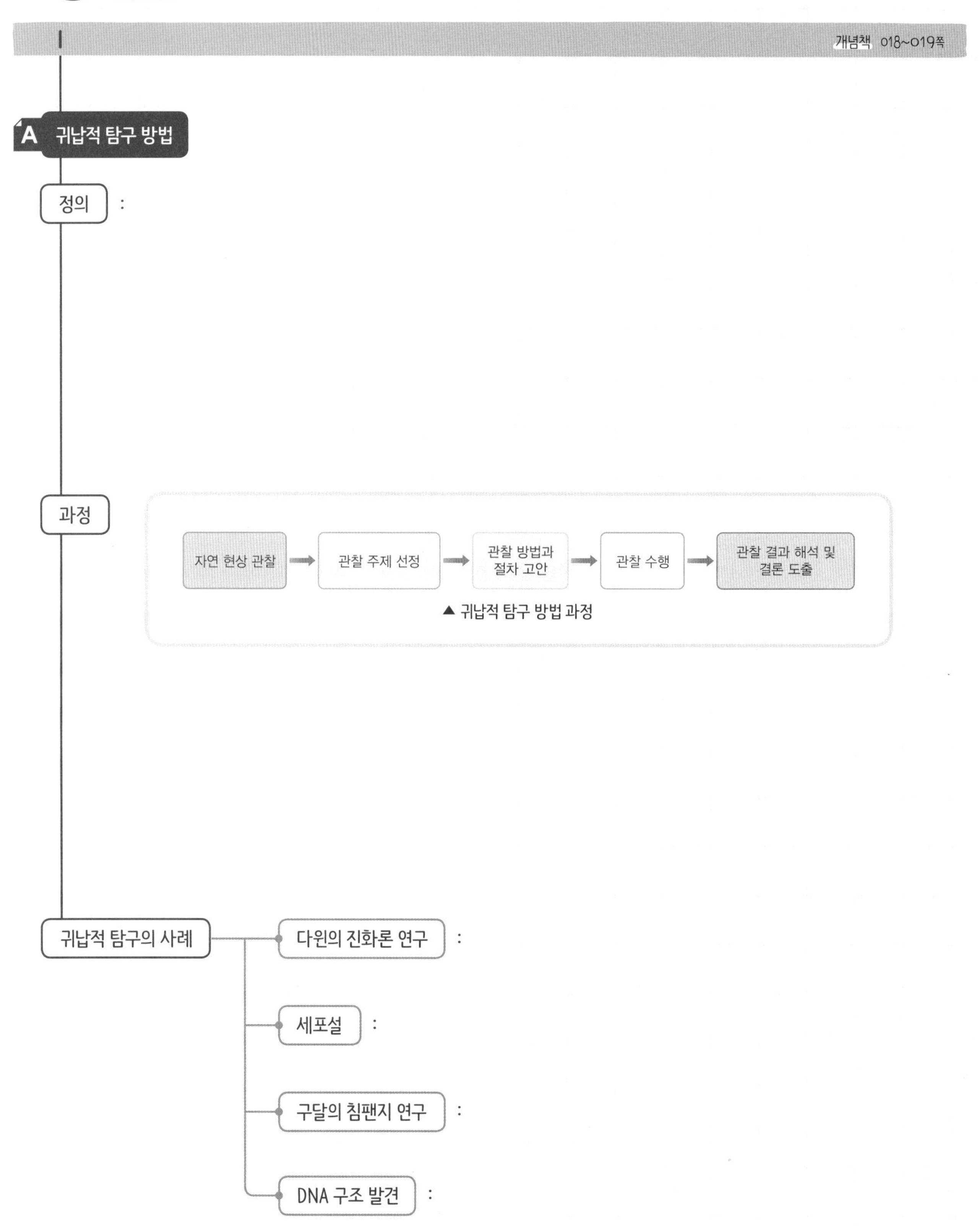

▲ 귀납적 탐구 방법 과정

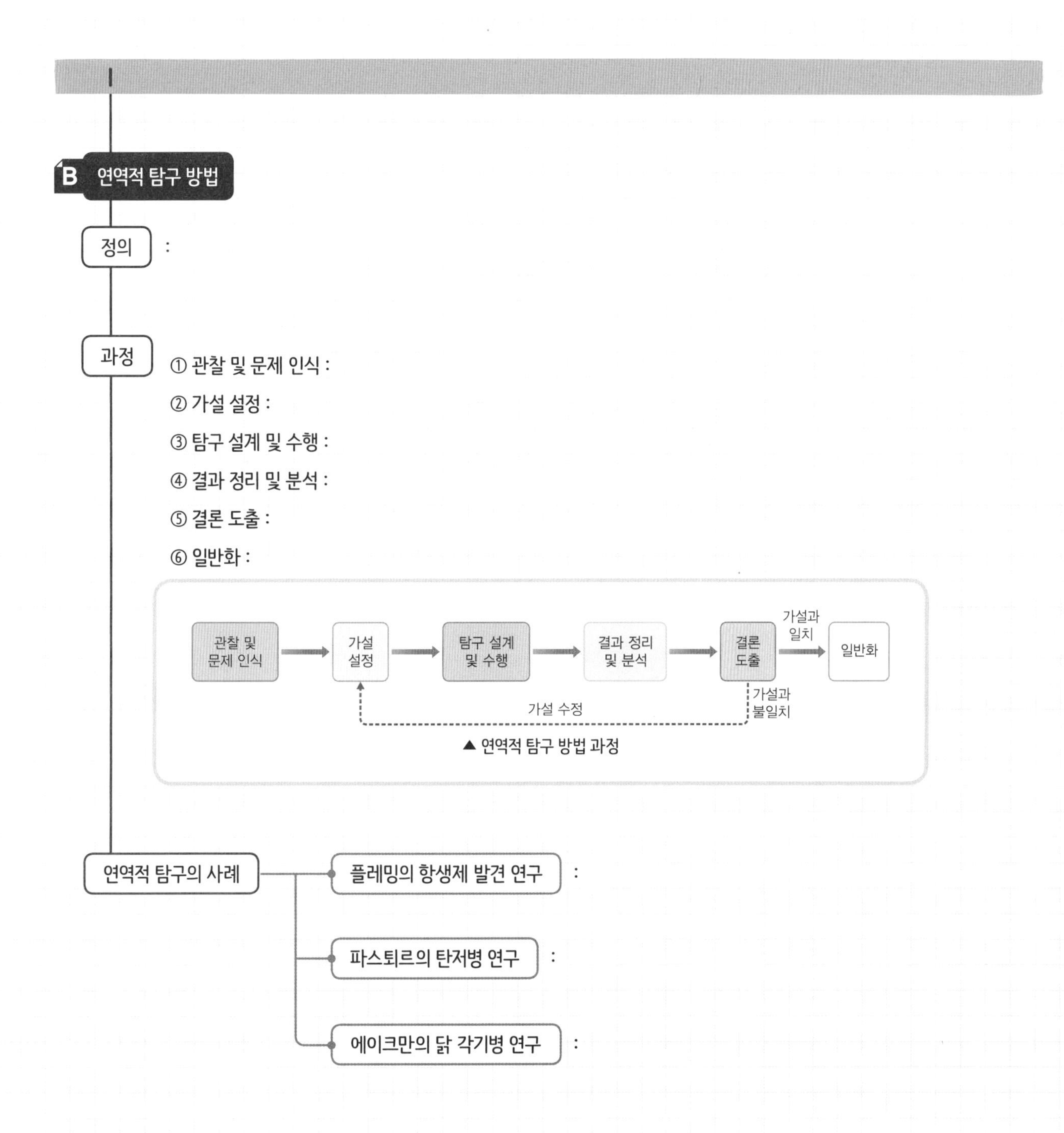

B 연역적 탐구 방법

정의 :

과정

① 관찰 및 문제 인식 :

② 가설 설정 :

③ 탐구 설계 및 수행 :

④ 결과 정리 및 분석 :

⑤ 결론 도출 :

⑥ 일반화 :

▲ 연역적 탐구 방법 과정

연역적 탐구의 사례

- 플레밍의 항생제 발견 연구 :
- 파스퇴르의 탄저병 연구 :
- 에이크만의 닭 각기병 연구 :

나만의 메모

그림으로 정리하기

그림에 자신만의 설명을 덧붙여 단원의 핵심 내용을 정리해 보자.

1 생물의 특성

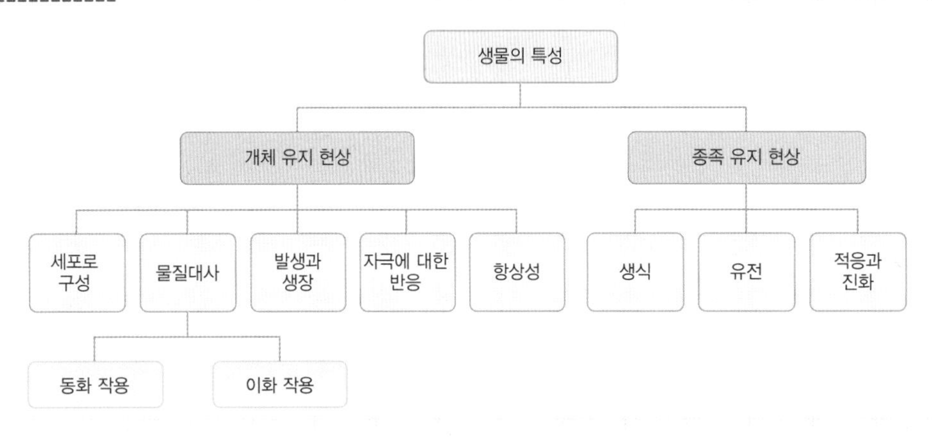

2 귀납적 탐구 방법

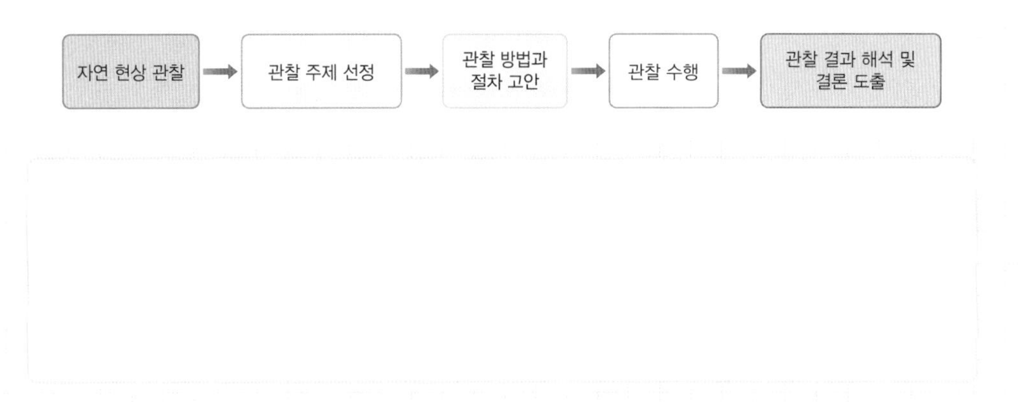

3 연역적 탐구 방법

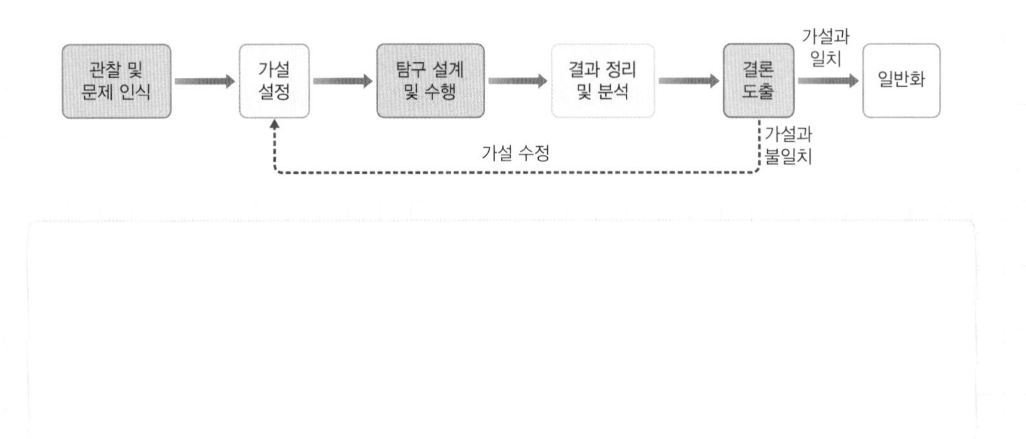

마인드맵으로 정리하기

◎ 자신만의 마인드맵을 만들어 단원의 핵심 내용을 정리해 보자.

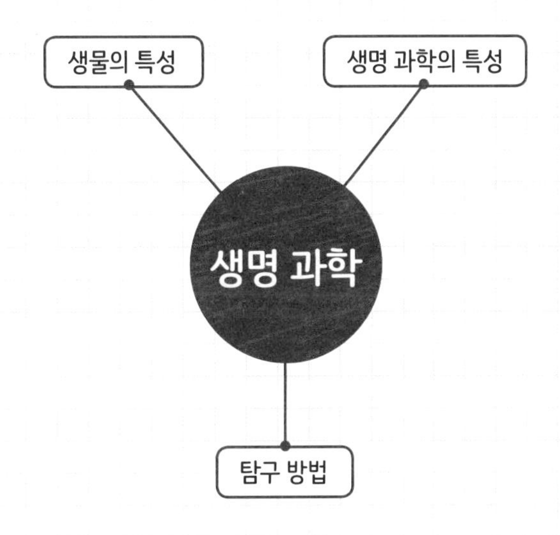

» 선배들이 작성한 정리노트 바로가기

1 사람의 물질대사

01 생명 활동과 에너지

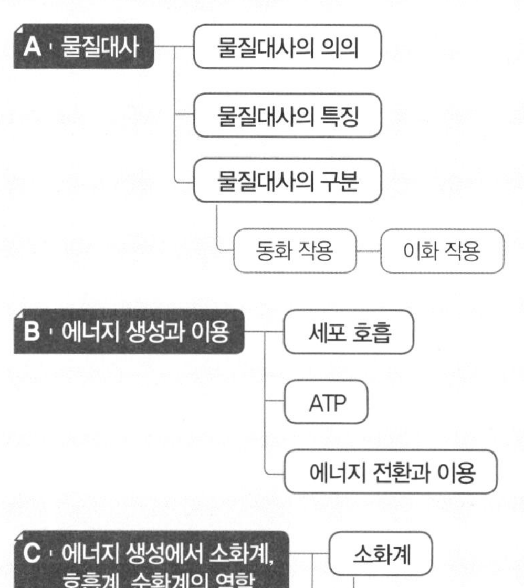

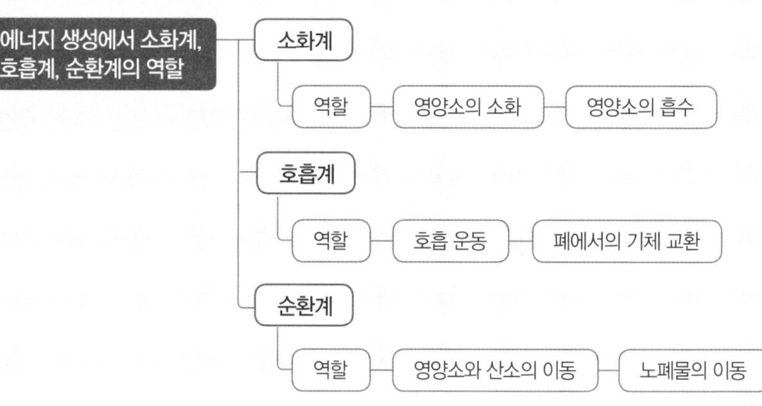

02 노폐물 배설과 기관계의 통합적 작용

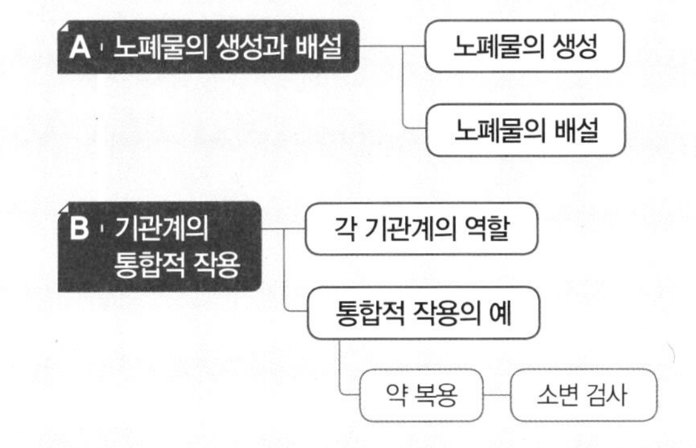

03 물질대사와 질병

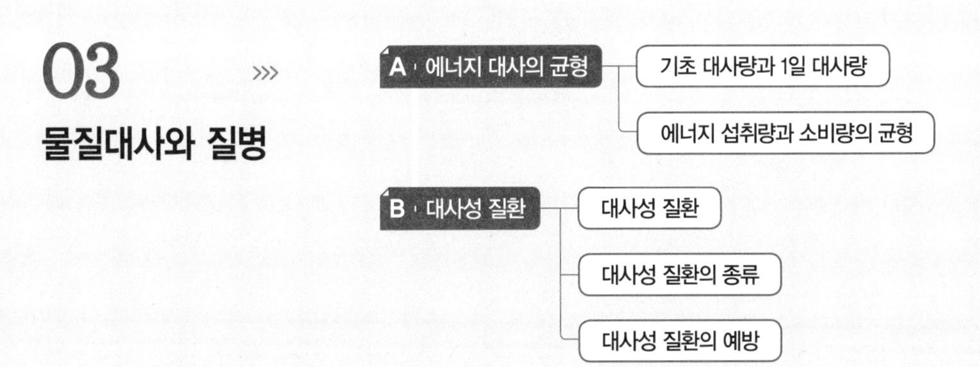

01 생명 활동과 에너지

개념책 038~041쪽

A 물질대사 :

물질대사의 의의 :

물질대사의 특징

①

②

③

물질대사의 구분

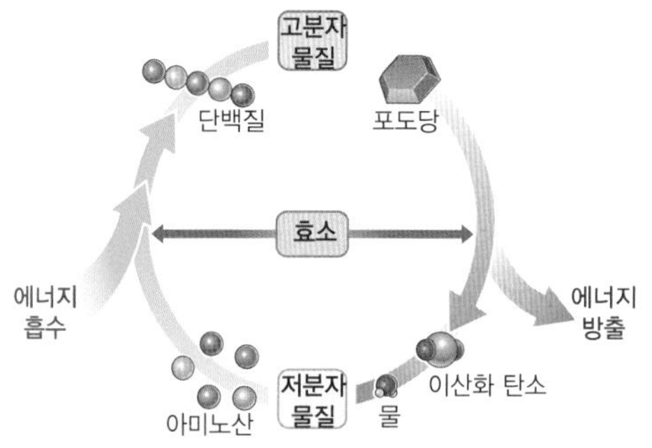

고분자 물질
단백질
포도당
효소
에너지 흡수
에너지 방출
아미노산
저분자 물질
물
이산화 탄소

구분	동화 작용	이화 작용
에너지 출입		
이용		
예		

B 에너지 생성과 이용

세포 호흡 :

ATP :

에너지 전환과 이용 :

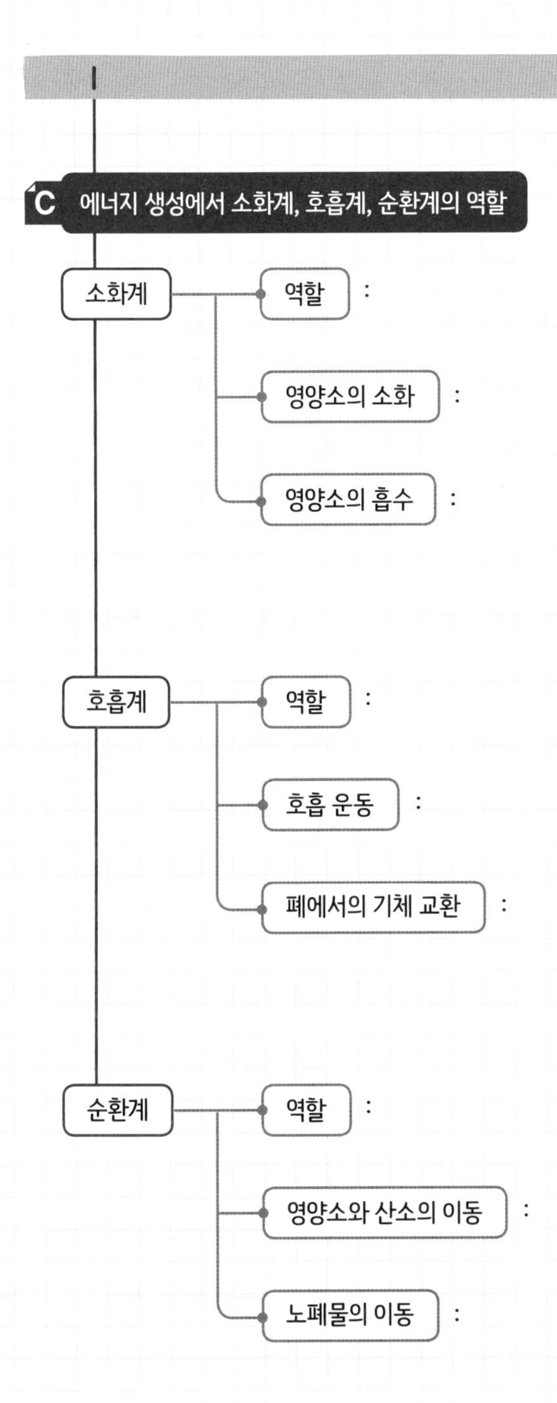
C 에너지 생성에서 소화계, 호흡계, 순환계의 역할
소화계
역할 :
영양소의 소화 :
영양소의 흡수 :
호흡계
역할 :
호흡 운동 :
폐에서의 기체 교환 :
순환계
역할 :
영양소와 산소의 이동 :
노폐물의 이동 :

02 노폐물 배설과 기관계의 통합적 작용

개념책 048~049쪽

A 노폐물의 생성과 배설

노폐물의 생성

구분	구성 원소	생성되는 노폐물
탄수화물		
지방		
단백질		

노폐물의 배설

이산화 탄소	
물	
암모니아	

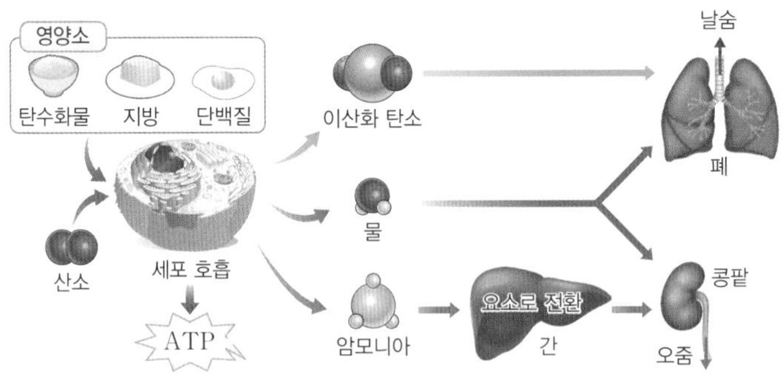

나만의 메모

B 기관계의 통합적 작용

기관계의 역할

구분	역할
소화계	
호흡계	
순환계	
배설계	

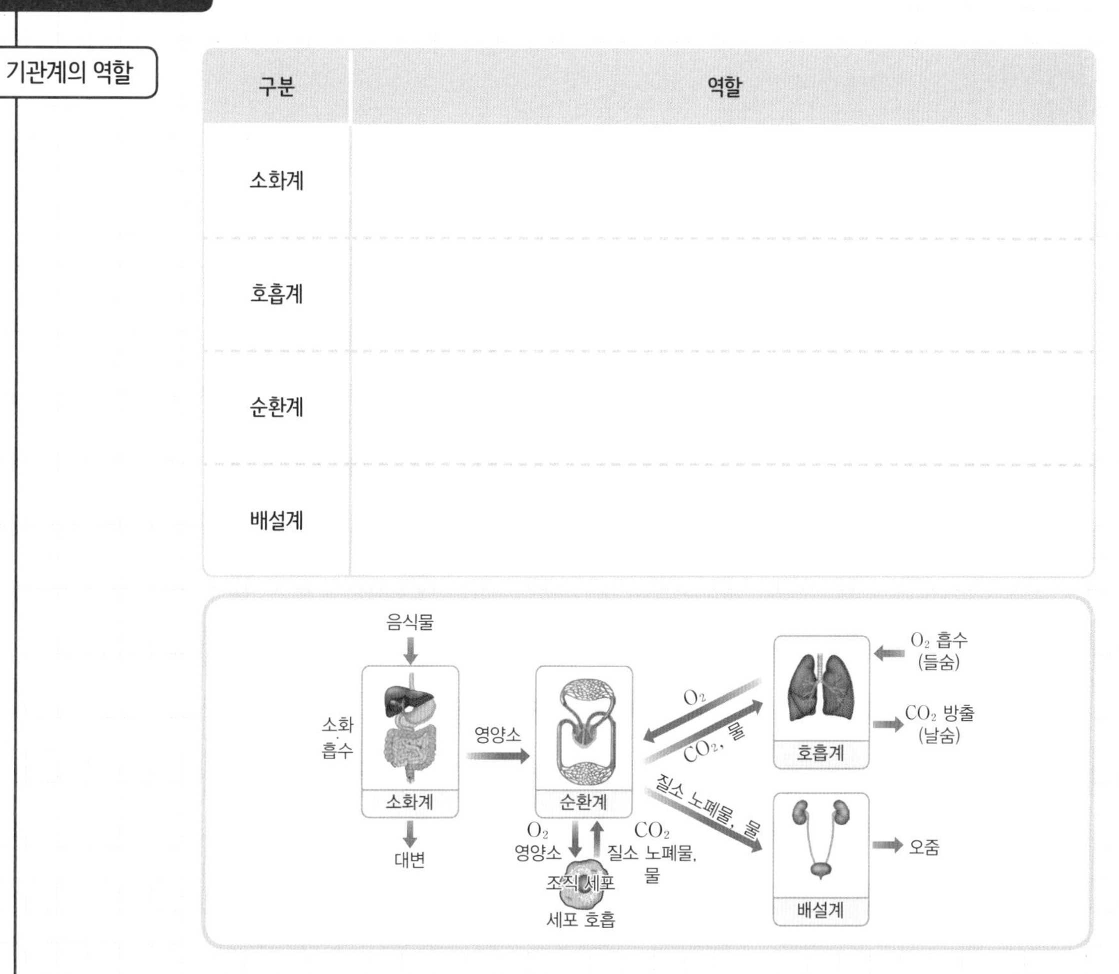

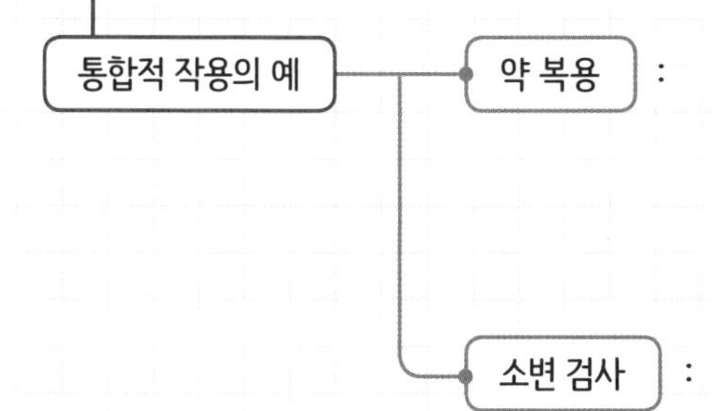

약 복용 :

소변 검사 :

03 물질대사와 질병

개념책 056~057쪽

A 에너지 대사의 균형

기초 대사량과 1일 대사량

기초 대사량	
활동 대사량	
1일 대사량	

에너지 대사의 균형

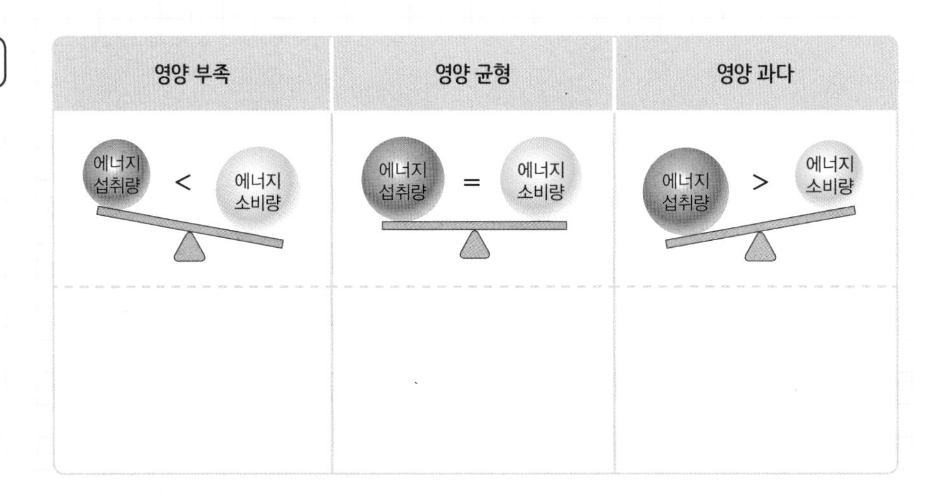

B 대사성 질환 :

대사성 질환의 원인 :

대사성 질환의 종류

구분	원인	특징
고혈압		
당뇨병		
고지혈증		
지방간		
구루병		

대사성 질환의 예방

①

②

③

④

대사 증후군 :

나만의 메모

단원 정리하기

그림으로 정리하기

◎ 그림에 자신만의 설명을 덧붙여 단원의 핵심 내용을 정리해 보자.

1 동화 작용과 이화 작용

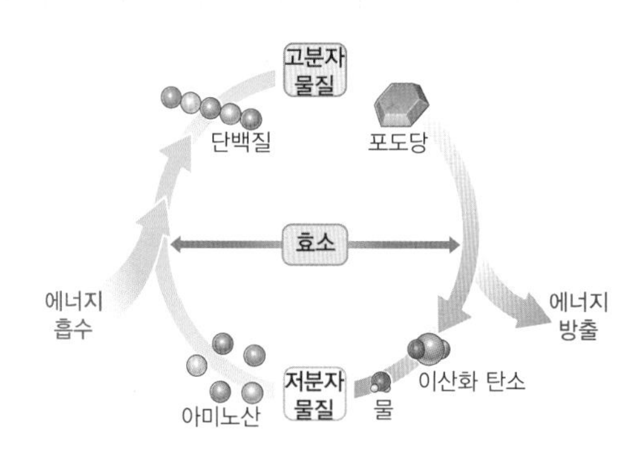

2 에너지 전환과 이용

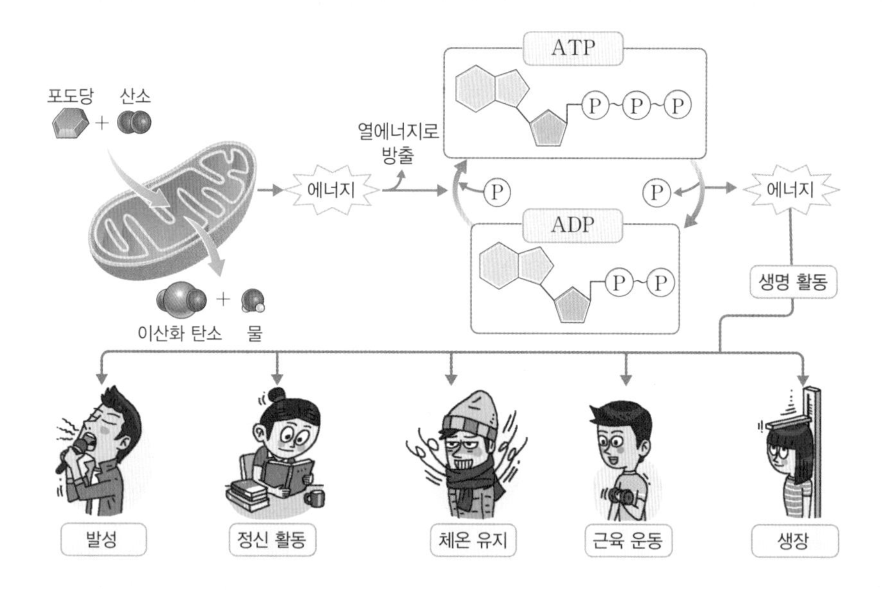

3 기관계의 통합적 작용

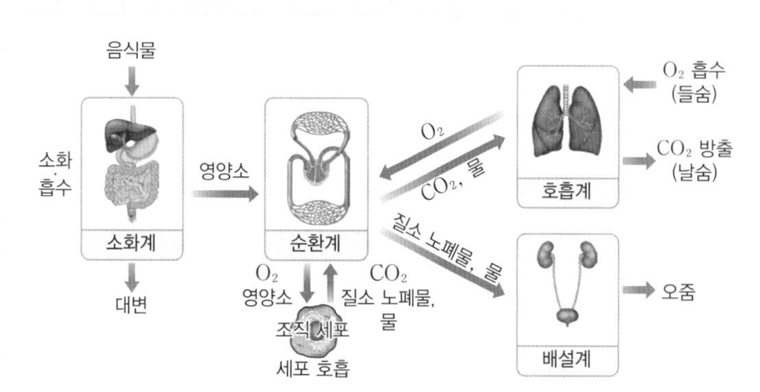

마인드맵으로 정리하기

◉ 자신만의 마인드맵을 만들어 단원의 핵심 내용을 정리해 보자.

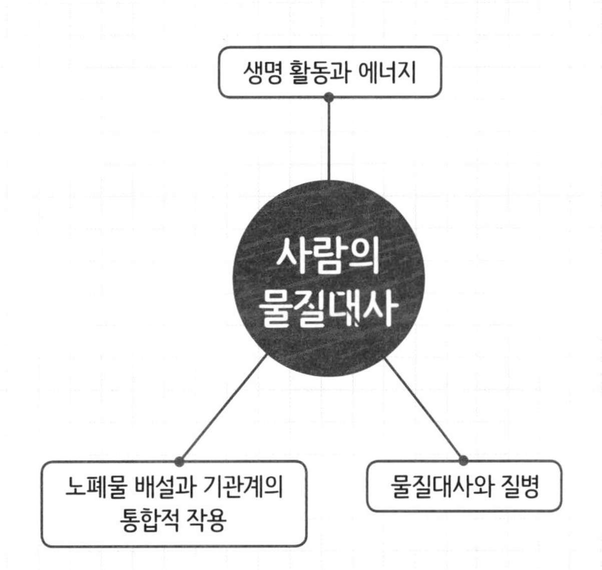

Ⅲ. 항상성과 몸의 조절

» 선배들이 작성한 정리노트 바로가기

1 신경계

01 흥분의 전도와 전달

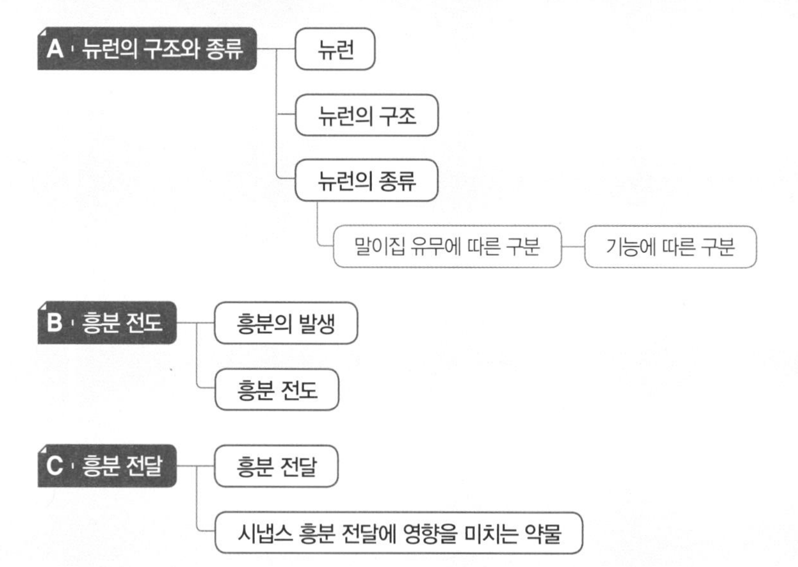

02 신경계의 구조와 기능

A · 신경계의 구성
- 신경계
- 신경계의 구성
  - 중추 신경계 — 말초 신경계

B · 중추 신경계
- 뇌
  - 대뇌 — 소뇌 — 간뇌 — 중간뇌 — 연수
- 척수

C · 말초 신경계
- 감각 신경계
- 체성 운동 신경계
- 자율 신경계
  - 교감 신경 — 부교감 신경

D · 신경계 질환
- 중추 신경계 질환
- 말초 신경계 질환

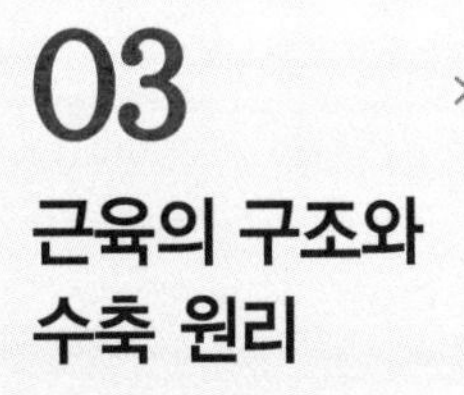

03 근육의 구조와 수축 원리

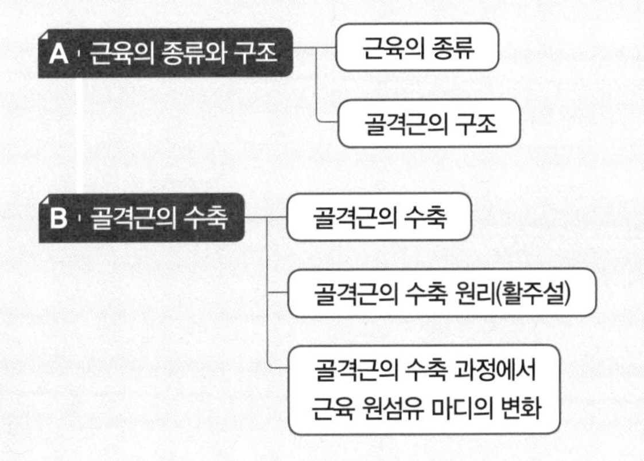

01 흥분의 전도와 전달

개념책 074~077쪽

A 뉴런의 구조와 종류

뉴런

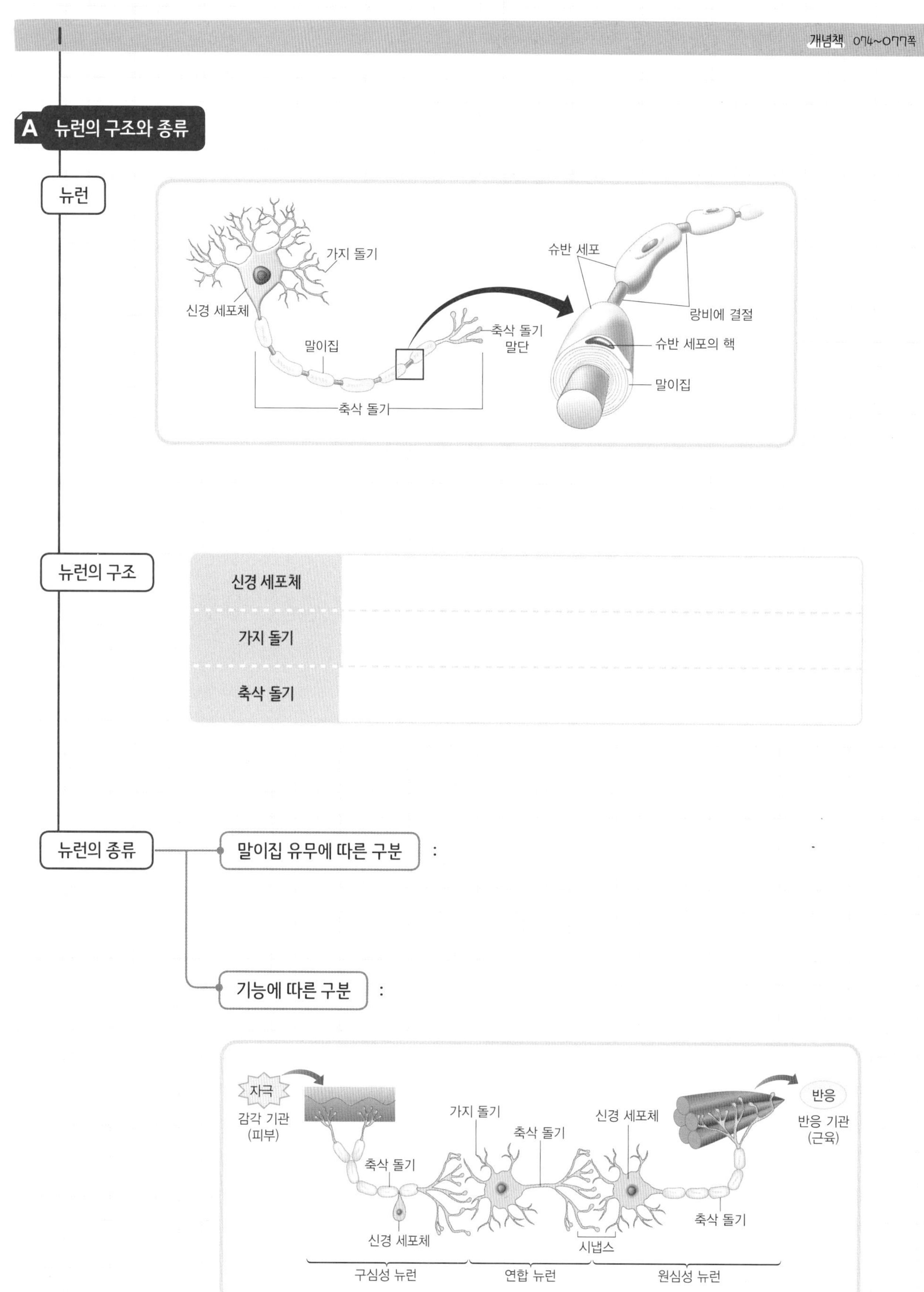

뉴런의 구조

신경 세포체	
가지 돌기	
축삭 돌기	

뉴런의 종류

말이집 유무에 따른 구분 :

기능에 따른 구분 :

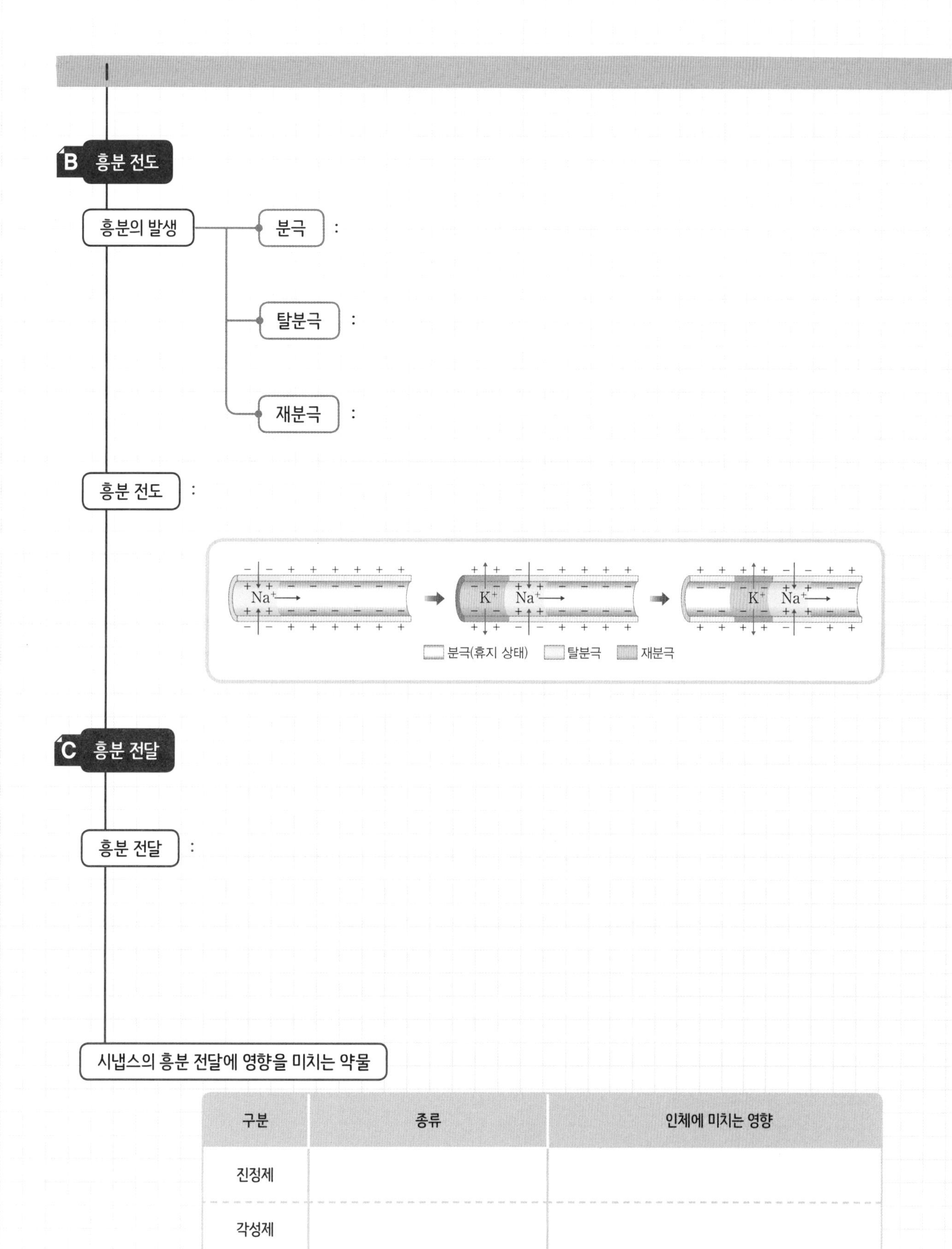

B 흥분 전도

흥분의 발생

- 분극 :
- 탈분극 :
- 재분극 :

흥분 전도 :

C 흥분 전달

흥분 전달 :

시냅스의 흥분 전달에 영향을 미치는 약물

구분	종류	인체에 미치는 영향
진정제		
각성제		
환각제		

02 신경계의 구조와 기능

개념책 086~089쪽

A 신경계의 구성

신경계 :

신경계의 구성

중추 신경계	
말초 신경계	

B 중추 신경계

뇌

① 대뇌 :

② 소뇌 :

③ 간뇌 :

④ 중간뇌 :

⑤ 연수 :

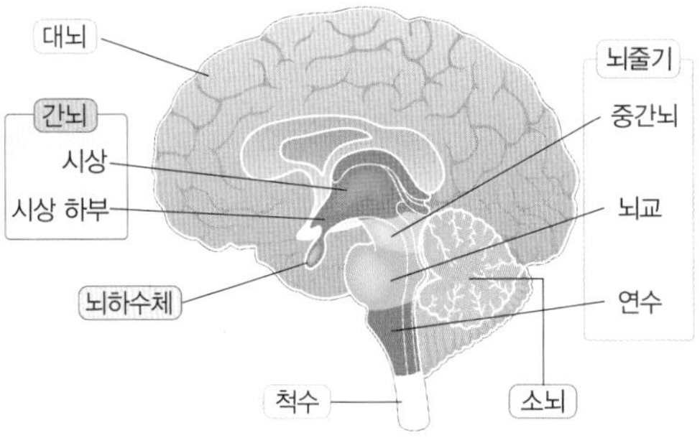

대뇌
간뇌
시상
시상 하부
뇌하수체
척수
소뇌
뇌줄기
중간뇌
뇌교
연수

▲ 뇌의 구조

척수

① 위치 및 구조 :

② 기능 :

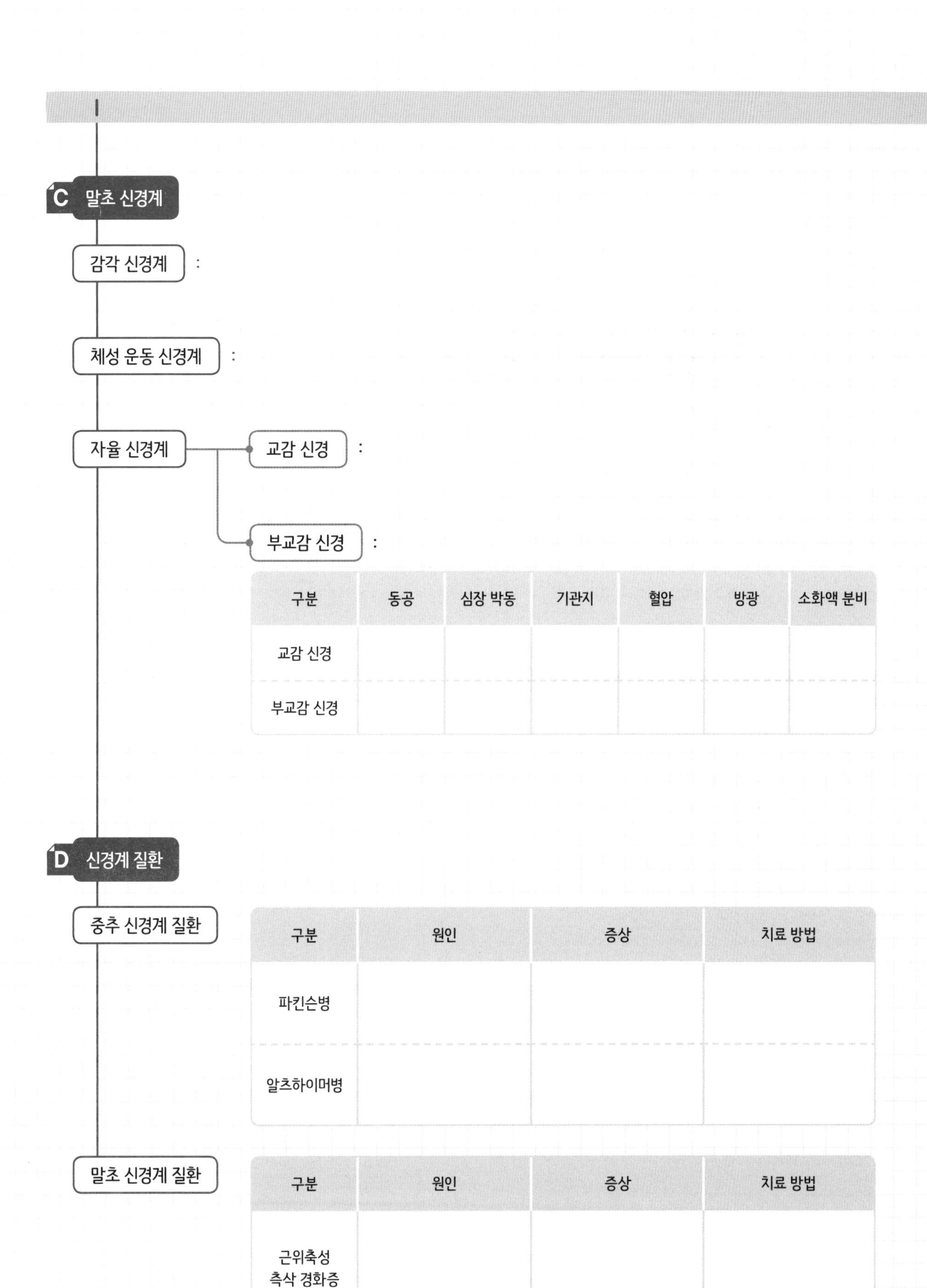

C 말초 신경계

감각 신경계 :

체성 운동 신경계 :

자율 신경계

- 교감 신경 :
- 부교감 신경 :

구분	동공	심장 박동	기관지	혈압	방광	소화액 분비
교감 신경						
부교감 신경						

D 신경계 질환

중추 신경계 질환

구분	원인	증상	치료 방법
파킨슨병			
알츠하이머병			

말초 신경계 질환

구분	원인	증상	치료 방법
근위축성 측삭 경화증 (루게릭병)			

03 근육의 구조와 수축 원리

개념책 098~099쪽

A 근육의 종류와 구조

근육의 종류

골격근	심장근	내장근

골격근의 구조

① 근육 섬유 :

② 근육 원섬유 :

③ 근육 원섬유 마디

Z선	
A대(암대)	
I대(명대)	
H대	
M선	

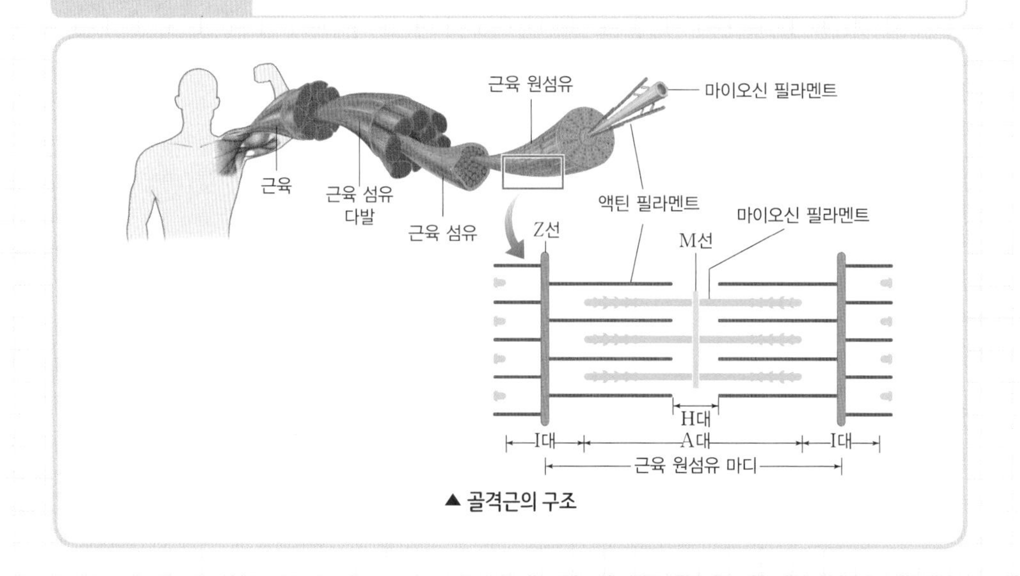

▲ 골격근의 구조

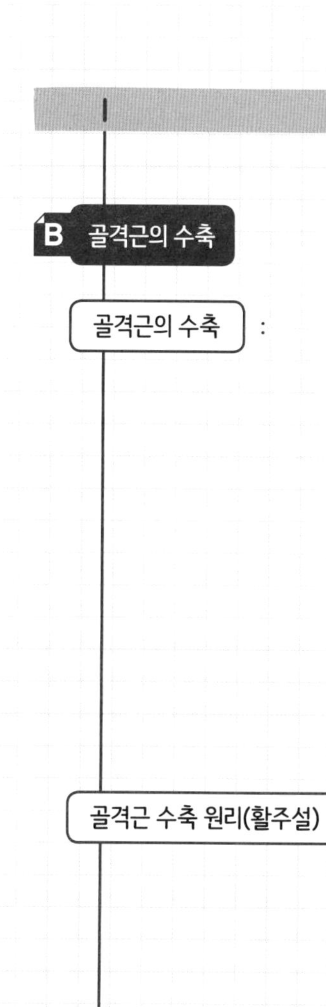

B 골격근의 수축

골격근의 수축 :

골격근 수축 원리(활주설) :

골격근의 수축 과정에서 근육 원섬유 마디의 변화 :

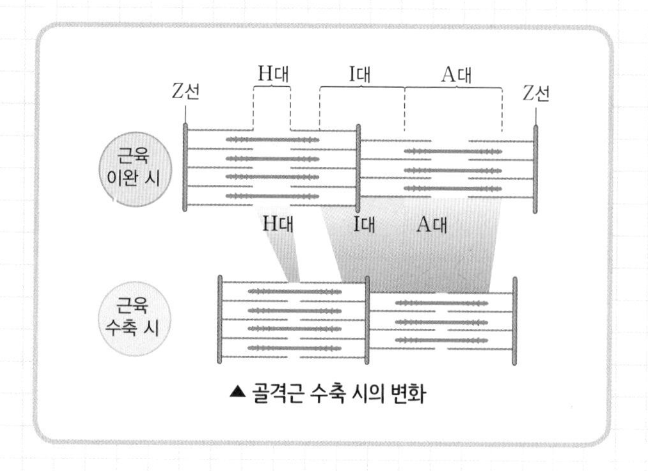

▲ 골격근 수축 시의 변화

2

호르몬과 항상성

01 호르몬

A 호르몬
- 호르몬의 특성
- 호르몬과 신경의 비교

B 사람의 내분비샘과 호르몬
- 사람의 내분비샘과 호르몬
- 호르몬 분비 이상에 의한 질환

02 항상성 유지

A 항상성 조절 원리
- 음성 피드백
- 길항 작용

B 체온 조절
- 추울 때
- 더울 때

C 혈당량 조절
- 고혈당일 때
- 저혈당일 때

D 혈장 삼투압 조절
- 혈장 삼투압이 높을 때
- 혈장 삼투압이 낮을 때

01 호르몬

개념책 112~113쪽

A 호르몬

호르몬의 특성 :

호르몬과 신경의 비교 :

B 사람의 내분비샘과 호르몬

사람의 내분비샘과 호르몬 :

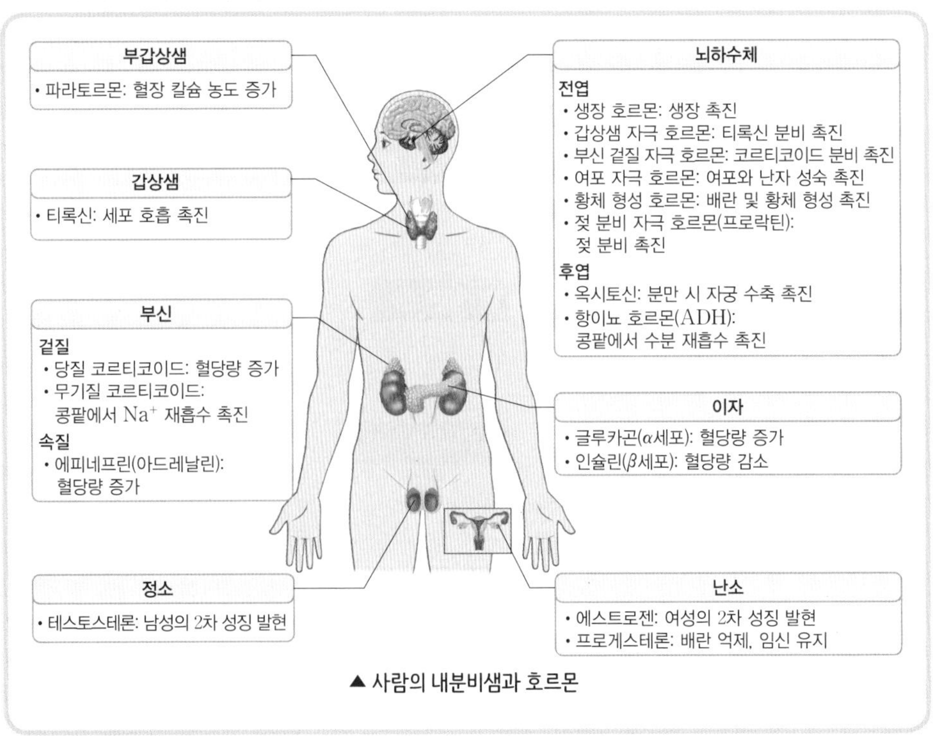

▲ 사람의 내분비샘과 호르몬

호르몬 분비 이상에 의한 질환

호르몬	과다증/결핍증	질환	증상
생장 호르몬			
티록신			
인슐린			
항이뇨 호르몬			
에피네프린, 노르에피네프린			

나만의 메모

02 항상성 유지

개념책 118~121쪽

A 항상성 조절 원리 :

항상성 조절의 원리

음성 피드백 :

길항 작용 :

B 체온 조절 :

추울 때 :

더울 때 :

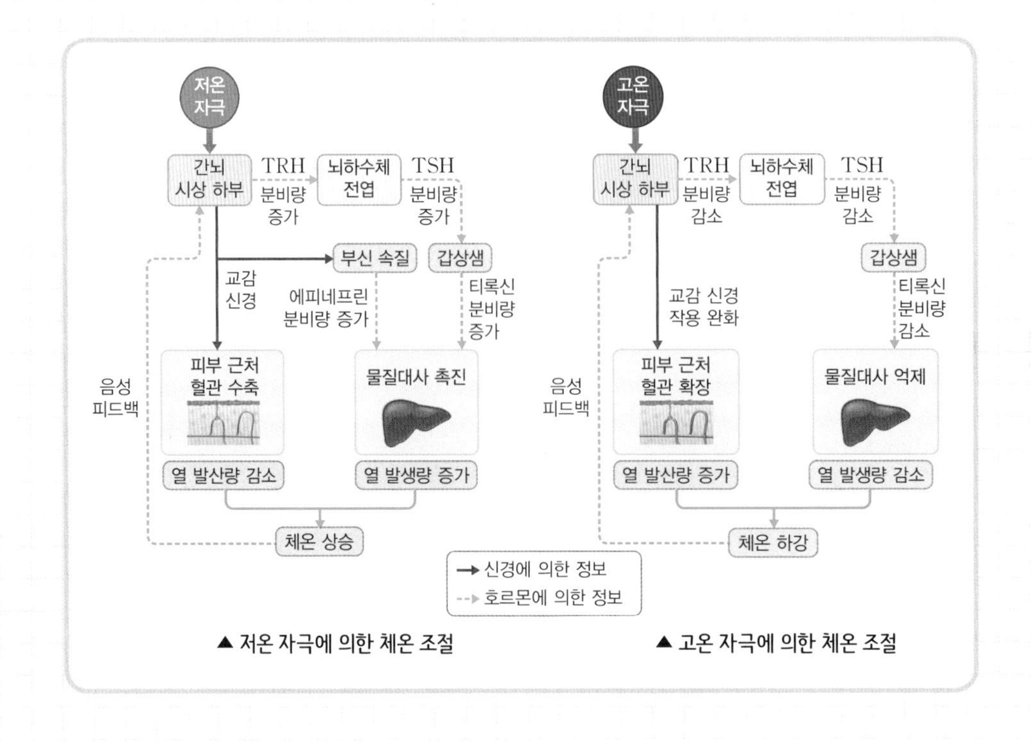

▲ 저온 자극에 의한 체온 조절

▲ 고온 자극에 의한 체온 조절

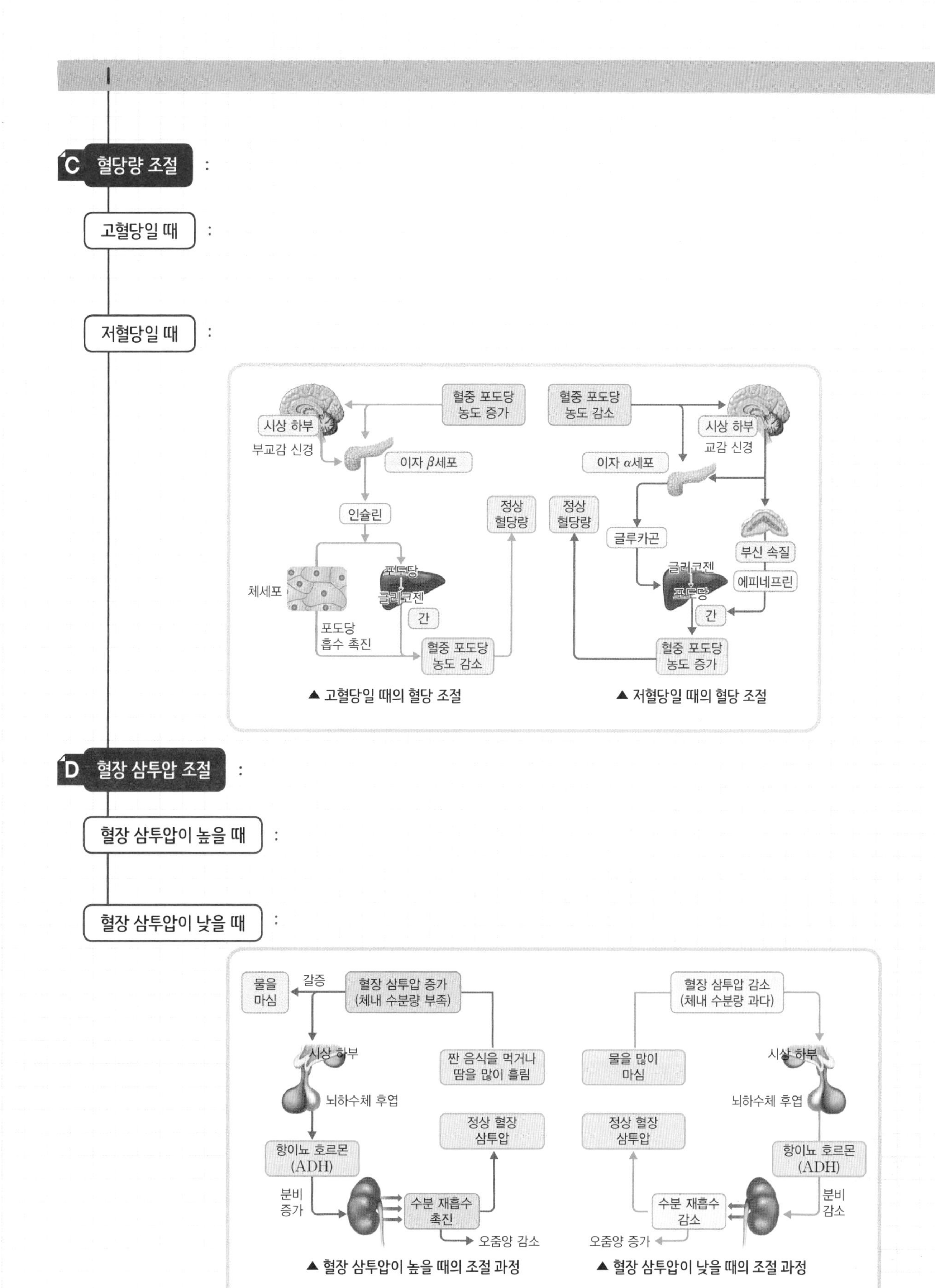

▲ 고혈당일 때의 혈당 조절

▲ 저혈당일 때의 혈당 조절

▲ 혈장 삼투압이 높을 때의 조절 과정

▲ 혈장 삼투압이 낮을 때의 조절 과정

Ⅲ. 항상성과 몸의 조절

3 방어 작용

01 질병과 병원체

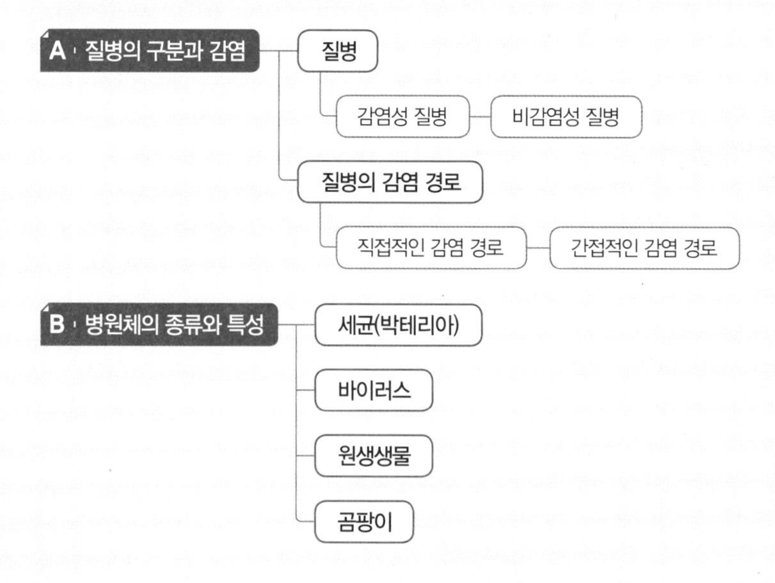

02 우리 몸의 방어 작용

>>>

A 우리 몸의 방어 작용
- 방어 작용의 종류
  - 비특이적 방어 작용 — 특이적 방어 작용

B 비특이적 방어 작용
- 피부와 점막
- 식균 작용(식세포 작용)
- 염증 반응

C 특이적 방어 작용 특성
- 림프구
- 항원 항체 반응
- 특이적 방어 작용
- 백신의 원리
  - 1차 면역 반응 — 2차 면역 반응

D 면역 관련 질환
- 자가 면역 질환
- 후천성 면역 결핍증(AIDS)
- 알레르기

E 혈액의 응집 반응과 혈액형
- 혈액의 응집 반응
- ABO식 혈액형
- Rh식 혈액형

01 질병과 병원체

개념책 132~133쪽

A 질병의 구분과 감염

질병

구분	감염성 질병	비감염성 질병
원인		
전염 여부		
대표적 질병		

질병의 감염 경로

직접적인 감염 경로

호흡기를 통한 감염	
신체 접촉을 통한 감염	

간접적인 감염 경로

소화기를 통한 감염	
매개 곤충을 통한 감염	

B 병원체의 종류와 특성

세균 (박테리아)

특성		DNA 세포막 세포벽 ▲ 세균의 구조
질병의 유발		
대표적 질병		
치료		

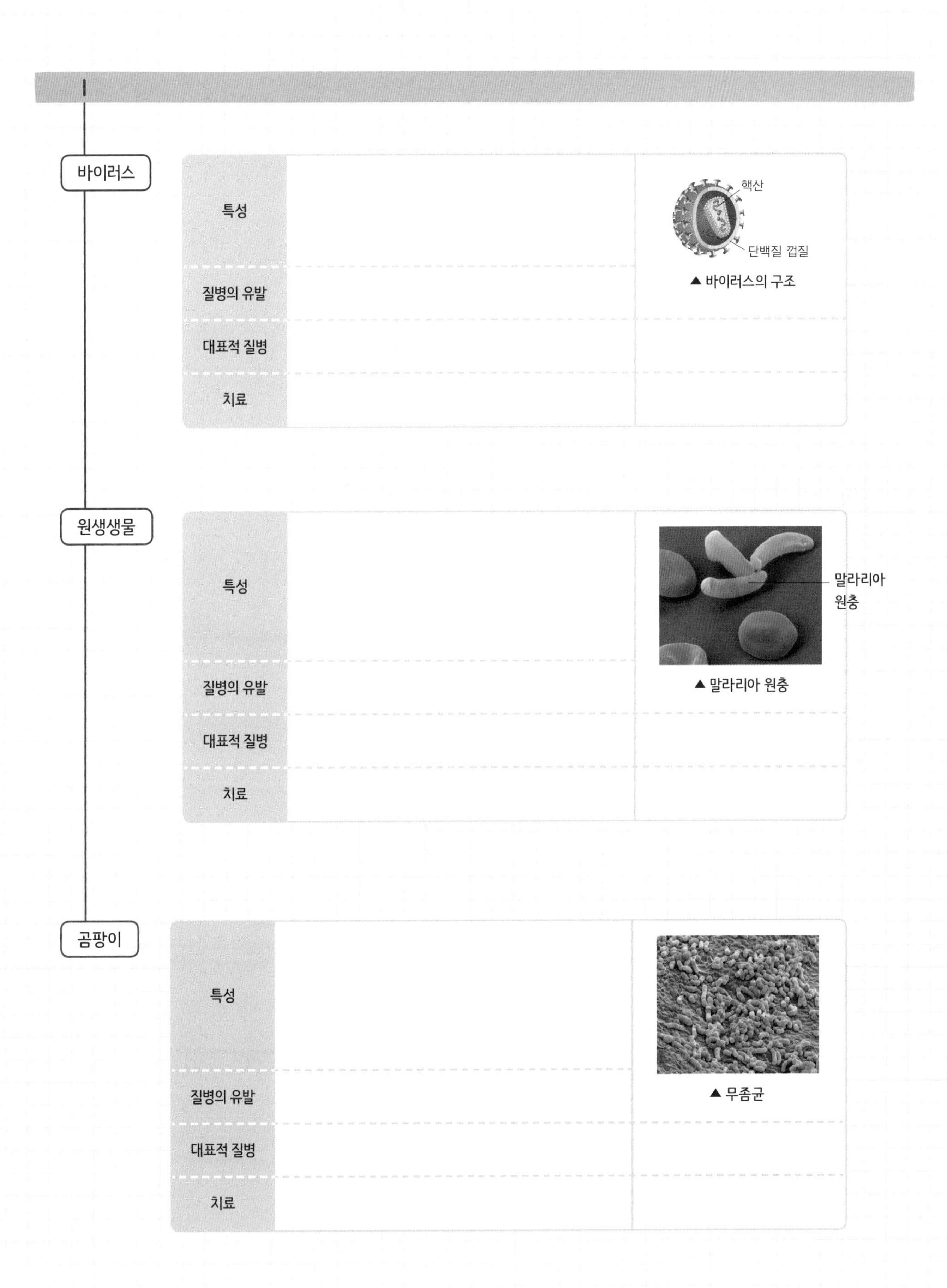

▲ 바이러스의 구조

▲ 말라리아 원충

▲ 무좀균

02 우리 몸의 방어 작용

개념책 138~141쪽

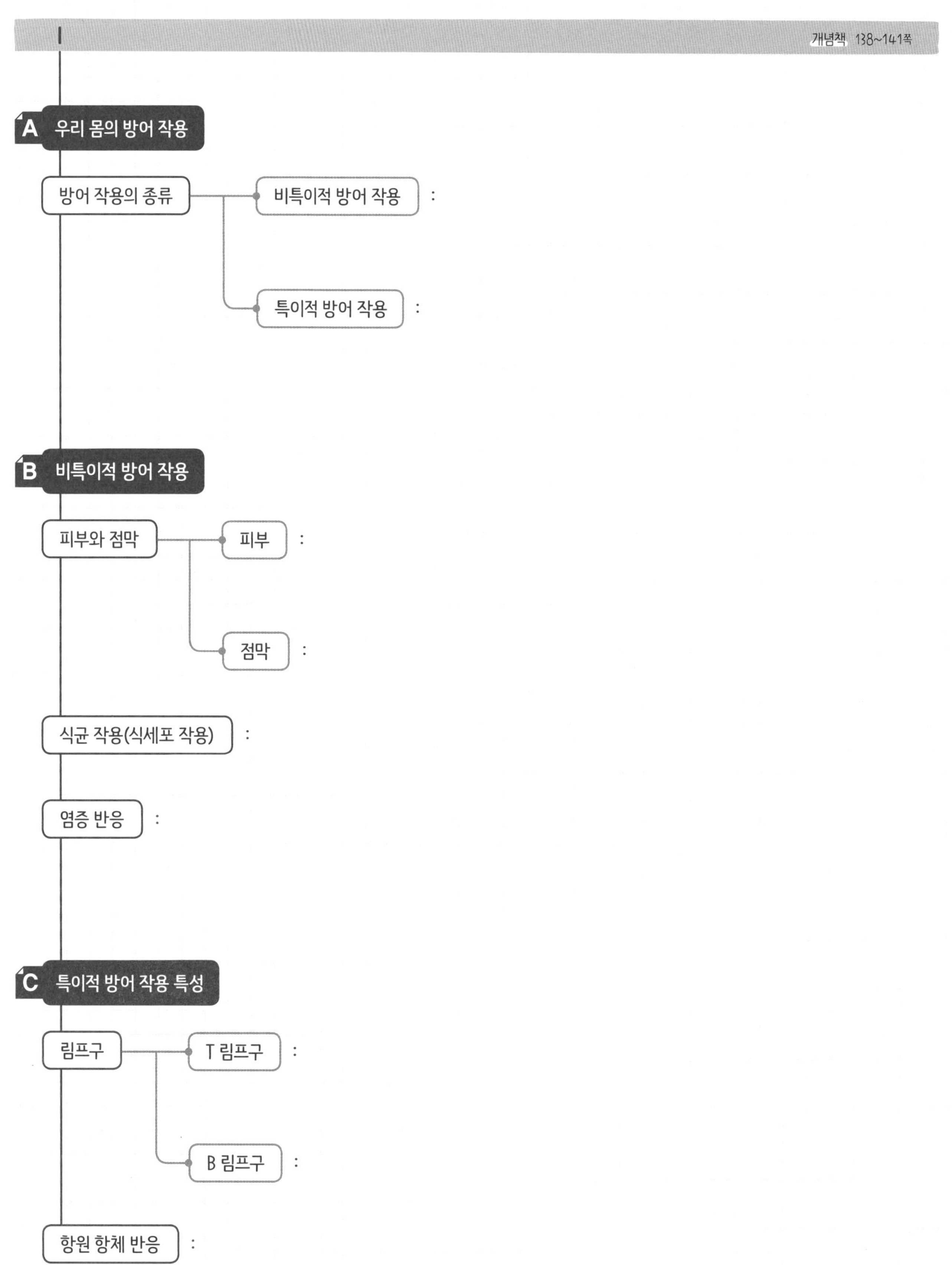

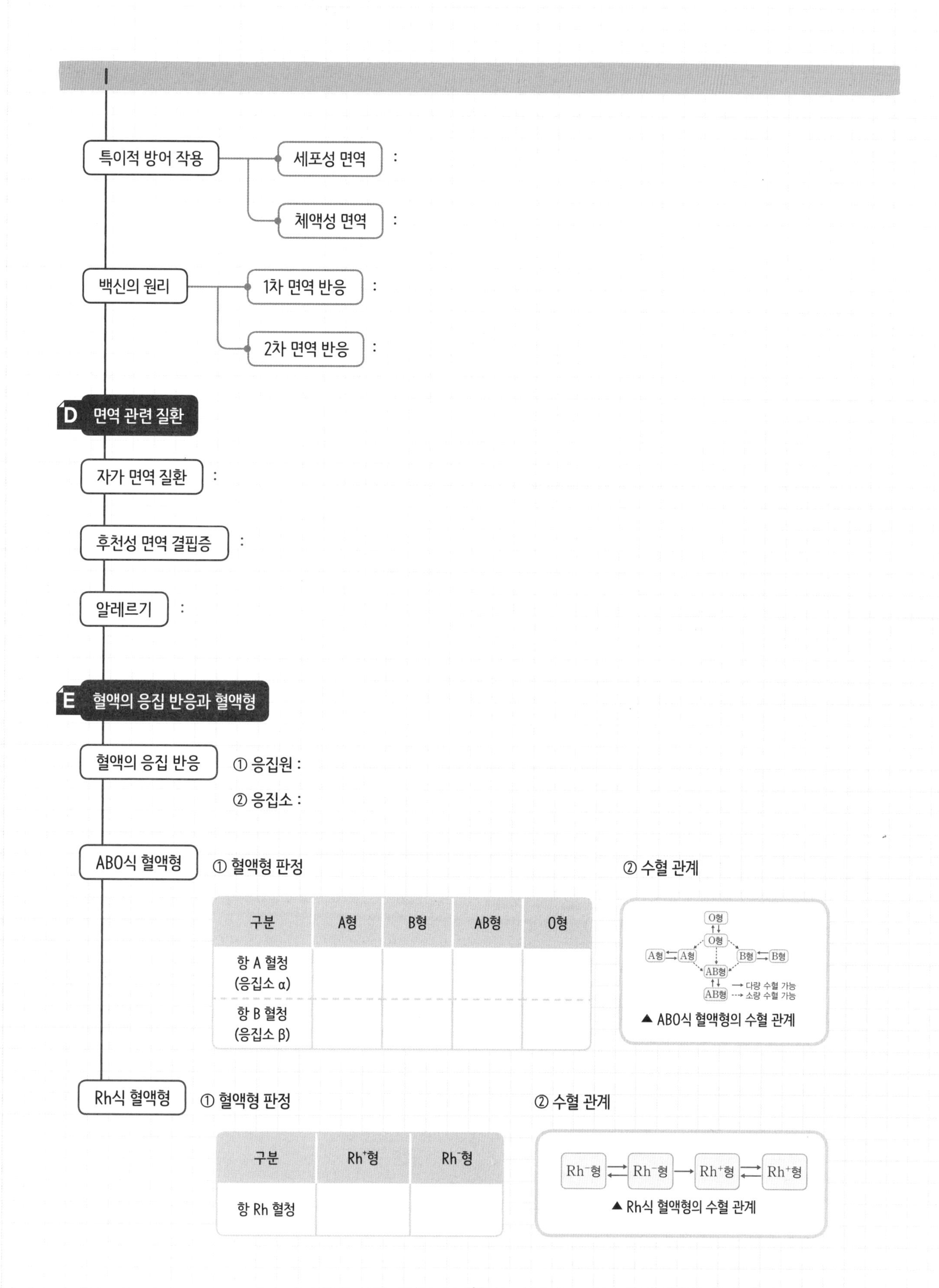

특이적 방어 작용
- 세포성 면역 :
- 체액성 면역 :

백신의 원리
- 1차 면역 반응 :
- 2차 면역 반응 :

D 면역 관련 질환

자가 면역 질환 :

후천성 면역 결핍증 :

알레르기 :

E 혈액의 응집 반응과 혈액형

혈액의 응집 반응
① 응집원 :
② 응집소 :

ABO식 혈액형

① 혈액형 판정

구분	A형	B형	AB형	O형
항 A 혈청 (응집소 α)				
항 B 혈청 (응집소 β)				

② 수혈 관계

▲ ABO식 혈액형의 수혈 관계

Rh식 혈액형

① 혈액형 판정

구분	Rh^+형	Rh^-형
항 Rh 혈청		

② 수혈 관계

▲ Rh식 혈액형의 수혈 관계

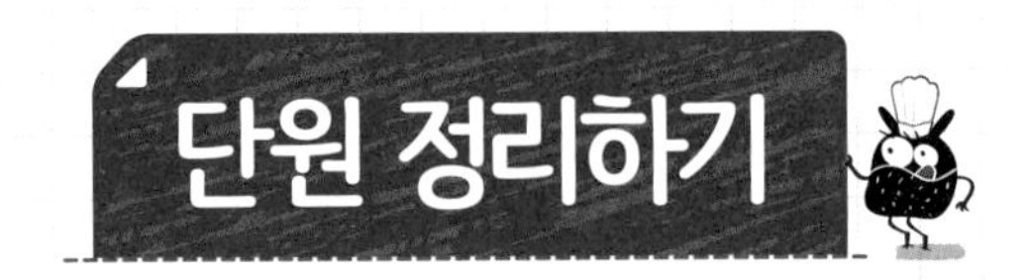

그림으로 정리하기

그림에 자신만의 설명을 덧붙여 단원의 핵심 내용을 정리해 보자.

1 뇌의 구조

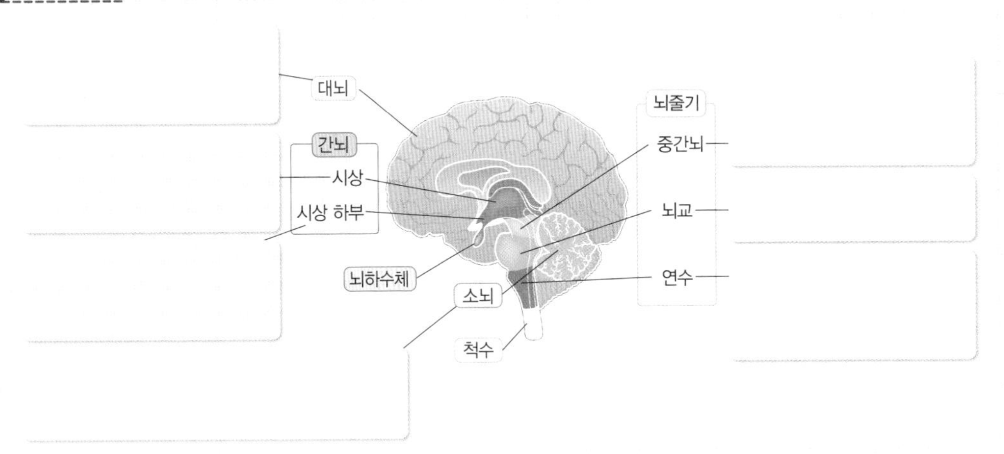

2 사람의 내분비샘

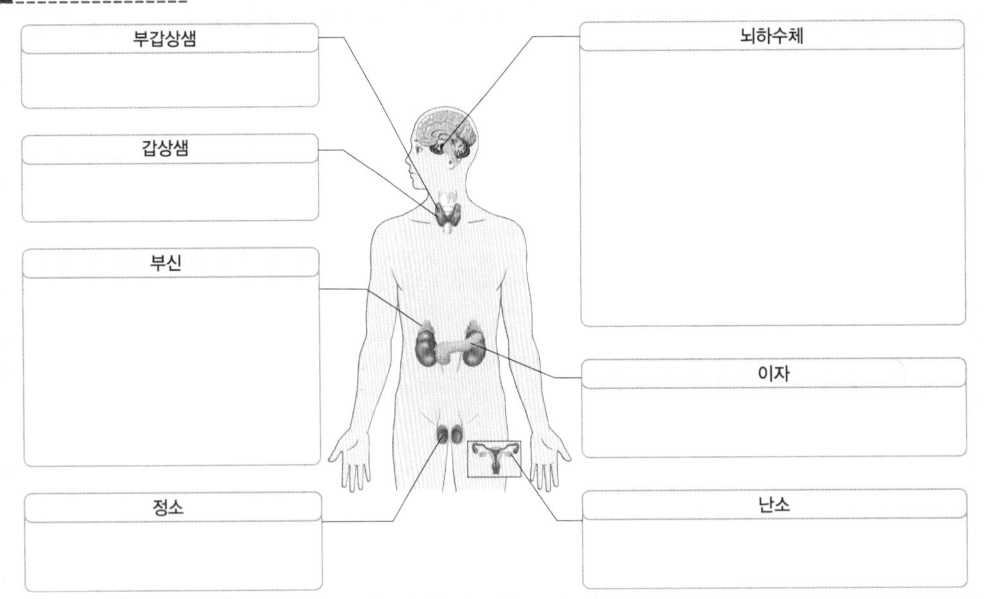

3 세포성 면역과 체액성 면역

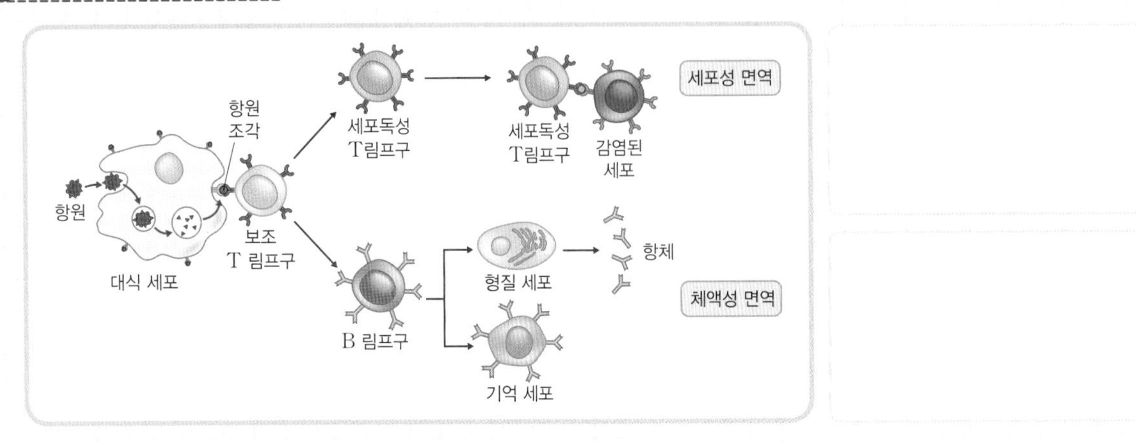

마인드맵으로 정리하기

◎ 자신만의 마인드맵을 만들어 단원의 핵심 내용을 정리해 보자.

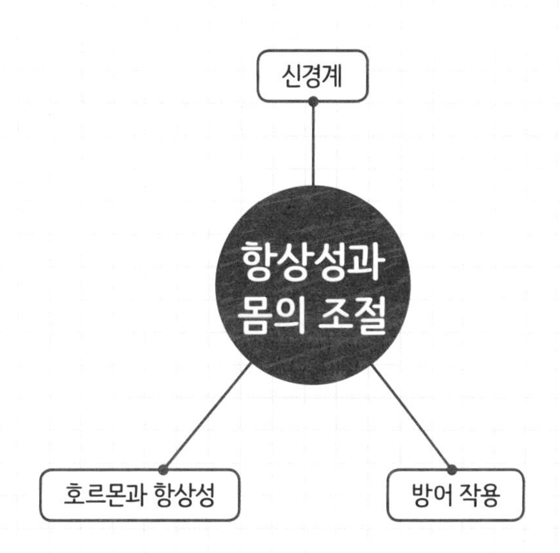

» 선배들이 작성한 정리노트 바로가기

1

유전의 원리

01 >>> 염색체와 유전 물질

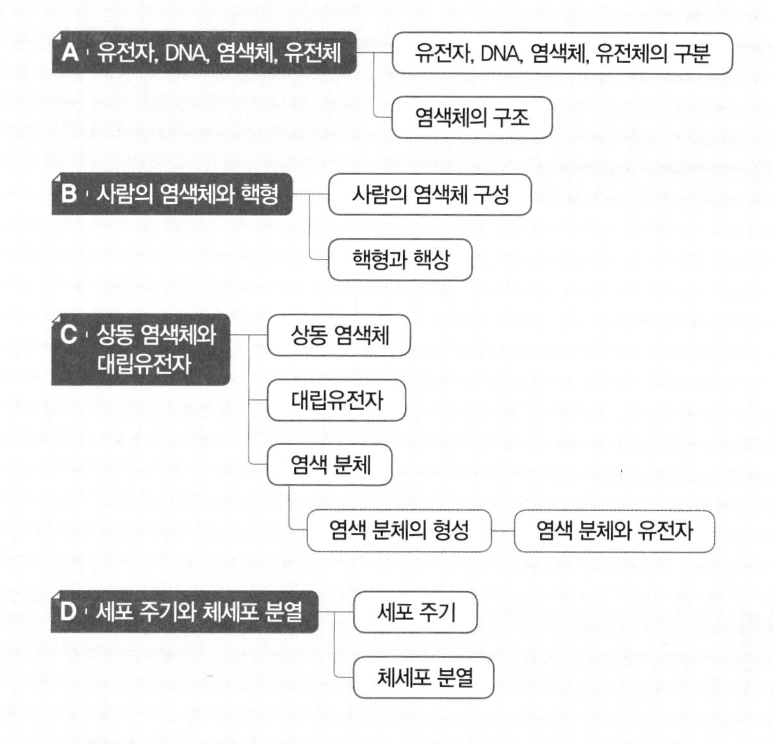

02 >>> 생식세포 분열

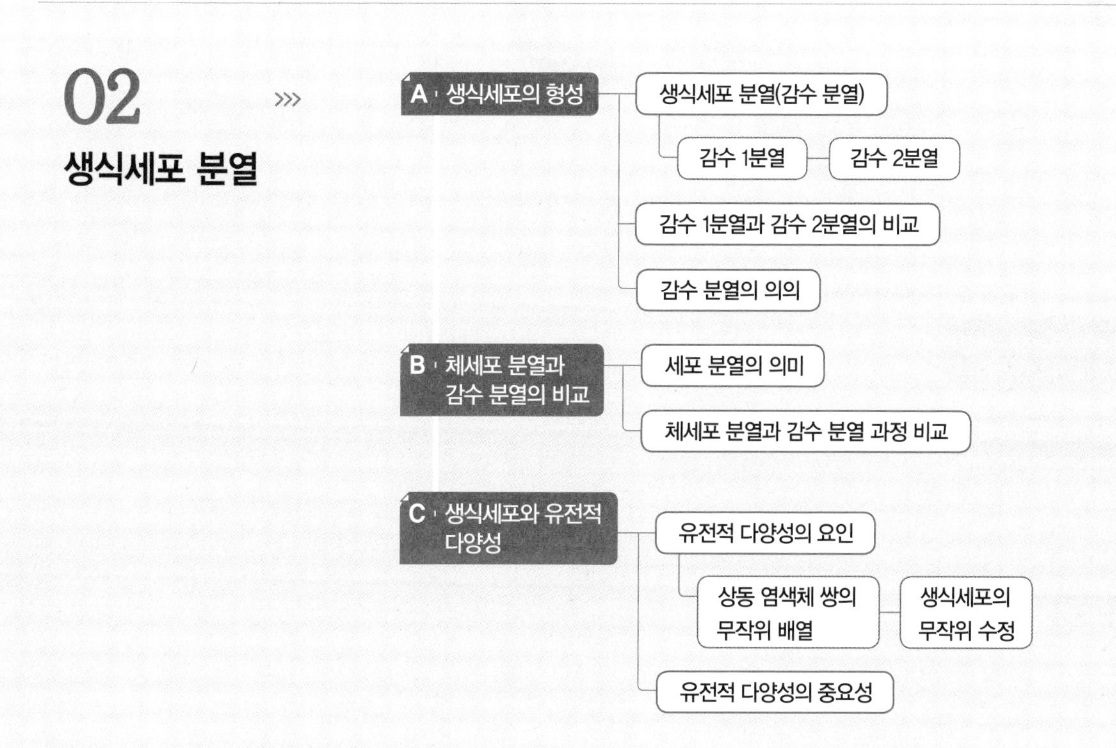

01 염색체와 유전 물질

개념책 162~165쪽

A 유전자, DNA, 염색체, 유전체

유전자, DNA, 염색체, 유전체의 구분

유전체	
염색체	
DNA	
유전자	

염색체의 구조

①

②

③

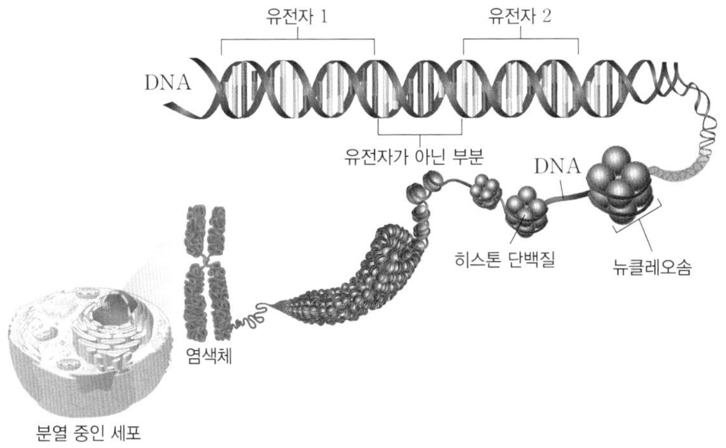

B 사람의 염색체와 핵형

사람의 염색체 구성 :

핵형과 핵상

핵형	
핵상	

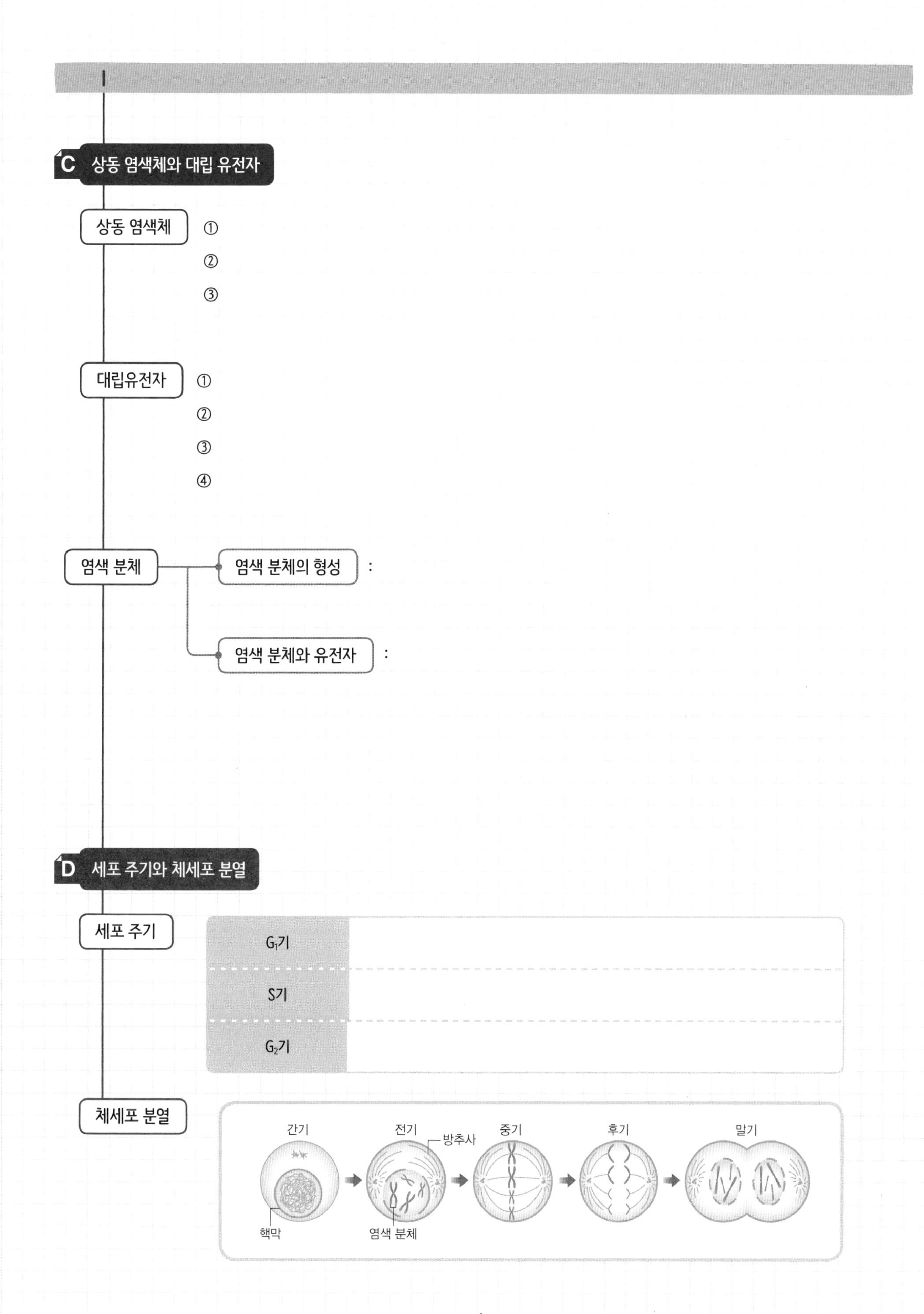

C 상동 염색체와 대립 유전자
상동 염색체
①
②
③
대립유전자
①
②
③
④
염색 분체
염색 분체의 형성 :
염색 분체와 유전자 :
D 세포 주기와 체세포 분열
세포 주기
G₁기
S기
G₂기
체세포 분열
간기
전기
방추사
중기
후기
말기
핵막
염색 분체

02 생식세포 분열

개념책 010~012쪽

A 생식세포의 형성

생식세포 분열 (감수 분열)

감수 1분열

간기	전기	중기	후기	말기

감수 2분열

전기	중기	후기	말기

감수 1분열과 감수 2분열의 비교

구분		감수 1분열	감수 2분열
분열 전 DNA 복제			
2가 염색체			
후기			
모세포 → 딸세포	염색체 수		
	DNA양		
유전자 구성	모세포와 딸세포		
	딸세포 2개		

감수 분열의 의의

①

②

③

B 체세포 분열과 감수 분열의 비교

세포 분열의 의미

체세포 분열과 감수 분열 과정 비교

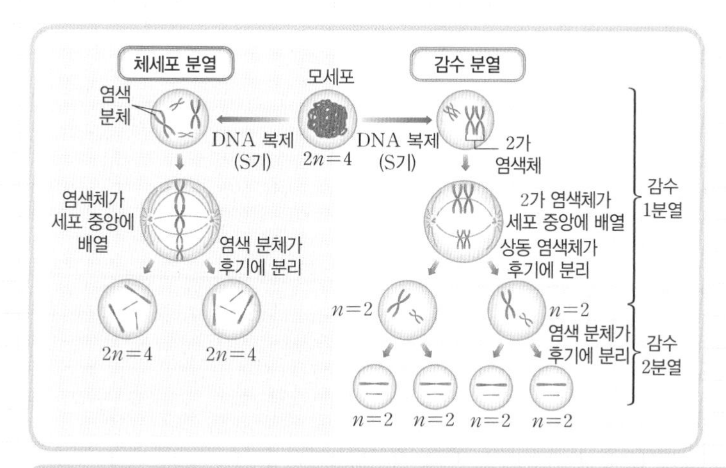

	체세포 분열	감수 분열
DNA 복제		
분열 횟수		
상동 염색체 접합		
딸세포 수와 핵상		
역할		

C 생식세포 형성과 유전적 다양성

유전적 다양성의 요인

- 상동 염색체 쌍의 무작위 배열 :
- 생식세포의 무작위 수정 :

유전적 다양성의 중요성

2

사람의 유전과 유전병

01 사람의 유전

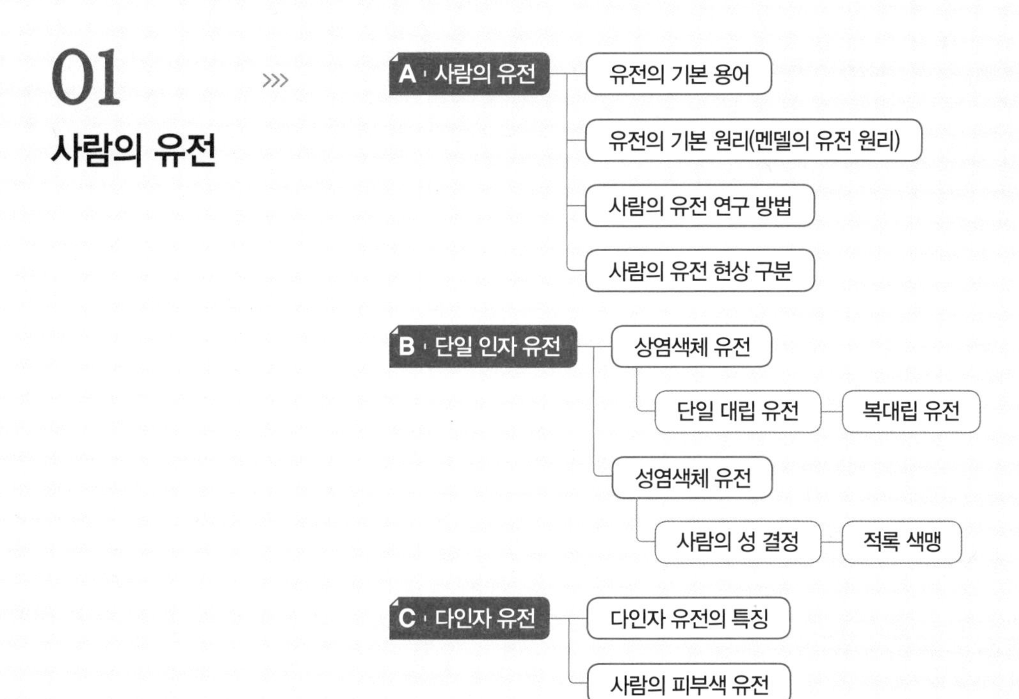

02 유전자 이상과 염색체 이상

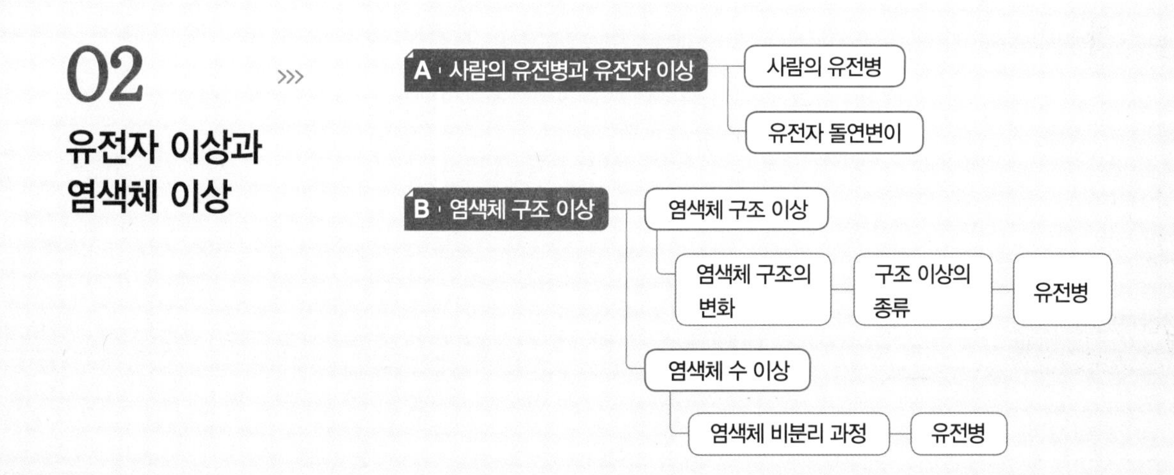

01 사람의 유전

개념책 010~012쪽

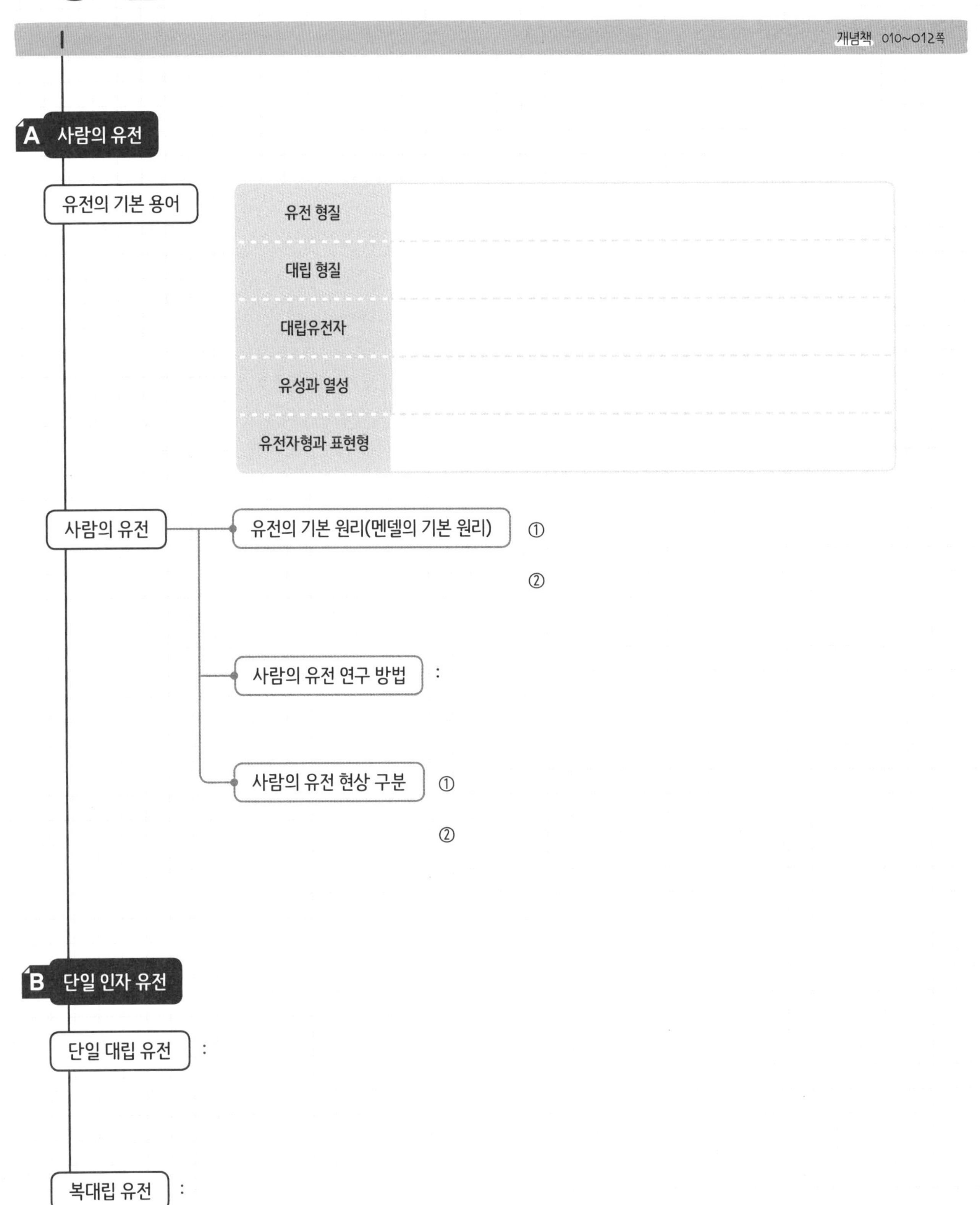

사람의 성 결정

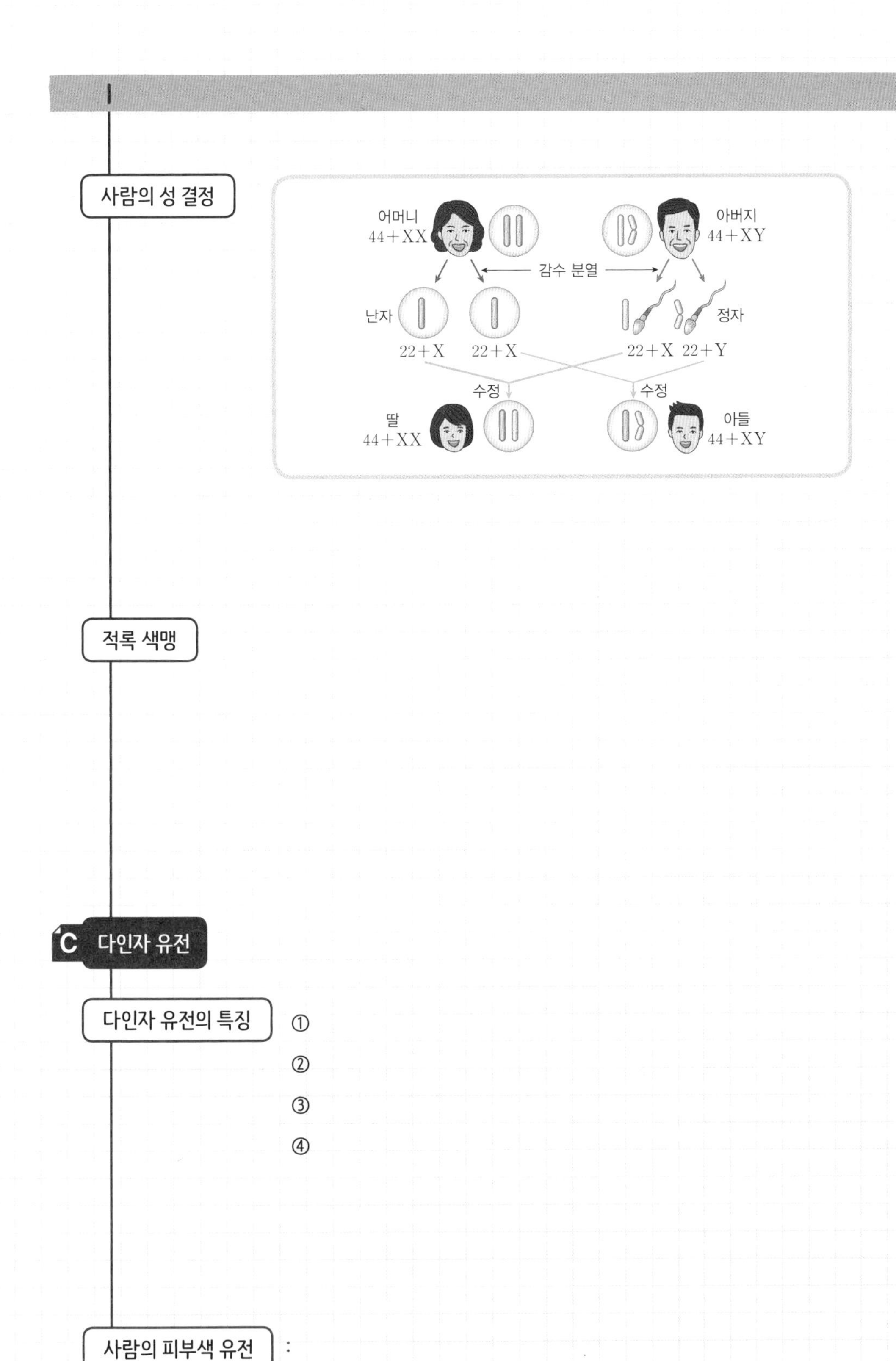

적록 색맹

C 다인자 유전

다인자 유전의 특징

①

②

③

④

사람의 피부색 유전 :

02 유전자 이상과 염색체 이상

개념책 198~201쪽

A 유전자 이상

사람의 유전병 :

유전자 돌연변이

낫 모양 적혈구 빈혈증	
페닐케톤뇨증	
알비노증	
낭성 섬유증	
헌팅턴 무도병	

B 염색체 이상

염색체 구조 이상

결실	역위
A B C D E F → A B D E F	A B C D E F → A B E D C F
중복	**전좌**
A B C D E F → A B B C D E F	A B C D E F, W X Y Z → V C D E F, A B W X Y Z

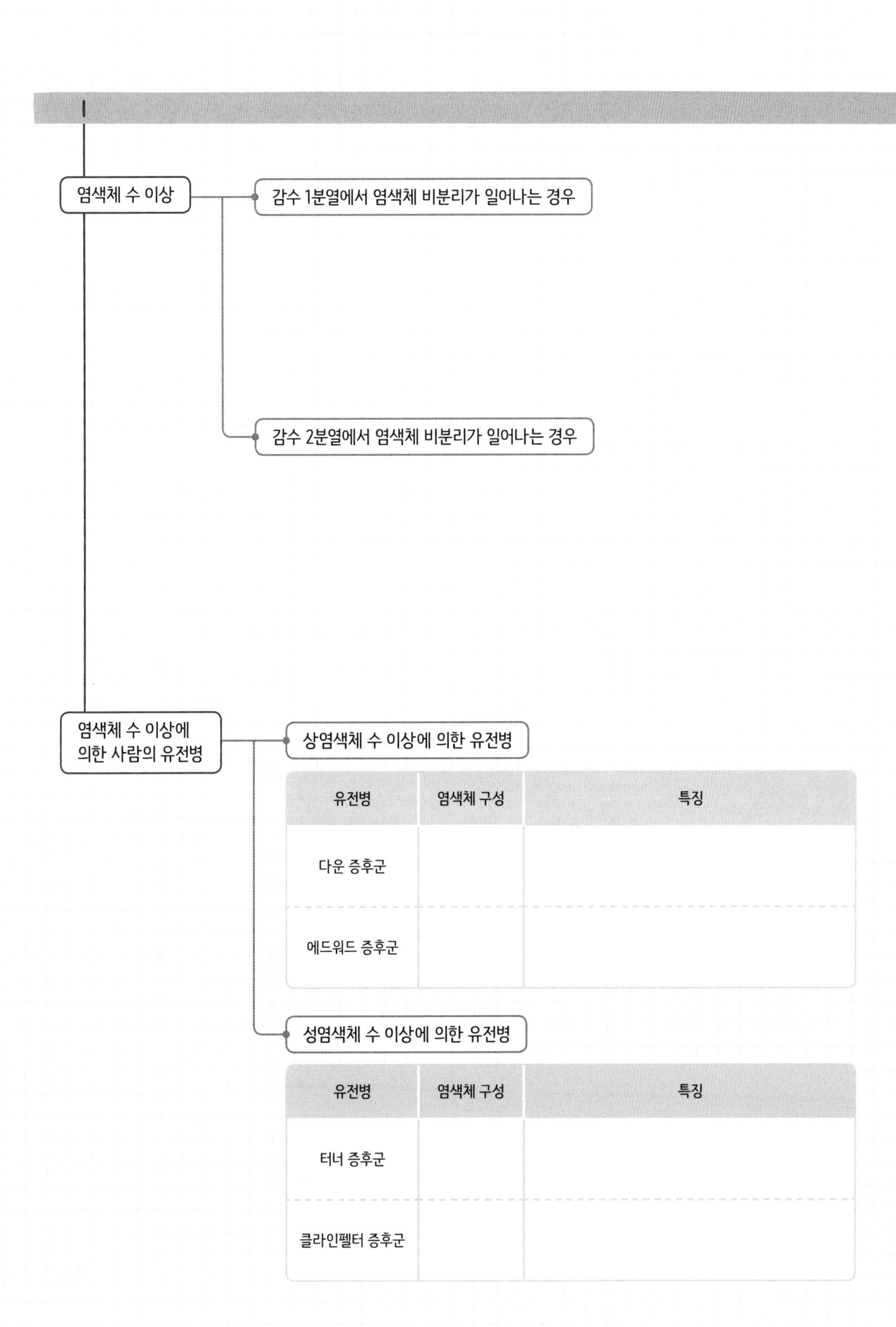

유전병	염색체 구성	특징
다운 증후군		
에드워드 증후군		

유전병	염색체 구성	특징
터너 증후군		
클라인펠터 증후군		

단원 정리하기

그림으로 정리하기

그림에 자신만의 설명을 덧붙여 단원의 핵심 내용을 정리해 보자.

1 세포 주기

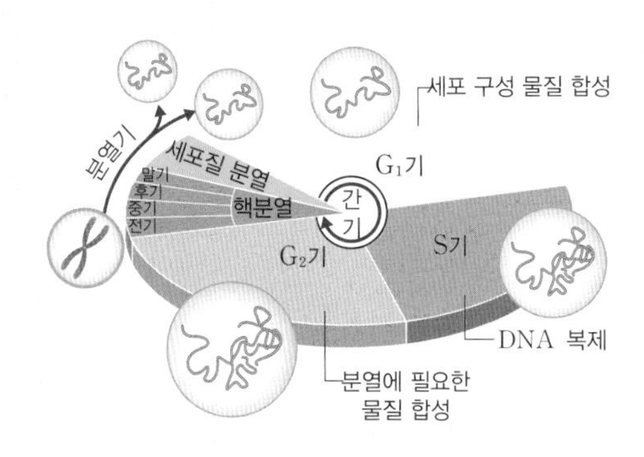

2 체세포 분열과 감수 분열 과정에서의 DNA양 변화

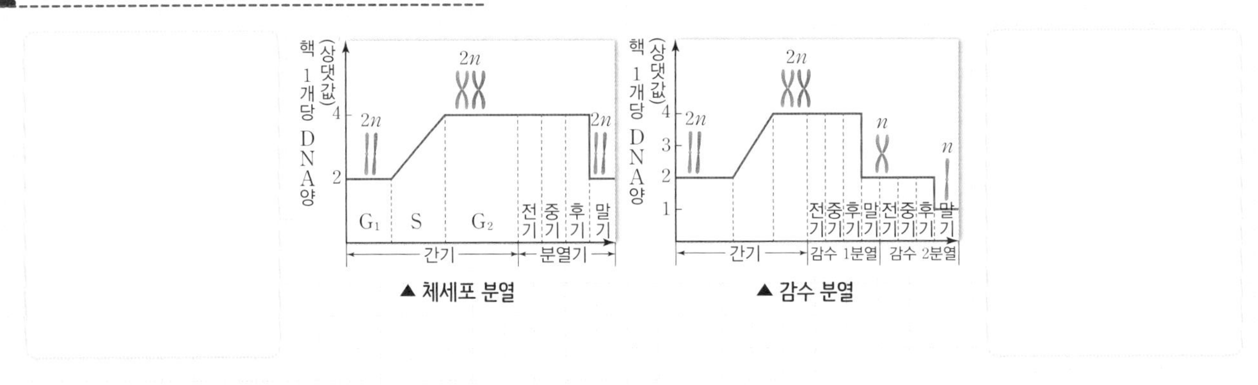

▲ 체세포 분열

▲ 감수 분열

3 감수 분열에서 염색체 비분리가 일어나는 과정

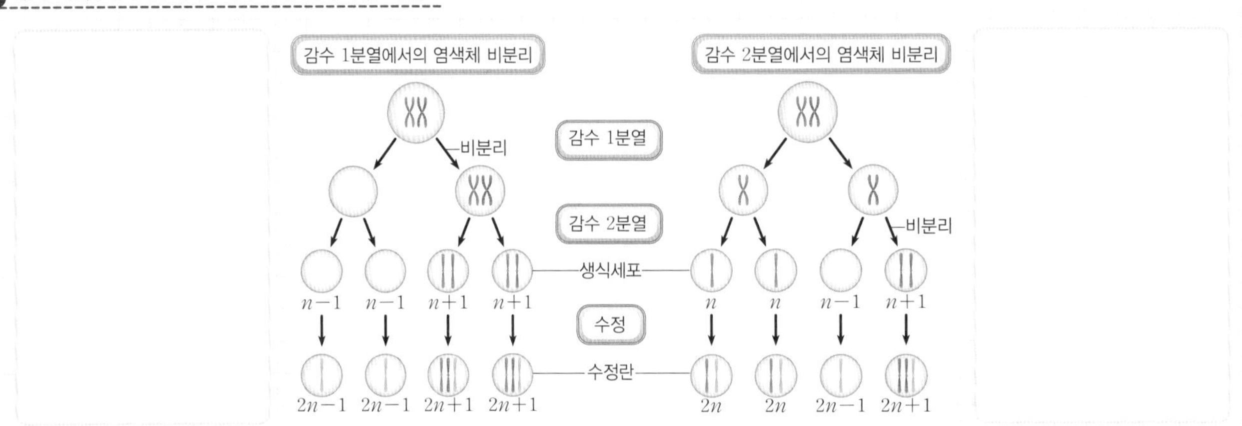

마인드맵으로 정리하기

◎ 자신만의 마인드맵을 만들어 단원의 핵심 내용을 정리해 보자.

» 선배들이 작성한 정리노트 바로가기

1 생태계의 구성과 기능

01 생태계의 구성

- A 개체, 개체군, 군집, 생태계
  - 개체, 개체군, 군집, 생태계의 관계
  - 생태계 구성 요소
    - 생물적 요인 — 비생물적 요인
  - 생태계 구성 요소 간의 관계
- B 생물과 환경의 상호 작용
  - 빛, 온도, 물, 공기, 토양과 생물

02 개체군

- A 개체군의 특성
  - 개체군의 밀도
  - 개체군의 생장 곡선
  - 개체군의 생존 곡선
  - 개체군의 연령 피라미드
- B 개체군의 주기적 변동
  - 계절에 따른 돌말 개체군의 주기적 변동
  - 포식과 피식에 따른 개체군의 주기적 변동
- C 개체군 내 상호 작용
  - 개체군 내 상호 작용의 종류와 특징

03 군집

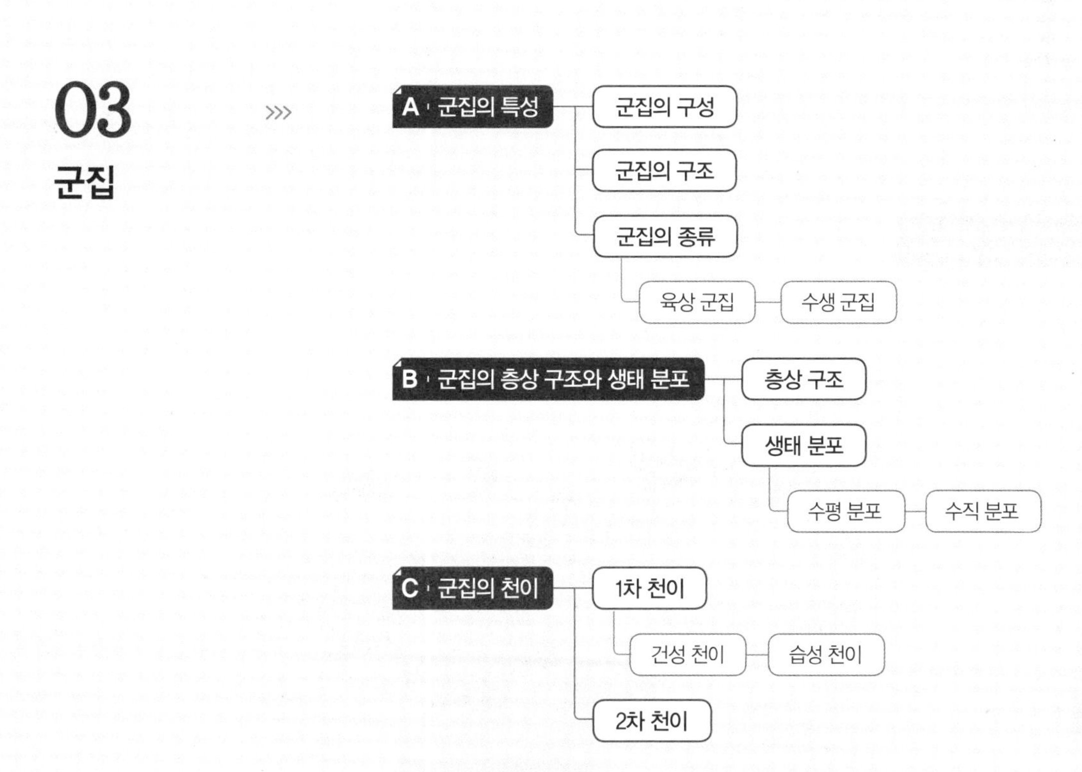

04 에너지 흐름과 물질 순환

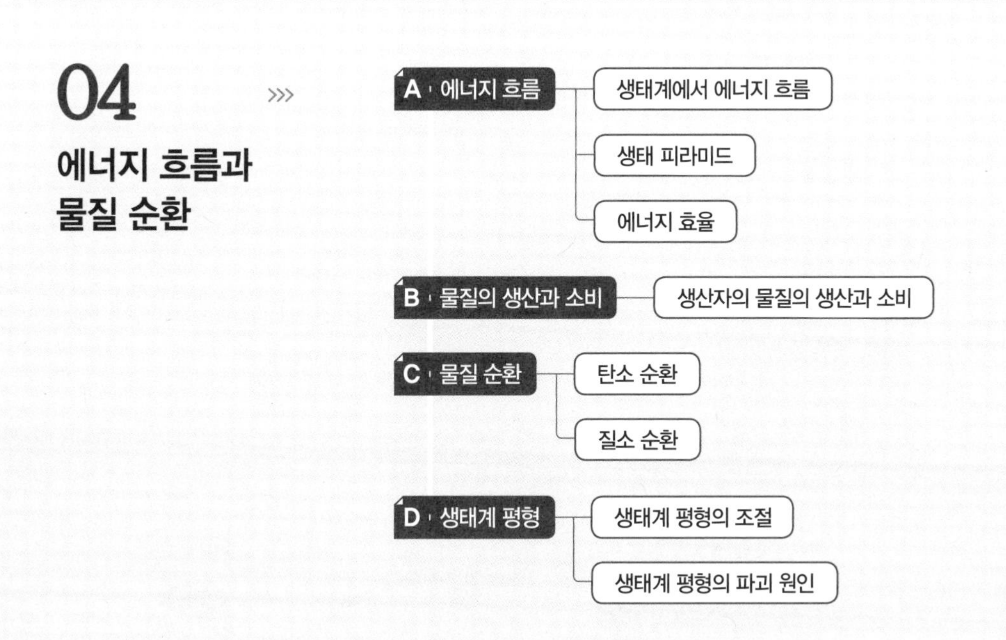

01 생태계의 구성

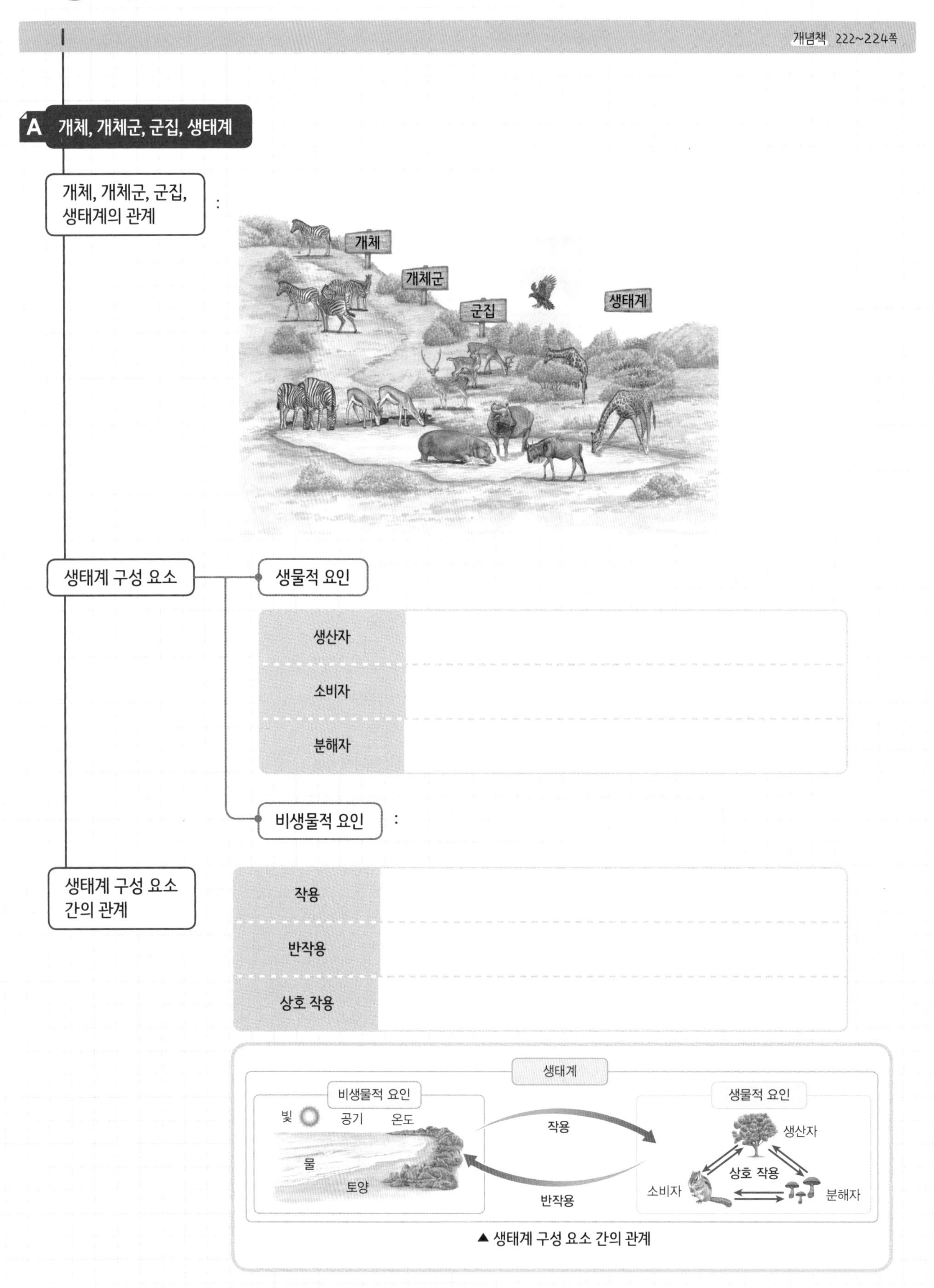

▲ 생태계 구성 요소 간의 관계

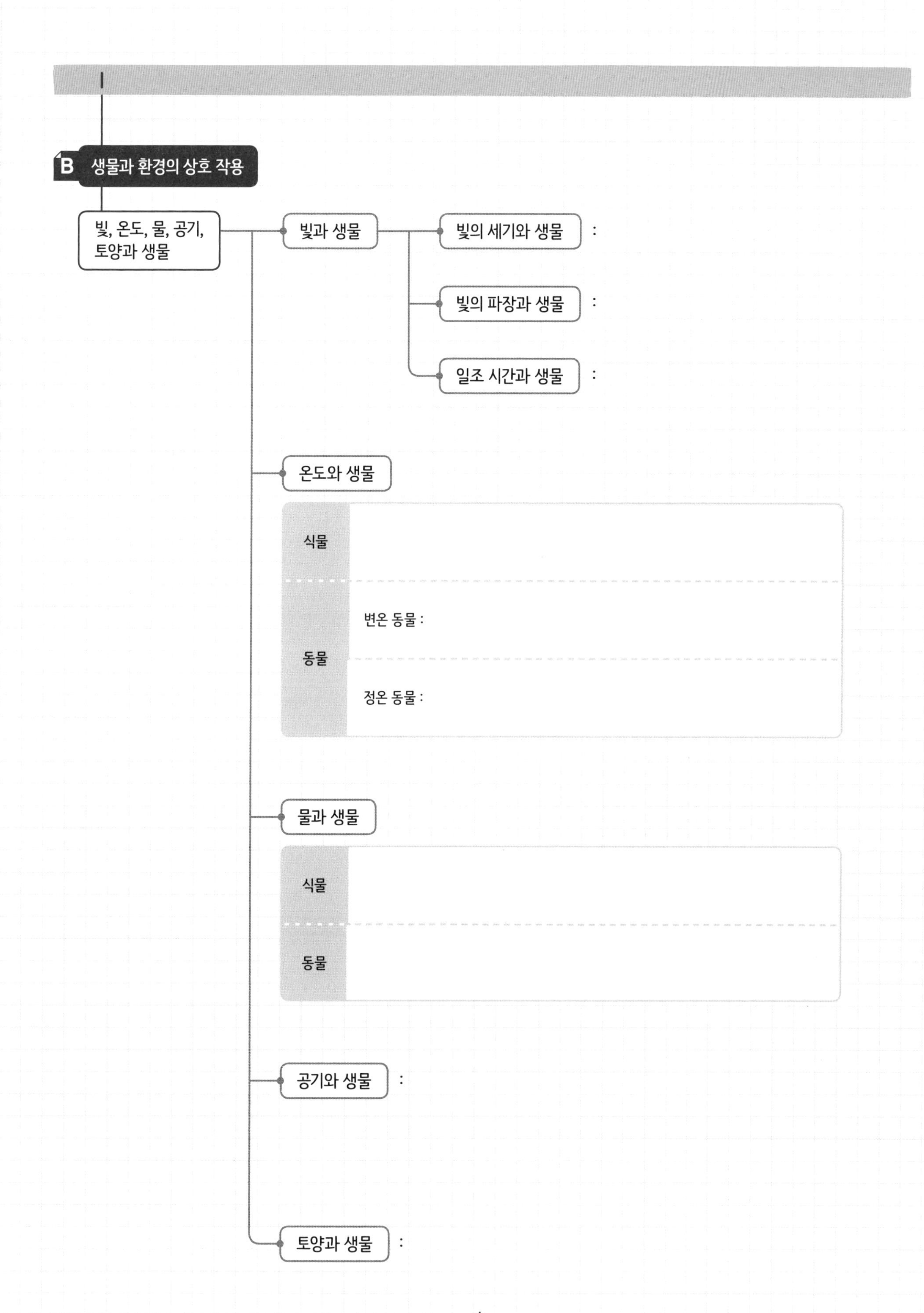
B 생물과 환경의 상호 작용
빛, 온도, 물, 공기, 토양과 생물
빛과 생물
빛의 세기와 생물 :
빛의 파장과 생물 :
일조 시간과 생물 :
온도와 생물
식물
동물
변온 동물 :
정온 동물 :
물과 생물
식물
동물
공기와 생물 :
토양과 생물 :

02 개체군

개념책 230~233쪽

A 개체군의 특성

개체군의 밀도

① 개체군의 밀도(D) =

② 개체군의 밀도 변화 요인:

개체군의 생장 곡선

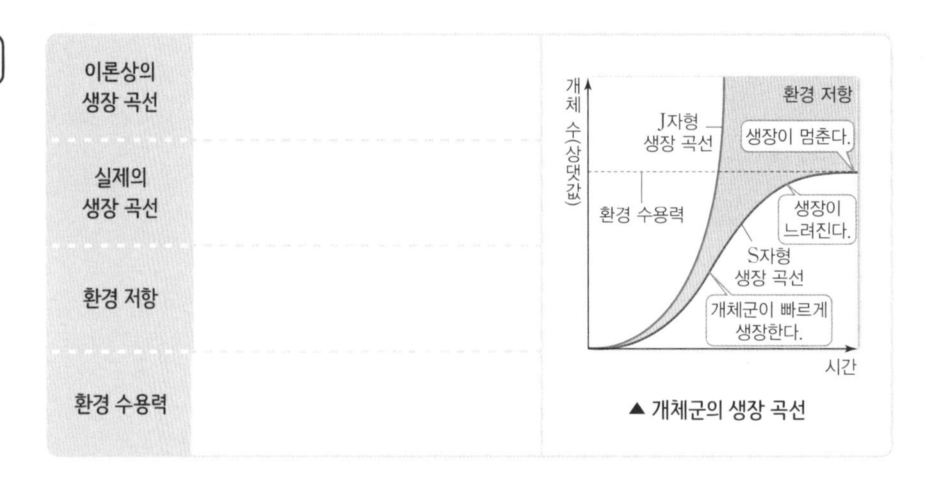

▲ 개체군의 생장 곡선

개체군의 생존 곡선

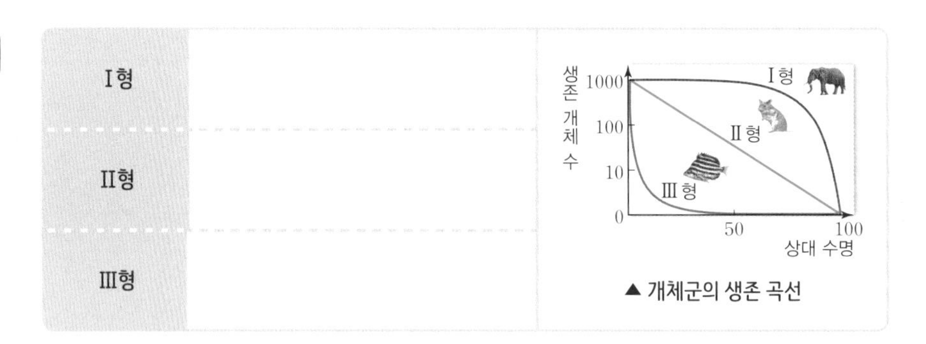

▲ 개체군의 생존 곡선

개체군의 연령 피라미드

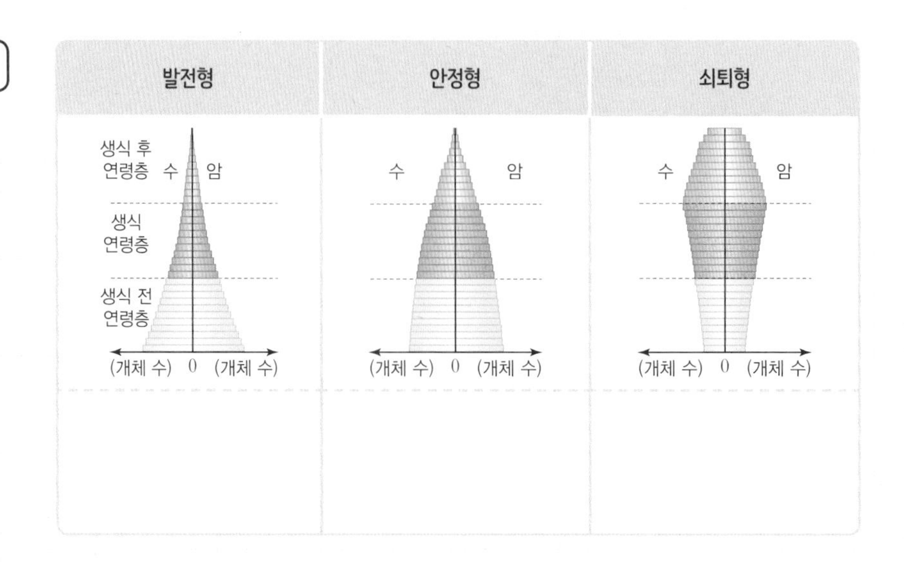

B 개체군의 주기적 변동

계절에 따른 돌말 개체군의 주기적 변동

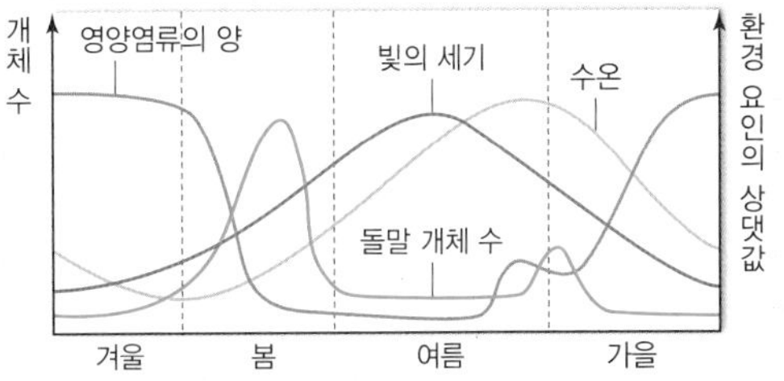

▲ 돌말 개체군의 주기적 변동

포식과 피식에 따른 개체군의 주기적 변동

눈신토끼와 스라소니

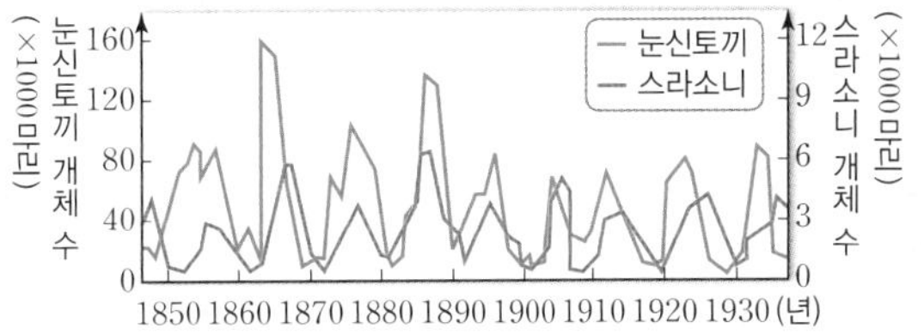

▲ 눈신토끼와 스라소니의 개체 수 변화

뿔사슴과 늑대

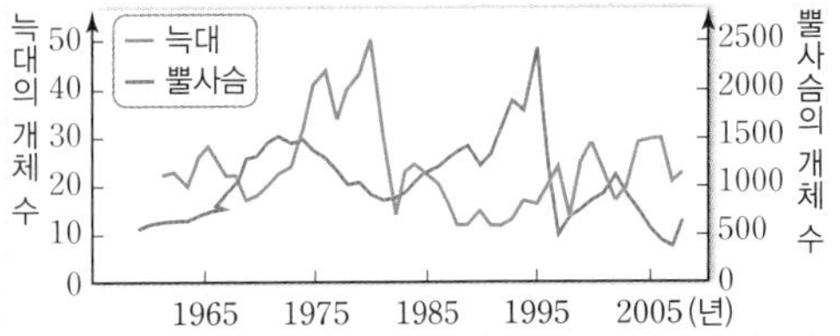

▲ 로열섬의 뿔사슴과 늑대의 개체 수 변화

C 개체군 내 상호 작용

개체군 내 상호 작용의 종류와 특징

종류	특징
텃세	
순위제	
리더제	
사회생활	
가족생활	

03 군집

개념책 240~243쪽

A 군집의 특성

군집의 구성

① 군집:

② 먹이 사슬과 먹이 그물 :

③ 생태적 지위:

군집의 구조

① 군집의 특성을 나타내는 주요 종

우점종	
지표종	
핵심종	
희귀종	

② 방형구법

· 밀도=

· 빈도=

· 피도=

· 중요치(%)=

· 상대 밀도(%)=

· 상대 빈도(%)=

· 상대 피도(%)=

군집의 종류

① 육상 군집:

② 수생 군집:

B 군집의 층상 구조와 생태 분포

층상 구조

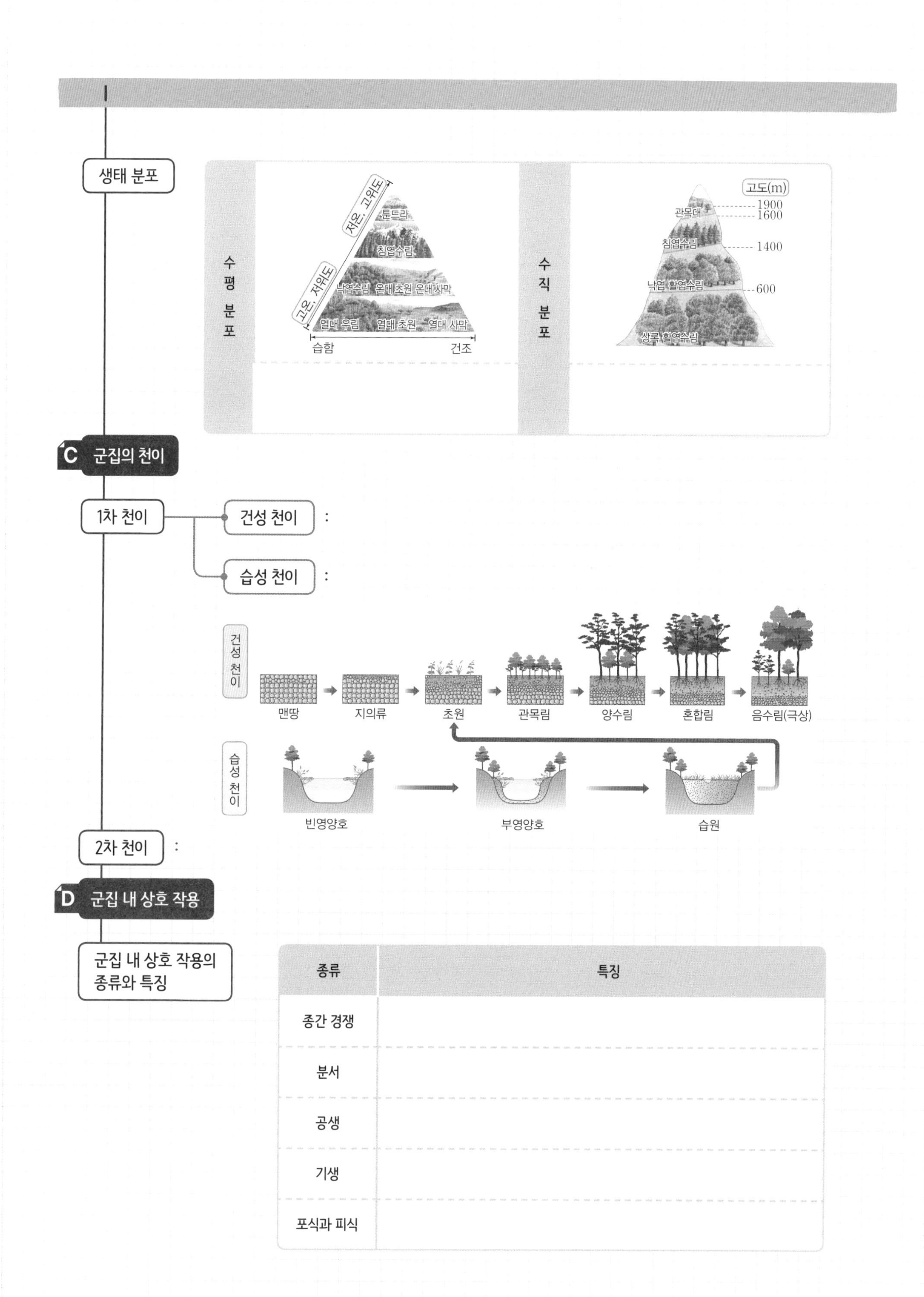
생태 분포
수평 분포
저온, 고위도
고온, 저위도
툰드라
침엽수림
낙엽수림 온대 초원 온대 사막
열대 우림 열대 초원 열대 사막
습함
건조
수직 분포
고도(m)
1900
1600
1400
600
관목대
침엽수림
낙엽 활엽수림
상록 활엽수림
C 군집의 천이
1차 천이
건성 천이 :
습성 천이 :
건성 천이
맨땅
지의류
초원
관목림
양수림
혼합림
음수림(극상)
습성 천이
빈영양호
부영양호
습원
2차 천이 :
D 군집 내 상호 작용
군집 내 상호 작용의 종류와 특징
종류
특징
종간 경쟁
분서
공생
기생
포식과 피식

04 에너지의 흐름과 물질 순환

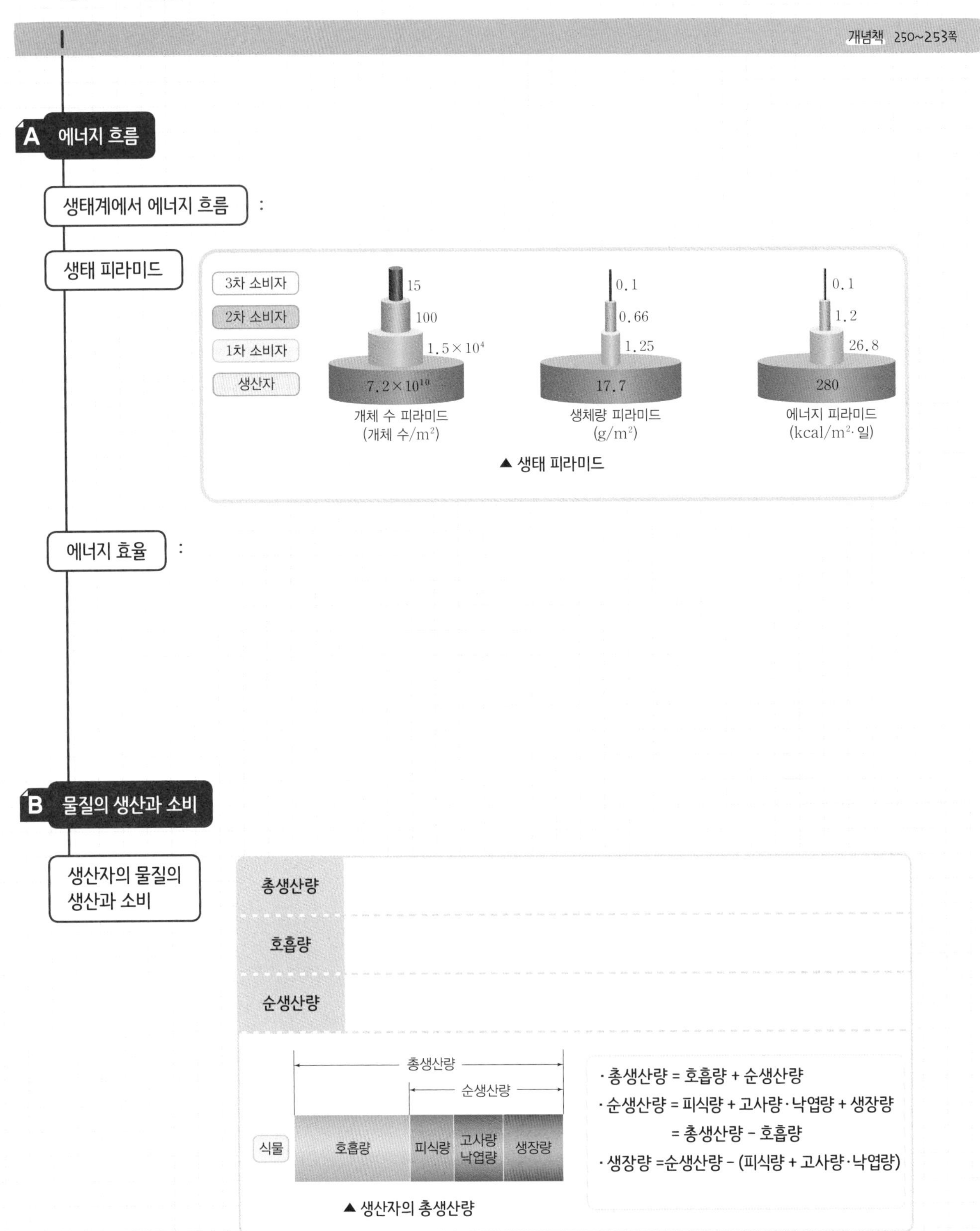

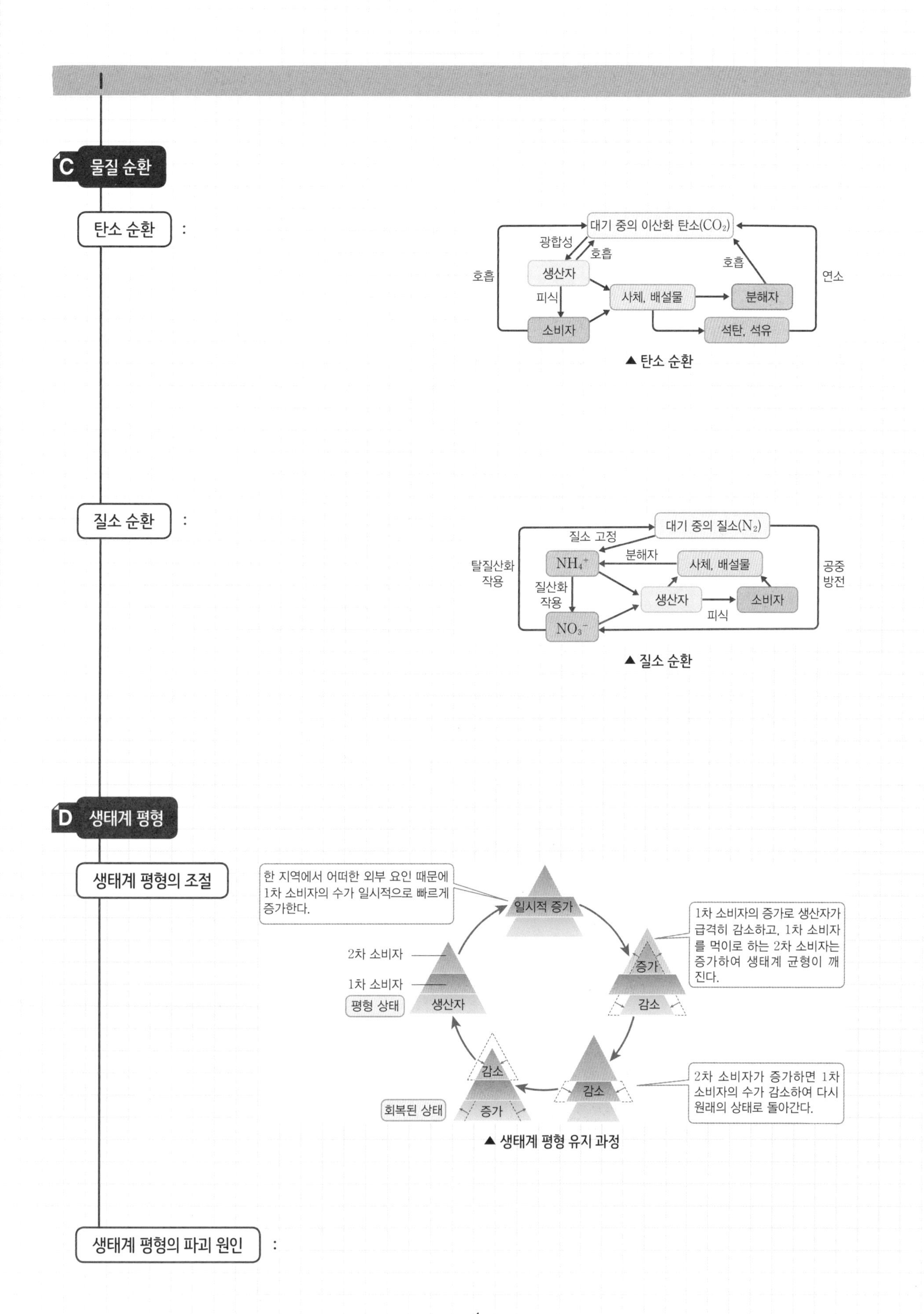

▲ 탄소 순환

▲ 질소 순환

▲ 생태계 평형 유지 과정

2

생물 다양성과 보전

01 생물 다양성

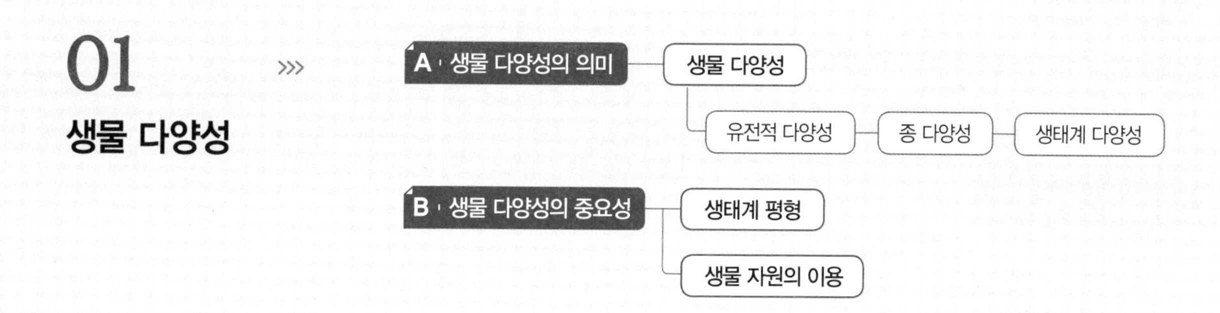

02 생물 다양성 보전

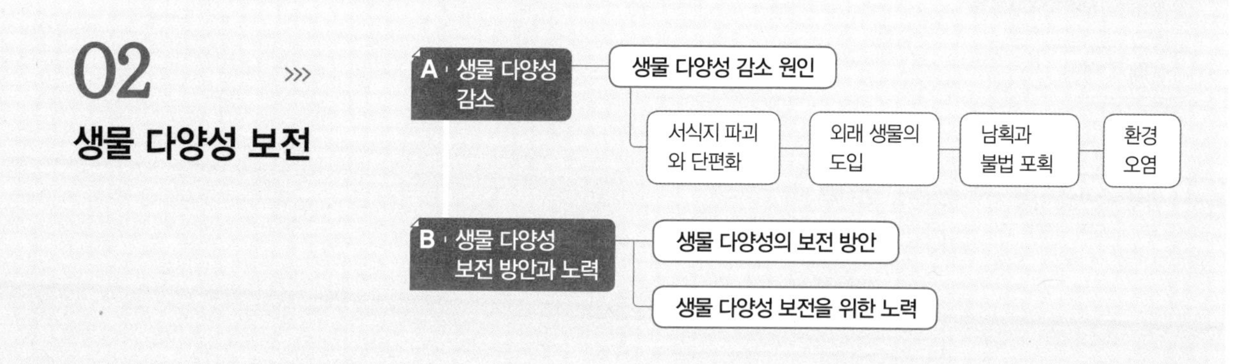

01 생물 다양성

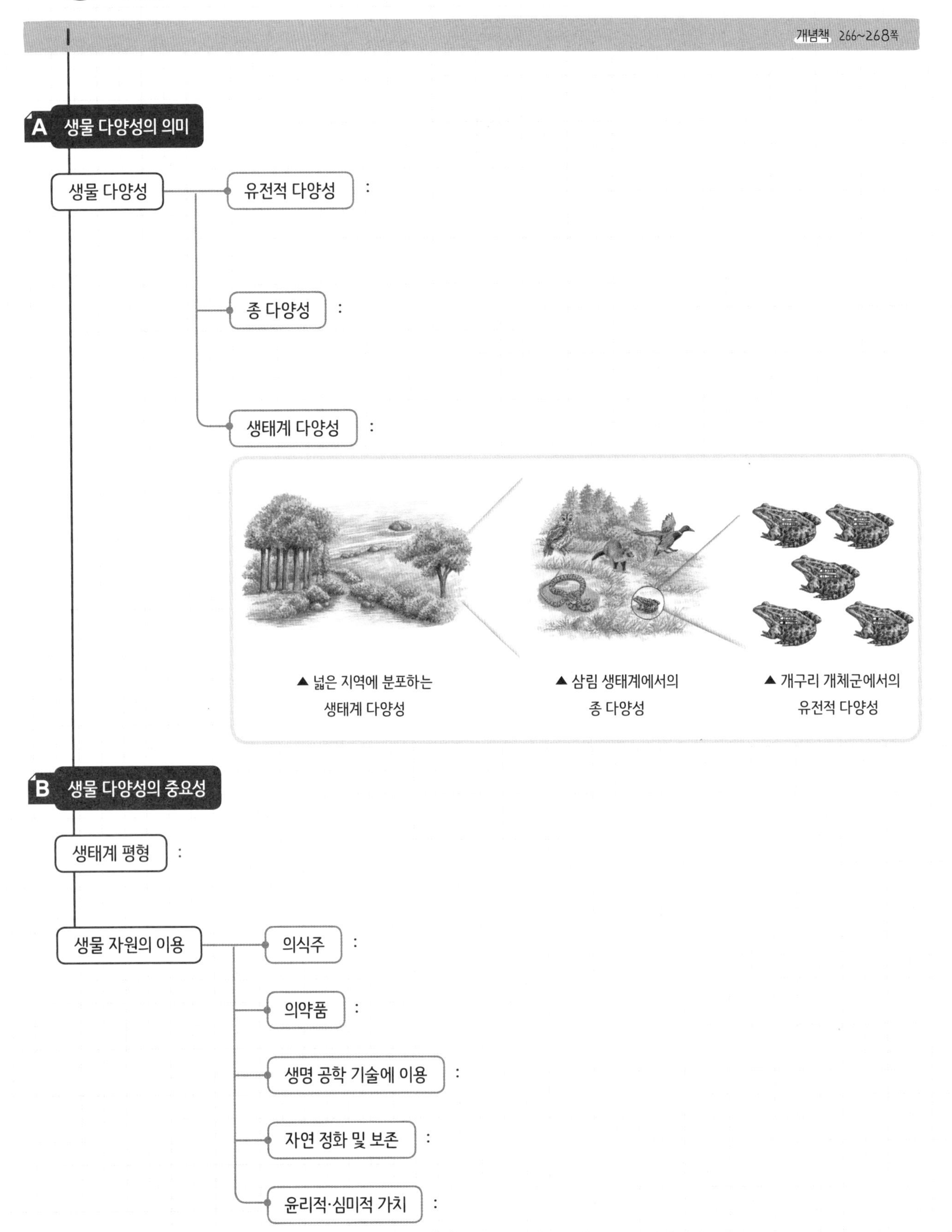

개념책 266~268쪽
A 생물 다양성의 의미
생물 다양성
유전적 다양성 :
종 다양성 :
생태계 다양성 :
▲ 넓은 지역에 분포하는 생태계 다양성
▲ 삼림 생태계에서의 종 다양성
▲ 개구리 개체군에서의 유전적 다양성
B 생물 다양성의 중요성
생태계 평형 :
생물 자원의 이용
의식주 :
의약품 :
생명 공학 기술에 이용 :
자연 정화 및 보존 :
윤리적·심미적 가치 :

02 생물 다양성 보전

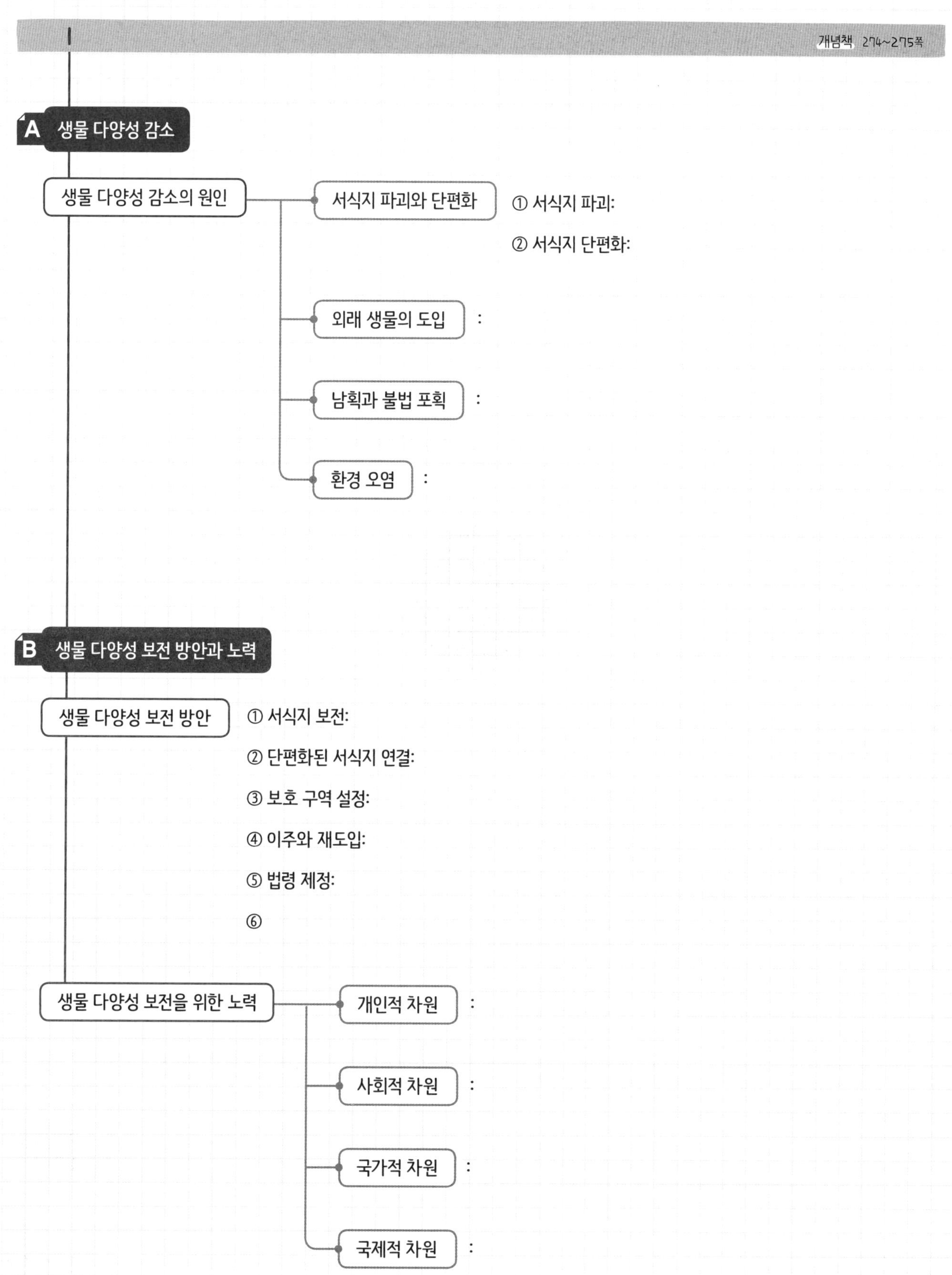

개념책 274~275쪽
A 생물 다양성 감소
생물 다양성 감소의 원인
서식지 파괴와 단편화
① 서식지 파괴:
② 서식지 단편화:
외래 생물의 도입 :
남획과 불법 포획 :
환경 오염 :
B 생물 다양성 보전 방안과 노력
생물 다양성 보전 방안
① 서식지 보전:
② 단편화된 서식지 연결:
③ 보호 구역 설정:
④ 이주와 재도입:
⑤ 법령 제정:
⑥
생물 다양성 보전을 위한 노력
개인적 차원 :
사회적 차원 :
국가적 차원 :
국제적 차원 :

마인드맵으로 정리하기

◎ 자신만의 마인드맵을 만들어 단원의 핵심 내용을 정리해 보자.

나만의 레시피

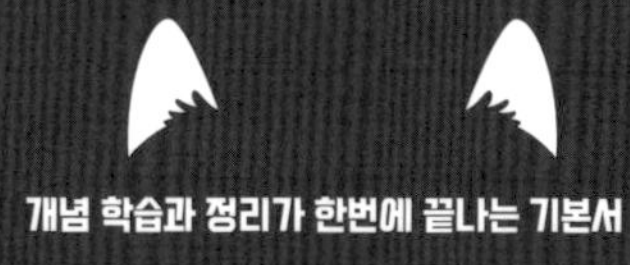

개념 학습과 정리가 한번에 끝나는 기본서

생명과학 I